第5版前言

《自动控制理论》第1版于1989年出版，此后相继出版了第2版、第3版（普通高等教育“十一五”国家级规划教材）和第4版（“十二五”普通高等教育本科国家级规划教材）。多年来，本书受到众多高等院校的重视并被选用为教材。

当前我国已进入第二个百年建设社会主义现代化强国的发展征程，党的二十大报告提出“加快构建新发展格局”，“推进新型工业化，加快建设制造强国、质量强国、航天强国、交通强国、网络强国、数字强国。”“推动战略性新兴产业集群融合发展，构建新一代信息技术、人工智能、生物技术、新能源、新材料、高端装备、绿色环保等一批新的增长引擎。”这一宏伟的战略布局对自动化类专业人才培养提出了新的更高要求，同时考虑课程学时的缩减，教学模式的更新，以及用户的意见和建议，作者对第4版进行了仔细修订和完善。

第5版继续遵循第1版前言中所明确的编写指导思想及原则，保持原教材体系的完整性、系统性。在全书架构不变的基础上，进一步突出重点，深化关键概念的阐述，以便启发读者深入思考，培养读者分析问题和解决问题的能力，全面掌握自动控制理论的精髓。

本书在编著之初，内容即深深植根于丰富的控制工程实践，通过一些工程实用方法和典型工程实例，强调正确认识和正确应用理论的重要性。第5版继承和发扬了这一理念。

第5版的主要修订之处如下：

1）遵循教育部2020年《高等学校课程思政建设指导纲要》精神，增加了课程思政元素，努力把马克思主义认识问题、分析问题的辩证方法有机地融入到全书内容中。

2）以微课的形式呈现书中的重点概念，读者可以扫描二维码深入学习。

3）对每章中应用MATLAB分析控制系统的内容进行了较大调整，侧重用MATLAB深入分析各章的重点、难点问题，更紧密地配合重要概念的阐述。将抽象概念具象化，以利于读者透彻理解和掌握概念和方法。

4）对全书内容进行了修正、完善和充实，并增加了一些启发思考的习题。

5）为方便本课程与应用数学的衔接，在附录中增加了拉普拉斯变换的基本内容。

感谢北京工商大学人工智能学院张慧妍副教授在本次修订工作中给予的帮助，张慧妍副教授负责完成了本书全部微课的设计、制作和全书课件的同步更新、完善工作。

最后，恳请读者对本书提出指正和建议，以利于不断地完善和提高。

编著者

2022年8月

第1版前言

为适应高等学校工业电气自动化专业教学的需要，1982 年编写了《反馈控制理论》教材，在 10 余所学校内部试用。1984 年，根据各校试用后的意见，做了修订。1985 年经机械工业部高等工业学校自动化类教材编审委员会评选审定，推荐为工业电气自动化专业本科自动控制理论课程试用教材。1987 年本书获国家教育委员会颁发的全国高等学校优秀教材奖。广大读者在给予肯定和鼓励的同时，也对本书提出了中肯的评论及建设性意见。经过几年的教学实践，我们在总结使用本书经验的基础上，考虑了进一步提高质量的问题。1987 年 12 月，全国高等学校工业电气自动化专业教学指导委员会决定，在《反馈控制理论》教材的基础上，重新编写出版《自动控制理论》教材。在编写过程中，同时考虑了电气技术专业对此门课程的基本要求。

编者认为，自动控制理论课程是具有一般方法论特点的技术基础课，重点在于学习反馈控制系统的基本理论及基本方法，而应用其理论及方法去分析和设计控制系统则是后续课程的任务。不同课程，其性质、任务和需要重点解决的问题均应有明确分工。但是自动控制理论又是直接为解决实际控制系统提供理论和方法的课程，将其与应用截然分开既不正确也不可能。目前，许多人在学完理论后，往往在实际应用上遇到困难和障碍，起初对理论期望过高，完全按教科书上所述逐条照算，一旦发现不能奏效，又常将理论搁置一边，企图凭某些局部经验去解决实际问题。产生这种现象的原因固然很复杂，但不考虑应用中的实际问题编写教材并进行教学，乃是其中重要原因之一。编者认为，要用实践的观点对待控制理论。没有理论和正确的方法，就不能有效地分析和设计实际控制系统。但同时又必须看到理论的局限性，不结合实际条件，盲目地照搬理论，完全可能得出消极的结论。我们在编写本书时，力图贯彻上述观点，注意精选内容，改进教学。考虑到目前我国高等院校自动化类专业的课程设置与分工，故将经典控制理论中的基本原理和基本方法（重点是频率法）介绍得比较透彻，而不盲目追求体系的完整与内容的全面详尽。与此同时，尽可能指明理论的局限性及在应用时应注意解决的问题。这样还能避免教材内容庞杂，篇幅过大。

考虑到控制系统的计算机仿真及计算机辅助设计近 10 年来的发展，已能代替（或部分代替）传统的图表和人工计算，为此，在第三至第八章中介绍了这方面的基本内容。

非线性系统理论日益受到重视，本书第七章对此做了较为详细的介绍。

使用本书讲授课程约需 100 学时，实验约需 16~20 学时。

本书由北京轻工业学院夏德钤主编，哈尔滨工业大学王广雄主审。参加编写工作的有胡家耀、翁贻方等。

恳请读者对本书提出批评与指正，以便进一步修订和完善。

编　者

1989 年 2 月

目 录

第一章 引　论

到21世纪中叶，我国将建成富强、民主、文明、和谐、美丽的社会主义现代化强国。为实现第二个百年奋斗目标，自动化人要肩负起历史使命。

改革开放以来，我国自动控制技术的发展突飞猛进，在工业、现代农业、交通和军事等各个领域得到广泛应用，促进了国民经济和国防的发展。特别是在航天、深空探测、探月工程、深海探测和导航等领域取得了令人瞩目的成就。中国空间站的建成，天问1号火星探测，“玉兔二号”月球车实现世界首次月球背面软着陆和巡视勘察，嫦娥5号完成无人月面取样返回，继“蛟龙号”之后深海探测器“海斗一号”下潜超过万米，北斗导航系统成功组网与投入运行，世界上最大的球面射电望远镜“天眼”的建成使用……，在这些大国重器中自动控制技术发挥了不可替代的作用。

所谓自动控制，就是采用控制装置使被控对象（如机器设备的运行或生产过程的进行）自动地按照给定的规律运行，使被控对象的一个或数个物理量（如电压、电流、速度、位置、温度、流量、浓度和化学成分等）能够在一定的精度范围内按照给定的规律变化。

将自动控制技术用于生产，可以提高劳动生产率，改进产品质量，降低生产成本，改善劳动条件和加强企业管理。将自动控制技术用于国防领域，可提高部队的战斗力，促进国防现代化。自动控制技术在探索新能源、发展空间技术、改善人们生活以至处理经济、社会问题等方面都起着日益重要的作用。

本章将概括地介绍自动控制的基本概念，并对本课程的内容逐一简介，使读者对自动控制理论课程的性质和任务有一个基本的了解，以便能主动地学习以后各章节。

第一节　开环控制和闭环控制

为达到某一目的，由相互制约的各个部分按一定规律组织成的、具有一定功能的整体，称为系统。它一般由控制装置（控制器）和被控对象所组成。

自动控制系统有两种最基本的形式，即开环控制和闭环控制。

开环控制是一种最简单的控制方式，其特点是：在控制器与被控对象之间只有正向控制作用而没有反馈控制作用，即系统的输出量对控制量没有影响。开环控制系统的示意框图如图1-1-1所示。

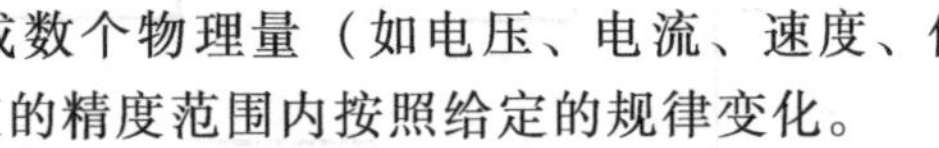

图1-1-1　开环控制系统

在开环控制系统中，每一个参考输入量，都有一个与之相对应的工作状态和输出量。系统的精度取决于元器件的精度和特性调整的精度。当系统的内扰和外扰影响不大，并且控制

精度要求不高时，可采用开环控制方式。

闭环控制的特点是：在控制器与被控对象之间，不仅存在着正向作用，而且存在着反馈作用，即系统的输出量对控制量有直接影响。将检测出来的输出量送回到系统的输入端，并与输入信号比较的过程称为反馈。若反馈信号与输入信号相减，则称为负反馈；反之，若相加，则称为正反馈。输入信号与反馈信号之差，称为偏差信号。偏差信号作用于控制器上，控制器对偏差信号进行某种运算，产生一个控制作用，使系统的输出量趋向于给定的数值。**闭环控制的实质，就是利用负反馈的作用来减小系统的误差，因此闭环控制又称为反馈控制**，其示意框图如图 1-1-2 所示。

闭环控制

反馈控制是一种基本的控制规律，它具有自动修正输出量偏离参考输入的作用，因而可以抑制内扰和外扰所引起的误差，达到自动控制的目的。广义的自动控制系统内容很广，本书所指的自动控制系统即反馈（闭环）控制系统。

下面举几个实例说明开环控制和闭环控制的特点。

图 1-1-3 所示为一简单储槽液位开环控制系统，要求储槽的液位 h 能保持在给定液位高度 h_r 允许的偏差范围内。V_1 是液体流出阀，V_2 是液体流入阀。首先，根据给定液位高度 h_r 及 V_1 阀在单位时间内液体的流出量，整定好 V_2 阀的开启程度，以达到预定的目的。但这是个不精确的控制系统，如果 V_1 阀的输出流量和 V_2 阀的输入流量受到温度、液体浓度及其他各种因素的影响而发生了变化，使液位偏离给定值 h_r，并超过了允许偏差，开环控制系统也无能为力。

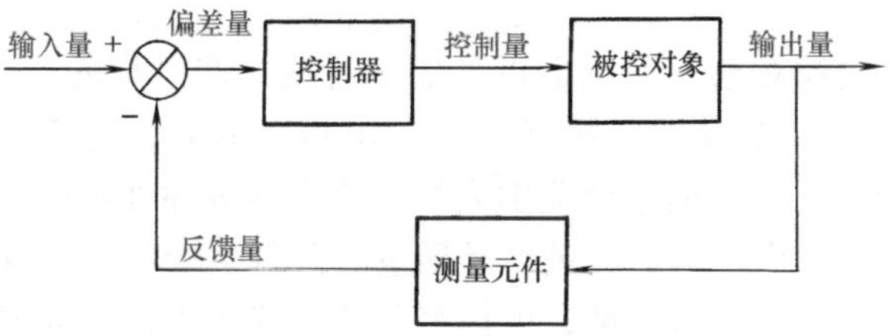

图 1-1-2 闭环控制系统

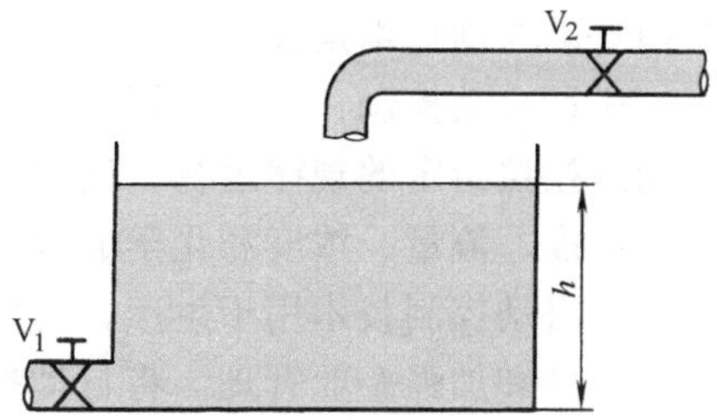

图 1-1-3 液位开环控制系统

图 1-1-4 所示为储槽液位闭环控制系统。储槽底部安装了一个液位信号发生器，用来检测并产生一个与实际液位高度成比例的信号，输入到控制器。控制器将液位高度信号与给定液位高度 h_r 信号进行比较，根据这一偏差信号，按照某种控制规律产生控制信号。该控制信号作用于调节阀，通过改变调节阀的开度达到调整液位高度的目的。液位闭环控制系统能够实时检测实际液位高度，对调节阀进行实时的控制，因此，不论由于何种原因造成的液位高度偏离给定液位高度 h_r，通过液位信号发生器、控制器、调节阀的一系列作用，都能使液位高度以一定的精度保持在给定值附近。

图 1-1-5 所示是造纸机分部传动系统中的一部分。含有大量水分的纸张经过第一压榨辊后，去掉了一部分水分，然后再进入第二压榨辊，再榨去一部分水分。第一和第二压榨辊分别由各自的电动机 M_1 和 M_2 拖动。显然两个压榨辊的转速必须协调，否则会拉断纸页或出现叠堆。通过整定两个分部压榨辊的拖动电动机转速来实现速度的协调。但是，简单的开环控制不能抑制内部扰动和外部扰动对电动机转速的影响。

图 1-1-6 所示则是造纸机分部传动闭环控制系统。压榨辊拖动电动机 M_1 和 M_2 的转速由测速发电机 TG_1 和 TG_2 检测出来，并且转换为速度反馈电压 u_{f1} 和 u_{f2}。参考输入电压 u_r 与反馈电压都送到运算放大器的输入端并进行比较（相减），得到偏差电压，经过各自的放大

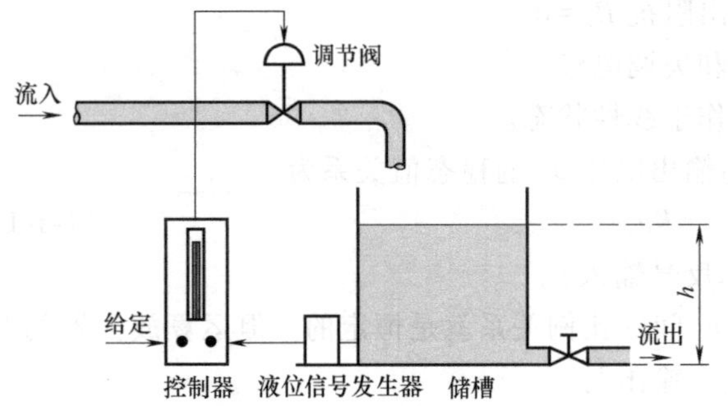

图 1-1-4　液位闭环控制系统

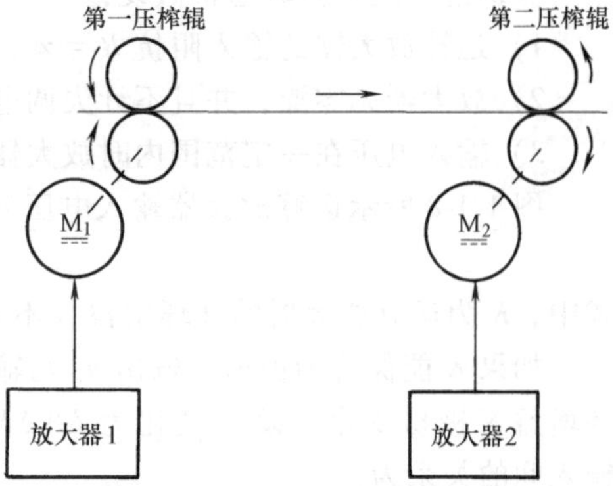

图 1-1-5　造纸机分部传动开环控制系统

器放大去控制拖动电动机的转速。只要参考输入电压 u_r 稳定不变，负反馈电压 u_f 与电动机转速间的比例关系也稳定不变，此种正确设计的控制系统能使分部拖动电动机的转速受扰动的影响降低到能够接受的水平。

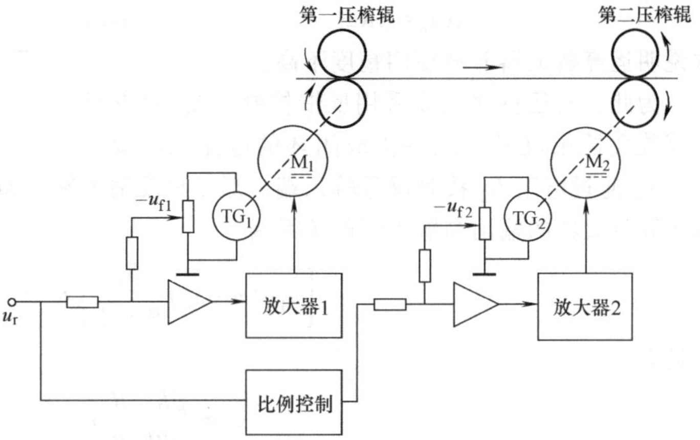

图 1-1-6　造纸机分部传动闭环控制系统

图 1-1-7 是字码信息处理机或电子打字机的打印轮闭环控制系统框图。打印轮有若干个字符，打印时需将打印轮转动到要打印的字符处，并在打印锤前停止。通常由键盘选择字符，一旦按下某键后，即发出打印轮由现在位置转动到所需位置的指令，指令通常是数码的形式。微处理器计算转动的方向与所需转角，送出一个控制信号给放大器，控制电动机转动打印轮。打印轮的位置传感器检测打印轮转动的位置，并将打印轮位置反馈信号以数码的形式反馈到微处理器中，与所要求的位置指令进行比较，直到电动机转动打印轮到所要求的位置为止。

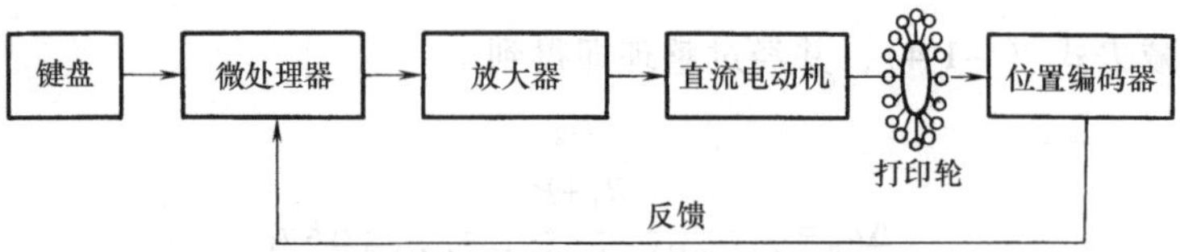

图 1-1-7　打印轮闭环控制系统框图

上述打印轮转动位置的控制要求有较高的精度，用开环控制方式难于达到要求。因为任何扰动都可能干扰位置指令的执行，而开环控制系统没有克服扰动的能力。

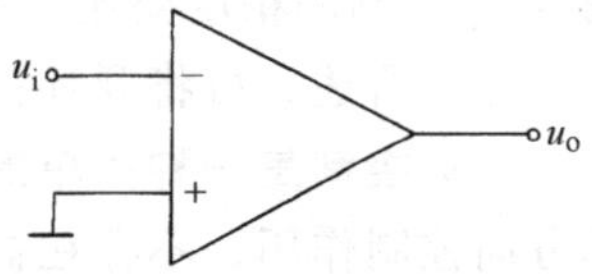

图 1-1-8　运算放大器

图 1-1-8 是一个运算放大器的外部接线图。u_o 是输出电压，受输入电压 u_i 控制。

分析运算放大器时通常假设：

1）运算放大器的输入阻抗 $R_i=\infty$，输出阻抗 $R_o=0$。

2）放大器无零漂，并且不计失调电压和失调电流。

3）输入电压在一定范围内时放大器工作于线性状态。

图 1-1-8 所示运算放大器输入电压 u_i 与输出电压 u_o 的稳态值关系为

$$u_o=Ku_i \tag{1-1-1}$$

式中，K 为运算放大器的开环增益（不考虑反号输入）。

如果 K 能保持为恒值，输出 u_o 与输入 u_i 间的比例关系就是恒定的。但运算放大器的开环增益 K 极易变化。设 K 变化为 $K+\Delta K$ 后，输出与输入间的关系为

$$u_o+\Delta u_o=(K+\Delta K)u_i$$

即输入 u_i 并不变动，但输出却有增量为

$$\Delta u_o=\Delta Ku_i \tag{1-1-2}$$

这说明运算放大器开环使用精度不高。

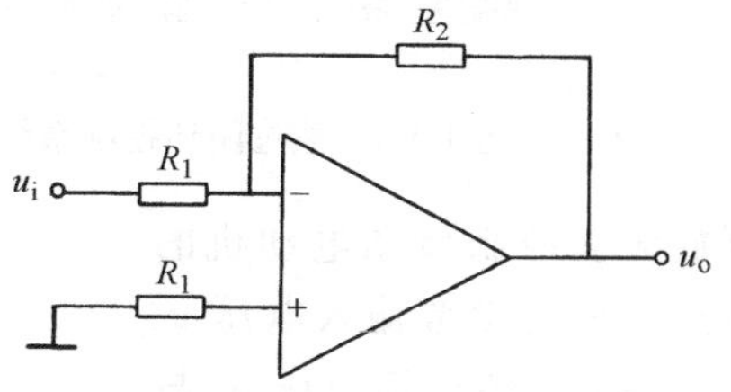

图 1-1-9 接成闭环电路的运算放大器

为此，对运算放大器采用反馈控制。图 1-1-9 是运算放大器用反号输入端接成闭环的电路图。输出电压 u_o 通过电阻 R_2 接到反号输入端，形成负反馈控制。如上述假设条件不变，则闭环控制的运算放大器的输出与输入间的关系为

$$\left[u_i-(u_i-u_o)\frac{R_1}{R_1+R_2}\right]K=u_o \tag{1-1-3}$$

于是有

$$u_o=\frac{\beta K}{1-\beta K}\frac{R_2}{R_1}u_i \tag{1-1-4}$$

式中，$\beta=\dfrac{R_1}{R_1+R_2}$。

由式（1-1-4）可见，输出与输入间仍是比例关系。当然，为得到与运算放大器开环使用时同样的输出值，闭环使用时需将输入增大许多倍。

现分析在开环增益 K 的变化为 ΔK 时，输出受到的影响，显然输出为

$$u_o+\Delta u_o=\frac{\beta(K+\Delta K)}{1-\beta(K+\Delta K)}\frac{R_2}{R_1}u_i \tag{1-1-5}$$

将式（1-1-5）减去式（1-1-4），并经过整理即得到

$$\Delta u_o=\frac{\dfrac{R_2}{R_1+R_2}}{(1-\beta K)[1-\beta(K+\Delta K)]}\Delta Ku_i \tag{1-1-6}$$

将式（1-1-6）与式（1-1-2）比较，不难看出运算放大器接成闭环电路后，输出 u_o 受输入 u_i 控制的精度要比开环时提高很多，开环增益变动给输出造成的误差要减小很多。

综上所述，可将开环控制和闭环控制的特点归纳如下：

开环控制是一种简单的无反馈控制方式。在开环控制系统中只存在控制器对被控对象的单方向控制作用，不存在被控制量（输出量）对控制量的反向作用。系统的精度取决于组成系统的元器件的精度和特性调整的精确度。开环系统对外扰及内部参量变化的影响缺乏抑

制能力。但开环系统结构简单，比较容易设计和调整，可用于输出量与输入量关系为已知，内、外扰动对系统影响不大并且控制精度要求不高的场合。

闭环控制是一种反馈控制，在控制过程中对被控制量（输出量）不断测量，并将其反馈到输入端与给定值（参考输入量）比较，利用放大后的偏差信号产生控制作用。因此，有可能部分采用相对来说精度不高、成本较低的元器件组成控制精度较高的闭环控制系统。**闭环系统的控制精度在很大程度上由形成反馈的测量元器件的精度决定。**在这方面，闭环系统具有开环系统无可比拟的优点，故应用极广。但与此同时，**反馈的引入使本来稳定运行的开环系统可能出现强烈的振荡，甚至不稳定。**这是采用由反馈控制构成的闭环系统时需注意解决的问题。

第二节　自动控制系统的类型

根据不同的分类方法，自动控制系统的类型可以概括如下：

一、随动系统与自动调整系统

随动系统又称伺服系统或跟踪系统，其特点是输入量总在频繁地或缓慢地变化，要求系统的输出量能够以一定的准确度跟随输入量而变化。

自动调整系统又称恒值调节系统（或调节器系统），其特点是输入保持为常量，或整定后相对保持常量，而系统的任务是尽量排除扰动的影响，以一定准确度将输出量保持在希望的数值上。

本章第一节例举的储槽液位控制系统和造纸机分部传动速度控制系统，都属于自动调整系统，它们的参考输入量一经整定好，就不轻易变动。而打印轮转动控制系统和运算放大器闭环电路，则应属于随动系统之列。

尽管从要求系统完成的任务看，可以划分这样两类系统，但分析和设计这两种系统的理论和方法无本质不同，只是在考虑着重点上略有差异而已。

二、线性系统和非线性系统

组成系统的元器件的特性均为线性（或基本为线性），能用线性常微分方程描述其输入与输出关系的称为**线性系统**。线性系统的主要特点是具有齐次性和叠加性，系统时间响应的特征与初始状态无关。

如果线性常微分方程的各项系数都是与时间无关的常数，则为线性定常系统，也称线性时不变系统或自治系统。如果描述系统的线性常微分方程的各项系数中有时间函数（哪怕只是一项系数），此系统就称为线性时变系统，也称为非自治系统。

在组成系统的元器件中，只要有一个元器件的特性不能用线性方程描述，该系统即为**非线性系统**。描述非线性系统的常微分方程中，输出量及其各阶导数不全都是一次的，或者有的输出量导数项的系数是输入量的函数。非线性常微分方程没有一种完整、成熟、统一的解法，不能应用叠加原理。非线性系统的时间响应特性与初始状态有极大的关系。非线性系统也有时变和定常系统之分。

严格地讲，实际上不存在理想的线性系统，因为各种物理系统总是不同程度地具有非线性。但只要非线性不严重，能用线性系统理论和方法对待的系统均可称为线性系统。

三、连续系统与离散系统

连续系统各部分的输入和输出信号都是连续函数的模拟量，储槽液位控制系统、造纸机分部传动速度控制系统及运算放大器闭环控制系统等，都属于连续控制系统。

离散系统是指某一处或数处的信号以脉冲列或数码的形式传递的系统，打印轮转动控制系统即属此种。

在系统中使用了采样开关，将连续函数形式的信号转变为离散的脉冲列形式的信号去进行控制的系统，通常称为采样控制系统或脉冲控制系统。

如用计算机或数字控制器，其离散信号是以数码形式传递的系统，则称为采样数字控制系统或简称为计算机控制系统。由于被控制量是模拟量，所以这种系统中有模-数（A-D）和数-模（D-A）转换器。

一般说来，同样是反馈控制系统，数字控制的精度（尤其是控制的稳态准确度）高于连续控制，因为数码形式的控制信号远比模拟控制信号的抗干扰能力强。所以目前在要求控制精度高的场合，大量使用计算机控制系统。当然，计算机控制系统的结构也比连续控制系统复杂。

描述连续控制系统用微分方程，而描述离散控制系统则用差分方程。

与连续系统类似，离散系统也有线性和非线性、定常与时变系统之分。

四、单输入单输出系统与多输入多输出系统

单输入单输出系统亦称单变量系统，其输入量和输出量各为一个，系统结构较为简单。

多输入多输出系统亦称多变量系统，其输入量和输出量多于一个，系统结构较为复杂，回路多。多变量系统中，一个输入量对数个输出量都有控制作用，反之，一个输出量往往受多个输入量控制，也就是说相互之间有耦合作用。

显然，多变量系统的分析与设计远较单变量系统复杂。

五、确定系统与不确定系统

若系统的结构和参数是确定的、已知的，系统的输入信号（包括参考输入及扰动）也是确定的，可用解析式或图表确切表示，则这种系统称为**确定系统**。若系统输入信号基本上是确定的，但夹杂有不严重且其影响可忽略不计的噪声时，则此系统也可视为确定系统。

当系统本身或作用于该系统的输入信号不确定时，该系统称为**不确定系统**。例如：系统的输入信号混杂有随机噪声，系统使用的元器件的特性有随机干扰等就构成简单的不确定系统。若随机噪声等能用统计特性表示其特征时，可用概率论对不确定系统加以研究。

六、集中参数系统和分布参数系统

能用常微分方程描述的系统称为**集中参数系统**。这种系统中的参量或是定常的，或者是时间的函数，系统的各状态（输入量、输出量及中间量）都只是时间的函数，因此，可以用时间作为变量的常微分方程描述其运动规律。

不能用常微分方程，而需用偏微分方程描述的系统称为**分布参数系统**。在这种系统中，可能是一部分环节能用常微分方程描述，但至少有一个环节需用偏微分方程描述其运动。这个环节的参量不只是时间的函数（也许与时间无关，对时间而言是定常的），而是明显地依赖这一环节的状态。因此，系统的输出将不再单纯是时间变量的函数，而且还是系统内部状态变量的函数，所以需用偏微分方程描述系统。

本书所涉及的内容主要是单变量集中参数线性定常连续系统，同时对于非线性系统、线性离散系统和平稳随机信号作用下的线性系统也作了必要的阐述。

第三节 自动控制理论概要

自动控制理论的内容是与自动控制系统需要研究的问题密切相关的。

一、自动控制系统需要分析的问题

(1) **稳定性** 稳定是任一自动控制系统能否实际应用的必要条件，自动控制理论至少应给出判断系统稳定性的方法，并应指出稳定性与系统的结构（或称控制规律）及参量间的关系。

(2) **稳态响应** 稳态情况下，控制的准确度往往是自动控制系统的一个重要性能指标。自动控制理论应给出计算系统稳态响应的方法，并且指出系统控制规律及参量与稳态响应间的关系。

(3) **暂态响应** 对于经常处于暂态过程，或对暂态响应有一定要求的自动控制系统，此问题较为重要。自动控制理论需要研究系统的控制规律及参量与暂态响应的关系，并且能提供简捷（但可能是不很精确的）估算暂态响应的方法。

二、自动控制系统的设计问题

为分析自动控制系统提供理论依据和方法固然重要，但更重要的是寻求建造一个符合要求的控制系统的思路和方法，或者说有关设计的理论和方法。

当给定一个被控对象的数学模型和一组要求的性能指标时，希望有一种简捷的方法解决以下问题：

1）确定出一种合适的（也是一定条件下最优的）控制规律及相应的参量。

2）不需求助于方程的解，能从系统的数学模型近似地估算系统的时域稳态响应和暂态响应。

3）若结果不能令人满意，应能指明改善系统性能的途径。

4）能为控制系统的计算机辅助设计或仿真创造条件。

三、经典控制理论与现代控制理论

对于单变量集中参数线性定常确定系统，能够大体解决上述问题的理论与简捷方法是存在的，这就是以积分变换为主要数学工具，以描述输入与输出外部关系的传递函数为基础，用频域法、根轨迹法研究控制系统的动态特性的理论。习惯上称为经典控制理论。

远在经典控制理论形成之前，就有蒸汽机的飞轮调速器、放大电路的镇定器等自动控制系统和装置出现，这都是不自觉地应用了反馈控制概念构成系统的例子。到了 20 世纪 20~40 年代，特别是第二次世界大战中，通过一些国防和通信自动化系统的研制，经典控制理论在牢固的基础上形成并逐步成熟。二次大战后到 20 世纪 50 年代，根轨迹法、非线性系统的谐波近似法、采样控制系统和平稳随机信号作用下的线性系统的研究方法，进一步丰富了经典控制理论。

从 20 世纪 50 年代中期开始，人们为了发展太空宇航事业，感到经典控制理论尚有不足，于是在经典控制理论的基础上逐步发展了现代控制理论。它是以微分方程、线性代数及数值计算为主要数学工具，以描述系统内部状态变量关系的状态方程为基础，用时域方法（状态空间方法）研究系统状态运动的理论。在解决多变量系统、时变系统及最优控制等问题方面，现代控制理论比较有效。但在处理单变量线性定常系统问题上，现代控制理论尚不及经典控制理论及方法简便实用。

现代控制理论本身在深度和广度上在不断发展，经典控制理论中的零、极点配置及频域

方法经过充实和发展，已用来解决多变量控制系统的问题。目前现代控制理论一词的含意已远远超过时域法，特别是状态空间法的范围。对现代控制理论，现已很难严格地为它指定一个范围。

自动控制理论不断发展的动力，来自于人类生产、探索自然界、科学和社会活动等对自动控制系统提出的更高要求。自动控制技术的发展又推动了各个相关产业的进步。现在自动控制技术的应用已不限于工程系统，而是扩大到了广义控制系统，包括生物、社会、经济系统等。另一方面，自动控制理论发展过程中与其他学科之间的相互借鉴，促进了其发展，近年人工智能技术被用于处理复杂系统的控制，形成了智能控制的新理论分支。可以预见，自动控制理论和自动控制技术将在以信息技术为主要推手的第四次工业革命中不断向前发展，并在其中起到重要作用。

四、本书的内容及实际应用问题

本书的内容主要是系统地阐述经典控制理论。

多数实际工程系统是单变量线性定常系统。针对这种系统应用经典控制理论，不需做过多的计算，就能简捷地将反馈控制系统的主要性能特征与系统的控制规律、参量间的关系直观地表达出来。经典控制理论中最成熟的部分就是线性系统的分析和校正方法。

严格地看，线性系统的分析和校正方法只能用于线性系统。但实际上根本不存在绝对的线性系统。任何物理系统或多或少存在非线性因素。但在误差容许范围内，可以将某些非线性特性线性化。当然，这是有条件的。不顾条件盲目地使用线性系统理论，将得出错误的结论。

线性系统理论即使用于线性系统，也有许多实际问题及困难需要解决，这就是理论的局限性问题。例如，描述较复杂过程的数学模型的阶次较高时，不但建立数学模型困难，即使建立了形式较复杂的数学模型，如何应用理论和方法也还存在障碍。为了解决这一矛盾，往往在建模时就要慎重确定，在一定条件下，哪些物理变量和相互关系是允许忽略的，哪些对模型的准确度有着决定性的影响，从而抓住主要矛盾，忽略次要因素去建立简化而实用的模型。这样的数学模型既能符合系统的实际情况，在合理的精度要求下，大体上能够描述出系统的本质，同时又便于线性系统理论的应用。

考虑到课程的分工，本书仅给出建立被控对象数学模型的一些基本概念和原理。这并不意味着建模问题不重要，恰恰相反，建模是必须高度重视的课题，没有根据实际机理及控制理论提供的方法特点去建立适用的数学模型，控制理论的应用就缺乏基础。

第四节 自动控制系统中的术语和定义

图 1-4-1 是自动控制系统的示意框图，现对其中的术语和定义给以说明。这些术语、定义和代表符号在本书中将经常用到。

参考输入 r——输入到控制系统的给定信号；

主反馈 b——与输出成正比或成某种函数关系，但量纲与参考输入相同的信号；

偏差 e——参考输入与主反馈之差的信号，偏差有时也称为误差；

控制环节 G_c——接受偏差信号，通过转换与运算，产生控制量；

控制量 u——控制环节的输出，作用于被控对象的信号；

扰动 n——不希望的、影响输出的外部干扰信号；

被控对象 G_o——它接受控制量并输出被控制量；

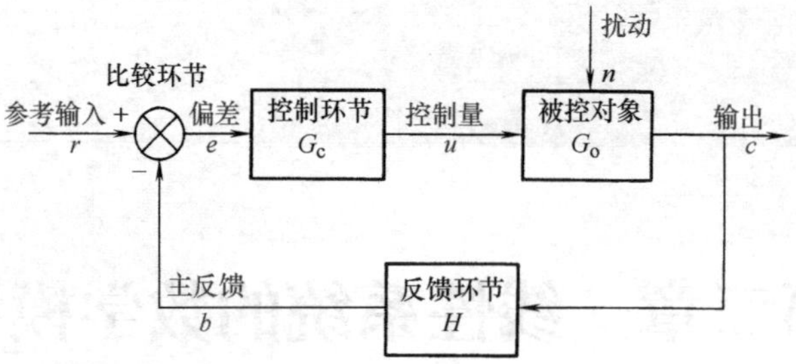

图 1-4-1　自动控制系统的示意框图

输出 c——系统的被控制量；

反馈环节 H——将输出转换为主反馈信号的装置；

比较环节——相当于偏差检测器，它的输出量等于两输入量的代数和。箭头上的符号表示输入在此相加或相减。

习　题

1-1　试举几个日常生活中开环控制和闭环控制的例子，并讨论各自的特点。

1-2　指出居室电热采暖温度控制系统中何为参考输入？何为输出？

1-3　分析室温闭环控制系统的组成和工作原理，画出该控制系统框图。

1-4　画出图 1-1-4 所示的液位闭环控制系统框图。若流出液体的流量受外部干扰因素影响而增大，使实际液位高度下降而低于给定液位高度 h_r，试说明此种情况下液位高度的调整过程。

第二章　线性系统的数学模型

自动控制系统的种类很多，可以是物理的，也可以是非物理的，如生物的、社会经济的等。本书只讨论物理系统。

工程的最终目的是建造实际的物理系统以完成某些规定的任务，例如建造一个室内调温系统，或是造纸机稳速系统，或是火箭制导系统等。这时基本上可以用经验法和解析法两种方法完成设计任务。在经验法中，设计者运用丰富的实际经验，结合试凑方法，对于比较简单的系统，可以得到满意的结果。但对于复杂的系统，经验法往往难以奏效，这时就要应用解析法。在解析法中，为了设计（或者分析）一个自动控制系统，首先需要建立其数学模型，即描述这一系统运动规律的数学表达式。

对于一个复杂的物理系统，建立恰当的数学描述很难。为便于研究，往往要提出一些简化系统的假设，将系统理想化。一个理想化的物理系统称作物理模型。物理模型的数学描述称为数学模型。

为使问题简化，在建立数学模型时要提出一些合理的假设。对于准确度的要求越高，假设的局限性越大，模型也就越复杂。但是选择过于复杂的模型，既不便于研究，也难完全保证所要求的系统准确度。因此，在建立模型时所提出的理想化假设条件要适当，要在模型的简化性与分析结果的精确性之间作某种折衷。这既需要丰富的实际经验、坚实的数理基础，又需要一定的技巧。

对于一个物理系统，根据要研究的问题和所要求的准确度可以采用多种不同的物理模型。例如一个电子放大器在高频和低频时就有不同的模型，或者工作频段固定了，但因被放大信号的幅值大小不同，一个电子放大器有时可以视作线性元件的组合，有时也可以把其中某些元件视为非线性元件。

建模过程实质上是对于控制系统，首先是对被控对象调查研究的过程。只有通过对系统的仔细调查研究分析，抓住本质和主流，忽略一些非本质的和次要的因素，才能建立起既比较简单，又能基本反映实际物理过程的模型。

建模中经常遇到的一个问题是线性化问题。严格地讲，**实际物理系统都是非线性系统**，只是非线性的程度有所不同而已。但是许多系统在一定条件下可以近似地视作线性系统。**线性系统具有齐次性和叠加性，可使系统的设计与分析大为简化。**

在控制工程中经常采用的方法是，首先建立简化的尽可能线性化的模型，在此基础上求得系统的近似特性。必要时，再采用较复杂的模型进一步研究。这种逐步近似的研究方法也是工程上一般常用的方法。

当然，还应该指出，并非所有的控制系统都能采用线性化的处理方法。**对于一些包含本**

质非线性特性的系统需要采用非线性系统的研究方法。

一个物理系统可以采用不同的数学描述方法。在经典控制理论中着重研究系统的输入与输出间的关系，因此采用输入—输出描述（或称外部描述）。在现代控制理论中，不但研究系统的输入与输出的关系，还研究系统内部各个状态变量，因此采用状态变量描述（或内部描述）。从研究控制系统的方法看，无论是经典控制理论还是现代控制理论都有时域方法和频域方法，当然，相应的数学描述形式也就有所不同。

建立数学模型有两种基本方法：机理分析法和实验辨识法。实际上只有部分系统的数学模型能根据机理用分析推导的方法求得，而相当多系统的数学模型需要通过实验辨识方法建立。考虑到课程之间的分工与配合，本章着重讨论建模的指导思想和建模的一般原理，阐述数学模型的特点和性质，不用过多的篇幅去推导具体系统的数学模型。

本章内容限于线性定常系统的数学模型。

第一节　线性系统的输入—输出时间函数描述

在经典控制理论中采用系统的输入—输出描述（或称外部描述），其目的在于通过该数学模型确定被控制量与给定量或扰动量之间的关系，为分析或设计系统创造条件。给定量和扰动量称为系统的输入量，被控制量称作系统的输出量。在输入信号（广义的）的作用下，系统的输出称为系统的响应。

一、建立数学模型的机理分析法

对物理系统进行输入—输出微分方程描述时，首先要确定系统的输入量和输出量。其次，通过分析研究，提出一些合乎实际的简化系统的假设。然后根据物理或化学定律列出描述系统运动规律的一组微分方程。最后消去中间变量，求出描述系统输入与输出关系的微分方程。如微分方程为线性，且其各项系数均为常数，则称为线性定常系统的数学模型。

下面举例说明用机理分析方法建立系统微分方程的过程。

例 2-1-1　图 2-1-1 所示为一弹簧阻尼系统，图中质量为 m 的物体受到外力 F 的作用，产生位移 y，求该系统的输入—输出描述。

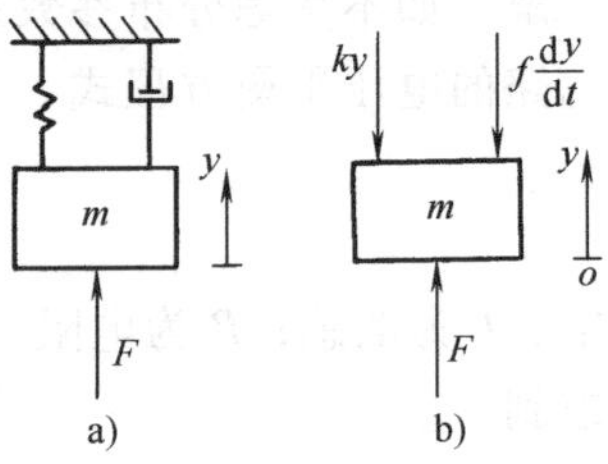

图 2-1-1　弹簧阻尼系统

解　根据图 2-1-1 所示系统，外力 F 和位移 y 可视作系统的输入量和输出量。由于有弹簧和阻尼器，故相应地有弹簧阻力 F_s 和粘性摩擦阻力 F_f 存在。从牛顿定律有

$$ma=\sum F=F-F_s-F_f \tag{2-1-1}$$

式中，m 为质量；a 为加速度。

又因为

$$F_s=ky$$

$$F_f=fv=f\frac{dy}{dt}$$

式中，f 为粘滞摩擦系数，在一定相对运动范围内可视为常数；k 为弹簧系数，在弹性极限内可视为常数；v 为物体相对的移动速度，它是位移 y 对时间 t 的导数。

线性系统的输入-输出时间函数

将以上两式代入式（2-1-1），可得

$$m\frac{d^2y}{dt^2}+f\frac{dy}{dt}+ky=F \tag{2-1-2}$$

式（2-1-2）即为描述该弹簧阻尼系统输入与输出关系的微分方程。

例 2-1-2　图 2-1-2 所示为一机械旋转系统。转动惯量为 J 的圆柱体，在转矩 T 的作用下产生角位移 θ，求该系统的输入—输出描述。

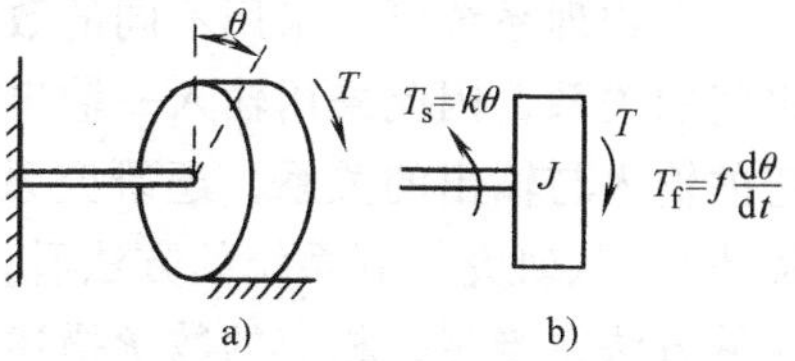

图 2-1-2　机械旋转系统

解　假定圆柱体的质量分布均匀，质心位于旋转轴线上，而且惯性主轴和旋转主轴线相重合，则其运动方程可写成

$$J\frac{\mathrm{d}^2\theta}{\mathrm{d}t^2}=\sum T=T-T_{\mathrm{f}}-T_{\mathrm{s}} \tag{2-1-3}$$

考虑到

$$T_{\mathrm{f}}=f\omega=f\frac{\mathrm{d}\theta}{\mathrm{d}t}$$

$$T_{\mathrm{s}}=k\theta$$

式中，f 为粘滞摩擦系数，在一定条件下可视为常数；ω 为角速度，是角位移 θ 对时间 t 的导数；k 为弹性扭转变形系数，在一定条件下可视为常数。

可得到描述输入与输出关系的微分方程

$$J\frac{\mathrm{d}^2\theta}{\mathrm{d}t^2}+f\frac{\mathrm{d}\theta}{\mathrm{d}t}+k\theta=T \tag{2-1-4}$$

例 2-1-3　图 2-1-3 所示为一电阻、电感、电容串联电路，其中 u 为输入电压，求以电容两端电压 u_C 为输出的微分方程。

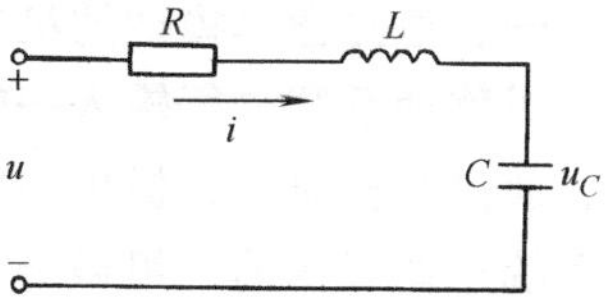

图 2-1-3　*RLC* 串联电路

解　如不考虑分布参数影响及各种非线性因素，可列出此电路的电压平衡方程式

$$L\frac{\mathrm{d}i}{\mathrm{d}t}+Ri+u_C=u \tag{2-1-5}$$

式中，L 为电感；R 为电阻。

考虑到

$$i=\frac{\mathrm{d}q}{\mathrm{d}t}$$

$$q=Cu_C$$

式中，q 为电荷量；C 为电容。

式（2-1-5）可以改写为

$$LC\frac{\mathrm{d}^2u_C}{\mathrm{d}t^2}+RC\frac{\mathrm{d}u_C}{\mathrm{d}t}+u_C=u \tag{2-1-6}$$

这就是描述该电路输入与输出关系的微分方程。

例 2-1-4　图 2-1-4 是直流他励电动机空载时的示意图，其中加于电枢的电压为 u，电动机绕组的电感为 L，电阻为 R，电动机转子的转动惯量为 J，电动机轴的旋转角速度为 ω。现求以电枢电压 u 为输入，电动机旋转角速度 ω 为输出的微分方程。

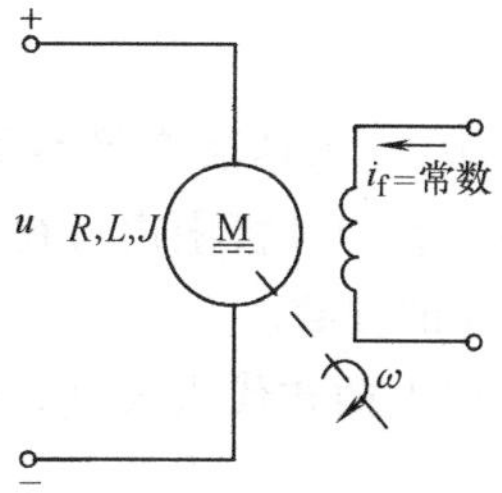

图 2-1-4　直流他励电动机

解　假设以下条件成立：

1）向电动机电枢供电的电源容量足够大，其输出阻抗可忽略

不计。

2）电枢绕组的电阻 R 及电感 L 可视为常值。

3）电动机转子的电路中炭刷接触电阻的非线性因素可忽略，视为常值，并将其计入电阻 R 中。

4）不计励磁电流的变化。

可列写出以下描述电动机运动的微分方程

$$L\frac{\mathrm{d}i}{\mathrm{d}t}+Ri+C_{\mathrm{e}}\omega=u$$

$$J\frac{\mathrm{d}\omega}{\mathrm{d}t}=C_{\mathrm{m}}i$$

式中，C_{e} 为电动机的电动势常数；C_{m} 为电动机的转矩常数。

将以上两式合并，消去中间变量 i，即得出描述直流他励电动机空载时以 u 为输入、ω 为输出的微分方程式

$$\frac{JL}{C_{\mathrm{m}}}\frac{\mathrm{d}^2\omega}{\mathrm{d}t^2}+\frac{JR}{C_{\mathrm{m}}}\frac{\mathrm{d}\omega}{\mathrm{d}t}+C_{\mathrm{e}}\omega=u \tag{2-1-7}$$

例 2-1-5 图 2-1-5 是一台直流他励电动机与一对减速齿轮带动的负载，通过对接轮直接刚性相连的传动系统示意图。其中电动机转子的转动惯量为 J_{m}，电动机轴上的输出转矩为 M，角位移为 θ_1；与电动机轴相连接的齿轮、轴及对接轮的转动惯量为 J_1，相应的黏性摩擦系数为 f_1；减速后的齿轮及轴的角位移为 θ_2，转动惯量为 J_2，相应的粘性摩擦系数为 f_2。减速后的齿轮轴直接带动负载，负载转矩为 M_3，转动惯量为 J_3。现要求写出以电动机转矩 M 为输入，负载的角位移 θ_2 为输出的运动方程式。

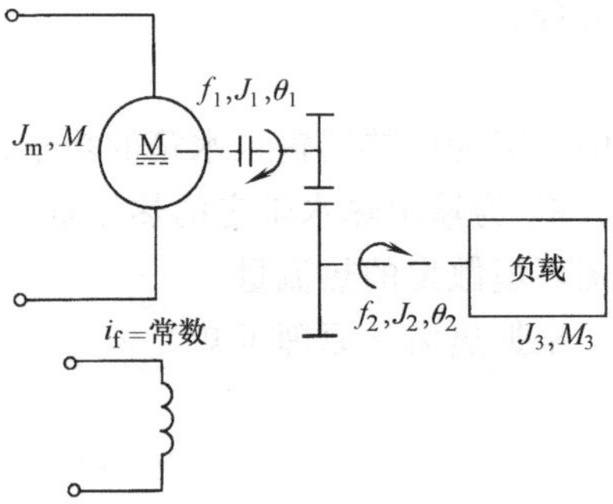

图 2-1-5 电动机传动系统

解 如果以下假设成立：

1）自电动机轴至负载都是刚性连接，且不考虑传动部件的弹性变形。

2）不考虑齿轮啮合间隙。

可按以下步骤写出系统运动方程式。

首先根据齿轮结构，将齿轮的传动比定为

$$i=\frac{\theta_1}{\theta_2}$$

其次按能量守恒定律将负载轴上的各参量都折算到电动机轴上，即有

$$M_3'=M_3/i$$

$$J_2'=J_2/i^2,\quad J_3'=J_3/i^2$$

$$f_2'=f_2/i^2$$

于是，依动力学原理知，运动方程为

$$(J_{\mathrm{m}}+J_1+J_2'+J_3')\frac{\mathrm{d}^2\theta_1}{\mathrm{d}t^2}+(f_1+f_2')\frac{\mathrm{d}\theta_1}{\mathrm{d}t}=M-M_3' \tag{2-1-8}$$

按照以上方法不难写出以负载轴角位移 θ_2 为输出量的运动方程式

$$J\frac{\mathrm{d}^2\theta_2}{\mathrm{d}t^2}+f\frac{\mathrm{d}\theta_2}{\mathrm{d}t}=iM-M_3 \tag{2-1-9}$$

式中，$J=i^2(J_m+J_1)+J_2+J_3$；$f=i^2f_1+f_2$。

例 2-1-6　图 2-1-6 是一个热水供应系统的示意图。该系统用电加热的方法，保持热水供应的温度。假定存在比较理想的条件，即

1）水箱周围环境温度与水箱进水温度相等，且为常值 θ_2。

2）由于使用了较为强有力的搅拌器，可将水箱中各处水的温度视为相等，即等于输出的热水温度 θ_1。

3）单位时间内供出的热水流量 Q 为常值。

4）单位时间内送进水箱的水量与输出的水量相等，即维持水箱内水量为恒值。

要求写出以电功率 W 为输入，供出热水的温度 θ_1 为输出的热动力学方程式。

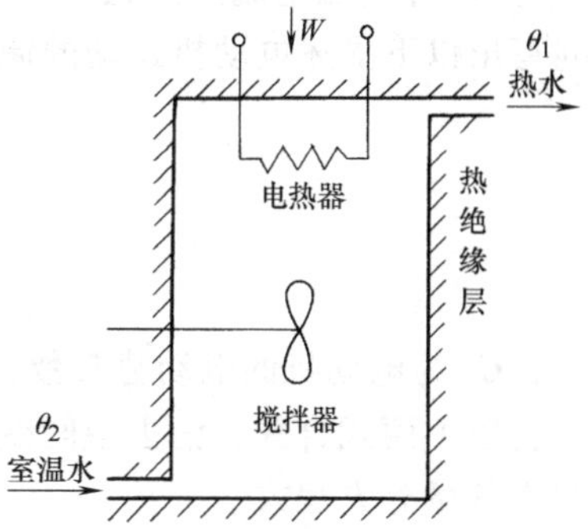

图 2-1-6　热水供应系统

解　根据能量守恒定律，可写出该系统热流量平衡方程式

$$W+W_2=W_1+W_3+W_4 \tag{2-1-10}$$

式中，W 为电热器输入水箱的功率，亦即提供给水箱的热流量；W_2 为水箱进水带入的热流量；W_1 为输出热水带走的热流量；W_3 为水箱中存水的热流量；W_4 为水箱通过热绝缘层向周围环境散发的热流量。

根据热力学原理可知

$$\left.\begin{aligned}W_1&=Qc_p\theta_1\\W_2&=Qc_p\theta_2\\W_3&=C\frac{\mathrm{d}\theta_1}{\mathrm{d}t}\\W_4&=\frac{\theta_1-\theta_2}{R}\end{aligned}\right\} \tag{2-1-11}$$

式中，c_p 为水箱中水的比热容；R 为水箱散发入周围环境的等效热值，该值与水箱的结构及材料有关；C 为水箱中水的热容。

将式（2-1-11）代入式（2-1-10），即得到此热力系统的微分方程式

$$C\frac{\mathrm{d}\theta_1}{\mathrm{d}t}+\left(Qc_p+\frac{1}{R}\right)\theta_1=W+\left(Qc_p+\frac{1}{R}\right)\theta_2$$

或

$$T\frac{\mathrm{d}\theta_1}{\mathrm{d}t}+(RQc_p+1)\theta_1=RW+(RQc_p+1)\theta_2 \tag{2-1-12}$$

式中，T 为热时间常数，$T=RC$。

如果以温升 $\theta=\theta_1-\theta_2$ 为系统的输出量，且考虑到 θ_2 为常值，$\frac{\mathrm{d}\theta_2}{\mathrm{d}t}=0$，则式（2-1-12）又可写成

$$T\frac{\mathrm{d}\theta}{\mathrm{d}t}+(RQc_p+1)\theta=RW \tag{2-1-13}$$

以上介绍了六种不同物理系统用机理分析法推导描述系统输入与输出关系的数学模型，常称为机理模型。由此可见，系统的数学模型由其结构、参量及基本运动定律决定。

在一般情况下，描述线性定常系统输入与输出关系的微分方程为

$$\frac{\mathrm{d}^n}{\mathrm{d}t^n}c(t)+a_1\frac{\mathrm{d}^{n-1}}{\mathrm{d}t^{n-1}}c(t)+\cdots+a_{n-1}\frac{\mathrm{d}}{\mathrm{d}t}c(t)+a_nc(t)$$
$$=b_0\frac{\mathrm{d}^m}{\mathrm{d}t^m}r(t)+b_1\frac{\mathrm{d}^{m-1}}{\mathrm{d}t^{m-1}}r(t)+\cdots+b_{m-1}\frac{\mathrm{d}}{\mathrm{d}t}r(t)+b_mr(t) \tag{2-1-14}$$

式中，$r(t)$ 为系统的输入量；$c(t)$ 为系统的输出量；a_i 为常量，$i=1,\ 2,\ \cdots,\ n$；b_j 为常量，$j=0,\ 1,\ 2,\ \cdots,\ m$；m 为输入量导数的最高阶数；n 为输出量导数的最高阶数。

二、建立数学模型的实验辨识法

对于一些比较复杂的系统（或过程），机理模型事实上难于推导出来，或者由于过分理想化（简化），推导得到的机理模型不能如实地反映系统的运动规律，这时往往通过实验辨识法建模。实验辨识法就是利用输入、输出实验数据建立模型的方法。

假设系统是线性定常的，并且在 $t=0$ 时系统的响应及其各阶导数都为零（即初始条件为零，或称初始状态为零），则其响应与输入之间应满足齐次性和线性关系，亦即有

$$c(t)=H(t)r(t) \tag{2-1-15}$$

式中，$r(t)$为系统的输入；$c(t)$为系统的响应；$H(t)$为算子。

由于给定的输入信号是已知函数，响应能从实验得到，因此，辨识的任务就是确定算子 $H(t)$。不难理解，$H(t)$ 必定是由线性系统的结构与参量，或者说是由系统的特性决定的。

式（2-1-15）是实验辨识法建模的原理依据。可以看出，这种建模方法有其优点，即使不知道系统的内部结构，只要是一个初始条件为零的线性定常系统，就有可能根据测量系统的输入及响应的实验数据，经过一定的处理求得系统的数学模型。

为通过实验辨识方法建立系统数学模型，首先应该给定输入信号 $r(t)$ 的函数形式。确定输入 $r(t)$ 的原则应该是既便于数学处理又在实际上便于实现。本节阐述给定输入为单位脉冲函数通过实验辨识建立系统数学模型的基本原理，在第五章中还要阐述给定输入为正弦函数时的建模原理。

脉冲函数的表达式为

$$r(t)=\begin{cases}\dfrac{A}{\varepsilon} & (0<t<\varepsilon)\\ 0 & (t<0,t>\varepsilon)\end{cases} \tag{2-1-16}$$

式中，A 为脉冲面积，或称脉冲强度。

脉冲强度 $A=1$ 时的脉冲函数记为 $\delta_\varepsilon(t)$，如令 $\varepsilon\to 0$ 并求取极限，则称为单位脉冲函数 $\delta(t)$，显然有

$$\delta(t)=\lim_{\varepsilon\to 0}\delta_\varepsilon(t)=\begin{cases}\infty & (t=0)\\ 0 & (t\neq 0)\end{cases} \tag{2-1-17}$$

及

$$\int_{-\infty}^{\infty}\delta(t)\,\mathrm{d}t=1$$

在 $t=\tau$ 处的单位脉冲函数以 $\delta(t-\tau)$ 表示，是从 $t=0$ 开始延迟了 τ 时刻发生的单位脉冲函数，如图 2-1-7 所示，并且有

$$\delta(t-\tau)=\begin{cases}\infty & (t=\tau)\\ 0 & (t\neq\tau)\end{cases} \tag{2-1-18}$$

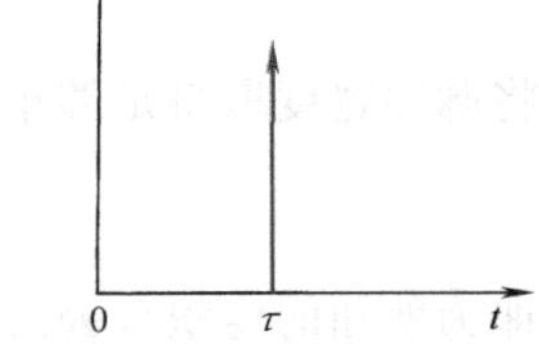

图 2-1-7　$\delta(t-\tau)$ 的图形

$$\int_{-\infty}^{\infty} \delta(t-\tau)\,\mathrm{d}t=1$$

幅值为无穷大，持续时间为零的单位脉冲函数只是数学上的假设，实际上只要脉冲宽度 ε 足够小，幅值为 $\frac{1}{\varepsilon}$ 的单位脉冲即可近似地认为是 $\delta(t)$。

以 $\delta(t)$ 作为零初始条件的线性定常系统的输入，得到的输出称为系统的单位脉冲响应，也称为权函数，记作 $g(t)$。根据式（2-1-15）不难得到

$$g(t)=H(t)\delta(t)$$

如将脉冲强度为 A、而且发生在 $t=\tau$ 时刻的脉冲函数 $A\delta(t-\tau)$ 作为输入，将其施加于初始条件为零的线性定常系统，得到延迟了 τ 时刻发生的脉冲响应，满足下式

$$Ag(t-\tau)=AH(t)\delta(t-\tau) \tag{2-1-19}$$

输入 $\delta(t-\tau)$ 与响应 $g(t-\tau)$ 在时间上的关系如图 2-1-8 所示。

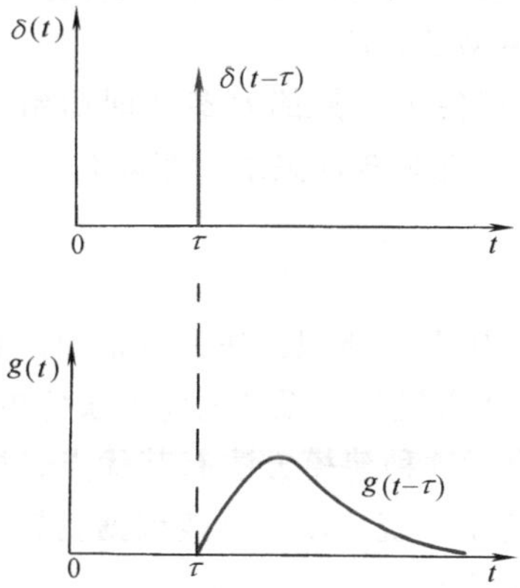

图 2-1-8　$\delta(t-\tau)$ 与 $g(t-\tau)$

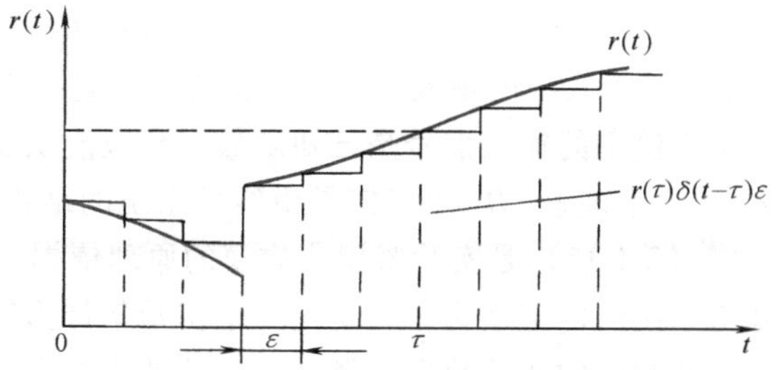

图 2-1-9　任意输入分解为脉冲叠加

如果在 $0 \leqslant t \leqslant \infty$ 区间内，施加于系统的输入 $r(t)$ 为一任意的分段连续函数的形式，如图 2-1-9 所示，可以用一系列长方形脉冲叠加成分段常值信号近似表示。如果脉冲的宽度都取为 ε，则发生在 $t=\tau$ 时刻脉冲强度为 $r(\tau)\varepsilon$ 的脉冲即可表示为 $r(\tau)\varepsilon\delta(t-\tau)$。当 τ 取为在区间 $0 \leqslant t \leqslant \infty$ 内的变量时，则输入 $r(t)$ 用下列近似式表示

$$r(t) \approx \sum_{\tau=0}^{\infty} r(\tau)\delta(t-\tau)\varepsilon \tag{2-1-20}$$

因此，初始条件为零的线性定常系统在任意输入 $r(t)$ 的作用下，其响应 $c(t)$ 也可以近似地表示为

$$c(t) \approx \sum_{\tau=0}^{\infty} H(t)\delta(t-\tau)r(\tau)\varepsilon$$

考虑到式（2-1-19），则上式又可改写为

$$c(t) \approx \sum_{\tau=0}^{\infty} g(t-\tau)r(\tau)\varepsilon \tag{2-1-21}$$

如将脉冲宽度取得足够小，即令 $\varepsilon=\mathrm{d}\tau$，并将和式取为积分式，即得响应的表示式

$$c(t)=\int_{0}^{\infty} g(t-\tau)r(\tau)\,\mathrm{d}\tau \tag{2-1-22}$$

此即为熟知的卷积分公式。

式（2-1-22）中 τ 是外施输入作用到系统的时刻，而 t 是观测系统响应的时刻。如果观

测响应的时刻 t 是在输入作用到系统的时刻 τ 之前，则根据初始条件为零的线性定常系统的响应与输入之间应满足的齐次性与线性关系可知

$$g(t-\tau)=0 \quad (t<\tau)$$

故式（2-1-22）的积分上限可以将无穷大更改为 t，即有

$$c(t)=\int_0^t g(t-\tau)r(\tau)\mathrm{d}\tau \tag{2-1-23}$$

如令 $t-\tau=\beta$，$\mathrm{d}\tau=-\mathrm{d}\beta$，并且考虑到变换积分之上、下限，式（2-1-22）可写成

$$c(t)=-\int_{\infty}^{0} g(\beta)r(t-\beta)\mathrm{d}\beta=\int_0^{\infty} g(\beta)r(t-\beta)\mathrm{d}\beta$$

然后再令 $\beta=\tau$，代入上式，则得到卷积分公式的另一种形式

$$\boldsymbol{c(t)=\int_0^t g(\tau)r(t-\tau)\mathrm{d}\tau} \tag{2-1-24}$$

式（2-1-23）及式（2-1-24）即是线性定常系统输入—输出描述的另一种形式，与式（2-1-14）以微分方程表示的系统输入—输出描述完全是等效的。由于这两种描述形式都是以时间函数描述的，故又称为时间域描述（简称时域描述）。

第二节　线性系统的输入—输出传递函数描述

从卷积分公式建立系统数学模型，首先需要有单位脉冲响应 $g(t)$ 的解析表达式。从实验可能得到的只是系统单位脉冲响应 $g(t)$ 的曲线，或者是 $g(t)$ 在各采样时刻的采样值序列。将实验所得的 $g(t)$ 曲线或对应的脉冲序列转换成相应的连续时间函数 $g(t)$，是较为复杂的事情。通常的做法是将单位脉冲响应 $g(t)$ 的曲线转换成相应的传递函数，用传递函数描述系统的输入与输出的关系。下面介绍传递函数的概念。

如将拉普拉斯变换用于卷积分公式（2-1-22），则有

$$C(s)=\int_0^{\infty} c(t)\mathrm{e}^{-st}\mathrm{d}t=\int_0^{\infty}\left[\int_0^t g(t-\tau)r(\tau)\mathrm{d}\tau\right]\mathrm{e}^{-st}\mathrm{d}t$$

$$=\int_0^{\infty}\left[\int_0^{\infty} g(t-\tau)r(\tau)\mathrm{d}\tau\right]\mathrm{e}^{-st}\mathrm{d}t$$

令 $t-\tau=\alpha$ 代入上式，并考虑到线性方程的运算可改变顺序而不影响其结果，故得

$$\boldsymbol{C(s)=\int_0^{\infty} g(\alpha)\mathrm{e}^{-s\alpha}\mathrm{d}\alpha\int_0^{\infty} r(\tau)\mathrm{e}^{-s\tau}\mathrm{d}\tau=G(s)R(s)} \tag{2-2-1}$$

或

$$\boldsymbol{G(s)=\frac{C(s)}{R(s)}=\int_0^{\infty} g(t)\mathrm{e}^{-st}\mathrm{d}t} \tag{2-2-2}$$

式中，$R(s)$ 为输入 $r(t)$ 的象函数，即输入函数的拉普拉斯变换；$C(s)$ 为输出 $c(t)$ 的象函数，即输出函数的拉普拉斯变换；
s 为拉普拉斯算子。

拉普拉斯算子 s 为一复变量，$s=\sigma+\mathrm{j}\omega$，$s$ 的单位为 s^{-1}，这是由于 t 的单位为 s。应用拉普拉斯变换后，卷积分公式变成代数方程（以 s 为变量）。**函数 $G(s)$ 称为系统的传递函数，是系统单位脉冲响应 $g(t)$ 的象函数**，在电路分析中 $G(s)$ 也称为网络函数。

由于卷积分公式只适用于初始条件为零的线性定常系统，所以，**传递函数 $G(s)$ 又可定义为初始条件为零的线性定常系统输出的拉普拉斯变换与输入的拉普拉斯变换之比。**

式（2-2-1）、式（2-2-2）是用传递函数描述系统输入与输出的关系。从第五章可以看到，传递函数中的拉普拉斯算子 s 可与角频率 ω 联系起来，所以系统的传递函数描述亦常称

为频（率）域描述，与前节介绍的时域描述（微分方程描述及脉冲响应描述）对应。

从实验得到的系统单位脉冲响应 $g(t)$ 的曲线可以根据式（2-2-2）的关系，通过系统的频率特性而求出系统的传递函数，这部分内容将在第五章中阐述。

系统的传递函数 $G(s)$ 并非都必须从系统的脉冲响应 $g(t)$ 求得，也并非都需要从实验辨识方法得到。由分析方法建立的系统机理模型也可以是传递函数描述。如果系统的微分方程描述如式（2-1-14）所示，可以对式（2-1-14）等号两边逐项求取初始条件为零时的拉普拉斯变换，求得系统的传递函数。由于

$$a_n\int_0^{\infty} c(t)\mathrm{e}^{-st}\mathrm{d}t=a_nC(s)$$

$$a_{n-1}\int_0^{\infty} \frac{\mathrm{d}}{\mathrm{d}t}c(t)\mathrm{e}^{-st}\mathrm{d}t=a_{n-1}sC(s)$$

$$a_{n-2}\int_0^{\infty} \frac{\mathrm{d}^2}{\mathrm{d}t^2}c(t)\mathrm{e}^{-st}\mathrm{d}t=a_{n-2}s^2C(s)$$

$$\vdots$$

$$\int_0^{\infty} \frac{\mathrm{d}^n}{\mathrm{d}t^n}c(t)\mathrm{e}^{-st}\mathrm{d}t=s^nC(s)$$

$$b_m\int_0^{\infty} r(t)\mathrm{e}^{-st}\mathrm{d}t=b_mR(s)$$

$$b_{m-1}\int_0^{\infty} \frac{\mathrm{d}}{\mathrm{d}t}r(t)\mathrm{e}^{-st}\mathrm{d}t=b_{m-1}sR(s)$$

$$\vdots$$

$$b_0\int_0^{\infty} \frac{\mathrm{d}^m}{\mathrm{d}t^m}r(t)\mathrm{e}^{-st}\mathrm{d}t=b_0s^mR(s)$$

因而式（2-1-14）的拉普拉斯变换式为

$$(s^n+a_1s^{n-1}+\cdots+a_{a-1}s+a_n)C(s)=(b_0s^m+b_1s^{m-1}+\cdots+b_{m-1}s+b_m)R(s)$$

于是，根据定义知系统的传递函数为

$$\boldsymbol{G(s)=\frac{C(s)}{R(s)}=\frac{b_0s^m+b_1s^{m-1}+\cdots+b_{m-1}s+b_m}{s^n+a_1s^{n-1}+\cdots+a_{n-1}s+a_n}} \tag{2-2-3}$$

$G(s)$ 是复变函数，它的奇点是 s 平面上使函数 $G(s)$ 或者它的导数不存在的点，极点是一种最常见的奇点。**据此可知，传递函数的极点就是式（2-2-3）分母部分为零时，亦即方程**

$$s^n+a_1s^{n-1}+\cdots+a_{n-1}s+a_n=0$$

的根。显而易见，上述方程就是式（2-1-14）所示线性系统微分方程式的特征方程，因此，**系统传递函数的极点也就是系统微分方程的特征方程的根**。

在 s 平面上使传递函数 $G(s)=0$ 的点称为零点。式（2-2-3）分子部分为零时，亦即方程

$$b_0s^m+b_1s^{m-1}+\cdots+b_{m-1}s+b_m=0$$

的根就是传递函数 $G(s)$ 的零点。

代数方程式的根由方程式的结构与其各项系数决定，因此，系统传递函数的极点与零点就是由系统的结构与参量决定的。

由式（2-2-3）可见，传递函数 $G(s)$ 是 s 的有理函数，由 s 的两个多项式之商表示，多项式的最高次数的关系是 $m\leqslant n$，并且多项式的各项系数都是实数。**系统传递函数 $G(s)$ 的**

零点数总是少于或最多等于极点数，是由系统的物理性质决定的。如果把在无穷远处和在原点处的极点及零点考虑在内，而且还考虑到各个极点和零点的重复数，传递函数 $G(s)$ 的零点总数必与其极点总数相等。

第三节　非线性数学模型的线性化

在建立控制系统的数学模型时，常常遇到非线性的问题。严格地讲，实际的物理系统都包含着不同程度的非线性因素。但是，**许多非线性系统在一定的条件下可以近似地视作线性系统。这种有条件地把非线性数学模型化为线性数学模型来处理的方法，称为非线性数学模型的线性化**。采用线性化的方法，可以在一定条件下将线性系统的理论和方法用于非线性系统，从而使问题简化。在建立系统数学模型的过程中，线性化方法是一种常见的、比较有效的方法。

控制系统都有一个额定的工作状态以及与之相对应的工作点。由数学的级数理论可知，若函数在给定区域内有各阶导数存在，便可以在给定工作点的邻域将非线性函数展开为泰勒级数。当偏差范围很小时，可忽略级数展开式中偏差的高次项，从而得到只包含偏差一次项的线性化方程式。这种线性化方法称为**小范围线性化**。

小范围线性化可用图 2-3-1 所示的发电机励磁特性来说明。

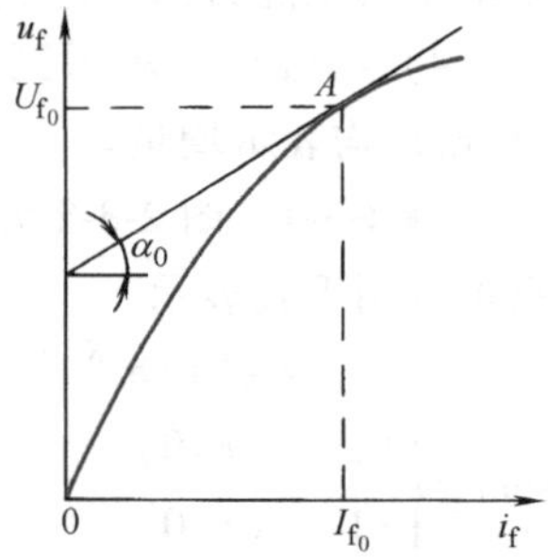

图 2-3-1　发电机励磁特性

图 2-3-1 中，额定工作点的励磁电流和对应的发电机电压分别用 I_{f_0} 和 U_{f_0} 表示。当励磁电流改变时，发电机电压将沿着励磁曲线变化。变化的增量 ΔU_f 和 ΔI_f 在曲线各部分不是常数，即在 u_f 和 i_f 之间存在着非线性关系。但是，如果 i_f 在额定工作点附近只有微小的变化，则完全可以近似地认为 u_f 沿着曲线上 A 点的切线变化，这时

$$\Delta U_f = \Delta I_f \tan\alpha_0$$

对于一般的非线性系统，假设其输入量为 r，输出量为 $c=f(r)$，并设在给定工作点 $c_0=f(r_0)$ 处各阶导数均存在，则可在 $c_0=f(r_0)$ 邻域展开泰勒级数，即

$$c=f(r)=f(r_0)+\left[\frac{\mathrm{d}f(r)}{\mathrm{d}r}\right]_{r=r_0}(r-r_0)+\frac{1}{2!}\left[\frac{\mathrm{d}^2f(r)}{\mathrm{d}r^2}\right]_{r=r_0}(r-r_0)^2+\cdots$$

当 $(r-r_0)$ 很小时，可以忽略上式中二阶导数以上各项，得

$$c=f(r_0)+\left[\frac{\mathrm{d}f(r)}{\mathrm{d}r}\right]_{r=r_0}(r-r_0) \tag{2-3-1}$$

或

$$\boldsymbol{\Delta c=c-c_0=K(r-r_0)=K\Delta r} \tag{2-3-2}$$

式中，$c_0=f(r_0)$；$K=\left[\frac{\mathrm{d}f(r)}{\mathrm{d}r}\right]_{r=r_0}$。

对于具有两个自变量输入的系统 $c=f(r_1, r_2)$，设输入量为 r_1 和 r_2，输出量为 c，系统给定工作点为 $c_0=f(r_{10}, r_{20})$。在给定工作点邻域展开泰勒级数，可得

$$c=f(r_{10},r_{20})+\left[\frac{\partial f}{\partial r_1}(r_1-r_{10})+\frac{\partial f}{\partial r_2}(r_2-r_{20})\right]+$$
$$\frac{1}{2!}\left[\frac{\partial^2 f}{\partial r_1^2}(r_1-r_{10})^2+2\frac{\partial^2 f}{\partial r_1\partial r_2}(r_1-r_{10})(r_2-r_{20})+\frac{\partial^2 f}{\partial r_2^2}(r_2-r_{20})^2\right]+\cdots$$

式中各个偏导数都在 $r_1=r_{10}$，$r_2=r_{20}$ 处求取。

当偏差（r_1-r_{10}）、（r_2-r_{20}）很小时，忽略二阶偏导数以上各项，上式化为

$$c=f(r_{10},r_{20})+\frac{\partial f}{\partial r_1}(r_1-r_{10})+\frac{\partial f}{\partial r_2}(r_2-r_{20})$$

或

$$\Delta c=c-c_0=K_1\Delta r_1+K_2\Delta r_2 \tag{2-3-3}$$

式中，$K_1=\left[\frac{\partial f}{\partial r_1}\right]_{r_1=r_{10},r_2=r_{20}}$；$K_2=\left[\frac{\partial f}{\partial r_2}\right]_{r_1=r_{10},r_2=r_{20}}$。

式（2-3-3）为具有两个自变量的非线性系统的线性化数学模型。

在使用小范围线性化方法处理非线性问题时，要注意下列几点：

1）线性化方程中的参数（如上面的 K、K_1 和 K_2）与选择的工作点有关，工作点不同时，相应的参数值也不同。因此，**在进行线性化时，应首先确定工作点。**

2）当输入量变化范围较大时，用上述方法建模势必引起较大的误差。所以，在进行线性化时要注意它的条件，包括信号变化的范围。

3）若非线性特性是不连续的，由于在不连续点的邻域不能得到收敛的泰勒级数，因此不能采用上述方法。这类非线性称为本质非线性，它们的分析方法将在第七章中讨论。

4）**线性化以后得到的微分方程是增量微分方程**，如式（2-3-2）中的 $\Delta c=c-c_0$，$\Delta r=(r-r_0)$ 均表示增量。

例 2-3-1 图 2-3-2 为具有饱和特性的非线性系统的框图。图中饱和特性的输入—输出关系可以用下式表示

$$x=(1-\mathrm{e}^{-K|r|})\operatorname{sgn}r=f(r)$$

$$\operatorname{sgn}r=\begin{cases}+1 & (r>0)\\ -1 & (r<0)\end{cases}$$

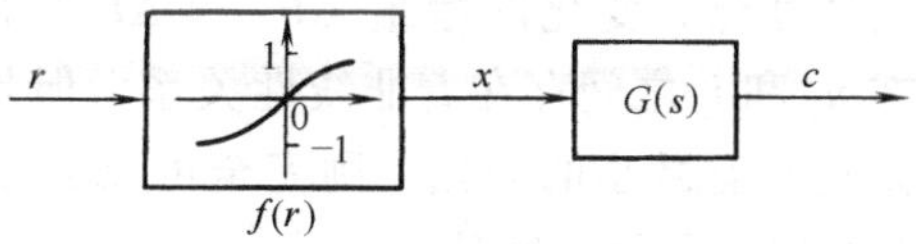

图 2-3-2 非线性系统

上式的线性化方程式为

$$\Delta x=\left[\frac{\mathrm{d}f(r)}{\mathrm{d}r}\right]_{r=r_0}\Delta r=K\mathrm{e}^{-K|r_0|}\Delta r=K_1\Delta r \tag{2-3-4}$$

式中，$K_1=K\mathrm{e}^{-K|r_0|}$。

若工作点选在非线性曲线的原点，即 $r_0=0$，这时 $K_1=K$。线性化模型等效于一个具有恒定增益的放大器。系统的传递函数为

$$\frac{C(s)}{R(s)}=KG(s) \tag{2-3-5}$$

如果 r_0 很大，工作点位于曲线的饱和区，$K_1=K\mathrm{e}^{-K|r_0|}=0$。这意味着输入量 r 的微小变化不会引起 x 的变化。

在上面的例子中，线性化以后的系统为定常系统。但应该指出，在一般情况下，非线性系统线性化以后有时会成为线性时变系统。

第四节 典型环节的数学模型

一个物理系统是由许多元件组合而成的。虽然各种元件的具体结构和作用原理是多种多样的，但若抛开其具体结构和物理特点，研究其运动规律和数学模型的共性，就可以划分成为数不多的几种典型环节。这些典型环节是：比例环节（或放大环节）、惯性环节（或非周

期环节)、积分环节、微分环节、振荡环节和滞后环节。应该指出，典型环节是按照数学模型的共性划分的，它和具体元件不一定是一一对应的。换句话说，典型环节只代表一种特定的运动规律，不一定是一种具体的元件。此外，还应指出，典型环节的数学模型都是在一定的理想条件下得到的。

一、比例环节

比例环节又称放大环节，其输出量与输入量之间的关系为一种固定的比例关系。这就是说，它的输出量能够无失真、无滞后地、按一定的比例复现输入量。比例环节的表达式为

$$c(t)=Kr(t) \tag{2-4-1}$$

比例环节的传递函数为

$$G(s)=\frac{C(s)}{R(s)}=K \tag{2-4-2}$$

式中，K 为比例系数或放大系数，有时也称为环节的增益。

在控制系统中，输入量和输出量有不同的量纲，因此比例系数是可以有量纲的。以下其他典型环节和系统的增益都有此特点。

在物理系统中无弹性变形的杠杆、非线性和时间常数可以忽略不计的电子放大器、传动链之速比、测速发电机的电压与转速的关系，都可以认为是比例环节。但是也应指出，完全理想的比例环节在实际上是不存在的。杠杆和传动链中总存在弹性变形，输入信号的频率改变时电子放大器的放大系数也会发生变化，测速发电机电压与转速之间的关系也不完全是线性关系。因此把上述这些环节当作比例环节是一种理想化的方法。在适当的条件下这样做既不影响问题的性质，又能使分析过程简化。但一定要注意理想化的条件和适用范围，以免导致错误的结论。

二、惯性环节

惯性环节又称非周期环节，其输出量和输入量之间的关系可用以下的微分方程描述

$$\tau\frac{\mathrm{d}c(t)}{\mathrm{d}t}+c(t)=Kr(t) \tag{2-4-3}$$

对应的传递函数为

$$G(s)=\frac{C(s)}{R(s)}=\frac{K}{\tau s+1} \tag{2-4-4}$$ ㊀

式中，τ 为时间常数（s）；K 为比例系数。

惯性环节的输出量不能立即跟随输入量变化，存在时间上的延迟，这是由于环节的惯性造成的。可以用时间常数 τ 来衡量。环节的惯性越大，时间常数越大，延迟的时间也越长。

设输入信号为单位阶跃信号，即 $r(t)=1(t)$，其拉普拉斯变换为 $R(s)=\frac{1}{s}$。在初始条件为零的情况下，输出量的拉普拉斯变换为

$$C(s)=G(s)R(s)=\frac{K}{\tau s+1}\frac{1}{s} \tag{2-4-5}$$

将上式写成部分分式

㊀ τ 的单位是 s，以下仅在文字说明中标注单位，在公式、图及数值计算式中均不再标注。

$$C(s)=K\left(\frac{1}{s}-\frac{1}{s+\frac{1}{\tau}}\right)$$

由拉普拉斯反变换可得

$$c(t)=K(1-e^{-t/\tau}) \tag{2-4-6}$$

上式表明，在单位阶跃输入信号的作用下，惯性环节的输出信号是非周期的指数函数。当时间 $t=3\tau\sim4\tau$ 时，输出量才接近其稳态值，如图 2-4-1 所示。

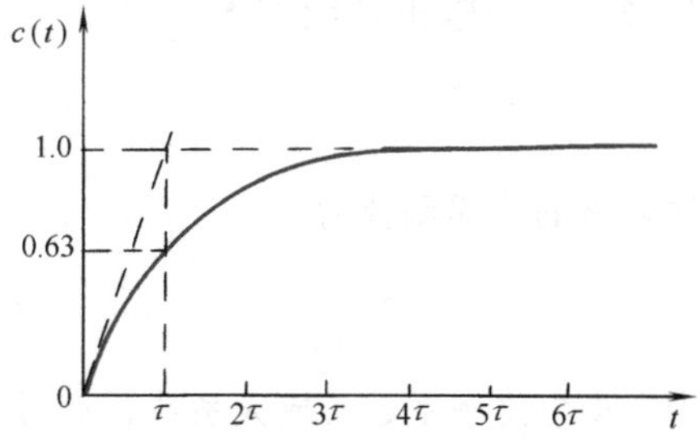

图 2-4-1　惯性环节的单位阶跃响应

在实际中惯性环节是比较常见的。例如直流电机的励磁回路，当以励磁电压 u_f 为输入量，而以励磁电流 i_f 为输出量时，就相当于一个惯性环节，其动态方程如下：

$$L_f\frac{di_f}{dt}+R_fi_f=u_f$$

或

$$\tau_f\frac{di_f}{dt}+i_f=\frac{u_f}{R_f} \tag{2-4-7}$$

式中，L_f 为励磁回路电感；R_f 为励磁回路电阻；τ_f 为励磁绕组的时间常数，$\tau_f=\frac{L_f}{R_f}$。

对应的传递函数为

$$G(s)=\frac{I_f(s)}{U_f(s)}=\frac{\frac{1}{R_f}}{\tau_fs+1} \tag{2-4-8}$$

三、积分环节

积分环节的动态方程为

$$\frac{dc(t)}{dt}=Kr(t)$$

或

$$c(t)=K\int r(t)dt \tag{2-4-9}$$

式中，K 为比例系数。

式（2-4-9）表明，积分环节的输出量与输入量的积分成正比。比例系数 K 与时间量纲有关。当输入量和输出量为相同的物理量时，K 的量纲为 s^{-1}，故一些文献中将积分环节的系数写为

$$K=\frac{1}{\tau}$$

并称 τ 为积分时间常数。

积分环节的传递函数为

$$G(s)=\frac{C(s)}{R(s)}=\frac{K}{s} \tag{2-4-10}$$

由上式不难求出其单位阶跃响应为

$$c(t)=Kt \tag{2-4-11}$$

上式表明，只要有一个恒定的输入量作用于积分环节，其输出量就与时间成正比地无限

增长，如图 2-4-2 所示。

下面举两个积分环节的例子。对于以电动机的转速 n（单位为 r/min）为输入量，以减速齿轮带动负载运动的轴的角位移 θ（单位为 rad）为输出量的环节，可以写出以下关系式

$$\theta(t)=\int 2\pi\frac{n(t)}{60i}\mathrm{d}t$$

式中 i——齿轮的减速比。

此环节的传递函数为

$$G(s)=\frac{\Theta(s)}{N(s)}=\frac{2\pi}{60i}\frac{1}{s}=\frac{0.105}{i}\frac{1}{s}$$

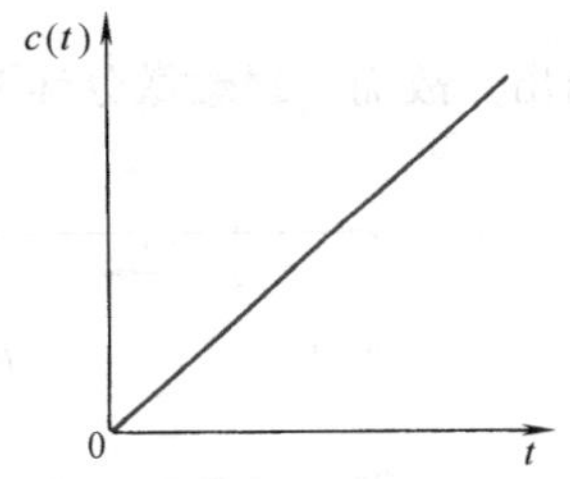

图 2-4-2 积分环节的单位阶跃响应

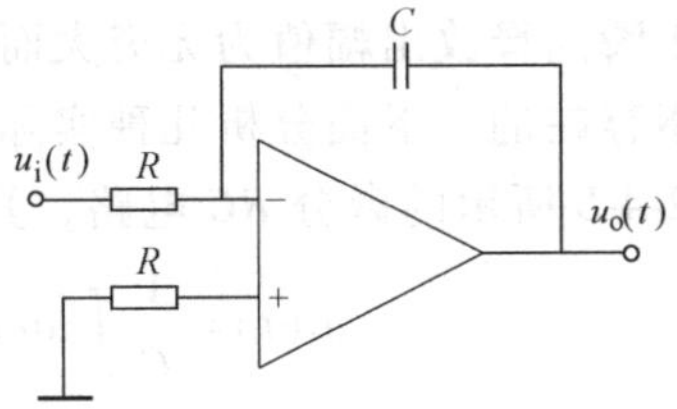

图 2-4-3 运算放大器电路

对于图 2-4-3 所示的用运算放大器组成的积分器，其输出电压 $u_o(t)$ 和输入电压 $u_i(t)$ 之间的关系为

$$C\frac{\mathrm{d}u_o(t)}{\mathrm{d}t}=\frac{1}{R}u_i(t)$$

或

$$u_o(t)=\frac{1}{RC}\int u_i(t)\mathrm{d}t$$

对上式进行拉普拉斯变换，可以求出传递函数

$$G(s)=\frac{U_o(s)}{U_i(s)}=\frac{1}{RC}\frac{1}{s} \tag{2-4-12}$$

以上两个例子中得到的积分关系式都是在一定条件下才能成立的。在前一例中忽略了弹性变形和齿轮间隙等非线性因素；在后一例中没有考虑放大器的饱和特性和惯性。实际上的放大器都有饱和特性，其输出电压不能无限制地增加，故式（2-4-12）只适用于输出量小于饱和极限值的情况。

四、微分环节

理想微分环节的特点是，其输出量与输入量对时间的导数成正比，即

$$c(t)=\tau\frac{\mathrm{d}r(t)}{\mathrm{d}t} \tag{2-4-13}$$

式中，τ 为时间常数（s）。

理想微分环节的传递函数为

$$G(s)=\frac{C(s)}{R(s)}=\tau s \tag{2-4-14}$$

若输入为单位阶跃信号，即 $r(t)=1(t)$，则微分环节的单位阶跃响应为

$$c(t)=\tau\frac{\mathrm{d}r(t)}{\mathrm{d}t}=\tau\delta(t)$$

这是一个面积为 τ 的脉冲，脉冲宽为零，幅值为无穷大。理想微分环节的输入和输出如图 2-4-4 所示。

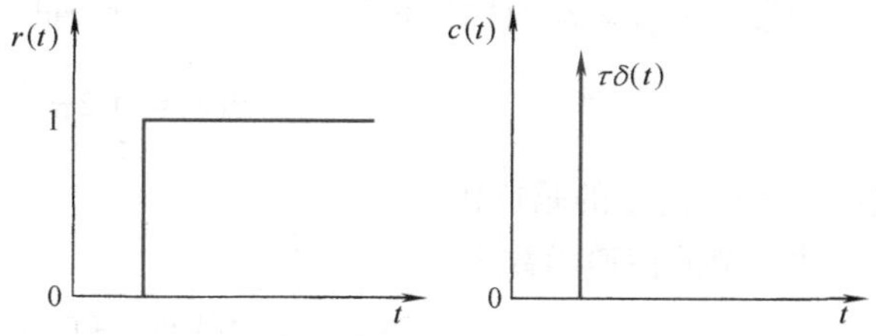

图 2-4-4　理想微分环节的单位阶跃响应

应强调指出，这种理想微分环节在实际中是得不到的，因为任何实际物理元件或装置都具有一定的质量和有限的容量（即能够储存和传输的能量是有限的），都不可能在阶跃信号输入时，于瞬间释放出幅值为无穷大而持续时间仅为零的输出。故而，**理想微分环节在实际中是根本不存在的**。下面分析几种实际微分环节的例子。

图 2-4-5 所示的微分 *RC* 电路，其电路方程为

$$u_{\mathrm{i}}(t)=\frac{1}{C}\int i\mathrm{d}t+iR$$

$$u_{\mathrm{o}}(t)=iR$$

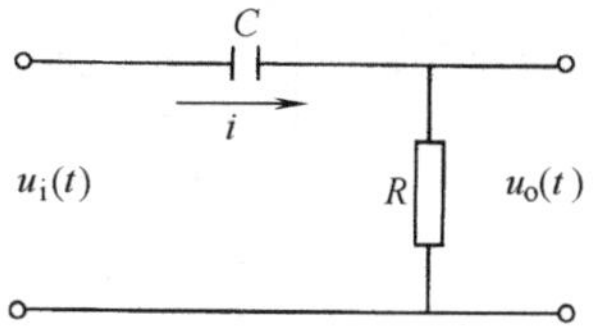

图 2-4-5　微分 *RC* 电路

从以上二式中消去中间变量，可得到

$$u_{\mathrm{i}}(t)=\frac{1}{RC}\int u_{\mathrm{o}}(t)\,\mathrm{d}t+u_{\mathrm{o}}(t)$$

或

$$RC\frac{\mathrm{d}u_{\mathrm{i}}(t)}{\mathrm{d}t}=u_{\mathrm{o}}(t)+RC\frac{\mathrm{d}u_{\mathrm{o}}(t)}{\mathrm{d}t}$$

对上式作拉普拉斯变换，可求得传递函数

$$G(s)=\frac{U_{\mathrm{o}}(s)}{U_{\mathrm{i}}(s)}=\frac{\tau s}{\tau s+1}$$

式中，$\tau=RC$。

上式表明，此电路相当于一个微分环节和一个惯性环节的串联组合，其单位阶跃响应如图 2-4-6 所示。

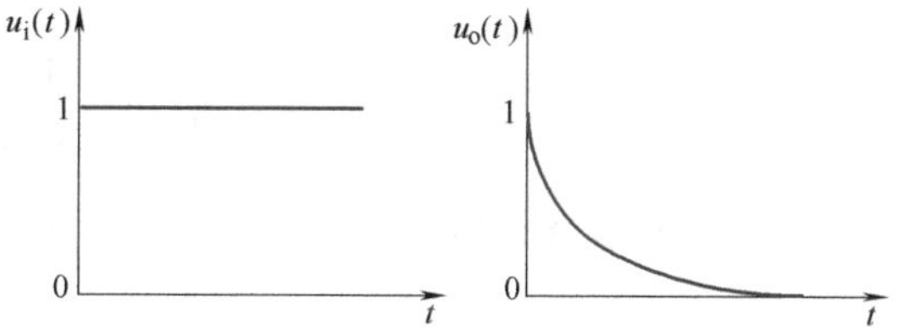

图 2-4-6　微分 *RC* 电路的单位阶跃响应

比较图 2-4-6 及图 2-4-4 可见，两者的差异相当明显。首先在阶跃信号输入的一瞬间，即使认为电容 *C* 的容抗等于零，且输入信号源的内阻也等于零的理想条件成立，但由于输入信号源的容量不可能为无穷大，输出信号的幅值充其量也只能与输入信号的幅值相等；同时输出信号也不可能瞬时即降为零，必是按指数函数规律随时间推移逐步下降为零。如果考虑到电路及所用元件不可能没有感抗，从微观的角度审视，图 2-4-5 所示电路的阶跃响应在起始阶段也不可能在瞬间跃变。只是由于阶跃响应从零上升到最大值所经历的时间极短，故在图 2-4-6 中未反映出来而已。

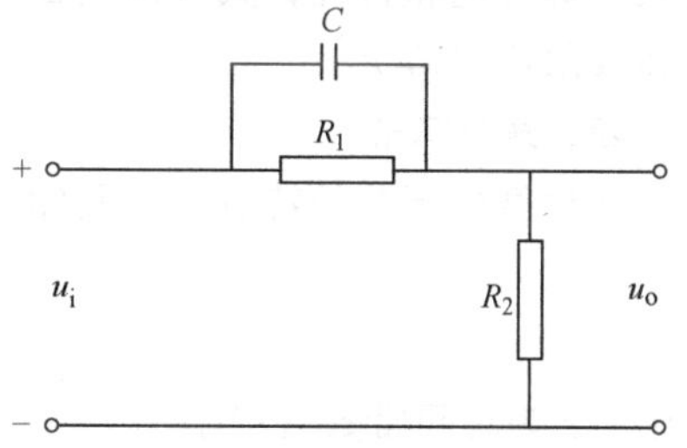

图 2-4-7　比例微分 *RC* 电路

由于这种电路在输入信号维持恒值情况下，经过一定时间后的稳态输出为零，故串联于系统中难于应用。较为常见的是如图 2-4-7 所示电路。其输入与输出间关系的微分方程及相应的传递函数为

$$\frac{R_2}{R_1+R_2}R_1C\frac{\mathrm{d}u_i(t)}{\mathrm{d}t}+\frac{R_2}{R_1+R_2}u_i(t)$$
$$=\frac{R_2}{R_1+R_2}R_1C\frac{\mathrm{d}u_o(t)}{\mathrm{d}t}+u_o(t)$$
$$G(s)=\frac{U_o(s)}{U_i(s)}=\alpha\left(\frac{\tau s+1}{\alpha\tau s+1}\right)$$

式中，$\tau=R_1C$；$\alpha=\dfrac{R_2}{R_1+R_2}$。

图 2-4-7 中电路的阶跃响应如图 2-4-8 所示。

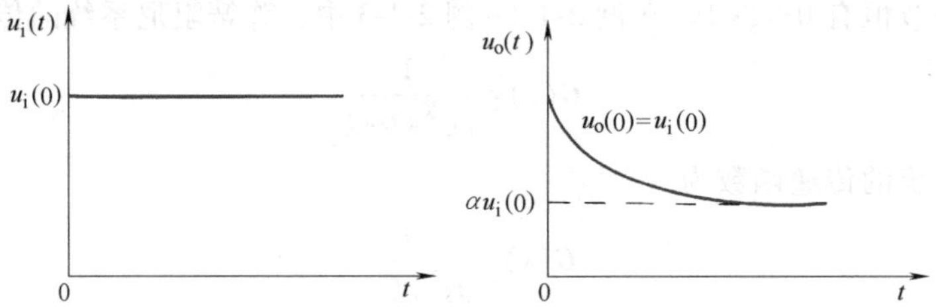

图 2-4-8　比例微分电路的阶跃响应

图 2-4-8 表明图 2-4-7 所示电路除了具有图 2-4-5 所示电路的阶跃响应特点外，在输入进入稳定恒值状态下也有与输入成比例的稳定恒值输出。因此将具有此类特点的环节称为比例微分环节。虽然实际的微分环节不具有理想微分环节一样的特性，但仍能在输入跃变时，于极短时间内形成一个较强的脉冲输出。从本质上看，实际微分环节的输出的确包含有与输入信号导数成比例的成分。因此，用各种元件和不同原理构成的实际微分环节（尤其是比例微分环节）在实际控制系统中仍然得到广泛应用，后续章节将进一步阐述。

再看图 2-4-9 所示的直流测速发电机的例子。设以转角 θ 为输入量，以电枢电压 u 为输出量，若忽略磁滞、涡流和电枢反应等影响，并认为磁通为常量，则测速发电机的输出电压 u 与角速度 ω 成正比，即

$$u=K\omega=K\frac{\mathrm{d}\theta}{\mathrm{d}t}$$

对应的传递函数为

$$G(s)=\frac{U(s)}{\Theta(s)}=Ks$$

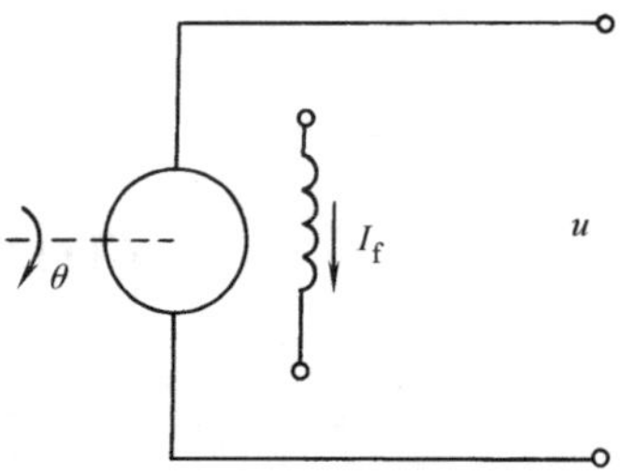

图 2-4-9　直流测速发电机

图 2-4-9 所示测速发电机电路的特性更接近于理想微分环节，但由于测速发电机的转角不可能在瞬间跃变，所以就不研究其阶跃响应。图 2-4-10 给出了当测速发电机由原动机带动，自静止开始按指数函数规律起动，并且最后达到稳速时的响应。

五、振荡环节

振荡环节的微分方程为

$$\tau^2\frac{\mathrm{d}^2c(t)}{\mathrm{d}t^2}+2\zeta\tau\frac{\mathrm{d}c(t)}{\mathrm{d}t}+c(t)=Kr(t) \tag{2-4-15}$$

其传递函数为

$$G(s)=\frac{C(s)}{R(s)}=\frac{K}{\tau^2s^2+2\zeta\tau s+1} \tag{2-4-16}$$

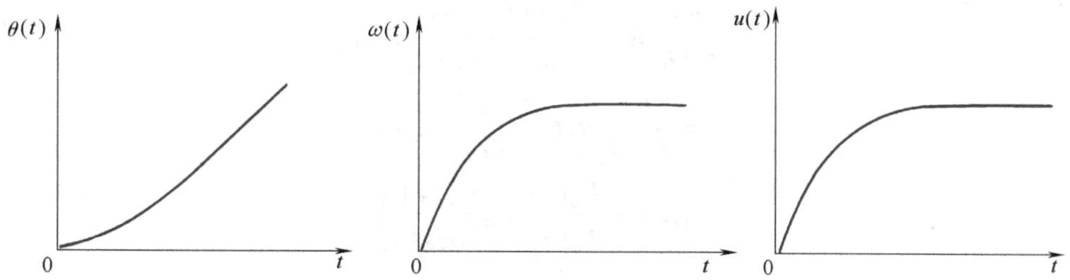

图 2-4-10 直流测速发电机的响应

式中，τ 为时间常数；ζ 为阻尼系数（阻尼比）。

对于振荡环节恒有 $0\leqslant\zeta<1$。在例 2-1-1～例 2-1-3 中，弹簧阻尼系统的传递函数为

$$G(s)=\frac{1}{ms^2+fs+k}$$

机械旋转系统的传递函数为

$$G(s)=\frac{1}{Js^2+fs+k}$$

RLC 电路的传递函数为

$$G(s)=\frac{1}{LCs^2+RCs+1}$$

只要将以上各式变换为标准形式（2-4-16），并满足 $0\leqslant\zeta<1$ 的条件，它们就都属于振荡环节。

振荡环节的单位阶跃响应可以求解如下。

设输入信号 $r(t)=1(t)$，则 $R(s)=\frac{1}{s}$，设 $K=1$，由式（2-4-16）可得

$$C(s)=\frac{1}{s(\tau^2s^2+2\tau\zeta s+1)}$$

或

$$C(s)=\frac{\omega_n^2}{s(s^2+2\zeta\omega_n s+\omega_n^2)}=\frac{1}{s}-\frac{s+2\zeta\omega_n}{s^2+2\zeta\omega_n s+\omega_n^2}$$

$$=\frac{1}{s}-\frac{s+\zeta\omega_n}{(s+\zeta\omega_n)^2+\omega_d^2}-\frac{\zeta\omega_n}{(s+\zeta\omega_n)^2+\omega_d^2} \tag{2-4-17}$$

式中，ω_n 为无阻尼自然振荡频率，$\omega_n=\frac{1}{\tau}$ ⊖；ω_d 为阻尼自然振荡频率，$\omega_d=\omega_n\sqrt{1-\zeta^2}$。

式（2-4-17）的拉普拉斯反变换为

$$c(t)=1-\frac{e^{-\zeta\omega_n t}}{\sqrt{1-\zeta^2}}\sin\left(\omega_d t+\arctan\frac{\sqrt{1-\zeta^2}}{\zeta}\right) \tag{2-4-18}$$

由上式得到的一族以 ζ 为参变量的曲线如图 2-4-11 所示。由图可见，振荡环节的单位阶跃响应是有阻尼的正弦振荡曲线。振荡程度与阻尼比有关，ζ 值越小，则振荡越强。当 $\zeta=0$ 时，出现等幅振荡。这时的振荡频率 ω_n 称为无阻尼自然振荡频率。反之，阻尼系数 ζ 越大，则振荡衰减越快，当 $\zeta\geqslant1$ 时，$c(t)$ 为单调上升曲线，这时已不是振荡环节了。

⊖ ω 的单位是 s^{-1}，以下仅在文字说明中标注单位，在公式、图及数值计算中均不再标注。

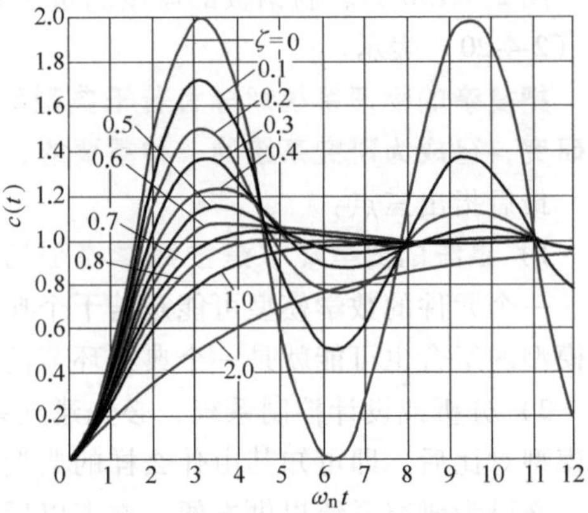

图 2-4-11 振荡环节的单位阶跃响应

六、纯滞后环节

理想纯滞后环节的特点是，当输入信号变化时其输出信号比输入信号滞后一定的时间，然后完全复现输入信号。它的单位阶跃响应如图 2-4-12 所示，其表达式为

$$c(t)=r(t-\tau) \tag{2-4-19}$$

式中，τ 为纯滞后时间，或称死时。

对上式求拉普拉斯变换，可得

$$C(s)=\int_0^{\infty} r(t-\tau)\mathrm{e}^{-st}\mathrm{d}t=\int_0^{\infty} r(\zeta)\mathrm{e}^{-s(\zeta+\tau)}\mathrm{d}\zeta$$
$$=\mathrm{e}^{-\tau s}R(s)$$

式中，$\zeta=t-\tau$。

由此可得传递函数

$$G(s)=\frac{C(s)}{R(s)}=\mathrm{e}^{-\tau s} \tag{2-4-20}$$

在生产实际中，特别是在一些液压、气动或机械传动系统中，都可能遇到纯时间滞后现象。在计算机控制系统中，由于运算需要时间，也会出现时间滞后。随着运算速度以指数级增长，当系统的时间常数远大于运算时间时，可以忽略运算时间滞后。图 2-4-13 中举出了传输滞后的两个例子。图 2-4-13a 所示是把两种液体按一定比例进行混合的示意图。为了保证能测到均匀的溶液混合浓度，测量点离开混合点有一定距离，因此就存在传输滞后。设混合点与测量点之间的距离为 d，溶液流速为 v，则滞后时间为 $\tau=\dfrac{d}{v}$。

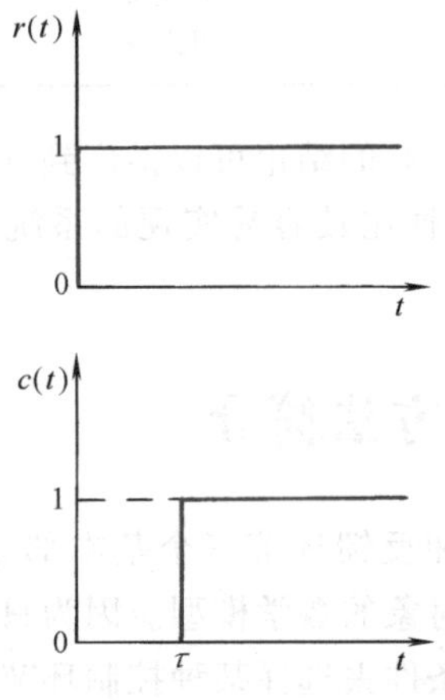

图 2-4-12 滞后环节的单位阶跃响应

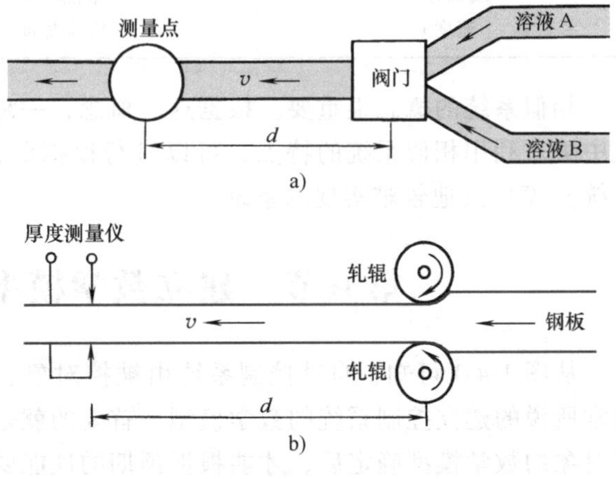

图 2-4-13 具有传输滞后的系统

设混合浓度为 $r(t)$，则在测量点测到的浓度不变，但在时间上滞后了 τ。被测量为

$$c(t)=r(t-\tau)$$

上式的拉普拉斯变换式为

$$C(s)=\mathrm{e}^{-\tau s}R(s)$$

由此可得滞后环节的传递函数

$$\frac{C(s)}{R(s)}=\mathrm{e}^{-\tau s}$$

图 2-4-13b 为轧制钢板的厚度测量装置的示意图。和上述情况类似，其传递函数也可用式（2-4-20）表示。

把复杂的物理系统划分为若干典型环节，利用传递函数和框图（或信号流程图）来进行研究，已成为研究系统的一种重要的、一般性的研究方法。

最后指出三点：

1）**系统的典型环节是按数学模型的共性建立的，与系统中采用的元件不是一一对应的。**一个元件的数学模型可能是若干个典型环节的数学模型的组合；反之，若干个元件的数学模型的组合也可能就是一个典型环节的数学模型。

2）分析或设计控制系统，必先建立系统或被控对象的数学模型，将其与典型环节的数学模型对比后，即可知其由什么样的典型环节组成。由于典型环节的动态性能和响应是熟知的，必可为研究系统提供方便。本书以后的章节中经常使用典型环节的概念。

3）和以前各节所介绍的一样，典型环节的概念只适用于能够用线性定常数学模型描述的系统。而且典型环节数学模型是在一系列理想条件限制下建立的。

七、相似系统的概念

把数学模型相同的各种物理系统称为相似系统。在相似系统的数学模型中，作用相同的变量称为相似变量。本章第一节中三种不同物理系统的相似变量见表 2-4-1。

表 2-4-1 相似系统中的相似变量

弹簧阻尼系统	机械旋转系统	*RLC* 串联网络
力 F	转矩 M	电压 u
质量 m	转动惯量 J	电感 L
粘滞摩擦系数 f	粘滞摩擦系数 f	电阻 R
弹簧系数 k	扭转系数 k	电容的倒数 $1/C$
线位移 y	角位移 θ	电荷 q
速度 v	角速度 ω	电流 i

相似系统的概念很重要。根据这一概念，一种物理系统研究的结论可以推广到其相似系统中去。利用相似系统的特点，可以进行模拟研究，即用一种比较容易实现的系统（如电系统）模拟其他较难实现的系统。

第五节　建立数学模型的实验方法简介

从图 1-4-1 可知，自动控制系统由被控对象、控制环节和反馈环节三个基本部分组成。通常所说的建立控制系统的数学模型，首要的就是建立被控对象的数学模型。因为只有在被控对象的数学模型确定后，才能根据预期的性能要求及限制条件去选择某种控制环节和反馈环节，从而构建出能够达到目标的控制系统。

本章前面各节所举例子中的数学模型均是用机理分析方法建立的，其特点是物理意义清楚，但在实际中，欲完全依赖机理分析方法建立被控对象的数学模型是不现实的，这是因为：

1）众多的被控对象，其内部结构和运动规律比较复杂，尚未被人们熟知，无从建立机理数学模型。

2）某些被控对象，人们只掌握其主要的内部结构和运动规律，如果不考虑实际条件，就轻易地将尚未掌握的那一部分因素予以忽略，由此建立被控对象近似的机理数学模型，极

有可能不能完全反映被控对象的本质特征，从而为以后构建实际并且适用的控制系统带来难以估计的后果。

3）某些被控对象的内部结构和运动规律基本已知，但其中部分参量的数值难于确定，因而难于建立完整的机理模型。

4）某些被控对象，根据其内部结构和运动规律建立的机理数学模型比较复杂，不适宜进一步建立实际、适用的控制系统。如果考虑某些限制条件后，予以简化得到近似的数学模型，有时也需通过被控对象的动态特性测试，确定简化后的机理数学模型是否实际可用。

鉴于通过机理分析方法建立被控对象的数学模型有诸多局限性，因此通过实验测试被控对象动态特性建立数学模型就成为一种较为常见的建模方法。

用实验的方法确定被控对象（当然也可以是控制系统）的数学模型，通常是在被控对象的输入端施加一适当的激励信号，同时在被控对象的输出端检测出响应（亦即动态特性）。然后将实验所得通过某种处理，得到被控对象的数学模型。此时得到的数学模型即是被控对象的输入—输出描述，不涉及内部结构和机理。

据此可知，用实验方法确定被控对象数学模型时，势必涉及两个主要问题，其一是如何选择和确定恰当的输入激励信号。选定输入激励信号的原则是，既要选定能够较为容易取得的典型信号，同时又要使被测对象在被此输入信号激励后，所检测到的响应便于数据处理而获得数学模型。其二是从检测得到的对象输出端的响应，到获得数学模型的数据处理方法，这种数据处理方法应该简单实用，且能满足一定精度要求。

根据输入激励信号不同，目前主要有三种实验方法：

1. 时域测定法

此法简单实用，是在被控对象或系统的输入端施加阶跃信号或脉冲信号，在输出端检测出被激励后的响应，然后对所得阶跃响应或脉冲响应进行数据处理，获得相应的数学模型。

2. 频域测定法

与时域法不同，本方法是在被控对象的输入端施加不同频率的正弦信号，同时检测输出端在不同频率时的响应，然后经过数据处理，确定被控对象的数学模型。这种方法所用设备较时域法复杂一些，一般需使用超低频频率特性测试仪。

3. 统计相关测定法

本方法是在被控对象输入端施加某种典型的随机信号，然后根据各参量的变化，采用统计相关法，确定被控对象的动态特性和数学模型。

为使采用实验方法确定被测对象数学模型能够得到尽可能理想的结果，应重视以下注意事项：

1）开始测试前，如有可能，应先使被测对象运行于实际经常使用的负荷前提下，并持续一段适当的时间，使其内部的参量、工况都处于较为稳定的状态，然后再施加输入激励信号，开始测试。

2）必须恰当地选定输入激励信号的幅值。幅值过大，会使被控对象处于饱和非线性工况下，将影响实验确定的线性数学模型。如选定的幅值过小，则某些难以避免的随机扰动有可能使确定的数学模型误差相对增大。

3）一定要使检测响应的开始时间与开始输入激励信号的时间一致，此点对确定数学模型的精度影响甚大。

4）如事先估计被测对象中含有死区或间隙非线性，应作正反向激励信号的实验，检验此非线性对确定线性数学模型的影响。

5）为尽可能排除某些偶然因素，应做多次重复实验。

6）所加入的测试信号不应使系统受到损害。

7）如采用在线测试，所使用的激励信号不应过分影响系统原有工况。

本节只介绍了确定被控对象数学模型的实验测试方法的基本概念，第三章和第五章将对时域测定法和频域测定法作进一步阐述。鉴于统计相关测定法已属于“系统辨识”方面的内容，超出本课程的范围，故予省略。

第六节　框图及其化简方法

本节和下一节介绍自动控制系统的两种图形研究方法，即框图和信号流程图方法。它们是数学模型的图形表示。

框图又称方块图或结构图。它把系统或环节用一个方框表示，如图 2-6-1a 所示。方框的一端为输入信号 $r(t)$，另一端是经过系统或环节后的输出信号 $c(t)$。图中用箭头表示信号传递的方向。框图也可用来表示系统或元件输入和输出信号的拉普拉斯变换式之间的关系，如图 2-6-1b 所示。这时方框中标出的是传递函数。

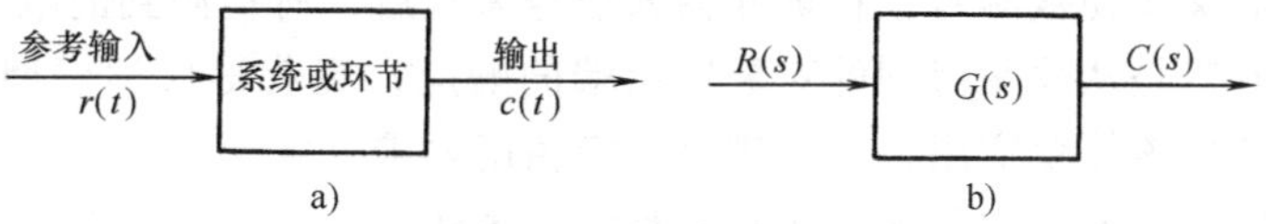

图 2-6-1　框图

六种典型环节的框图如图 2-6-2 所示。

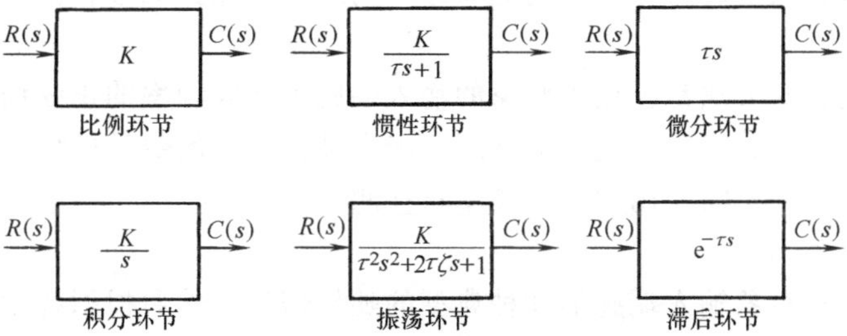

图 2-6-2　典型环节的框图

一个控制系统总是由若干元件组合而成。从信息传递的角度看，可以把一个系统划分为若干环节，每个环节用一个方框表示，按信息传递的关系构成整个系统的框图。从框图可以了解系统中信息的传递过程和各环节的联系。利用框图的变换和化简，可以得到只考虑输入和输出信号之间关系的系统等效框图。总之，控制系统用框图表示便于进行分析和设计。

下面讨论环节的连接方式和框图的变换及化简方法。

一、环节的串联

环节的串联是很常见的一种结构形式，其特点是：前一个环节的输出信号为后一个环节的输入信号，如图 2-6-3 所示。

对于每一个环节的框图有

$$G_1(s)=\frac{X_1(s)}{R(s)},\quad G_2(s)=\frac{X_2(s)}{X_1(s)},\quad G_3(s)=\frac{C(s)}{X_2(s)}$$

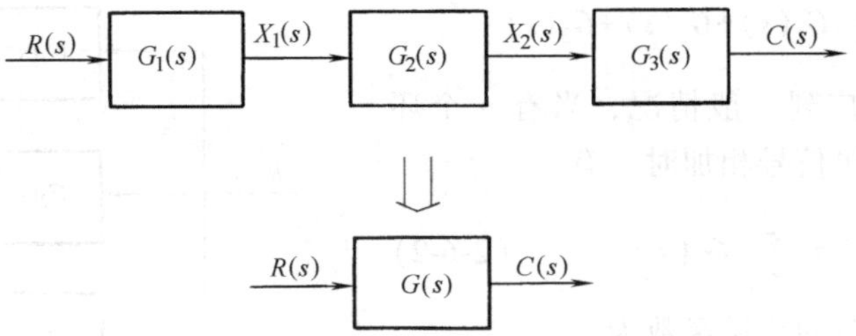

图 2-6-3　环节的串联

它们的乘积为

$$G(s)=G_1(s)G_2(s)G_3(s)=\frac{C(s)}{R(s)}$$

上式表明，若干环节的串联可以用一个等效环节去取代，等效环节的传递函数为各个串联环节的传递函数之积，即

$$G(s)=\prod_{i=1}^{n}G_i(s) \tag{2-6-1}$$

只有当无负载效应，即前一环节的输出量不受后面环节的影响时，式（2-6-1）方才有效。

例如，图 2-6-4c 中的电路是由图 2-6-4a 和图 2-6-4b 的电路串联组成。然而电路 c 的传递函数并不等于电路 a 和 b 的传递函数之积，原因是存在负载效应。如果在两个电路之间加入隔离放大器，如图 2-6-4d 所示，由于放大器的输入阻抗很大，输出阻抗很小，负载效应可以忽略不计。这时，式（2-6-1）就完全有效了。

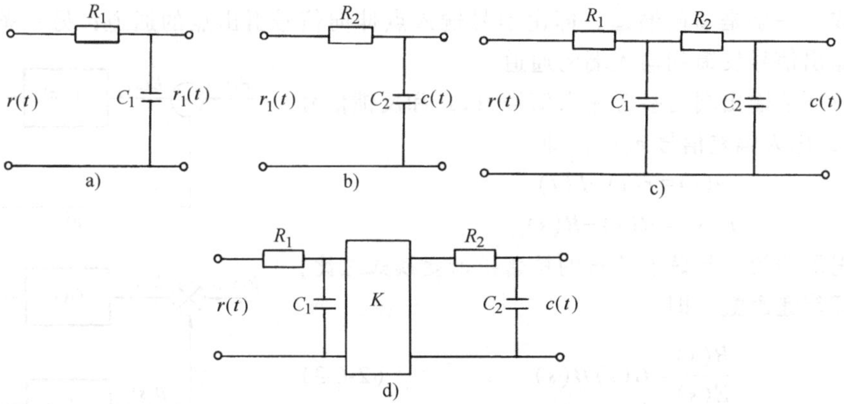

图 2-6-4　电路的串联

二、环节的并联

环节并联的特点是各环节的输入信号相同，输出信号相加（或相减），如图 2-6-5 所示。由图可见

$$C(s)=C_1(s)+C_2(s)+C_3(s)$$

而
$$G_1(s)=\frac{C_1(s)}{R(s)},\ G_2(s)=\frac{C_2(s)}{R(s)},\ G_3(s)=\frac{C_3(s)}{R(s)}$$

总的传递函数为

$$G(s)=\frac{C(s)}{R(s)}=G_1(s)+G_2(s)+G_3(s)$$

以上结论可推广到一般情况，当有 n 个环节并联连接，其输出信号相加时，有

$$G(s)=\sum_{i=1}^{n}G_i(s) \tag{2-6-2}$$

如比例微分环节的传递函数为

$$G(s)=\frac{1}{R}(\tau s+1)=\frac{1}{R}\tau s+\frac{1}{R}$$

就相当于两个环节的并联，可用图 2-6-6 的框图表示。

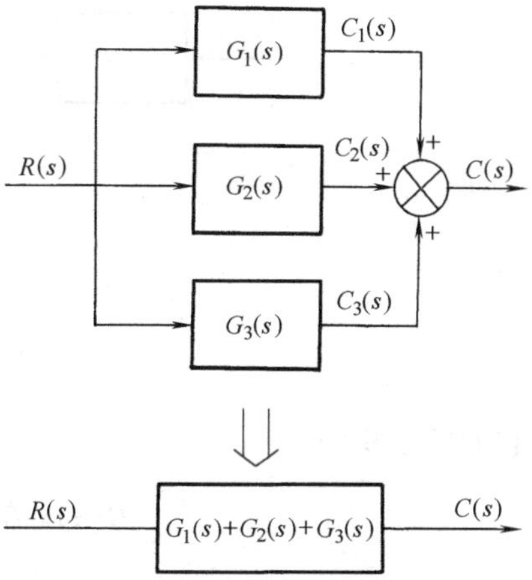

图 2-6-5 环节的并联

三、反馈连接

若将系统或环节的输出信号反馈到输入端，与输入信号进行比较，如图 2-6-7 所示，就构成了反馈连接。如果反馈信号与参考输入信号的极性相反，称为负反馈连接。反之，则为正反馈连接。图 2-6-7a 为单位负反馈系统的框图。在有些情况下，系统的输出量和输入量不是相同的物理量。为了进行比较，需要在反馈通道中设置一个变换装置，使反馈回来的信号具有与输入信号相同的量纲，如图 2-6-7b 所示。这样，就形成了非单位负反馈。

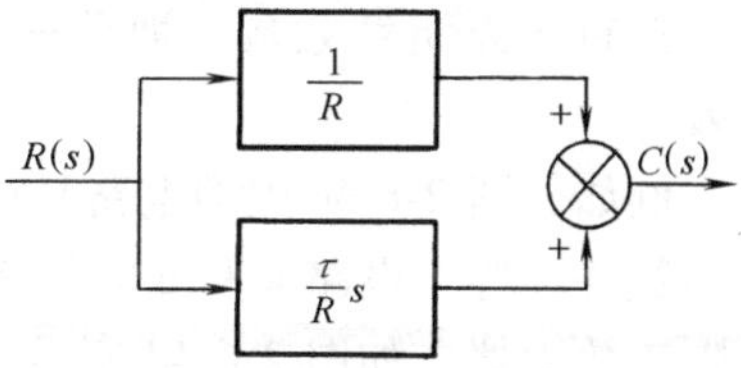

图 2-6-6 比例微分环节的等效框图

构成反馈连接后，信息的传递形成了封闭回路，即形成了闭环控制。通常把闭环路线视作由两条传递信号的通道组成：一条是前向通道，即由信号输入点伸向信号引出点的通道；另一条为反馈通道，即把输出信号反馈到输入端的通道。

将比较环节输出端为参考输入信号 $r(t)$ 和反馈信号 $b(t)$ 之差，称为偏差信号 $e(t)$，即

$$e(t)=r(t)-b(t)$$

或

$$E(s)=R(s)-B(s)$$

通常把反馈信号与偏差信号的拉普拉斯变换式之比，定义为开环传递函数，即

$$\frac{B(s)}{E(s)}=G(s)H(s) \tag{2-6-3}$$

而将输出信号和偏差信号的拉普拉斯变换式之比，称为前向通道传递函数

$$G(s)=\frac{C(s)}{E(s)}$$

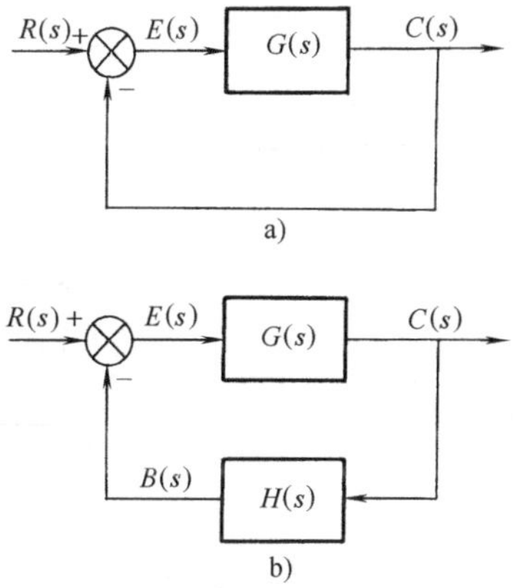

图 2-6-7
a）单位负反馈系统 b）非单位负反馈系统

框图的反馈连接

显然，当采用单位负反馈，即 $H(s)=1$ 时，**开环传递函数即为前向通道传递函数**。

对于负反馈连接，有

$$C(s)=[R(s)-H(s)C(s)]G(s)$$

由此可得闭环传递函数

$$\frac{C(s)}{R(s)}=\frac{G(s)}{1+G(s)H(s)} \tag{2-6-4}$$

对于正反馈连接，则有

$$\frac{C(s)}{R(s)}=\frac{G(s)}{1-G(s)H(s)} \tag{2-6-5}$$

四、框图的变换和化简[㊀]

在对系统进行分析时，常常需要对框图作一定的变换。特别是存在多回路和多个输入信号的情况下，更需要对框图进行变换、组合与化简，以便求出总的传递函数，以利于分析各输入信号对系统性能的影响。

在对框图进行变换时，除了前面介绍的三种连接方式可以简化为一个等效环节外，还有将信号引出点及信号汇合点前后移动的规则。这些规则都是根据下列两条原则得到的，即

1）变换前与变换后前向通道中传递函数的乘积必须保持不变。

2）变换前与变换后回路中传递函数的乘积必须保持不变。

表 2-6-1 中列出了框图变换的基本规则。利用这些规则可以将比较复杂的系统框图逐步化简为图 2-6-7a 或图 2-6-7b 所示的形式，以便对控制系统进行分析。

表 2-6-1　框图变换

	变　换　前	变　换　后
串联	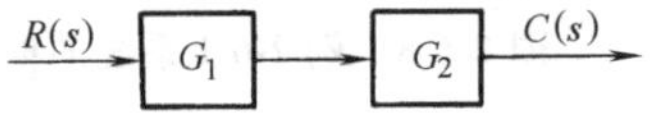	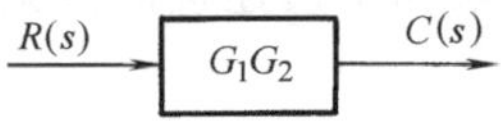
并联	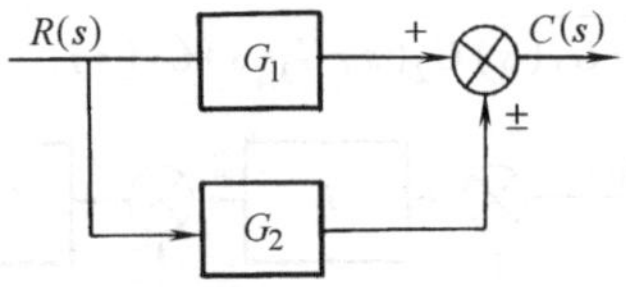	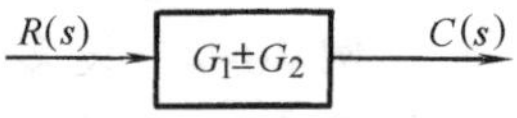
反馈	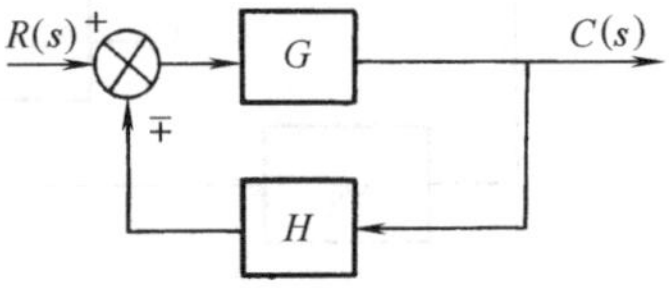	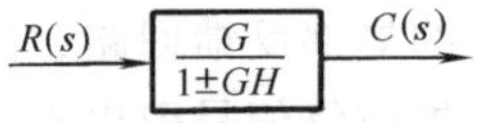
取出点前移	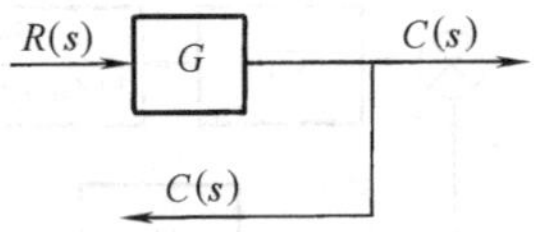	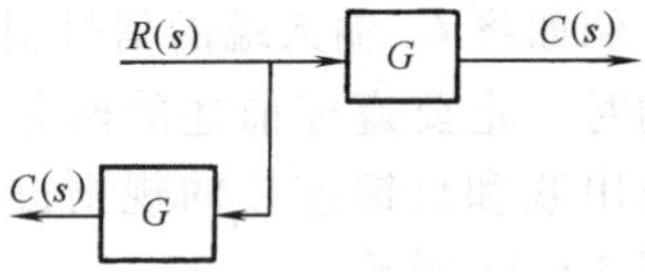
取出点后移	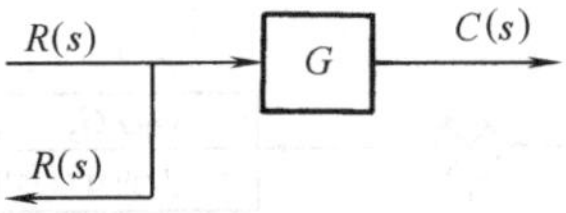	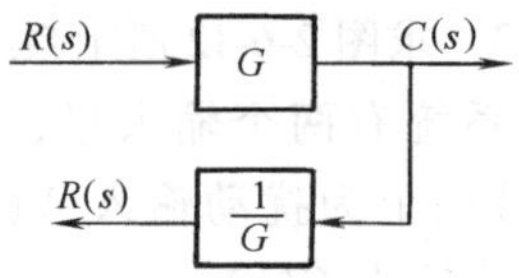
汇合点前移	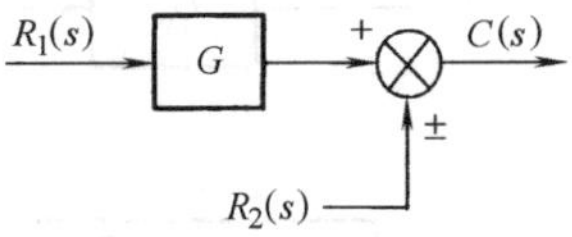	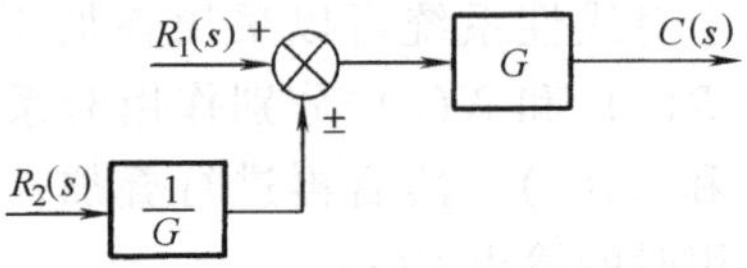

㊀ 为了简化图表，本节所有图表中传递函数 $G(s)$ 均简写为 G。

（续）

	变换前	变换后
汇合点后移	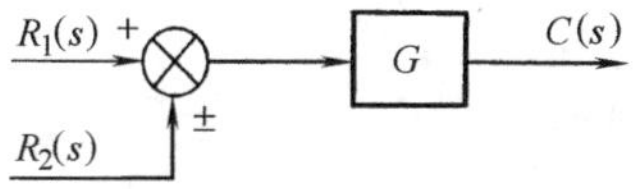	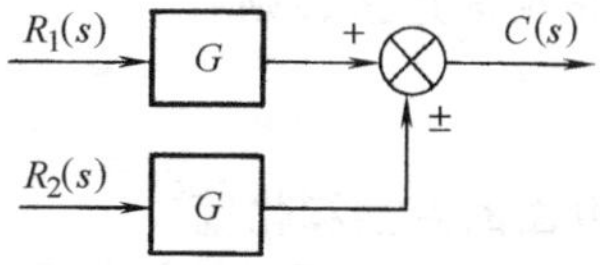
汇合点变位	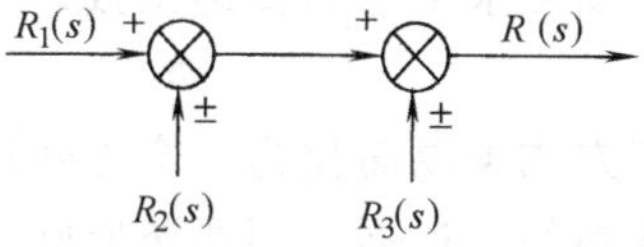	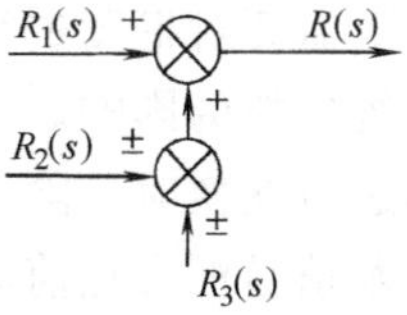

下面举例说明框图的变换和化简过程。

例 2-6-1　试求图 2-6-8 所示多回路系统的闭环传递函数$\frac{C(s)}{R(s)}$。

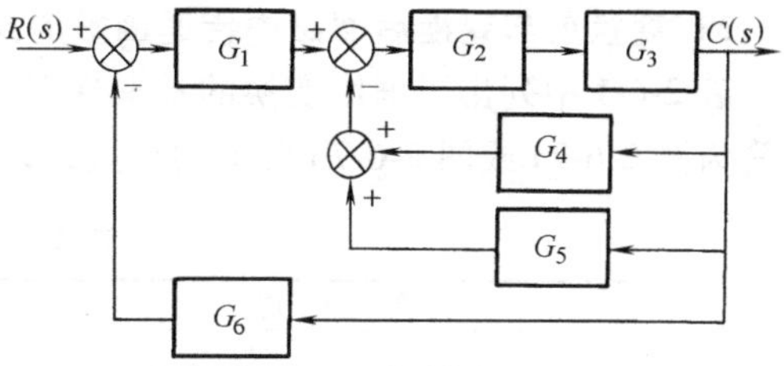

图 2-6-8　例 2-6-1 系统的框图

解　按照图 2-6-9 所示的步骤，根据环节串联、并联和反馈连接的规则化简。可以求得

$$\frac{C(s)}{R(s)}=\frac{G_1(s)G_2(s)G_3(s)}{1+G_2(s)G_3(s)[G_4(s)+G_5(s)]+G_1(s)G_2(s)G_3(s)G_6(s)}$$

例 2-6-2

例 2-6-2　设多环系统的框图如图 2-6-10 所示，试对其进行化简，并求闭环传递函数。

解　此系统中有两个相互交错的局部反馈回路，因此在化简时首先应将信号引出点或信号汇合点移到适当的位置，将系统框图变换为无交错反馈的图形，例如将 G_5 输入端的信号引出点移至 A 点。移动时一定要遵守前述的两条原则。然后利用环节串联和反馈连接的规则进行化简，其步骤如图 2-6-11 所示。

例 2-6-3　求图 2-6-12 所示系统的输出$C(s)$。

解　此系统有两个输入量，一个为参考输入 $R(s)$，另一个为扰动输入 $N(s)$，同时作用于系统，产生输出 $C(s)$。

由于对线性系统可以采用叠加原理，下面先求出 $R(s)$ 和 $N(s)$ 分别作用时系统的输出 $C_1(s)$ 和 $C_2(s)$，然后再进行叠加，求出它们同时作用时的输出 $C(s)$。

当仅有 $R(s)$ 作用时，系统框图如图 2-6-13a 所示，根据反馈连接的公式，可得

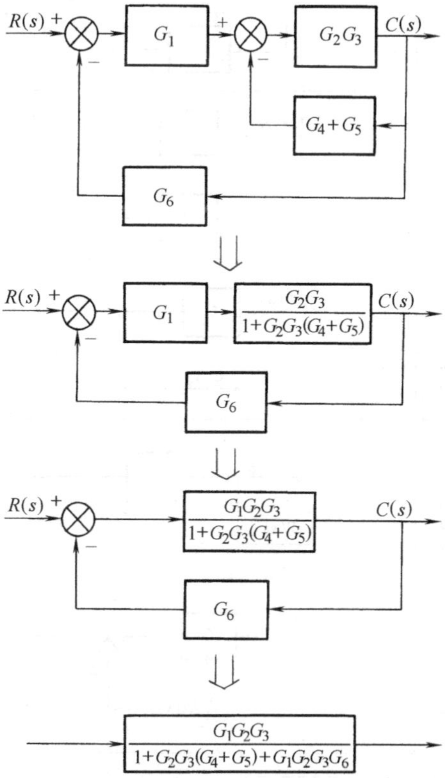

图 2-6-9　例 2-6-1 框图的化简

$$\frac{C_1(s)}{R(s)}=\frac{G_1(s)G_2(s)}{1+G_1(s)G_2(s)H(s)}$$

或
$$C_1(s)=\frac{G_1(s)G_2(s)}{1+G_1(s)G_2(s)H(s)}R(s)$$

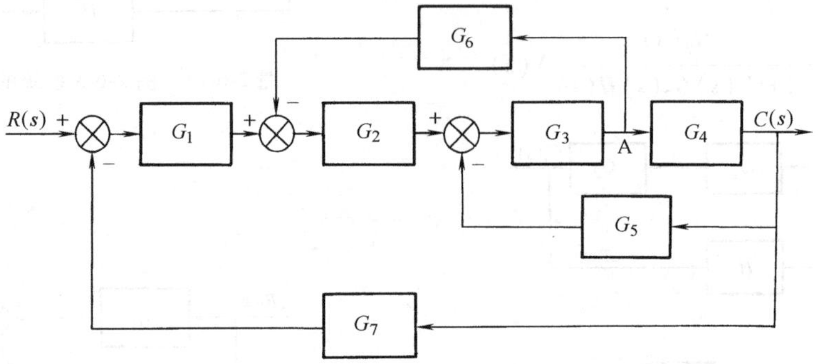

图 2-6-10　**例 2-6-2 系统的框图**

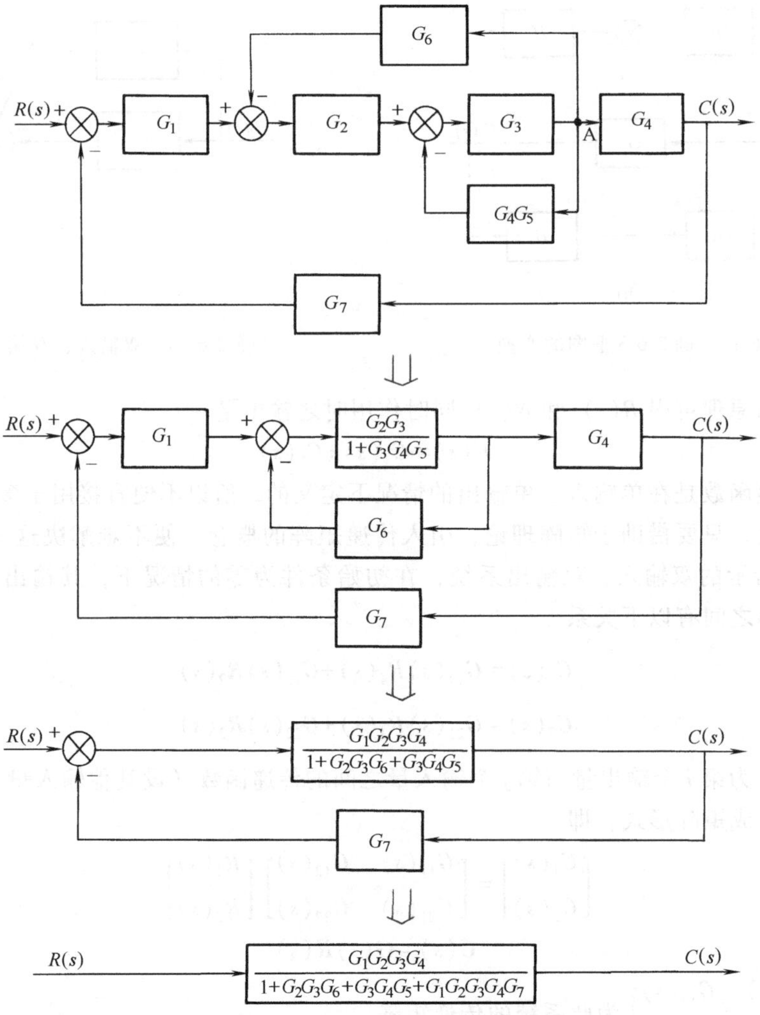

图 2-6-11　**例 2-6-2 框图的变换**

当只有 $N(s)$ 作用时，框图的变换如图 2-6-13b 所示，不难求得

$$\frac{C_2(s)}{-N(s)}=\frac{G_2(s)}{1+G_1(s)G_2(s)H(s)}$$

或

$$C_2(s)=-\frac{G_2(s)}{1+G_1(s)G_2(s)H(s)}N(s)$$

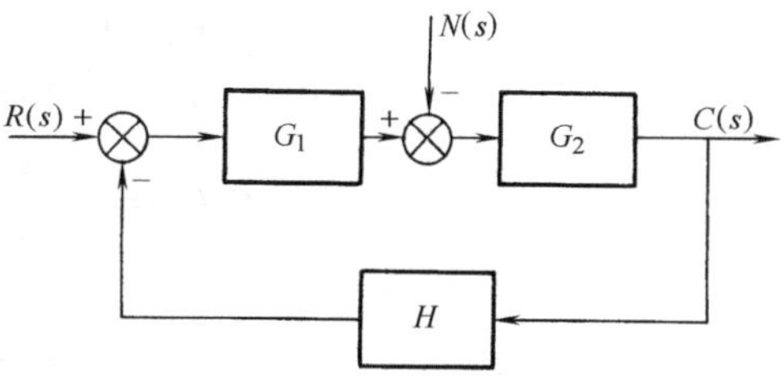

图 2-6-12 例 2-6-3 系统的框图

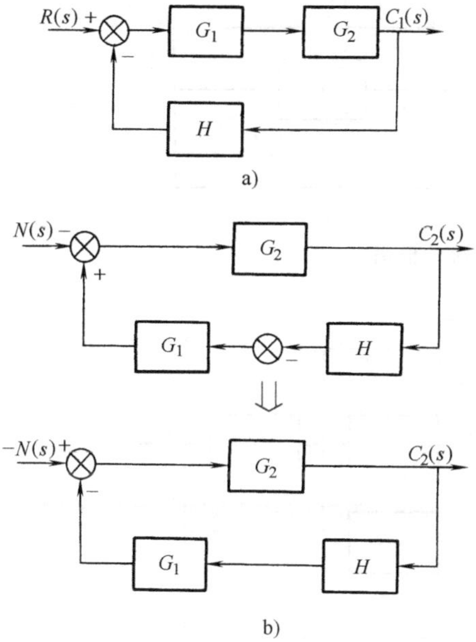

图 2-6-13 例 2-6-3 框图的变换

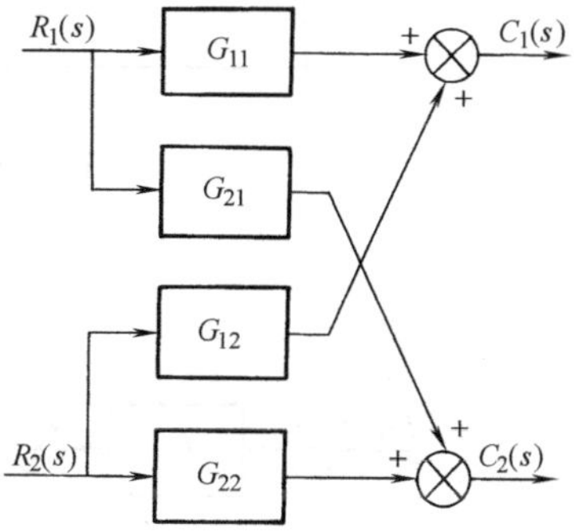

图 2-6-14 双输入、双输出系统

根据叠加原理可得 $R(s)$ 和 $N(s)$ 同时作用时之输出量

$$C(s)=C_1(s)+C_2(s)$$

由于传递函数是在单输入、单输出的情况下定义的，所以不便直接用于多输入、多输出的系统。然而，只要借助于矩阵理论，引入传递矩阵的概念，便不难解决这一问题。例如，对图 2-6-14 所示的双输入、双输出系统，在初始条件为零的情况下，其输出量和输入量的拉普拉斯变换之间有以下关系

$$C_1(s)=G_{11}(s)R_1(s)+G_{12}(s)R_2(s)$$

$$C_2(s)=G_{21}(s)R_1(s)+G_{22}(s)R_2(s)$$

式中，$G_{ij}(s)$ 为第 i 个输出量与第 j 个输入量之间的传递函数（设其他输入量为零）。

上式可写成矩阵形式，即

$$\begin{bmatrix} C_1(s) \\ C_2(s) \end{bmatrix}=\begin{bmatrix} G_{11}(s) & G_{12}(s) \\ G_{21}(s) & G_{22}(s) \end{bmatrix}\begin{bmatrix} R_1(s) \\ R_2(s) \end{bmatrix} \tag{2-6-6}$$

或写成

$$\boldsymbol{C}(s)=\boldsymbol{G}(s)\boldsymbol{R}(s) \tag{2-6-7}$$

$\boldsymbol{G}(s)=\begin{bmatrix} G_{11}(s) & G_{12}(s) \\ G_{21}(s) & G_{22}(s) \end{bmatrix}$ 为此系统的传递矩阵。

第七节　信号流程图

框图虽然对于分析系统很有用处，但是遇到比较复杂的系统时，其变换和化简过程往往显得繁琐而费时。采用本节介绍的信号流程图，简称信号流图，可以利用梅逊公式直接求得系统中任意两个变量之间的关系。信号流程图方法只适合线性系统。

一、基本概念

信号流程图是一种将线性代数方程用图形表示的方法。设有线性方程组

$$\left.\begin{aligned} ax_0-x_1+bx_2=0 \\ cx_0+dx_1-x_2=0 \end{aligned}\right\} \tag{2-7-1}$$

式中，x_0、x_1 和 x_2 表示变量；其中，x_0 为自变量。

为了绘制信号流程图，将上述方程组改写为因果关系式

$$\left.\begin{aligned} x_1=ax_0+bx_2 \\ x_2=cx_0+dx_1 \end{aligned}\right\} \tag{2-7-2}$$

其中，因变量 x_1 和 x_2 在一个方程中只出现一次。

式（2-7-2）可用图 2-7-1a 所示的信号流程图表示。

应该指出，线性方程组的因果关系表达式不是唯一的，因此所对应的信号流程图也不是唯一的。例如，式（2-7-1）还可以改写为

$$\left.\begin{aligned} x_1=-\frac{c}{d}x_0+\frac{1}{d}x_2 \\ x_2=-\frac{a}{b}x_0+\frac{1}{b}x_1 \end{aligned}\right\} \tag{2-7-3}$$

其对应的信号流程图如图 2-7-1b 所示。

在信号流程图中，用符号“○”表示变量，称为节点。节点之间用有向线段连接，称为支路。支路是有权的。通常在支路上标明前后两变量之间的关系，称为传输。

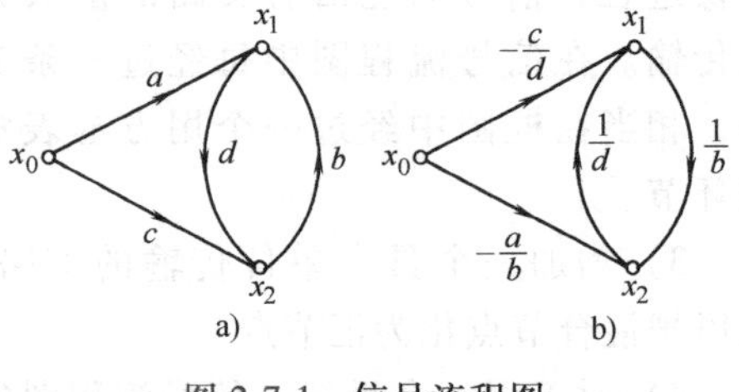

图 2-7-1　信号流程图

二、常用术语

下面介绍信号流程图的一些常用术语。

节点：表示变量或信号的点。

支路：起源于一个节点，终止于另一个节点，而这两个节点之间不包含或经过第三节点。

出支路：离开节点的支路。

入支路：指向节点的支路。

源节点：只有出支路的节点，对应于自变量或外部输入。

汇节点：只有入支路的节点，对应于因变量。

混合节点：既有入支路，又有出支路的节点。

通道：又称路径，从一个节点出发，沿着支路的箭头方向相继经过多个节点的支路。一个信号流程图可以有很多通道。

开通道：如果通道从某节点开始，终止在另一节点上，而且通道中每个节点只经过一次，则该通道称为开通道。

闭通道：如果通道的终点就是通道的始点，并且通道中每个节点只经过一次，则该通道称为闭通道或反馈环，回环、回路等。如果从一个节点开始，只经过一个支路又回到该节点的，称为自回环。

前向通道：从源节点开始到汇节点终止，而且每个节点只通过一次的通道，称为前向通道。

不接触回环：如果一些回环没有任何公共节点，称为不接触回环。

支路传输：两个节点之间的增益。

通道传输或通道增益：沿通道各支路传输的乘积。

回环传输或回环增益：闭通道中各支路传输的乘积。

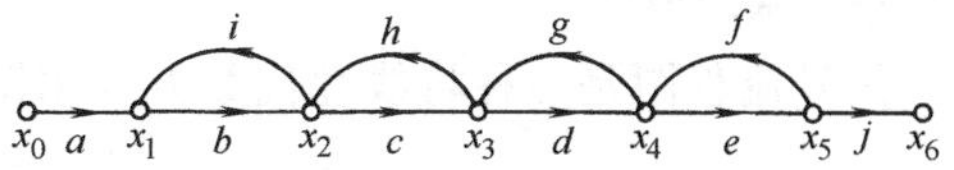

图 2-7-2 信号流程图

下面结合图 2-7-2 所示的信号流程图来说明以上术语。

图 2-7-2 中 x_0 为源节点，x_6 为汇节点；x_1、x_2、x_3、x_4 和 x_5 是混合节点；*abcdej* 是前向通道；*abcde* 和 *fghi* 是通道；*ai* 不是通道，因为两条支路的方向不一致；*abi* 也不是通道，因为两次经过节点 x_1；*bi* 是闭通道（回环），而 *bchi* 不是回环，因为两次经过节点 x_2。此图中共有四个回环，即 *bi*、*ch*、*dg* 和 *ef*。两个互不接触的回环有三种组合，即 *bief*、*bidg* 和 *chef*。图 2-7-2 中没有三个及三个以上互不接触的回环。

三、信号流程图的基本性质

综合上述，可归纳出信号流程图的下列性质：

1）以节点代表变量。源节点代表输入量，汇节点代表输出量。用混合节点表示变量或信号的汇合。在混合节点处，出支路的信号等于各入支路信号的叠加。

2）以支路表示变量或信号的传输和变换过程，信号只能沿着支路的箭头方向传输。在信号流程图中每经过一条支路，相当在框图中经过一个用方框表示的环节。

3）增加一个具有单位传输的支路，可以把混合节点化为汇节点。

4）对于同一个系统，信号流程图的形式不是唯一的。

四、信号流程图的化简

信号流程图的化简规则可扼要归纳如下：

1）串联支路的总传输等于各支路传输之乘积。

2）并联支路的总传输等于各支路传输之和。

3）混合节点可以通过移动支路的方法消去。

4）回环可以根据反馈连接的规则化为式（2-6-4）或式（2-6-5）的等效

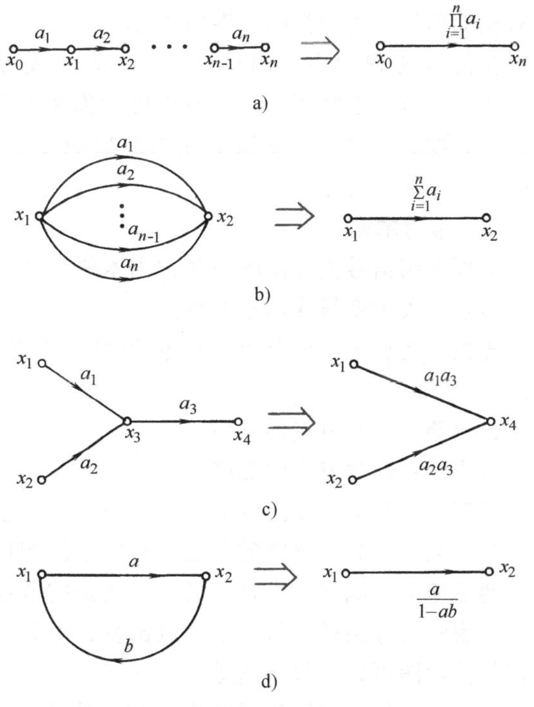

图 2-7-3 信号流程图的化简规则

支路。

以上四种情况的化简图，分别如图 2-7-3a、b、c 和 d 所示。

例 2-7-1 根据图 2-7-4a 所示的系统框图画出信号流程图并化简之，求系统闭环传递函数$\frac{C(s)}{R(s)}$。

解 图 2-7-4a 所示的框图可以化为图 2-7-4b 所示的信号流程图。注意，框图比较环节处的正负号在信号流程图中反映在支路传输的符号上。

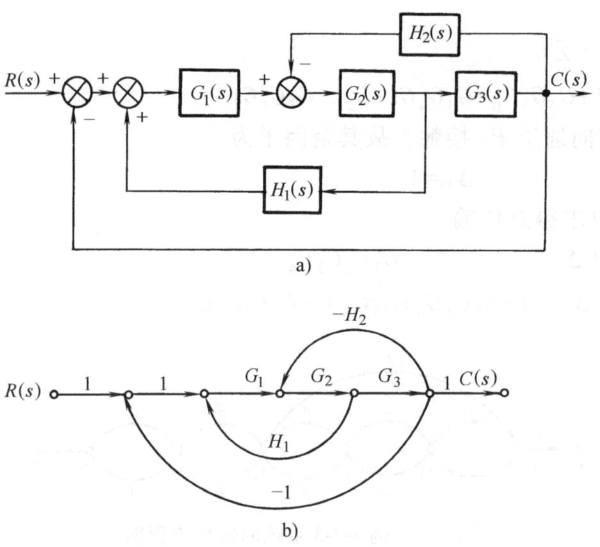

图 2-7-4 例 2-7-1 系统图

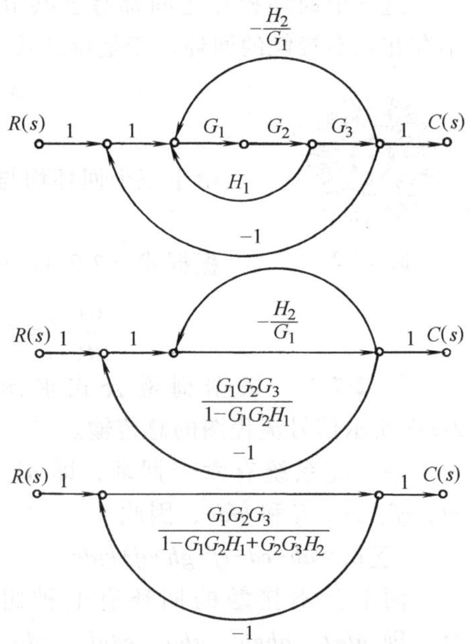

图 2-7-5 例 2-7-1 系统信号流程图的化简

图 2-7-4b 的信号流程图的化简过程如图 2-7-5 所示。

最后求得系统的闭环传递函数（总传输）为

$$\frac{C(s)}{R(s)}=\frac{G_1G_2G_3}{1-G_1G_2H_1+G_2G_3H_2+G_1G_2G_3}$$

五、梅逊公式及其应用

对于比较复杂的控制系统，框图或信号流程图的变换和化简方法都显得繁琐费时，这时可以根据梅逊公式直接求信号流程图的传输。梅逊公式为

$$T=\frac{1}{\Delta}\sum_{k=1}^{n}P_k\Delta_k \tag{2-7-4}$$

式中，T 为从源节点至任何节点的传输；P_k 为第 k 条前向通道的传输；Δ 为信号流程图的特征式，是信号流程图所表示的方程组的系数行列式，其表达式为

$$\Delta=1-\sum L_1+\sum L_2-\sum L_3+\cdots+(-1)^m\sum L_m \tag{2-7-5}$$

式中，$\sum L_1$ 为所有不同回环的传输之和；$\sum L_2$ 为任何两个互不接触回环传输的乘积之和；$\sum L_3$ 为任何三个互不接触回环传输的乘积之和；……$\sum L_m$ 为任何 m 个互不接触回环传输的乘积之和；Δ_k 为余因子，即从 Δ 中除去与第 k 条前向通道 P_k 相接触的回环后余下的部分，也就是不接触部分的系数行列式。

梅逊公式的推导可参阅有关文献。

例 2-7-2 用梅逊公式求图 2-7-6 所示信号流程图的总传输。

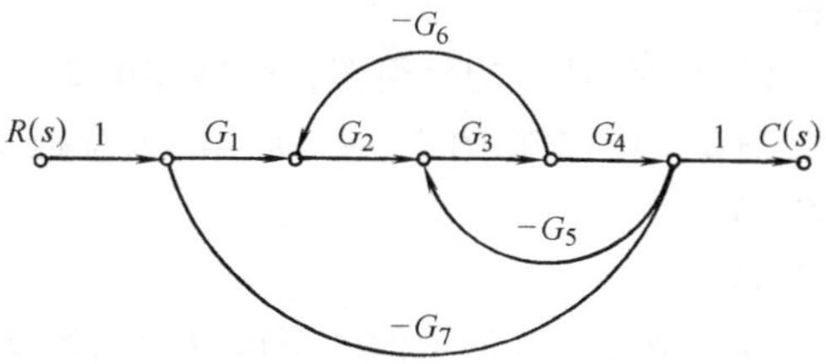

图 2-7-6 例 2-7-2 系统的信号流程图

解 由图可见，在节点 $R(s)$ 和 $C(s)$ 之间，只有一条前向通道，其传输为

$$P_1 = G_1 G_2 G_3 G_4$$

此系统有三个回环，其传输之和为

$$\sum L_1 = -G_2 G_3 G_6 - G_3 G_4 G_5 - G_1 G_2 G_3 G_4 G_7$$

这三个回环相互之间都有公共节点，故不存在互不接触的回环。于是特征式为

$$\begin{aligned}\Delta &= 1 - \sum L_1 \\ &= 1 + G_2 G_3 G_6 + G_3 G_4 G_5 + G_1 G_2 G_3 G_4 G_7\end{aligned}$$

例 2-7-2

由于三个回环均与前向通道 P_1 接触，故其余因子为

$$\Delta_1 = 1$$

根据式（2-7-4）可以求得总传输

$$\frac{C(s)}{R(s)} = T = \frac{P_1 \Delta_1}{\Delta} = \frac{G_1 G_2 G_3 G_4}{1 + G_2 G_3 G_6 + G_3 G_4 G_5 + G_1 G_2 G_3 G_4 G_7}$$

例 2-7-3 根据梅逊公式求图 2-7-7 所示信号流程图的总传输。

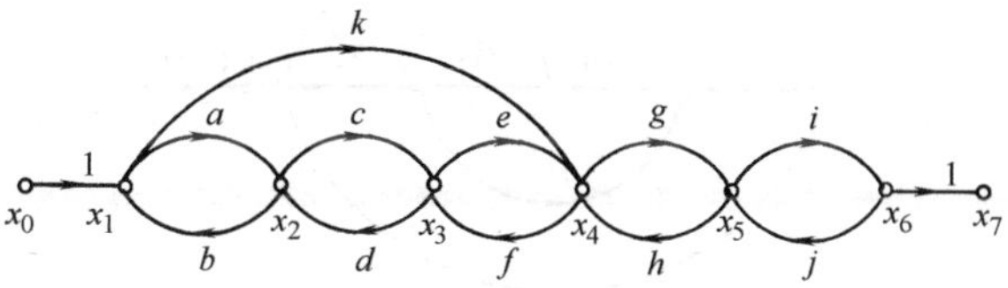

图 2-7-7 例 2-7-3 系统的信号流程图

解 此系统有六个回环，即 ab、cd、ef、gh、ij 和 $kfdb$，因此

$$\sum L_1 = ab + cd + ef + gh + ij + kfdb$$

两个互不接触的回环有七种组合，即 $abef$、$abgh$、$abij$、$cdgh$、$cdij$、$efij$ 及 $kfdbij$，所以

$$\sum L_2 = abef + abgh + abij + cdgh + cdij + efij + kfdbij$$

三个互不接触的回环只有 ab、ef 和 ij，故

$$\sum L_3 = abefij$$

由此可求得特征式

$$\Delta = 1 - \sum L_1 + \sum L_2 - \sum L_3$$

从源节点到汇节点有两条前向通道。一条为 $acegi$，它与所有的回环均有接触，因此

$$P_1 = acegi$$

$$\Delta_1 = 1$$

另一条前向通道为 kgi，它不与回环 cd 接触，所以

$$P_2 = kgi$$

$$\Delta_2 = 1 - cd$$

将以上结果代入式（2-7-4），可得总传输

$$\begin{aligned}T &= (P_1 \Delta_1 + P_2 \Delta_2) / \left(1 - \sum L_1 + \sum L_2 - \sum L_3\right) \\ &= \frac{acegi + kgi(1 - cd)}{1 - (ab + cd + ef + gh + ij + kfbd) + (abef + abgh + abij + cdgh + cdij + efij + kfbdij) - abefij}\end{aligned}$$

熟悉了梅逊公式之后，根据它去求系统的传输，远比化简方法方便有效，对于复杂的多环系统和多输入、多输出系统尤其明显。因此，信号流程图得到了广泛的实际应用。

小　结

分析或设计控制系统，需先建立系统的数学模型。本书介绍了建立数学模型的一般原理和方法、模型的类型及特点，其主要内容为：

1）将实际物理系统理想化构成物理模型，物理模型的数学描述即是数学模型。只有经过仔细的分析研究，抓住本质的主流因素，忽略次要因素，才能建立起便于研究，又能基本反映实际物理过程的数学模型。

2）少数物理系统能用机理分析方法建立数学模型，多数系统需通过实验辨识方法建模。

3）实际控制系统都是非线性的，但许多系统在一定条件下可以近似地视为线性系统。线性系统具有齐次性和叠加性，有比较完整的统一的分析和设计方法。

4）在经典控制理论中，对线性单变量定常系统采用描述其输入与输出关系的数学模型。在零初始条件下，对系统微分方程作拉普拉斯变换，即可求得系统的传递函数。

5）根据运动规律和数学模型的共性，能将比较复杂的系统划分为几种典型环节的组合，再利用传递函数和图解方法能比较方便地求得系统的开环传递函数、闭环传递函数等。

6）框图是研究控制系统的一种较为实用的图解方法，但对于较为复杂的系统，应用信号流程图更为简便。用梅逊公式能直接求出系统中任意两个变量之间的传输。信号流程图实际已成为广泛应用的一种图解方法。

习　题

2-1　线性定常系统的微分方程如下，式中 $r(t)$、$c(t)$ 分别表示系统的输入和输出，求系统的传递函数 $C(s)/R(s)$。

（1）$\dfrac{d^3c(t)}{dt^3}+5\dfrac{d^2c(t)}{dt^2}+4\dfrac{dc(t)}{dt}+c(t)=2\dfrac{dr(t)}{dt}+3r(t)$

（2）$\dfrac{d^2c(t)}{dt^2}+2\dfrac{dc(t)}{dt}+c(t)+\int_0^t c(\tau)d\tau=r(t)$　　（3）$\dfrac{d^2c(t)}{dt^2}+10\dfrac{dc(t)}{dt}+5c(t)=r(t-1)$

2-2　已知系统的传递函数如下，用拉普拉斯反变换方法，分别求系统在 $r(t)=\delta(t)$，$r(t)=1(t)$ 时的响应 $c(t)$，并概略绘制时间响应曲线。

（1）$\dfrac{C(s)}{R(s)}=\dfrac{s+2}{s^2+4s+3}$　　（2）$\dfrac{C(s)}{R(s)}=\dfrac{1}{s^2+2s+2}$

2-3　已知系统的传递函数如题 2-2，分别求系统的零点、极点，并在 s 平面上标出零点和极点的位置。

2-4　已知一系统在零初始条件下，系统的单位阶跃响应为 $c(t)=1(t)-2e^{-2t}+e^{-t}$，试求系统的传递函数 $C(s)/R(s)$（提示：系统的单位脉冲响应为其单位阶跃响应对时间的一阶导数）。

2-5　试求图 2-T-1 中所示 RC 网络的传递函数。将结果按典型环节的形式列出。

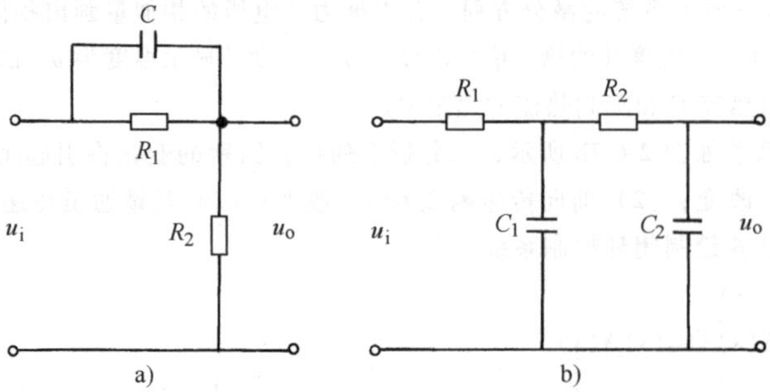

图 2-T-1　题 2-5 图

2-6 假设图 2-T-2 中的运算放大器均为理想放大器，试写出以 u_i 为输入，u_o 为输出的传递函数。将结果按典型环节的形式列出。

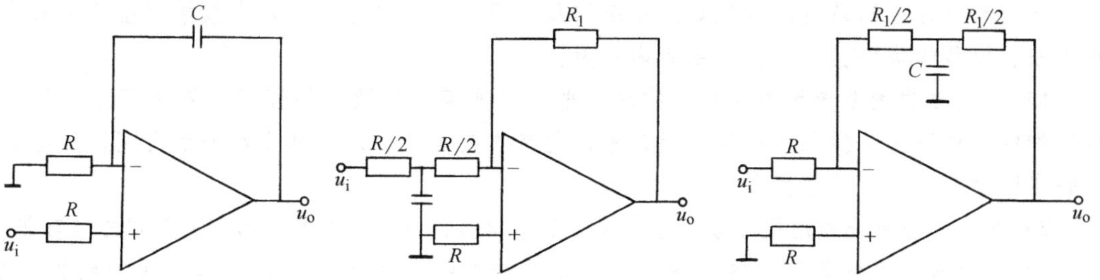

图 2-T-2 题 2-6 图

2-7 试求图 2-T-3 中以电枢电压 u_a 为输入量，以电动机的转角 θ 为输出量的微分方程式和传递函数。

2-8 一位置随动系统的原理图如图 2-T-4 所示。电动机通过传动链带动负载及电位器的滑动触点一起移动，用电位器检测负载运动的位移，图中以 c 表示电位器滑动触点的位置。另一电位器用来给定负载运动的位移，此电位器的滑动触点的位置（图中以 r 表示）即为该随动系统的参考输入。两电位器滑动触点间的电压差 u_e 即是无惯性放大器（放大系数为 K_a）的输入，放大器向直流电动机 M 供电，电枢电压为 u，电流为 I。电动机的角位移为 θ。

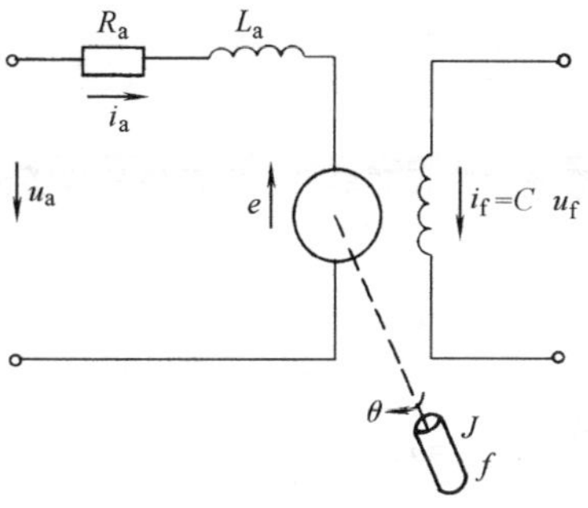

图 2-T-3 题 2-7 图

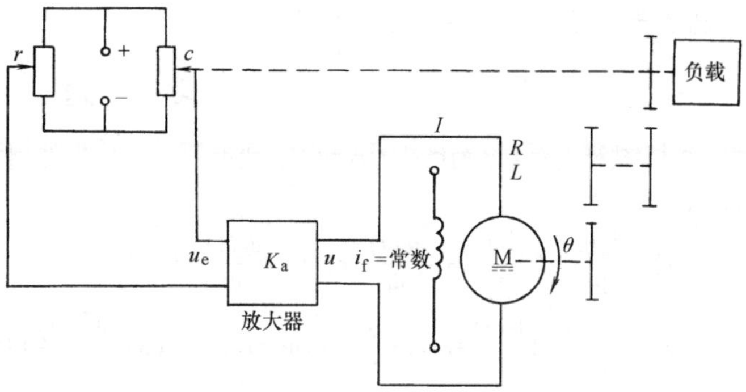

图 2-T-4 题 2-8 图

若运动部件折算到电动机轴上的转动惯量 J、黏性摩擦系数 f、传动链的速比 i 及电枢电路的总电阻 R、总电感 L 均已知，试写出系统的输入—输出微分方程及传递函数 $C(s)/R(s)$，并绘出系统的框图。

2-9 图 2-T-5 所示电路中，二极管是一个非线性元件，其电流 i_d 与 u_d 间的关系为 $i_d=10^{-6}\times(e^{\frac{u_d}{0.026}}-1)$。假设电路中的 $R=10^3\Omega$，静态工作点 $u_0=2.39\text{V}$，$i_0=2.19\times10^{-3}\text{A}$。试求在工作点（$u_0$，$i_0$）附近 $i_d=f(u_d)$ 的线性化方程。

2-10 请写出图 2-T-6 所示系统的微分方程，并根据力—电压的相似量画出相似电路。

2-11 图 2-T-7 为插了一个温度计的槽。槽内温度为 θ_i，温度计显示温度为 θ。试求传递函数 $\Theta(s)/\Theta_i(s)$（考虑温度计有贮存热的热容 C 和限制热流的热阻 R）。

2-12 非单位反馈系统如图 2-6-7b 所示，试分析下列哪些因素的变化将引起闭环传递函数 $C(s)/R(s)$ 的改变。(1) 输入 $r(t)$ 改变；(2) 前向传递函数 $G(s)$ 改变；(3) 反馈通道传递函数 $H(s)$ 改变。

2-13 根据下列表达式绘制闭环控制系统框图。

$E(s)=R(s)-H(s)C(s)$

$C(s)=G_1(s)G_2(s)E(s)+G_2(s)N(s)$

2-14 试简化图 2-T-8 所示的系统框图，并求系统的传递函数 $\dfrac{C(s)}{R(s)}$。

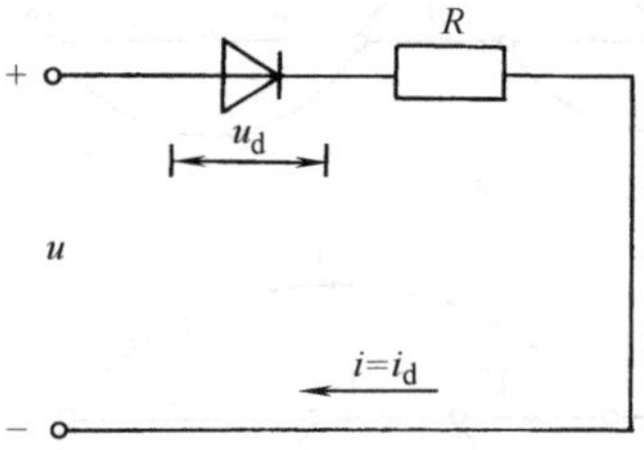

图 2-T-5 题 2-9 图

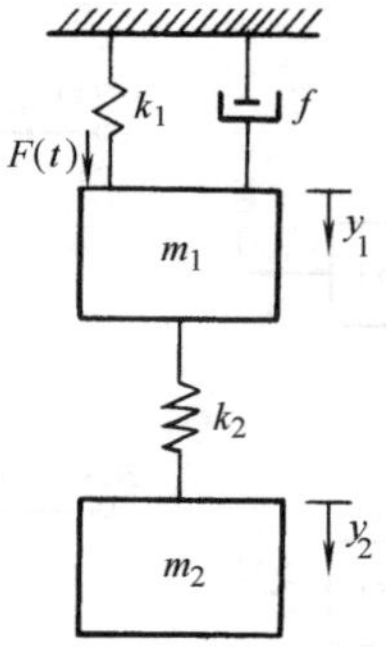

图 2-T-6 题 2-10 图

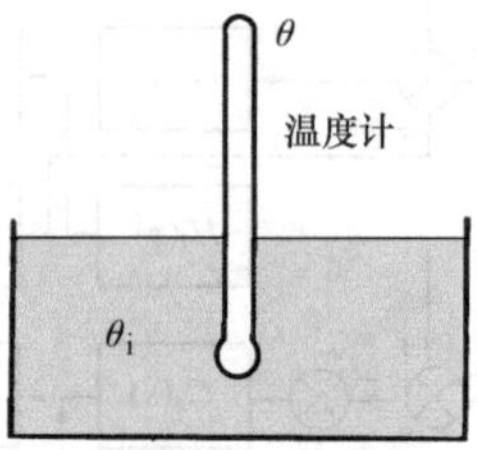

图 2-T-7 题 2-11 图

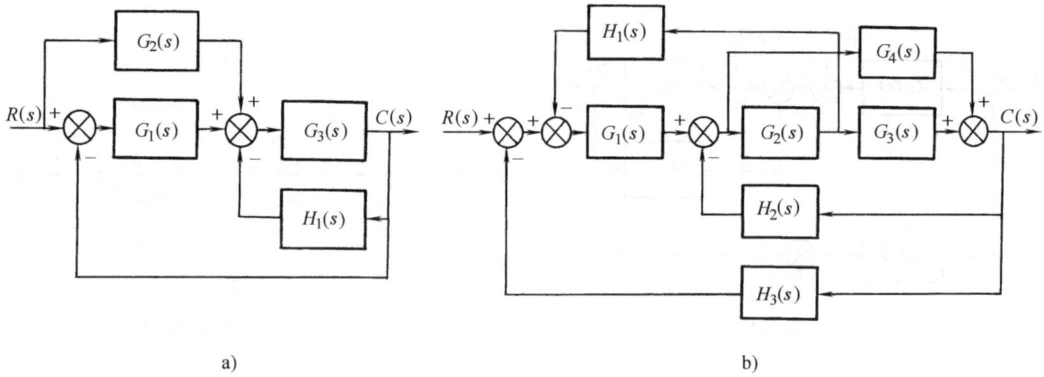

图 2-T-8 题 2-14 图

2-15 试简化图 2-T-9 所示系统的框图，并求系统的传递函数$\dfrac{C(s)}{R(s)}$。

2-16 绘出图 2-T-10 所示系统的信号流程图，并根据梅逊公式求传递函数$\dfrac{C(s)}{R(s)}$。

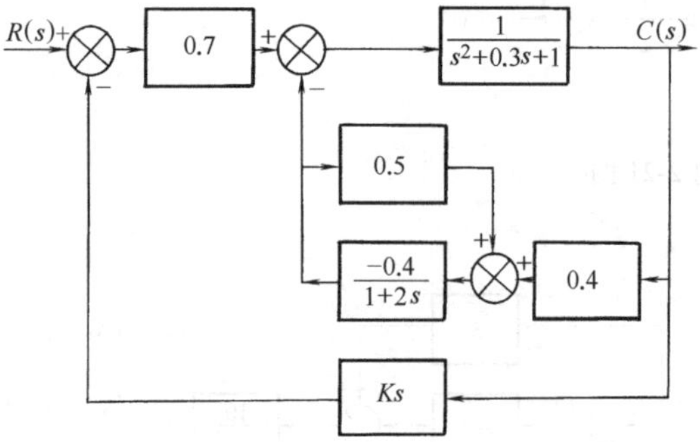

图 2-T-9 题 2-15 图

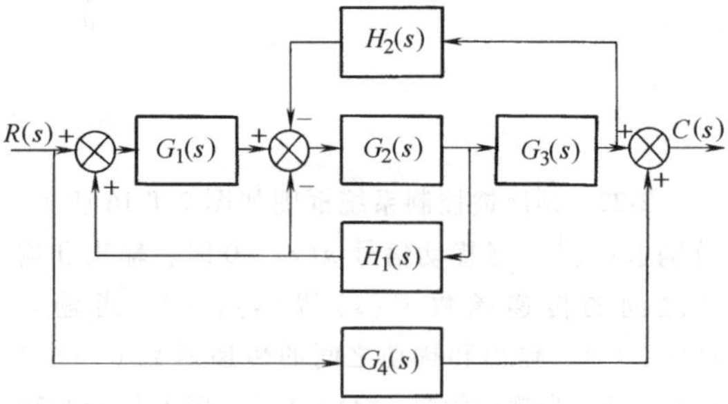

图 2-T-10 题 2-16 图

2-17 试绘出图 2-T-11 所示系统的信号流程图，并求传递函数$\dfrac{C_1(s)}{R_1(s)}$和$\dfrac{C_2(s)}{R_1(s)}$（设 $R_2(s)=0$）。

2-18 求图 2-T-12 所示系统的传递函数$\dfrac{C(s)}{R(s)}$。

2-19 求图 2-T-13 中系统的输出 $C(s)$。

2-20 对图 2-T-14 所示信号流程图分别求下列传递函数 $C(s)/R(s)$，$C(s)/N(s)$。

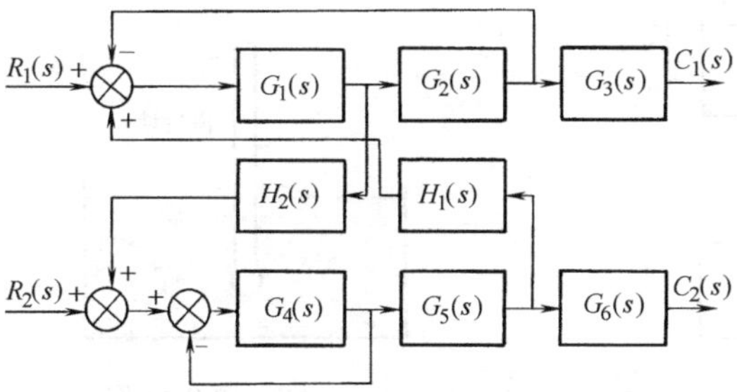

图 2-T-11 题 2-17 图

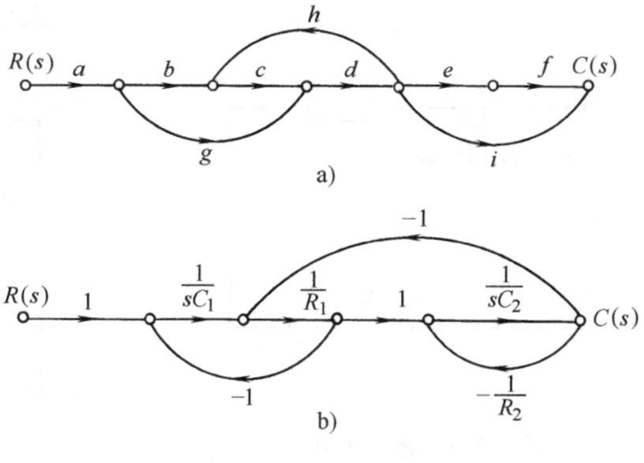

图 2-T-12 题 2-18 图

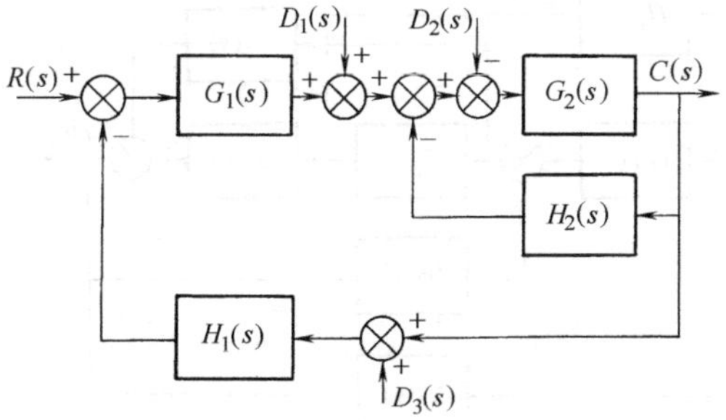

图 2-T-13 题 2-19 图

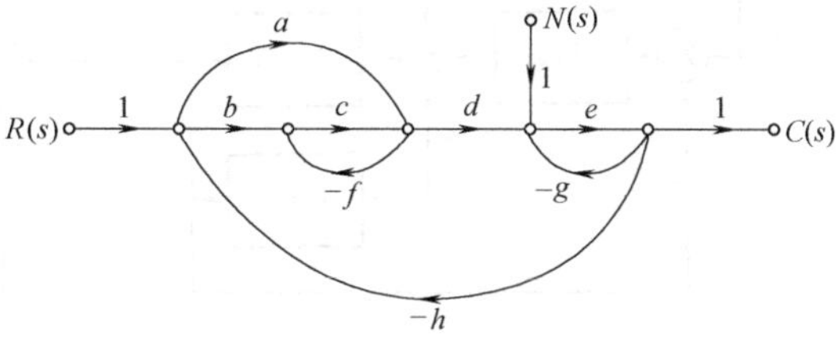

图 2-T-14 题 2-20 图

2-21 试证明图 2-T-15a 和图 2-T-15b 中的两个系统是不等价的。

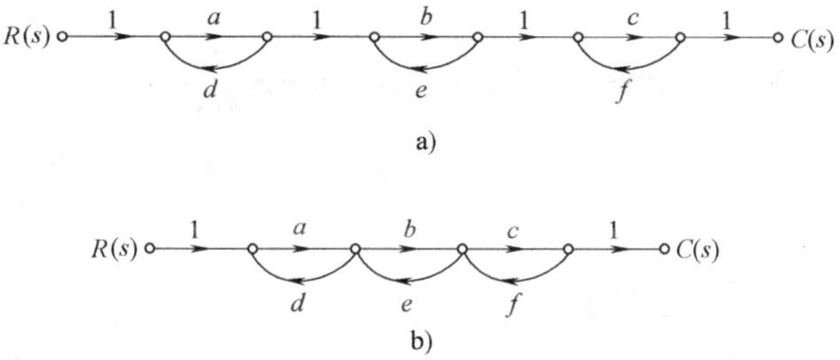

图 2-T-15 题 2-21 图

2-22 某反馈控制系统框图如图 2-T-16 所示，分别求：(1) 当扰动信号 $n(t)=0$ 时，输出和输入之间的传递函数 $C(s)/R(s)$；(2) 当输入 $r(t)=0$ 时，输出和扰动之间的传递函数 $C(s)/N(s)$；(3) 当扰动信号 $n(t)=0$ 时，偏差信号和输入之间的传递函数 $E(s)/R(s)$。(提示：可先根据系统框图画系统的信号流程图，再应用梅逊公式，或者直接对框图应用梅逊公式)。

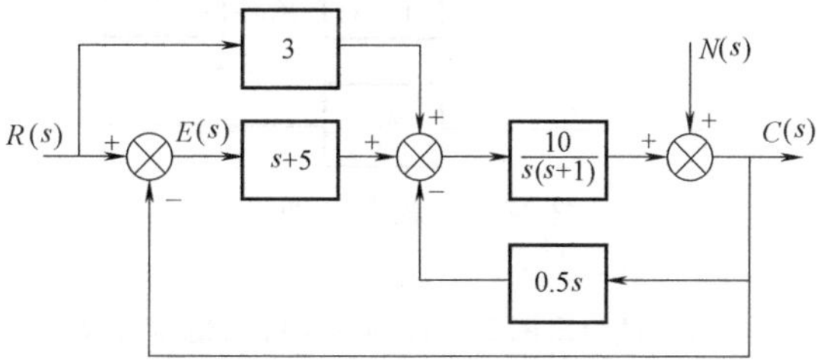

图 2-T-16 题 2-22 图

2-23 分别求图 2-6-4c 和图 2-6-4d 的传递函数，并讨论负载效应对串联电路的影响。

第三章　线性系统的时域分析

分析控制系统的第一步是建立系统的数学模型，然后采用各种方法对系统进行分析或设计。由于多数控制系统是以时间作为独立变量的，所以人们往往关心状态及输出对时间的响应。对系统外施一给定输入信号，通过研究系统的时间响应来评价系统的性能，这就是控制系统的时域分析。

控制系统的时域响应取决于系统本身的参数和结构，还与系统的初始状态以及输入信号的形式有关。在实际中，系统的输入信号往往并非都是确定的。为了便于分析和设计，常采用一些典型输入信号。典型输入信号是指很接近实际控制系统经常遇到的输入信号，在数学描述上加以理想化后能用较为典型且简单的函数形式表达出来的信号。适当规定系统的输入信号为某些典型函数的形式，使问题的数学处理系统化，还可以由此推知别的更复杂的输入情况下的系统性能。

第一节　典型输入信号

常用的典型输入信号有阶跃函数、斜坡函数（等速度函数）、抛物线函数（等加速度函数）、脉冲函数及正弦函数。这都是些简单的时间函数，用它们作为输入信号，可以较容易地进行数学分析和实验研究。

一、阶跃函数

阶跃函数的图形如图 3-1-1 所示，表达式为

$$r(t)=\begin{cases}0 & (t<0)\\ A & (t>0)\end{cases} \tag{3-1-1}$$

式中，A 为常量。

图 3-1-1　阶跃函数的图形

幅值为 1 的阶跃函数称为单位阶跃函数，表达式为

$$r(t)=\begin{cases}0 & (t<0)\\ 1 & (t>0)\end{cases} \tag{3-1-2}$$

常记为 $1(t)$。

单位阶跃函数的拉普拉斯变换为

$$R(s)=\frac{1}{s} \tag{3-1-3}$$

阶跃函数是不连续函数，即在 $t=0$ 时出现 $r(0_-)\neq r(0_+)$，但都为有限值。故阶跃函数在 $t=0$ 处有第一类间断点。阶跃函数的另一特点是在 $t\geqslant 0_+$ 的所有区间均为常值。

阶跃函数形式的输入信号在实际控制系统中较为常见，例如速度控制系统、室温调节系统、水位调节系统和某些工作状态突然改变或接受突然增减输入的控制系统（如火炮的方位角、俯仰角的控制系统等），都可以采用阶跃函数作为典型输入信号。

二、斜坡函数

斜坡函数的图形如图 3-1-2 所示，表达式为

$$r(t)=\begin{cases}0 & (t<0)\\ At & (t\geqslant 0)\end{cases} \tag{3-1-4}$$

式中，A 为常量。

其拉普拉斯变换为

$$R(s)=\frac{A}{s^2} \tag{3-1-5}$$

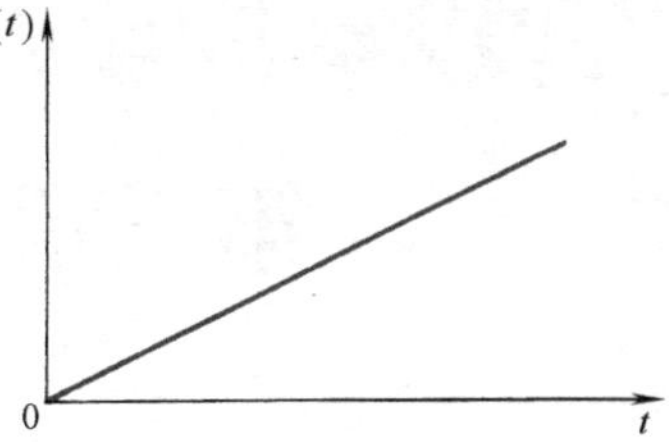

图 3-1-2 斜坡函数的图形

加于随动系统的阶跃函数形式的输入，通常称为突加于系统一个恒定的位置信号。如果输入的位置信号不是恒定的，而是随时间线性增长的，亦即相当于输入了恒定速度信号，故斜坡函数也称为等速度函数，它等于阶跃函数对时间的积分，而它对时间的导数就是阶跃函数。

当 $A=1$ 时，称为单位斜坡函数。

在实际中，输入信号的形式接近于斜坡函数的控制系统，主要有跟踪直线飞行目标（如飞机、通信卫星等）的跟踪系统，以及输入信号随时间逐渐增减变化的控制系统。

三、抛物线函数

抛物线函数的图形如图 3-1-3 所示，表达式为

$$r(t)=\begin{cases}0 & (t<0)\\ At^2 & (t\geqslant 0)\end{cases} \tag{3-1-6}$$

式中，A 为常量。

抛物线函数的拉普拉斯变换为

$$R(s)=2A\frac{1}{s^3} \tag{3-1-7}$$

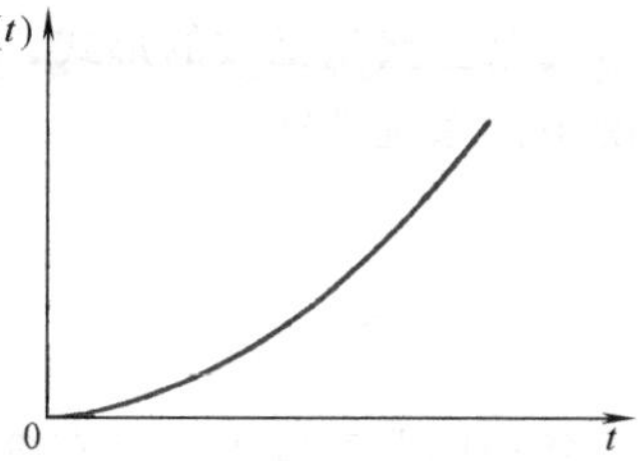

图 3-1-3 抛物线函数的图形

抛物线函数也称等加速度函数，等于斜坡函数对时间的积分，而它对时间的导数就是斜坡函数。

当 $A=\dfrac{1}{2}$时，称为单位抛物线函数。

航天飞行器控制系统的输入信号，一般可认为接近等加速度，即可以用抛物线函数描述其输入信号。

四、脉冲函数

脉冲函数如图 3-1-4 所示，表达式为

$$r(t)=\begin{cases}\dfrac{A}{\varepsilon} & (0<t<\varepsilon)\\ 0 & (t<0及\ t>\varepsilon)\end{cases} \tag{3-1-8}$$

当 $A=1$ 时，记为 $\delta_\varepsilon(t)$，如图 3-1-4a 所示。令 $\varepsilon\to 0$，则称为单位脉冲函数 $\delta(t)$，如图 3-1-4b 所示。

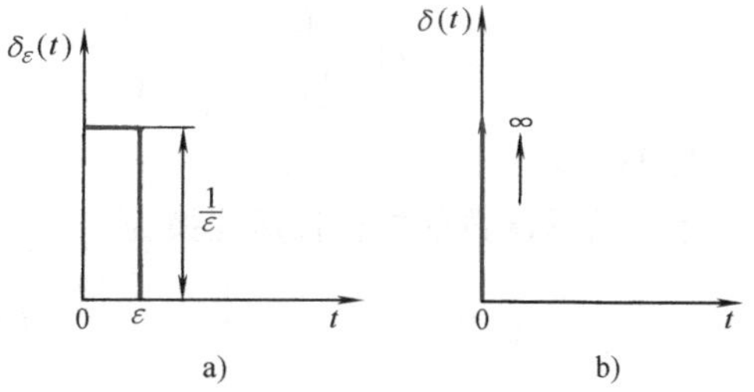

图 3-1-4 单位脉冲函数的图形

a）当 $\varepsilon>0$ 时 b）当 $\varepsilon\to 0$ 时

单位脉冲函数的拉普拉斯变换为

$$
\begin{aligned}
R(s) &= \int_0^{\infty}\delta(t)\mathrm{e}^{-st}\mathrm{d}t=\lim_{\varepsilon\to 0}\int_0^{\infty}\frac{1}{\varepsilon}\mathrm{e}^{-st}\mathrm{d}t \\
&=\lim_{\varepsilon\to 0}\left[\frac{1}{\varepsilon}\frac{-\mathrm{e}^{-st}}{s}\right]_0^{\varepsilon}=\lim_{\varepsilon\to 0}\frac{1}{\varepsilon s}\left[1-\left(1-\varepsilon s+\frac{\varepsilon^2 s^2}{2!}-\cdots\right)\right] \\
&=1
\end{aligned}
\tag{3-1-9}
$$

由于 $\int_{-\infty}^{\infty}\delta(t)\mathrm{d}t=1$，**单位脉冲函数是单位阶跃函数对时间的导数，而单位阶跃函数则是单位脉冲函数对时间的积分。**

在实际中，输入给定控制信号类似脉冲函数的控制系统并不多见，但有些系统的扰动信号却有类似脉冲函数的性质，例如火炮的目标跟踪系统，在火炮发射时的后座力，即可视为对其施加的脉冲扰动信号。

五、正弦函数

在实际中，航行于海上的船舶，由于受到海浪的冲击而摇摆或颠簸，其摆幅随时间的变化规律近似于正弦函数。因此舰船上各种设备的控制系统，其输入信号常用正弦函数来描述。此外，用正弦函数作为输入信号，可以求得系统对不同频率的正弦函数输入的稳态响应，这种响应被称为**频率响应**。利用频率响应研究电子放大器的性能为人们熟知，其实这种方法也可用来分析和设计自动控制系统，这就是**频域分析**，这部分内容将在第五章中介绍。

虽然对于同一系统，施加不同形式的输入信号，得到的输出响应是不同的，但从线性控制系统的特点可知，**系统的性能只由系统本身的结构及参量决定**，亦即由不同形式输入得到不同的输出响应所表征的系统性能是一致的。因而在对不同的控制系统进行初步分析和初步设计时，往往采用一种易于实现且便于分析和设计的典型输入信号，这样才能在一个统一的标准下，比较分析各种不同的控制系统的性能。常用的典型输入是阶跃函数形式的信号。

有些系统的输入信号既有能用某些典型函数近似描述的部分，同时又可能夹杂某些不规则的、并不需要的信号部分。这种不规则的、不确定的信号往往具有随机过程性质。本书将在最后一章提供这种控制系统的分析方法。

第二节　线性定常系统的时域响应

如果单变量线性定常系统的输入为 $r(t)$，输出为 $c(t)$，在一定假设条件下，可用以下高阶常微分方程描述其运动。

$$
\begin{aligned}
&\frac{\mathrm{d}^n}{\mathrm{d}t^n}c(t)+a_1\frac{\mathrm{d}^{n-1}}{\mathrm{d}t^{n-1}}c(t)+\cdots+a_{n-1}\frac{\mathrm{d}}{\mathrm{d}t}c(t)+a_n c(t) \\
&=b_0\frac{\mathrm{d}^m}{\mathrm{d}t^m}r(t)+b_1\frac{\mathrm{d}^{m-1}}{\mathrm{d}t^{m-1}}r(t)+\cdots+b_{m-1}\frac{\mathrm{d}}{\mathrm{d}t}r(t)+b_m r(t)
\end{aligned}
$$

研究系统的运动就是分析系统的性能，时域分析就是分析系统的时间响应，也就是求描述其运动的微分方程的解。

一、常微分方程的解

首先，由于各项系数都是常数，即可判断其解必然存在并且唯一。

其次，从线性微分方程理论可知，其通解是由它的任一个特解与其对应的齐次微分方程通解之和所组成，即有

$$
c(t)=c_1(t)+c_2(t) \tag{3-2-1}
$$

式中，$c_1(t)$ 为对应齐次微分方程的通解；$c_2(t)$ 为任一特解。

齐次微分方程为

$$\frac{\mathrm{d}^n}{\mathrm{d}t^n}c(t)+a_1\frac{\mathrm{d}^{n-1}}{\mathrm{d}t^{n-1}}c(t)+\cdots+a_{n-1}\frac{\mathrm{d}}{\mathrm{d}t}c(t)+a_nc(t)=0 \tag{3-2-2}$$

相应的特征方程为

$$\lambda^n+a_1\lambda^{n-1}+\cdots+a_{n-1}\lambda+a_n=0 \tag{3-2-3}$$

如果式（3-2-3）有 n 个不相等的特征根，则式（3-2-2）所示齐次方程的通解可写成

$$c_1(t)=k_1\mathrm{e}^{\lambda_1t}+k_2\mathrm{e}^{\lambda_2t}+\cdots+k_n\mathrm{e}^{\lambda_nt} \tag{3-2-4}$$

式中，λ_i 为式（3-2-3）的 n 个互异根（$i=1, 2, \cdots, n$）；k_i 为待定常数（$i=1, 2, \cdots, n$）。

利用常数变易法求非齐次微分方程的一个特解，即令

$$c_2(t)=k_1(t)\mathrm{e}^{\lambda_1t}+k_2(t)\mathrm{e}^{\lambda_2t}+\cdots+k_n(t)\mathrm{e}^{\lambda_nt} \tag{3-2-5}$$

式中　$k_i(t)$——待定函数（$i=1, 2, \cdots, n$），它们的导数满足下列方程组

线性定常系统的时域响应

$$\begin{cases}\dot{k}_1(t)\mathrm{e}^{\lambda_1t}+\dot{k}_2(t)\mathrm{e}^{\lambda_2t}+\cdots+\dot{k}_n(t)\mathrm{e}^{\lambda_nt}=0\\ \dot{k}_1(t)\lambda_1\mathrm{e}^{\lambda_1t}+\dot{k}_2(t)\lambda_2\mathrm{e}^{\lambda_2t}+\cdots+\dot{k}_n(t)\lambda_n\mathrm{e}^{\lambda_nt}=0\\ \vdots\\ \dot{k}_1(t)\lambda_1^{n-1}\mathrm{e}^{\lambda_1t}+\dot{k}_2(t)\lambda_2^{n-2}\mathrm{e}^{\lambda_2t}+\cdots+\dot{k}_n(t)\lambda_n^{n-1}\mathrm{e}^{\lambda_nt}\\ =b_0\frac{\mathrm{d}^m}{\mathrm{d}t^m}r(t)+b_1\frac{\mathrm{d}^{m-1}}{\mathrm{d}t^{m-1}}r(t)+\cdots+b_{m-1}\frac{\mathrm{d}}{\mathrm{d}t}r(t)+b_mr(t)\end{cases}$$

根据给定的初始条件，可从上式及已知 $r(t)$ 确定出 k_i 及 $k_i(t)(i=1, 2, \cdots, n)$。

所以从线性常微分方程的解法看，其解的结构形式为

$$\text{线性常微分方程的通解}=\text{齐次方程的通解}+\text{非齐次方程的任一特解} \tag{3-2-6}$$

二、电路分析法的解

在分析电路时，考虑到电路外部输入信号的特点，为避免上述求非齐次方程特解的繁琐过程，往往将能较直观判断（或简单计算）的电路稳态响应（或称稳态分量，稳态解）作为非齐次方程的任一特解，于是响应的结构形式为

$$\text{电路的响应}=\text{暂态响应(暂态分量)}+\text{稳态响应(稳态分量)} \tag{3-2-7}$$

此式的暂态响应是描述电路的常微分方程的齐次方程的通解，其中待定常数 $k_i(i=1, 2, \cdots, n)$ 由于未按常数变易法求特解，就需将式（3-2-4）所示暂态响应与求得的稳态响应按式（3-2-1）相加后作为电路的响应，代入到原微分方程中，再根据给定的初始条件去确定。稳态响应则是电路在相应输入作用下的稳态分量，或者说是在相应输入作用下电路的暂态响应都衰减到零之后的响应。

三、拉普拉斯变换法的解

求解高阶常微分方程，还可利用拉普拉斯变换方法，由此得到

$$C(s)=\frac{N(s)}{D(s)}R(s)+\frac{1}{D(s)}[N_{c0}(s)-N_{r0}(s)] \tag{3-2-8}$$

式中，$C(s)=\int_0^\infty c(t)\mathrm{e}^{-st}\mathrm{d}t$；$R(s)=\int_0^\infty r(t)\mathrm{e}^{-st}\mathrm{d}t$；$D(s)=s^n+a_1s^{n-1}+\cdots+a_{n-1}s+a_n$；

$N(s)=b_0s^m+b_1s^{m-1}+\cdots+b_{m-1}s+b_m$；

$N_{c0}(s)=c(0)s^{n-1}+[c^{(1)}(0)+a_1c(0)]s^{n-2}+\cdots$

$$+\left[c^{(n-1)}(0)+a_1c^{(n-2)}(0)+\cdots+a_{n-2}c^{(1)}(0)+a_{n-1}c(0)\right];$$

$$N_{r0}(s)=b_0r(0)s^{m-1}+\left[b_0r^{(1)}(0)+b_1r(0)\right]s^{m-2}+\cdots$$
$$+\left[b_0r^{(m-1)}(0)+b_1r^{(m-2)}(0)+\cdots+b_{m-2}r^{(1)}(0)+b_{m-1}r(0)\right]。$$

时域响应则是式（3-2-8）的拉普拉斯反变换，即

$$\begin{aligned}c(t)&=\frac{1}{2\pi\mathrm{j}}\int_{c-\mathrm{j}\infty}^{c+\mathrm{j}\infty}C(s)\mathrm{e}^{st}\mathrm{d}s\\&=\frac{1}{2\pi\mathrm{j}}\int_{c-\mathrm{j}\infty}^{c+\mathrm{j}\infty}\frac{N(s)}{D(s)}R(s)\mathrm{e}^{st}\mathrm{d}s+\frac{1}{2\pi\mathrm{j}}\int_{c-\mathrm{j}\infty}^{c+\mathrm{j}\infty}\frac{1}{D(s)}\left[N_{c0}(s)-N_{r0}(s)\right]\mathrm{e}^{st}\mathrm{d}s\end{aligned}\tag{3-2-9}$$

式（3-2-9）等号右侧第二项仅由 $t=0$ 时系统输出及输入的初始条件决定，与 $t>0$ 以后的输入 $r(t)$ 无关，通常称为零输入响应，当初始状态为零时，这一项即为零。式（3-2-9）等号右侧第一项与初始状态无关，仅由输入 $r(t)$ 决定，相当于在零初始状态下的响应，故称为零状态响应。据此，又可得到系统响应的另一种结构形式

$$\text{系统的响应}=\text{零状态响应}+\text{零输入响应}\tag{3-2-10}$$

至此，已有如式（3-2-6）、式（3-2-7）和式（3-2-10）所示响应的三种结构形式。在分析控制系统的响应时，几乎用不到式（3-2-6）的响应结构形式。分析系统的稳态响应（分析稳态误差）时使用式（3-2-7）的结构形式；如欲重点分析系统的暂态响应，特别是只需分析零状态响应，则经常使用式（3-2-10）。

在初始条件为零的情况下，系统的响应就是零状态响应，即有

$$\left.\begin{aligned}C(s)&=\frac{N(s)}{D(s)}R(s)\\c(t)&=\frac{1}{2\pi\mathrm{j}}\int_{c-\mathrm{j}\infty}^{c+\mathrm{j}\infty}\frac{N(s)}{D(s)}R(s)\mathrm{e}^{st}\mathrm{d}s\end{aligned}\right\}\tag{3-2-11}$$

第二章中曾定义过系统的传递函数是零初始状态下输出象函数与输入象函数之比，因此可以得到与前同样的结果，即系统传递函数为

$$G(s)=\frac{C(s)}{R(s)}=\frac{N(s)}{D(s)}\tag{3-2-12}$$

再次表明，系统的传递函数只与系统的结构和参量有关，与系统的输入及输出无关。

如将输入函数 $r(t)$ 的象函数写成 s 的多项式之比，即设

$$R(s)=\frac{P(s)}{Q(s)}$$

则式（3-2-11）又可写为

$$C(s)=\frac{N(s)}{D(s)}R(s)=\frac{N(s)}{D(s)}\frac{P(s)}{Q(s)}$$

用部分分式展开，即

$$C(s)=\sum_{i=1}^{n}\frac{A_i}{s-s_i}+\sum_{k=1}^{l}\frac{B_k}{s-s_k}\tag{3-2-13}$$

式中，s_i 为传递函数 $G(s)$ 的极点；s_k 为输入象函数 $R(s)$ 的极点。

如果 s_i 和 s_k 都是互异极点，则系统的零状态响应为

$$c(t)=\frac{1}{2\pi\mathrm{j}}\int_{c-\mathrm{j}\infty}^{c+\mathrm{j}\infty}C(s)\mathrm{e}^{st}\mathrm{d}s=\sum_{i=1}^{n}A_i\mathrm{e}^{s_it}+\sum_{k=1}^{l}B_k\mathrm{e}^{s_kt}\tag{3-2-14}$$

式中，A_i、B_k 为待定常量，其值与系统的结构、参量及输入有关。

如给定输入 $r(t)$ 为单位阶跃函数 $1(t)$ 的形式，系统的输出即为单位阶跃响应，记为 $h(t)$。 则根据式（3-2-14）有

$$h(t)=\frac{1}{2\pi \mathrm{j}}\int_{c-\mathrm{j}\infty}^{c+\mathrm{j}\infty}\frac{N(s)}{D(s)}\frac{1}{s}\mathrm{e}^{st}\mathrm{d}s=\sum_{i=1}^{n}A_i\mathrm{e}^{s_it}+B \tag{3-2-15}$$

由此可见，单位阶跃响应中的常量部分即是稳态分量。

如果给定输入 $r(t)$ 为单位脉冲函数 $\delta(t)$。考虑到单位脉冲函数的象函数为 1，所以系统单位脉冲响应 $g(t)$ 即为

$$g(t)=\frac{1}{2\pi \mathrm{j}}\int_{c-\mathrm{j}\infty}^{c+\mathrm{j}\infty}\frac{N(s)}{D(s)}\mathrm{e}^{st}\mathrm{d}s \tag{3-2-16}$$

前已述及，单位脉冲函数是单位阶跃函数的导数。**可以证明系统的单位脉冲响应确是单位阶跃响应的导数。**众所周知，单位阶跃响应 $h(t)$ 在闭域［0，∞］有定义，而且函数

$$\frac{N(s)}{D(s)}\frac{1}{s}\mathrm{e}^{st}$$

及

$$\frac{\partial}{\partial t}\left[\frac{N(s)}{D(s)}\frac{1}{s}\mathrm{e}^{st}\right]=\frac{N(s)}{D(s)}\mathrm{e}^{st}$$

在 $c-\mathrm{j}\infty\leqslant s\leqslant c+\mathrm{j}\infty$ 及 $0\leqslant t\leqslant\infty$ 内连续，根据含参变量积分号下微分的公式，则有

$$\frac{\mathrm{d}}{\mathrm{d}t}h(t)=\frac{\mathrm{d}}{\mathrm{d}t}\left[\frac{1}{2\pi \mathrm{j}}\int_{c-\mathrm{j}\infty}^{c+\mathrm{j}\infty}\frac{N(s)}{D(s)}\frac{1}{s}\mathrm{e}^{st}\mathrm{d}s\right]=\frac{1}{2\pi \mathrm{j}}\int_{c-\mathrm{j}\infty}^{c+\mathrm{j}\infty}\frac{\partial}{\partial t}\left[\frac{N(s)}{D(s)}\frac{1}{s}\mathrm{e}^{st}\right]\mathrm{d}s$$

$$=\frac{1}{2\pi \mathrm{j}}\int_{c-\mathrm{j}\infty}^{c+\mathrm{j}\infty}\frac{N(s)}{D(s)}\mathrm{e}^{st}\mathrm{d}s=g(t)$$

从以上分析不难看出，**系统的脉冲响应中只有暂态响应，而稳态响应总是零**，也就是说不存在与输入相对应的稳态响应。所以系统的脉冲响应更能直观地反映系统的暂态性能。

第三节 控制系统时域响应的性能指标

评价控制系统的性能，可以从系统的时域响应着手。式（3-2-14）表述了在初始条件为零的情况下系统的时域响应，而式（3-2-15）则表述了系统在单位阶跃函数形式的典型输入信号下，且初始条件为零时系统的单位阶跃响应。系统的单位阶跃响应由两部分组成，式（3-2-15）右侧的第一部分是由时间变量 t 的指数函数组成，从输入单位阶跃信号开始的时刻，即 $t=0$，直到 $t=\infty$ 的全过程中，其值始终随时间 t 的推移而不断变化，系统时域响应的这部分即称为暂态响应，此过程也常称为动态过程。

进一步分析式（3-2-15）中的暂态分量，其中 A_i 为常量，s_i（$i=1$，2，…，n）则是系统传递函数的 n 个极点。由此不难理解，**系统传递函数的极点将直接决定系统暂态响应的性能。**从广义的角度看，极点可表述为共轭复数的形式，即有

$$s_i=\sigma_i\pm \mathrm{j}\omega_i\quad(i=1,2,\cdots,n)$$

如果极点的实数部分 σ_i 及虚部都不为零，则指数函数 e^{s_it} 必是随时间推移而具有振荡性质，且为振幅不断变化的正弦（或余弦）函数，其振幅由乘积 σ_it 决定，频率（或周期）由 ω_i 决定。当 n 个 σ_i 均为负值，则系统暂态响应的振幅经过若干个振荡周期，即经过一段足够的时间，将衰减至接近于零。如果系统传递函数的 n 个极点中，有一个或多个极点的实部

σ_i 为正值，则系统的暂态响应将随时间的推移而增长。理论上，线性系统在此情况下，其暂态响应的振幅将随着 $t\to\infty$ 而趋于 ∞。这就是不稳定的控制系统，在实际中是不能用的（有关控制系统的稳定性问题将在本章以后内容中详加论述）。因此，只有稳定的控制系统的时域响应才有意义。图 3-3-1 是稳定系统的带有振荡性质的单位阶跃响应。

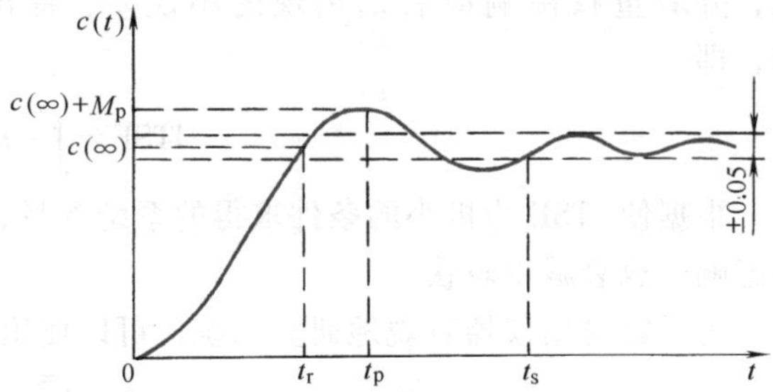

图 3-3-1　控制系统的典型单位阶跃响应

一、暂态性能指标

通常采用单位阶跃响应来表征一个系统的暂态性能。用来表述单位阶跃输入时暂态响应的典型性能指标通常有：最大超调量、上升时间、峰值时间和调整时间。图 3-3-1 说明一个线性控制系统的典型单位阶跃响应。上述性能指标就是用系统阶跃响应来定义的。

(1) **最大超调量 M_p**　最大超调量规定为在暂态响应期间输出超过终值 $c(\infty)$ 的最大偏离量。最大超调量的数值也用来度量系统的相对稳定性。最大超调量常表示为阶跃响应终值的百分数，即

$$M_p(\%)=\frac{c(t_p)-c(\infty)}{c(\infty)}\times 100\%$$

(2) **峰值时间 t_p**　最大超调量发生的时间（从 $t=0$ 开始计时）称为峰值时间。

(3) **上升时间 t_r**　在暂态过程中，输出第一次达到对应于输入的终值的时间（从 $t=0$ 开始计时）称为上升时间。

(4) **调整时间 t_s**　输出与其对应于输入的终值之间的偏差达到容许范围（一般取 5%或 2%）所经历的暂态过程时间（从 $t=0$ 开始计时）称为调整时间。

以上规定的四个量中，比较重要的是最大超调量和调整时间。

有的文献还将延迟时间 t_d 也列为性能指标之一，它的定义是系统响应自 $t=0$ 开始第一次达到其终值的一半所需时间。

不难理解，在设计中如果必须同时满足上述四个暂态性能指标，有时是不可能的。这是因为系统中这些量都是相互联系的，而人们在设计系统时却往往孤立地、一个一个地提出要求。为此，设计必然成为一个试凑过程，寻找出一组参量，使所提出来的各性能指标并不都能完全满足要求，但却是可以接受的一个折中方案。

二、综合性能指标

为了解决上述问题，人们希望在描述系统响应优良度的基础上，建立单个的、但却是反映综合性能的指标，以使得设计程序有逻辑性与合理性。此性能指标是系统中可变参量的函数，而指标的极值（极大或极小）对应一组最优参数。

在实际中，使用了许多这样的性能指标，最普通的是误差平方积分（ISE），即

$$\mathrm{ISE}=\int_0^{\infty} e^2(t)\,\mathrm{d}t$$

式中，$e(t)$ 为误差，又称偏差信号，是系统单位阶跃响应与单位阶跃函数之差。

可以将 $e(t)$ 表示为系统中可变参量的函数，然后求出使上式成为极小值的条件，并且由此确定可变参量的最优值。

从图 3-3-1 可见，$t=0$ 时系统的误差值远大于以后的数值。由于 ISE 性能指标是将各时

刻的 $e(t)$ 同等看待，所以使 ISE 为极小而求得的参量，往往使系统单位阶跃响应力图在最短时间内接近单位阶跃函数，从而造成系统具有过大的超调量。为了减小大初始误差的加权，并着重权衡响应后期出现的小误差，提出了时间乘误差平方积分（ITSE）性能指标，即

$$\mathrm{ITSE}=\int_0^{\infty} te^2(t)\,\mathrm{d}t$$

根据使 ITSE 为极小的条件求得的系统参量，将使系统的阶跃响应的超调量不大，而且暂态响应也衰减得较快。

为了容易用仪器直观地研究系统，可以使用误差绝对值积分（IAE）性能指标，即

$$\mathrm{IAE}=\int_0^{\infty} |e(t)|\,\mathrm{d}t$$

同样，为了减小系统阶跃响应的超调量，可以使用时间乘误差绝对值的积分性能指标（ITAE），即

$$\mathrm{ITAE}=\int_0^{\infty} t\,|e(t)|\,\mathrm{d}t$$

本书主要介绍经典控制理论的基本部分，在衡量确定性控制系统性能时，采用以单位阶跃响应所表征的性能指标；而评价平稳随机信号作用下线性系统的性能时，则用系统误差的均方值。

三、稳态性能指标

衡量系统稳态性能的指标主要是稳态误差。稳态误差是指，在给定参考输入或外来扰动加入稳定的系统后，经过足够长的时间，其暂态响应已经衰减到微不足道的情况下（$t>t_s$），系统稳态响应的实际值与期望值之间的误差。对于某些不经常处于动态过程的控制系统，研究其稳态误差更具有重要意义。

在以下各节中，将通过系统的时域响应分析其性能。如果不特别指明，所有的分析均假设系统的初始条件为零。

第四节 一阶系统的暂态响应

一阶系统的框图如图 3-4-1 所示，系统的传递函数为

$$\frac{C(s)}{R(s)}=\frac{1}{\tau s+1} \qquad (3\text{-}4\text{-}1)$$

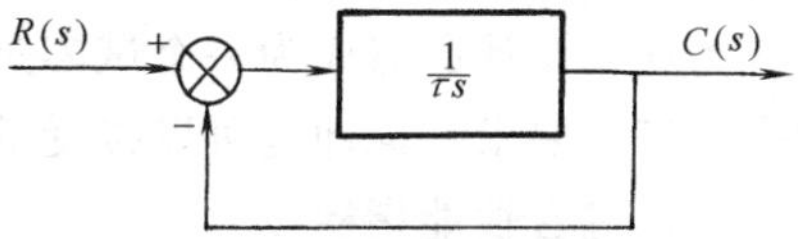

图 3-4-1 一阶系统的框图

其形式与第二章中介绍的惯性环节一样。一阶系统有负实数极点 $-\frac{1}{\tau}$。

在实际中，有一些较为简单的过程控制系统的闭环传递函数有与式（3-4-1）类似的形式，如恒温箱、室温调节系统及液位调节系统等，在机电系统中不多见。例如电动机只有在其电枢电路的电磁时间常数远小于机械时间常数，允许忽略不计时，其传递函数才有可能简化为一阶系统。

一、一阶系统的单位阶跃响应

对于单位阶跃输入

$$r(t)=1(t),\ R(s)=\frac{1}{s}$$

有
$$C(s)=\frac{1}{s(\tau s+1)}=\frac{1}{s}-\frac{\tau}{\tau s+1} \qquad (3\text{-}4\text{-}2)$$
由拉普拉斯反变换可以得到单位阶跃响应 $h(t)$ 为
$$\boldsymbol{h(t)=c(t)=1-e^{-t/\tau}} \quad (t\geqslant 0) \qquad (3\text{-}4\text{-}3)$$

式（3-4-3）表明，一阶系统的单位阶跃响应是一条单调上升的指数曲线，如图 3-4-2 所示。

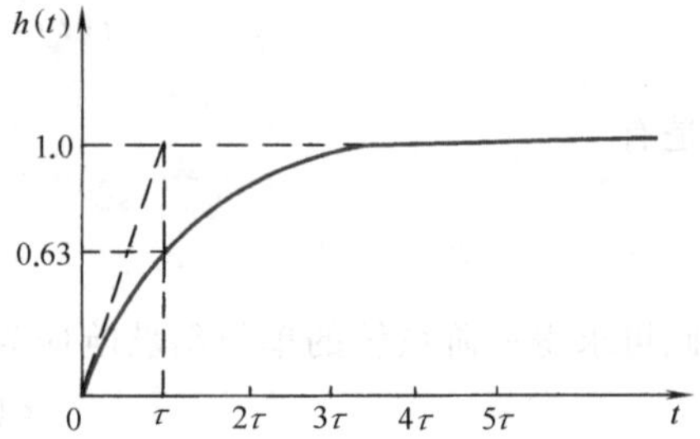

图 3-4-2　一阶系统的单位阶跃响应

还可进一步求出一阶系统单位阶跃响应随时间的变化率。将式（3-4-3）对时间 t 求导数，得
$$\frac{dh(t)}{dt}=\frac{1}{\tau}e^{-t/\tau} \qquad (3\text{-}4\text{-}4)$$
当 $t=0$ 时，$\left.\frac{dh(t)}{dt}\right|_{t=0}=\frac{1}{\tau}$；当 $t>0$ 时，恒有$\left.\frac{dh(t)}{dt}\right|_{t>0}>0$。

这种指数曲线的特点是，在 $t=0$ 处曲线的斜率最大，其值为 $1/\tau$。如果系统保持初始响应的变化速度不变，则当 $t=\tau$ 时，输出就能达到稳态值。实际经过 τ 时间，响应只上升到稳态值的 63.2%。经过 3τ 或 4τ 时间，响应分别达到稳态值的 95%或 98%。一阶系统的单位阶跃响应没有超调，不存在峰值时间，理论上讲，系统的上升时间与调整时间均为无穷大。实际上都以 3τ 或 4τ 作为一阶系统的调整时间。显然，时间常数 τ 反映了系统的响应速度，时间常数 τ 越小，则响应速度越快。

综上所述，不难看出一阶系统的暂态性能指标主要就是调整时间 t_s，即
$$\boldsymbol{t_s=3\tau}$$
也可以说，决定一阶系统暂态性能的是它的唯一参量 τ。

二、一阶系统的单位脉冲响应

对于单位脉冲输入
$$r(t)=\delta(t) \quad (t=0),\ R(s)=1$$
这时有
$$C(s)=\frac{1}{\tau s+1} \qquad (3\text{-}4\text{-}5)$$
相应的系统单位脉冲响应为
$$\boldsymbol{g(t)=c(t)=\frac{1}{\tau}e^{-t/\tau}} \quad (t\geqslant 0) \qquad (3\text{-}4\text{-}6)$$

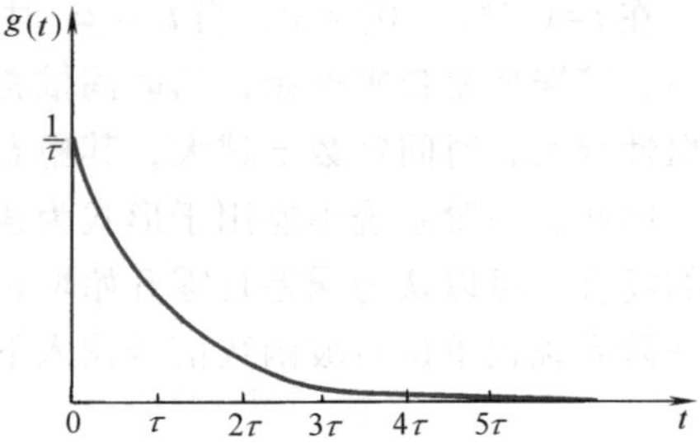

图 3-4-3　一阶系统的单位脉冲响应

单位脉冲响应曲线如图 3-4-3 所示。

由图 3-4-3 可见，一阶系统的单位脉冲响应曲线是一条单调衰减的指数曲线。从式（3-4-6）不难得出，单位脉冲响应在 $t=0$ 时的起始值及相应的变化率为
$$g(0)=\frac{1}{\tau},\ \left.\frac{dg(t)}{dt}\right|_{t=0}=-\frac{1}{\tau^2}$$
同样可求得，一阶系统的单位脉冲响应随时间推移衰减到其稳态值的 5%所需的调整时间为
$$\boldsymbol{t_s=3\tau}$$

单位脉冲响应在 $t=0$ 时等于$\frac{1}{\tau}$，它与单位阶跃响应在 $t=0$ 时的变化率相等，这表明了单位脉冲响应是单位阶跃响应的导数，而单位阶跃响应是单位脉冲响应的积分。

三、一阶系统的单位斜坡响应

对于单位斜坡函数输入

$$r(t)=t \quad (t\geqslant 0),\ R(s)=\frac{1}{s^2} \tag{3-4-7}$$

于是有

$$C(s)=\frac{1}{\tau s+1}\frac{1}{s^2} \tag{3-4-8}$$

据此可求得一阶系统的单位斜坡响应为

$$\boldsymbol{c(t)=(t-\tau)+\tau e^{-t/\tau}} \tag{3-4-9}$$

式（3-4-9）等号右侧第一项是一阶系统单位斜坡响应的稳态分量，$t=0$ 时为$-\tau$；$t=\tau$ 时为零。它是比输入函数在时间上滞后了 τ 但斜率相同的斜坡函数曲线，如图 3-4-4 中的虚线③所示。图 3-4-4 中的斜线①是单位斜坡函数输入。式（3-4-9）右侧第二项是在单位斜坡函数输入时一阶系统的暂态响应，$t=0$ 时，其值为 τ，随时间推移，按指数函数规律逐步单调衰减，如图 3-4-4 中的虚线④所示。一阶系统的单位斜坡响应 $c(t)$ 是虚线③和④的合成，此即图 3-4-4 中的曲线②。

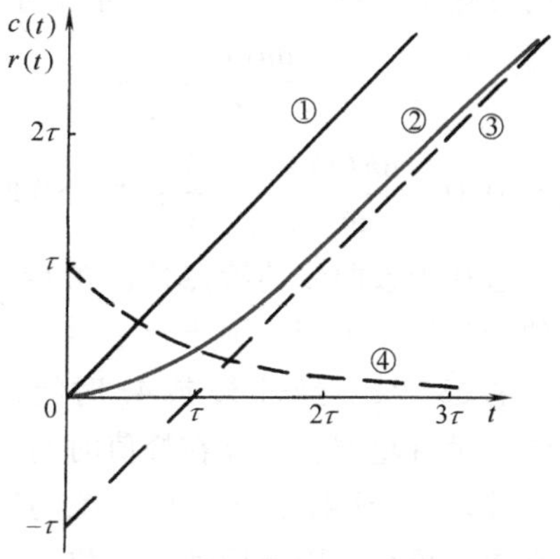

图 3-4-4 一阶系统的单位斜坡响应

用式（3-4-7）减去式（3-4-9）得到的差表示一阶系统在单位斜坡函数输入下的给定跟踪误差 $e(t)$，则有

$$e(t)=r(t)-c(t)=\tau-\tau e^{-t/\tau}$$

在 $t=0$ 时，$e(0)=0$，当 $t\to\infty$ 时，$e(\infty)=\tau$。**这说明一阶系统在单位斜坡函数输入作用下，其误差是自零开始，随时间推移，误差按指数函数规律增长，最终趋于常值 τ。**系统的惯性越大，时间常数 τ 越大，其稳态误差终值也越大。

因此，一阶系统不能用于形式为速度函数的输入，同时又要求其给定跟踪误差的终值为零的场合。可以认为误差自零开始增长到其终值的 95%所经历的时间即是系统的调整时间，则一阶系统在单位斜坡函数信号输入下的调整时间为

$$\boldsymbol{t_s=3\tau}$$

四、一阶系统的单位加速度响应

对于单位加速度函数（即单位抛物线函数）输入

$$r(t)=\frac{1}{2}t^2 \quad (t\geqslant 0),\ R(s)=\frac{1}{s^3}$$

于是有

$$C(s)=\frac{1}{\tau s+1}\frac{1}{s^3} \tag{3-4-10}$$

据此可求得一阶系统的单位加速度响应为

$$\boldsymbol{c(t)=\frac{1}{2}t^2-\tau t+\tau^2(1-e^{-t/\tau})} \tag{3-4-11}$$

相应的系统给定跟踪误差为

$$e(t)=r(t)-c(t)=\tau t-\tau^2(1-e^{-t/\tau}) \tag{3-4-12}$$

当 $t=0$ 时，误差 $e(0)=0$；当 $t\to\infty$ 时，$e(\infty)\to\infty$。这是因为误差由两部分组成，从式

(3-4-12) 不难看出，其右侧第二项的值在时间无限增长时趋于常值 τ^2，但第一项却是与时间按线性比例增长。

据此可知，一阶系统在加速函数形式输入的情况下，其误差随时间推移而增长，直到无限大。因此一阶系统不能用于输入形式为加速度函数，同时又要求其跟踪误差不得大于某一常数的场合。

以上分析表明，一阶系统只有一个参量，即系统的惯性时间常数 τ，它的暂态响应性能指标有意义的只是系统调整时间 t_s，约为 $(3\sim4)\tau$。而给定稳态误差随输入的形式不同而异，这反映了一阶系统跟踪不同典型信号的能力。

第五节　二阶系统的暂态响应

在分析或设计系统时，二阶系统的响应特性常被视为一种基准。虽然在实际中更常见的是三阶或更高阶系统，但是它们有可能用二阶系统去近似，或者其响应可以表示为一二阶系统响应的合成。因此，对二阶系统的响应进行重点讨论。

典型的二阶系统的框图如图 3-5-1 所示，由一个惯性环节和一个积分环节串联组成，系统的传递函数为

$$\frac{C(s)}{R(s)}=\frac{K_1K_2}{\tau s^2+s+K_1K_2} \tag{3-5-1}$$

如令
$$\frac{K_1K_2}{\tau}=\omega_n^2,\frac{1}{\tau}=2\zeta\omega_n$$

则有

$$\frac{C(s)}{R(s)}=\frac{\omega_n^2}{s^2+2\zeta\omega_n s+\omega_n^2} \tag{3-5-2}$$

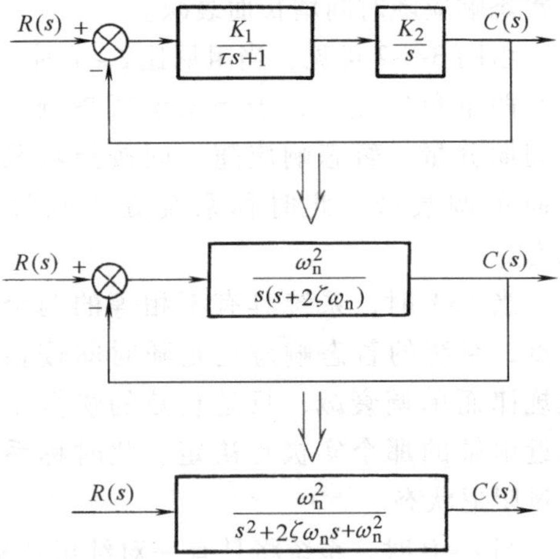

图 3-5-1　二阶系统的框图

从式 (3-5-2) 不难求得闭环系统的极点为

$$\begin{aligned} s_1,s_2&=-\zeta\omega_n\pm\omega_n\sqrt{\zeta^2-1}=-\zeta\omega_n\pm j\omega_n\sqrt{1-\zeta^2}\\ &=\sigma\pm j\omega \end{aligned} \tag{3-5-3}$$

式中，ζ 为阻尼比；ω_n 为无阻尼自然振荡角频率。

ζ 和 ω_n 是二阶系统的特征参量。振荡角频率 ω 的单位本为 rad/s，但因弧度本身无量纲，只表示比值的概念。在研究控制系统时习惯上写为 s^{-1}，同时也常简称 ω 为频率。

如将式 (3-5-2) 所示系统传递函数的分子与分母多项式分别用下式表示为

$$N(s)=\omega_n^2$$

$$D(s)=s^2+2\zeta\omega_n s+\omega_n^2$$

则有
$$C(s)=\frac{N(s)}{D(s)}R(s)$$

如果输入为单位阶跃函数，$R(s)=1/s$，则上式又可写成

$$C(s)=\frac{N(s)}{sD(s)} \tag{3-5-4}$$

根据拉普拉斯反变换，可求得系统的单位阶跃响应为

$$h(t)=c(t)=1+\sum_{i=1}^{2}\frac{N(s_i)}{s_iD'(s_i)}e^{s_it}\quad(t\geqslant 0)\tag{3-5-5}$$

式中，s_i 为系统的极点，如式（3-5-3）所示。

式（3-5-5）展现了二阶系统单位阶跃响应与系统极点的关系。

从式（3-5-3）可见，系统极点的实部为 σ，在式（3-5-5）的指数项里与时间 t（单位为 s）相乘，故 σ 的量纲应是 s^{-1}，控制着时间响应的暂态分量是发散还是衰减，以及暂态分量随时间的变化率。可以看到，当 $\sigma>0$ 时，暂态响应随时间增长而发散；当 $\sigma<0$ 时，暂态响应随时间增长而衰减。由于 $\sigma=-\zeta\omega_n$，且 ω_n 不可能为负值，所以，当 $\zeta<0$ 时，系统暂态响应随时间增长而发散，当 $\zeta>0$ 时，系统暂态响应随时间增长而衰减。

由图 3-5-2 可见，当阻尼比 $\zeta=1$ 时，系统具有两重负实极点，于是系统暂态响应中没有周期分量，暂态响应随时间按指数函数规律而单调衰减。此时称系统处于临界阻尼状态。

当 $\zeta>1$ 时，系统具有不相等的两个负实极点，系统的暂态响应还是随时间按指数函数规律而单调衰减，只是衰减的快慢主要由靠近虚轴的那个实极点决定。此时称系统处于过阻尼状态。

当 $\zeta=0$ 时，系统将具有一对纯虚数极点，其值为

$$s_1,s_2=\pm j\omega_n$$

此时称系统处于无阻尼状态，系统的暂态响应是恒定振幅的周期函数，并且将 ω_n 称为无阻尼自然振荡角频率，或简称为无阻尼自然振荡频率。

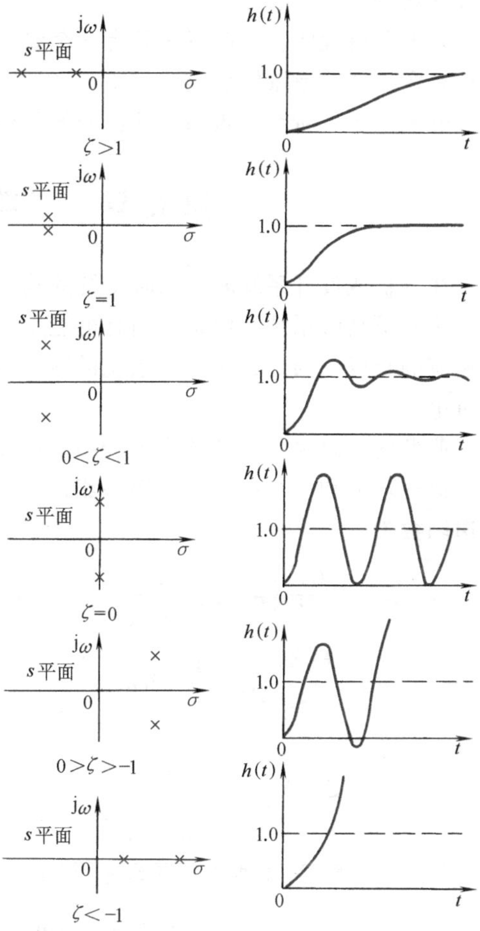

图 3-5-2　极点分布不同时的单位阶跃响应

当 $0<\zeta<1$ 时，系统具有一对实部为负的复数极点，系统的暂态响应是振幅随时间按指数函数规律衰减的周期函数，此时称系统处于欠阻尼状态。

图 3-5-3 说明系统极点的位置与 ζ、ω_n、σ 及 ω_d 之间的关系。对于标出的一对共轭复极点，ω_n 是从极点到 s 平面原点的径向距离，σ 是极点的实部，ω_d 是极点的虚部，而阻尼比 ζ 等于极点到 s 平面原点间径向线与负实轴之间夹角的余弦，即

$$\zeta=\cos\theta\tag{3-5-6}$$

阻尼比 ζ 是二阶系统的重要特征参量。

由于二阶系统在其阻尼比 $\zeta\leqslant 0$ 时，阶跃响应呈等幅甚至是发散幅值的振荡过程，在实际中根本无法使用，故以下讨论二阶系统的时域响应将不包括这种情况。

一、二阶系统的单位阶跃响应

下面分析过阻尼、临界阻尼和欠阻尼三种情况下，二阶系统的单位阶跃响应。

1. 过阻尼（$\zeta>1$）时二阶系统的单位阶跃响应

由图 3-5-2 可见，过阻尼的二阶系统的响应虽无超调，但过程缓慢，虽不适用于允许有一定超调但希望快速响应的场合，却对于惯性大而增益又低的控制系统较为适用。另外，有些指示和记录仪表系统，希望采用临界阻尼甚至过阻尼系统以避免系统响应超调和振荡。

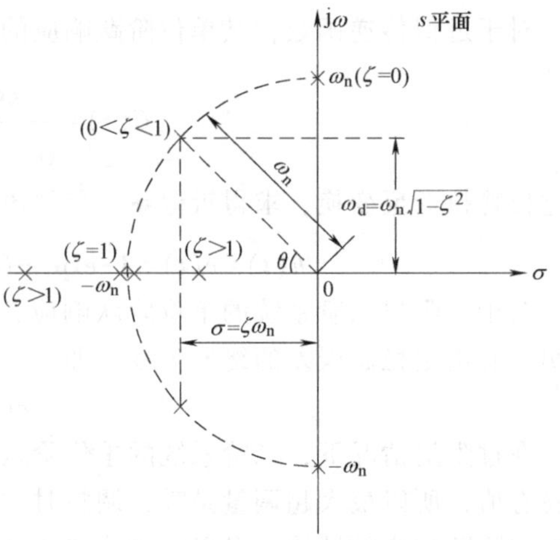

图 3-5-3　二阶系统极点与参量间的关系

当 $\zeta>1$ 时，系统的极点均为实极点，分别为

$$s_1,s_2=-(\zeta\mp\sqrt{\zeta^2-1})\omega_n$$

于是，系统单位阶跃响应的象函数可写成

$$\begin{aligned}C(s)&=\frac{\omega_n^2}{s(s^2+2\zeta\omega_n s+\omega_n^2)}=\frac{\omega_n^2}{s(s-s_1)(s-s_2)}\\&=\frac{A_0}{s}+\frac{A_1}{s-s_1}+\frac{A_2}{s-s_2}\end{aligned}\tag{3-5-7}$$

式中，$A_0=[C(s)s]_{s=0}=1$；$A_1=[C(s)(s-s_1)]_{s=s_1}=\dfrac{-1}{2\sqrt{\zeta^2-1}(\zeta-\sqrt{\zeta^2-1})}$；

$$A_2=[C(s)(s-s_2)]_{s=s_2}=\frac{1}{2\sqrt{\zeta^2-1}(\zeta+\sqrt{\zeta^2-1})}。$$

对式（3-5-7）求原函数，即求得系统单位阶跃响应为

$$\begin{aligned}\boldsymbol{h(t)}&=\frac{1}{2\pi j}\int_{c-j\infty}^{c+j\infty}C(s)e^{st}ds\\&=1-\frac{1}{2\sqrt{\zeta^2-1}}\left\{\frac{\exp[-(\zeta-\sqrt{\zeta^2-1})\omega_n t]}{\zeta-\sqrt{\zeta^2-1}}+\frac{\exp[-(\zeta+\sqrt{\zeta^2-1})\omega_n t]}{\zeta+\sqrt{\zeta^2-1}}\right\}\quad(t\geqslant 0)\end{aligned}\tag{3-5-8}$$

式（3-5-8）是个超越函数，欲由其得到准确计算响应性能指标的解析表达式是困难的。在实际中可利用计算机仿真软件绘制系统响应曲线，并确定调整时间。通常在工程上，也可以在一定的条件下，将描述过阻尼二阶系统的传递函数简化，以得到调整时间的近似解析表达式。

由式（3-5-8）可见，暂态响应由两项指数函数之和组成。由于 $\zeta>1$，特别是在 $\zeta\gg1$ 的情况下，$\zeta+\sqrt{\zeta^2-1}\gg\zeta-\sqrt{\zeta^2-1}$，故式（3-5-8）中两个指数项随着时间增长后一项远比前一项衰减得快。因此，后一项指数函数只在 $t>0$ 后的前期对暂态响应有影响，考虑到这一点，可将后一项忽略不计。

二阶系统传递函数的近似式为

$$\frac{C(s)}{R(s)}=\frac{\zeta\omega_n-\omega_n\sqrt{\zeta^2-1}}{s+\zeta\omega_n-\omega_n\sqrt{\zeta^2-1}}=\frac{-s_1}{s-s_1}$$

这一近似传递函数既考虑到了原系统的主要极点 s_1，同时其初始值及终值与系统原来传递函

数相同。

对于近似传递函数，其单位阶跃响应的象函数为

$$C(s)=\frac{\zeta\omega_n-\omega_n\sqrt{\zeta^2-1}}{s(s+\zeta\omega_n-\omega_n\sqrt{\zeta^2-1})}$$

通过拉普拉斯反变换，求得近似系统单位阶跃响应为

$$h(t)=c(t)=1-\exp[-(\zeta\omega_n-\omega_n\sqrt{\zeta^2-1})t]\quad(t\geqslant 0) \tag{3-5-9}$$

对于过阻尼二阶系统的单位阶跃响应，无论是式（3-5-8）或是近似解的式（3-5-9）都表明，其给定稳态误差的终值为零，即

$$e(\infty)=0$$

在过阻尼情况下，二阶系统的单位阶跃响应随时间推移而单调增长，最后在 $t\to\infty$ 时趋于稳态值，所以最大超调量是零，调整时间可以用近似的单位阶跃响应估算，如借用一阶系统单位阶跃响应的性质，可以认为响应达到稳态值的95%所需的调整时间为

$$t_s=\frac{3}{(\zeta-\sqrt{\zeta^2-1})\omega_n}$$

在工程上，如果 $\zeta\geqslant 1.5$，使用上述近似式已有足够的准确度。

现在研究过阻尼二阶系统的阶跃响应随时间的变化率。将式（3-5-8）对时间 t 求导数，得

$$\frac{\mathrm{d}h(t)}{\mathrm{d}t}=\frac{(\zeta-\sqrt{\zeta^2-1})\omega_n}{2\sqrt{\zeta^2-1}(\zeta-\sqrt{\zeta^2-1})}\exp[-(\zeta-\sqrt{\zeta^2-1})\omega_n t]-\frac{(\zeta+\sqrt{\zeta^2-1})\omega_n}{2\sqrt{\zeta^2-1}(\zeta+\sqrt{\zeta^2-1})}\exp[-(\zeta+\sqrt{\zeta^2-1})\omega_n t] \tag{3-5-10}$$

当 $t=0$ 时，有 $\left.\frac{\mathrm{d}h(t)}{\mathrm{d}t}\right|_{t=0}=0$。当 $t>0$ 时，随着时间推移，式（3-5-10）右侧第二项指数函数将远比第一项指数函数衰减得快，因此，必有

$$\left.\frac{\mathrm{d}h(t)}{\mathrm{d}t}\right|_{t>0}>0$$

即在整个暂态过程中，阶跃响应都是单调增长的，可以将过阻尼二阶系统的阶跃响应与一阶系统的阶跃响应作一比较。从响应的变化率看，由于 $t>0$ 时两者阶跃响应的变化率都是正的，说明这两种系统的阶跃响应都是单调增长的非周期函数。但是在 $t=0$ 时，一阶系统的阶跃响应的变化率为 $1/\tau$，是响应全过程中变化率的最大值。而过阻尼二阶系统阶跃响应的变化率则不然，其值在 $t=0$ 时为零。这就表明，一阶系统与过阻尼二阶系统的阶跃响应曲线的形状在 $t=0$ 及 $t>0$ 后的前期有较大差异。

图 3-5-4 中的曲线①是某过阻尼二阶系统按式（3-5-8）求得的阶跃响应曲线，曲线②则是按式（3-5-9），即是将系统近似为一阶系统的阶跃响应。虽然在 $t=0$ 时，两者响应的初始值都为零，但变化率在 $t=0$ 及 $t>0$ 后的初

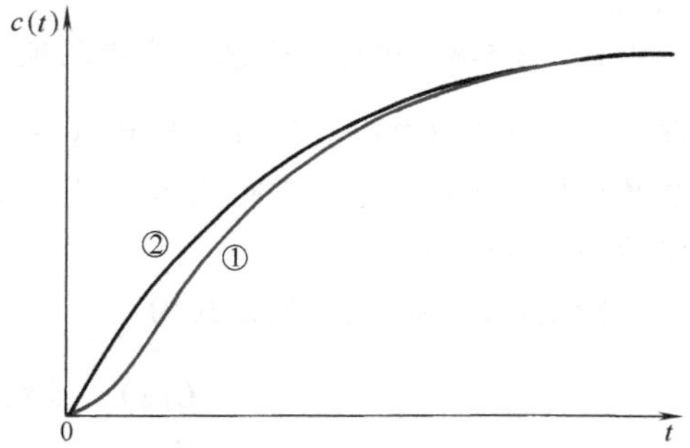

图 3-5-4　过阻尼二阶系统与简化系统的阶跃响应

期都有较大的差异。

2. 临界阻尼（$\zeta=1$）时二阶系统的单位阶跃响应

此时系统具有二重实极点，即

$$s_1=s_2=-\omega_n$$

系统单位阶跃响应的象函数可写成

$$C(s)=\frac{\omega_n^2}{s(s+\omega_n)^2}=\frac{A_0}{s}+\frac{A_1}{s+\omega_n}+\frac{A_2}{(s+\omega_n)^2} \tag{3-5-11}$$

式中，$A_0=[C(s)s]_{s=0}=1$；$A_1=\left\{\frac{\mathrm{d}}{\mathrm{d}s}[C(s)(s+\omega_n)^2]\right\}_{s=-\omega_n}=-1$；$A_2=[C(s)(s+\omega_n)^2]_{s=-\omega_n}=-\omega_n$。

按拉普拉斯反变换求得系统的单位阶跃响应为

$$\boldsymbol{h(t)=c(t)=1-\mathrm{e}^{-\omega_n t}(1+\omega_n t)}\quad (t\geqslant 0) \tag{3-5-12}$$

由此得出临界阻尼（$\zeta=1$）时二阶系统单位阶跃响应的误差

$$e(t)=r(t)-c(t)=\mathrm{e}^{-\omega_n t}(1+\omega_n t)\quad (t\geqslant 0)$$

当 $t\to\infty$ 时，因为指数函数 $\mathrm{e}^{-\omega_n t}$ 的衰减速度远较线性函数 $\omega_n t$ 的增长速度为快，故有

$$e(\infty)=0$$

由式（3-5-12）可求得临界阻尼二阶系统单位阶跃响应随时间变化率，即

$$\frac{\mathrm{d}h(t)}{\mathrm{d}t}=\omega_n^2 t\mathrm{e}^{-\omega_n t} \tag{3-5-13}$$

于是可求得 $t=0$ 时

$$\left.\frac{\mathrm{d}h(t)}{\mathrm{d}t}\right|_{t=0}=0$$

而当 $t\to\infty$ 时，因为前述之同样原因，有

$$\left.\frac{\mathrm{d}h(t)}{\mathrm{d}t}\right|_{t=\infty}=0$$

响应变化率为最大值的时刻，必是响应的二阶导数为零之时，于是有

$$\left.\frac{\mathrm{d}^2h(t)}{\mathrm{d}t^2}\right|_{\frac{\mathrm{d}h(t)}{\mathrm{d}t}=\max}=\omega_n^2\mathrm{e}^{-\omega_n t}(1-\omega_n t)=0$$

亦即当 $t=1/\omega_n$ 时，临界阻尼二阶系统阶跃响应的变化率最大。

$\zeta=1$ 时，系统的单位阶跃响应随时间推移而单调增长，在 $t=\infty$ 时达到稳态值。系统响应的最大超调量为零。如以响应达到稳态值的95%所经历的时间作为调整时间，则调整时间大约是 $\boldsymbol{t_s\approx 4.7\frac{1}{\omega_n}}$。

临界阻尼二阶系统多在记录仪表中使用。

3. 欠阻尼（$0<\zeta<1$）时二阶系统的单位阶跃响应

欠阻尼二阶系统在实际中应用最广，多数机电控制系统都与欠阻尼二阶系统性能类似。

二阶系统的暂态响应及性能指标

此时系统具有一对共轭复数极点，为

$$s_1=-(\zeta-\mathrm{j}\sqrt{1-\zeta^2})\omega_n$$

$$s_2=-(\zeta+\mathrm{j}\sqrt{1-\zeta^2})\omega_n$$

其单位阶跃响应的象函数可写为

$$
\begin{aligned}
C(s)&=\frac{\omega_n^2}{s(s^2+2\zeta\omega_n s+\omega_n^2)}\\
&=\frac{1}{s}-\frac{s+\zeta\omega_n}{(s+\zeta\omega_n)^2+(1-\zeta^2)\omega_n^2}-\frac{\zeta\omega_n}{(s+\zeta\omega_n)^2+(1-\zeta^2)\omega_n^2}
\end{aligned}
\tag{3-5-14}
$$

从拉普拉斯反变换可求得系统单位阶跃响应为

$$
h(t)=c(t)=1-\frac{\exp(-\zeta\omega_n t)}{\sqrt{1-\zeta^2}}\sin\left(\omega_n\sqrt{1-\zeta^2}\,t+\arctan\frac{\sqrt{1-\zeta^2}}{\zeta}\right)\quad(t\geqslant 0)\tag{3-5-15}
$$

由式（3-5-15）可见，系统的暂态分量为振幅随时间按指数函数规律衰减的周期函数，其振荡频率为

$$\omega_d=\omega_n\sqrt{1-\zeta^2}$$

可见，$\zeta\omega_n$ 值越大，振幅衰减越快。

图 3-5-5 给出了阻尼比 ζ 为不同值时，二阶系统单位阶跃响应曲线族。

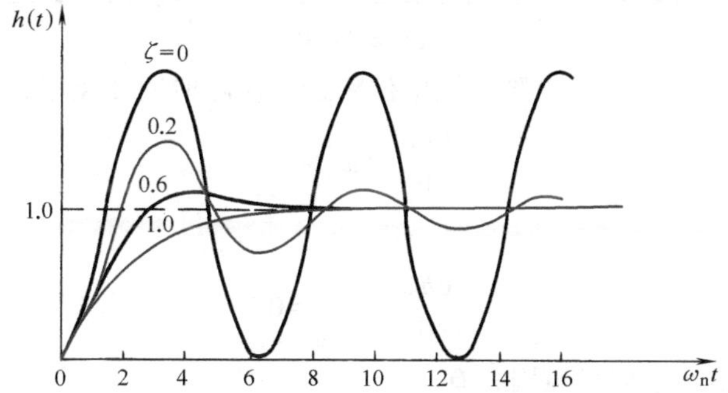

图 3-5-5 二阶系统的单位阶跃响应

按式（3-5-15）可以推导在 $0<\zeta<1$ 情况下二阶系统单位阶跃响应暂态性能指标的计算公式。

（1）上升时间 t_r 令 $h(t)=1$，代入式（3-5-15）中，即可求得 t_r。这时有

$$\cos\sqrt{1-\zeta^2}\,\omega_n t_r+\frac{\zeta}{\sqrt{1-\zeta^2}}\sin\sqrt{1-\zeta^2}\,\omega_n t_r=0$$

或

$$\tan\sqrt{1-\zeta^2}\,\omega_n t_r=-\frac{\sqrt{1-\zeta^2}}{\zeta}$$

所以

$$
t_r=\frac{1}{\omega_n\sqrt{1-\zeta^2}}\arctan\left(-\frac{\sqrt{1-\zeta^2}}{\zeta}\right)=\frac{\pi-\arctan\frac{\sqrt{1-\zeta^2}}{\zeta}}{\omega_n\sqrt{1-\zeta^2}}=\frac{\pi-\theta}{\omega_d}\tag{3-5-16}
$$

此处 $\theta=\arccos\zeta$ 用弧度表示。由上式可见，如欲减小 t_r，当 ζ 一定时，需增大 ω_n，反之，若 ω_n 一定时，则需减小 ζ。

（2）峰值时间 t_p 出现第一个峰值时，单位阶跃响应随时间的变化率为零，为求 t_p，可将式（3-5-15）对时间 t 求导，并令其为零。于是得

$$\omega_n\sqrt{1-\zeta^2}\cos\left(\sqrt{1-\zeta^2}\,\omega_n t_p+\arctan\frac{\sqrt{1-\zeta^2}}{\zeta}\right)-\zeta\omega_n\sin\left(\sqrt{1-\zeta^2}\,\omega_n t_p+\arctan\frac{\sqrt{1-\zeta^2}}{\zeta}\right)=0$$

或
$$\tan\left(\sqrt{1-\zeta^2}\,\omega_n t_p+\arctan\frac{\sqrt{1-\zeta^2}}{\zeta}\right)=\frac{\sqrt{1-\zeta^2}}{\zeta}$$

由此可知

$$\sqrt{1-\zeta^2}\,\omega_n t_p=n\pi\quad(n=0,1,2,\cdots)$$

到达第一个峰值时应有

$$\sqrt{1-\zeta^2}\,\omega_n t_p=\pi$$

故得

$$t_p=\frac{\pi}{\sqrt{1-\zeta^2}\,\omega_n}=\frac{\pi}{\omega_d}\tag{3-5-17}$$

（3）**最大超调量 M_p**　最大超调量发生在 $t=t_p$，因此，令式（3-5-15）中的 $t=t_p$，并将式（3-5-17）代入，即得以百分比表示的超调量

$$M_p=\exp\left(-\frac{\zeta\pi}{\sqrt{1-\zeta^2}}\right)\times100\%\tag{3-5-18}$$

M_p 完全由 ζ 决定，ζ 越小，M_p 越大。M_p 与 ζ 的关系曲线如图 3-5-6 所示。

（4）**调整时间 t_s**　从调整时间的定义来看，显然调整时间的表达式最难确定。但是，对 $0<\zeta<1$ 的情况，借用图 3-5-7 所示的衰减正弦波的包络线，可以得到一个近似表达式。

由图 3-5-7 可见，不管采用上包络线或是下包络线，近似法都可以得到同样的结果

$$1+\frac{1}{\sqrt{1-\zeta^2}}\exp(-\zeta\omega_n t_s)=1.05$$

由上式解得

$$\omega_n t_s=-\frac{1}{\zeta}\ln\left[0.05\sqrt{1-\zeta^2}\right]$$

或
$$t_s\approx\frac{1}{\zeta\omega_n}\left(3+\ln\frac{1}{\sqrt{1-\zeta^2}}\right)\tag{3-5-19}$$

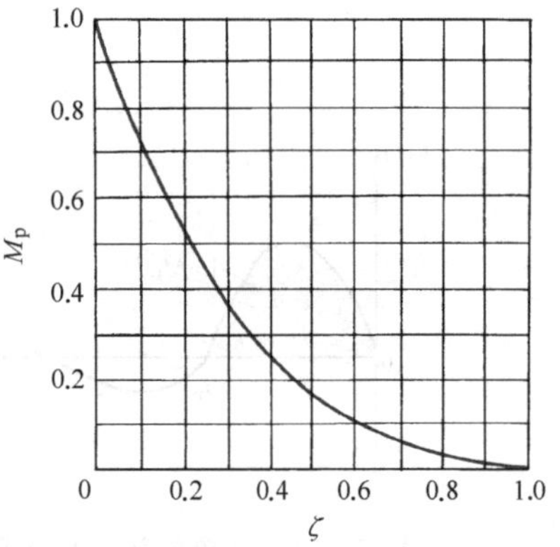

图 3-5-6　M_p 与 ζ 的关系

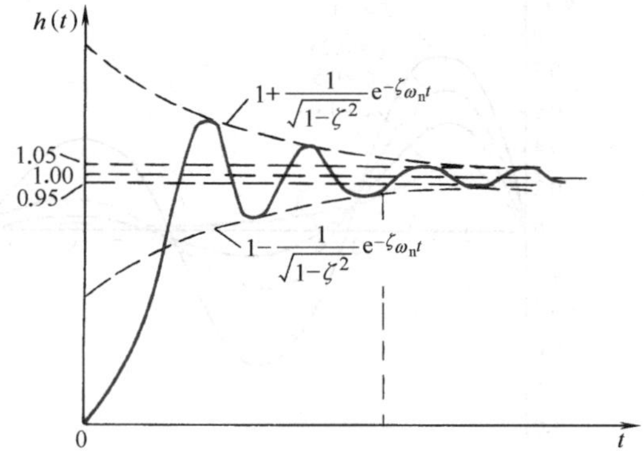

图 3-5-7　二阶系统单位阶跃响应的包络线

当 $0<\zeta<0.8$ 时，则有

$$t_s\approx\frac{3}{\zeta\omega_n}\tag{3-5-20}$$

图 3-5-8 给出 t_s 与 ζ 的关系曲线，它是根据式（3-5-19）作出的。从图可见，当 $\zeta=0.68$ 时，调整时间 t_s 为最小。**设计二阶系统时，一般取 $\zeta=0.707$，为最佳阻尼比，**此时不但 t_s 最小，而且最大超调量 M_p 也不大。ζ 值不应低于 0.5。

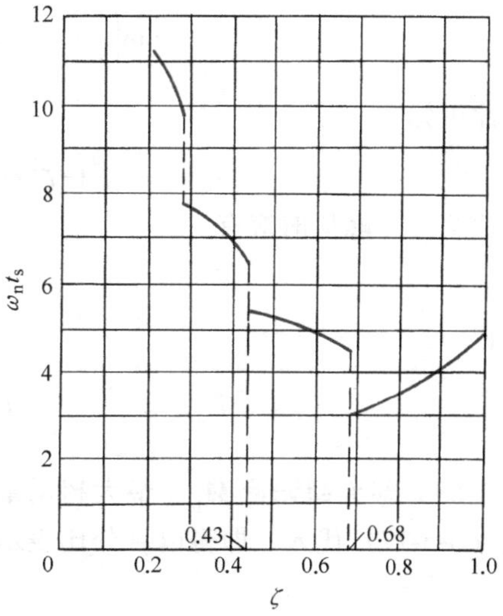

图 3-5-8 二阶系统 t_s 与 ζ 的关系

二、二阶系统的单位脉冲响应

将式（3-5-8）、式（3-5-12）及式（3-5-15）对时间 t 求导，可得到不同 ζ 值时二阶系统的单位脉冲响应 $g(t)$。

当 $0<\zeta<1$ 时

$$g(t)=\frac{\omega_n}{\sqrt{1-\zeta^2}}e^{-\zeta\omega_n t}\sin\omega_n\sqrt{1-\zeta^2}\,t \quad (t\geqslant 0) \tag{3-5-21}$$

当 $\zeta=1$ 时

$$g(t)=\omega_n^2 t e^{-\omega_n t} \quad (t\geqslant 0) \tag{3-5-22}$$

当 $\zeta>1$ 时

$$\begin{aligned} g(t)=&\frac{\omega_n}{2\sqrt{\zeta^2-1}}\exp[-(\zeta-\sqrt{\zeta^2-1})\omega_n t] \\ &-\frac{\omega_n}{2\sqrt{\zeta^2-1}}\exp[-(\zeta+\sqrt{\zeta^2-1})\omega_n t] \quad (t\geqslant 0) \end{aligned} \tag{3-5-23}$$

不同 ζ 时单位脉冲响应曲线如图 3-5-9 所示。对 $\zeta\geqslant 1$ 的情况，单位脉冲响应总是正值或在 $t=\infty$ 时为零。这时系统的单位阶跃响应必是单调增长的。

由于单位脉冲响应是单位阶跃响应的导数，所以**单位脉冲响应曲线与时间轴第一次相交之点对应的时间必是峰值时间 t_p，而从 $t=0$ 到 $t=t_p$ 这一段 $g(t)$ 曲线与时间轴所包围的面积等于 $1+M_p$**（参见图 3-5-10），而且单位脉冲响应曲线与时间轴包围的面积代数和为 1。

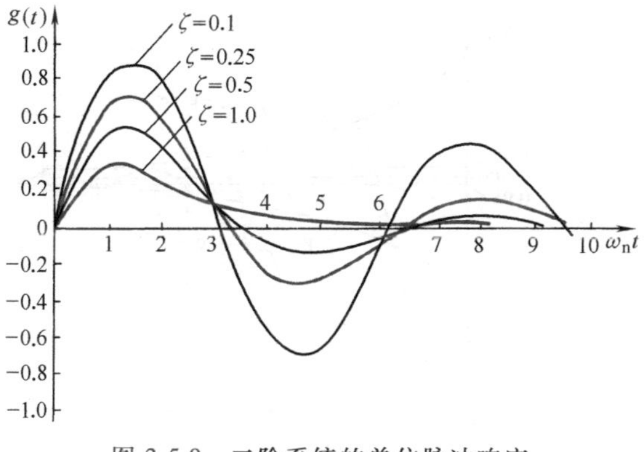

图 3-5-9 二阶系统的单位脉冲响应

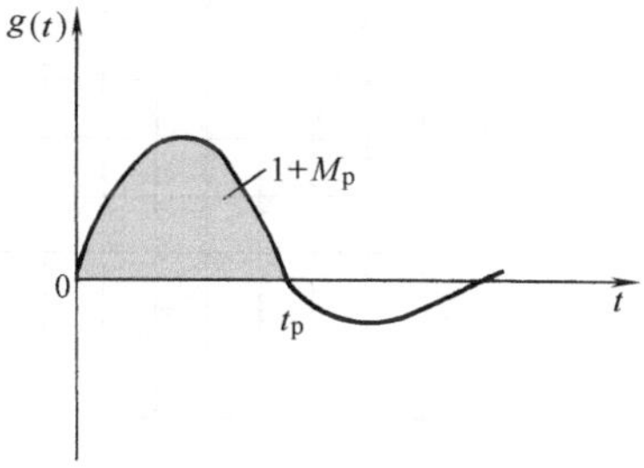

图 3-5-10 从单位脉冲响应求 M_p

三、二阶系统的单位斜坡响应

当输入信号为单位斜坡函数时

$$r(t)=t, \quad R(s)=\frac{1}{s^2}$$

因而有

$$C(s)=\frac{\omega_n^2}{s^2+2\zeta\omega_n s+\omega_n^2}\frac{1}{s^2}=\frac{1}{s^2}-\frac{2\zeta/\omega_n}{s}+\frac{2\zeta/\omega_n(s+\zeta\omega_n)+(2\zeta^2-1)}{s^2+2\zeta\omega_n s+\omega_n^2} \tag{3-5-24}$$

以下仅分析欠阻尼时的响应性能。由于欠阻尼（$1>\zeta>0$）时有

$$s_{1,2}=-\zeta\omega_n\pm j\omega_n\sqrt{1-\zeta^2}$$

因而欠阻尼二阶系统的单位斜坡响应为

$$c(t)=t-\frac{2\zeta}{\omega_n}+\frac{1}{\omega_n\sqrt{1-\zeta^2}}e^{-\zeta\omega_n t}\sin\left(\sqrt{1-\zeta^2}\,\omega_n t+2\arctan\frac{\sqrt{1-\zeta^2}}{\zeta}\right) \tag{3-5-25}$$

不难看出，上式右侧的前两项是系统的稳态响应，第三项则是暂态响应。系统的误差是

$$e(t)=r(t)-c(t)=\frac{2\zeta}{\omega_n}-\frac{1}{\omega_n\sqrt{1-\zeta^2}}e^{-\zeta\omega_n t}\sin\left(\sqrt{1-\zeta^2}\,\omega_n t+2\arctan\frac{\sqrt{1-\zeta^2}}{\zeta}\right) \tag{3-5-26}$$

由此可知，欠阻尼二阶系统在单位斜坡函数输入下，达到稳态时给定跟踪误差的终值是$\frac{2\zeta}{\omega_n}$，可见稳态误差的终值与系统的参量有关。式（3-5-26）中的第二项，当 $t=0$ 时有

$$\frac{1}{\omega_n\sqrt{1-\zeta^2}}\sin\left(2\arctan\frac{\sqrt{1-\zeta^2}}{\zeta}\right)=\frac{2\zeta\sqrt{1-\zeta^2}}{\omega_n\sqrt{1-\zeta^2}}=\frac{2\zeta}{\omega_n}$$

不难看出，当 $t=0$ 时

$$e(0)=\frac{2\zeta}{\omega_n}-\frac{2\zeta}{\omega_n}=0$$

当 $t=\infty$ 时

$$e(\infty)=\frac{2\zeta}{\omega_n} \tag{3-5-27}$$

而在 $0<t<\infty$ 的时段内，误差 $e(t)$ 围绕其稳态终值$\frac{2\zeta}{\omega_n}$按正弦函数规律作周期变化，并且随着时间的推移，此正弦函数的振幅将按指数函数规律逐渐衰减到零。图 3-5-11 展示了当阻尼比 ζ 为 0.2、0.5 及 1 时的误差 $e(t)$ 曲线。为了表示是在同一个 ω_n 值之下阻尼比 ζ 对误差的影响，将图形的纵、横坐标都乘以 ω_n。

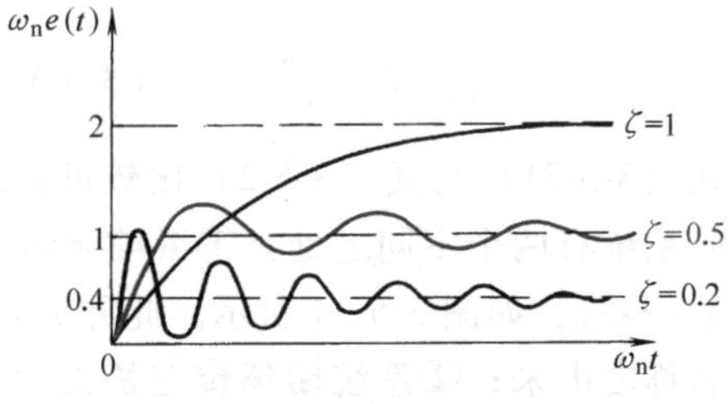

图 3-5-11　欠阻尼二阶系统单位斜坡响应的误差曲线

从式（3-5-26）不难看出，欠阻尼二阶系统在单位斜坡函数输入下的误差曲线，与欠阻尼二阶系统的阶跃响应有类似的形式（参见式（3-5-15）），此时稳态误差的终值与参量 ζ 及 ω_n 有关。据此，可以仿照欠阻尼二阶系统在单位阶跃函数输入时计算其性能指标的方法，计算此时系统的误差曲线的峰值、出现峰值的时间和调整时间。

将式（3-5-26）对时间 t 求导并令其为零，可得到误差响应的峰值时间

$$t_p=\frac{\pi-\arctan\frac{\sqrt{1-\zeta^2}}{\zeta}}{\omega_n\sqrt{1-\zeta^2}}=\frac{\pi-\theta}{\omega_d} \tag{3-5-28}$$

将式（3-5-28）代入式（3-5-26），得到误差响应的峰值

$$e(t_p)=\frac{2\zeta}{\omega_n}\left(1+\frac{1}{2\zeta}e^{-\zeta\omega_n t_p}\right) \tag{3-5-29}$$

同理，可以估算出误差达到其稳态终值的95%～105%的时间大致是

$$t_s=\frac{3}{\zeta\omega_n}$$

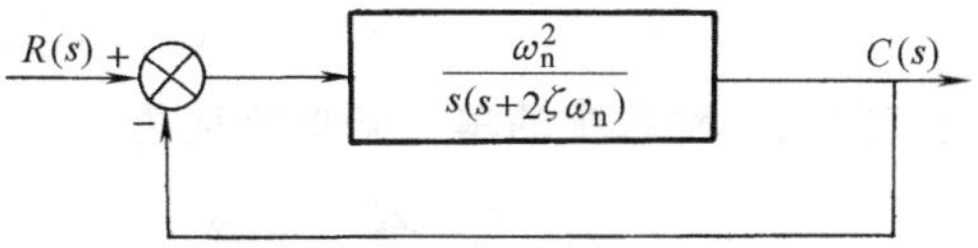

图 3-5-12　二阶系统的框图

四、传递函数含有零点的二阶系统响应

图 3-5-12 是本节所分析的典型二阶系统的框图，与图 3-5-1 相同。当阻尼比 $1>\zeta>0$，即欠阻尼时，其单位阶跃响应的解析表达式如式（3-5-15），相应的时域响应性能指标的峰值时间 t_p 如式（3-5-17）；以百分比表示的最大超调量如式（3-5-18）。

如果在原系统的前向主通道中加入串联比例微分环节，如图 3-5-13 所示，此时系统的开环传递函数是

$$G_d(s)=\frac{\omega_n^2(\tau s+1)}{s(s+2\zeta\omega_n)} \tag{3-5-30}$$

其闭环传递函数是

$$\frac{C_d(s)}{R(s)}=\frac{G_d(s)}{1+G_d(s)}=\frac{\omega_n^2(\tau s+1)}{s^2+2\zeta_d\omega_n s+\omega_n^2} \tag{3-5-31}$$

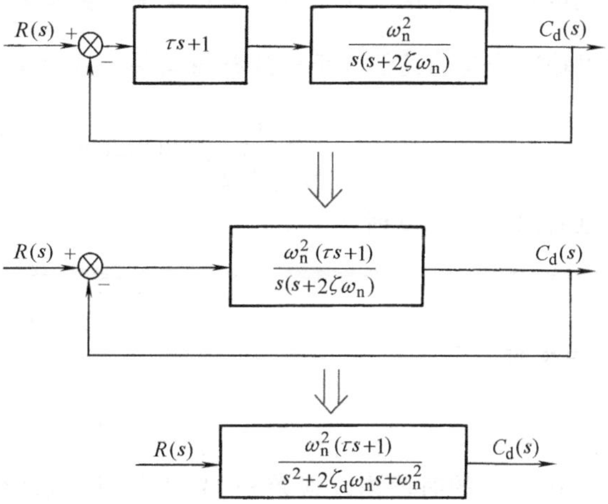

图 3-5-13　有比例微分控制的二阶系统框图

式中，$C_d(s)$ 为加入比例微分环节后二阶系统输出响应的象函数；τ 为微分环节的时间常数；ζ_d 为二阶系统引入比例微分环节后的系统阻尼比，其值为

$$\zeta_d=\zeta+\frac{\tau\omega_n}{2} \tag{3-5-32}$$

将式（3-5-31）与式（3-5-2）比较可知，加入比例微分环节的二阶系统闭环传递函数与原二阶系统有两个不同之处：①系统闭环传递函数增加了一个实数零点 z，z 位于 s 左半平面，即 $z=-1/\tau$，如图 3-5-14 所示。此即为具有零点的二阶系统名称之由来；②系统闭环传递函数中的阻尼比 ζ_d 大于原系统之阻尼比 ζ（参见式（3-5-32））。系统的无阻尼自然振荡角频率没有变化，仍为 ω_n。

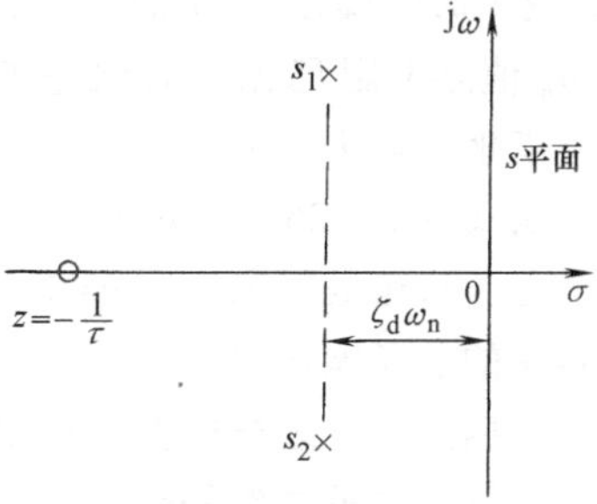

图 3-5-14　闭环系统的零、极点分布

根据式（3-5-31）可分析二阶系统加入比例微分环节后的单位阶跃响应及其性能。

当输入为单位阶跃函数时

$$r(t)=1,\quad R(s)=\frac{1}{s}$$

由式（3-5-31）可得单位阶跃响应的象函数为

$$C_d(s)=\frac{\omega_n^2(\tau s+1)}{s^2+2\zeta_d\omega_n s+\omega_n^2}\frac{1}{s}$$

$$=\frac{\omega_n^2}{s(s^2+2\zeta_d\omega_n s+\omega_n^2)}+\frac{\tau\omega_n^2}{s^2+2\zeta_d\omega_n s+\omega_n^2}$$
$$=C_{d1}(s)+C_{d2}(s) \tag{3-5-33}$$

由上式可见，$C_d(s)$ 由两部分组成，其中

$$C_{d1}(s)=\frac{\omega_n^2}{s(s^2+2\zeta_d\omega_n s+\omega_n^2)} \tag{3-5-34}$$

与原系统单位阶跃响应的象函数相同，参见式（3-5-2），不同的只是阻尼比。$C_d(s)$ 的另一部分为

$$C_{d2}(s)=\frac{\tau\omega_n^2}{s^2+2\zeta_d\omega_n s+\omega_n^2}=\tau s\frac{\omega_n^2}{s(s^2+2\zeta_d\omega_n s+\omega_n^2)}=\tau sC_{d1}(s) \tag{3-5-35}$$

如果从时域响应看，$c_{d2}(t)$ 等于 $c_{d1}(t)$ 对时间 t 的导数的 τ 倍，而且是图 3-5-12 系统的单位脉冲响应的 τ 倍。

以下通过分析一个具体例子说明欠阻尼二阶系统加入比例微分环节前、后系统暂态性能的差异。设未加比例微分前，二阶系统的特征参量为 $\zeta=0.4$ 及 ω_n。可以从式（3-5-15）求得系统的单位阶跃响应 $c(t)$，如图 3-5-15 中曲线 $c(t)$ 所示。相应的单位阶跃响应的峰值时间为

$$t_p=\frac{\pi}{\sqrt{1-0.4^2}}\frac{1}{\omega_n}=1.09\pi\frac{1}{\omega_n}$$

或
$$t_p\omega_n=1.09\pi \tag{3-5-36}$$

以百分比表示的最大超调量为

$$M_p=\exp\left(-\frac{0.4\pi}{\sqrt{1-0.4^2}}\right)\times 100\%$$
$$=25.4\% \tag{3-5-37}$$

大致的调整时间为

$$t_s\omega_n=\frac{3}{0.4}=7.5 \tag{3-5-38}$$

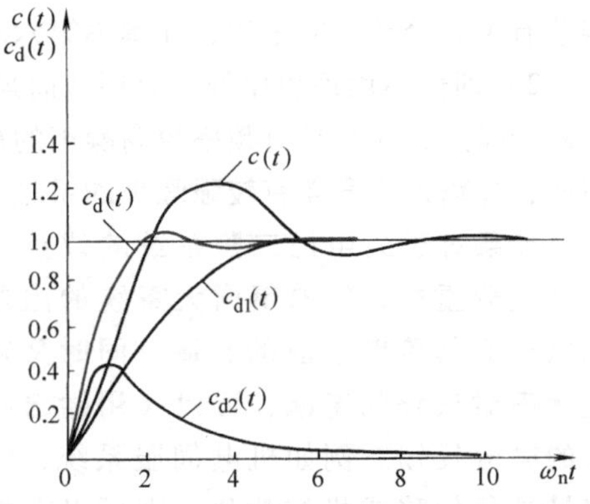

图 3-5-15　加入比例微分环节前、后二阶系统的响应

计算加入比例微分后系统的响应 $c_d(t)$。首先确定加入零点在 s 平面上的位置。假设加入的实零点距虚轴的距离为原系统一对复数极点距虚轴之距离的 2.1 倍，因此有

$$z=-1/\tau=-2.1\zeta\omega_n=-0.84\omega_n$$

或称选定
$$\tau=\frac{1}{0.84\omega_n} \tag{3-5-39}$$

现根据 τ 来计算加入比例微分环节后二阶系统的阻尼比 ζ_d

$$\zeta_d=\zeta+\frac{\tau\omega_n}{2}=0.4+0.595\approx 1 \tag{3-5-40}$$

因此，对于原来 $\zeta=0.4$ 的二阶系统，加入微分时间常数为 $\tau=\dfrac{1}{0.84\omega_n}$ 的比例微分环节后，成为 $\zeta_d\approx 1$ 的临界阻尼系统了。故可借用式（3-5-12）求得

$$c_{d1}(t)=1-e^{-\omega_n t}(1+\omega_n t) \tag{3-5-41}$$

而

$$c_{d2}(t)=\tau\frac{\mathrm{d}c_{d1}(t)}{\mathrm{d}t}=\frac{1}{0.84\omega_n}\omega_n^2 t\mathrm{e}^{-\omega_n t}=1.19\omega_n t\mathrm{e}^{-\omega_n t} \tag{3-5-42}$$

于是

$$c_d(t)=c_{d1}(t)+c_{d2}(t)=1-\mathrm{e}^{-\omega_n t}(1+\omega_n t)+1.19\omega_n t\mathrm{e}^{-\omega_n t} \tag{3-5-43}$$

将 $c_{d1}(t)$、$c_{d2}(t)$ 及 $c_d(t)$ 分别绘于图 3-5-15 中。比较 $c(t)$ 和 $c_d(t)$，可以得到如下结论：

1）在欠阻尼的二阶系统的前向主通道中加入比例微分环节后，将使系统的阻尼比增大，因此可以有效地减小原二阶系统的阶跃响应的超调量 M_p。

2）由于微分的作用，使系统阶跃响应的速度（即变化率）提高了，从而缩短了调整时间 t_s。

在二阶系统的前向通道加入比例微分环节后，改善系统暂态性能的效果很明显，但在实际使用中，存在以下难以克服的缺点：

1）在实际中不能构造出理想的比例微分环节，使用无源元件根本不可能做成理想比例微分环节，即使是用有源元件也难以做出理想的比例微分环节。关于这一点可参看第二章第四节有关微分环节的论述，在本书第六章中还将对此问题展开进一步的分析和论述。

2）即使不用理想比例微分环节而采用实际能够构成的微分环节，也有另外的问题，因它对于噪声，尤其是对频率较高噪声的放大作用，远大于对缓慢变化输入信号的放大作用。**因此，在输入信号伴有较强噪声的系统中应避免采用串联比例微分环节。**

如果对于欠阻尼二阶系统的调整时间不过分重视，仅希望增大系统的阻尼比以降低其阶跃响应的超调，同时又避免噪声对系统的影响，可以采用输出响应的微分反馈。例如机电伺服系统，输出量是角位移或机械位移，则可以在拖动电动机轴上，通过传动链或直接安装测速发电机，并将测速发电机的电枢电压送至控制系统的输入端，从而形成位移输出的微分负反馈。有输出微分反馈的二阶系统框图如图 3-5-16 所示，据此不难求出系统的闭环传递函数为

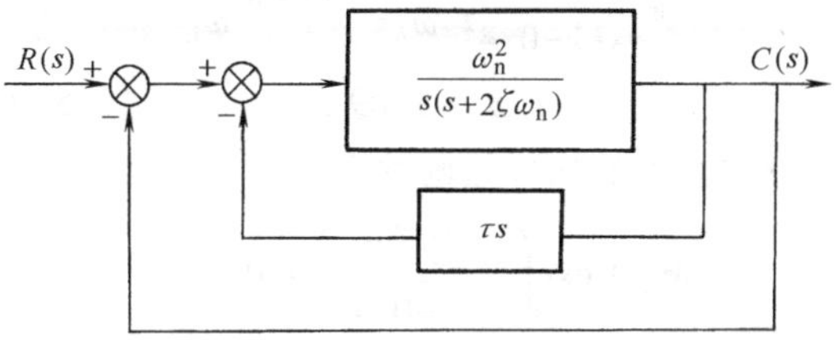

图 3-5-16 有输出微分反馈的二阶系统

$$\frac{C(s)}{R(s)}=\frac{\omega_n^2}{s^2+2\left(\zeta+\frac{\tau\omega_n}{2}\right)\omega_n s+\omega_n^2}=\frac{\omega_n^2}{s(s^2+2\zeta_t\omega_n s+\omega_n^2)} \tag{3-5-44}$$

式中，ζ_t 为采用了输出微分反馈后二阶系统的阻尼比，即

$$\zeta_t=\zeta+\frac{\tau\omega_n}{2} \tag{3-5-45}$$

比较式（3-5-32）和式（3-5-45），如果选定的微分环节的时间常数相同，则输出微分反馈的二阶系统与串联比例微分环节的系统在增大系统阻尼比的效果是相同的，因而，在抑制超调量方面有相似的效果。

图 3-5-16 所示系统没有附加零点，所以在响应速度上不可能像有串联比例微分环节的二阶系统那样快，但噪声的影响也相对小得多。串联比例微分和输出微分反馈的比较和时域分析参见例 3-13-8。

第六节　高阶系统的暂态响应

通常，实际系统往往不是一阶或二阶的，而是高于二阶。高阶系统的传递函数一般可以写成如下形式

$$\frac{C(s)}{R(s)}=\frac{b_0s^m+b_1s^{m-1}+\cdots+b_{m-1}s+b_m}{s^n+a_1s^{n-1}+\cdots+a_{n-1}s+a_n}$$

将上式分子、分母多项式分解为因式，则又可写成

$$\frac{C(s)}{R(s)}=\frac{K_1(s-z_1)(s-z_2)\cdots(s-z_m)}{(s-s_1)(s-s_2)\cdots(s-s_n)} \tag{3-6-1}$$

式中，z_j 为传递函数的零点，$j=1, 2, \cdots, m$；s_i 为传递函数的极点，$i=1, 2, \cdots, n$。

假定系统所有零点、极点互不相同，并假定极点中有实数极点和复数极点，而零点中只有实数零点。当输入为单位阶跃函数时，其阶跃响应的象函数为

$$C(s)=\frac{K_1\prod_{j=1}^{m}(s-z_j)}{s\prod_{i=1}^{q}(s-s_i)\prod_{k=1}^{r}(s^2+2\zeta_k\omega_{nk}s+\omega_{nk}^2)}$$

$$=\frac{1}{s}+\sum_{i=1}^{q}\frac{A_i}{s-s_i}+\sum_{k=1}^{r}\frac{B_k(s+\zeta_k\omega_{nk})+C_k\omega_{nk}\sqrt{1-\zeta_k^2}}{s^2+2\zeta_k\omega_{nk}s+\omega_{nk}^2} \tag{3-6-2}$$

式中，m 为传递函数零点总数；q 为实极点数；r 为共轭复数极点的对数；n 为传递函数极点总数，$n=q+2r$。

对式（3-6-2）求取原函数，即得高阶系统的单位阶跃响应

$$h(t)=c(t)=1+\sum_{i=1}^{q}A_i\mathrm{e}^{s_it}+\sum_{k=1}^{r}D_k[\exp(-\zeta_k\omega_{nk}t)]\cos(\omega_{nk}\sqrt{1-\zeta_k^2}\ t+\theta_k) \tag{3-6-3}$$

式中　$A_i=\left[K_1\frac{(s-z_1)(s-z_2)\cdots(s-z_m)}{s(s-s_1)(s-s_2)\cdots(s-s_n)}(s-s_i)\right]_{s=s_i}\quad(i=1,2,\cdots,q)$

$$D_k=2\left|\left[K_1\frac{(s-z_1)(s-z_2)\cdots(s-z_m)}{s(s-s_1)(s-s_2)\cdots(s-s_n)}(s-s_k)\right]_{s=s_k}\right|$$

$$\theta_k=\angle\left[K_1\frac{(s-z_1)(s-z_2)\cdots(s-z_m)}{s(s-s_1)(s-s_2)\cdots(s-s_n)}(s-s_k)\right]_{s=s_k}\quad(k=1,2,\cdots,r)$$

$$s_k=-\zeta_k\omega_{nk}\pm \mathrm{j}\omega_{nk}\sqrt{1-\zeta_k^2}$$

由此可见，高阶系统的暂态响应是一阶和二阶系统暂态响应分量的合成。据此可以得出如下的结论：

1）高阶系统暂态响应各分量的衰减快慢由指数衰减系数 s_i 及 $\zeta_k\omega_{nk}$ 决定。假设系统的一对复数极点与虚轴间距离为 $\zeta\omega_n$，另一对复数极点与虚轴间距离是其 5 倍，即 $5\zeta\omega_n$，如按式（3-5-20）估算，后者对应的暂态分量衰减时间大约仅为前者的 1/5，由此可知，**系统的极点在 s 平面左半部距虚轴越远，相应的暂态分量衰减得越快。**

2）高阶系统暂态响应各分量的系数 A_i 和 D_k 不仅与 s 平面中极点的位置有关，并且与零点的位置也有关。若某极点 s_i 越靠近某一零点 z_j，而远离其他极点，同时与 s 平面的原点

相距也很远，则相应分量的系数 A_i 越小，该暂态分量的影响就小。若一对零、极点互相很接近，则该极点对暂态响应几乎没有影响。极端情况下，若一对零、极点重合（偶极子），则该极点对暂态响应无任何影响。若某极点 s_i 远离零点，但距 s 平面原点较近，则相应的该分量的系数 A_i 就比较大，于是，该分量对暂态响应的影响就较大。

因此，对于系数很小的分量以及远离虚轴的极点对应的衰减很快的暂态分量常可忽略，于是高阶系统的响应就可以用低阶系统的响应去近似。

3）如果高阶系统中距离虚轴最近的极点，其实部比其他极点的实部的1/5还要小，并且该极点附近没有零点，则可以认为系统的响应主要由该极点决定。这些对系统响应起主导作用的极点，称为系统的主导极点。高阶系统的主导极点常是共轭复数极点。如能找到一对共轭复数主导极点，则高阶系统就可以近似地当作二阶系统来分析，相应地其暂态响应性能指标都可以按二阶系统来近似估计。

在设计一个高阶系统时，常利用主导极点这一概念选择系统参数，使系统具有预期的一对共轭复数主导极点，这样就可以近似地用二阶系统的性能指标来设计系统。

第七节　根据时域响应建立数学模型

在第二章里曾概括地介绍了建立被控对象或系统数学模型的实验方法。本节介绍在时域响应曲线测定后，求取相应的传递函数的方法。由本章前面多节内容可知，不同的时域响应曲线对应不同的传递函数结构和参量。因此，根据时域响应曲线求取传递函数的第一步，就是先根据响应曲线的形状大致选定对应的传递函数的结构。以下提到的时域响应，如果不加特殊说明都是指零初始条件下的阶跃响应。

1）如果实验测定的阶跃响应是随时间单调增长的非周期曲线，则说明对应的传递函数是由惯性环节（或称非周期环节）串联组成。如果在 $t=0$ 时，响应曲线的斜率不为零，且是全过程中斜率最大值，则对应的传递函数是由一个惯性环节组成。如果 $t=0$ 时，响应曲线的斜率为零，则对应的传递函数必由多个（至少是两个）惯性环节组成。这种情况在小功率的机电系统、仪表指示系统较为多见。其传递函数的结构为

$$G(s)=\frac{C(s)}{R(s)}=\frac{K}{(\tau_1 s+1)(\tau_2 s+1)\cdots(\tau_n s+1)} \tag{3-7-1}$$

2）对于工业系统，尤其是过程控制系统而言，实验测得的响应曲线如图3-7-1所示，说明对应的传递函数中串联有滞后环节，滞后的时间为 τ_d。由此可知，其传递函数的结构为

$$G(s)=\frac{C(s)}{R(s)}=\frac{K e^{-\tau_d s}}{(\tau_1 s+1)(\tau_2 s+1)\cdots(\tau_n s+1)} \tag{3-7-2}$$

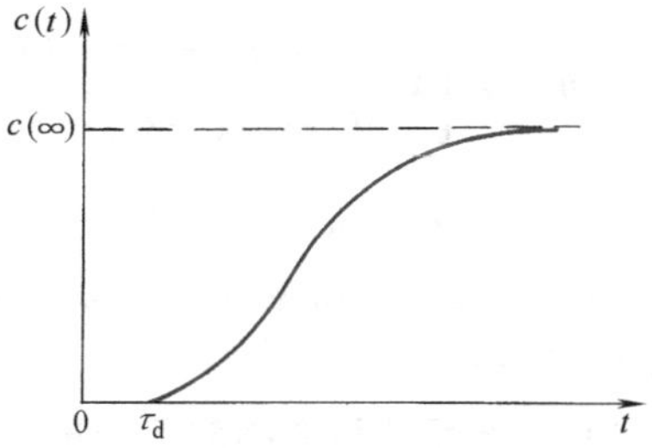

图 3-7-1　有滞后的数个惯性环节串联的响应

3）对于机电系统，尤其是功率较大的机电系统，实验测得的响应曲线往往具有周期性振荡性质。根据第六节所述，高阶系统的阶跃响应如是周期振荡的，可以按主导极点的概念，先将其传递函数近似地视作由主导极点决定的振荡环节，即

$$G(s)=\frac{C(s)}{R(s)}=\frac{K}{\tau^2s^2+2\zeta\tau s+1} \tag{3-7-3}$$

总括以上各种情况，可归纳成以下数点：

1）确定滞后环节的滞后时间 τ_d 最为简单，由响应曲线滞后的时间直接读出。

2）结合本章第五节的内容，当周期振荡性质响应曲线已由实验测定后，最大超调量 M_p 的数值和峰值时间 t_p 即为已知，则可利用式（3-5-17）和（3-5-18）联立求解传递函数中的两个特征参量 τ 及 ζ，其中 $\tau=\frac{1}{\omega_n}$。

3）传递函数中的放大系数(或称增益、传递系数)K，可由阶跃响应的稳态值 $c(\infty)$ 和相应的阶跃输入间的比值确定。

4）比较难以确定的是传递函数中串联的惯性环节的个数 n 及相应的时间常数 τ_1，τ_2，…，τ_n。

以下主要介绍从响应曲线确定串联惯性环节参数的方法。应该强调指出，先大致确定传递函数的结构再进一步求出其中参量数值的方法是较为近似的做法，精度不可能高。但对于工业实际中常见的控制系统，用本节所介绍的方法去建立被控对象的数学模型，其准确程度已能满足要求。因为系统按设计建造完成后，还有一个控制器的参量调整过程，使系统尽可能达到或接近设计时的预期性能。此调整过程就可对所确定的被控对象的数学模型不够准确之处作适当的弥补。

一、半对数法

1. 一阶非周期环节参量的确定

如被控对象只由一个非周期环节组成，其传递函数为

$$G(s)=\frac{C(s)}{R(s)}=\frac{K}{(\tau s+1)}$$

需要确定的参量是 K 及 τ。如被测的阶跃响应曲线如图 3-7-2 所示，则有

$$K=\frac{c(\infty)}{r(\infty)} \tag{3-7-4}$$

再按照本章第四节的一阶系统时域响应有关论述，最简单的确定 τ 的方法是在响应曲线的起始点作一条切线，切线与响应的稳态值 $c(\infty)$ 相交点的时间坐标值即是非周期环节的时间常数 τ。这种办法较为简单，但误差较大。而且对于由多个惯性环节串联的被控对象的传递函数也难于应用。

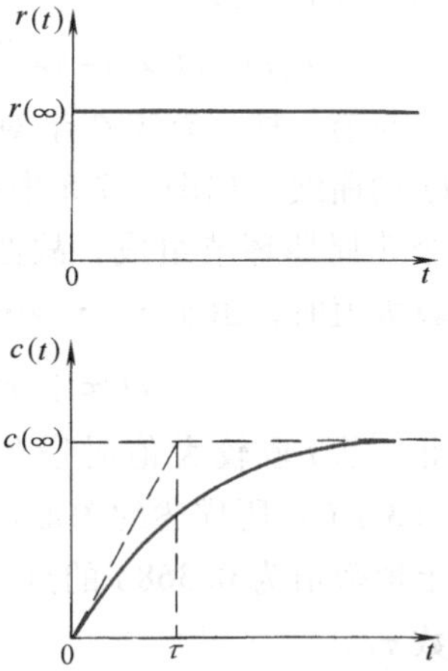

图 3-7-2　惯性环节的阶跃响应

半对数法适用于由单个或者多个非周期环节串联的被控对象数学模型参量的确定，缺点是，如果多个非周期环节的时间常数极为相近时，应用它就较为困难。

一阶非周期环节的单位阶跃响应表达式如式（3-4-3）

$$c(t)=c(\infty)(1-e^{-t/\tau})$$

将上式改写成

$$c(\infty)-c(t)=c(\infty)e^{-t/\tau}$$

求取对数后，可得

$$\ln[c(\infty)-c(t)]=-\frac{t}{\tau}+\ln c(\infty) \tag{3-7-5}$$

在半对数坐标纸上，以 $c(\infty)-c(t)$ 的对数比例尺为纵坐标，t 为横坐标，式（3-7-5）所描述的曲线为一条直线，如图 3-7-3 所示。此直线与纵坐标交于 A 点，对应的纵坐标应是输出的稳态响应 $c(\infty)$，直线的斜率则是

$$\tan\theta=-\frac{1}{\tau}$$

如在横坐标上取 $t=\tau$，过 τ 作垂线与直线相交于 M 点，再从 M 点引水平线，与纵轴相交于 N 点，于是有

$$\tan\theta=-\frac{1}{\tau}=-\frac{\ln A-\ln N}{\tau}$$

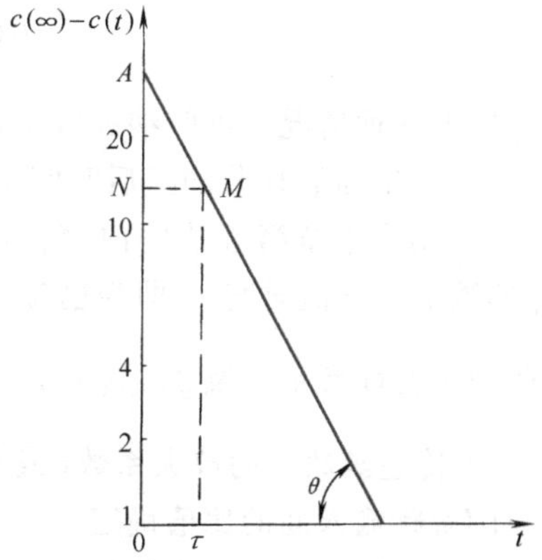

图 3-7-3 确定 τ 的图解法

由此可知 $\ln A-\ln N=1$，或写为

$$N=Ae^{-1}=0.368A=0.368c(\infty)$$

因此，具体的作图求 τ 的过程是，先在阶跃响应曲线上按时间依次量出 $c(\infty)-c(t)$ 之值，将其绘于半对数坐标纸上，即得一斜率为负值的直线（参见图 3-7-3）。然后在纵坐标上找到 $0.368c(\infty)$ 之点 N，过此点引水平线与直线交于 M 点，从 M 点的横坐标就可求得 τ。

2. 高阶非周期环节传递函数的确定

设实验测定的被控对象的阶跃响应如图 3-7-4 所示，相应的传递函数是

$$G(s)=\frac{C(s)}{R(s)}=\frac{K}{(\tau_1s+1)(\tau_2s+1)\cdots(\tau_ns+1)}$$

此时要确定的参数有 K，τ_1，τ_2，…，τ_n 及阶数 n。

设各非周期环节的时间常数不等，例如 $\tau_1>\tau_2>\cdots>\tau_n$，则响应可表示为

$$c(t)=c(\infty)-Ae^{-t/\tau_1}+Be^{-t/\tau_2}+De^{-t/\tau_3}+\cdots$$

与前一样，首先在半对数坐标中绘出 $c(\infty)-c(t)=f(t)$ 的曲线，如图 3-7-5 中曲线①所示，由于传递函数由多个非周期环节组成，故曲线①不可能是直线。当时间 t 取较大值时，由于 $\tau_1>\tau_2>\cdots>\tau_n$，则下列近似式成立

$$c(\infty)-c(t)\approx Ae^{-t/\tau_1} \tag{3-7-6}$$

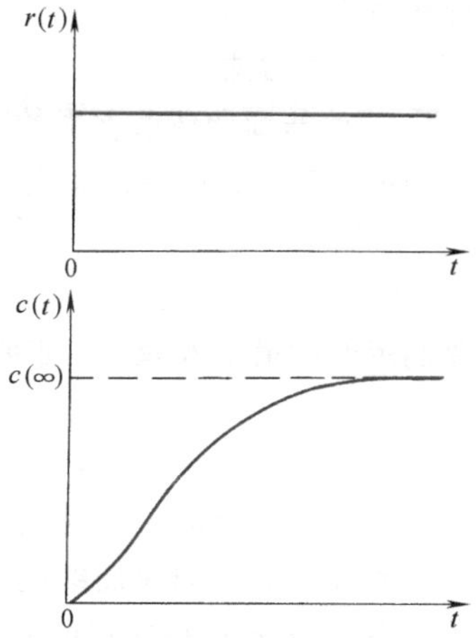

图 3-7-4 高阶非周期环节的阶跃响应

因此，从 t 取较大值时段的曲线①作切线，此条切线即是图 3-7-5 中的直线②，亦即是式（3-7-6）所描述的图形。直线②与纵坐标交于 A 点，读出 A 点的对应数值，然后在纵坐标上取数值为 $0.368A$ 的点，自此点作水平线与直线②相交，则交点的横坐标数值即为时间常数 τ_1。

将直线②在各时间上对应的纵坐标数值减去曲线①相应各时间的纵坐标数值，所得对应各时间的差值画在图 3-7-5 上即是曲线③。曲线③在时间 t 较大的时段内亦是直线，将此直线向上延长，即得直线④，它与纵坐标交于 B 点。直线④即是下列近似式描述的图形

$$c(t)\approx c(\infty)-Ae^{-t/\tau_1}+Be^{-t/\tau_2}$$

或

$$Ae^{-t/\tau_1}-[c(\infty)-c(t)]=Be^{-t/\tau_2}$$

对上式取对数后，得

$$\ln\{Ae^{-t/\tau_1}-[c(\infty)-c(t)]\}=-\frac{t}{\tau_2}+\ln B$$

在纵坐标上取数值为 0.368B 的点，依照前述作图方法，则可求得 τ_2。

如果曲线③仍不是直线，继续仿照前述作图程序，可以求得曲线⑤，它已经基本是直线了。于是 τ_3 即可很方便地求得。至此，不但求得 τ_1、τ_2、τ_3，而且也求得 $n=3$。

如果曲线⑤还不能近似为直线，则可以仿照前述方法继续作下去，直到得出近似直线为止。需强调指出的是，此方法只适用于各时间常数不等的场合。

比例系数 K 仍用式（3-7-4）确定。

以下用一个实际例子说明，如何使用半对数法确定数学模型的参量。

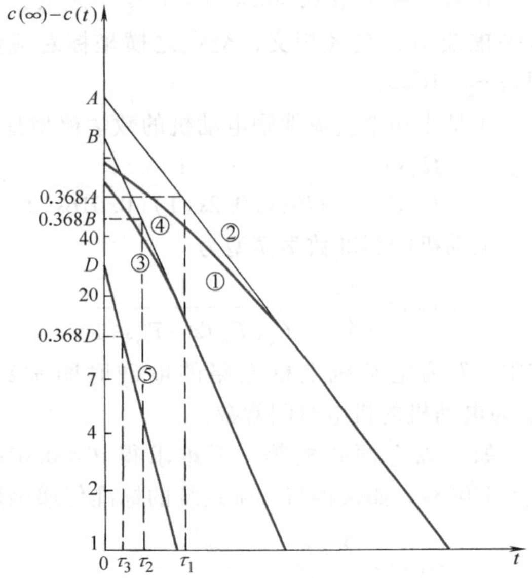

图 3-7-5　确定 τ_1、τ_2、τ_3 的图解法

例 3-7-1　某小功率直流他励电动机，励磁绕组以恒流源供电，即保持励磁电流不变。电动机电枢由容量较大的稳压电源供电。在电枢电路与稳压电源输出之间设一开关，先将稳压电源整定输出为 10V，然后突然闭合开关，亦即给电动机电枢电路突加一个输入 $r(t)=10\text{V}$ 的阶跃信号，用长余辉示波器获取以电动机轴的角速度 $\omega(t)$ 为输出的阶跃响应曲线，如图 3-7-6 所示。实际测量得到的电动机输出本是其轴的转速 n（单位为 r/min），绘图时换算成 ω（单位为 s^{-1}）。

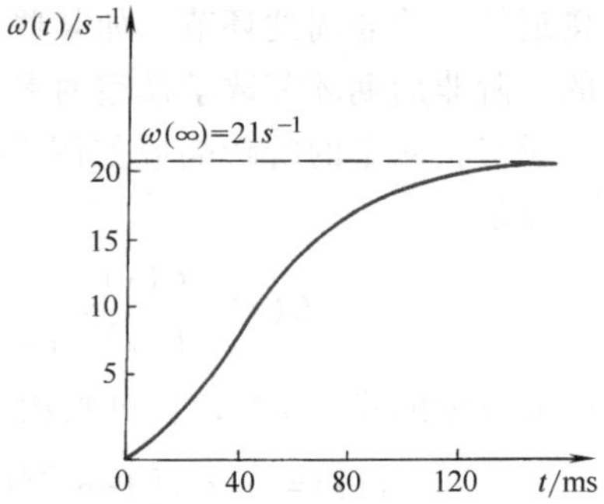

图 3-7-6　电动机的阶跃响应

根据此阶跃响应，可假定电动机的传递函数的结构形式为

$$G(s)=\frac{\Omega(s)}{U(s)}=\frac{1}{C_e(\tau_1 s+1)(\tau_2 s+1)}$$

式中，C_e 为电动机的电动势比例常数。

现采用半对数法确定待定函数的参量。首先从输入和输出的稳态值确定参量 C_e：

$$C_e=\frac{u(\infty)}{\omega(\infty)}=\frac{10}{21}\text{V}\cdot\text{s}=0.476\text{V}\cdot\text{s}$$

其次，从图 3-7-6 上量出对应各时刻的 $\omega(\infty)-\omega(t)$ 的数值，将其绘于半对数坐标上，即得图 3-7-7 中的曲线①。曲线①在时间超过 60ms 部分近似为直线，将其延长，得到直线②。直线②与纵坐标交于 A 点，其数值为 $\omega(\infty)-\omega(t)=44\text{s}^{-1}$。

在纵坐标上取 $0.368\times 44\text{s}^{-1}=16.2\text{s}^{-1}$ 之点，并过此点作水平虚线与直线②相交，交点的横坐标指示出 $\tau_1=32\text{ms}$。

再将直线②减去曲线①，并将其对应于各时刻之差求出的差值绘于图 3-7-7，各点连接起来，基本为一直线，此即直线③。直线③与纵坐标交于 $\omega(\infty)-\omega(t)=23\text{s}^{-1}$ 处，即是 B 点。

在纵坐标上取 $0.368\times23=8.5\text{s}^{-1}$ 之点，引水平虚线与直线③相交，交点之横坐标对应的即是 $\tau_2=16\text{ms}$。

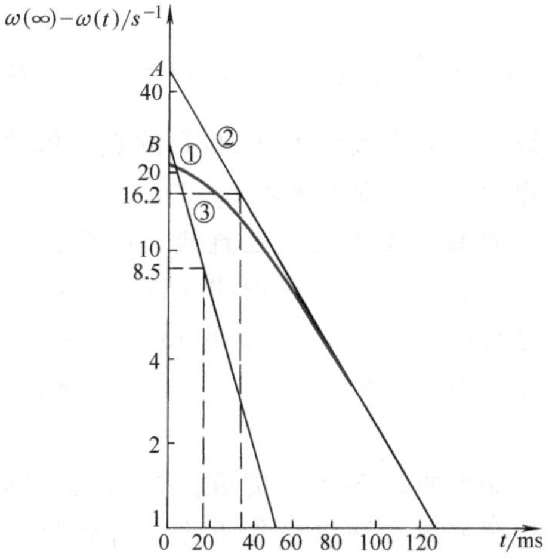

图 3-7-7　确定电动机参数的图

于是小功率直流他励电动机的数学模型是

$$G(s)=\frac{\Omega(s)}{U(s)}=\frac{1}{0.476(0.032s+1)(0.016s+1)}$$

电动机的标准数学模型为

$$G(s)=\frac{\Omega(s)}{U(s)}=\frac{1}{C_e(T_mTs^2+T_ms+1)}$$

式中，T 为电动机电枢电路的电磁时间常数；T_m 为电动机的机电时间常数。

如令以上两式相等，不难求得 $T=0.01\text{s}$，$T_m=0.048\text{s}$。如果再与二阶系统的标准传递函数

$$G(s)=\frac{\Omega(s)}{U(s)}=\frac{\omega_n^2}{s^2+2\zeta\omega_ns+\omega_n^2}\frac{1}{C_e}$$

相比，可求得 $\omega_n=45.6\text{s}^{-1}$，$\zeta=1.1$。上式中乘以一个常数 $1/C_e$ 是因为输入为电压，其量纲为 V，输出为角速度，其量纲是 s^{-1}。如果输出与输入的量纲相同，则传递函数中不须乘此常数。

二、切线法

通常时间常数非常接近的几个非周期环节构成的被控对象并不多见，多数是时间常数非常接近的二阶非周期环节，如某些仪表指示和记录系统。下面用切线法求解时间常数基本相等的二阶非周期环节数学模型的参量。

设实验测定的阶跃响应如图 3-7-8 所示，其相应的传递函数是

$$G(s)=\frac{C(s)}{R(s)}=\frac{1}{(\tau s+1)^2}$$

从第五节中的式（3-5-12）可知相应的响应为

$$\begin{aligned}c(t)&=c(\infty)[1-\mathrm{e}^{-\omega_nt}(1+\omega_nt)]\\&=c(\infty)\left[1-\mathrm{e}^{-t/\tau}\left(1+\frac{t}{\tau}\right)\right]\end{aligned}\qquad(3\text{-}7\text{-}7)$$

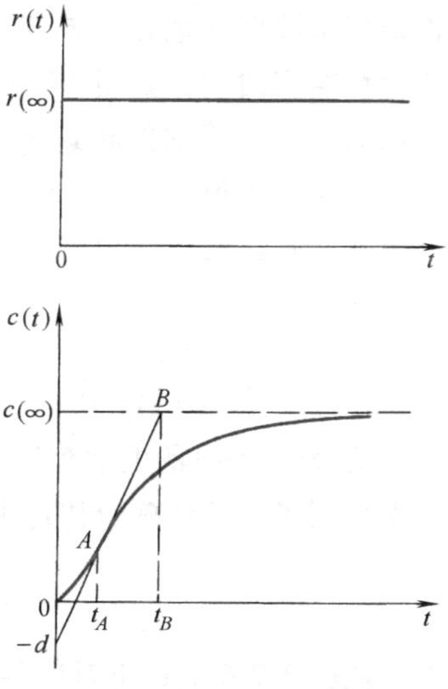

图 3-7-8　确定参量的切线法

将上式对时间 t 求导，得到

$$\frac{\mathrm{d}c(t)}{\mathrm{d}t}=c(\infty)\frac{t}{\tau^2}\mathrm{e}^{-t/\tau}\qquad(3\text{-}7\text{-}8)$$

$$\frac{\mathrm{d}^2c(t)}{\mathrm{d}t^2}=c(\infty)\left(1-\frac{t}{\tau}\right)\frac{t}{\tau^2}\mathrm{e}^{-t/\tau}\qquad(3\text{-}7\text{-}9)$$

在图 3-7-8 所示之阶跃响应的拐点 A 处，响应的二阶导数为零，由于已知 $c(\infty)\neq0$，$t=t_A\neq0$，故由式（3-7-9）知，必然有

$$t_A=\tau\qquad(3\text{-}7\text{-}10)$$

将式（3-7-10）代入式（3-7-7）及式（3-7-8），得到在拐点 A 处有

$$c(t_A)=c(\tau)=c(\infty)(1-2\mathrm{e}^{-1})\qquad(3\text{-}7\text{-}11)$$

及

$$\left.\frac{\mathrm{d}c(t)}{\mathrm{d}t}\right|_{t=t_A}=\left.\frac{\mathrm{d}c(t)}{\mathrm{d}t}\right|_{t=\tau}=c(\infty)\frac{1}{\tau}\mathrm{e}^{-1} \tag{3-7-12}$$

过拐点 A 作切线，它与纵轴交于 $-d$ 点，而

$$d=\tau\left.\frac{\mathrm{d}c(t)}{\mathrm{d}t}\right|_{t=\tau}-c(\tau) \tag{3-7-13}$$

于是切线方程为

$$c(t)=t\left.\frac{\mathrm{d}c(t)}{\mathrm{d}t}\right|_{t=\tau}-d$$

将式（3-7-11）、式（3-7-12）和式（3-7-13）的关系都代入上式，即得切线方程

$$c(t)=c(\infty)\left[\frac{t}{\tau}\mathrm{e}^{-1}-3\mathrm{e}^{-1}+1\right]$$

切线与响应稳态值 $c(\infty)$ 之直线相交于 B 点，对应于 B 点之时间即为

$$t_B=\frac{c(\infty)+d}{\left.\frac{\mathrm{d}c(t)}{\mathrm{d}t}\right|_{t=\tau}}=\frac{c(\infty)+\tau\left.\frac{\mathrm{d}c(t)}{\mathrm{d}t}\right|_{t=\tau}-c(\tau)}{\frac{1}{\tau}c(\infty)}=3\tau \tag{3-7-14}$$

式（3-7-10）可作为求取 τ 之用，而式（3-7-14）则可进一步检验作图法求得之 τ 的准确性。如果事先不知两个时间常数是否相等或极为接近，先用切线法去求参量 τ。当由式（3-7-10）求得之 τ 与式（3-7-14）求得之 τ 有一定的差异时，则说明两个时间常数不等，应改用半对数法求 τ。

第八节　线性系统的稳定性

设计控制系统时应满足多种性能指标，但首要的技术要求是系统在全部时间内必须稳定。一般说，稳定性成为区分有用或无用系统的标志。从实用观点看，可以认为只有稳定系统才有用。当然，像采用临界稳定系统构成的有源正弦波振荡器，则是较为特殊的。

为了分析和设计，可将稳定性分为绝对稳定性与相对稳定性。绝对稳定性指的是稳定或不稳定的条件。一旦判断出系统是稳定的，重要的是如何确定它的稳定程度，稳定程度则用相对稳定性来度量。前面介绍的有关系统暂态响应的参量，如超调量、调整时间等，就是用来简明地表示线性定常系统相对稳定性的。

本书只讨论线性定常系统的稳定性。我们已经了解线性定常系统的暂态响应与系统传递函数的零、极点之间的关系，在此基础上分析线性定常系统的稳定性并不困难。在本节中首先阐述稳定的基本概念和线性定常系统稳定的充分和必要条件，然后在下节介绍线性定常系统的稳定判据。尽管在实际中几乎没有单纯的判断系统的稳定性问题，但是这些稳定判据的思想与基本原理却能指导控制系统的设计。

一、稳定的基本概念

设线性定常系统处于某一平衡状态，若此系统在干扰作用下离开了原来的平衡状态，那么，在干扰作用消失后，系统能否回到原来的平衡状态，这就是系统的稳定性问题。

如果上述系统在干扰作用消失后，能够恢复到原始的平衡状态，或者说系统的零输入响应具有收敛性质，则系统为稳定的。反之，若系统不能恢复原平衡状态，或系统的零输入响应具有发散性质，则系统为不稳定的。上述稳定概念涉及零输入响应的性质，因此称为**零输入响应的稳定性**。

系统运动稳定性的一般定义最早由俄国学者李亚普诺夫提出。李亚普诺夫定义的稳定，并不要求系统最终恢复原始的平衡状态，而只要求回到某一个允许偏差区域 ε 内。与此相应，系统的初始条件只能局限于相当小的一个区域 η 内。所以，它指的是局部稳定性，即“小偏差”稳定性。当系统的数学模型是建立在小范围线性化的基础上时，只能讨论局部稳定的问题。至于系统在任意初始条件下是否稳定的问题，只有在分析原有非线性数学模型的基础上才能解答。

上面所说的系统最终恢复原始平衡状态的稳定性，称为渐近稳定性。渐近稳定性是稳定的线性定常系统的一种特性，这就是说，线性定常系统如果是稳定的，就必定是渐近稳定的。下面讨论系统的稳定问题，如不加说明，均指渐近稳定。

以上讨论了线性定常系统的零输入响应稳定性的概念。也许会产生这样的问题：系统在受到输入信号的作用下是否仍然稳定呢？这个问题涉及控制系统的零状态响应的稳定性问题。

一般说来，**系统的稳定性表现为其时域响应的收敛性，如果系统的零输入响应和零状态响应都是收敛的，则此系统就被认为是总体稳定的。**

不难证明，对于线性定常系统，零输入响应稳定性和零状态响应稳定性的条件是一致的。所以线性定常系统的稳定性是通过系统响应的稳定性来表达的。

二、线性定常系统稳定的充分必要条件

设描述线性定常系统运动的微分方程为

$$\frac{\mathrm{d}^n}{\mathrm{d}t^n}c(t)+a_1\frac{\mathrm{d}^{n-1}}{\mathrm{d}t^{n-1}}c(t)+\cdots+a_{n-1}\frac{\mathrm{d}}{\mathrm{d}t}c(t)+a_nc(t)$$
$$=b_0\frac{\mathrm{d}^m}{\mathrm{d}t^m}r(t)+b_1\frac{\mathrm{d}^{m-1}}{\mathrm{d}t^{m-1}}r(t)+\cdots+b_{m-1}\frac{\mathrm{d}}{\mathrm{d}t}r(t)+b_mr(t)$$

其解（即响应）可由式（3-2-9）给出，即

$$c(t)=\frac{1}{2\pi \mathrm{j}}\int_{c-\mathrm{j}\infty}^{c+\mathrm{j}\infty}C(s)\mathrm{e}^{st}\mathrm{d}s=c_1(t)+c_2(t)$$

式中，$c_1(t)$ 为系统零输入响应；$c_2(t)$ 为系统零状态响应。

为了得到线性定常系统的稳定条件，将分别讨论零输入响应和零状态响应的稳定性。

1. 零输入响应的稳定性

由式（3-2-9）可知，系统的零输入响应为

$$c_1(t)=\frac{1}{2\pi \mathrm{j}}\int_{c-\mathrm{j}\infty}^{c+\mathrm{j}\infty}\frac{N_{c0}(s)-N_{r0}(s)}{D(s)}\mathrm{e}^{st}\mathrm{d}s \tag{3-8-1}$$

如果对于任何初始状态 $c_1(0)$, $c_1^{(1)}(0)$, …, $c_1{}^{(n-1)}(0)$，都有

$$\lim_{t\to\infty}c_1(t)=0 \tag{3-8-2}$$

则称该系统的零输入响应是稳定的。

假设$\dfrac{N_{c0}(s)-N_{r0}(s)}{D(s)}$的 n 个极点分布为：实数极点有 q 个，其中 s_1 是 l 重极点，另外 $q-l$ 个是相异实极点 s_i（$i=2, 3, \cdots, q-l$）。复数极点有 $2r$ 个，设其为 $s_k=\sigma_k\pm \mathrm{j}\omega_k$（$k=1, 2, \cdots, r$）。于是，从拉普拉斯反变换可求得零输入响应为

$$c_1(t)=\left[\frac{b_l}{(l-1)!}t^{l-1}+\frac{b_{l-1}}{(l-2)!}t^{l-2}+\cdots+b_2t+b_1\right]\mathrm{e}^{s_1t}+$$
$$\sum_{i=2}^{q-l+1}B_i\mathrm{e}^{s_it}+\sum_{k=1}^{r}C_k\mathrm{e}^{\sigma_kt}\cos(\omega_kt+\theta_k) \tag{3-8-3}$$

式中 $b_1 = \left[\dfrac{N_{c0}(s) - N_{r0}(s)}{D(s)}(s - s_1)^l\right]_{s=s_1}$

$$b_{j+1} = \frac{1}{j!}\left\{\frac{\mathrm{d}^j}{\mathrm{d}s^j}\left[\frac{N_{c0}(s) - N_{r0}(s)}{D(s)}(s - s_1)^l\right]\right\}_{s=s_1} \quad (j = 1, 2, \cdots, l - 1)$$

$$B_i = \left[\frac{N_{c0}(s) - N_{r0}(s)}{D(s)}(s - s_i)\right]_{s=s_i} \quad (i = 2, 3, \cdots, q - l + 1)$$

$$C_k = \left|\left[\frac{N_{c0}(s) - N_{r0}(s)}{D(s)}(s - s_k)\right]_{s=s_k}\right|$$

$$\theta_k = \angle\left[\frac{N_{c0}(s) - N_{r0}(s)}{D(s)}(s - s_k)\right]_{s=s_k} \quad (k = 1, 2, \cdots, r)$$

从式（3-8-3）可见，为满足式（3-8-2），**即系统零输入响应稳定的充分必要条件是系统传递函数的全部极点 s_i（i=1，2，…，n）完全位于 s 平面的左半平面，或者写成**

$$\mathrm{Re}(s_i)<0 \quad (i=1,2,\cdots,n) \tag{3-8-4}$$

因为，只有全部极点的实部都为负，才能随着时间的增长，零输入响应趋于零。

2. 零状态响应的稳定性

由式（3-2-9）可知，系统的零状态响应为

$$c_2(t) = \frac{1}{2\pi\mathrm{j}}\int_{c-\mathrm{j}\infty}^{c+\mathrm{j}\infty}\frac{N(s)}{D(s)}R(s)\mathrm{e}^{st}\mathrm{d}s \tag{3-8-5}$$

如果系统对于每一个有界输入的零状态响应仍保持有界，则称该系统的零状态响应是稳定的，或称为有界输入有界输出稳定（BIBO 稳定）。

利用卷积分公式求零状态响应是方便的，即

$$c_2(t) = \int_0^{\infty} g(\tau)r(t - \tau)\mathrm{d}\tau \tag{3-8-6}$$

对于所有有界 $r(t)$，$c_2(t)$ 为有界，则零状态响应稳定。因此，仅需考虑 $|c_2(t)|$。从式（3-8-6）得

$$|c_2(t)| \leqslant \int_0^{\infty}|g(\tau)||r(t - \tau)|\mathrm{d}\tau$$

假定 $r(t)$ 有界，则对于所有的 t 应有 $|r(t)| \leqslant K_1$，此处 K_1 是大于零的常数，即有 $0<K_1<\infty$。如果系统的单位脉冲响应能够满足

$$\int_0^{\infty}|g(\tau)|\mathrm{d}\tau \leqslant K_2 \tag{3-8-7}$$

式中，$0<K_2<\infty$，则必然可以求得

$$|c_2(t)| \leqslant \int_0^{\infty}|g(\tau)||r(t - \tau)|\mathrm{d}\tau \leqslant K_1K_2 \tag{3-8-8}$$

即对所有的 t，零状态响应 $c_2(t)$ 有界。

式（3-8-7）即为系统零状态响应稳定的充分和必要条件。前面式（3-2-16）已经指出**系统的单位脉冲响应 $g(t)$ 是其传递函数的原函数，在此即是**

$$\begin{aligned} g(t) &= \frac{1}{2\pi\mathrm{j}}\int_{c-\mathrm{j}\infty}^{c+\mathrm{j}\infty}\frac{N(s)}{D(s)}\mathrm{e}^{st}\mathrm{d}s \\ &= \left[\frac{a_l}{(l-1)!}t^{l-1} + \frac{a_{l-1}}{(l-2)!}t^{l-2} + \cdots + a_2t + a_1\right]\mathrm{e}^{s_1t} + \\ &\quad \sum_{i=2}^{q-l+1}A_i\mathrm{e}^{s_it} + \sum_{k=1}^{r}D_k\mathrm{e}^{\sigma_kt}\cos(\omega_kt + \theta_k) \end{aligned} \tag{3-8-9}$$

稳定性
的概念

式中 $a_1=\left[\dfrac{N(s)}{D(s)}(s-s_1)^l\right]_{s=s_1}$

$$a_{j+1}=\frac{1}{j!}\left\{\frac{\mathrm{d}^j}{\mathrm{d}s^j}\left[\frac{N(s)}{D(s)}(s-s_1)^l\right]\right\}_{s=s_1}\quad (j=1,\ 2,\ \cdots,\ l-1)$$

$$A_i=\left[\frac{N(s)}{D(s)}(s-s_i)\right]_{s=s_i}\quad (i=2,\ 3,\ \cdots,\ q-l+1)$$

$$D_k=\left|\left[\frac{N(s)}{D(s)}(s-s_k)\right]_{s=s_k}\right|$$

$$\theta_k=\angle\left[\frac{N(s)}{D(s)}(s-s_k)\right]_{s=s_k}\quad (k=1,\ 2,\ \cdots,\ r)$$

从式（3-8-9）可见，只有系统传递函数的全部极点 s_i（$i=1,\ 2,\ \cdots,\ n$）位于 s 平面左半平面，亦即

$$\mathrm{Re}(s_i)<0\quad (i=1,2,\cdots,n)$$

才能使 $\tau\to\infty$ 时，$g(\tau)$趋于零的速率快到足以使

$$\int_0^{\infty}|g(\tau)|\mathrm{d}\tau\leqslant K_2$$

这样，系统的零状态响应才是有界输入、有界输出稳定。而且这一稳定的条件与前述系统零输入响应稳定的条件相同。

所以，线性定常系统稳定的充分和必要条件是：系统传递函数的全部极点 s_i（$i=1,\ 2,\ \cdots,\ n$）必须都位于 s 平面左半平面，或者说全部极点都有负实部，即 $\mathrm{Re}(s_i)<0$（$i=1,\ 2,\ \cdots,\ n$）。

第九节　劳斯—赫尔维茨稳定判据

应用第八节中判定系统稳定性的条件，需要求出系统传递函数的全部极点，然后才能判断系统稳定与否。这对于二阶及其以下系统是可行的，但对三阶以上的高阶系统，人工求解极点一般说来很困难。于是人们希望寻求一种不需要求解高阶代数方程而能判断系统稳定与否的间接方法。劳斯—赫尔维茨稳定判据是其中的一种，它是利用特征方程也就是传递函数分母部分的各项系数进行代数运算，得出全部极点为负实部的条件，以此条件来判断系统是否稳定，因此这种判据又称代数稳定判据。

在介绍劳斯—赫尔维茨判据之前，先讨论一阶和二阶系统。

对于一阶系统，特征方程为

$$D(s)=a_0s+a_1=0$$

则其极点为$-\dfrac{a_1}{a_0}$。显然，极点为负的充要条件是 a_1、a_0 均为正值，即 $a_0>0$，$a_1>0$。

对于二阶系统，特征方程为

$$D(s)=a_0s^2+a_1s+a_2=0$$

特征方式的根为

$$s_{1,\ 2}=-\frac{a_1}{2a_0}\pm\sqrt{\left(\frac{a_1}{2a_0}\right)^2-\frac{a_2}{a_0}}$$

要使系统稳定，极点必须有负实部，因此二阶系统稳定的充分必要条件是

$$a_0>0,\quad a_1>0,\quad a_2>0$$

对于三阶及其以上的系统通常采用劳斯—赫尔维茨稳定判据。英国人劳斯、瑞士数学家赫尔维茨曾分别提出从特征方程系数的符号和大小来判定稳定性的充分必要条件。虽然他们的判据形式稍有不同，但实际结论是相同的。

一、劳斯判据

将系统的特征方程写成如下标准形式

$$a_0s^n+a_1s^{n-1}+a_2s^{n-2}+\cdots+a_{n-1}s+a_n=0$$

并将各系数组成如下排列的劳斯表

$$\begin{array}{cccccc}
s^n & a_0 & a_2 & a_4 & a_6 & \cdots \\
s^{n-1} & a_1 & a_3 & a_5 & a_7 & \cdots \\
s^{n-2} & b_1 & b_2 & b_3 & b_4 & \cdots \\
s^{n-3} & c_1 & c_2 & c_3 & c_4 & \cdots \\
\vdots & \vdots & \vdots & \vdots & \vdots & \\
s^2 & e_1 & e_2 & & & \\
s^1 & f_1 & & & & \\
s^0 & g_1 & & & &
\end{array}$$

表中的有关系数为

$$b_1=\frac{a_1a_2-a_0a_3}{a_1},\ b_2=\frac{a_1a_4-a_0a_5}{a_1},\ b_3=\frac{a_1a_6-a_0a_7}{a_1},\ \cdots\cdots$$

系数 b_i 的计算一直进行到其余的 b 值全部等于零为止。

$$c_1=\frac{b_1a_3-a_1b_2}{b_1},\ c_2=\frac{b_1a_5-a_1b_3}{b_1},\ c_3=\frac{b_1a_7-a_1b_4}{b_1},\ \cdots\cdots$$

这一计算过程一直进行到 $n+1$ 行为止。为了简化数值运算，可以用一个正整数去除或乘某一行的各项，这时并不改变稳定性的结论。

列出了劳斯表以后，可能出现以下几种情况。

1）第一列所有系数均不为零的情况。这时，劳斯判据指出，系统极点实部为正实数根的数目等于劳斯表中第一列的系数符号改变的次数。系统极点全部在复平面的左半平面的充分必要条件是特征方程的各项系数全部为正值，并且劳斯表的第一列元素都具有正号。

例 3-9-1 三阶系统的特征方程为

$$D(s)=a_0s^3+a_1s^2+a_2s+a_3=0$$

解 列出劳斯表

$$\begin{array}{ccc}
s^3 & a_0 & a_2 \\
s^2 & a_1 & a_3 \\
s^1 & \dfrac{a_1a_2-a_0a_3}{a_1} & \\
s^0 & a_3 &
\end{array}$$

系统稳定的充分必要条件是

$$a_0>0,\ a_1>0,\ a_2>0,\ a_3>0$$
$$(a_1a_2-a_0a_3)>0$$

例 3-9-2　四阶系统特征方程为

$$D(s)=a_0s^4+a_1s^3+a_2s^2+a_3s+a_4=0$$

解　列出劳斯表

$$\begin{array}{llll}
s^4 & a_0 & a_2 & a_4\\
s^3 & a_1 & a_3 & 0\\
s^2 & \dfrac{a_1a_2-a_0a_3}{a_1} & a_4 & \\
s^1 & \dfrac{a_3(a_1a_2-a_0a_3)-a_1{}^2a_4}{a_1a_2-a_0a_3} & & \\
s^0 & a_4 & &
\end{array}$$

四阶系统稳定的充分必要条件是特征方程的各项系数为正值，并且

$$a_1a_2-a_0a_3>0,\ a_3(a_1a_2-a_0a_3)-a_1^2a_4>0$$

例 3-9-3　设已知系统的特征方程为

$$D(s)=s^5+2s^4+s^3+3s^2+4s+5=0$$

解　列出劳斯表

$$\begin{array}{lllll}
s^5 & 1 & 1 & 4 & \\
s^4 & 2 & 3 & 5 & \\
s^3 & -1 & 3 & 0 & \text{（各元素乘以 2）}\\
s^2 & 9 & 5 & 0 & \\
s^1 & 32 & & & \text{（各元素乘以 9）}\\
s^0 & 5 & & &
\end{array}$$

由上表可以看出，第一列各数值的符号改变了两次，由+2 变成-1，又由-1 改变成+9，因此该系统有两个正实部的极点，系统是不稳定的。

2）**某行第一列的系数等于零，而其余各项不全等于零的情况。**在计算劳斯表中各元素的数值时，如果某行的第一列的数值等于零，而其余各项中某些项不等于零，可以用一有限小的数值 ε 来代替为零的那一项，然后按照通常方法计算阵列中其余各项。如果零（ε）上面的系数符号与零（ε）下面的系数符号相反，表明这里有一个符号变化。

例 3-9-4　已知系统的特征方程为

$$s^4+2s^3+s^2+2s+1=0$$

解　列出劳斯表

$$\begin{array}{llll}
s^4 & 1 & 1 & 1\\
s^3 & 2 & 2 & 0\\
s^2 & \varepsilon(\approx 0) & 1 & \\
s^1 & 2-\dfrac{2}{\varepsilon} & 0 & \\
s^0 & 1 & &
\end{array}$$

现在考察第一列中各项数值。当 ε 趋近于零时，$2-\dfrac{2}{\varepsilon}$的值是一很大的负值，因此可以认为

第一列中的各项数值的符号改变了两次。按劳斯判据，该系统有两个极点具有正实部，系统是不稳定的。

3）**某行所有各项系数均为零的情况**。如果劳斯表中某一行的各项均为零，或只有等于零的一项，这表示在 s 平面内存在一些大小相等、符号相反的实极点和（或）一些共轭虚数极点。为了写出下面各行，将不为零的最后一行的各项组成一个方程，这个方程叫作辅助方程，式中 s 均为偶次。由该方程对 s 求导数，用求导得到的各项系数来代替为零的各项，然后继续按照劳斯表的列写方法，写出以下的各行。至于这些极点，可以通过解辅助方程得到。但是当一行中的第一列的系数为零，而且没有其他项时，可以像情况 2）所述那样，用 ε 代替为零的一项，然后按通常方法计算阵列中其余各项。

例 3-9-5 已知系统的特征方程为

$$D(s) = s^6 + 2s^5 + 8s^4 + 12s^3 + 20s^2 + 16s + 16 = 0$$

解 劳斯表中的 $s^6 \sim s^3$ 各项为

s^6	1	8	20	16	
s^5	2	12	16	0	
s^4	1	6	8		$\left(\text{各元素乘以}\dfrac{1}{2}\right)$
s^3	0	0	0		

由上表看出，s^3 行的各项全为零。为了求出 $s^3 \sim s^0$ 各行，将 s^4 行的各项系数组成辅助方程

$$A(s) = s^4 + 6s^2 + 8$$

将辅助方程 $A(s)$ 对 s 求导数，得

$$\frac{\mathrm{d}A(s)}{\mathrm{d}s} = 4s^3 + 12s$$

用上式中的各项系数作为 s^3 行的各项系数，并计算以下各行的系数，得劳斯表为

s^6	1	8	20	16
s^5	2	12	16	0
s^4	1	6	8	
s^3	4	12		
s^2	3	8		
s^1	$\dfrac{4}{3}$			
s^0	8			

从上表的第一列可以看出，各项符号没有改变，因此可以确定在右半 s 平面没有极点。另外，由于 s^3 行的各项皆为零，这表示有共轭虚数极点。在实际中，这个系统是不稳定的。这个极点可由辅助方程求出。本例中的辅助方程是

$$s^4 + 6s^2 + 8 = 0$$

由此求得大小相等符号相反的虚数极点为

$$s_{1、2} = \pm \mathrm{j}\sqrt{2}, \quad s_{3、4} = \pm \mathrm{j}2$$

二、赫尔维茨判据

分析六阶以下系统的稳定性时，还可以应用赫尔维茨判据。

将系统的特征方程写成如下标准形式

$$a_0 s^n + a_1 s^{n-1} + \cdots + a_{n-1} s + a_n = 0$$

现以它的各项系数写出如下之行列式

$$\Delta_n = \begin{vmatrix} a_1 & a_0 & 0 & 0 & 0 & \cdots \\ a_3 & a_2 & a_1 & a_0 & 0 & \cdots \\ a_5 & a_4 & a_3 & a_2 & a_1 & \cdots \\ a_7 & a_6 & a_5 & a_4 & a_3 & \cdots \\ a_9 & a_8 & a_7 & a_6 & a_5 & \cdots \\ \vdots & \vdots & \vdots & \vdots & \vdots & \ddots \\ 0 & 0 & 0 & 0 & 0 & a_n \end{vmatrix}$$

行列式中，对角线上各元为特征方程中自第二项开始的各项系数。每行以对角线上各元为准，写对角线左方各元时，系数 a 的脚标递增；写对角线右方各元时，系数 a 的脚标递减。当写到在特征方程中不存在系数时，则以零来代替。

赫尔维茨判据描述如下：系统稳定的充分必要条件在 $a_0>0$ 的情况下是，上述行列式的各阶主子式均大于零，即对稳定系统来说要求

$$\boldsymbol{\Delta}_1 = a_1 > 0$$

$$\boldsymbol{\Delta}_2 = \begin{vmatrix} a_1 & a_0 \\ a_3 & a_2 \end{vmatrix} > 0$$

$$\boldsymbol{\Delta}_3 = \begin{vmatrix} a_1 & a_0 & 0 \\ a_3 & a_2 & a_1 \\ a_5 & a_4 & a_3 \end{vmatrix} > 0$$

$$\vdots$$

$$\boldsymbol{\Delta}_n > 0$$

赫尔维茨稳定判据虽然在形式上与劳斯判据不同，但实际结论是相同的。

例 3-9-6 三阶系统的特征方程为

$$D(s) = a_0 s^3 + a_1 s^2 + a_2 s + a_3 = 0$$

解 列出系数行列式

$$\boldsymbol{\Delta}_3 = \begin{vmatrix} a_1 & a_0 & 0 \\ a_3 & a_2 & a_1 \\ 0 & 0 & a_3 \end{vmatrix}$$

赫尔维茨稳定判据指出，该三阶系统稳定的充分必要条件是

$$\boldsymbol{\Delta}_1 = a_1 > 0$$

$$\boldsymbol{\Delta}_2 = \begin{vmatrix} a_1 & a_0 \\ a_3 & a_2 \end{vmatrix} = a_1 a_2 - a_0 a_3 > 0$$

$$\boldsymbol{\Delta}_3 = \begin{vmatrix} a_1 & a_0 & 0 \\ a_3 & a_2 & a_1 \\ 0 & 0 & a_3 \end{vmatrix} = a_3(a_1 a_2 - a_0 a_3) > 0$$

或者写成系统稳定的充分必要条件是

$$a_0>0,\quad a_1>0,\quad a_2>0,\quad a_3>0$$
$$a_1a_2-a_0a_3>0$$

以上得出的结果与前述劳斯判据所得的三阶系统稳定的充分必要条件完全一样。

关于劳斯—赫尔维茨判据的证明，可参考本书附录B。

应用代数判据不仅可以判定系统是否稳定，还可以用来分析系统参数变化对系统稳定性的影响，从而给出使系统稳定的参数范围。

例 3-9-7 设反馈控制系统如图3-9-1所示，求满足稳定要求时 K 的临界值。

解 系统闭环传递函数是

$$\frac{C(s)}{R(s)}=\frac{K}{s(s+1)(s+5)+K}$$

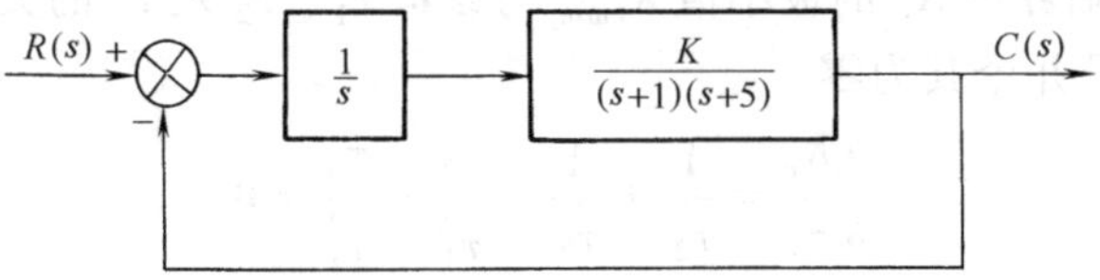

图 3-9-1 例 3-9-7 的框图

其特征方程为

$$D(s)=s(s+1)(s+5)+K=0$$

或

$$s^3+6s^2+5s+K=0$$

列出劳斯表

$$\begin{array}{lll} s^3 & 1 & 5 \\ s^2 & 6 & K \\ s^1 & \dfrac{30-K}{6} & \\ s^0 & K & \end{array}$$

按劳斯判据，要使系统稳定，其第一列应为正数，即

$$K>0,\qquad 30-K>0$$

则有

$$0<K<30$$

从而得出满足稳定的临界值 $K_c=30$。

例 3-9-8 已知系统的闭环传递函数为

$$\frac{C(s)}{R(s)}=\frac{K}{(\tau_1s+1)(\tau_2s+1)(\tau_3s+1)+K}$$

求系统稳定的临界增益 K_c 及其与参量 τ_1、τ_2 及 τ_3 的关系。

解 系统的特征方程为

$$D(s)=\tau_1\tau_2\tau_3s^3+(\tau_1\tau_2+\tau_1\tau_3+\tau_2\tau_3)s^2+(\tau_1+\tau_2+\tau_3)s+1+K=0$$

根据劳斯判据，稳定的充分必要条件是：特征方程的各项系数均大于零，并且 $a_1a_2-a_0a_3>0$。现在系统的时间常数及放大系数均为正，所以满足各项系数均大于零的条件。将各项系数代入 $a_1a_2-a_0a_3>0$ 中，得

$$(\tau_1+\tau_2+\tau_3)(\tau_1\tau_2+\tau_1\tau_3+\tau_2\tau_3)-\tau_1\tau_2\tau_3(1+K)>0$$

或
$$1+K<(\tau_1+\tau_2+\tau_3)\left(\frac{1}{\tau_1}+\frac{1}{\tau_2}+\frac{1}{\tau_3}\right)$$
从而得临界增益
$$K_c=(\tau_1+\tau_2+\tau_3)\left(\frac{1}{\tau_1}+\frac{1}{\tau_2}+\frac{1}{\tau_3}\right)-1$$

由上式看出，τ_1，τ_2，τ_3 中只要有一个足够小，那么 K_c 就可以增大。决定 K_c 大小的，实际上并不是各时间常数的绝对值，而是其相对值，即取决于各时间常数的比值。将上式变换成
$$K_c=2+\frac{\tau_1}{\tau_2}+\frac{\tau_1}{\tau_3}+\frac{\tau_2}{\tau_1}+\frac{\tau_2}{\tau_3}+\frac{\tau_3}{\tau_1}+\frac{\tau_3}{\tau_2}$$
还可以求出开环增益临界值 K_c 的极小值 K_{cmin} 与参量 τ_1、τ_2 及 τ_3 的关系。为此，先求出 K_c 对 τ_1、τ_2 及 τ_3 的偏导并令其为零
$$\frac{\partial K_c}{\partial \tau_1}=\frac{1}{\tau_2}+\frac{1}{\tau_3}-\frac{\tau_2}{\tau_1^2}-\frac{\tau_3}{\tau_1^2}=0$$
$$\frac{\partial K_c}{\partial \tau_2}=\frac{1}{\tau_1}+\frac{1}{\tau_3}-\frac{\tau_1}{\tau_2^2}-\frac{\tau_3}{\tau_2^2}=0$$
$$\frac{\partial K_c}{\partial \tau_3}=\frac{1}{\tau_1}+\frac{1}{\tau_2}-\frac{\tau_1}{\tau_3^2}-\frac{\tau_2}{\tau_3^2}=0$$
整理以上各式，即得
$$(\tau_2+\tau_3)(\tau_1^2-\tau_2\tau_3)=0$$
$$(\tau_1+\tau_3)(\tau_2^2-\tau_1\tau_3)=0$$
$$(\tau_1+\tau_2)(\tau_3^2-\tau_1\tau_2)=0$$

由此可见，τ_1、τ_2 及 τ_3 必须同时满足以上三式，K_c 才有极值。又因为以上三式的形式是一样的，所以能够看出，只有
$$\tau_1=\tau_2=\tau_3=\tau$$
时，K_c 才有极值。为进一步确定极值是极大值还是极小值，可从 K_c 对 τ 的二阶偏导来判断。由于
$$\frac{\partial^2 K_c}{\partial \tau^2}=\frac{2}{\tau^2}>0$$
故知极值为极小值而非极大值。

将 $\tau_1=\tau_2=\tau_3=\tau$ 的关系代入到 K_c 表达式中，则有
$$K_{cmin}=8$$

这个结论告诉我们，由三个非周期环节串联组成的反馈控制系统，当三个非周期环节的时间常数相等时，系统的临界开环增益最低。

若取 $\tau_1=10\tau_2$，$\tau_2=\tau_3$，则可求得 $K_c=24.2$。时间常数的数值错开得越多，则 K_c 可以提高得越多。

第十节　小参量对闭环控制系统性能的影响

在分析和设计控制系统时，经常希望简化数学模型，尤其是在系统阶数较高时，能够降

低数学模型的阶数，以便于应用线性系统的分析、校正方法。例如前面曾提到过的，处理高阶系统时，根据主导极点的概念，如能将高阶系统近似地视作二阶系统，因为有关二阶系统的理论已十分成熟，因此分析和设计高阶系统的困难将迎刃而解，这就涉及数学模型的降阶问题。

通常，对数学模型予以简化而使其降阶，就必然涉及系统中小参量的处理。所谓小参量，并无严格的定义，一般是指在系统中相对于那些数值大的时间常数而言的小时间常数。而小参量的处理问题，无非是在某种前提条件下，用各种方法，或将其忽略不计，或将其变通处理，使数学模型降阶或简化成易于分析处理的近似形式。

因此，数学模型的简化和降阶，亦即处理系统小参量问题时，重要的是前提条件，必须认真考虑并切实遵守前提条件。如果不顾前提条件，盲目地处理小参量，以使系统模型简化和降阶，有可能导致严重后果。

一、将小参量忽略不计使数学模型降阶的分析

1）**对于开环系统，忽略小参量只需考虑系统的时间常数的数值相对大小这一条件即可。**现用一具体例子说明。

某小功率直流他励电动机，以本章第七节中例 3-7-1 所求得的数学模型来分析，即

$$G(s)=\frac{\Omega(s)}{U(s)}=\frac{1}{C_{\mathrm{e}}(T_{\mathrm{m}}Ts^2+T_{\mathrm{m}}s+1)}$$

由于 $T_{\mathrm{m}}=0.048\mathrm{s}$，几乎是 $T=0.01\mathrm{s}$ 的 5 倍，从时间常数相对大小这一前提条件出发，可以忽略 T，即得简化降阶的模型近似式为

$$G(s)=\frac{\Omega(s)}{U(s)}=\frac{1}{C_{\mathrm{e}}(T_{\mathrm{m}}s+1)}$$

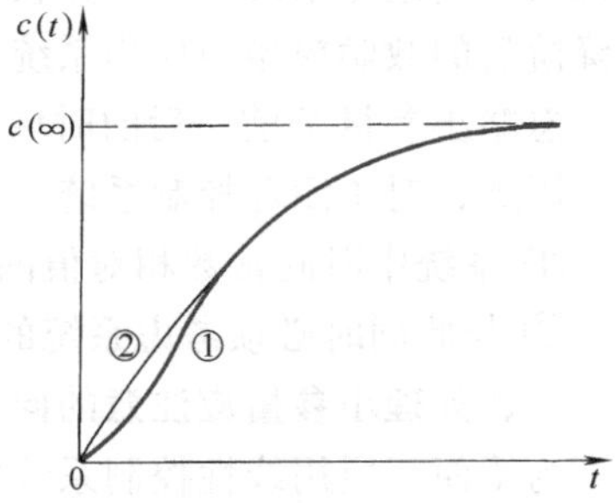

图 3-10-1　开环系统忽略小参量的影响

图 3-10-1 中的曲线①是原来实验求得的阶跃响应，对应的是二阶系统的传递函数。曲线②则是将 T 作为小参量处理，忽略不计，使传递函数降为一阶后的响应曲线。不难看出，两者之间只是在响应起始部分差别大一些，但随时间推移而趋于一致。因此，可以认为，对于开环系统，虽然简化降阶后的近似数学模型比原来的阶数低了，但两者对应的阶跃响应并无本质特征的差别。

所以，对于开环系统，如果不去过分追求响应的全过程的准确度，在忽略小时间常数时，只需考虑各时间常数的相对值大小这一前提条件。

2）**对于闭环系统则不然，忽略小参量不能只根据其时间常数相对值的大小**，因为，这只是必要条件。除此之外，**还必须考虑系统的开环放大系数（或称开环增益）**。

就以上述例子而言，如将此小功率电动机用于伺服系统，假如其他放大元件、测量元件及控制元件等的惯性都不考虑，而以一个比例系数为 K_1 的环节表示，则系统的框图如图 3-10-2 所示。其中输出是电动机的角位移 $\theta(t)$，与电动机的角速度 $\omega(t)$ 之间存在积分关系。由此可知，伺服系统的开环传递函数为

$$G(s)=\frac{K_1K_2}{C_{\mathrm{e}}s(T_{\mathrm{m}}Ts^2+T_{\mathrm{m}}s+1)}$$

于是闭环系统的传递函数为

$$\frac{\Theta(s)}{U_1(s)}=\frac{K_1K_2/C_{\mathrm{e}}}{T_{\mathrm{m}}Ts^3+T_{\mathrm{m}}s^2+s+K_1K_2/C_{\mathrm{e}}}$$

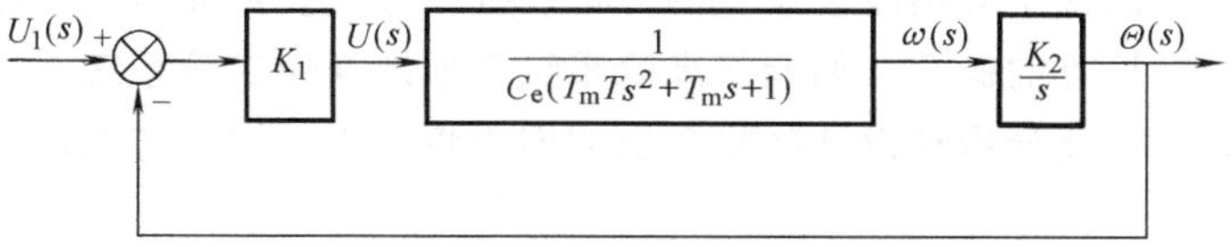

图 3-10-2 小功率伺服系统框图

如用赫尔维茨稳定判据，此系统稳定的开环增益应满足

$$\frac{K_1K_2}{C_e} \leqslant \frac{1}{T}$$

前已求得 $T=0.01\text{s}$，故系统的临界开环增益是 100s^{-1}。如果系统的开环增益大于此值，伺服系统将不稳定。

假如仅从 $T=0.01\text{s}$ 约为 $T_m=0.048\text{s}$ 的 1/5 这一条件考虑，在伺服系统（亦即闭环系统）中也像在开环系统一样处理，将 T 忽略不计，则可使系统数学模型从三阶降为二阶，理论上可以认为此系统的临界开环增益可增至无限大，亦即伺服系统总是稳定的，至多是开环增益提高较多时，系统的暂态响应呈现较为强烈的振荡而已。但实际情况并非如此。

此例说明，在闭环控制系统中，如果不考虑系统的开环增益，像开环系统那样，仅根据时间常数相对值的大小，将小的时间常数作为小参量处理，将其忽略不计，可能使简化并降阶后的系统近似数学模型不能描述原系统运动过程的本质特征，从而导致错误的结论。此例还说明，当选定系统开环增益较临界开环增益小许多时，可以考虑令 $T=0$。这时使用近似的降阶后的数学模型与使用系统原来的数学模型，从系统的响应上看，不会有本质特征的差异。忽略小参量 T 前、后的时域分析参见例 3-13-7。

因此，对于闭环控制系统，忽略小参量的前提条件有两个：

① 系统中时间常数相对值的大小。

② 与此同时必须考虑系统的开环增益。

二、处理小参量应注意的问题

为了便于应用线性控制系统的分析、校正方法，往往希望将系统的某些环节在一定条件下予以简化，得到比较简单但却近似的数学模型，常见的近似式如

$$e^{-\tau s} \approx \frac{1}{\tau s+1};\quad \frac{e^{-\tau_1 s}}{\tau_2 s+1} \approx \frac{1}{(\tau_1+\tau_2)s+1}$$

$$\frac{1}{(\tau_1 s+1)(\tau_2 s+1)\cdots(\tau_n s+1)} \approx \frac{1}{\left(\sum_{i=1}^{n}\tau_i\right)s+1}$$

等。在闭环控制系统中，这些近似式成立的前提条件与前述的忽略小参量的两个条件一样，即系统中一定还存在一个相对较大的时间常数；同时还必须考虑到系统的开环增益。

关于在闭环系统中处理小参量的问题，在第六章中还将进一步详加论述。

第十一节 控制系统的稳态误差

本章第二节中曾指出，系统的响应由暂态响应和稳态响应两部分组成。从稳态响应可以分析出系统的稳态误差，进而由稳态误差衡量系统的稳态性能。

在系统与电路理论学科中，稳态的定义尚未完全统一。在电路分析中常将响应达到不随独

立变量（如时间 t）而变化的一个定值状态定义为稳态。然而在控制系统学科里，定义稳态为时间趋于无穷大（或在实际中为足够长）时的固定响应更为合适。例如，可以把一个正弦波视为稳态响应，因为在输入加到系统经过足够长的时间后的任何周期里，响应的正弦波状态是固定的。同理，斜坡函数形式的响应 $c(t)=t$，尽管它随时间增长，但也是稳态响应。

系统的稳态误差是指在稳态条件下（即对于稳定系统）输入加入后经过足够长的时间，其暂态响应已经衰减到微不足道时，稳态响应的期望值与实际值之间的误差。稳态误差是当某特定类型的输入作用于控制系统后，达到稳态时系统精度的度量。

造成系统产生误差的原因是多种多样的，这里所说的稳态误差不考虑由于元件的不灵敏区、零点漂移和老化等所造成的永久性误差，而是只讨论由于系统结构、参量以及输入的不同形式所引起的稳态误差。

控制系统的稳态误差有两类，即给定稳态误差和扰动稳态误差。对于随动系统，给定的参考输入是变化的，要求响应以一定精度跟随给定的变化而变化，其响应的期望值就是给定的参考输入。所以，侧重用系统的给定稳态误差去衡量随动系统的稳态性能。对于恒值调节系统，给定的参考输入是不怎么变化的，在分析给定稳态误差的基础上，需要分析响应在扰动作用于系统后所受到的影响，即以扰动稳态误差去衡量恒值调节系统的稳态性能。当然，上述情况也并非绝对的。

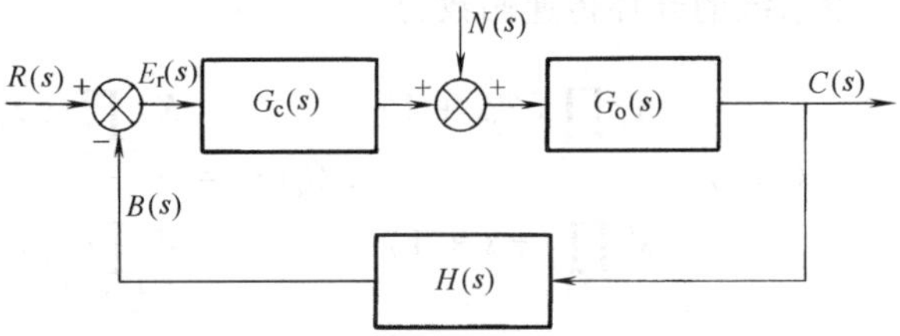

图 3-11-1　反馈控制系统

$R(s)$—给定参考输入 $r(t)$ 的象函数　$C(s)$—输出（响应）$c(t)$ 的象函数　$N(s)$—扰动量 $n(t)$ 的象函数　$B(s)$—反馈量的象函数　$G_c(s)$—控制环节的传递函数　$G_o(s)$—被控对象的传递函数　$H(s)$—反馈环节的传递函数

一、给定误差传递函数

设线性定常系统的框图如图 3-11-1 所示。

如果不考虑扰动量，对于给定参考输入，输出量和反馈量的象函数分别为

$$C(s)=\frac{G_c(s)G_o(s)}{1+G_c(s)G_o(s)H(s)}R(s)$$

$$B(s)=H(s)C(s)=\frac{G_c(s)G_o(s)H(s)}{1+G_c(s)G_o(s)H(s)}R(s)$$

控制系统的稳态误差

响应的期望值就是 $R(s)$，所以系统给定误差的象函数应是

$$E_r(s)=R(s)-B(s)=\frac{1}{1+G_c(s)G_o(s)H(s)}R(s)$$

$$=\frac{1}{1+G(s)}R(s)=\Phi_e(s)R(s) \tag{3-11-1}$$

式中，$G(s)$ 为系统的开环传递函数，$G(s)=G_c(s)G_o(s)H(s)$；$\Phi_e(s)$ 为系统的给定误差传递函数，$\Phi_e(s)=\dfrac{E_r(s)}{R(s)}=\dfrac{1}{1+G(s)}$。

式（3-11-1）是用来确定给定稳态误差的一个基本公式，**它表明给定稳态误差取决于参考输入的性质和系统的结构类型及参量。**

二、扰动误差传递函数

如果不考虑参考输入，对于扰动量，响应的象函数应是

$$C(s)=\frac{G_o(s)}{1+G_c(s)G_o(s)H(s)}N(s)$$

由于对应于扰动量的响应就是扰动误差，所以扰动误差的象函数即为

$$\boldsymbol{E}_n(s)=\boldsymbol{\Phi}_n(s)\boldsymbol{N}(s) \tag{3-11-2}$$

式中，$\Phi_n(s)$ 为系统的扰动误差传递函数

$$\boldsymbol{\Phi}_n(s)=\frac{\boldsymbol{G}_o(s)}{1+\boldsymbol{G}_c(s)\boldsymbol{G}_o(s)\boldsymbol{H}(s)}=\frac{\boldsymbol{G}_o(s)}{1+\boldsymbol{G}(s)}$$

式（3-11-2）是用来确定扰动稳态误差的一个基本公式，表明扰动稳态误差取决于扰动量的性质和系统的结构类型及参量。

三、控制系统的结构类型

控制系统的结构类型常按随动系统跟踪阶跃信号、斜坡信号和抛物线信号等输入信号的能力而划分为0型、Ⅰ型、Ⅱ型……。

设系统的开环传递函数为

$$G_c(s)=\frac{K_1\prod_{j=1}^{p}(T_js+1)}{s^{\nu}\prod_{i=1}^{k}(\tau_is+1)},\ G_o(s)=\frac{K_2\prod_{j=l+1}^{m}(T_js+1)}{s^{\mu}\prod_{i=q+1}^{n-\nu-\mu}(\tau_is+1)},\ H(s)=\frac{K_3\prod_{j=p+1}^{l}(T_js+1)}{\prod_{i=k+1}^{q}(\tau_is+1)}$$

$$G(s)=G_c(s)G_o(s)H(s)=\frac{K\prod_{j=1}^{m}(T_js+1)}{s^{\nu+\mu}\prod_{i=1}^{n-\nu-\mu}(\tau_is+1)} \tag{3-11-3}$$

式中，K_1 为控制环节的增益；K_2 为被控对象的增益；K_3 为反馈环节的增益；K 为系统的总开环增益，$K=K_1K_2K_3$；ν 为控制环节传递函数中串联积分环节数；μ 为被控对象传递函数中串联积分环节数；n 为系统开环传递函数中总极点数；m 为系统开环传递函数中总零点数。

$\nu+\mu$ 的值表示系统开环传递函数中串联积分环节的总数，也就是开环传递函数在 s 平面坐标原点处有 $\nu+\mu$ 重极点数。当 $\nu+\mu=0$、$\nu+\mu=1$、$\nu+\mu=2$ 时，系统分别称为0型、Ⅰ型、Ⅱ型系统。随着 $\nu+\mu$ 的数值增大，系统的稳态准确度提高，但稳定性却恶化了。

由于系统的总开环增益包含了积分环节的比例系数，如第二章所述，K 将与时间量纲有关。当系统输入与输出为相同物理量时，K 的量纲为 $\mathrm{s}^{-(\nu+\mu)}$。为简化计，本书对于各型系统的总开环增益 K 不再注明量纲，请读者注意。

下面对于图3-11-1所示系统中的反馈环节作一些必要的解释。由于反馈控制的作用是：在控制过程中对输出（被控制量）不断测量，并将其反馈到输入端与给定的参考输入进行比较，利用放大后的偏差信号产生控制作用，以减小或消除误差。为使反馈信号能准确无误地反映被控制量，就应该只用比例环节去组成主反馈通道。如果输出与输入的物理量相同，而且数量级相当，则反馈环节的比例常数可以为1，这就是通常所称的单位反馈系统。如果输出与输入的物理量不相同，例如给定输入是电压，输出是速度，则反馈环节可以是有量纲的比例常数。有时输出与输入物理量相同，但数量级不相当，则可用不同数值的比例常数组成反馈。总之，从反馈控制原理讲，$H(s)$ 应是比例环节。但有时为将输出量中的噪声抑制到输入端能够接受的水平，则需在反馈通道中加入一定带宽的滤波器。有时为改善系统的性

能，反馈信号中不但有与输出量成比例的部分，还有与输出量的微分成比例的部分。因此，广义地将开环传递函数写成如式（3-11-3）的形式是合适的。

第十二节　给定稳态误差和扰动稳态误差

一、给定稳态误差终值的计算

当输入只是单一的典型信号，而且只需要求得 $t\to\infty$ 时稳态误差的终值，并不要求提供关于稳态误差怎样随时间变化的信息时，根据给定误差传递函数 $\phi_e(s)$，利用拉普拉斯变换的终值定理去计算给定稳态误差终值 e_{sr}。

根据终值定理并考虑到式（3-11-1）、式（3-11-3），给定稳态误差的终值为

$$e_{sr}=\lim_{t\to\infty}e_{sr}(t)=\lim_{s\to 0}sE_r(s)=\lim_{s\to 0}sR(s)\frac{1}{1+G(s)}$$

$$=\lim_{s\to 0}sR(s)\frac{s^{\nu+\mu}\prod_{i=1}^{n-\nu-\mu}(\tau_i s+1)}{s^{\nu+\mu}\prod_{i=1}^{n-\nu-\mu}(\tau_i s+1)+K\prod_{j=1}^{m}(T_j s+1)} \tag{3-12-1}$$

由上式可见，**系统的给定稳态误差终值由系统的结构类型（即 $\nu+\mu$ 的数值）及输入的形式决定。**

当给定输入为单位阶跃函数时

$$r(t)=1(t),\quad R(s)=\frac{1}{s}$$

给定稳态误差终值为

$$e_{sr}=\lim_{s\to 0}\frac{1}{1+G(s)}=\frac{1}{1+K_p} \tag{3-12-2}$$

式中，K_p 为阶跃误差常数，**或称位置误差系数**，

$$K_p=\lim_{s\to 0}G(s)$$

当给定输入为单位斜坡函数时

$$r(t)=t,\quad R(s)=\frac{1}{s^2}$$

给定稳态误差终值为

$$e_{sr}=\lim_{s\to 0}\frac{1}{s}\frac{1}{1+G(s)}=\frac{1}{K_v} \tag{3-12-3}$$

式中，K_v 为斜坡误差常数，**或称速度误差系数**，

$$K_v=\lim_{s\to 0}sG(s)$$

当给定输入为单位抛物线函数时

$$r(t)=\frac{1}{2}t^2,\quad R(s)=\frac{1}{s^3}$$

给定稳态误差终值为

$$e_{sr}=\lim_{s\to 0}\frac{1}{s^2}\frac{1}{1+G(s)}=\frac{1}{K_a} \tag{3-12-4}$$

式中，K_a 为抛物线误差常数，或称加速度误差系数，

$$K_a = \lim_{s\to 0} s^2 G(s)$$

对于不同结构类型的系统，当给定输入为不同形式时，按照式（3-12-1）~式（3-12-4）求得的系统给定稳态误差终值列于表 3-12-1。

稳态误差系数 K_p、K_v 及 K_a 的数值有为零、固定常值或无穷大三种可能（其中 K_p 只有等于固定常值或无穷大两种可能）。**稳态误差系数的大小反映了系统限制或消除稳态误差的能力，系数值越大，则给定稳态误差终值越小。**

表 3-12-1　0 型、Ⅰ型及Ⅱ型系统的给定稳态误差终值

给定输入 $r(t)$	给定稳态误差终值 e_{sr}		
	0 型系统	Ⅰ型系统	Ⅱ型系统
$1(t)$	$\frac{1}{1+K_p}$	0	0
t	∞	$\frac{1}{K_v}$	0
$\frac{1}{2}t^2$	∞	∞	$\frac{1}{K_a}$

使用拉普拉斯变换终值定理计算稳态误差终值的条件是：$sE_r(s)$ 在 s 平面右半部及虚轴上除了坐标原点是孤立奇点外必须解析，亦即 $sE_r(s)$ 的全部极点除坐标原点外应全部分布在 s 平面的左半部。例如给定输入为正弦函数时

$$r(t) = \sin\omega t$$

其象函数

$$R(s) = \frac{\omega}{s^2+\omega^2}$$

在 s 平面的全部虚轴上不解析，就不能使用终值定理去求取系统的稳态误差终值。

二、给定稳态误差级数的计算

如果系统的给定参考输入不单纯是前述三种基本类型时，稳态误差终值难以求得。另外，当稳态误差是时间函数时，稳态误差终值仅能给出时间趋于无穷大时的答案，而不能提供误差怎样随时间变化的信息，也就是说，稳态误差随时间的变化规律不能用计算稳态误差终值的方法求得。将要介绍的稳态误差级数概念可以推广到包括几乎是任意时间函数的输入，并且其计算结果能充分显示稳态误差随时间变化的规律。

前节曾给出

$$E_r(s) = \frac{1}{1+G(s)}R(s) = \Phi_e(s)R(s)$$

假定输入信号 $r(t)$ 是任意分段连续函数，则可以利用卷积分公式计算给定误差

$$e_r(t) = \int_0^t \varphi_e(t) r(t-\tau)\,d\tau \tag{3-12-5}$$

式中，$e_r(t) = \frac{1}{2\pi j}\int_{c-j\infty}^{c+j\infty} E_r(s)e^{st}ds$；$\varphi_e(t) = \frac{1}{2\pi j}\int_{c-j\infty}^{c+j\infty} \Phi_e(s)e^{st}ds$；$r(t) = \frac{1}{2\pi j}\int_{c-j\infty}^{c+j\infty} R(s)e^{st}ds$。

假设给定参考输入 $r(t)$ 是任意的分段连续函数形式，它的各阶导数对所有的 t 均存在，则可按泰勒级数展开，即

$$r(t-\tau)=r(t)-\tau\dot{r}(t)+\frac{\tau^2}{2!}\ddot{r}(t)-\cdots+(-1)^n\frac{\tau^n}{n!}r^{(n)}(t)+\cdots$$

将上式代入式（3-12-5）中，则有

$$e_{\mathrm{r}}(t)=r(t)\int_0^t\varphi_{\mathrm{e}}(\tau)\mathrm{d}\tau-\dot{r}(t)\int_0^t\tau\varphi_{\mathrm{e}}(\tau)\mathrm{d}\tau+\ddot{r}(t)\int_0^t\frac{\tau^2}{2!}\varphi_{\mathrm{e}}(\tau)\mathrm{d}\tau-\cdots$$
$$+(-1)^n r^{(n)}(t)\int_0^t\frac{\tau^n}{n!}\varphi_{\mathrm{e}}(\tau)\mathrm{d}\tau+\cdots$$

如利用上式计算稳态误差，应在系统暂态响应已经衰减到微不足道的程度之后，故将上式积分的上限取为无穷大。即系统给定稳态误差 $e_{\mathrm{sr}}(t)$ 的计算式为

$$e_{\mathrm{sr}}(t)=r_{\mathrm{s}}(t)\int_0^\infty\varphi_{\mathrm{e}}(\tau)\mathrm{d}\tau-\dot{r}_{\mathrm{s}}(t)\int_0^\infty\tau\varphi_{\mathrm{e}}(\tau)\mathrm{d}\tau+\ddot{r}_{\mathrm{s}}(t)\int_0^\infty\frac{\tau^2}{2!}\varphi_{\mathrm{e}}(\tau)\mathrm{d}\tau-\cdots$$
$$+(-1)^n r_{\mathrm{s}}{}^{(n)}(t)\int_0^\infty\frac{\tau^n}{n!}\varphi_{\mathrm{e}}(\tau)\mathrm{d}\tau+\cdots \tag{3-12-6}$$

式中，$r_{\mathrm{s}}(t)$ 为 $r(t)$ 的稳态分量。

如将给定误差系数规定为

$$C_0=\int_0^\infty\varphi_{\mathrm{e}}(\tau)\mathrm{d}\tau$$
$$C_1=-\int_0^\infty\tau\varphi_{\mathrm{e}}(\tau)\mathrm{d}\tau$$
$$\vdots$$

或
$$C_n=(-1)^n\int_0^\infty\tau^n\varphi_{\mathrm{e}}(\tau)\mathrm{d}\tau\qquad(n=0,1,2,3,\cdots)\tag{3-12-7}$$

则给定稳态误差可以写成级数的形式

$$e_{\mathrm{sr}}(t)=C_0r_{\mathrm{s}}(t)+C_1\dot{r}_{\mathrm{s}}(t)+\frac{C_2}{2!}\ddot{r}_{\mathrm{s}}(t)+\frac{C_3}{3!}r_{\mathrm{s}}^{(3)}(t)+\cdots\tag{3-12-8}$$

这就是给定稳态误差级数的表达式。

在已知 $\Phi_{\mathrm{e}}(s)$ 的情况下，根据拉普拉斯变换有

$$\int_0^\infty\varphi_{\mathrm{e}}(\tau)\mathrm{e}^{-s\tau}\mathrm{d}\tau=\Phi_{\mathrm{e}}(s)$$

则不难解得给定误差系数为

$$C_0=\int_0^\infty\varphi_{\mathrm{e}}(\tau)\mathrm{d}\tau=\lim_{s\to0}\int_0^\infty\varphi_{\mathrm{e}}(\tau)\mathrm{e}^{-s\tau}\mathrm{d}\tau=\lim_{s\to0}\Phi_{\mathrm{e}}(s)$$
$$C_1=-\int_0^\infty\tau\varphi_{\mathrm{e}}(\tau)\mathrm{d}\tau=\lim_{s\to0}\frac{\mathrm{d}}{\mathrm{d}s}\int_0^\infty\varphi_{\mathrm{e}}(\tau)\mathrm{e}^{-s\tau}\mathrm{d}\tau=\lim_{s\to0}\frac{\mathrm{d}}{\mathrm{d}s}\Phi_{\mathrm{e}}(s)$$
$$\vdots$$

或
$$C_n=\lim_{s\to0}\frac{\mathrm{d}^n}{\mathrm{d}s^n}\Phi_{\mathrm{e}}(s)\quad(n=0,1,2,3,\cdots)\tag{3-12-9}$$

例 3-12-1 设 0 型系统的开环传递函数是 $G(s)=\dfrac{K}{s+1}$，试计算：

1）在三种典型输入下系统的给定稳态误差的终值及给定稳态误差级数。

2）当输入为 $r(t)=R_0+R_1t+\dfrac{R_2}{2}t^2$ 时的系统给定稳态误差级数（R_0，R_1 和 R_2 均为

常量)。

解　由于系统为0型，所以误差常数

$$K_p = K,\quad K_v = 0,\quad K_a = 0$$

于是在三种典型输入下系统的给定稳态误差终值:

输入为单位阶跃函数时　$e_{sr} = \dfrac{1}{1+K}$

输入为单位斜坡函数时　$e_{sr} = \infty$

输入为单位抛物线函数时　$e_{sr} = \infty$

又根据式（3-11-1）知，该系统有

$$\Phi_e(s) = \frac{1}{1+G(s)} = \frac{s+1}{s+K+1}$$

于是由式（3-12-9）可求得给定误差系数为

$$C_0 = \lim_{s\to 0}\Phi_e(s) = \frac{1}{1+K}$$

$$C_1 = \lim_{s\to 0}\frac{d}{ds}\Phi_e(s) = \frac{K}{(1+K)^2}$$

$$C_2 = \lim_{s\to 0}\frac{d^2}{ds^2}\Phi_e(s) = \frac{-2K}{(1+K)^3}$$

$$\vdots$$

则给定稳态误差级数可写为

$$e_{sr}(t) = \frac{1}{1+K}r_s(t) + \frac{K}{(1+K)^2}\dot{r}_s(t) - \frac{K}{(1+K)^3}\ddot{r}_s(t) + \cdots$$

当输入为单位阶跃函数时，$r_s(t)=1$，$r_s(t)$ 的各阶导数均为零。故给定稳态误差级数为

$$e_{sr}(t) = \frac{1}{1+K}$$

由于 $e_{sr}(t)$ 不是 t 的函数，所以稳态误差 $e_{sr}(t)$ 与其终值 e_{sr} 相等。

当输入为单位斜坡函数时，$r_s(t)=t$，$\dot{r}_s(t)=1$，$\ddot{r}_s(t)$ 及更高阶导数均是零。故给定稳态误差级数为

$$e_{sr}(t) = \frac{1}{1+K}t + \frac{K}{(1+K)^2}$$

这表明稳态误差随时间线性增长，当 $t\to\infty$ 时，给定稳态误差也趋于无穷大。这一结论与前面得到的稳态误差终值为无穷大的结论一致，但这里给出了给定稳态误差与时间的对应关系。

当输入为单位抛物线函数时，$r_s(t)=\frac{1}{2}t^2$，$\dot{r}_s(t)=t$，$\ddot{r}_s(t)=1$，$r_s^{(3)}(t)$ 及更高阶导数均是零。因此，给定稳态误差级数为

$$e_{sr}(t) = \frac{1}{1+K}\frac{t^2}{2} + \frac{K}{(1+K)^2}t - \frac{K}{(1+K)^3}$$

这表明给定稳态误差随时间的二次幂增长。

如果输入为

$$r_s(t) = R_0 + R_1 t + \frac{1}{2}R_2 t^2$$

则有

$$\dot{r}_s(t)=R_1+R_2t,\ \ddot{r}_s(t)=R_2$$

给定稳态误差级数为

$$e_{sr}(t)=\frac{1}{1+K}\left(R_0+R_1t+\frac{1}{2}R_2t^2\right)+\frac{K}{(1+K)^2}(R_1+R_2t)-\frac{K}{(1+K)^3}R_2$$

从以上例子可见，0 型系统在跟踪阶跃形式输入时，其给定稳态误差是与系统开环增益 K 基本成反比的常量，但在跟踪斜坡函数和抛物线函数形式输入时，其给定稳态误差的终值为无穷大。当然，这并不是说在需要跟踪斜坡函数及抛物线函数形式输入的场合，0 型系统完全不能用。稳态误差级数的计算给我们以启示，**如果 0 型系统跟踪斜坡函数和抛物线函数输入的时间 t 为有限值，有可能在规定容许稳态误差的情况下，设计系统的参量（如开环增益 K），使其在有限的时间 t 之内，稳态误差符合设计要求。**

例 3-12-2 对于前例系统，若给定输入为 $r(t)=\sin\omega_0 t$，求给定稳态误差。

解 由前例知系统给定误差传递函数为

$$\Phi_e(s)=\frac{s+1}{s+K+1}$$

给定误差系数为

$$C_0=\frac{1}{1+K},\ C_1=\frac{K}{(1+K)^2},\ C_2=\frac{-2K}{(1+K)^3},\ C_3=\frac{6K}{(1+K)^4},\cdots$$

而当给定输入为 $r(t)=\sin\omega_0 t$ 时

$$r_s(t)=\sin\omega_0 t,\ \dot{r}_s(t)=\omega_0\cos\omega_0 t,\ \ddot{r}_s(t)=-\omega_0^2\sin\omega_0 t,\ r_s^{(3)}(t)=-\omega_0^3\cos\omega_0 t,\ \cdots$$

于是得到给定稳态误差级数为

$$e_{sr}(t)=\left[C_0-\frac{C_2}{2!}\omega_0^2+\frac{C_4}{4!}\omega_0^4-\cdots\right]\sin\omega_0 t+\left[C_1\omega_0-\frac{C_3}{3!}\omega_0^3+\cdots\right]\cos\omega_0 t$$

由于是正弦输入，误差级数是一无穷级数。级数的收敛性对得出稳态误差是有意义的。如果已知 $\omega_0=2$，$K=100$，则有

$$C_0=\frac{1}{1+K}=9.9\times10^{-3},\ C_1=\frac{K}{(1+K)^2}=9.8\times10^{-3}$$

$$C_2=\frac{-2K}{(1+K)^3}=-1.94\times10^{-4},\ C_3=\frac{6K}{(1+K)^4}=5.766\times10^{-6}$$

由于误差系数衰减得很快，所以此无穷级数的收敛性无疑问。如果仅使用前三个误差系数，则给定稳态误差级数可写为

$$\begin{aligned}e_{sr}(t)&\approx(0.0099+0.000388)\sin2t+0.0196\cos2t\\&=0.01029\sin2t+0.0196\cos2t\\&=0.02214\sin(2t+62.3°)\end{aligned}$$

如用终值定理计算此例所示系统的给定稳态误差的终值，则可得到另一种结果。

现在输入

$$r(t)=\sin\omega_0 t$$

对应的象函数为

$$R(s)=\frac{\omega_0}{s^2+\omega_0^2}$$

由于误差传递函数为

$$\Phi_e(s)=\frac{s+1}{s+K+1}$$

所以给定稳态误差终值为

$$e_{sr}=\lim_{s\to 0}sR(s)\Phi_e(s)=\lim_{s\to 0}\frac{s\omega_0}{s^2+\omega_0^2}\frac{s+1}{s+K+1}=0$$

这个结果与由误差级数计算所得结果完全不符。显然稳态误差终值为零的结论是不正确的，因为本例给出的是0型系统，它在跟踪任何形式的输入信号时，其稳态误差都不应为零。利用终值定理计算稳态误差终值得出错误的结果，其原因在于给定输入为正弦函数的形式，其象函数在 s 平面虚轴上不是解析函数。

三、扰动稳态误差终值的计算

根据终值定理及式（3-11-2）、式（3-11-3），扰动稳态误差的终值 e_{sn} 可由下式计算

$$e_{sn}=\lim_{t\to\infty}e_{sn}(t)=\lim_{s\to 0}sE_n(s)=\lim_{s\to 0}sN(s)\Phi_n(s)$$

$$=\lim_{s\to 0}sN(s)\frac{K_2s^{\nu}\prod_{i=1}^{q}(\tau_is+1)\prod_{j=l+1}^{m}(\tau_js+1)}{s^{\nu+\mu}\prod_{i=1}^{n-\nu-\mu}(\tau_is+1)+K\prod_{j=1}^{m}(\tau_js+1)} \tag{3-12-10}$$

比较式（3-12-10）及式（3-12-1）可见，$\Phi_n(s)$的分母多项式与$\Phi_e(s)$一样，但$\Phi_n(s)$的分子多项式中只有 s^{ν} 项，不像$\Phi_e(s)$的分子多项式中有 $s^{\nu+\mu}$ 项。说明**只是控制环节传递函数 $G_c(s)$ 中串联积分环节的数目 ν 对系统扰动稳态误差有决定性影响。**

在单位阶跃扰动作用下

$$n(t)=1,\qquad N(s)=\frac{1}{s}$$

这时扰动稳态误差终值为

$$e_{sn}=\lim_{s\to 0}\Phi_n(s) \tag{3-12-11}$$

在单位斜坡扰动作用下

$$n(t)=t,\qquad N(s)=\frac{1}{s^2}$$

这时扰动稳态误差终值为

$$e_{sn}=\lim_{s\to 0}\frac{1}{s}\Phi_n(s) \tag{3-12-12}$$

在单位抛物线扰动作用下

$$n(t)=\frac{1}{2}t^2,\qquad N(s)=\frac{1}{s^3}$$

这时扰动稳态误差终值为

$$e_{sn}=\lim_{s\to 0}\frac{1}{s^2}\Phi_n(s) \tag{3-12-13}$$

对于不同结构类型的系统，当扰动为不同形式时，按式（3-12-10）~式（3-12-13）计算求得的系统扰动稳态误差终值列于表 3-12-2。

表 3-12-2 不同结构类型系统中扰动稳态误差终值

扰动输入 $n(t)$	扰动稳态误差终值 e_{sn}		
	$\nu=0$ 系统	$\nu=1$ 系统	$\nu=2$ 系统
$1(t)$	$\frac{K_2}{1+K}(\mu=0)$ $\frac{1}{K_1K_3}(\mu\neq 0)$	0	0
t	∞	$\frac{1}{K_1K_3}$	0
$\frac{1}{2}t^2$	∞	∞	$\frac{1}{K_1K_3}$

由表 3-12-2 可见，系统扰动稳态误差终值有可能为零、固定常数及无穷大三种情况。当扰动稳态误差终值为固定常数时，其值与控制环节及反馈环节的增益乘积成反比。

四、扰动稳态误差级数的计算

参考式（3-12-8）可写出系统扰动稳态误差级数的表达式为

$$e_{sn}(t)=B_0n_s(t)+B_1\dot{n}_s(t)+\frac{B_2}{2!}\ddot{n}_s(t)+\cdots \tag{3-12-14}$$

式中，$n_s(t)$ 为 $n(t)$ 的稳态分量；B_n 为扰动误差系数，$n=0，1，2，3，\cdots$。

参考式（3-12-9）可知，扰动误差系数为

$$B_n=\lim_{s\to 0}\frac{d^n}{ds^n}\Phi_n(s)\quad (n=0，1，2，3，\cdots) \tag{3-12-15}$$

例 3-12-3 设单位反馈系统中控制器和被控对象的传递函数分别为 $G_c(s)=\frac{10}{s+1}$，$G_o(s)=\frac{1}{s}$，如扰动 $n(t)$ 是单位阶跃函数和单位斜坡函数，试求系统扰动稳态误差。

解 系统的开环传递函数为

$$G(s)=G_c(s)G_o(s)=\frac{10}{s^2+s}$$

于是

$$\Phi_n(s)=\frac{G_o(s)}{1+G(s)}=\frac{s+1}{s^2+s+10}$$

当扰动为单位阶跃函数时，扰动稳态误差的终值为

$$e_{sn}=\lim_{s\to 0}\Phi_n(s)=0.1$$

当扰动为单位斜坡函数时，扰动稳态误差的终值为

$$e_{sn}=\lim_{s\to 0}\frac{1}{s}\Phi_n(s)=\infty$$

根据式（3-12-15）计算扰动误差系数

$$B_0=\lim_{s\to 0}\Phi_n(s)=0.1,\ B_1=\lim_{s\to 0}\frac{d}{ds}\Phi_n(s)=0.09$$

如果扰动为单位阶跃函数，即有

$$n_s(t)=1,\ \dot{n}_s(t)=\ddot{n}_s(t)=\cdots=0$$

于是扰动稳态误差级数为

$$e_{sn}(t)=B_0n_s(t)+B_1\dot{n}_s(t)+\cdots=0.1$$

如果扰动为单位斜坡函数，即有

$$n_s(t)=t,\quad \dot{n}_s(t)=1,\quad \ddot{n}_s(t)=n_s^{(3)}(t)=\cdots=0$$

于是扰动稳态误差级数为

$$e_{sn}(t)=0.1t+0.09$$

亦即扰动稳态误差随时间线性增长，故当 $t\to\infty$ 时，稳态误差的终值为无穷大。

例 3-12-4 设单位反馈系统中控制器与被控对象的传递函数分别为 $G_c(s)=\dfrac{10}{s}$，$G_o(s)=\dfrac{1}{s+1}$，如扰动 $n(t)$ 仍是单位阶跃函数和单位斜坡函数，试求系统扰动稳态误差。

解 系统的开环传递函数为

$$G(s)=G_c(s)G_o(s)=\frac{10}{s^2+s}$$

系统开环传递函数与例 3-12-3 相同，但系统的扰动误差传递函数却是

$$\Phi_n(s)=\frac{G_o(s)}{1+G(s)}=\frac{s}{s^2+s+10}$$

与例 3-12-3 不同。本例控制器中有一个串联积分环节，而在例 3-12-3 中，却是在被控对象里有一个串联积分环节。

根据式（3-12-15）可得系统扰动误差系数为

$$B_0=\lim_{s\to0}\Phi_n(s)=0\ ,\ B_1=\lim_{s\to0}\frac{\mathrm{d}}{\mathrm{d}s}\Phi_n(s)=0.1$$

当扰动为单位阶跃函数时

$$n_s(t)=1,\quad \dot{n}_s(t)=\ddot{n}_s(t)=\cdots=0$$

于是从式（3-12-14）得到扰动误差级数为

$$e_{sn}(t)=B_0n_s(t)+B_1\dot{n}_s(t)=0$$

如从终值定理求扰动稳态误差终值，也有同样结果，因为

$$e_{sn}=\lim_{s\to0}\Phi_n(s)=0$$

当扰动为单位斜坡函数时

$$n_s(t)=t,\quad \dot{n}_s(t)=1,\quad \ddot{n}_s(t)=n_s^{(3)}(t)=\cdots=0$$

于是扰动稳态误差级数为

$$e_{sn}(t)=B_0n_s(t)+B_1\dot{n}_s(t)=0.1$$

从终值定理计算扰动稳态误差终值为

$$e_{sn}=\lim_{s\to0}\frac{1}{s}\Phi_n(s)=0.1$$

两种计算结果相符。

比较例 3-12-3 及例 3-12-4 可知，如要使系统在承受斜坡函数形式扰动时的稳态误差为常量，不是随着时间推移而无限增长，控制器中必须有一个串联积分环节，仅在被控对象中有串联积分环节（如例 3-12-3）是不行的。

第十三节 基于 MATLAB 的线性系统时域分析

MATLAB 控制系统工具箱中时域响应分析模块（参见附录 E）可用于绘制系统的零状

态响应（典型输入信号或任意输入信号下）和零输入响应。提供了读取时域响应曲线信息和确定系统性能的手段。对于复杂、高阶系统，更显示其便捷性。

本节借助时域响应分析结果，展示系统的零状态响应与零输入响应之间的关系，认识系统的本质特性；用单位阶跃响应曲线族阐述典型环节在不同参数下暂态性能改变的规律；定量分析了小功率伺服系统忽略小参量的条件及影响；对比例微分控制和输出微分反馈对系统性能改善的不同作用进行分析对比；用定量、直观的分析结果强调闭环控制具有开环控制所不具备的特性——抑制外部扰动的能力，和减小闭环内参数波动对系统性能影响的能力（例 3-13-9，例 3-13-10）；最后通过实例指出，被控对象确定后，仅靠调整开环增益，无法同时满足系统对暂态性能和稳态性能的要求。

例 3-13-1 设二阶系统的闭环传递函数为

$$\frac{C(s)}{R(s)}=\frac{1.9691s+5.0395}{s^2+0.5572s+0.6106}$$

$r(t)=1(t)$，系统的初始状态为$c(t)\big|_{t=0}=-1$，$\left.\dfrac{\mathrm{d}c(t)}{\mathrm{d}t}\right|_{t=0}=0$。分析系统的零状态响应（单位阶跃响应）、零输入响应。

解 用函数 step 绘制的曲线如图 3-13-1 所示，用函数 initial 绘制的曲线如图 3-13-2 所示。

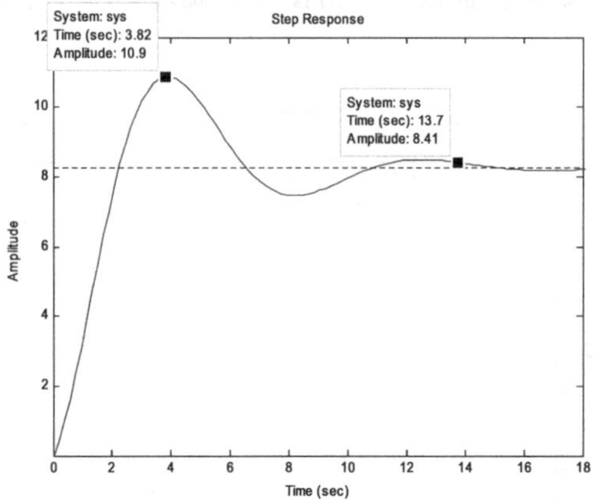

图 3-13-1 例 3-13-1 系统的零状态响应曲线

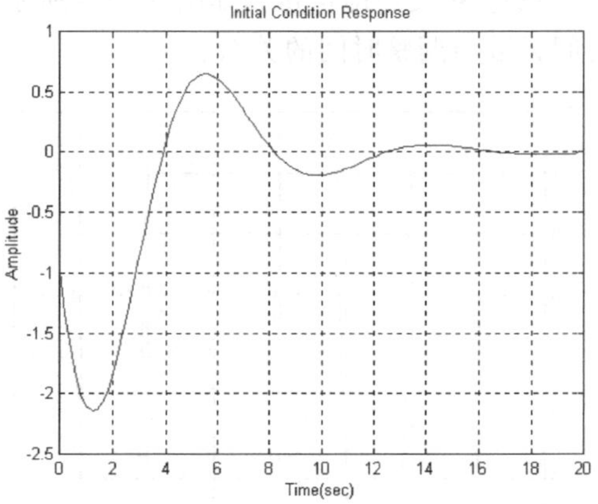

图 3-13-2 例 3-13-1 系统的零输入响应曲线

从系统的零状态响应曲线（图 3-13-1）和零输入响应曲线（图 13-13-2），可以看到

1）暂态响应性能由系统的结构和参数决定，本例暂态响应是欠阻尼的。最大超调量为 $M_p=32\%$，峰值时间 $t_p=3.82\text{s}$，调整时间 $t_s(\pm2\%)=13.7\text{s}$。系统的零输入响应同样具有欠阻尼的特点。

2）系统为非单位负反馈系统，故单位阶跃输入下的零状态响应收敛于稳态值 8.25，零输入响应则收敛于稳态值 0。

3）此系统总体稳定，因为系统零状态响应和零输入响应均稳定。

有兴趣的读者可将两条响应曲线绘制在同一个坐标中，进一步分析它们之间的关系。

例 3-13-2 在对控制系统进行分析时，除了用典型信号作为输入，有时也采用方波信号。设二阶系统的传递函数为

$$\frac{C(s)}{R(s)}=\frac{3}{s^2+2s+3}$$

输入是周期为 20s，幅值为 1 的方波，求系统的输出响应。

解

产生幅值为 1、周期为 20s 的方波信号 u 的命令为［u，t］=gensig（'square'，20）；

用函数 lsim 求线性连续系统在任意设定输入下的输出响应的命令为 lsim（num，den，u，t）。

得到的响应曲线如图 3-13-3 所示。

例 3-13-3　绘制时间常数 T 为 0.5s、1s、2s 时，一阶系统$\dfrac{C(s)}{R(s)}=\dfrac{1}{Ts+1}$的单位阶跃响应曲线族。

解　编制一个 M 文件如下：

```
T=[0.5,1,2];
figure(1)
hold on
for T1=T
    num=[1];
    den=[T1,1];
    step(num,den)
end
hold off
```

执行 M 文件即可得到如图 3-13-4 所示单位阶跃响应曲线族。由图可直观理解一阶系统时间常数与调整时间的关系。

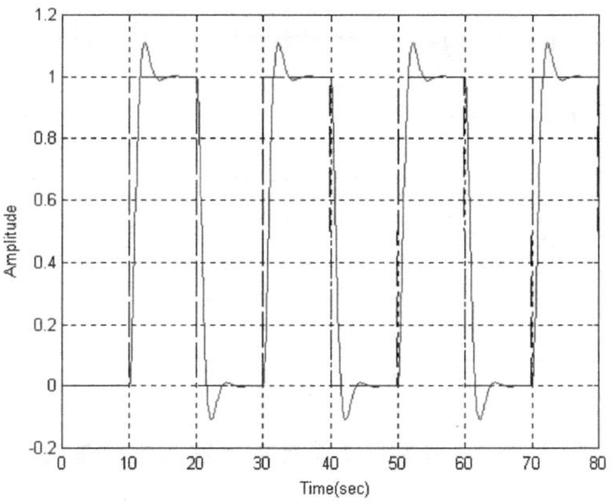

图 3-13-3　例 3-13-2 系统对方波输入的响应

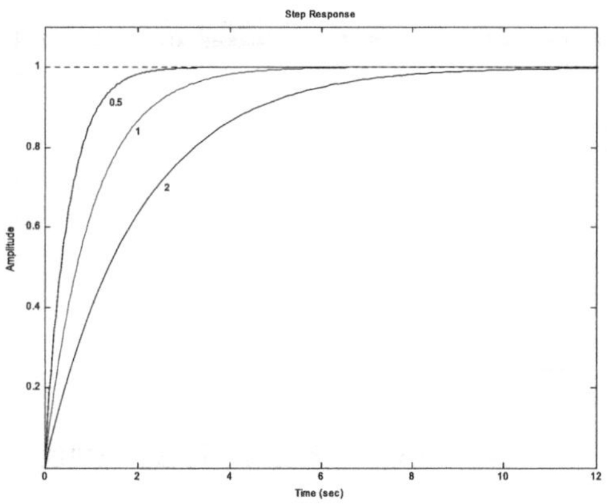

图 3-13-4　一阶系统在不同时间常数下的单位阶跃响应

例 3-13-4　二阶系统的闭环传递函数为

$$\frac{C(s)}{R(s)}=\frac{\omega_n^2}{s^2+2\zeta\omega_n s+\omega_n^2} \tag{3-13-1}$$

观察无阻尼自然振荡角频率 ω_n、阻尼比 ζ 对系统暂态性能的影响。

解　（1）不同阻尼比 ζ 下的单位阶跃响应

令阻尼比 ζ 分别等于 0.1，0.3，0.5，0.7，1，2，$\omega_n=6\text{rad/s}$，编制并执行 M 文件，得到一组单位阶跃响应曲线如图 3-13-5 所示。

（2）不同无阻尼自然振荡角频率 ω_n 下的单位阶跃响应

令阻尼比 $\zeta=0.7$，$\omega_n=2\text{rad/s}$，4rad/s，6rad/s，8rad/s，12rad/s，编制并执行 M 文件，得到一组单位阶跃响应曲线如图 3-13-6 所示。

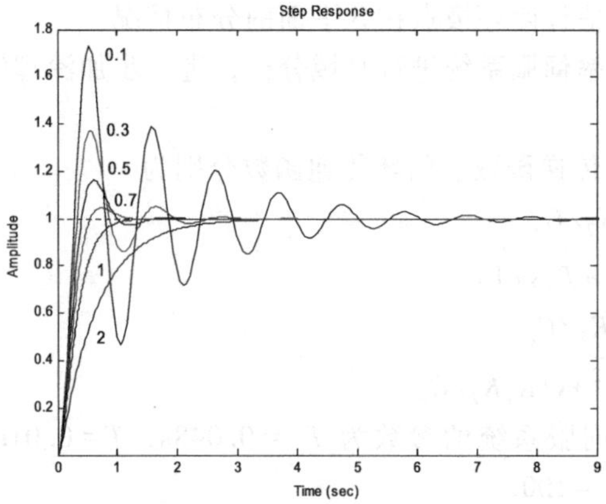

图 3-13-5　二阶系统在不同阻尼比下的单位阶跃响应

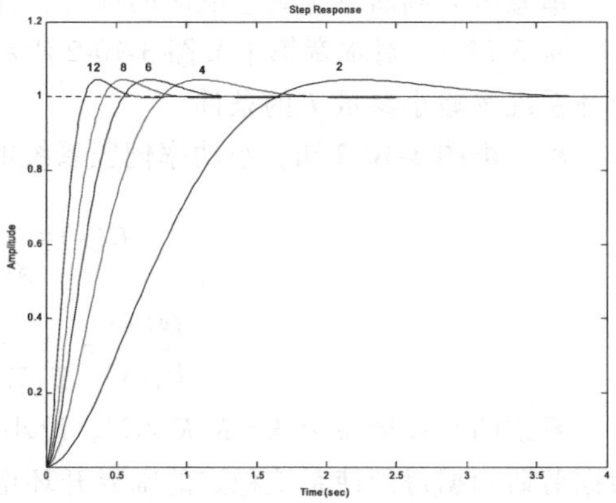

图 3-13-6　二阶系统在不同 ω_n 下的单位阶跃响应

请读者讨论 ζ、ω_n 与系统暂态性能的关系。

例 3-13-5　一系统的闭环传递函数为

$$\frac{C(s)}{R(s)}=\frac{5(s^2+5s+6)}{s^3+6s^2+10s+8}$$

求系统的上升时间 t_r、峰值时间 t_p、最大超调量 M_p 和调整时间 t_s。

解　用 MATLAB 绘制的单位阶跃响应曲线如图 3-13-7 所示，可知系统的稳态值是 3.75。在图形框的工具栏中选择 “Data cursor”，可确定上升时间 $t_r=1.42\text{s}$，峰值时间 $t_p=2.2\text{s}$，调整时间 $t_s=3.67\text{s}$，最大超调量为

$$M_p=\frac{4.02-3.75}{3.75}=7.2\%$$

例 3-13-6　单位负反馈系统的开环传递函数为

$$G(s)=\frac{1.5}{s(s+1)(s+2)}$$

绘制系统的单位斜坡响应曲线 $c(t)$ 和给定误差曲线 $e(t)$，并求给定稳态误差终值 e_{sr}。

解　MATLAB 命令绘制的 $c(t)$ 和 $e(t)$ 如图 3-13-8 所示，并有 $e_{sr}=1.3237$。事实上这是Ⅰ型系统，K_v 为 0.75。

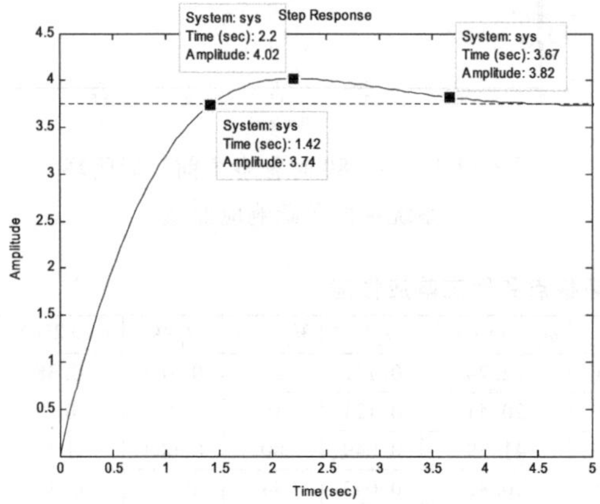

图 3-13-7　例 3-13-5 系统的单位阶跃响应

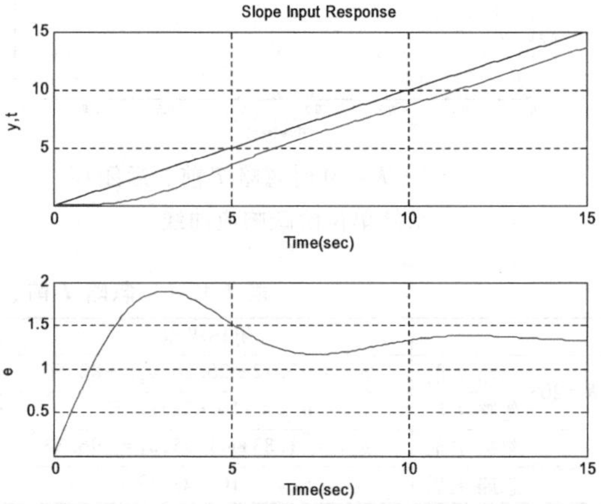

图 3-13-8　例 3-13-6 系统的单位斜坡响应和误差曲线

请思考并判断系统暂态响应的性质，并据此估计闭环极点在S平面的分布情况。

例 3-13-7　对本章第十节图 3-10-2 所示小功率伺服系统进行时域分析，进一步加深理解闭环系统忽略小参量 T 的条件。

解　由图 3-10-2 知，小功率伺服系统的开环传递函数、闭环传递函数分别为

$$G(s)=\frac{K_1K_2/C_e}{s(T_mTs^2+T_ms+1)}$$

$$\frac{\Theta(s)}{U_1(s)}=\frac{K_1K_2/C_e}{T_mTs^3+T_ms^2+s+K_1K_2/C_e}$$

系统的开环增益为 $K=K_1K_2/C_e$。设小功率伺服系统的参数为 $T_m=0.048\text{s}$，$T=0.01\text{s}$，根据劳斯判据得到使系统稳定的临界开环增益 $K_c=100$。

本章第十节指出闭环系统忽略小参量——电动机电枢电路的电磁时间常数 T，需要同时考虑以下两个方面的因素：

1）电动机的机电时间常数 $T_m>5T$；

2）系统开环增益 $K\ll\frac{1}{T}=K_c$。

忽略小参量 T 后，降阶系统的闭环传递函数为

$$\frac{\Theta_d(s)}{U_d(s)}=\frac{K}{T_ms^2+s+K}$$

现分别绘制 $K=20$ 和 $K=80$ 时，忽略小参量 T 前（蓝色曲线）、后闭环系统的单位阶跃响应曲线如图 3-13-9 和图 3-13-10 所示。表 3-13-1 列出了忽略 T 前、后闭环极点和暂态响应性能。

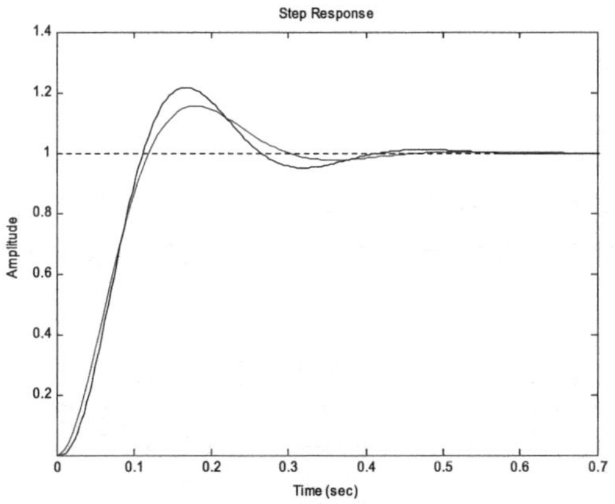

图 3-13-9　$K=20$ 时忽略 T 前、后闭环系统单位阶跃响应曲线

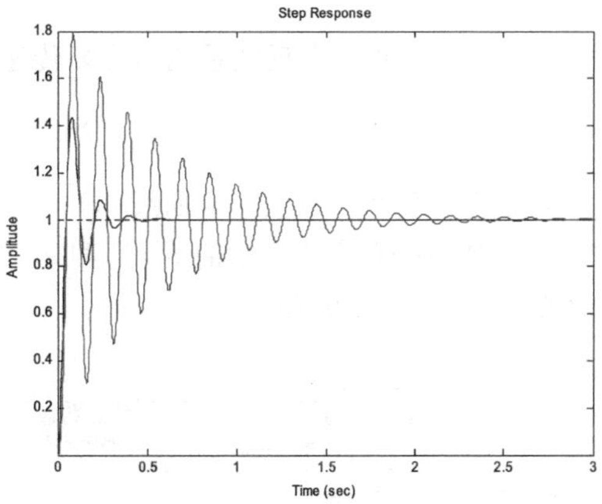

图 3-13-10　$K=80$ 时忽略 T 前、后闭环系统单位阶跃响应曲线

表 3-13-1　忽略 T 前、后闭环极点和暂态响应性能

		闭环极点	ζ	$\omega_n/\text{rad}\cdot\text{s}^{-1}$	t_r/s	$M_p(\%)$	t_p/s	$t_s(\pm2\%)/\text{s}$
$K=20$	忽略 T 前	$p_{1,2}=-9.72\pm j20.56, p_3=-80.56$	0.43	22.74	0.112	22	0.164	0.381
	忽略 T 后	$p_{1,2}=-10.42\pm j17.55$	0.51	20.41	0.121	15	0.176	0.39
$K=80$	忽略 T 前	$p_{1,2}=-1.83\pm j41.55, p_3=-96.33$	0.044	41.59	0.049	80	0.084	1.99
	忽略 T 后	$p_{1,2}=-10.42\pm j39.47$	0.255	40.82	0.047	44	0.08	0.345

分析以上结果可见，$K=20$ 时，虽然两者存在差异，但简化模型可以采用。当 $K=80$

时，尽管满足 $T_m \approx 5T$，但开环增益 K 不满足上述条件 2，简化模型与原系统的差异很大，显然，在这种情况下不能忽略小参量 T。

例 3-13-8 讨论比例微分控制和输出微分反馈对二阶系统暂态性能的改善。

解 1）二阶系统的闭环传递函数见式（3-13-1），系统的参量为 $\zeta=0.4$，$\omega_n=1\text{rad/s}$。有比例微分控制的二阶系统参见图 3-5-13，其闭环传递函数为

$$\frac{C_d(s)}{R(s)}=\frac{\omega_n^2(\tau s+1)}{s^2+2\zeta_d\omega_n s+\omega_n^2}$$

式中，τ 为微分环节时间常数；ζ_d 为二阶系统加入比例微分控制后的阻尼比，$\zeta_d=\zeta+\dfrac{\tau\omega_n}{2}$。

设 $\tau=1.2\text{s}$，有 $\zeta_d=1.0$。用 MATLAB 绘制二阶系统加入比例微分控制前（蓝色曲线）、后的单位阶跃响应 $c(t)$、$c_d(t)$ 如图 3-13-11 所示。由图可见，加入比例微分控制后单位阶跃响应曲线的最大超调量由 25%降为 0，调整时间从 8.42s 减小到 3.01s。

2）有输出微分反馈的二阶系统如图 3-5-16 所示。其闭环传递函数为

$$\frac{C(s)}{R(s)}=\frac{\omega_n^2}{s^2+2\zeta_t\omega_n s+\omega_n^2}$$

式中，ζ_t 为有输出微分反馈的二阶系统阻尼比，$\zeta_t=\zeta+\dfrac{\tau\omega_n}{2}$；$\tau$ 为微分反馈时间常数。

设 $\tau=1.2\text{s}$，有 $\zeta_t=1.0$。用 MATLAB 绘制二阶系统加比例微分控制和加输出微分反馈的单位阶跃响应 $c_d(t)$（蓝色曲线），$c_t(t)$ 如图 3-13-12 所示。由图可见，两者均没有超调。由于输出微分反馈二阶系统没有零点，快速性不如比例微分控制，其调整时间为 5.82s，大于比例微分控制的情形。但是实际应用中，需要考虑抑制输入噪声，则宜采用输出微分反馈。

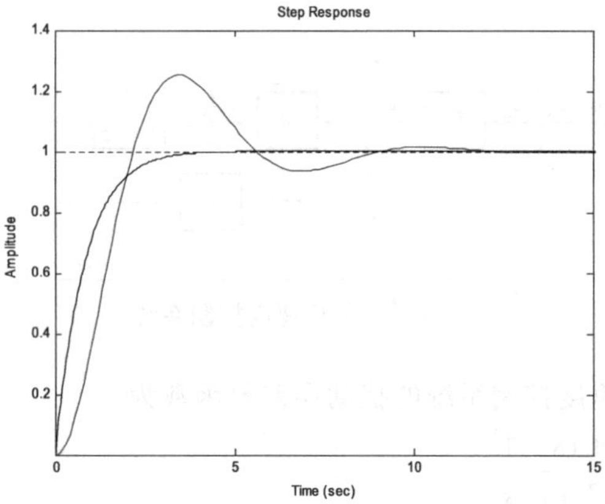

图 3-13-11 二阶系统加比例微分控制前、后的单位阶跃响应

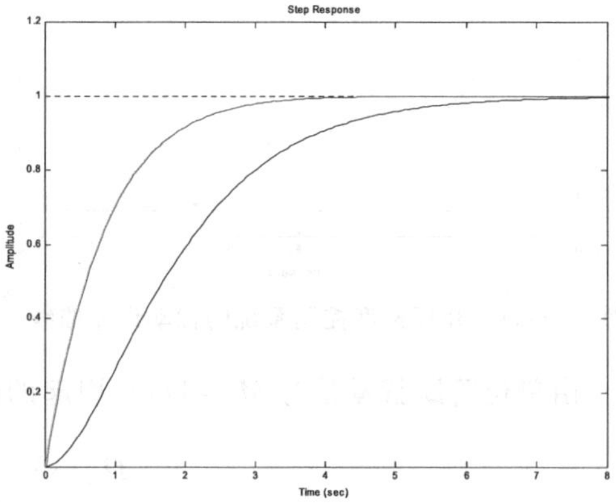

图 3-13-12 加比例微分控制和加输出微分反馈的单位阶跃响应曲线

例 3-13-9 带负载的电枢控制直流他励电动机作为速度控制系统的被控对象，系统的输出量是角速度 $\omega(t)$，其框图如图 3-13-13 所示。当扰动信号具有阶跃形式 $M_L=1(t)$ 时，研究开环、闭环控制抑制扰动的能力。

解 由于该系统是线性定常系统，可以应用叠加原理。令给定输入为零，仅考虑扰动输入。

1）被控对象的传递函数，即开环传递函数为

$$G(s)=\frac{\Omega(s)}{U_a(s)}=\frac{540}{2s+1.5}=\frac{360}{1.33s+1}$$

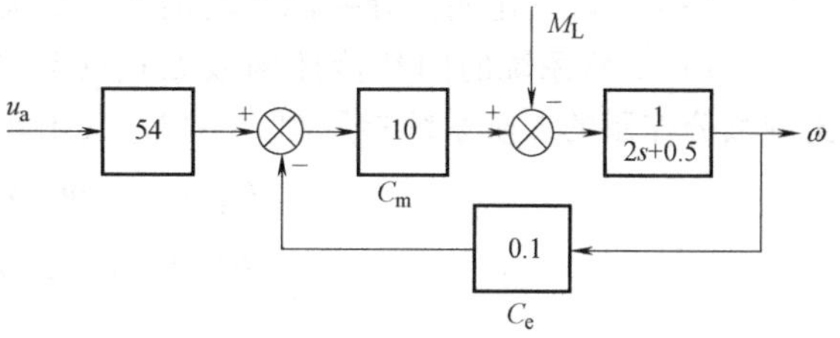

图 3-13-13　开环速度控制系统

设给定输入为零，根据图 3-13-13，可得开环速度控制系统的扰动误差传递函数为

$$\frac{\Omega(s)}{M_L(s)}=\Phi_{no}(s)=\frac{-1}{2s+1.5}=\frac{-0.66}{1.33s+1}$$

由单位阶跃扰动信号 $M_L=1(t)$ 引起的开环速度控制系统的扰动误差象函数为

$$\Omega_{no}(s)=\Phi_{no}(s)M_L(s)=\frac{-0.66}{1.33s+1}\frac{1}{s}$$

用 MATLAB 绘制的扰动误差曲线 $\omega_{no}(t)$ 如图 3-13-14 所示。扰动稳态误差终值为 −0.66rad/s，调整时间约为 5.16s。

2）有速度反馈的闭环速度控制系统如图 3-13-15 所示。

闭环速度控制系统的扰动误差传递函数为

$$\frac{\Omega(s)}{M_L(s)}=\Phi_{nc}(s)=\frac{-1}{2s+541.5}=\frac{-0.0018}{0.0037s+1}$$

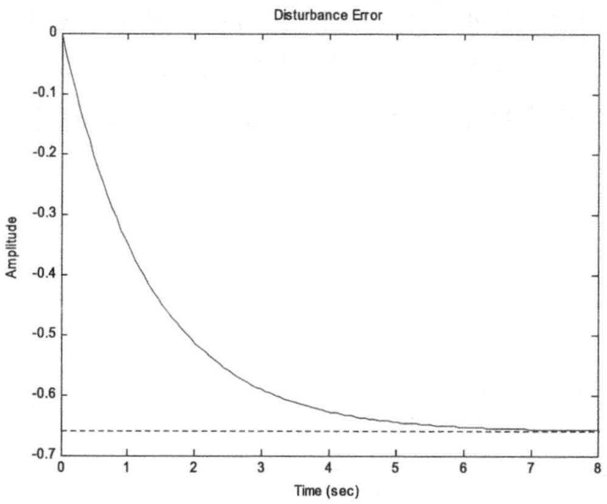

图 3-13-14　开环速度控制系统的扰动误差曲线

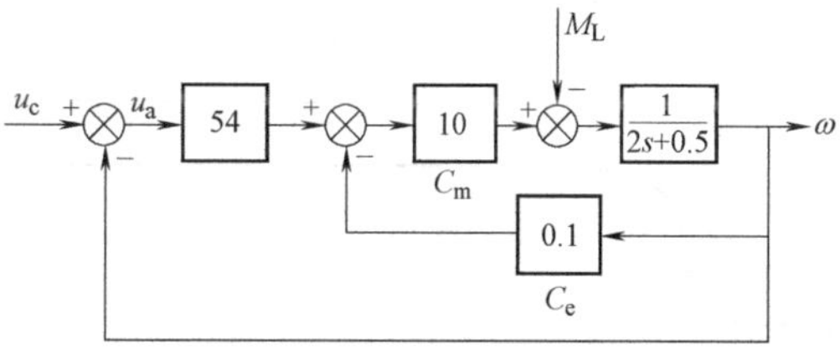

图 3-13-15　闭环速度控制系统

由单位阶跃扰动信号 $M_L=1(t)$ 引起的闭环速度控制系统的扰动误差象函数为

$$\Omega_{nc}(s)=\frac{-0.0018}{0.0037s+1}\frac{1}{s}$$

用 MATLAB 绘制的扰动误差曲线 $\omega_{nc}(t)$ 如图 3-13-16 所示。扰动稳态误差终值为 −0.0018rad/s，调整时间约为 0.014s。

分析比较以上结果可以清楚地看到，当有阶跃扰动输入时：

1）闭环速度控制系统经过 14ms 就使扰动误差减小到微不足道的程度（1.810^{-3}rad/s），其值不到开环系统扰动误差的 3‰。

2）闭环控制的调整时间仅为开环控制的 1/47，这是因为一阶开环速度控制系统的时间常数为 1.33s，经过单位负反馈环节后，闭环速度控制系统仍然是一阶系统，但时间常数减

小到 0.0037s。

综上所述，**闭环控制系统具有很强的扰动抑制能力，而开环控制系统由于没有输出反馈，无法克服外部扰动造成的不利影响。**

例 3-13-10 对例 3-13-9 中的系统，设给定输入为阶跃函数形式（令扰动输入为零），分析当系统参量——开环增益 K 改变时，开环控制系统和闭环控制系统的输出偏离期望值的情况。

解 令开环增益 K 减小 5%，给定输入为单位阶跃函数，比较开环、闭环控制系统开环增益改变前、后的输出响应。

(1) 开环增益 K 减小 5%对开环控制系统的影响

由例 3-13-9 知开环控制系统的传递函数为

$$\frac{\Omega_o(s)}{U_a(s)}=\frac{K}{2s+1.5}$$

其中 $K=540$，$u_a(t)=1(t)$。绘制 $K=540$ 和 $K=513$ 时的输出响应 $\omega_{o1}(t)$、$\omega_{o2}(t)$ 如图 3-13-17 所示。

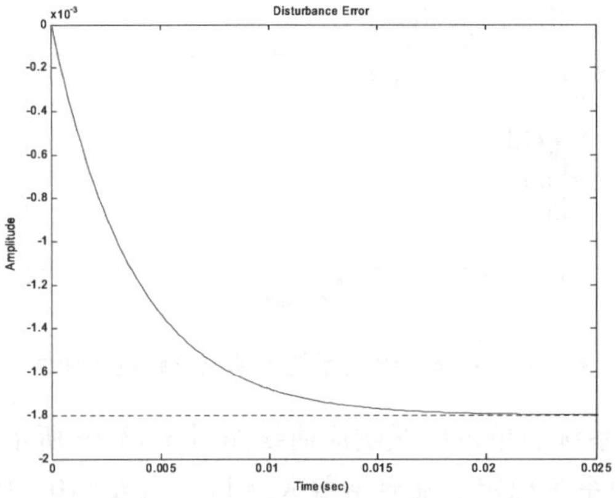

图 3-13-16 闭环速度控制系统的扰动误差曲线

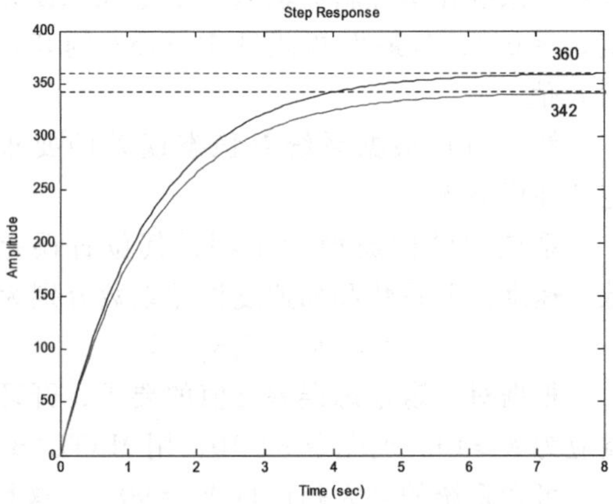

图 3-13-17 K 改变前、后开环控制系统的输出响应

由图可知，开环增益减小 5%后，输出响应的稳态值由原来 $\omega_{o1}(\infty)=360$ 减小到 $\omega_{o2}(\infty)=342$，即减小了 5%。这说明，当各种原因引起开环控制系统的参量发生改变，将引起输出响应偏离期望值。而一个好的控制系统应该能克服或减小系统参数改变造成的影响，使输出以一定的精度维持在期望值，显然开环控制系统不具备这种能力。

(2) 开环增益 K 减小 5%对闭环控制系统的影响

图 3-13-15 所示闭环速度控制系统的闭环传递函数为

$$\frac{\Omega_c(s)}{U_c(s)}=\frac{K}{2s+(K+1.5)}$$

其中 $K=540$，$u_c(t)=1(t)$。绘制 $K=540$ 和 $K=513$ 的输出响应 $\omega_{c1}(t)$、$\omega_{c2}(t)$ 如图 3-13-18 所示。

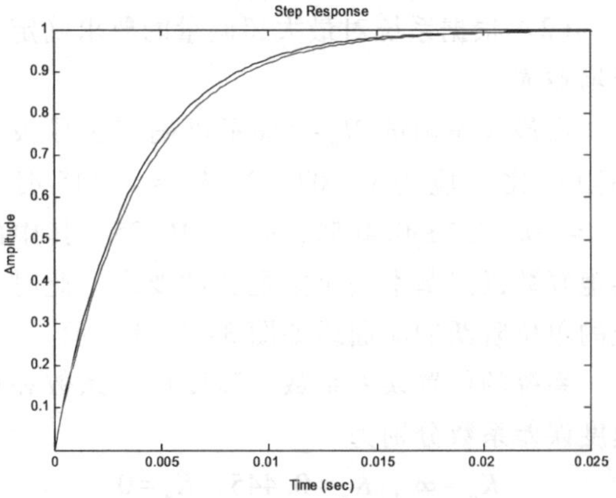

图 3-13-18 K 改变前、后闭环控制系统的输出响应

闭环控制系统输出响应的期望值为 1

（因是单位负反馈系统），开环增益 $K=540$ 时输出响应的终值为 $\omega_{c1}(\infty)=0.99723$，$K=513$ 时输出响应的终值为 $\omega_{c2}(\infty)=0.99708$。可知，开环增益减小5%，输出响应的稳态值仅减小0.15‰。这表明闭环控制系统具有克服或减小因系统参量（被反馈回路所包围的各环节）变化造成的不利影响的能力。

上述2个例子说明了闭环控制系统的优越性，但是还应看到反馈控制可能引起的问题——稳定性。如果开环控制系统的各个环节均为稳定环节（不包含 s 右半平面的极点），则增大开环增益不会造成开环控制系统的不稳定。而闭环控制系统有可能因为开环增益的增大，出现不稳定的情况。这方面可参见劳斯判据的例题。

开环增益 K 是闭环控制系统中重要的参量，从本章第十二节可知，它决定了系统稳态误差的大小，同时它的取值还受到稳定性的制约。下面的例子涉及这一问题。

例 3-13-11 已知单位负反馈系统的开环传递函数为

$$G(s)=\frac{K}{s(s+1)(0.1s+1)}$$

确定使系统在单位斜坡输入下给定稳态误差终值 $e_{sr}\leqslant 0.1$，且最大超调量 $M_p\leqslant 5\%$ 的开环增益 K 值。

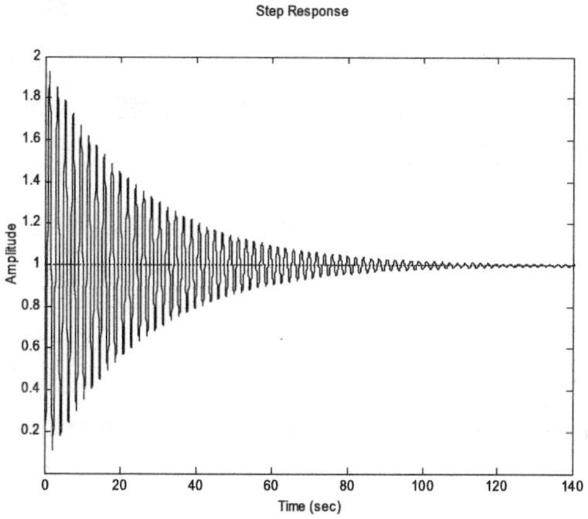

图 3-13-19 $K=10$ 时系统的单位阶跃响应曲线

解 （1）根据系统对稳态误差的要求确定开环增益 K

系统的结构类型为Ⅰ型，其位置误差系数、速度误差系数和加速度误差系数分别为

$$K_p=\infty, K_v=K, K_a=0$$

根据对给定稳态误差终值的要求，开环增益应为 $K\geqslant 10$。现先令 $K=10$，用 MATLAB 绘制系统的单位阶跃响应曲线如图 3-13-19 所示。

可知系统的最大超调量 $M_p=90\%$。这是因为系统稳定的临界增益 $K_c=11$，当 $K=10$，闭环系统的特征方程为

$$0.1s^3+1.1s^2+s+10=0$$

用 MATLAB 函数 roots 可求出闭环系统的 3 个极点 $p_{1,2}=-0.0387\pm j3.0255$，$p_3=-10.9227$，其中一对主导极点靠近 s 平面的虚轴，阻尼比 ζ 为 0.013。

（2）根据系统对最大超调量的要求确定开环增益 K

由最大超调量 $M_p=5\%$ 不难确定主导极点的阻尼比 ζ 应为 0.707，当 $K_v\approx 0.445$ 时有 $p_{1,2}=-0.4755\pm j0.4655$，$p_3=-10.05$，其中的共轭复数极点基本满足阻尼比的要求。此时系统的单位阶跃响应曲线如图 3-13-20 所示。

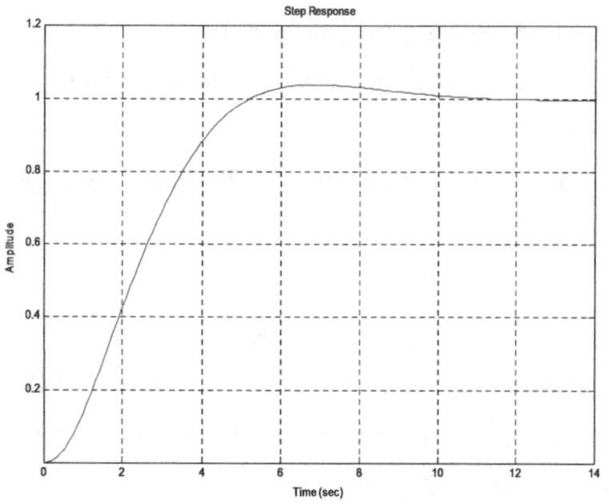

图 3-13-20 $K_v=0.445$ 时系统的单位阶跃响应

系统的位置误差系数、速度误差系数和加速度误差系数分别为

$$K_p=\infty,\ K_v=0.445,\ K_a=0$$

故系统单位斜坡输入下的给定稳态误差终值

$e_{sr}=\frac{1}{K_v}=\frac{1}{0.445}=2.25$，不满足 $e_{sr}\leqslant 0.1$ 的要求。

以上分析表明，在本例控制系统中，仅靠改变系统的开环增益无法同时满足稳态性能指标和暂态性能指标的要求。这是控制系统的设计中常遇到的问题，解决这一问题的途径是对系统进行校正，详见第六章。

小　结

本章阐述了通过系统的时间响应去分析系统的稳定性以及暂态和稳态响应性能的问题，其内容主要是：

1）系统的稳定性及响应性能都由描述系统的微分方程的解所确定，也就是由系统的响应给出。

2）线性定常一、二阶系统的时间响应不难由解析方法求得。从中可以看出下述关系：系统的结构与参量决定了系统的传递函数；系统传递函数分子和分母多项式的各项系数决定了传递函数极点与零点在 s 平面上的位置（简称极、零点的分布）；系统传递函数极、零点的分布决定了系统的时间响应；系统的响应表述了系统的性能。

3）对于线性定常一、二阶系统，能够得出系统的结构及参量与系统性能之间明确的解析关系式。这些解析式不但能用来分析系统的性能，而且也能用来设计系统。

4）线性定常高阶系统的时间响应可以表示为一、二阶系统响应的合成。其中远离虚轴的极点对高阶系统的响应影响甚微，由此引出高阶系统主导极点的概念。于是可以不须求解高阶系统的响应，而是借用二阶系统的理论去分析甚至设计高阶系统。

5）线性定常系统稳定的充分必要条件是：其传递函数的极点全部位于 s 平面的左半部。

6）为判断系统的稳定性并不须求解出传递函数的极点。从传递函数分母多项式各项系数就能确定右半 s 平面极点的个数，这就是判别系统稳定性的一种间接方法——劳斯—赫尔维茨判据。

7）系统的稳态误差不但与系统的结构及参量有关，而且与输入（或扰动）的形式密切相关。

8）小参量在开环控制系统和闭环控制系统中的影响迥异，因此，对闭环系统中的小参量处理应格外慎重。

9）根据 MATLAB 时域响应分析的结果，有助于加深对本章重要概念的理解。

10）无论是判别系统的稳定性还是求取系统的响应以分析系统的性能，首要的是先确定系统的数学模型。本章进一步阐述了从实验测定的时域响应曲线去确定被控对象（或系统）数学模型的具体方法。

习　题

3-1　设系统的闭环传递函数为

$$\frac{C(s)}{R(s)}=\frac{\omega_n^2}{s^2+2\zeta\omega_n s+\omega_n^2}$$

分别求欠阻尼、临界阻尼和过阻尼时的单位斜坡响应的表达式 $c(t)$。

3-2　试在 s 平面上分别画出满足下列每一参量要求的二阶系统极点的区域。

（1）$\zeta>0.707$，$\omega_n\geqslant 2s^{-1}$　　（2）$\zeta\leqslant 0.5$，$2s^{-1}\leqslant\omega_n\leqslant 4s^{-1}$

(3) $0 \leqslant \zeta \leqslant 0.707$，$\omega_n \leqslant 2s^{-1}$　　(4) $0.5 \leqslant \zeta \leqslant 0.707$，$\omega_n \leqslant 2s^{-1}$

3-3　已知单位反馈控制系统的开环传递函数为

$$G(s)=\frac{K}{s(\tau s+1)}$$

试分别在下列参数条件下写出系统单位阶跃响应的表达式 $c(t)$，并求最大超调量和调整时间。

(1) $K=4.5$，$\tau=1s$　(2) $K=1$，$\tau=1s$　(3) $K=0.16$，$\tau=1s$

3-4　已知单位反馈二阶系统的开环传递函数为

$$G(s)=\frac{\omega_n^2}{s(s+2\zeta\omega_n)}$$

从实验方法得到零初始状态下的阶跃响应如图 3-T-1 所示。由图知 $M_p=9.6\%$，$t_p=0.2s$。试确定传递函数中的参量 ζ，ω_n。

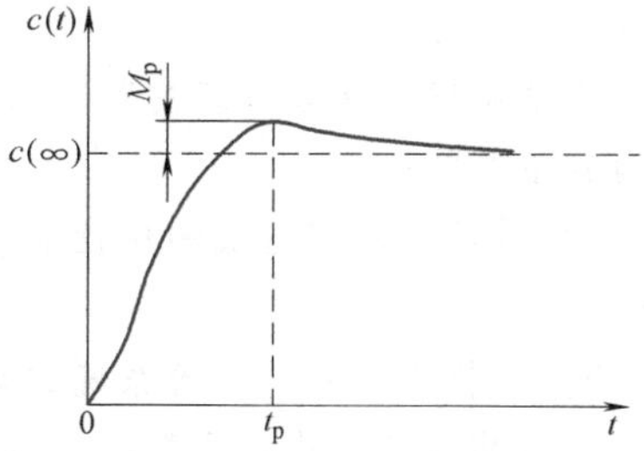

图 3-T-1　题 3-4 图

3-5　设二阶系统的闭环传递函数为

$$\frac{C(s)}{R(s)}=\frac{\omega_n^2}{s^2+2\zeta\omega_n s+\omega_n^2}$$

分别取 ω_n = 1rad/s，5rad/s；ζ = 0，0.2，0.5，0.707，1.0，1.25。用 MATLAB 绘制单位阶跃响应曲线，并讨论参量 ζ、ω_n 对暂态性能的影响。

3-6　已知系统的闭环传递函数为

$$\frac{C(s)}{R(s)}=\frac{s+0.1}{s^3+0.6s^2+s+1}$$

用 MATLAB 求系统的单位脉冲响应 $g(t)$、单位阶跃响应 $h(t)$ 和单位斜坡响应 $c(t)$，讨论三者之间的关系。

3-7　已知二阶系统的单位阶跃响应为

$$h(t)=10-12.5e^{-1.2t}\sin(1.6t+53.1^\circ)$$

试求 (1) 系统的最大超调量 M_p (%)、峰值时间 t_p 和调整时间 t_s；(2) 试确定系统的闭环传递函数 $\frac{C(s)}{R(s)}$，并确定阻尼比 ζ 和无阻尼自然振荡角频率 ω_n。

3-8　已知控制系统的单位阶跃响应为

$$h(t)=1+0.2e^{-60t}-1.2e^{-10t}$$

(1) 求系统的单位脉冲响应 $g(t)$；(2) 求系统的闭环传递函数 $\frac{C(s)}{R(s)}$，并确定阻尼比 ζ 和无阻尼自然振荡角频率 ω_n（提示：系统的传递函数等于系统单位脉冲响应 $g(t)$ 的拉普拉斯变换）。

3-9　已知高阶系统的闭环传递函数为

$$\frac{C(s)}{R(s)}=\frac{45}{(s^2+0.6s+1)(s^2+3s+9)(s+5)}$$

其中 $s_{1,2}=-0.3+j0.954$ 是系统的主导极点，其余 3 个极点分别是 $s_{3,4}=-1.5+j2.6$，$s_5=-5$。于是此高阶系统可近似为下列二阶系统

$$\frac{C(s)}{R(s)}=\frac{1}{(s^2+0.6s+1)}$$

用 MATLAB 求原系统和近似系统的单位阶跃响应，并进行讨论。

3-10　已知系统的特征方程如下，用劳斯判据（或赫尔维茨判据）确定系统的稳定性。

(1) $s^4+2s^3+8s^2+4s+3=0$　　(2) $s^4+2s^3+s^2+4s+2=0$

(3) $s^5+s^4+3s^3+9s^2+16s+10=0$　　(4) $s^6+3s^5+5s^4+9s^3+8s^2+6s+4=0$

3-11　根据下列单位反馈系统的开环传递函数，确定使系统稳定的增益 K 值范围。

(1) $G(s)=\frac{K}{(s+1)(0.1s+1)}$　　(2) $G(s)=\frac{K}{s^2(0.1s+1)}$

(3) $G(s)=\frac{K}{s(s+1)(0.5s+1)}$

3-12 单位反馈系统的开环传递函数为

$$G(s)=\frac{K(s+1)}{s(\tau s+1)(2s+1)}$$

在以 K 为横坐标，τ 为纵坐标的平面上，确定系统稳定的参数区域。

3-13 单位反馈系统的开环传递函数为

$$G(s)=\frac{K(s+3)}{s(s^2+2s+2)}$$

试求系统稳定的临界增益 K_c 和无阻尼振荡角频率 ω_n。

3-14 单位反馈系统的开环传递函数为

(1) $G(s)=\frac{50}{(2s+1)(0.1s+1)}$　　(2) $G(s)=\frac{K}{s(0.5s+1)(0.1s+1)}$

(3) $G(s)=\frac{K(2s+1)(4s+1)}{s^2(s^2+2s+10)}$　　(4) $G(s)=\frac{K}{s(s^2+4s+200)}$

确定各系统的结构类型。通过计算位置误差系数、速度误差系数、加速度误差系数，求系统在单位阶跃输入、单位斜坡输入、单位抛物线输入下的给定稳态误差终值 e_{sr}。

3-15 设单位反馈系统的开环传递函数为

$$G(s)=\frac{10}{s(0.1s+1)}$$

若输入信号分别有以下形式：

(1) $r(t)=R_0$　　(2) $r(t)=R_0+R_1t$

(3) $r(t)=R_0+R_1t+\frac{1}{2}R_2t^2$（其中 R_0、R_1、R_2 均为常数）

求系统的给定稳态误差级数 $e_{sr}(t)$。

3-16 设单位反馈系统的开环传递函数为

$$G(s)=\frac{500}{s(0.1s+1)}$$

求当输入为 $r(t)=\sin5t$ 时的给定稳态误差级数 $e_{sr}(t)$。

3-17 设单位反馈系统的开环传递函数如题 3-15，用 MATLAB 做系统分别在单位阶跃输入及单位斜坡输入下的响应 $c(t)$ 和误差 $e(t)$。

3-18 单位负反馈系统的闭环传递函数如下所示：

(1) $\frac{C(s)}{R(s)}=\frac{10}{s+11}$　　(2) $\frac{C(s)}{R(s)}=\frac{10}{s^2+2s+10}$

试确定开环传递函数 $G(s)$ 和给定误差传递函数 $\Phi_e(s)$，并求在单位阶跃输入下的给定稳态误差终值 e_{sr}。

3-19 控制系统框图如图 3-T-2 所示，求

(1) $r(t)=1(t)$ 时的给定稳态误差终值 e_{sr}。

(2) $n(t)=t$ 时的扰动稳态误差级数 $e_{sn}(t)$。

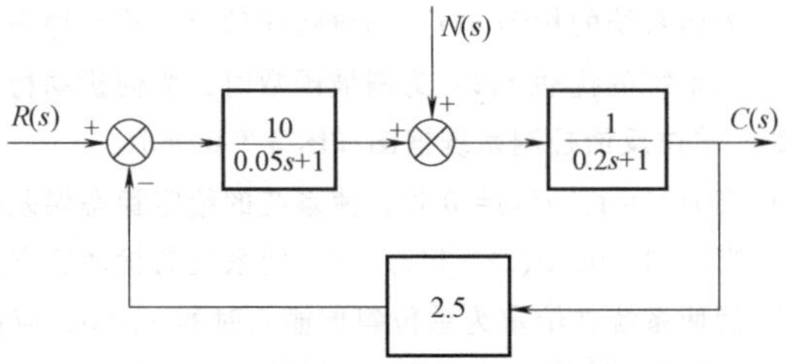

图 3-T-2 题 3-19 图

3-20 已知结构类型分别为 0 型，Ⅰ型，Ⅱ型的单位反馈系统开环传递函数如下：

(1) $G(s)=\frac{20}{(0.1s+1)(0.2s+1)}$

(2) $G(s)=\frac{10}{s(0.1s+1)(0.2s+1)}$

(3) $G(s)=\frac{10(2s+1)}{s^2(s^2+6s+100)}$

试求输入分别为 $r(t)=2t$ 和 $r(t)=2+2t+t^2$ 时，系统的给定稳态误差终值 e_{sr}。

3-21 反馈控制系统框图如图 3-T-3a 所示。试计算单位斜坡输入下的给定稳态误差终值 e_{sr}。如在输入端加一比例微分环节（参见图 3-T-3b），试证明适当选取 a 值后，系统跟踪斜坡输入的稳态误差终值 e_{sr} 可以为零。

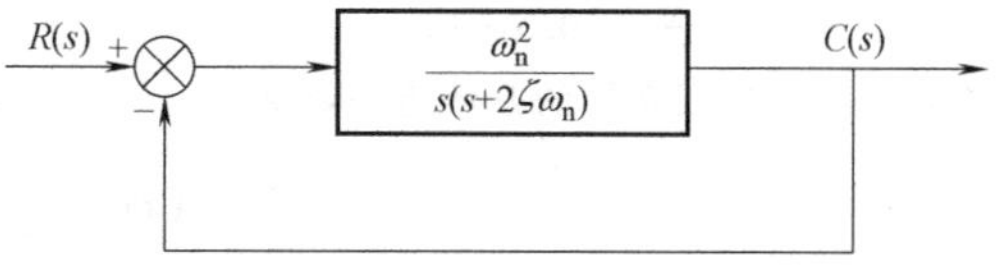

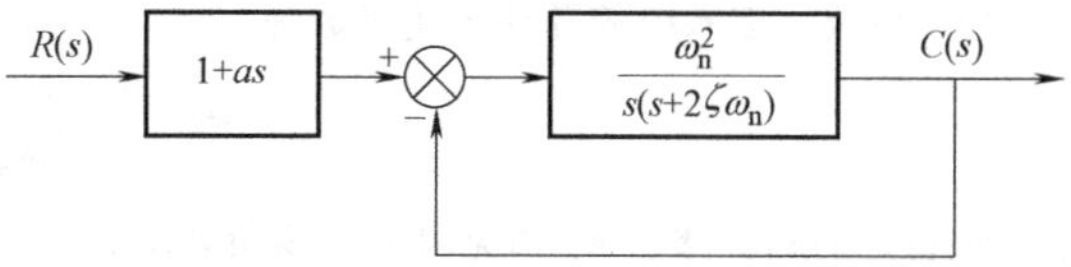

图 3-T-3 题 3-21 图

3-22 已知三阶单位反馈控制系统的特征方程为 $s^3+4s^2+6s+4=0$。要求系统跟踪单位斜坡输入的稳态误差终值 e_{sr} 为零，确定系统开环传递函数 $G(s)$。

3-23 要求一个三阶单位反馈控制系统的单位斜坡输入的稳态误差终值 $e_{sr}=2$，且具有一对主导极点 $s_{1,2}=-1\pm j1$。确定同时满足上述条件的系统开环传递函数 $G(s)$。

3-24 系统框图如图 3-T-4 所示。

（1）确定 $a=0$ 时系统的参量 ζ、ω_n 值。

（2）如要求 $\zeta=0.7$，试确定 a 值。讨论对惯性环节进行负反馈后，其时间常数变化的情况。

3-25 两个系统的闭环传递函数分别为

（1）$$\frac{C(s)}{R(s)}=\frac{\omega_n^2}{s^2+2\zeta\omega_n s+\omega_n^2}(0<\zeta<1)$$

（2）$$\frac{C(s)}{R(s)}=\frac{\omega_n^2(s+1)}{s^2+2\zeta\omega_n s+\omega_n^2}(0<\zeta<1)$$

如果两个系统的参量 ζ、ω_n 均相等，且有 $\zeta=0.707$，$\omega_n=2\text{rad/s}$，试分析 $z=-1$ 的零点对系统单位脉冲响应和单位阶跃响应的影响（可借助 MATLAB）。

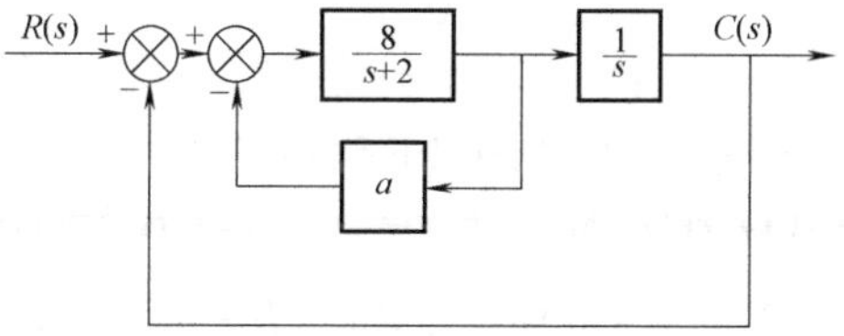

图 3-T-4 题 3-24 图

3-26 单位反馈控制系统框图如图 3-T-5 所示。假设未加入外作用信号时，系统处于零初始状态。如果不考虑扰动 $n(t)$，当参考输入为阶跃函数时，试解释系统响应必然存在超调现象的原因。

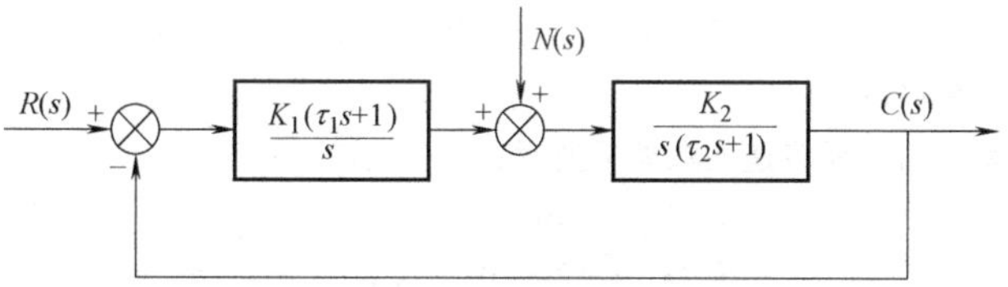

图 3-T-5 题 3-26 图

3-27 对于题 3-26 所述系统，如在参考输入 $r(t)$ 为常量时，试从系统的结构类型、环节的构成及其作用这几个方面说明：

（1）为何系统的扰动 $n(t)$ 为阶跃函数时，扰动稳态误差终值 e_{sn} 为零？

（2）当系统的扰动 $n(t)$ 为斜坡函数时，为何扰动稳态误差终值 e_{sn} 是与时间无关的常量？

3-28 单位反馈控制系统框图如图 3-T-6 所示。

（1）当 $r(t)=t$，$n(t)=0$ 时，使系统的给定稳态误差终值 $e_{sr}=0.1$，K_1 应取何值？

（2）当 $r(t)=0$，$n(t)=1(t)$ 时，使系统的扰动稳态误差终值 $e_{sn}=0.1$，K_1 应取何值？

（3）为使系统在给定为单位斜坡输入时的 $e_{sr}=0$，应在系统的什么位置串联何种形式的环节。

3-29 串联比例微分环节的二阶系统如图 3-5-13 所示。已知 $\tau=0.16\text{s}$，$\zeta=0.4$，$\omega_n=5\text{rad/s}$，应用 MATLAB 分析串联比例微分环节前、后二阶系统的单位阶跃响应及暂态性能。

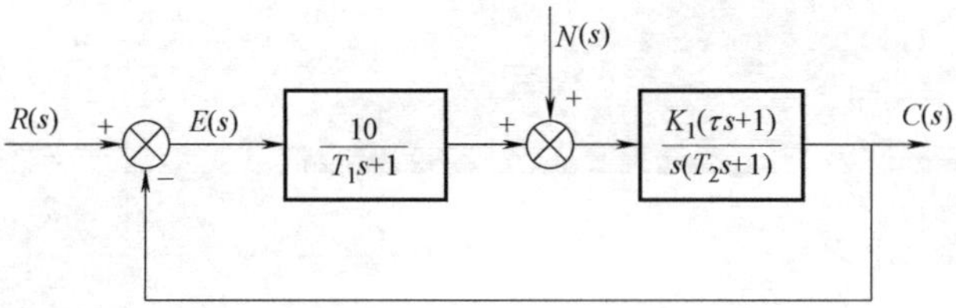

图 3-T-6 题 3-28 图

3-30 微分 *RC* 电路（见图 2-4-5）和比例微分 *RC* 电路（见图 2-4-7）的传递函数分别为

（1）$\dfrac{C(s)}{R(s)}=\dfrac{\tau s}{\tau s+1}$ （2）$\dfrac{C(s)}{R(s)}=\alpha\dfrac{\tau s+1}{\alpha\tau s+1}(0<\alpha<1)$

其中 $\tau=0.5\text{s}$，$\alpha=0.2$，用 MATLAB 绘制单位阶跃响应曲线，并进行比较分析。

第四章　线性系统的根轨迹分析

通过第三章的讨论可以知道，闭环控制系统的暂态性能与闭环极点在 s 平面上的位置密切相关。因此，在分析系统的性能时，往往要求确定系统闭环极点的位置。另一方面，在分析或设计系统时，经常要研究一个或者几个参量在一定范围内变化时，对闭环极点的位置以及系统性能的影响。

系统的闭环极点也就是特征方程式的根。**当系统中的某一或某些参量变化时，特征方程的根在 s 平面上运动的轨迹称为根轨迹。**

通常，为了求解特征方程式的根，需将特征多项式分解为因式。对于三阶以上的系统，这通常不是一件容易的事情。特别是当某一参量，如系统的开环增益变化时，需要反复地进行计算，这时采用分解因式的方法就显得十分繁琐，难以在实际中应用。

依万斯（W. R. EVans）首先提出了求解系统特征方程式的根的图解方法——根轨迹法。这种方法很快就在控制工程中得到了广泛的应用。**采用根轨迹法可以在已知系统的开环零、极点条件下，绘制出系统特征方程式的根（即闭环传递函数的极点）在 s 平面上随参数变化而形成的轨迹。**借助这种方法常常可以比较简便、直观地分析系统特征方程式的根与系统参数之间的关系。它不仅适用于单环系统，而且也可用于多环系统。根轨迹法已发展成为经典控制理论中最基本的方法之一，与频率法互为补充，成为研究自动控制系统的有效工具。

第一节　根轨迹的基本概念

下面结合图 4-1-1 所示的二阶系统，介绍根轨迹的基本概念。

系统开环传递函数为 $G(s)=\dfrac{K_1}{s(s+a)}$，它有两个开环极点，$p_1=0$ 和 $p_2=-a$。

系统的闭环传递函数为

$$\frac{C(s)}{R(s)}=\frac{K_1}{s^2+as+K_1} \tag{4-1-1}$$

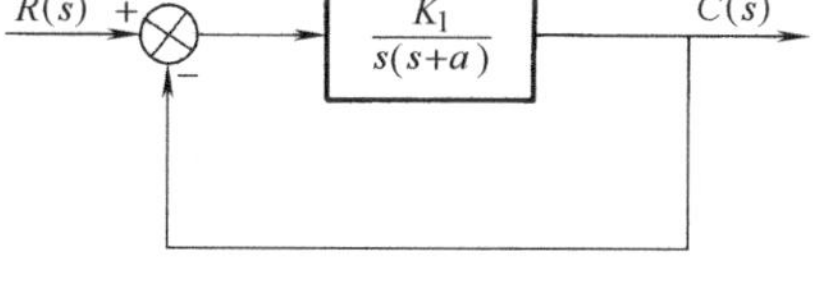

图 4-1-1　二阶系统

由此可以写出系统的特征方程

$$s^2+as+K_1=0 \tag{4-1-2}$$

式（4-1-2）表明，在 a 和 K_1 为正值的情况下，此二阶系统总是稳定的，但特征方程式的根却随参量 a 和 K_1 的值而变化，从而也要影响到系统的暂态性能。

式（4-1-2）的根由下式确定

$$s_{1,2}=-\frac{a}{2}\pm\sqrt{\left(\frac{a}{2}\right)^2-K_1} \tag{4-1-3}$$

根轨迹的基本概念

下面讨论 a 保持常数，开环增益 K_1 改变时的情况。

当 $0\leqslant K_1<\frac{a^2}{4}$ 时，s_1 和 s_2 为互不相等的两个实根。

若 $K_1=\frac{a^2}{4}$，则两根相等，即 $s_1=s_2=-\frac{a}{2}$。

当 $\frac{a^2}{4}<K_1\leqslant\infty$ 时，两根成为共轭的复数根，其实数部分为 $-\frac{a}{2}$，这时根轨迹与实轴垂直并相交于 $\left(-\frac{a}{2},\ \mathrm{j}0\right)$ 点。

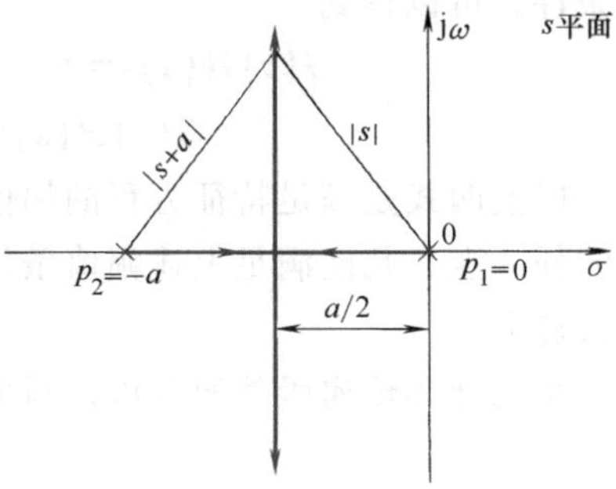

图 4-1-2　二阶系统的根轨迹图

K_1 从 0 向∞变化时的根轨迹如图 4-1-2 所示。箭头表示 K_1 增大方向。

由图 4-1-2 可见：

1）此二阶系统的根轨迹有两条，$K_1=0$ 时分别从开环极点 $p_1=0$ 和 $p_2=-a$ 出发。

2）当 K_1 从 0 向 $\frac{a^2}{4}$ 增加时，两个根 s_1 和 s_2 沿相反的方向朝着 $\left(-\frac{a}{2},\ \mathrm{j}0\right)$ 点移动，这时 s_1 和 s_2 都位于负实轴上，系统处于过阻尼状态。

3）当增益 K_1 增加到 $\frac{a^2}{4}$ 时，特征方程的两个根 s_1 和 s_2 会合于 $-\frac{a}{2}$ 处，系统处于临界阻尼状况。

4）K_1 进一步增加到 $K_1>\frac{a^2}{4}$ 时，两个根 s_1 和 s_2 离开实轴，变为共轭复数根，其实部保持为常数 $-\frac{a}{2}$，虚部 $\mathrm{j}\sqrt{K_1-\left(\frac{a}{2}\right)^2}$ 随 K_1 的增大而增大。系统处于欠阻尼状态。系统的阶跃响应是衰减振荡的，K_1 的值越大，阻尼比越小，且振荡频率越高，但由于 s_1 和 s_2 的负实部为常数，系统的调整时间变化不大。

综上所述，**根轨迹是指系统特征方程式的根（闭环极点）随系统参量变化在 s 平面上而形成的轨迹。通过根轨迹图可以看出系统参量变化对系统闭环极点分布的影响，以及它们与系统性能的关系。**

一般而言，绘制根轨迹时选择的可变参量可以是系统的任意参量。但是，在实际中最常用的可变参量是系统的开环增益。**以系统开环增益为可变参量绘制的根轨迹称为常规根轨迹。**

上述二阶系统特征方程式的根是直接对特征方程求解得到的，但对高阶系统的特征方程直接求解往往十分困难，因此实际上通常采用图解的方法绘制根轨迹图。

第二节 绘制根轨迹的基本条件和基本规则

一、绘制根轨迹的相位条件和幅值条件

设系统框图如图 4-2-1 所示，其特征方程为

$$1+G(s)H(s)=0$$

或

$$G(s)H(s)=-1 \tag{4-2-1}$$

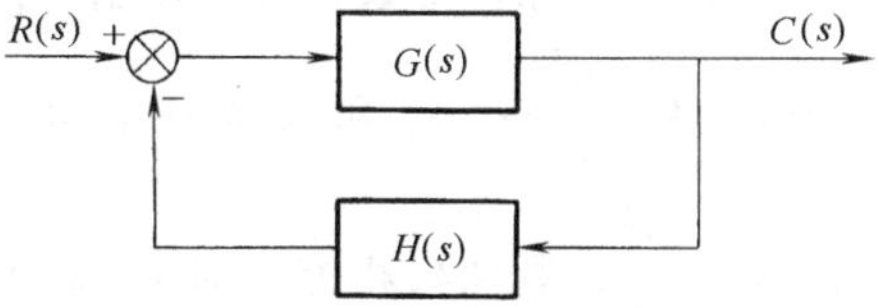

图 4-2-1 反馈控制系统

上式中 $G(s)H(s)$ 是复变量 s 的函数。根据式（4-2-1）等式两边幅值和相位角应分别相等的条件，可以得到

$$\left|\boldsymbol{G(s)H(s)}\right|=\mathbf{1} \tag{4-2-2}$$

$$\angle \boldsymbol{G(s)H(s)}=\pm\mathbf{180°(2q+1)} \qquad (q=0,1,2,\cdots) \tag{4-2-3}$$

以上两式是满足特征方程的幅值条件和相位条件，是绘制根轨迹的重要依据。在 s 平面上的任一点，凡能满足上述幅值条件和相位条件的，就是系统的特征方程式的根，就必定在根轨迹上。

系统开环传递函数通常可以写成两种因子式

$$G(s)H(s)=\frac{K_1\prod_{j=1}^{m}(s-z_j)}{\prod_{i=1}^{n}(s-p_i)} \tag{4-2-4}$$

$$G(s)H(s)=\frac{K\prod_{j=1}^{m}(\tau_{z_j}s+1)}{\prod_{i=1}^{n}(\tau_{p_i}s+1)} \tag{4-2-5}$$

式中，K_1 为开环传递函数写成零、极点形式时的增益；z_j，p_i 为开环零、极点；K 为开环传递函数写成时间常数形式时的增益；τ_{z_j}，τ_{p_i} 为分子和分母中各环节的时间常数。

由上两式不难看出

$$K=K_1\frac{\prod_{j=1}^{m}(-z_j)}{\prod_{i=1}^{n}(-p_i)} \tag{4-2-6}$$

$$z_j=\frac{1}{\tau_{z_j}} \qquad (j=1,2,\cdots,m)$$

$$p_i=\frac{1}{\tau_{p_i}} \qquad (i=1,2,\cdots,n)$$

从式（4-2-6）可见，K_1 与 K 的量纲不同。如用［K］表示 K 的量纲，则 K_1 的量纲将成为［K］$s^{-(n-m)}$。在本书中不再特别标注 K_1 的量纲。

在实际物理系统中，如不考虑开环传递函数中位于无穷远处的零、极点，则有 $n\geqslant m$，即开环传递函数的极点数（分母阶次）大于或等于零点数（分子阶次）。

式（4-2-4）表示的零、极点传递函数形式用于绘制根轨迹比较方便。式中每一复变量

因子（$s-z_j$）或（$s-p_i$）都是时间矢量，可以在复变量 s 平面上用矢量表示。为了与空间矢量区别，在本书中将复变量（$s-z_j$）、（$s-p_i$）等称为相量（Phaser）。相量可以写成复数的形式，也可以写成指数的形式。相量（$s-z_j$）或（$s-p_i$）写成指数形式时，用 $|s-z_j|$ 或 $|s-p_i|$ 表示相量的幅值，用 $\angle(s-z_j)$ 或 $\angle(s-p_i)$ 表示相量的相位。相量相乘时，其幅值为各相量幅值的乘积，其相位则等于各相量的相位之和。

将式（4-2-4）代入式（4-2-2）及式（4-2-3）中，可以得到另外一种形式的幅值条件和相位条件

$$K_1=\frac{\prod_{i=1}^{n}|s-p_i|}{\prod_{j=1}^{m}|s-z_j|} \tag{4-2-7}$$

根轨迹的幅值条件和相位条件

$$\sum_{j=1}^{m}\angle(s-z_j)-\sum_{i=1}^{n}\angle(s-p_i)=\pm180°(2q+1) \qquad (q=0,1,2,\cdots) \tag{4-2-8}$$

在实际绘制根轨迹时，可用相位条件确定根轨迹上的点，用幅值条件确定根轨迹某一点对应的增益值。下面结合图 4-2-2 对此略加说明。图 4-2-2 中标明了系统开环传递函数的零点和极点的分布情况。若在 s 平面上选择任一点 s_d，用量角器或螺旋尺测量各相量与横坐标之间的夹角 $\angle(s_d-z_1)$、$\angle(s_d-p_1)$、$\angle(s_d-p_2)$ 和 $\angle(s_d-p_3)$，代入式（4-2-8），如能满足式（4-2-8）的相位条件，则表明 s_d 在根轨迹上。用这种试探法求出若干点后，以平滑曲线将其连接起来，即可得到 K_1 改变时的根轨迹。根轨迹上各点所对应的增益 K_1 的值可用式（4-2-7）确定。$|s_d-p_i|$ 表示相量（s_d-p_i）的幅值，即从 p_i 至 s_d 的长度，而 $|s_d-z_j|$ 表示相量（s_d-z_j）的幅值或长度。

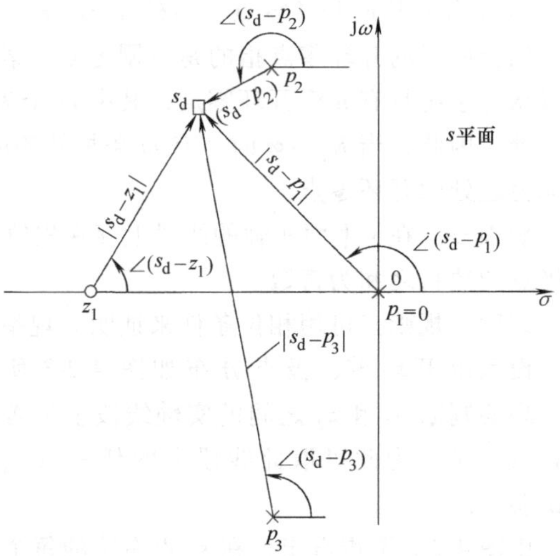

图 4-2-2　利用相位条件确定根轨迹上的点

应该指出，在绘制根轨迹图时，s 平面实轴和虚轴的坐标比例应取得一致。

完全用试探法通过手工作图来绘制根轨迹十分繁琐费时。为了缩短绘制过程，人们根据相位条件和幅值条件推证出若干绘制根轨迹的规则，以便简捷地求出根轨迹的大致图形，且可为确定试探点指引方向。这些规则实质上是根轨迹的基本性质。

二、绘制根轨迹的基本规则

下面介绍以开环增益 K_1 为可变参量的常规根轨迹的绘制规则。

规则一　系统根轨迹的各条分支是连续的，而且对称于实轴。

通常，系统的特征方程为代数方程。因为代数方程中的系数连续变化时，代数方程的根也连续变化，所以特征方程的根轨迹是连续的。此外，由于特征方程的根或为实数，或为共轭复数，因此根轨迹必然对称于实轴。

规则二 当 $K_1=0$ 时，根轨迹的 n 条分支从开环极点出发；当 $K_1\to\infty$ 时，有 m 条分支趋向开环零点，另外有 $n-m$ 条分支趋向无穷远处。

证明 根据幅值条件

$$K_1=\frac{\prod_{i=1}^{n}|s-p_i|}{\prod_{j=1}^{m}|s-z_j|}$$

可知，当 $K_1=0$ 时，只有 $s=p_i$ 才能满足上式，故根轨迹各分支的起点即为各开环极点。

上式可改写为

$$\frac{1}{K_1}=\frac{\prod_{j=1}^{m}|s-z_j|}{\prod_{i=1}^{n}|s-p_i|}$$

当 $K_1\to\infty$ 时，只有 $s\to z_j$，或 $s\to\infty$ 才能满足上式的幅值条件。因此当 $K_1\to\infty$ 时，根轨迹的 m 条分支趋向开环零点，另外 $n-m$ 条分支趋向无穷远处。

以上所说的开环零点指的是有限零点。若系统的开环传递函数 $G(s)H(s)$ 为有理函数，可以认为系统具有 n 个开环零点，其中 m 个为有限开环零点，另外 $n-m$ 个开环零点位于无穷远处。因此，当 $K_1\to\infty$ 时，有 m 条根轨迹的分支趋向有限零点，而另外有 $n-m$ 条分支趋向无穷远处的开环零点。

规则三 在 s 平面实轴的线段上存在根轨迹的条件是，在这些线段右边的开环零点和开环极点的数目之和为奇数。

证明 规则三可用相位条件来证明。现举例说明。

设系统开环零、极点分布如图 4-2-3 所示。现要判断 p_2 和 z_2 之间的实轴线段上是否存在根轨迹。为此可取此线段上的任一点 s_d 为试验点。

由图 4-2-3 不难看出，在 s_d 点右边的每个开环零点或极点引向 s_d 点的相量的相位角为 180°。在 s_d 点左边的每个开环零点或极点提供的相位角为 0°。一对共轭开环极点或零点对 s_d 提供的相位角互相抵消，其和为零。

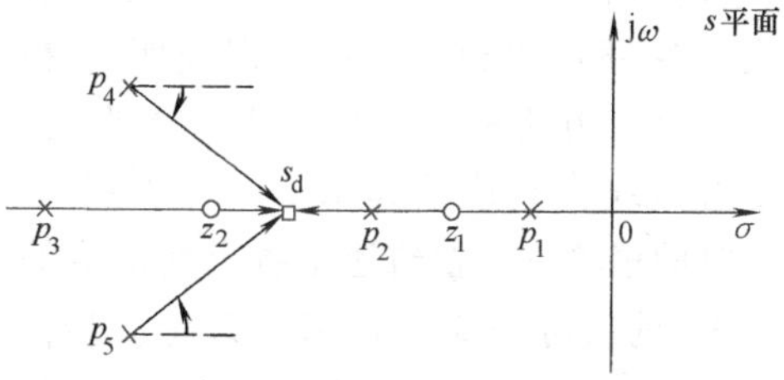

图 4-2-3 判断实轴上的根轨迹

由相位条件可知，只有在右边开环零、极点的总数为奇数的实轴线段上，才能有根轨迹存在。除此之外，实轴上其他线段上的点均不能满足相位条件。

下面举一个例子说明以上几条规则的应用。

例 4-2-1 设控制系统的框图如图 4-2-4a 所示。要求绘制系统在实轴上的根轨迹。

解 由规则二可知，系统的根轨迹在 $K_1=0$ 时分别从三个开环极点（$p_1=0$，$p_2=-2$，$p_3=-4$）出发，当 $K_1\to\infty$ 时根轨迹的二条分支趋向开环零点 $z_1=-1$ 和 $z_2=-3$，另一条趋向无穷远处。

按照规则三可以判定，在实轴上的 0 至 −1 线段和 −2 至 −3 线段上，以及从 −4 至 −∞ 的线段上存在根轨迹。此系统实轴上的根轨迹如图 4-2-4b 所示。

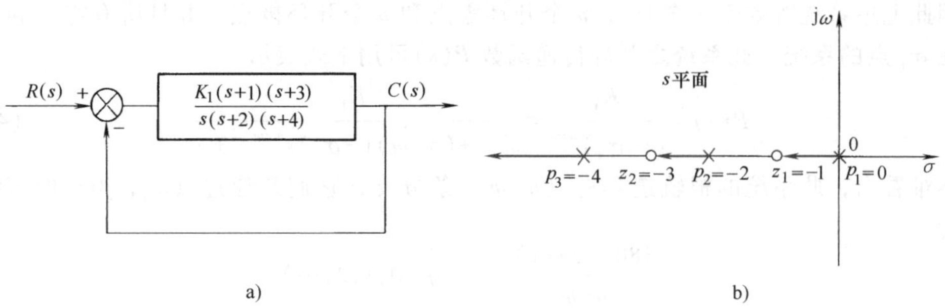

图 4-2-4　例 4-2-1 图

a）系统框图　b）实轴上的根轨迹

规则四　根轨迹中（$n-m$）条趋向无穷远处分支的渐近线相位角为

$$\varphi_a=\pm\frac{180°(2q+1)}{n-m}\qquad (q=0,1,2,\cdots)\tag{4-2-9}$$

证明　可以认为，从有限的开环零、极点到位于渐近线上无穷远处的一点的相量的相位角是基本相等的，以 φ_a 表示。因此相位条件可改写为

$$\angle G(s)H(s)=(n-m)\varphi_a=\pm180°(2q+1)$$

由此可得

$$\varphi_a=\pm\frac{180°(2q+1)}{n-m}\qquad (q=0,1,2,\cdots)$$

规则五　伸向无穷远处根轨迹的渐近线与实轴交于一点，其坐标为（σ_a，j0），而

$$\sigma_a=\frac{\sum_{i=1}^{n}p_i-\sum_{j=1}^{m}z_j}{n-m}\tag{4-2-10}$$

证明　系统的开环传递函数可以写为

$$G(s)H(s)=\frac{K_1(s-z_1)(s-z_2)\cdots(s-z_m)}{(s-p_1)(s-p_2)\cdots(s-p_n)}\qquad (n>m)$$

或

$$G(s)H(s)=\frac{K_1\left[s^m+\left(\sum_{j=1}^{m}-z_j\right)s^{m-1}+\cdots+\left(\prod_{j=1}^{m}-z_j\right)\right]}{s^n+\left(\sum_{i=1}^{n}-p_i\right)s^{n-1}+\cdots+\left(\prod_{i=1}^{n}-p_i\right)}\tag{4-2-11}$$

上式可化为

$$G(s)H(s)=\frac{K_1}{s^{n-m}+\left[\left(\sum_{i=1}^{n}-p_i\right)-\left(\sum_{j=1}^{m}-z_j\right)\right]s^{n-m-1}+\cdots}$$

在 $n>m$ 的条件下，当 $K_1\to\infty$ 时，有（$n-m$）条根轨迹分支趋向无穷远处，即 $s\to\infty$。这时可以只考虑高次项，将上式近似写为

$$G(s)H(s)\big|_{s\to\infty}\approx\frac{K_1}{s^{n-m}+\left[\left(\sum_{i=1}^{n}-p_i\right)-\left(\sum_{j=1}^{m}-z_j\right)\right]s^{n-m-1}}\tag{4-2-12}$$

对于无穷远处的根轨迹渐近线上的点而言，有限的开环零、极点之间的区别是可以忽略

的。因此上述系统等效于一个具有 m 个开环零点和 n 个开环极点，并且所有零点和极点都聚集在 σ_a 点的系统。此系统之开环传递函数 $P(s)$ 可用下式表示

$$P(s)=\frac{K_1}{(s-\sigma_a)^{n-m}}=\frac{K_1}{s^{n-m}+(n-m)(-\sigma_a)s^{n-m-1}+\cdots} \tag{4-2-13}$$

不难看出，此系统的根轨迹具有（$n-m$）条分支，它们是通过（σ_a，j0）的直线，其相角为

$$\frac{180^\circ(2q+1)}{n-m} \qquad (q=0,1,2,\cdots)$$

如果选择

$$(n-m)(-\sigma_a)=\left(\sum_{i=1}^{n}-p_i\right)-\left(\sum_{j=1}^{m}-z_j\right) \tag{4-2-14}$$

则此系统根轨迹的渐近线和式（4-2-12）表示的系统的（$n-m$）条趋向无穷远处的渐近线是一样的，因为它们的传递函数分母中前两项高阶项完全相同。即当 $s\to\infty$ 时，$1+G(s)H(s)=0$ 的根轨迹的（$n-m$）条分支趋向 $1+P(s)=0$ 的根轨迹的（$n-m$）条分支。这就是说，可以把后者视作前者的渐近线。由式（4-2-13）可见，根轨迹渐近线与实轴的交点为

$$\sigma_a=\frac{\sum_{i=1}^{n}p_i-\sum_{j=1}^{m}z_j}{n-m}$$

式（4-2-10）得证。

例 4-2-2 绘制开环传递函数为 $G(s)=\dfrac{K_1}{s(s+1)(s+2)}$ 的单位反馈系统的根轨迹。

解 此系统无开环零点，有三个开环极点，分别为 $p_1=0$，$p_2=-1$ 和 $p_3=-2$。

根据以上介绍的规则可知，系统根轨迹的三条分支，当 $K_1=0$ 时分别从开环极点 p_1、p_2 和 p_3 出发，$K_1\to\infty$ 时趋向无穷远处，其渐近线的相位角为

$$\varphi_a=\frac{\pm180^\circ(2q+1)}{3}=\pm60^\circ,180^\circ \qquad (q=0,1)$$

渐近线与实轴的交点为

$$\sigma_a=\frac{\sum_{i=1}^{n}p_i-\sum_{j=1}^{m}z_j}{n-m}=-1$$

在 s 平面实轴上 0 至 -1 和 -2 至 $-\infty$ 线段上存在根轨迹。系统根轨迹的大致图形如图 4-2-5 所示。

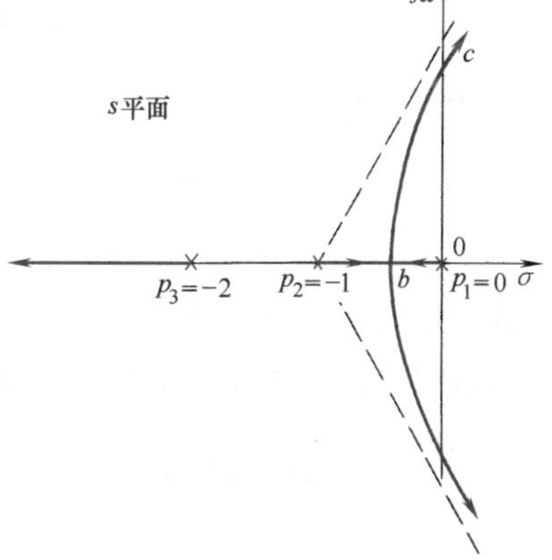

图 4-2-5 例 4-2-2 系统的根轨迹

由图 4-2-5 可见，在根轨迹的三条分支中，一条从 $p_3=-2$ 出发，随着 K_1 的增加，沿着负实轴趋向无穷远处。另外两条分支分别从开环的极点 $p_1=0$ 和 $p_2=-1$ 出发，沿着负实轴向着 b 点移动。当 K_1 值达到某一数值时，这两条分支会合于实轴上的 b 点。这时系统处于临界阻尼状态。当 K_1 继续增大时，这两条分支离开负实轴分别趋近 $+60°$ 和 $-60°$ 的渐近线，向无穷远处延伸。在 $K_c>K_1>K_b$

时，系统处于欠阻尼状态，出现衰减振荡。而当 $K_1>K_c$ 时，根轨迹穿过虚轴，进入 S 平面的右半部，系统不稳定。

规则六　复平面上根轨迹的分离点必须满足方程

$$\frac{\mathrm{d}K_1}{\mathrm{d}s}=0$$

例 4-2-2

说明　分离点处的增益满足幅值条件。例 4-2-2 系统根轨迹有两条分支分别从开环极点 $p_1=0$ 和 $p_2=-1$ 出发，随着 K_1 的增大向 b 点移动。当 $K_1=K_b$ 时，这两条分支会合于 b 点，出现重根。当 K_1 继续增大，即 $K_1>K_b$ 时，这两条分支离开实轴进入复平面，出现一对共轭复根。由此可见，对于实轴上 0 至-1 线段的实数根而言，其对应的 K_1 值在 b 点为极大值（如果看 b 点附近的共轭复根部分，则 b 点的 K_1 值为极小值）。因此可以根据 $\frac{\mathrm{d}K_1}{\mathrm{d}s}=0$ 的方程求解分离点 b 的坐标。

上述结论可推广到一般情况。

必须指出，规则六中用来确定分离点的条件只是必要条件，而不是充分条件。这就是说，所有的分离点必须满足规则六的条件，但是满足此条件的所有解却不一定都是分离点。要检查其充分性，即判断哪些解的确是分离点，还必须满足特征方程或用相应的规则来检验。

例 4-2-3　求例 4-2-2 中分离点 b 的坐标。

解　系统的特征方程为

$$1+G(s)=1+\frac{K_1}{s(s+1)(s+2)}=0$$

或

$$K_1=-s(s+1)(s+2)$$

由此可求得

$$\frac{\mathrm{d}K_1}{\mathrm{d}s}=-(3s^2+6s+2)=0$$

的根为

$$s_{1,2}=-0.423,-1.577$$

因分离点必定位于 0 至-1 之间的线段上，故可确定 $s=-0.423$ 为分离点 b 的坐标。分离点的增益为

$$K_1=[\,|s|\cdot|s+1|\cdot|s+2|\,]_{s=-0.423}=0.423\times0.577\times1.577=0.385$$

对于高阶系统，当 $\frac{\mathrm{d}K_1}{\mathrm{d}s}=0$ 不便求解时，也可以采用图解法求解。例如，根据上例中得到的

$$K_1=-s(s+1)(s+2)$$

令 $s=\sigma$ 代入，可以得到

$$K_1=-\sigma(\sigma+1)(\sigma+2)=f(\sigma)$$

给出不同实数根 σ 的值，求出相应的 K_1 值，绘得如图 4-2-6 所示的图形。根据图中 K_1 为极大值的点，可以确定分离点为-0.423，对应的 $K_1=0.385$。

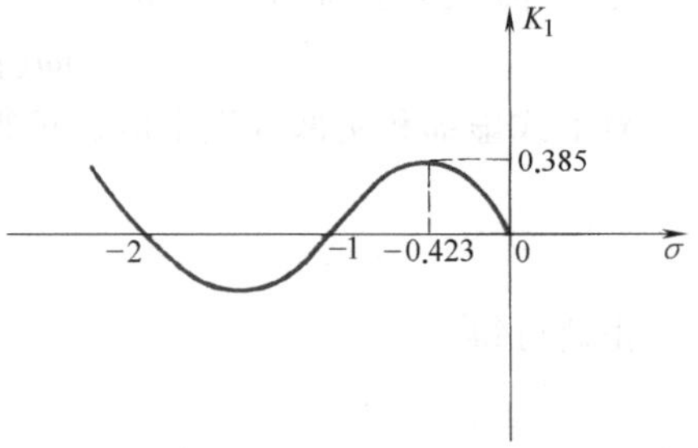

图 4-2-6　求分离点的图解法

可以证明，在分离点处根轨迹离开实轴的相位

角应为±180°/r，r为趋向或离开实轴的根轨迹分支数。

规则七 在开环复数极点处根轨迹的出射角为

$$\varphi_p = \mp 180° + \varphi \tag{4-2-15}$$

在开环复数零点处根轨迹的入射角为

$$\varphi_z = \pm 180° - \varphi \tag{4-2-16}$$

式中，φ为其他开环零、极点对出射点或入射点提供的相位角，即

$$\varphi = \sum \theta_z - \sum \theta_p \tag{4-2-17}$$

说明 规则七是根据相位条件式（4-2-8）得到的。下面举例说明。

设系统开环零、极点的分布如图 4-2-7 所示。

从开环共轭复数极点 p_4 和 p_5 处出发的根轨迹的切线角称为出射角。设 s_d 为距 p_5 很近的根轨迹上的一点，可以认为 $\angle(s_d - p_5)$ 即为 p_5 处之出射角 θ_{p_5}。由于 s_d 位于根轨迹上，应当满足式（4-2-8）的相位条件，即

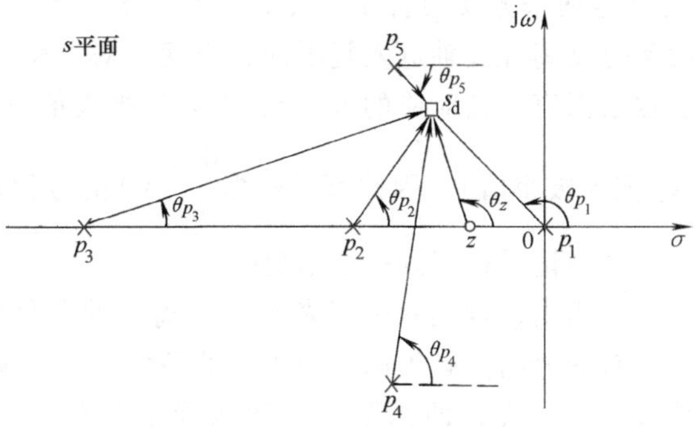

图 4-2-7 出射角的确定

$$\theta_z - (\theta_{p_1} + \theta_{p_2} + \theta_{p_3} + \theta_{p_4} + \theta_{p_5}) = \pm 180°$$

因 $\theta_{p_5} = \varphi_p$ 即出射角，所以上式可化为

$$\varphi_p = \mp 180° + \varphi$$

而 $\varphi = \theta_z - (\theta_{p_1} + \theta_{p_2} + \theta_{p_3} + \theta_{p_4}) = \sum \theta_z - \sum \theta_p$ 为其他开环零、极点对出射点提供的相位角。

同理，可以证明入射角的公式。

规则八 根轨迹与虚轴的交点可用 $s = \mathrm{j}\omega$ 代入特征方程求解，或者利用劳斯判据确定。

在根轨迹与虚轴的交点处出现虚根，系统处于稳定的临界状态。因此，可以根据这一特点确定根轨迹与虚轴的交点。

例 4-2-4 确定例 4-2-2 中系统根轨迹与虚轴的交点。

解

$$1 + \frac{K_1}{s(s+1)(s+2)} = 0$$

或

$$s(s+1)(s+2) + K_1 = 0$$

令 $s = \mathrm{j}\omega$ 代入特征方程，得

$$\mathrm{j}\omega(\mathrm{j}\omega+1)(\mathrm{j}\omega+2) + K_1 = 0$$

对上式虚部和实部分别求解，可得

$$K_1 - 3\omega^2 = 0$$

$$2\omega - \omega^3 = 0$$

由此可得

$$\omega = \pm\sqrt{2}$$

$$K_1 = 6$$

根轨迹与虚轴的交点为$\pm j\sqrt{2}$，系统的临界开环增益 $K_1=6$。

表 4-2-1 中列出了绘制根轨迹的基本规则，以便读者参考。

表 4-2-1 绘制根轨迹的基本规则

序号	内　　容	规　　则
1	根轨迹的连续性和对称性	根轨迹是连续的，并且对称于实轴
2	根轨迹的起点和终点	根轨迹的 n 条分支从 n 个开环极点出发，其中 m 条最终趋向 m 个开环零点，另外 $n-m$ 条趋向无穷远处
3	实轴上有根轨迹的线段	在实轴上的线段上存在根轨迹的条件是，其右边开环零、极点数目之和为奇数
4	根轨迹渐近线的相位	$n-m$ 条渐近线的相位角为 $\varphi_a=\dfrac{\pm180°(2q+1)}{n-m}, q=0,1,2,\cdots$
5	根轨迹渐近线的交点	$n-m$ 条渐近线交点的坐标为 $\sigma_a=\dfrac{\sum_{i=1}^{n}p_i-\sum_{j=1}^{m}z_j}{n-m}$
6	根轨迹的分离点	根轨迹的分离点必须满足方程式 $\dfrac{dK_1}{ds}=0$
7	根轨迹的出射角和入射角	出射角　$\varphi_p=\mp180°+(\sum\theta_z-\sum\theta_p)$ 入射角　$\varphi_z=\pm180°-(\sum\theta_z-\sum\theta_p)$
8	根轨迹与虚轴的交点	以 $s=j\omega$ 代入特征方程式求解或利用劳斯判据确定

例 4-2-5 已知系统的开环传递函数

$$G(s)H(s)=\frac{K}{(\tau s+1)^3}=\frac{K_1}{\left(s+\frac{1}{\tau}\right)^3},\qquad K=\tau^3K_1$$

要求绘制系统的根轨迹，并求其稳定临界状态的开环增益。

解 系统的特征方程为

$$1+\frac{K_1}{\left(s+\frac{1}{\tau}\right)^3}=0$$

或

$$K_1=-\left(s+\frac{1}{\tau}\right)^3$$

给定系统有三重开环极点 $p_{1,2,3}=-\frac{1}{\tau}$，无开环零点。根轨迹有三条分支，$K_1=0$ 时从开环极点出发，$K_1\to\infty$ 时沿着渐近线趋向∞处。渐近线的相位角为

$$\varphi_a=\pm\frac{180°(2q+1)}{3}=\pm60°,180°\quad(q=0,1)$$

渐近线与实轴的交点为

$$\sigma_a=-\frac{3\frac{1}{\tau}}{3}=-\frac{1}{\tau}$$

实轴上根轨迹存在于$-\frac{1}{\tau}$至$-\infty$之线段上。

根轨迹之分离点必须满足下列方程

$$\frac{\mathrm{d}K_1}{\mathrm{d}s}=-3\left(s+\frac{1}{\tau}\right)^2=0$$

由上式可见，分离点为$-\frac{1}{\tau}$，分离点处的增益 K_1 为 0。

系统的根轨迹如图 4-2-8 所示。根轨迹与虚轴的交点为$\pm\mathrm{j}\frac{\sqrt{3}}{\tau}$，系统处于稳定临界状态时的开环增益为

$$K_1=\left(\frac{2}{\tau}\right)^3=\frac{8}{\tau^3},\quad K=\tau^3K_1=8$$

根轨迹分支与渐近线重合。此例用根轨迹分析再次证实了第三章例 3-9-8 结论的正确。

例 4-2-6 设一反馈控制系统的开环传递函数为

$$G(s)H(s)=\frac{K_1}{s(s+3)(s^2+2s+2)}$$

试绘制 K_1 变化时系统特征方程的根轨迹。

解 此系统的开环极点为 $p_1=0$，$p_2=-3$，$p_{3,4}=-1\pm\mathrm{j}1$，无开环零点。开环极点的分布如图 4-2-9 所示。

根据规则二可知，根轨迹共有四条分支，$K_1=0$ 时分别从四个开环极点出发，$K_1\to\infty$ 时趋向无穷远处。

由规则三可见，在实轴上的$-3\leqslant\sigma\leqslant0$ 线段上有根轨迹存在。

按照规则四和规则五，不难求出渐近线的相位角 φ_a 和交点 σ_a。

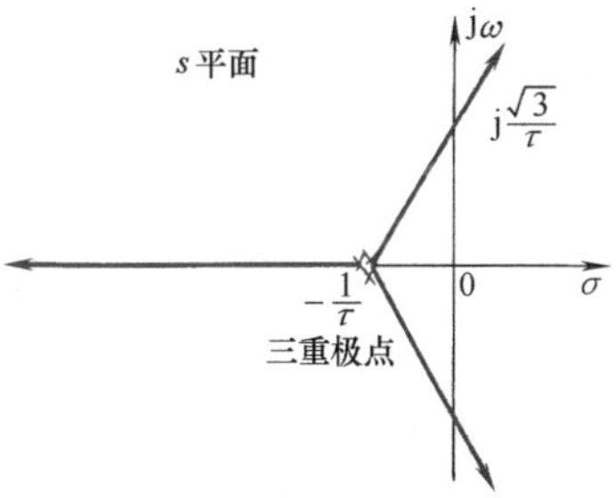

图 4-2-8 例 4-2-5 的根轨迹

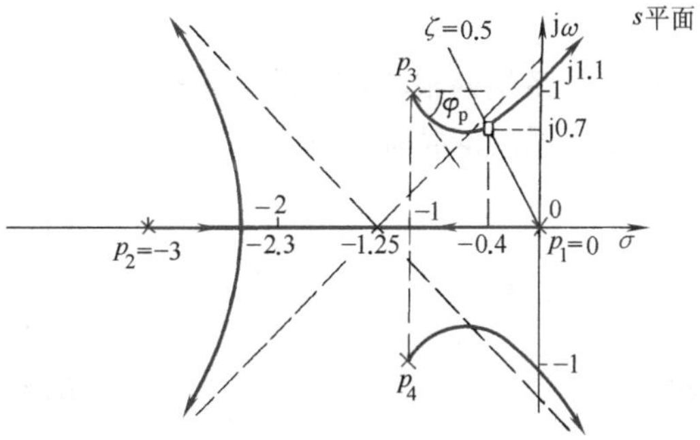

图 4-2-9 例 4-2-6 系统的根轨迹

$$\varphi_a=\frac{(2q+1)180^\circ}{4}=45^\circ,135^\circ,225^\circ,315^\circ\qquad(q=0,1,2,3)$$

$$\sigma_a=\frac{-3-1-1}{4}=-1.25$$

利用规则六可以确定根轨迹的分离点。由系统的特征方程可得

$$K_1=-s(s+3)(s^2+2s+2)=-(s^4+5s^3+8s^2+6s)$$

令

$$\frac{\mathrm{d}K_1}{\mathrm{d}s}=-4(s^3+3.75s^2+4s+1.5)=0$$

上式的根为 $s=-2.3$，$-0.725\pm j0.365$。显然，$s=-2.3$ 为根轨迹的分离点。根据相角条件不难判断，分离角为±90°。对应于分离点的 K_1 值可按下式求得

$$K_1=[\,|s|\times|s+3|\times|s+1+j1|\times|s+1-j1|\,]_{s=-2.3}$$
$$=2.3\times0.7\times1.64\times1.64=4.33$$

根据规则七可以求出根轨迹在 p_3 的出射角

$$\varphi_p=180°+(-135°-90°-26.6°)=-71.6°$$

最后，按照规则八确定根轨迹的两条分支与虚轴的交点，此处利用劳斯判据。系统的特征方程为

$$s(s+3)(s^2+2s+2)+K_1=0$$

或

$$s^4+5s^3+8s^2+6s+K_1=0$$

根据劳斯判据可以写出

s^4	1	8	K_1
s^3	5	6	
s^2	34/5	K_1	
s^1	$\dfrac{204/5-5K_1}{34/5}$	0	
s^0	K_1	0	

令劳斯表中 s^1 行的首项为零，求得 $K_1=8.16$。根据表中 s^2 行的系数写出辅助方程

$$(34/5)s^2+K_1=0$$

令 $s=j\omega$，$K_1=8.16$ 代入上式，求得 $\omega=\pm1.1$。由此可见，根轨迹的两条分支与虚轴交于 $\omega=\pm1.1$ 处，对应的 $K_1=8.16$。系统特征方程的根随 K_1 的变化在 s 平面形成的轨迹图如图 4-2-9 所示。

例 4-2-7 已知单位反馈控制系统的开环传递函数为

$$G(s)=\frac{K_1}{s(s+2)(s+4)}$$

绘制系统较为精确的根轨迹。

解 1）系统的开环极点为 0，-2，-4。根轨迹共有三条分支。由于系统无开环零点，故起始于开环极点的三条根轨迹分支随着 K_1 增大至∞而趋向于无穷远处，也可以认为根轨迹分支趋向位于无穷远处的开环零点。

2）实轴上的根轨迹位于区间［-2，0］和［-∞，-4］。

3）根轨迹的渐近线与实轴之夹角为

$$\varphi_a=\pm\frac{(2q+1)180°}{n-m}=\pm60°,\pm180°,q=0,1$$

渐近线与实轴的交点为

$$\sigma_a=\frac{\sum_{i=1}^{n}p_i-\sum_{j=1}^{m}z_j}{n-m}=-2$$

根轨迹的分支将沿着渐近线趋向无穷远处，且随着 K_1 的增大，根轨迹分支逐渐靠近渐近线。

4）从开环极点-4 出发的根轨迹分支沿着负实轴伸向-∞，另外起始于 0 和-2 的两条分

支应在实轴上某一点分离，然后分别沿着±60°的渐近线趋于无穷远处。因此，可以确定分离点必位于区间［-2，0］内。分离点可求之如下。写出系统的特征方程

$$1+G(s)=1+\frac{K_1}{s(s+2)(s+4)}=0$$

或

$$K_1=-s(s+2)(s+4)$$

将上式对 s 求导，并令其为零，则有

$$\frac{\mathrm{d}K_1}{\mathrm{d}s}=-(3s^2+12s+8)=0$$

求解得到 $s_1=-0.845$，$s_2=-3.155$。s_2 位于无根轨迹区间，故而舍弃。而 $s_1=-0.845$ 即为根轨迹实轴上分离点的坐标。分离点处对应的 K_1 值可根据幅值条件求出

$$K_1=\prod_{i=1}^{3}|s-p_i|=[|s-0|\times|s+2|\times|s+4|]\big|_{s=-0.845}=3.079$$

根轨迹离开分离点的相位角为

$$\frac{\pm180°}{r}=\frac{\pm180°}{2}=\pm90°$$

式中，r 为离开分离点的根轨迹的分支数。

5）求根轨迹与虚轴的交点坐标。将 $s=\mathrm{j}\omega$ 代入特征方程，得

$$\mathrm{j}\omega(\mathrm{j}\omega+2)(\mathrm{j}\omega+4)+K_1=0$$

上式等号右侧的实、虚部分别为

$$K_1-6\omega^2=0\quad 和\quad 8\omega-\omega^3=0$$

联立求解，得到

$$\omega=\pm2.83,\ K_1=48$$

即根轨迹与虚轴相交之点的坐标为 $\pm\mathrm{j}2.83$，对应的临界稳定 K_1 值则为48。

6）绘制根轨迹　经过以上步骤，实轴上的根轨迹可以画出，如图4-2-10所示。为了较为精确地绘制其余部分根轨迹，可按以下步骤逐步试探而成。

1）首先过坐标原点分别画出100°、110°、130°、150°和165°的分度线。

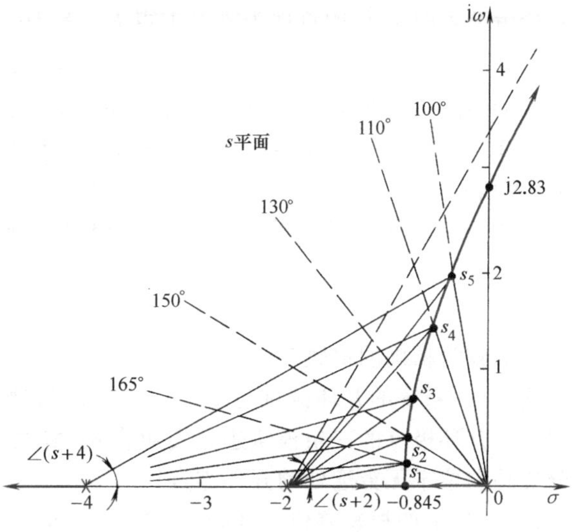

图 4-2-10　例 4-2-7 系统的根轨迹

2）先在165°线上距分离点不远处取试验点 s_1。检验此点是否满足根轨迹的相位条件。从图4-2-10可量出自 s_1 至各极点的相量的相位角总合，即

$$-\sum_{i=1}^{3}\angle(s_1-p_i)=-\angle(s_1-0)-\angle(s_1+2)-\angle(s_1+4)$$
$$=-165°-10°-4°=-179°$$

由于测量误差，通常以±3°作为允许误差，故可以认为 s_1 即是根轨迹上的点。

3）依次在150°、130°、110°和100°线上取试验点 s_2、s_3、s_4 和 s_5，同样用相位条件去检验它们是否为根轨迹上的点，如果相位和在-180°±3°的范围内，则该试验点即可认为是

根轨迹上的点。如果超出−180°±3°的范围，则说明此试验点不在根轨迹上，即应作适当调整，取一新试验点，再用相位条件检验。

4）在 100°~165°的各分度线上取得相应的根轨迹上的若干个点后，将各点连成光滑的曲线，即得出较为精确的根轨迹，如图 4-2-10 所示。

此例说明根轨迹绘制的过程比较繁琐费时，实际中，可用 MATLAB 绘制（参见例 4-6-1）。上述例子只是帮助读者进一步理解绘制根轨迹的规则。

三、闭环极点的确定

上面介绍了绘制根轨迹的一些基本规则。根据这些规则，可以较简便地绘制系统根轨迹的大致图形。为了得到准确的根轨迹曲线，必要时可以选取若干试验点，用相位条件检验。

当 K_1（或 K）值满足幅值条件时，对应的根轨迹上的点，就是闭环极点。因此，利用式（4-2-7）的幅值条件，可以确定根轨迹上任一点所对应的 K_1 值，也可在根轨迹上标出一些点的 K_1 值。

在有些情况下，给出了一对主导共轭复数极点的阻尼比，要求确定闭环极点及相应的开环增益。为此可先画出一条给定的 ζ 线，根据它与复平面上根轨迹的交点确定一对共轭复数闭环极点。然后再求相应的开环增益和其他实数极点。

例如在例 4-2-6 中，若给定一对主导极点的阻尼比 $\zeta=0.5$。根据 $\zeta=0.5=\cos\theta$（此处 $\theta=60°$）线与根轨迹的交点，可以确定一对共轭复数极点为 $-0.4\pm j0.7$（参见图 4-2-9）。对应的开环增益 K_1 值等于各开环极点至此点距离之积，即

$$K_1=2.63$$

系统另两个闭环极点。位于负实轴的 $s=-1.4$ 和 $s=-2.77$ 处。因此，系统的闭环传递函数为

$$\frac{C(s)}{R(s)}=\frac{2.63}{(s+0.4+j0.7)(s+0.4-j0.7)(s+1.4)(s+2.77)}$$

表 4-2-2 列出了一些系统的根轨迹图，供读者参考。

最后应当指出，**在有些情况下，闭环零、极点位置的微小变化，可能引起根轨迹图的重大变化**（参阅表 4-2-2 最后两图），在绘制根轨迹图时应该注意。读者还可以结合习题 4-4 和习题 4-5 进行探讨。当然，这是从根轨迹绘制得是否正确这一点来看的。如果我们绘制根轨迹的着眼点在于定性地、大致地分析开环增益对闭环系统极点的影响，而且主要是观察开环增益较低时的情况，则差异并不是很大。

表 4-2-2　一些系统的根轨迹图

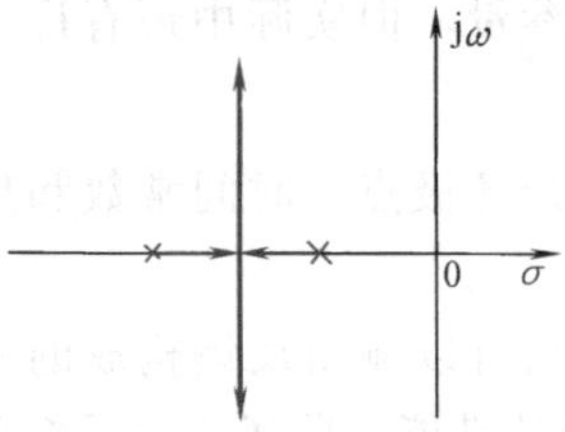	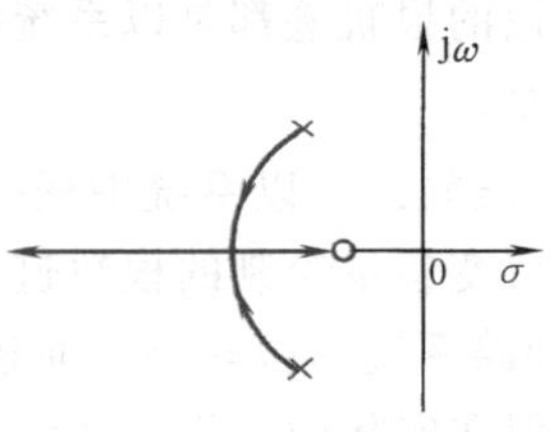
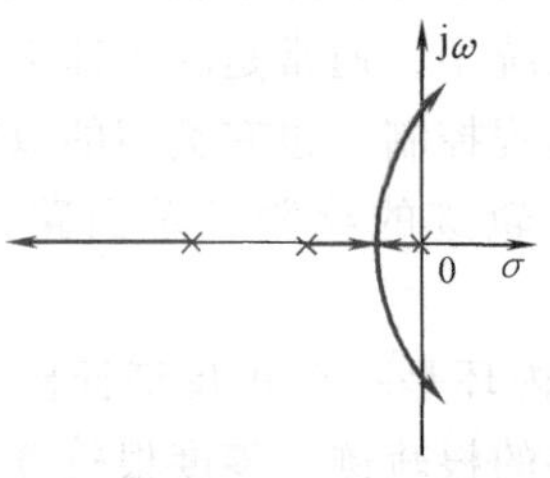	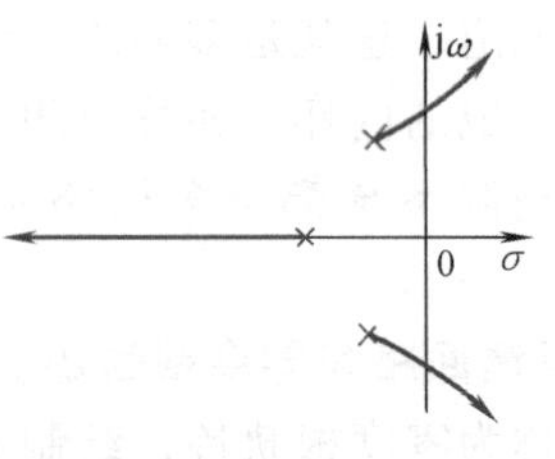

（续）

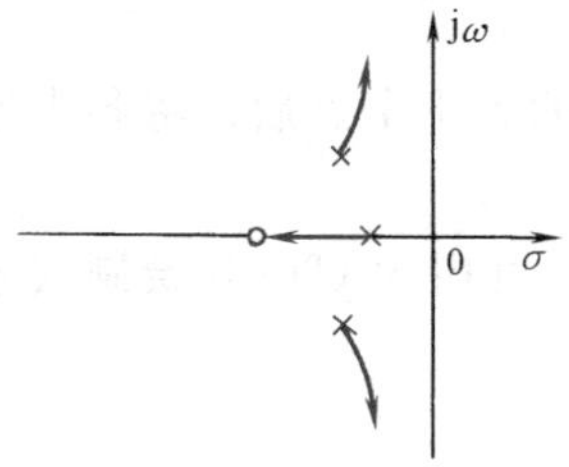	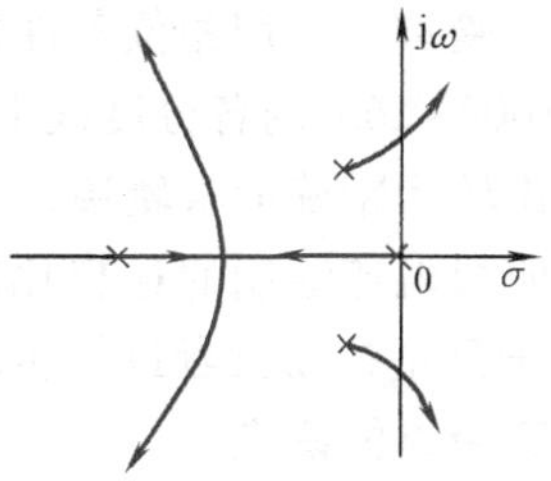
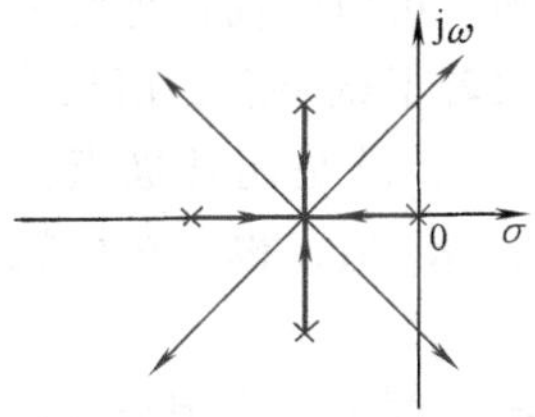	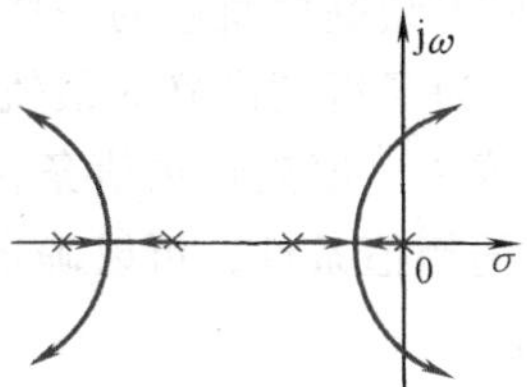
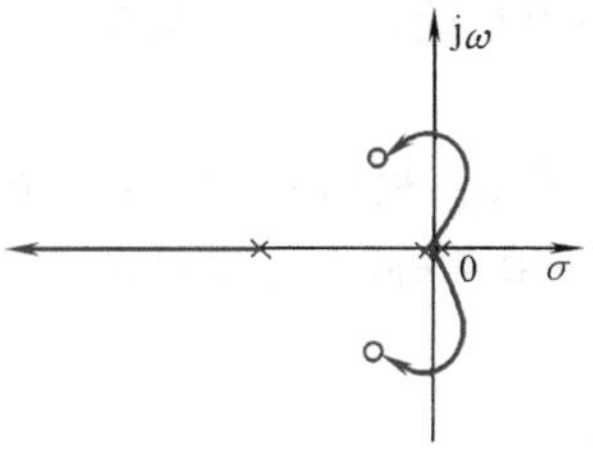	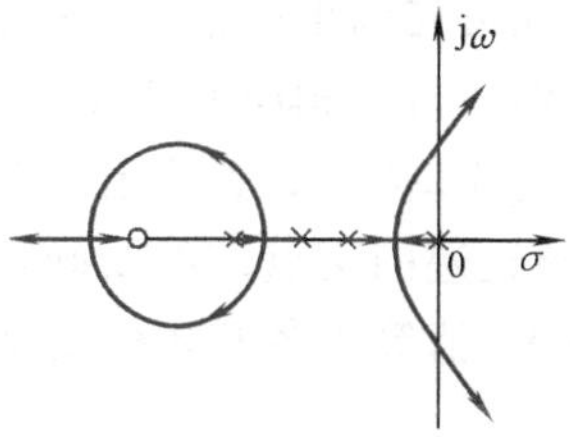
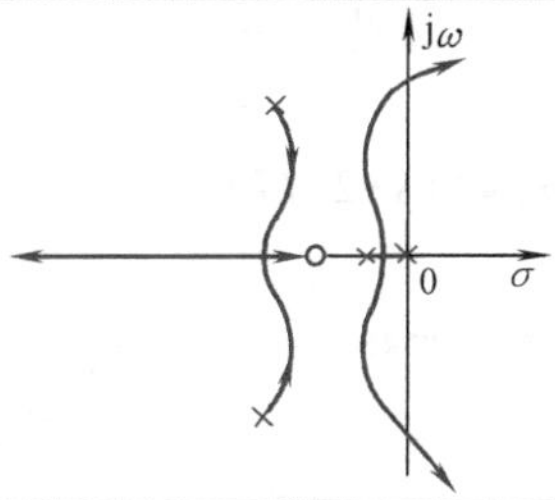	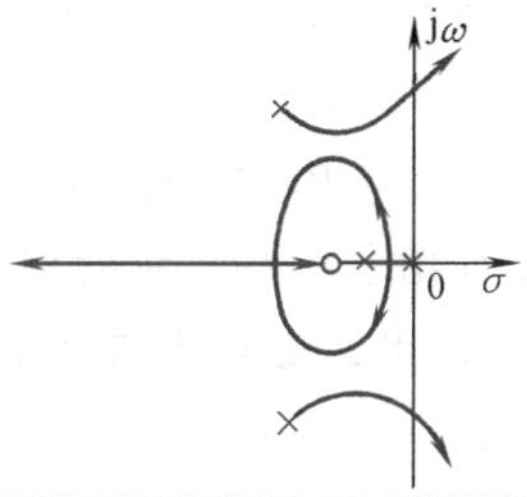

第三节　广义根轨迹

前面讨论的根轨迹都是以系统的开环增益 K_1 为可变参量。但实际中还有许多种类的根轨迹，它们是：

1）**参数根轨迹**。以系统中任一参数，如开环零点、开环极点、时间常数和反馈比例系数等，作为可变参量绘制的根轨迹。

2）**多回路系统的根轨迹**。前述系统根轨迹都是针对只有以输出反馈构成的单回路闭环控制系统，但在实际中，许多系统为抑制干扰以提高系统的性能，除了有主反馈闭环外，还设置了内环通道，这就是多回路系统。例如在机电调速系统中，通常是除了速度反馈外，还有电流反馈形成的内环，亦称双闭环控制系统。在工业过程控制中也有类似的双闭环控制系统，如串级控制系统都是多回路系统。多回路系统的根轨迹的绘制较单回路系统要复杂一些。

3）**正反馈回路和零度根轨迹**。有的闭环控制系统其内环是一个正反馈回路，正反馈回路的根轨迹称为零度根轨迹，绘制方法有别于负反馈回路的根轨迹。零度根轨迹名称的含义

将在下面介绍。

通常将以上这些根轨迹称为广义根轨迹，而将前述以系统开环增益 K_1 为变量的单回路反馈控制系统的根轨迹称为常规根轨迹。

一、参数根轨迹

用参数根轨迹可以分析系统中的各种参数，如开环零、极点位置，时间常数或反馈系数等对系统性能的影响。

前已指出，绘制根轨迹的相位条件、幅值条件和基本规则是根据系统的特征方程得到的。当选择开环增益 K_1 为可变参量时，特征方程为

$$1+G(s)H(s)=1+\frac{K_1\prod_{j=1}^{m}(s-z_j)}{\prod_{i=1}^{n}(s-p_i)}=1+\frac{K_1N(s)}{D(s)} \tag{4-3-1}$$

$G(s)H(s)$ 为系统的开环传递函数。

如果选择系统其他参量为可变参量时，引入等效传递函数的概念，把系统的特征方程化为式（4-3-1）的形式，以所选可变参量 α 代替 K_1 的位置，得

$$1+\frac{\alpha P(s)}{Q(s)}=0 \tag{4-3-2}$$

式（4-3-2）表示的是系统等效开环传递函数，上面介绍的相位条件、幅值条件和绘制根轨迹的各种规则依然有效。用它画出的以 α 为可变参量的根轨迹即是参数根轨迹。**但是必须强调指出，等效开环传递函数是从式（4-3-2）得来的，等效的含义仅在于其闭环极点与系统的原闭环传递函数之极点相同，而闭环零点通常不同。因此，仅用系统的闭环极点分析系统性能时，完全可以用等效传递函数，但零点必须采用系统原来传递函数的零点。**

例 4-3-1 系统的开环传递函数为

$$G(s)H(s)=\frac{K_1(s+\alpha)}{s(s^2+2s+2)}$$

绘制以 α 为参变量的参数根轨迹，并讨论 α 值对系统稳定性的影响。

解 1）首先求出以 α 为变量时系统的等效开环传递函数。系统的特征方程为

$$1+\frac{K_1(s+\alpha)}{s(s^2+2s+2)}=0$$

如仍以 K_1 为可变参量，有

$$\frac{K_1(s+\alpha)}{s(s^2+2s+2)}=-1$$

现以 α 为可变参量，则有

$$\alpha\frac{K_1}{s[s^2+2s+(2+K_1)]}=-1$$

在本例中令 $K_1=1$，则有

$$\alpha\frac{1}{s(s^2+2s+3)}=-1$$

2）开环极点一个位于坐标原点，另外两个是以下方程的根

$$s^2+2s+3=0$$

则有 $$s=-1\pm j1.414$$

3）实轴上的根轨迹位于区间［$-\infty$，0］。

4）一对复数根的根轨迹分支的渐近线的相位角为

$$\varphi_a=\pm\frac{(2q+1)180°}{3}=\pm60°,\pm180° \quad (q=0,1)$$

渐近线与实轴之交点坐标为

$$\sigma_a=\frac{-2}{3}=-0.667$$

5）根轨迹与虚轴相交点的坐标可求得如下：

根据特征方程 $s^2+2s^2+3s+\alpha=0$，列出劳斯表

$$\begin{array}{lll} s^3 & 1 & 3 \\ s^2 & 2 & \alpha \\ s^1 & (6-\alpha)/2 & \\ s^0 & \alpha & \end{array}$$

令 $6-\alpha=0$，即得 $\alpha=6$。由 $2s^2+\alpha=0$，解得交点坐标 $s=\pm j1.73$。

6）求一对共轭复数极点的出射角。对位于$-1+j1.414$ 处的极点，其根轨迹的出射角为

$$\varphi_p=180°-(180°-\arctan1.414)-90°=-35°$$

根据对称特点，可知自极点$-1-j1.414$ 出发的根轨迹出射角为35°。

当 $K_1=1$ 时，以 α 为变量的系统参数根轨迹如图 4-3-1 所示。

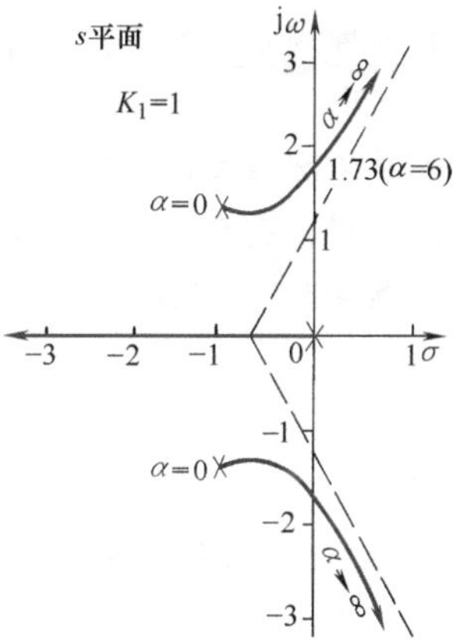

图 4-3-1 例 4-3-1 系统的参数根轨迹

从图 4-3-1 可见，当 $0\leqslant\alpha<6$ 时，是欠阻尼的稳定系统，当 $\alpha>6$ 时，系统不稳定。附加零点的位置不同，本例中 α 取不同的值，对系统之影响亦不同。通常，**远离虚轴且附近又无极点的零点，对系统的影响几乎可以忽略**。这可由取不同 α 值时系统的常规根轨迹证实。图 4-3-2a 绘出当 $\alpha=\infty$，亦即不附加零点时系统的常规根轨迹，此时系统的临界开环增益 $K_{1c}=4$。如果取 $\alpha=1$，即附加零点靠近虚轴，常规根轨迹如图 4-3-2b 所示，此时，无论 K_1 取何值，系统总能稳定。如果取 $\alpha=5$，即附加零点距虚轴较远，系统的常规根轨迹如图 4-3-2c 所示，系统之临界开环增益为 $K_{1c}=4/3$。

将图 4-3-1 与图 4-3-2 结合起来分析可看出，附加零点的位置，亦即 α 值的选取对系统临界开环增益 K_{1c} 的影响。现将 α 取不同值时，与系统临界开环增益 K_{1c} 之关系列于表 4-3-1。

表 4-3-1 α 值与系统临界开环增益的关系

α	系统临界开环增益 K_{1c}	渐近线与实轴之交点坐标
0	∞	−1
1	∞	−0.5
2	∞	0
3	4	0.5
4	2	1
5	1.33	1.5
6	1	2

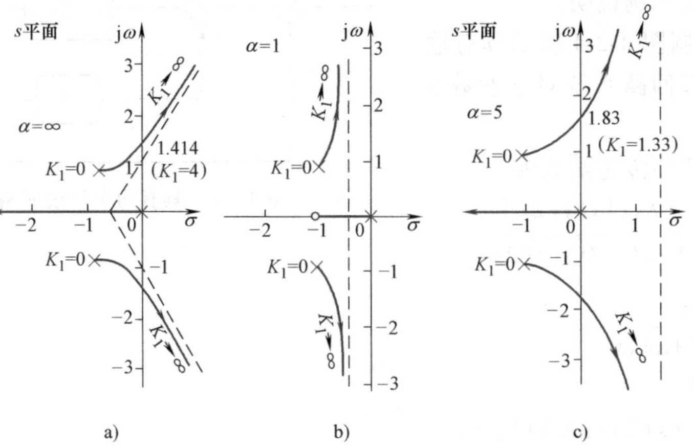

图 4-3-2　例 4-3-1 系统中零点变化的影响

例 4-3-2　设反馈系统的开环传递函数为

$$G(s)H(s)=\frac{K_1}{s(s+1)(s+\alpha)}$$

试绘制系统以 α 为参变量的根轨迹。

解　给定系统的特征方程为

$$1+\frac{K_1}{s(s+1)(s+\alpha)}=0$$

或
$$s^2(s+1)+\alpha s(s+1)+K_1=0$$

将上式化为式（4-3-2）的形式

$$1+\frac{\alpha s(s+1)}{s^2(s+1)+K_1}=0$$

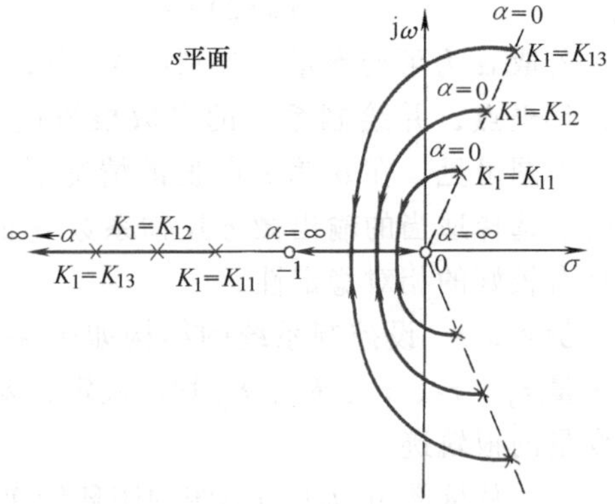

图 4-3-3　例 4-3-2 系统参数根轨迹

给定 K_1 值，取 $K_{11}<K_{12}<K_{13}$，可以绘制在不同 K_1 值下的以 α 为变量的根轨迹图（参见图 4-3-3）。由图可见，当 $\alpha=0$ 时，系统不稳定；当 α 增大至一定数值时，系统变为稳定。α 的临界值可用劳斯判据确定。

根据系统的特征方程

$$s^3+(\alpha+1)s^2+\alpha s+K_1=0$$

可以列出劳斯表

s^3	1	α
s^2	$(\alpha+1)$	K_1
s^1	$\dfrac{\alpha(\alpha+1)-K_1}{\alpha+1}$	0
s^0	K_1	

显然，系统稳定的临界增益为 $K_1=\alpha(\alpha+1)$。

二、多回路系统的根轨迹

前已指出，根轨迹不仅适用于单回路系统，而且适用于多回路系统。绘制多回路系统根轨迹的方法是从内环到外环逐层绘制。以双回环为例，内环的闭环极点是外环的开环极点。

若内环阶次较高，可用根轨迹法确定内环的闭环极点。现举例说明。

例 4-3-3 绘制图 4-3-4 所示具有输出微分负反馈的多回路系统对于参数 α 的根轨迹。

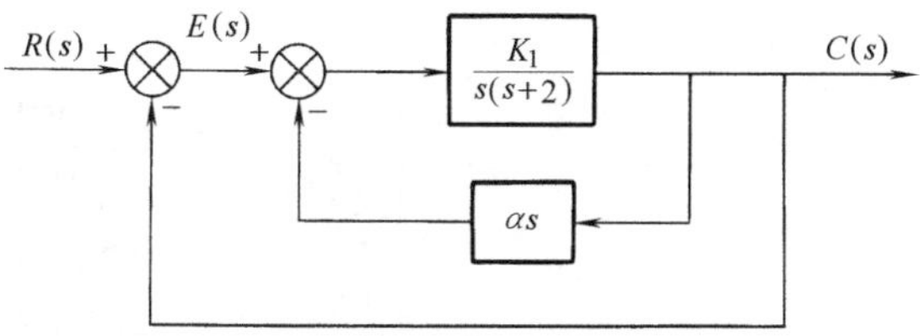

图 4-3-4 具有两个反馈回路的系统

解 系统的开环传递函数为

$$G(s)=\frac{C(s)}{E(s)}=\frac{K_1/[s(s+2)]}{1+\alpha K_1 s/[s(s+2)]}=\frac{K_1}{s(s+2)+\alpha K_1 s}$$

系统的特征方程为

$$s(s+2)+\alpha K_1 s+K_1=0$$

上式可改写为

$$1+\frac{\alpha K_1 s}{s(s+2)+K_1}=0$$

若取 α 为可变参量，分别取 K_1 为 2 和 5，不难求出开环极点，并绘制系统的参数根轨迹如图 4-3-5 所示。由图可见，在 α 为有限值的情况下，系统总是稳定的。选择适当的输出微分反馈系数 α 值，可以使系统具有较好的相对稳定性。

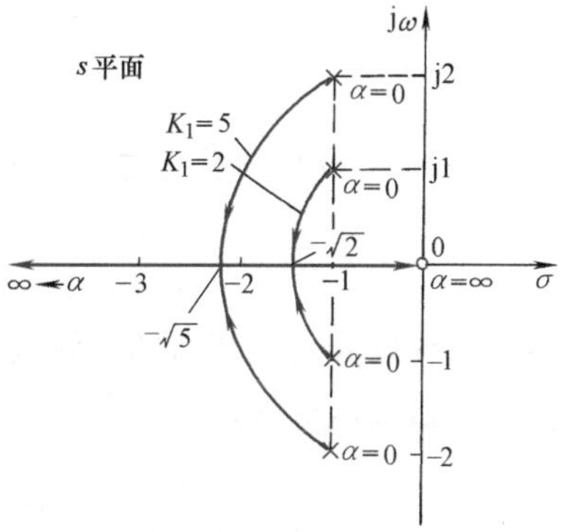

图 4-3-5 例 4-3-3 的参数根轨迹

例 4-3-4 设控制系统的结构如图 4-3-6 所示，其中参量 τ_1、τ_2、τ_c、K_o、K_p 均已确定，要求绘制以 K_c 为变量的根轨迹。

解 从框图可以求得系统的闭环传递函数为

$$\frac{C(s)}{R(s)}=\frac{K_cK_o\left(s+\frac{1}{\tau_2}\right)\left(s+\frac{1}{\tau_c}\right)}{s\left[s\left(s+\frac{1}{\tau_1}\right)\left(s+\frac{1}{\tau_2}\right)+K_oK_p\right]+K_cK_o\left(s+\frac{1}{\tau_2}\right)\left(s+\frac{1}{\tau_c}\right)}$$

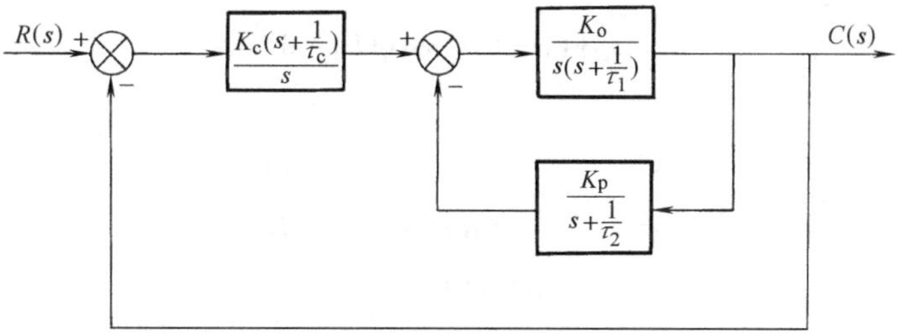

图 4-3-6 双回路反馈控制系统

其特征方程为

$$s\left[s\left(s+\frac{1}{\tau_1}\right)\left(s+\frac{1}{\tau_2}\right)+K_oK_p\right]+K_cK_o\left(s+\frac{1}{\tau_2}\right)\left(s+\frac{1}{\tau_c}\right)=0$$

或写成便于绘制根轨迹的形式

$$\frac{K_c K_o\left(s+\frac{1}{\tau_2}\right)\left(s+\frac{1}{\tau_c}\right)}{s\left[s\left(s+\frac{1}{\tau_1}\right)\left(s+\frac{1}{\tau_2}\right)+K_o K_p\right]}=-1$$

当 $K_c=0$ 时，根轨迹应始于系统的开环极点，为此需求方程

$$s\left[s\left(s+\frac{1}{\tau_1}\right)\left(s+\frac{1}{\tau_2}\right)+K_o K_p\right]=0$$

的解。但此方程的左侧未能写成因子式的形式，因而不能直观地求得其解。换言之，多回路系统往往不能像单回路系统那样简便地确定出系统的开环极点。首先需要求解方程

$$s\left(s+\frac{1}{\tau_1}\right)\left(s+\frac{1}{\tau_2}\right)+K_o K_p=0$$

这实际上就是图 4-3-6 所示系统的内环部分的特征方程。也就是说，为了确定多回路系统的开环极点，往往需先确定内环的极点。

将内环特征方程写成标准形式

$$\frac{K_o K_p}{s\left(s+\frac{1}{\tau_1}\right)\left(s+\frac{1}{\tau_2}\right)}=-1$$

并绘制出内环以 $K_o K_p$ 为参变量的根轨迹（参见图 4-3-7a）。假如在给定的 $K_o K_p$ 值之下，内环的 3 个极点位于图 4-3-7a 中根轨迹上的小方块上，则内环的极点便确定了。它是利用根轨迹法求得的，当然也不可能是很精确的。由于内环的反馈通道上有一个非周期环节，据此可知内环应有 $z_1=-\frac{1}{\tau_2}$ 的一阶零点。将此内环零点及从图 4-3-7a 得到的内环极点都画在图 4-3-7b 的 s 平面上，然后再将系统主通道内控制器传递函数的零点 $z_2=-\frac{1}{\tau_c}$ 和 $p=0$ 的极点也都画在图 4-3-7b 上面，就可以确定出此多回路系统的开环零、极点在 s 平面上的位置。最后，按绘制根轨迹的规则，不难求得系统的根轨迹如图 4-3-7b 所示。

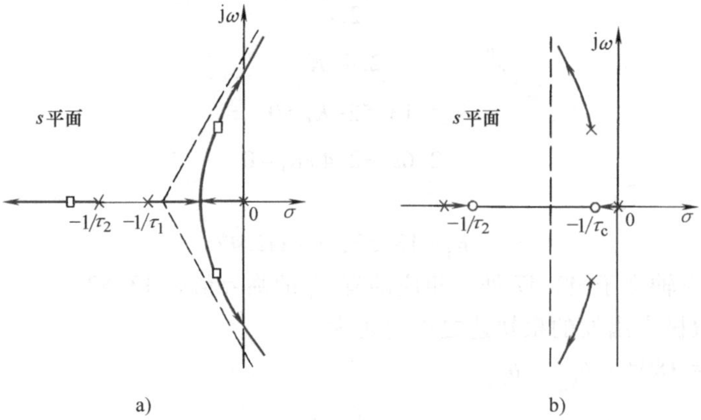

图 4-3-7　例 4-9 系统的根轨迹
a）内环的根轨迹　b）系统的根轨迹

例 4-3-5　多环控制系统的框图如图 4-3-8 所示，绘制以 K_c 为变量的根轨迹。

解 系统有内、外两环，欲绘制外环的根轨迹，首先需要求出外环的开环传递函数和开环极点，而从图 4-3-8 可知，外环的开环极点实际就是内环的闭环极点。为此必须先从内环着手。

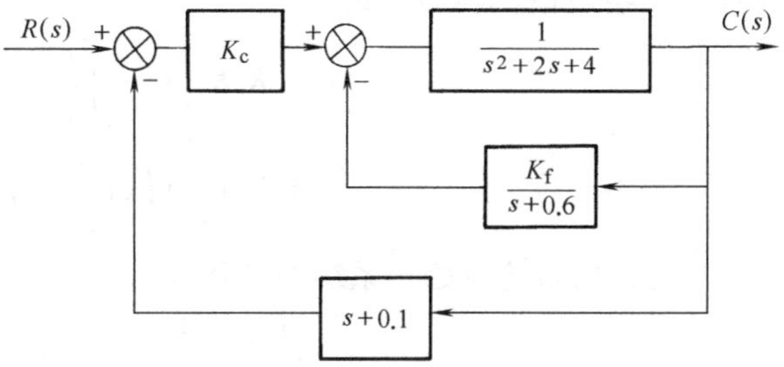

图 4-3-8 多环控制系统的框图

（1）绘制内环的根轨迹，以确定内环的闭环极点

1）内环的开环传递函数为

$$G_i(s)H_i(s)=\frac{K_f}{(s+0.6)(s^2+2s+4)}$$

现绘制以 K_f 为变量的内环根轨迹，由此求出内环的闭环极点。

2）内环的开环极点是一个实极点和一对共轭复数极点，它们分别是 $p_{i1}=-0.6$，$p_{i2,3}=-1\pm j\sqrt{3}$。

3）实轴上根轨迹应位于区间 $[-\infty, -0.6]$。

4）从一对共轭复数极点出发的根轨迹分支，其渐近线的相位角为

$$\varphi_a=\pm\frac{(2q+1)180^\circ}{3}=\pm60^\circ,\pm180^\circ \quad (q=0,1)$$

渐近线与实轴交点之坐标是 $$\sigma_a=\frac{-0.6-1-1}{3}=-0.87$$

5）根轨迹与虚轴之交点坐标可按内环的闭环特征方程

$$s^3+2.6s^2+5.2s+2.4+K_f=0$$

求得。列写劳斯表

$$\begin{array}{lll} s^3 & 1 & 5.2 \\ s^2 & 2.6 & 2.4+K_f \\ s^1 & \dfrac{13.52-K_f}{2.6} & \\ s^0 & 2.4+K_f & \end{array}$$

由此得到 $$13.52-K_f=0$$

及 $$2.6s^2+2.4+K_f=0$$

联立求解，则有

$$K_f=13.52,\quad s=\pm j2.47$$

即根轨迹分支与虚轴交于±j2.47 处，相应的有 K_f 的临界值是 13.52。

6）共轭复数极点出发的根轨迹之出射角为

$$\begin{aligned}\varphi_{p_{i2}} &= 180^\circ-\theta_{p_{i1}}-\theta_{p_{i3}} \\ &= 180^\circ-\left(180^\circ-\arctan\frac{\sqrt{3}}{1-0.6}\right)-90^\circ=-13^\circ\end{aligned}$$

则必有 $\varphi_{p_{i3}}=13^\circ$。

现将内环的根轨迹绘于图 4-3-9。

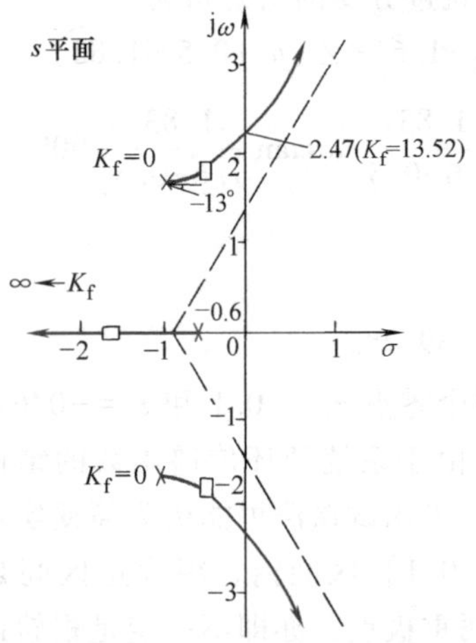

图 4-3-9　例 4-3-5 系统的内环根轨迹

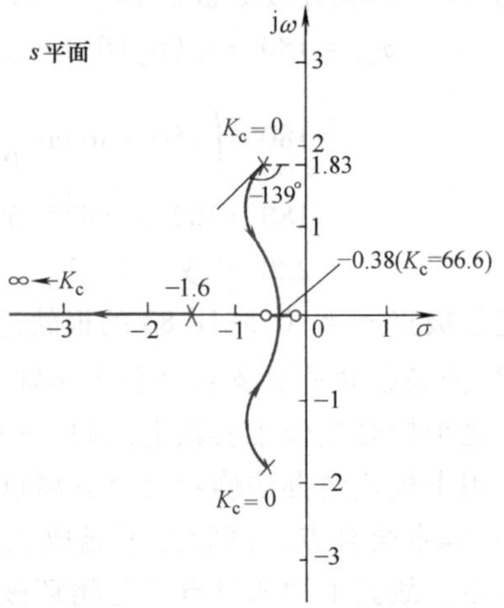

图 4-3-10　例 4-3-5 系统外环根轨迹

7）从内环根轨迹求出内环的闭环极点。实际系统允许内环的反馈系数 K_f 可在 $3.2<K_f<3.5$ 范围内取值。为避免求解三次方程的困难，可在内环根轨迹上根据幅值条件寻找出符合 K_f 条件的内环闭环极点。求实轴上内环的闭环极点坐标，可先取试验点 $s_d=-1.5$，根据幅值条件验证 K_f 为

$$K_f=|-1.5+0.6|\times|-1.5+1-j\sqrt{3}|\times|-1.5+1+j\sqrt{3}|$$
$$=0.9(0.5^2+3)=2.925<3.2$$

说明所取试验点靠-0.6 较近，故 K_f 较小。再取实数极点之试验点 $s_d=-1.7$，计算 K_f 为

$$K_f=|-1.7+0.6|\times|-1.7+1-j\sqrt{3}|\times|-1.7+1+j\sqrt{3}|$$
$$=1.1(0.7^2+3)=3.839>3.5$$

说明所取试验点离-0.6 又稍远了，故 K_f 较大。为此，再取实数极点之试验点 $s_d=-1.6$

$$K_f=|-1.6+0.6|\times|-1.6+1-j\sqrt{3}|\times|-1.6+1+j\sqrt{3}|$$
$$=0.6^2+3=3.36$$

此值符合允许选取 K_f 值的范围条件，故首先确定内环第一个实数极点 $p_1=-1.6$ 及相应的 $K_f=3.36$。K_f 既定，则内环之特征方程就可确定为

$$s^3+(2+0.6)s^2+(4+1.2)s+2.4+3.36=0$$

即

$$s^3+2.6s^2+5.2s+5.76=0$$

已知特征方程因子之一为（$s+1.6$），用综合除法不难求得内环的闭环特征方程的因子式为

$$(s+1.6)(s^2+s+3.6)=0$$

解之，求得当 $K_f=3.36$ 时，内环的三个闭环极点分别为 $p_1=-1.6$，$p_2=-0.5+j1.83$，$p_3=-0.5-j1.83$，其位置在图 4-3-9 中以根轨迹上的小方块表示。

（2）绘制外环的根轨迹　从图 4-3-9 及确定的 $K_f=3.36$，不难求得系统的开环传递函数为

$$G(s)H(s)=\frac{K_c(s+0.6)(s+0.1)}{(s+1.6)(s^2+s+3.6)}$$

1）实轴上的根轨迹位于［-0.6，-0.1］及［-∞，-1.6］两个区间。

2）由一对共轭复数极点 $p_{2,3}=-0.5\pm j1.83$ 出发的根轨迹分支的出射角为

$$\begin{aligned}\varphi_{p_2}&=180°+\angle(p_2+0.1)+\angle(p_2+0.6)-\angle(p_2+1.6)-\angle(p_2+0.5+j1.83)\\&=180°+\left(180°-\arctan\frac{1.83}{0.5-0.1}\right)+\arctan\frac{1.83}{0.6-0.5}-\arctan\frac{1.83}{1.6-0.5}-90°\\&=180°+102.3°+87°-59°-90°\\&=220.3°\text{或}-139.7°\end{aligned}$$

另一复数极点 $p_3=-0.5-j1.83$ 的根轨迹出射角必为 $\varphi_{p_3}=139.7°$。

3）两条根轨迹分支将会合于实轴，然后分别趋向两个零点 $z_1=-0.1$ 和 $z_2=-0.6$。因此会合点之坐标必然位于实轴上区间［-0.6，-0.1］内。由于系统开环传递函数的结构较为复杂，用求极值的办法确定会合分离点的坐标并非所宜，采用试探法可能更为简便实用。

4）确定会合点。试验点不能取在实轴上［-0.6，-0.1］区间内，因为这区间是根轨迹的一段，故其上的所有点均是闭环极点，但不一定是两重极点，亦即不一定是根轨迹两分支的会合点。为此，只能取稍离实轴之点做试探。由于根轨迹分支会合于实轴时之夹角必为±90°，故取稍离实轴之点作试验点对确定会合点的坐标不至于有实质性影响。

设取试验点之坐标为（$-d$，j0.1），其中 $0.1<d<0.6$，然后用根轨迹的相位条件去检验此试验点是否为根轨迹上之点，如符合相位条件，则可以认为（$-d$，0）是会合点。自试验点（$-d$，j0.1）至各零、极点间的相位角总和为

$$\begin{aligned}\varphi_d=&\angle(-d+j0.1+0.1)+\angle(-d+j0.1+0.6)-\angle(-d+j0.1+0.5+j1.83)\\&-\angle(-d+j0.1+1.6)-\angle(-d+j0.1+0.5-j1.83)\end{aligned}$$

其中

$$\angle(-d+j0.1+0.1)=180°-\arctan\frac{0.1}{d-0.1}$$

$$\angle(-d+j0.1+0.6)=\arctan\frac{0.1}{0.6-d}$$

$$\angle(-d+j0.1+1.6)=\arctan\frac{0.1}{1.6-d}$$

$$\angle(-d+j0.1+0.5-j1.83)=-\arctan\frac{1.83-0.1}{0.5-d}$$

$$\angle(-d+j0.1+0.5+j1.83)=\arctan\frac{1.83+0.1}{0.5-d}$$

先取试验点的实部为-0.1与-0.6的中点，即（-0.35+j0.1），亦即 $d=0.35$，代入上式计算相位角总和为

$$\varphi_d=158.2°+21.8°-4.57°+85°-85.6°=174.8°<180°$$

据此，可将试验点向左移动。取 $d=0.4$，则相位角总和为

$$\varphi_d=161.6°+26.6°-4.76°+86.7°-87°=183.14°>180°$$

再次取 $d=0.38$，则相位角总和为

$$\varphi_d=160.35°+24.4°-4.7°+86°-86.4°=179.65°\approx180°$$

因此，确定根轨迹两分支会合于实轴的坐标为（-0.38，j0）。

绘制例4-3-5的系统根轨迹如图4-3-10所示。

根据幅值条件可求得对应于会合点的 $K_c=66.6$。如果 K_c 取值大于66.6，系统的闭环极点是三个实数极点。用MATLAB绘制的内环、外环根轨迹参见例4-6-6。

三、正反馈回路和零度根轨迹

在有些系统中，内环是一个正反馈回路。绘制正反馈回路根轨迹的条件和规则与负反馈回路有区别。

设有局部正反馈系统的框图如图 4-3-11 所示。

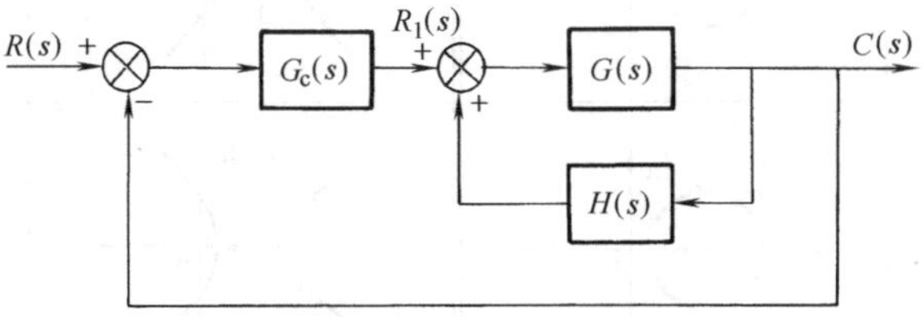

图 4-3-11　具有局部正反馈的系统

这里，只讨论局部正反馈部分。

正反馈回路的闭环传递函数为

$$\frac{C(s)}{R_1(s)}=\frac{G(s)}{1-G(s)H(s)}$$

相应的特征方程为

$$1-G(s)H(s)=0$$

或

$$G(s)H(s)=1 \tag{4-3-3}$$

比较式（4-3-3）和式（4-2-1），不难看出，绘制根轨迹的幅值条件没有变，但相位条件改变了。根据式（4-3-3）正反馈回路根轨迹的幅值条件和相位条件可写为

$$|G(s)H(s)|=\frac{K_1\prod_{j=1}^{m}|s-z_j|}{\prod_{i=1}^{n}|s-p_i|}=1 \tag{4-3-4}$$

$$\angle G(s)H(s)=\sum_{j=1}^{m}(s-z_j)-\sum_{i=1}^{n}\angle(s-p_i)$$
$$=\pm180°(2q)\qquad(q=0,1,2,\cdots) \tag{4-3-5}$$

上式表明，对于正反馈回路，相位条件不是$\pm180°(2q+1)$，而是$\pm180°(2q)$。因此，人们通常将这种根轨迹称为零度根轨迹。

根据式（4-3-5）的相位条件，在绘制正反馈回路的根轨迹时，需对表 4-2-1 中的一些规则，作如下改变：

规则三　在实轴的线段上存在根轨迹的条件是：其右边的开环零、极点数目之和为偶数。

规则四　$(n-m)$ 条渐近线的相位角为

$$\varphi_a=\frac{\pm2q}{(n-m)}180°\quad(q=0,1,2,\cdots) \tag{4-3-6}$$

规则七　根轨迹的出射角为

$$\varphi_p=\mp180°(2q)+(\sum\theta_z-\sum\theta_p)\quad(q=0,1,2,\cdots) \tag{4-3-7}$$

入射角为

$$\varphi_z=\pm180°(2q)-(\sum\theta_z-\sum\theta_p)\quad(q=0,1,2,\cdots) \tag{4-3-8}$$

除了上述三项规则改变外，其他规则均不变。

表 4-3-2 列出了几种负反馈和正反馈回路的根轨迹图，供读者参考。

表 4-3-2 几种正、负反馈回路的根轨迹

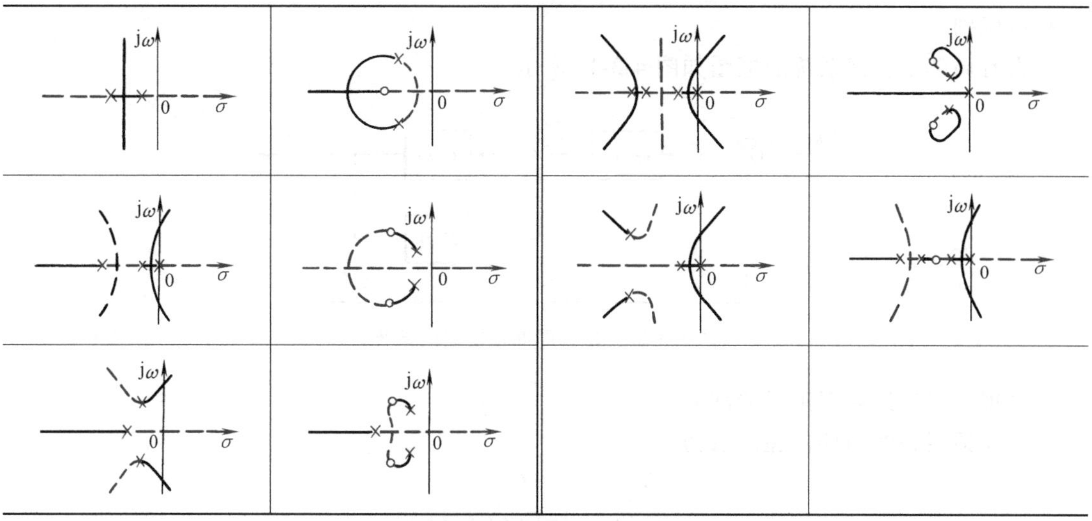

注：粗实线对应于负反馈回路，红色虚线对应正反馈回路。

例 4-3-6 绘制图 4-3-12 所示的具有正反馈内环回路的系统根轨迹。

解 （1）绘制正反馈内环的根轨迹。内环部分的特征方程为

$$s^2+2\zeta\omega_n s+\omega_n^2-K_o\omega_n^2=0$$

或

$$K_o\frac{\omega_n^2}{s^2+2\zeta\omega_n s+\omega_n^2}=1$$

设系统为欠阻尼，这个二阶代数方程容易用解析法求解。但是为了熟悉零度根轨迹的绘制方法，下面仍用图解法。内环的开环极点为

$$p_{1,2}=-\zeta\omega_n\pm j\omega_n\sqrt{1-\zeta^2}$$

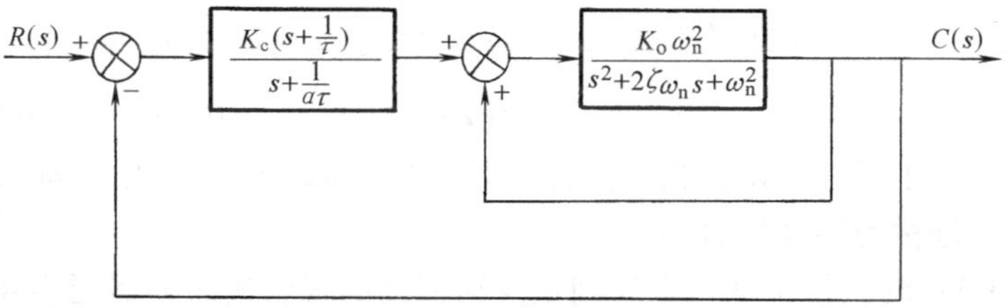

图 4-3-12 具有正反馈内环的系统

根据规则七可知，由这一对共轭复数极点出发的根轨迹的出射角为

$$\varphi_p=\mp(2q)180°\pm90°=\mp90°$$

对内环的特征方程，求$\frac{dK_o}{ds}=0$的根，得

$$2s+2\zeta\omega_n=0$$

于是得到根轨迹与实轴的交点坐标为

$$\sigma=-\zeta\omega_n$$

零度根轨迹绘制规则三指出：实轴上存在根轨迹的条件是其线段右边的开环零、极点数目之和为偶数。该系统内环在实轴上不存在开环零、极点，所以根轨迹可以存在于全部实轴

上。给出的内环根轨迹如图 4-3-13a 所示，根轨迹上所有的点都满足零度根轨迹的相位条件［参见式（4-3-5)］。

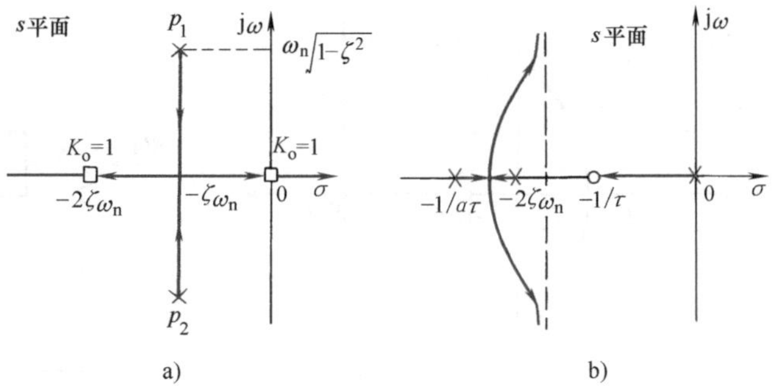

图 4-3-13 例 4-3-6 系统的根轨迹

由图（4-3-13a）不难看出，正反馈回路的根轨迹与负反馈回路的根轨迹有很大的差异。在负反馈回路中，如果开环有一对位于 s 平面左半部的复数极点，随着回路开环增益的增大，闭环始终具有一对位于 s 平面左半部的复数极点，并且其阻尼比越来越小。但在正反馈回路中，随着回路开环增益增大，闭环极点将从一对稳定的复数极点逐渐成为两个稳定的实数极点。当回路开环增益 K_o 增到 $K_o=1$ 时，回路有一个 $p=0$ 的极点。如果使 $K_o>1$，则回路就有位于 s 平面右半部的实极点了。此时，由正反馈回路构成的内环是不稳定的。

假定系统内环的开环增益 $K_o=1$，则内环的闭环极点是 $p_1=0$ 和 $p_2=-2\zeta\omega_n$，如图 4-3-13a 中根轨迹上的小方块所示。这时，系统的内环相当于是一个积分环节与一个非周期环节串联而成。

（2）绘制外环根轨迹。将内环的两个闭环极点与控制器的零、极点标明在图 4-3-13b 中（设 $\alpha<1$），然后按负反馈根轨迹的规则，可以画出整个系统的根轨迹。

综上所述，绘制正反馈回路的根轨迹时，应当按照零度根轨迹的规则进行，其步骤与绘制负反馈回路的根轨迹相类似。

由例（4-3-6）可知，当系统内存在正反馈回路时，可能会使系统开环传递函数出现位于 s 平面右半部的极点。**当系统的所有开环零、极点都位于 s 平面左半部时，系统称为最小相位系统。如果系统具有 s 平面右半部的开环零、极点时，系统称为非最小相位系统。**这是根据对上述两类系统相频特性的分析而引出的概念，将在第五章讨论。这里只指出，非最小相位系统根轨迹的绘制规则和方法与最小相位系统并无差异。

例 4-3-7 绘制例 4-3-6 中当 $K_o>1$ 时系统的根轨迹。

解 当 $K_o>1$ 时，内环具有一个正实部的根，系统为非最小相位系统。由于系统的主反馈仍为负反馈，根轨迹仍按表 4-2-1 所列规则绘制，这里不再赘述。

系统的根轨迹图如图 4-3-14 所示。由图可见，除实轴上的根轨迹在 s 平面右半部的一段上存在外，根轨迹的形状与图 4-3-12b 相类似。

例 4-3-8 控制系统的框图如图 4-3-15 所示，系统的内环为正反馈，若取 $K_o=4$，绘制内环、外环的根轨迹。

解 （1）绘制内环的根轨迹 正反馈内环的开环传递函数为

$$G_i(s)H_i(s)=\frac{K_o}{s(s+1)(s+3)}$$

1）内环的根轨迹应有三条分支，分别起始于开环极点 $p_{i1}=0$，$p_{i2}=-1$ 和 $p_{i3}=-3$。当 $K_o\to\infty$ 时，三条根轨迹分支均趋于无穷远处。

2）实轴上的根轨迹存在于其右侧零极点总数为偶数的区间，即［0，∞］，［-3，-1］。

3）根轨迹分支的渐近线与实轴之夹角为

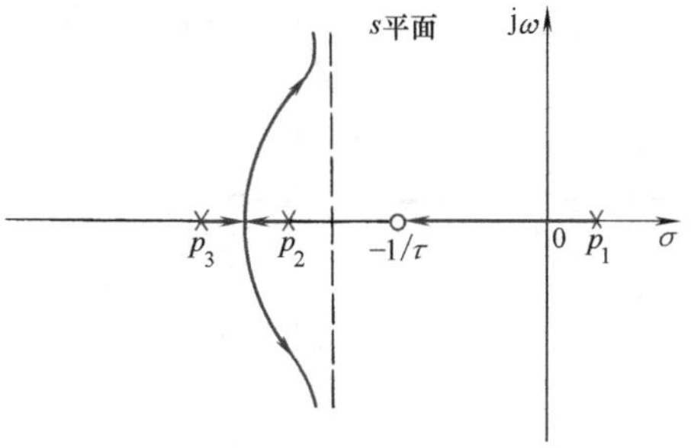

图 4-3-14 例 4-3-7 系统的根轨迹

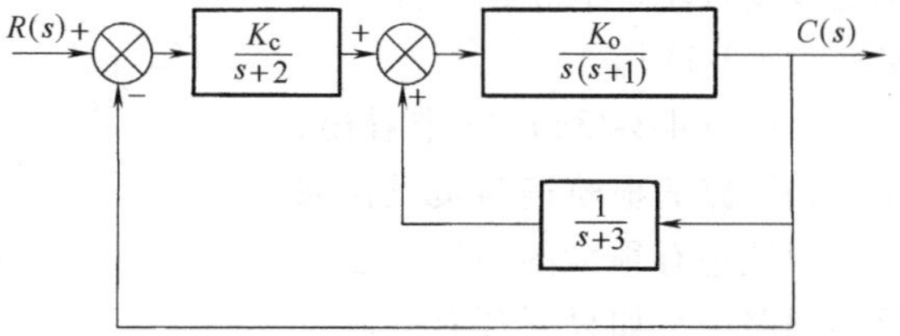

图 4-3-15 例 4-3-8 的系统框图

$$\varphi_a = \pm\frac{2q\times180^\circ}{3} = 0^\circ, \pm120^\circ \quad (q=0,1)$$

渐近线与实轴之交点坐标为

$$\sigma_a = \frac{0-1-3}{3} = -\frac{4}{3} = -1.33$$

4）内环的特征方程为

$$s^3+4s^2+3s-K_o=0$$

5）求分离点的坐标。将特征方程对 s 求导，并令其为零，则有

$$\frac{dK_o}{ds} = 3s^2+8s+3=0$$

由此解得 $s_1=-2.22$，$s_2=-0.45$。由于 $s_2=-0.45$ 不在实轴根轨迹上，故弃之。于是得到实轴上分离点的坐标为（-2.22，j0）。

6）取若干试验点，并按零度根轨迹的相位条件去检验，最后绘成的内环的根轨迹如图 4-3-16 所示。

7）当 $K_o=4$ 时，确定内环的闭环极点的坐标。可根据零度根轨迹的幅值条件，仿照例 4-3-5 的试探做法，确定内环的闭环极点位置，即首先试探决定实极点的位置。如果确定的实极点 p_1 的位置正确，则必有

$$K_o = |p_1-0|\times|p_1+1|\times|p_1+3| = 4$$

成立。经过数次试探得知，取 $p_1=0.66$，即有

$$K_o = 0.66\times1.66\times3.66=4.01\approx4$$

于是可确定（$s-0.66$）为内环的闭环特征方程 $s^3+4s^2+3s-4=0$ 的一个因子，故可用综合除法求出其余因子，亦即

$$s^3+4s^2+3s-4=(s-0.66)(s^2+4.66s+6.069)=0$$

由此解得另外一对复数共轭极点为 $p_{2,3}=-2.33\pm j0.8$。将此内环的三个闭环极点以小方块画于图 4-3-16 所示根轨迹上，也就是系统外环的三个开环极点的位置。

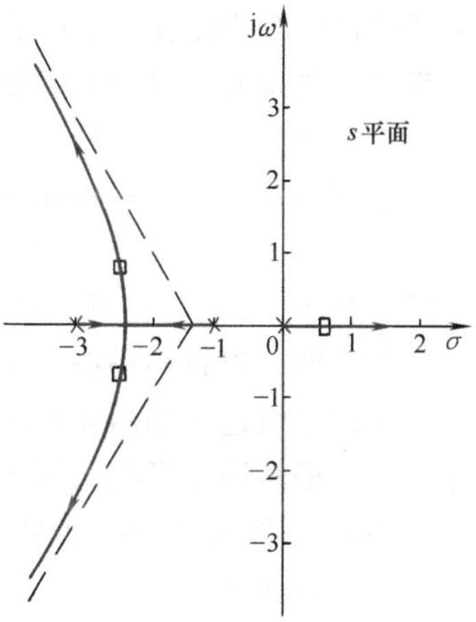

图 4-3-16 例 4-3-8 的系统内环根轨迹

（2）绘制外环的根轨迹 根据系统的结构和以上求出的内环闭环极点，可得到外环的传递函数为

$$G(s)H(s) = \frac{4K_c(s+3)}{(s+2)(s-0.66)(s^2+4.66s+6.069)}$$

开环传递函数中含有一个位于 s 平面右半平面的极点，系统为非最小相位系统，但它对于绘制此种负反馈系统的规则不会有影响。以下绘制此系统以 K_c 为变量的常规根轨迹。

1）系统有四条根轨迹分支，分别从四个开环极点出发。其中一条终止于零点 $z=-3$，其余三条分支沿渐近线趋于无穷远处。

2）实轴上的根轨迹存在于其右侧零、极点数为奇数的区间，即 $[-2, 0.66]$，$[-\infty, -3]$。

3）渐近线的相位角为

$$\varphi_a=\pm\frac{(2q+1)180°}{4-1}=\pm 60°, \pm 180° \quad (q=0,1)$$

4）渐近线与实轴的交点坐标为

$$\sigma_a=\frac{-2+0.66-4.66+3}{4-1}=-1$$

5）确定根轨迹与虚轴交点的坐标及临界 K_c。系统的闭环特征方程为

$$(s+2)(s-0.66)(s^2+4.66s+6.075)+4K_c(s+3)=0$$

求解四次方程较为困难，即使利用劳斯表，计算也很烦琐。故仍按例 4-3-5 所示的试探法求解。

首先由渐近线与实轴之夹角为±60°，交点坐标是-1，不难算得渐近线与虚轴之交点坐标是$\pm j\sqrt{3}$，于是在小于$+j\sqrt{3}$处取多个试验点，多次反复用相位条件去试探，最终确定根轨迹与虚轴之交点坐标为±j1.3，自此交点至各零、极点的相位总和是

$$\angle(j1.3+3)-\angle(j1.3+2)-\angle(j1.3-0.66)-\angle(j1.3+2.33-j0.8)-\angle(j1.3+2.33+j0.8)$$

$$=-180.57°\approx-180°$$

再根据幅值条件，求取交点处之相应的系统 K_c 的临界值为

$$K_c=\frac{|j1.3-0.66|\times|j1.3+2|\times|j1.3+2.33-j0.8|\times|j1.3+2.33+j0.8|}{4\times|j1.3+3|}$$

$$=1.99$$

6）确定根轨迹的分离点和会合点。由于系统阶次较高，用解析法不易求解，故仍采用例 4-3-5 的试探法，在实轴上的根轨迹线段中取若干个试验点，并取稍高于实轴的点，按相位条件作反复验算，最后确定分离点的坐标是（-0.283，j0），会合点的坐标是（-3.478，j0）。

7）从一对开环复数极点出发的根轨迹的出射角为

$$\varphi_p=180°+(\sum\theta_z-\sum\theta_p)$$

$$=220°\text{或}-138°$$

另一复数极点之根轨迹的出射角必为 138°。

8）取若干个试验点，最后可绘制出系统的根轨迹如图 4-3-17 所示。

本例的时域分析参见例 4-6-7。

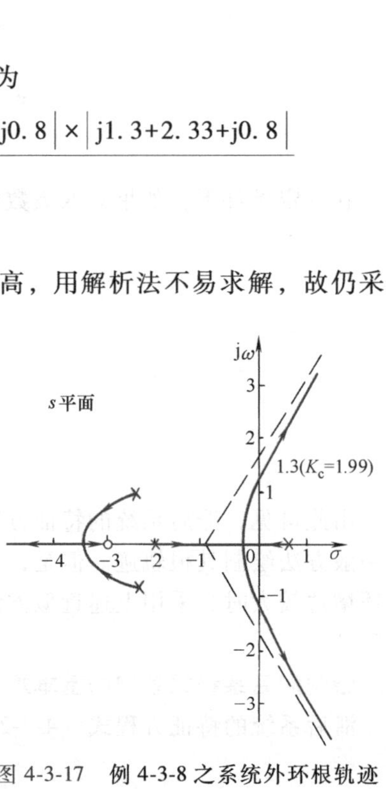

图 4-3-17 例 4-3-8 之系统外环根轨迹

第四节　滞后系统的根轨迹

第二章中已经指出，在自动控制系统中有时会出现纯时间滞后现象，例如在系统的测量环节、传输环节或其他环节中出现纯时间滞后，即环节的输出信号比输入信号滞后某一时间 τ。滞后环节的传递函数为 $e^{-\tau s}$。包含时间滞后环节的系统称为纯时间滞后系统，或简称为滞后系统。滞后环节的存在使系统的根轨迹具有一定的特殊性，并往往对系统的稳定性带来不利的影响。

设滞后系统的框图如图 4-4-1 所示。

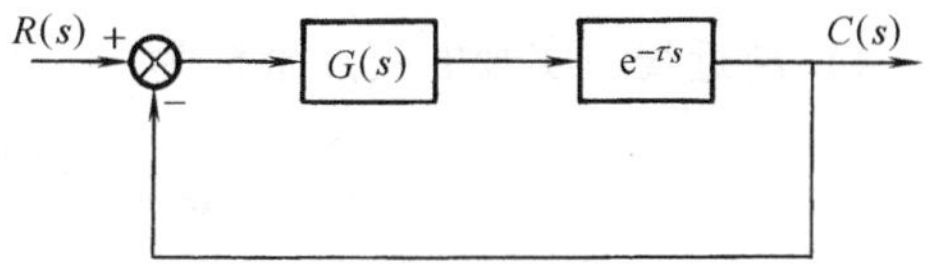

图 4-4-1　滞后系统

系统的闭环传递函数为

$$\frac{C(s)}{R(s)}=\frac{e^{-\tau s}G(s)}{1+e^{-\tau s}G(s)} \tag{4-4-1}$$

其特征方程为

$$1+e^{-\tau s}G(s)=0 \tag{4-4-2}$$

是复变量 s 的超越函数，特征方程的根不再为有限多个，而是无限多个。这是滞后系统的一个重要特点。

指数函数 $e^{-\tau s}$ 可以展开为幂级数

$$e^{-\tau s}=\frac{1}{e^{\tau s}}=\frac{1}{1+\tau s+\frac{\tau^2}{2!}s^2+\cdots}$$

或

$$e^{-\tau s}=1-\tau s+\frac{1}{2!}(\tau s)^2-\frac{1}{3!}(\tau s)^3+\cdots$$

或

$$e^{-\tau s}=\frac{e^{-\tau s/2}}{e^{\tau s/2}}=\frac{1-\frac{\tau}{2}s+\frac{\tau^2}{8}s^2-\cdots}{1+\frac{\tau}{2}s+\frac{\tau^2}{8}s^2+\cdots}$$

在一定条件下，如果只取级数的前两项，上式可近似地写为

$$e^{-\tau s}\approx\frac{1}{1+\tau s} \tag{4-4-3}$$

或

$$e^{-\tau s}\approx 1-\tau s \tag{4-4-4}$$

或

$$e^{-\tau s}\approx\frac{1-\frac{\tau}{2}s}{1+\frac{\tau}{2}s} \tag{4-4-5}$$

由此可见，滞后系统的特征方程在一定条件下可以近似地化为代数方程，采用前面介绍的一般方法绘制其根轨迹。但是，这种近似方法是有很大局限性的。在有些情况下，例如当开环增益较大时，采用上述近似方法往往误差很大。这就要求进一步考察滞后系统根轨迹的特殊性。

绘制滞后系统根轨迹的基本规则

滞后系统的特征方程式（4-4-2）可改写为

$$e^{-\tau s}G(s)=-1$$

考虑到

$$e^{-\tau s}=e^{-\tau(\sigma+j\omega)}=e^{-\sigma\tau}e^{-j\omega\tau}=e^{-\sigma\tau}\angle\varphi_{\tau} \quad (4\text{-}4\text{-}6)$$

式中，$\varphi_{\tau}=-57.3°\omega\tau$。

及
$$G(s)=K_1\frac{\prod_{j=1}^{m}(s-z_j)}{\prod_{i=1}^{n}(s-p_i)}$$

可以得到下列幅值条件和相位条件

$$K_1\frac{\prod_{j=1}^{m}|s-z_j|}{\prod_{i=1}^{n}|s-p_i|}e^{-\sigma\tau}=1 \quad (4\text{-}4\text{-}7)$$

$$\sum_{j=1}^{m}\angle(s-z_j)-\sum_{i=1}^{n}\angle(s-p_i)=57.3°\omega\tau\pm180°(2q+1)\quad(q=0,1,2,\cdots) \quad (4\text{-}4\text{-}8)$$

将式（4-4-7）、式（4-4-8）与式（4-2-7）、式（4-2-8）进行比较，可以看出滞后系统的特殊性。

式（4-4-7）的幅值条件比式（4-2-7）多了一项 $e^{-\sigma\tau}$，而式（4-4-8）的相位条件比式（4-2-8）多了一项 57.3°$\omega\tau$。当 $\tau\neq0$ 时，相位条件取决于 ω，即它沿 s 平面的纵轴而变化。若 q 取不同的整数值，则可以得到无限多条根轨迹。

式（4-4-7）和式（4-4-8）的特点直接影响到滞后系统根轨迹的绘制规则。下面对此作必要的说明。

规则一 滞后系统根轨迹是连续的，并对称于实轴。

说明 将 $e^{-\tau s}$ 展开为无穷级数，则滞后系统的特征方程（4-4-2）就化为具有实系数而阶次为无穷大的多项式方程，其根随着参变量连续变化，而且对称于实轴。

规则二 $K_1=0$ 时，滞后系统的根轨迹从开环极点 p_i 和 $\sigma=-\infty$ 处出发；$K_1\to\infty$ 时，根轨迹趋向开环零点和 $\sigma=\infty$ 处。

说明 滞后系统根轨迹的幅值条件（4-4-7）可改写为

$$\frac{\prod_{j=1}^{m}|s-z_j|}{\prod_{i=1}^{n}|s-p_i|}e^{-\sigma\tau}=\frac{1}{K_1}$$

当 $K_1=0$ 时，只有满足 $s=p_i$ 和 $\sigma=-\infty$ 的条件，上式才能成立。因此 $K_1=0$ 时，系统的根轨迹必定处于 $s=p_i$ 和 $\sigma=-\infty$ 处，或者说，根轨迹从开环极点和 $\sigma=-\infty$ 处出发。

根据上式还可以看出，当 $K_1\to\infty$ 时，只有满足 $s=z_j$ 和 $\sigma=\infty$，上式才能成立，所以当 $K_1\to\infty$ 时，根轨迹必定趋向系统的开环零点和 $\sigma=\infty$ 处。

规则三 滞后系统的根轨迹在实轴上的线段存在的条件是，其右边开环零、极点数目之和为奇数。

说明 此规则与常规根轨迹的规则三相同。因为对于实轴上的点 $\omega=0$，式（4-4-8）所示的相位条件与式（4-2-8）一样。

规则四 滞后系统根轨迹的渐近线有无穷多条，且都平行于 s 平面的实轴。

规则五 滞后系统根轨迹渐近线与虚轴的交点为

$$\omega=\frac{180°N}{57.3°\tau}=\frac{N\pi}{\tau} \tag{4-4-9}$$

N 的值见表 4-4-1。

说明 滞后系统根轨迹的渐近线有无穷多条是由超越方程决定的，前面已说明。在根轨迹上，当 $s\to\infty$ 时，K_1 趋于零或趋于 ∞。根据规则二，$K_1=0$ 时渐近线是在 $\sigma=-\infty$，$K_1\to\infty$ 时渐近线是在 $\sigma\to\infty$ 处。因为渐近线与实轴平行，故只能与虚轴相交，其交点及表 4-4-1 所列的 N 值是根据相位条件式（4-4-8）得到的。

表 4-4-1 *N* 值

$n-m$	$K_1=0$ 渐近线	$K_1\to\infty$ 渐近线
奇 数	$N=0,\pm2,\pm4,\cdots$	$N=\pm1,\pm3,\pm5,\cdots$
偶 数	$N=\pm1,\pm3,\pm5,\cdots$	$N=\pm1,\pm3,\pm5,\cdots$

规则六 滞后系统根轨迹的分离点必须满足下列方程

$$\frac{\mathrm{d}[\mathrm{e}^{-\tau s}G(s)]}{\mathrm{d}s}=0 \tag{4-4-10}$$

说明 此规则的证明与常规根轨迹的规则六类似。

规则七 滞后系统根轨迹的出射角与入射角可根据相位条件式（4-4-8）确定。

规则八 确定滞后系统根轨迹与虚轴交点时，可用 $s=\mathrm{j}\omega$ 代入特征方程求解。

说明 由于滞后系统的特征方程是复变量 s 的超越方程，不是 s 的代数方程，故不能用劳斯判据求解根轨迹与虚轴的交点。另外，因为滞后系统的根轨迹有无穷多条分支，要确定根轨迹与虚轴的所有交点是困难的。分析表明，只有最靠近实轴处根轨迹的分支（主根轨迹）与虚轴的交点，才是研究稳定性的关键。

根轨迹上 K_1 值的确定：在滞后系统根轨迹上任意一点 s_1 所对应的开环增益 K_1 值，可以根据幅值条件式（4-4-7）确定，即

$$K_1=\frac{\prod_{i=1}^{n}|s_1-p_i|}{\prod_{j=1}^{m}|s_1-z_j|}\mathrm{e}^{\sigma_1\tau}$$

式中，σ_1 为 s_1 的实数部分。

例 4-4-1 设滞后系统的开环传递函数为

$$G(s)\mathrm{e}^{-\tau s}=\frac{K_1\mathrm{e}^{-\tau s}}{s+1}$$

要求绘制此系统的根轨迹。

解 给定系统的特征方程为

$$1+\frac{K_1\mathrm{e}^{-\tau s}}{s+1}=0$$

绘根轨迹的相位条件为

$$-57.3°\omega\tau-\angle(s+1)=\pm180°(2q+1) \quad (q=0,1,2,\cdots)$$

根据规则二，$K_1=0$ 时系统根轨迹从 $p_1=-1$ 和 $\sigma=-\infty$ 处出发；$K_1\to\infty$ 时，根轨迹趋向无穷远处（给定开环传递函数没有零点）。

按照规则三，在实轴上从 -1 至 $-\infty$ 的线段上存在根轨迹。

根据规则四、五，可以确定根轨迹的渐近线及其与虚轴的交点（参见图 4-4-3 中的细水平线）。

按相位条件可以绘制复平面上的根轨迹。下面说明一下主根轨迹的绘制方法。

设 $q=0$，这时相位条件化为

$$\angle(s+1)=\mp 180°-57.3°\omega\tau$$

为了求主根轨迹，可先选一点 $\omega=\omega_1$，并算出 $57.3°\omega_1\tau$ 之值。其次在开环极点 $p_1=-1$ 处，作一条与实轴夹角为 $180°-57.3°\omega_1\tau$ 的直线。此线与水平线 $\omega=\omega_1$ 的交点满足了上述相位条件，故必然是根轨迹上的一点。然后再选择 $\omega=\omega_2\cdots$，依此类推，可以逐点绘出根轨迹图（参见图 4-4-2）。

应当指出的是，当 $K_1=0$ 时系统根轨迹的两条分支分别从 $p_1=-1$ 和 $\sigma=-\infty$ 出发。这是因为当 $s\to-\infty$ 时，$e^{-\tau s}$ 趋向于无穷大，相当于存在另一个 $p_2=-\infty$ 的极点。

设 $\tau=1$，$q=0$，1，2，可以绘出系统的根轨迹如图 4-4-3 所示。

在图 4-4-3 中，对于 **$q=0$ 的根轨迹称为主根轨迹**。

对应于 $q=1$，2，…的根轨迹称为辅助根轨迹。

在研究滞后系统时，通常主要依据 $q=0$ 的主根轨迹。

通过以上分析不难看出，**系统中滞后环节的存在对稳定性带来不利的影响**。若系统的开环增益较大，即使原来为一阶的系统也可能不稳定。这是在处理滞后系统时应该特别注意的。

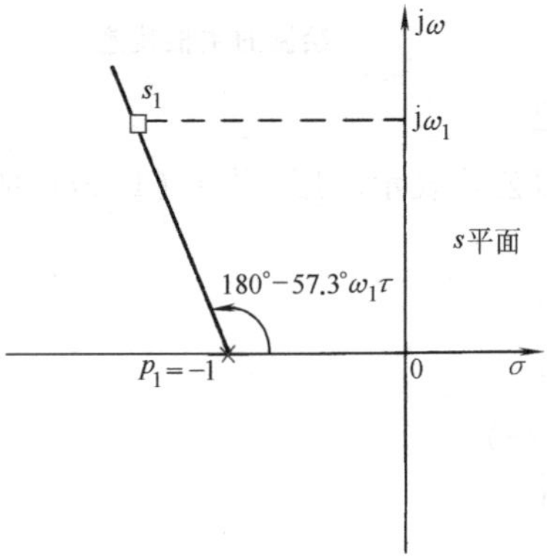

图 4-4-2　应用相位条件的说明

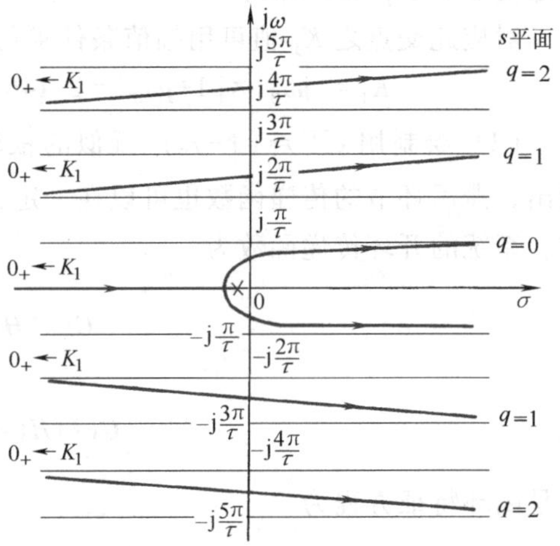

图 4-4-3　例 4-4-1 系统的根轨迹

例 4-4-2　绘制滞后系统的主根轨迹，并与用近似方法得到的结果进行比较。

系统开环传递函数为

$$G(s)H(s)=\frac{K_1 e^{-\tau s}}{s(s+1)}$$

式中，$\tau=0.5$s。

解　(1) 绘制滞后系统主根轨迹。$K_1=0$ 时，系统的根轨迹从开环极点 $p_1=0$，$p_2=-1$ 和 $p_3=-\infty$ 出发。如上所述，由于 $e^{-\tau s}$ 项的存在，相当于有一个开环极点 $p_3=-\infty$。

实轴上根轨迹只存在于 0~−1 线段。

为求解根轨迹的分离点，先写出系统的特征方程

$$1+\frac{K_1 e^{-\frac{1}{2}s}}{s(s+1)}=0$$

或

$$K_1=-s(s+1)e^{\frac{1}{2}s}$$

求$\frac{dK_1}{ds}=0$的根，可得

$$s_{1,2}=-0.438,-4.56$$

因根轨迹只存在于实轴上的0~-1段上，故可断定根轨迹分离点的坐标为$s_1=-0.438$。

由相位条件式（4-4-8）可知，$q=0$时主根轨迹上任一点应当满足下列相位条件

$$\angle s+\angle(s+1)=\pm180°-57.3°(0.5\omega)$$

选不同的ω值绘制出的系统主根轨迹，如图4-4-4所示，图中未将$p_3=-\infty$的根轨迹绘出。

设根轨迹与虚轴交点为$j\omega_0$，对于此点

$$\angle s=\frac{\pi}{2}=90°$$

$$\angle(s+1)=\arctan\omega_0$$

将上面两式代入相位条件，可以求得主根轨迹与虚轴之交点为$\omega_0=\pm1.305$。

对应此交点之K_1值可用幅值条件求得

$$K_1=|j\omega_0|\times|1+j\omega_0|=2.146$$

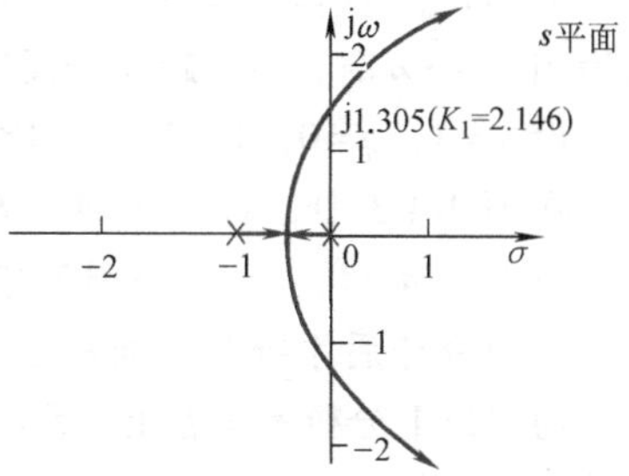

图4-4-4 按$G(s)H(s)=\frac{K_1 e^{-\frac{1}{2}s}}{s(s+1)}$绘制的主根轨迹

（2）绘制用$e^{-\tau s}\approx(1-\tau s)$近似的根轨迹。前面已指出，滞后环节的传递函数也可以在一定条件下用近似公式表示。用$e^{-\tau s}\approx(1-\tau s)$的近似式，系统的开环传递函数为

$$G(s)H(s)=\frac{K_1(1-\tau s)}{s(s+1)}$$

或

$$G(s)H(s)=\frac{-\tau K_1(s-1/\tau)}{s(s+1)}$$

于是闭环特征方程为

$$1+G(s)H(s)=1-\frac{\tau K_1(s-1/\tau)}{s(s+1)}$$

也就是

$$\tau K_1\frac{(s-1/\tau)}{s(s+1)}=1$$

由于使用了近似式，就出现了特殊之处。一是开环传递函数具有一个位于s平面右半平面的实数零点，其值为$z=1/\tau$；其次是特征方程与正反馈回路的特征方程一样了。因此，须按零度根轨迹的规则去绘制系统的根轨迹。

系统有两个开环极点，即$p_1=0$，$p_2=-1$。当$K_1=0$时，两条根轨迹分支分别从极点出发，当$K_1\to\infty$时，一条分支趋向开环零点$z=1/\tau$，另一分支则趋向无穷远处。

实轴上的根轨迹存在于［0，-1］及［2，∞］两区间内。

根轨迹与实轴交点处的坐标可求之如下，令

$$\frac{\mathrm{d}K_1}{\mathrm{d}s}=\frac{\mathrm{d}}{\mathrm{d}s}\left[\frac{1}{\tau}\ \frac{s(s+1)}{(s-1/\tau)}\right]=0$$

将 $\tau=0.5$ 代入上式，可解得 $s_1=-0.45$，$s_2=4.45$。由于 s_1 和 s_2 都位于实轴上根轨迹区间内，可知 s_1 为分离点，s_2 为会合点。

根轨迹渐近线的相位角 $\varphi_a=0°$。

以 $s=\mathrm{j}\omega$ 代入系统特征方程，可确定根轨迹与虚轴的交点坐标，于是有

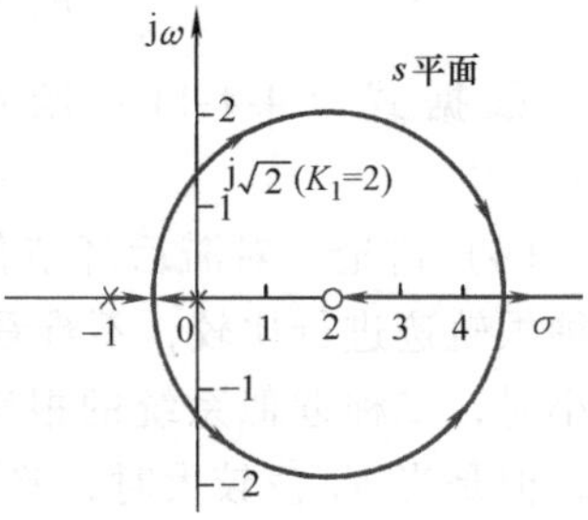

图 4-4-5 按 $G(s)H(s)=\dfrac{-\tau K_1(s-1/\tau)}{s(s+1)}$ 绘制的根轨迹

$$\mathrm{j}\omega(\mathrm{j}\omega+1)-\frac{K_1}{2}(\mathrm{j}\omega-2)=0$$

或

$$\omega^2=K_1,\quad 1-\frac{K_1}{2}=0$$

由此即知根轨迹与虚轴交点的坐标是 $\pm\mathrm{j}\sqrt{2}$，相应的 $K_1=2$。于是，可绘制系统的根轨迹如图 4-4-5 所示。

（3）绘制用 $\mathrm{e}^{-\tau s}\approx\dfrac{1}{1+\tau s}$ 近似的根轨迹

系统的开环传递函数为

$$G(s)H(s)=\frac{K_1}{s(s+1)(\tau s+1)}=\frac{K_1/\tau}{s(s+1)(s+1/\tau)} \tag{4-4-11}$$

系统有三个开环极点 $p_1=0$，$p_2=-1$，$p_3=-2$，没有开环零点。

实轴上根轨迹存在于 0～−1 和−2～−∞ 线段上。

根据特征方程

$$1+\frac{K_1}{s(s+1)\left(\frac{1}{2}s+1\right)}=0$$

可得

$$K_1=-s(s+1)\left(\frac{1}{2}s+1\right)$$

由上式可以求得 $\dfrac{\mathrm{d}K_1}{\mathrm{d}s}=0$ 的根为

$$s_{1,2}=-0.423,-1.577$$

由于实轴上的根轨迹只存在于 0～−1 以及−2～−∞ 的线段上，故可断定 $s_1=-0.423$ 为根轨迹之分离点。

根轨迹有三条分支，其渐近线的相位角可按下式求得

$$\varphi_a=\pm\frac{(2q+1)}{3}180° \quad (q=0,1)$$

即

$$\varphi_{a1,2}=\pm60°,\quad \varphi_{a3}=180°$$

渐近线与实轴的交点为

$$\sigma_a=\frac{-1-2}{3}=-1$$

令 $s=\mathrm{j}\omega$ 代入特征方程，可以求出根轨迹与虚轴之交点 ω 及相应的开环增益 K_1

$$\omega=\pm\sqrt{2}=\pm1.414$$

$$K_1=3$$

根据式（4-4-11）绘制的根轨迹图如图4-4-6所示。

（4）讨论。对滞后环节传递函数不同表达式绘制的三种根轨迹进行比较，不难看出当系统开环增益 K_1 的值较小时，二种近似系统的根轨迹与滞后系统是比较接近的，但是当 K_1 值较大时，差异就很大了。所以近似是有条件的，不考虑条件盲目地采用近似方法，往往会导致错误的结论。表4-4-2中列出了三种根轨迹的特征方程和特征值，供读者分析比较。有兴趣的读者还可以结合本章的习题进一步讨论这个问题。

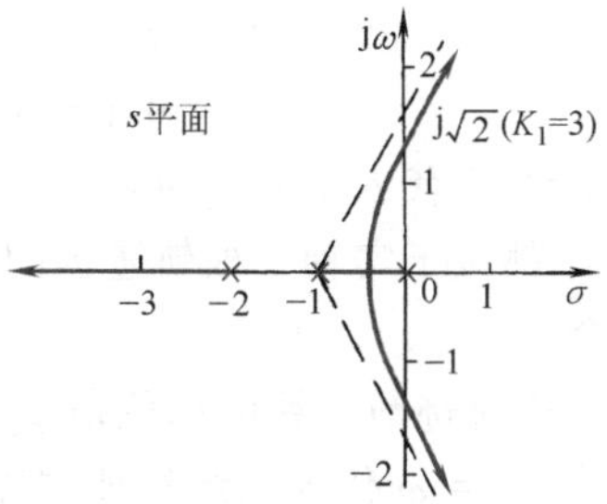

图4-4-6　按 $G(s)H(s)=\dfrac{K_1}{s(s+1)\left(\dfrac{1}{2}s+1\right)}$ 绘制的根轨迹

表4-4-2　三种根轨迹的特征式和特征值

$G(s)H(s)$	$\dfrac{K_1 e^{-\frac{1}{2}s}}{s(s+1)}$	$\dfrac{K_1\left(1-\dfrac{1}{2}s\right)}{s(s+1)}$	$\dfrac{K_1}{s(s+1)\left(\dfrac{1}{2}s+1\right)}$
闭环特征方程	$1+G(s)H(s)=s(s+1)+K_1 e^{-\frac{1}{2}s}=0$	$1+G(s)H(s)=s(s+1)-K_1\left(\dfrac{1}{2}s-1\right)=0$	$1+G(s)H(s)=s(s+1)\left(\dfrac{1}{2}s+1\right)+K_1=0$
根轨迹与虚轴交点的坐标	±j1.305	$\pm j\sqrt{2}$	$\pm j\sqrt{2}$
临界 K_1 值	2.146	2	3
根轨迹实轴上分离点的坐标	-0.438	-0.45	-0.423

第五节　利用根轨迹分析系统的性能

闭环系统响应的性能由闭环传递函数的极、零点确定，而闭环系统的极、零点可由根轨迹法确定。当系统存在一对主导极点时，可按低阶系统近似估算系统的性能。本节介绍一种从闭环主导极点和零点估算系统响应性能的方法。

一、暂态响应性能分析

设系统具有一对共轭复数主导极点，此外还有若干个实数零、极点对系统的暂态响应的影响也需考虑。设系统为Ⅰ型系统，其闭环传递函数为

$$\frac{C(s)}{R(s)}=K_1\frac{\prod_{j=1}^{m}(s-z_j)}{\prod_{i=1}^{n}(s-p_i)}$$

在单位阶跃输入信号的作用下，系统输出响应的拉普拉斯变换式为

$$C(s)=\frac{1}{s}K_1\frac{\prod_{j=1}^{m}(s-z_j)}{\prod_{i=1}^{n}(s-p_i)}$$

将上式展开为部分分式

$$C(s)=K_1\left(\frac{a_0}{s}+\frac{a_1}{s-p_1}+\frac{a_2}{s-p_2}+\cdots+\frac{a_n}{s-p_n}\right)$$

$$=K_1\left[\frac{a_0}{s}+\sum_{k=1}^{n}\left(\frac{a_k}{s-p_k}\right)\right]$$

可见

$$\frac{1}{s}K_1\frac{\prod_{j=1}^{m}(s-z_j)}{\prod_{i=1}^{n}(s-p_i)}=K_1\left[\frac{a_0}{s}+\sum_{k=1}^{n}\left(\frac{a_k}{s-p_k}\right)\right]$$

上式两边同乘 $(s-p_k)$，并且令 $s=p_k$，可得

$$a_k=\frac{\prod_{j=1}^{m}(p_k-z_j)}{p_k\prod_{i=1}^{n}(p_k-p_i)}\quad(i\neq k)\tag{4-5-1}$$

由于 a_k 为一相量，可以用下式表示

$$a_k=|a_k|e^{i\varphi_k}$$

式中，$|a_k|=\dfrac{\prod_{j=1}^{m}|p_k-z_j|}{p_k\prod_{i=1}^{n}|p_k-p_i|}$ $(i\neq k)$；$\varphi_k=\sum_{j=1}^{m}\angle(p_k-z_j)-\left[\angle(p_k-0)+\sum_{i=1}^{n}\angle(p_k-p_i)\right]$ $(i\neq k)$。

当 p_k 为实数极点时，因为

$$\varphi_k=q\pi$$

q 为 p_k 右面闭环实数零、极点数目之和，故

$$a_k=(-1)^q\frac{\prod_{j=1}^{m}|p_k-z_j|}{|p_k|\prod_{i=1}^{n}|p_k-p_i|}\quad(i\neq k)$$

设 p_1 和 p_2 为一对共轭复数主导极点，则

$$a_1=|a_1|e^{j\varphi_1}$$

$$a_2=|a_2|e^{j\varphi_2}=|a_1|e^{-j\varphi_1}$$

其对应的输出分量

$$\begin{aligned}c_1(t)+c_2(t)&=K_1\{a_1\exp[(-\sigma_1+j\omega_1)t]+a_2\exp[(-\sigma_1-j\omega_1)t]\}\\&=K_1\{|a_1|e^{j\varphi_1}\exp[(-\sigma_1+j\omega_1)t]+|a_1|e^{-j\varphi_1}\exp[(-\sigma_1-j\omega_1)t]\}\\&=K_1|a_1|e^{-\sigma_1 t}\{\exp[j(\omega_1 t+\varphi_1)]+\exp[-j(\omega_1 t+\varphi_1)]\}\\&=A_1e^{-\sigma_1 t}\cos(\omega_1 t+\varphi_1)\end{aligned}$$

式中，$A_1=2K_1|a_1|=2K_1\dfrac{\prod\limits_{j=1}^{m}|p_1-z_j|}{|p_1|\prod\limits_{i=1}^{n}|p_1-p_i|}$；$\varphi_1=\sum\limits_{j=1}^{m}\angle(p_1-z_j)-\left[\angle p_1+\sum\limits_{i=1}^{n}\angle(p_1-p_i)\right]$ $(i\neq1)$。

由此可见，具有一对共轭复数主导极点的Ⅰ型系统的单位阶跃响应可写为

$$c(t)=1+A_1\mathrm{e}^{-\sigma_1 t}\cos(\omega_1 t+\varphi_1)+\sum_{k=3}^{n}A_k\mathrm{e}^{-\sigma_k t} \tag{4-5-2}$$

式中，$A_k=K_1|a_k|=K_1(-1)^q\dfrac{\prod\limits_{j=1}^{m}|p_k-z_j|}{|p_k|\prod\limits_{i=1}^{n}|p_k-p_i|}$ $(i\neq k)$。

根据式（4-5-2），可以采用近似方法估算系统暂态响应的指标。例如，为了估算超调量，可以先略去式（4-5-2）中的指数项部分，求出峰值时间 t_p 和一次近似超调量，然后将值代入指数项，求出超调量的修正量 ΔM_p。两者之和即为超调量的二次近似值。

据此可得，估算超调量的近似公式为

$$M_p=\left(A_1\frac{\omega_1}{\omega_n}\mathrm{e}^{-\sigma_1 t_p}+\sum_{k=3}^{n}A_k\mathrm{e}^{-\sigma_k t_p}\right)\times100\% \tag{4-5-3}$$

在系统具有一对共轭复数主导极点，其他极点距虚轴较远的情况下，按包络线进入稳态值2%误差带估算调整时间 t_s 的公式为

$$t_s=\frac{4+\ln A_1}{\sigma_1} \tag{4-5-4}$$

实际上遇到的高阶系统，其主导极点数目往往不超过三个。

综上所述，系统闭环零、极点位置与暂态响应之间的关系可以归纳如下：

系统的稳定性只取决于闭环极点在 s 平面的位置。若闭环极点位于 s 平面的左半部，则系统的暂态响应呈收敛性，系统必定稳定。

如果系统的极点均为负实数，而且无零点，则系统的暂态响应一定为非振荡的，响应时间主要取决于距虚轴最近的极点。若其他极点距虚轴的距离比最近极点的距离大5倍以上，可以忽略前者对系统暂态过程的影响。

如果系统具有一对主导极点，则系统的暂态响应呈振荡性质，其超调量主要决定于主导极点的衰减率 $\sigma_1/\omega_1=\zeta/\sqrt{1-\zeta^2}$，并与其他零、极点接近坐标原点的程度有关，而调整时间主要取决于主导极点的实部 $\sigma_1=\zeta\omega_n$。

如果在系统中存在距离非常接近的闭环极点和零点，其相互距离比其本身的模小一个数量级以上，则把这一对闭环零、极点称为偶极子。在一般情况下，偶极子对系统暂态响应的影响可以忽略。但如偶极子的位置接近坐标原点，其影响往往需要考虑。然而，它们并不影响系统主导极点的地位。

如果除了一对主导复数极点之外，系统还具有若干实数零、极点，则零点的存在可减小系统阻尼，使响应速度加快，超调量增加；实数极点的存在会增大系统阻尼，使响应速度减慢，超调量减小。

二、附加开环零点对根轨迹的影响

在设计控制系统中，有时为改善系统的性能而增设开环零点，由此给根轨迹带来较为明

显的变化。现举例说明。

例 4-5-1 一系统的开环传递函数为

$$G(s)H(s)=\frac{K_1(s+z)}{s(s^2+2s+2)}$$

式中，z 为附加的开环零点。

解 z 可在 s 平面左半平面内的负实轴上任意选择位置，当选择 $z\to-\infty$ 时，即表示零点不存在。当 z 选不同值时，对系统根轨迹的影响示于图 4-5-1。

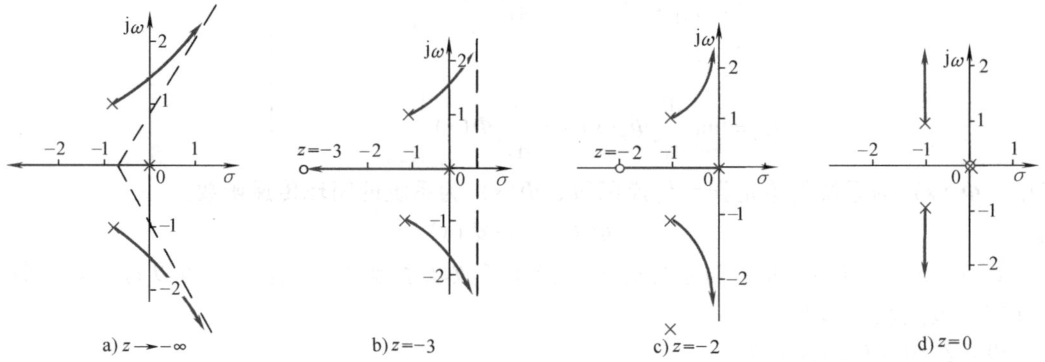

图 4-5-1 z 为不同值时的根轨迹

系统的开环极点位于 $p_1=0$ 及 $p_{2,3}=-1\pm j$。实轴上的根轨迹位于［z，0］之间。

根轨迹渐近线与实轴交点的坐标 $\sigma_a=\dfrac{-2-z}{3-m}$，当 $z\to-\infty$ 时，$m=0$。当 z 为有限时，$m=1$。根轨迹与实轴交点的夹角为

$$\varphi_a=\frac{\pm180^\circ(2q+1)}{3-m}\quad(q=0,1)$$

系统开环极点的位置不变，但随着 z 的取值从 $-\infty$ 向坐标原点靠近，根轨迹将向 s 左半平面弯曲，即有使根轨迹有向零点靠拢的趋向。随着所附加的零点越靠近虚轴，这种趋向越明显。例如选 $z=-3$ 时，根轨迹虽比 $z\to-\infty$（即不附加零点）时有一定变化，但不很显著。当选 $z=-2$ 时，根轨迹就产生了质的变化，可以认为，此时不论系统的开环增益取何值，系统均能稳定。当 $z\geqslant-2$ 时，根轨迹与虚轴就不再有交点了，系统总能稳定。

单纯理论上的零点，即理论上的比例微分环节是不可能存在的，在实际中，人们能够构建得到具有比例微分作用的环节，只是比例微分环节与一阶非周期环节串联而成的复合环节，即

$$G_c(s)=K_c\frac{s-z}{s-p}$$

这时，只要选取 p 及 z 值满足 $p>5z$，亦可产生类似于附加单纯零点的作用。当然，不能忘记，开环增益还应遵守不超过某一数值的前提条件。

以上论述的仅是附加开环零点对系统稳定性的改善作用。有时，要再从改善系统动态性能考虑，并不见得选定附加零点越靠近虚轴越好。附加零点的位置应该从系统的稳定性、响应的调整时间和超调量等因素综合考虑，还要包括下面提到的零点对系统稳态性能的影响，然后选定。

三、稳态性能分析

在第三章第十二节中，曾给出级数形式的给定稳态误差的表达式（3-12-8）为

$$e_{sr}(t)=C_0r_s(t)+C_1\dot{r}_s(t)+\frac{C_2}{2!}\ddot{r}_s(t)+\cdots$$

和给定误差系数的计算式（3-12-9）为

$$\left.\begin{aligned}
C_0&=\lim_{s\to 0}\Phi_e(s)=\lim_{s\to 0}[1-\Phi(s)]=1-\Phi(s)\Big|_{s=0}\\
C_1&=\lim_{s\to 0}\frac{d}{ds}\Phi_e(s)=-\frac{d}{ds}\Phi(s)\Big|_{s=0}\\
C_2&=\lim_{s\to 0}\frac{d^2}{ds^2}\Phi_e(s)=-\frac{d^2}{ds^2}\Phi(s)\Big|_{s=0}\\
&\vdots\\
C_n&=\lim_{s\to 0}\frac{d^n}{ds^n}\Phi_e(s)=-\frac{d^n}{ds^n}\Phi(s)\Big|_{s=0}
\end{aligned}\right\}\tag{4-5-5}$$

式中，$\Phi_e(s)$ 为系统的给定误差传递函数；$\Phi(s)$ 为系统的闭环传递函数。

满足 $$\Phi_e(s)=1-\Phi(s)$$

式（4-5-5）将误差系数与系统的闭环传递函数联系起来了，进一步可以将误差系数与闭环零、极点联系起来。

设系统闭环传递函数为

$$\Phi(s)=\frac{C(s)}{R(s)}=\frac{b_0s^m+b_1s^{m-1}+\cdots+b_{m-1}s+b_m}{s^n+a_1s^{n-1}+\cdots+a_{n-1}s+a_n}$$

$$=K_1\frac{\prod_{j=1}^{m}(s-z_j)}{\prod_{i=1}^{n}(s-p_i)}\tag{4-5-6}$$

式中，K_1 为闭环传递函数写成零、极点形式的增益（或传递系数），$K_1=b_0$。

从方程式的系数与其根的关系可知

$$\left.\begin{aligned}
b_m&=K_1\prod_{j=1}^{m}(-z_j)\\
b_{m-1}&=b_m\sum_{j=1}^{m}\left(-\frac{1}{z_j}\right)\\
b_{m-2}&=b_m\sum_{\substack{j=1\\k=1}}^{m}\left(\frac{1}{z_jz_k}\right)\quad(j\neq k)\\
&\vdots\\
a_n&=\prod_{i=1}^{n}(-p_i)\\
a_{n-1}&=a_n\sum_{i=1}^{n}\left(-\frac{1}{p_i}\right)\\
a_{n-2}&=a_n\sum_{\substack{i=1\\l=1}}^{n}\left(\frac{1}{p_ip_l}\right)\quad(i\neq l)\\
&\vdots
\end{aligned}\right\}\tag{4-5-7}$$

将式（4-5-7）代入式（4-5-5），可求得给定误差系数与其零、极点的关系

$$
\left.\begin{aligned}
C_0 &= 1-\Phi(s)\Big|_{s=0}=\frac{a_n-b_m}{a_n}=\frac{\prod_{i=1}^{n}(-p_i)-K_1\prod_{j=1}^{m}(-z_j)}{\prod_{i=1}^{n}(-p_i)}\\
C_1 &= -\frac{\mathrm{d}}{\mathrm{d}s}\Phi(s)\Big|_{s=0}=\frac{b_m a_{n-1}-a_n b_{m-1}}{a_n^2}\\
&=\frac{b_m}{a_n}\left[\frac{a_{n-1}}{a_n}-\frac{b_{m-1}}{b_m}\right]=K_1\frac{\prod_{j=1}^{m}(-z_j)}{\prod_{i=1}^{n}(-p_i)}\left[\sum_{i=1}^{n}\left(-\frac{1}{p_i}\right)-\sum_{j=1}^{m}\left(-\frac{1}{z_j}\right)\right]\\
&\vdots
\end{aligned}\right\}\qquad(4\text{-}5\text{-}8)
$$

由式（4-5-8）可见，如果系统的闭环极点位置已定，适当配置闭环零点，可对系统的稳态误差产生有利的影响。在前面曾论述过，附加开环零点对系统的稳定性、暂态响应有明显影响，其实附加开环零点后，除了改变了闭环极点在 s 平面上的位置，而且也使系统的闭环传递函数增加了零点，因此也对闭环系统的稳态误差产生影响。故附加零点应同时照顾到暂态响应和稳态响应两方面的性能。

例 4-5-2 系统的闭环传递函数为

$$\Phi(s)=\frac{C(s)}{R(s)}=\frac{\omega_n^2}{s^2+2\zeta\omega_n s+\omega_n^2}\quad(0<\zeta<1)$$

求给定稳态误差系数 C_0 及 C_1。

解 与式（4-5-6）及式（4-5-7）相比可知，在此系统中 $n=2$，$m=0$，系统有两个极点，但无零点，极点是

$$p_{1,2}=-\zeta\omega_n\pm j\omega_n\sqrt{1-\zeta^2}$$

于是有 $K_1=1$

$$b_0=\omega_n^2=\prod_{j=0}^{0}(-z_j),\quad b_{0-1}=b_{-1}=0$$

$$a_2=\omega_n^2=\prod_{i=1}^{2}(-p_i),\quad a_1=2\zeta\omega_n$$

利用式（4-5-8）求得

$$C_0=\frac{a_2-b_0}{a_2}=\frac{\prod_{i=1}^{2}(-p_i)-K_1\prod_{j=0}^{0}(-z_j)}{\prod_{i=1}^{2}(-p_i)}=0$$

$$C_1=\frac{b_0a_1-a_2b_{-1}}{a_2^2}=K_1\frac{\prod_{j=0}^{0}(-z_j)}{\prod_{i=1}^{2}(-p_i)}\left[\sum_{i=1}^{2}\left(-\frac{1}{p_i}\right)-\sum_{j=0}^{0}\left(-\frac{1}{z_j}\right)\right]$$

$$=\frac{1}{\zeta\omega_n+j\omega_n\sqrt{1-\zeta^2}}+\frac{1}{\zeta\omega_n-j\omega_n\sqrt{1-\zeta^2}}=\frac{2\zeta}{\omega_n}$$

可以看出，如果闭环极点位置不变，增加一个 $z=-\frac{\omega_n}{2\zeta}$ 的闭环零点，将可能在斜坡函数形式的输入作用下，使其稳态误差为零。

第六节 基于MATLAB的系统根轨迹分析

用MATLAB控制系统工具箱中的根轨迹分析函数绘制系统的常规根轨迹、参数根轨迹和零度根轨迹，进而直观地分析控制系统在开环增益或其他感兴趣的参量改变时，对系统稳定性、暂态性能和稳态性能的影响，为系统参数的选择提供依据。对于高阶系统、多回路系统、有正反馈回路系统的根轨迹分析更能凸显这一工具的便利性。

本节深入讨论闭环极点分布与系统暂态性能的关系；进行串联比例微分和微分负反馈的时域特性对比分析；给出了多回路系统、具有正反馈回路系统的根轨迹分析例题，还讨论了高阶系统的主导极点问题。

例 4-6-1 绘制系统 $G(s)H(s)=\frac{K_1}{s(s+2)(s+4)}$ 的常规根轨迹，并确定分离点与虚轴交点的坐标值及对应的开环增益。

解 输入开环传递函数后，键入如下命令

```
rlocus (num, den)              %绘制根轨迹
sgrid                          %在 s 平面中用虚线画出阻尼比、振荡角频率栅格
axis equal                     %设纵、横坐标等比例尺
[k,p] = rlocfind (num, den)    %显示可移动光标处的开环增益 K1 和极点 p。
```

绘制的根轨迹如图 4-6-1 所示。

移动十字光标可分别读取分离点坐标为-0.845（$K_1=3.08$）；根轨迹与虚轴交点的坐标为2.764（$K_{1c}=46.03$）。

例 4-6-2 单位负反馈系统的开环传递函数为 $G(s)H(s)=\frac{K_1(4s^2+3s+1)}{s(3s^2+5s+1)}$，确定满足阻尼比 $\zeta=0.707$ 的闭环极点和系统的暂态性能。掌握确定主导极点的条件，认识用主导极点简化的系统与原系统暂态响应的区别。

解 用MATLAB绘制的根轨迹如图 4-6-2 所示，其中用命令 sgrid（0.707，1.5）在 s 平面中画阻尼比 0.707 线和振荡角频率为 1.5 的圆。

已知系统的开环极点为 0，−0.23，−1.43。开环零点为−0.375±j0.33。由图 4-6-2 可见，根轨迹与 0.707 阻尼比线有 2 对交点，用工具栏中的"data cursor"点击交点读取数据，见表 4-6-1。据此还可估算调整时间 t_s（2%）。

表 4-6-1 例 4-6-2 系统阻尼比为 0.707 时的闭环极点及暂态性能

序号	开环增益	闭环极点	自然振荡角频率/(rad/s)	最大超调量(%)	调整时间/s
1	0.246	$p_{1,2}=-0.161\pm j0.161, p_3=-1.7$	0.228	4.28	24.81
2	3.72	$p_{1,2}=-0.321\pm j0.322, p_3=-5.98$	0.455	4.34	12.43

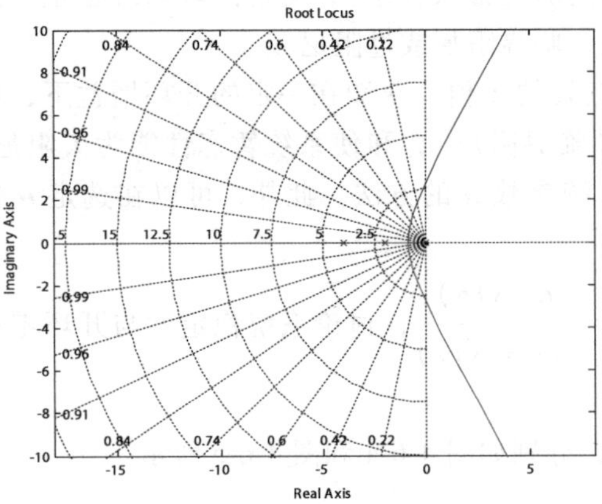

图 4-6-1　例 4-6-1 系统根轨迹

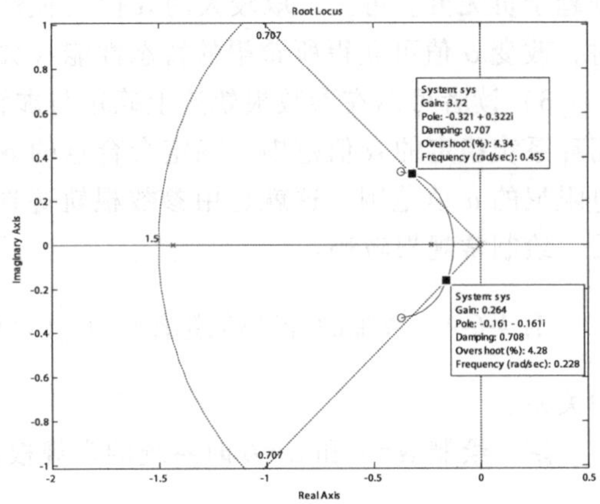

图 4-6-2　例 4-6-2 系统根轨迹

根据表 4-6-1 结果可讨论如下：

1）根轨迹与阻尼比 $\zeta=0.707$ 相交的 2 对共轭复数极点均满足主导极点的条件，即主导极点与虚轴距离小于其他实数极点与虚轴距离的 1/5 以上，故系统的暂态性能主要由主导极点决定。

2）2 对共轭复数极点在同一条阻尼比线上，因此最大超调量几乎相等。但是，前者调整时间是后者的 2 倍，是因为前者的自然振荡角频率为后者的 1/2。

3）如希望稳态误差较小，应取 $\zeta=0.707$ 阻尼比线上的哪一对极点（通过改变开环增益）?

4）感兴趣的读者可绘制三阶系统和主导极点确定的二阶系统的单位阶跃响应曲线，进行比较、分析。

例 4-6-3　已知三阶系统的传递函数 $G(s)H(s)=\dfrac{K_1}{s(s+1)(s+\alpha)}$，根据以 α 为参变量的参数根轨迹，讨论应如何设置开环极点 α（或时间常数 $\tau=\dfrac{1}{\alpha}$）能使系统获得所需的暂态性能。

解　以 α 为参变量的参数根轨迹的等效开环传递函数为

$$\frac{\alpha P(s)}{Q(s)}=\frac{\alpha s(s+1)}{s^2(s+1)+K_1}$$

给定 $K_1=1$，2.5，5，绘制的根轨迹如图 4-6-3 所示（用 hold on 命令可在同一坐标中绘制多条根轨迹）。

由图 4-6-3 可见：

1）对于确定的 K_1 值，当 $\alpha=0$ 时（相当于未增加惯性环节），系统开环传递函数为 $G(s)H(s)=\dfrac{K_1}{s^2(s+1)}$（Ⅱ型系统）。等效开环传递函数有一对共轭复数开环极点位于右半 s 平面，另一极点位于负实轴，开环系统不稳定。

2）当 α 从 0 增大，并趋于无穷，2 条根轨迹从右半 s 平面穿过虚轴，并在负实轴上会合后趋向于 2 个开环零点，另一条根轨迹分支

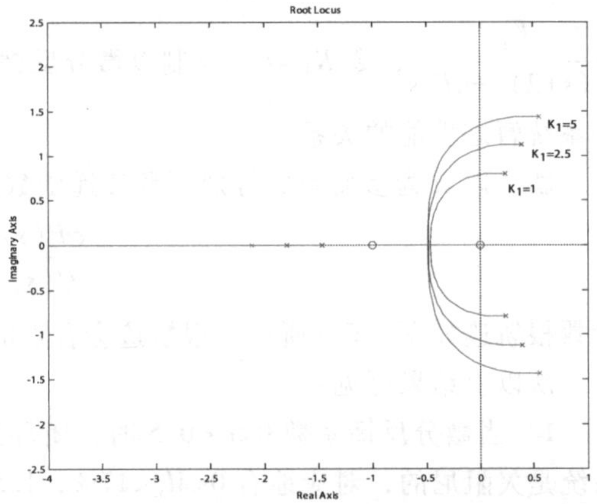

图 4-6-3　例 4-6-3 系统的参数根轨迹

则趋于负无穷。可见，取较大的 α 值（惯性环节的时间常数较小），可使闭环系统稳定。同时，改变 α 值可获得所希望的暂态性能（欠阻尼、临界阻尼或过阻尼）。

3）读者可以在参数根轨迹上确定与虚轴交点处的 α 值，获知在一定的开环增益下，使闭环系统稳定的 α 值范围；确定会合点的 α 值（临界阻尼），和使系统暂态性能为欠阻尼、过阻尼的 α 值范围。这就是用参数根轨迹选取系统参数 α 的方法。此外，可以在选定 α 值后，绘制常规根轨迹。

例 4-6-4　系统的开环传递函数为 $G(s)H(s)=\dfrac{K_1(s+\alpha)}{s(s^2+2s+2)}$，讨论系统稳定性与开环零点的关系。

解　绘制 $\alpha=2$ 和 $\alpha=6$ 时系统的常规根轨迹，分别如图 4-6-4 和图 4-6-5 所示。

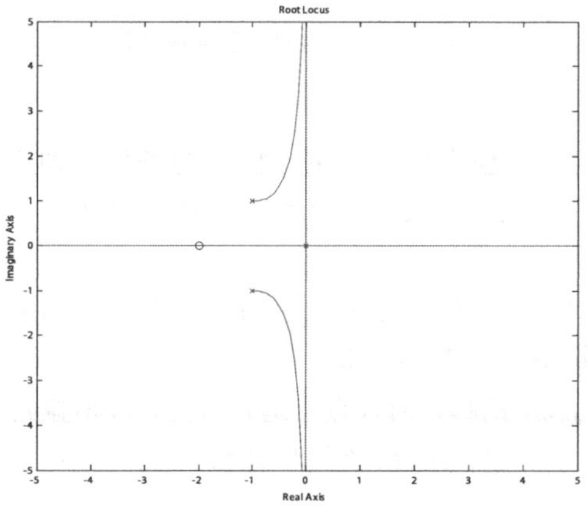

图 4-6-4　例 4-6-4 系统 $\alpha=2$ 时的根轨迹

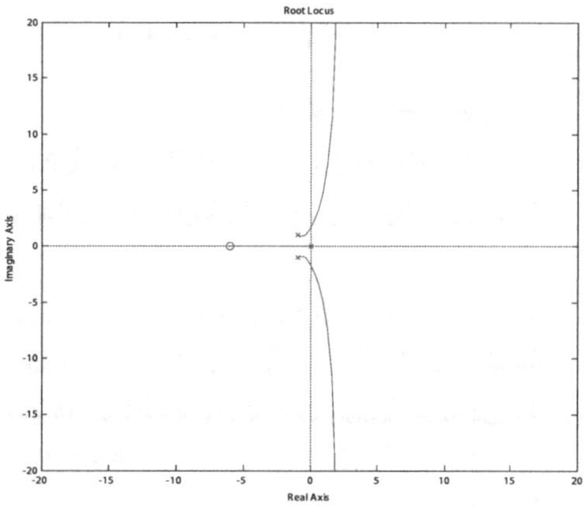

图 4-6-5　例 4-6-4 系统 $\alpha=6$ 时的根轨迹

由图 4-6-4 和图 4-6-5 可知：

1）增加开环零点 $z=-2$ 时，无论 K_1 取何值，系统是稳定的。但随着 K_1 的增大，根轨迹向虚轴靠近，阻尼比将越来越小，系统的最大超调量将增大。

2）当 $z=-6$（开环极点 $p_1=0$，$p_{2,3}=-1\pm j1$）时，系统稳定的临界开环增益 $K_{1c}=1$。可见，如果开环零点远离虚轴，且零点附近没有开环极点，则该开环零点对改善系统稳定性的效果甚微。

例 4-6-5　设多回路系统如图 4-3-4 所示，该系统的开环传递函数为 $G(s)=\dfrac{K_1}{s(s+2)+\alpha K_1 s}$，令 $K_1=4$，绘制以微分反馈系数 α 为参变量的参数根轨迹，讨论 α 值与闭环系统暂态性能的关系。

解　以 α 为参变量的等效开环传递函数为

$$\frac{\alpha P(s)}{Q(s)}=\frac{4\alpha s}{s^2+2s+4}$$

参数根轨迹如图 4-6-6 所示。根轨迹会合点的坐标为 -2，对应 $\alpha=0.5$。

从以上结果可见：

1）当微分反馈系数 $0<\alpha<0.5$ 时，闭环系统有一对共轭复数极点，阻尼比值 $0.5<\zeta<1$，系统是欠阻尼的，对应地有 $0<M_p<17\%$，$1.5\text{s}<t_s<3\text{s}$，因此微分反馈系数在上述范围内系统的相对稳定性较好。

2）当 $\alpha \geqslant 0.5$ 时，阻尼比 $\zeta \geqslant 1$，2 个闭环极点均为负实数，系统的响应是临界阻尼或过阻尼的，系统响应无超调，但调整时间较欠阻尼时长。可以根据对暂态性能的要求，选取合适的内环微分反馈系数。

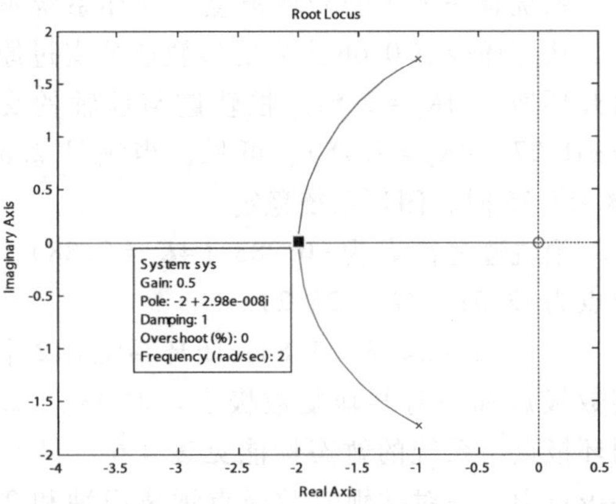

图 4-6-6　例 4-6-5 系统的参数根轨迹

例 4-6-6　多环控制系统如图 4-3-8 所示，这是一个实际的控制系统。用由内环向外环，逐层绘制根轨迹的方法，确定阻尼比为 0.707 时，系统的开环增益和闭环极点。

解　内环的开环传递函数为

$$G_i(s)H_i(s)=\frac{K_f}{(s+0.6)(s^2+2s+4)}$$

内环的常规根轨迹如图 4-6-7 所示。例 4-3-5 指出，实际系统允许内环的反馈系数可在 $3.2<K_f<3.5$ 范围内取值，取 $K_f=3.34$，用移动光标在根轨迹上可确定内环的闭环极点为 $p_1=-1.6$，$p_{2,3}=-0.5\pm j1.83$，此即外环的开环极点。

由此得到外环的开环传递函数为

$$G(s)H(s)=\frac{K_c(s+0.6)(s+0.1)}{(s+1.6)(s^2+s+3.6)}$$

常规根轨迹如图 4-6-8 所示。

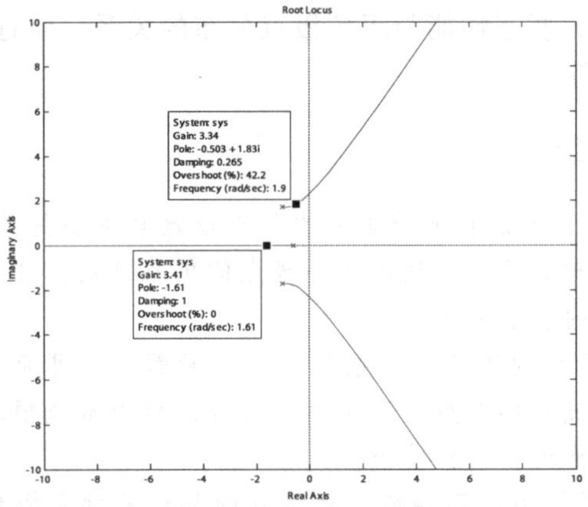

图 4-6-7　例 4-6-6 系统内环根轨迹

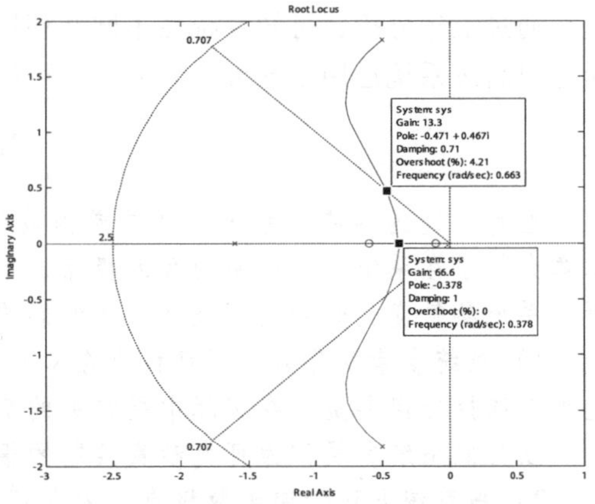

图 4-6-8　例 4-6-6 系统外环根轨迹

在根轨迹上确定的会合点为 -0.38（$K_c=66.6$）。进一步可确定阻尼比为 0.707 时，开环增益 $K_c=13.3$，闭环极点 $p_{1,2}=-0.47\pm j0.47$，$p_3=-15$。据此可分析系统的暂态性能。

例 4-6-7　具有正反馈内环的系统如图 4-3-15 所示。令 $K_o=4$，用根轨迹法确定内环的闭环极点为 $p_{i1}=0.66$，$p_{i2,i3}=-2.33\pm j0.8$，由此得到外环的开环传递函数为

$$G(s)H(s)=\frac{4K_c(s+3)}{(s+2)(s-0.66)(s^2+4.66s+6.069)}$$

根据此非最小相位系统的常规根轨迹，分析该系统暂态性能。

解　系统外环的常规根轨迹如图 4-6-9 所示。

注意，图中根轨迹特征点的增益是 $4K_c$。

系统有一个正的开环极点，开环系统不稳定。从开环极点 0.66 出发的根轨迹分支过原点时开环增益 $4K_c=2.62$。根轨迹与虚轴的交点为 $\pm j1.27$（$4K_c=7.75$）。可见，当满足 $2.62<4K_c<7.75$ 时，闭环系统稳定。

根轨迹分离点为 -0.283（$4K_c=2.88$）；会合点为 -3.51（$4K_c=25.2$）。

1）当 $2.62<4K_c<2.88$，闭环系统有 2 个负实数极点和一对共轭复数极点。取 $4K_c=2.7$，闭环极点与系统的暂态性能见表 4-6-2。4 个闭环极点中，一对共轭复数极点远离虚轴和 2 个实数极点，因此对暂态响应起主要作用的是负实数极点 $p_4=-0.03$，阶跃响应是单调上升的，调整时间约 133s。

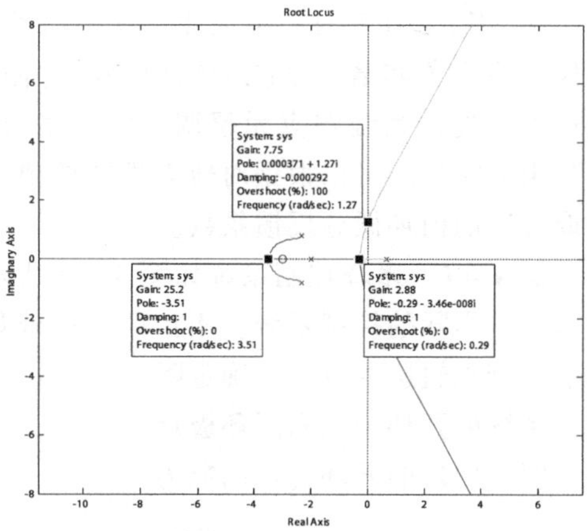

图 4-6-9 例 4-6-7 系统的根轨迹

表 4-6-2 例 4-6-7 系统不同开环增益下的闭环极点及暂态性能

序号	$4K_c$	闭环极点	最大超调量	调整时间/s	阻尼比	自然振荡角频率
1	2.7	$p_{1,2}=-2.7\pm j0.68, p_3=-0.56, p_4=-0.03$	0	≈133	—	—
2	5	$p_{1,2}=-2.87\pm j0.65, p_{3,4}=-0.13\pm j0.89$	≈60%	≈30	0.15	0.9rad/s

2）当 $2.88<4K_c<7.75$，闭环系统有 2 对共轭复数极点。令 $4K_c=5$，一对靠近虚轴共轭复数极点 $p_{3,4}$ 在暂态响应中将起主要作用，其阻尼比为 0.15，自然振荡角频率为 0.9rad/s。单位阶跃响应的最大超调量约 60%，调整时间约 30s。

通过上述分析，可知系统在不同开环增益下，暂态性能与闭环极点分布的关系。而且，通过对高阶系统运用主导极点的概念，可简化计算过程。

小 结

控制系统的性能与系统闭环传递函数的极点、零点在 s 平面上的分布位置有密切关系。本章介绍了在系统开环传递函数的极点、零点已知的条件下确定闭环极点的根轨迹法，并分析了系统参量变化时对闭环极点位置的影响，其内容主要为：

1）系统参量变化时，闭环极点在 s 平面上运动的轨迹称为根轨迹。一般而言，可变参量可以选择任何参量。在实际中最常见的是以系统开环增益为变量的根轨迹，称为常规根轨迹。以其他系统参量作为可变参量绘制的根轨迹称为参数根轨迹。

2）当系统开环传递函数极点、零点可知，根据由闭环特征方程得到的相位条件和幅值条件，可以推证出表 4-2-1 所列的绘制常规根轨迹的基本规则。利用这些基本规则能比较简便地绘制出根轨迹的大致形状，并可进一步分析开环增益变化对系统闭环极点位置及动态性能的影响。

3）在绘制除开环增益外，以系统其他参量为可变参量的参数根轨迹时，应注意把特征方程化为与常规根轨迹特征方程类似的形式，使所选可变参量处于原来开环增益的位置上，即位于等效开环传递函数的分子中。这时，对于常规根轨迹得到的相位条件、幅值条件和基本规则都依然适用。

4）当系统中存在局部正反馈回路时，特征方程和相位条件都出现了变化。这时需要对与相位条件有关的规则进行相应的修改，按照零度根轨迹的规则绘制正反馈回路的根轨迹图。

5）对于多环控制系统，同样可以绘制其根轨迹，顺序则是先自内环开始。当内环的闭环极点由其根轨迹确定后，亦即确定了外环的开环极点，这才有条件去绘制外环的根轨迹。

6）滞后环节的存在使系统的特征方程成为超越方程，相应的根轨迹有无限多条，绘制根轨迹所依据的幅值条件和相位条件与无滞后环节的系统不同。因此，给出了滞后系统根轨迹的绘制规则。

有时，在绘制滞后系统的根轨迹时也可以采用近似的方法。但这时一定要注意近似条件的适用范围，以免导致错误的结果。

7）用根轨迹确定闭环系统的极点及零点在 s 平面上的位置后，可由此分析系统的性能。用 *MATLAB* 绘制根轨迹的方法，可方便地达到这一目的。

习　题

4-1　假设系统开环传递函数的零点、极点在 s 平面上的分布如图 4-T-1 所示。试绘制以开环增益 K_1 为变量的系统根轨迹的大致图形。

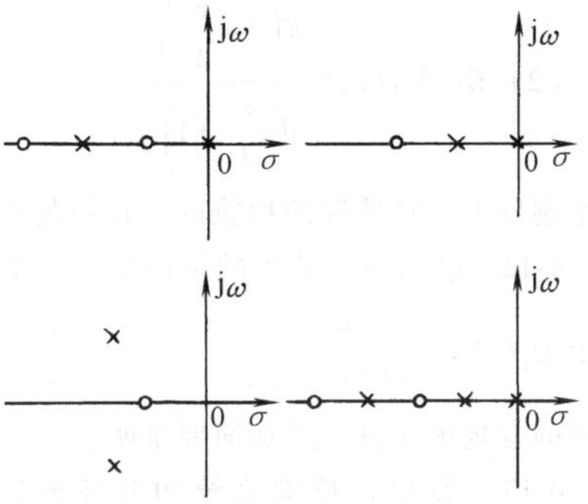

图 4-T-1　题 4-1 图

4-2　设已知单位反馈系统的开环传递函数如下，要求绘出当开环增益 K_1 变化时系统的根轨迹图，并加简要说明。

（1）$G(s)=\dfrac{K_1}{s(s+1)(s+3)}$

（2）$G(s)=\dfrac{K_1}{s(s+4)(s^2+4s+20)}$

4-3　设单位反馈系统的开环传递函数为

$$G(s)=\frac{K_1}{s^2(s+2)}$$

（1）试绘制系统根轨迹的大致图形，并对系统的稳定性进行分析。

（2）若增加一个零点 $z=-1$，试问根轨迹图有何变化，对系统稳定性有何影响？

4-4　设系统的开环传递函数为

$$G(s)H(s)=\frac{K_1(s+2)}{s(s^2+2s+a)}$$

试绘制下列条件下系统的常规根轨迹，并讨论 a 改变对系统性能的影响。

（1）$a=1$　（2）$a=1.185$　（3）$a=3$

4-5　求开环传递函数为

$$G(s)H(s)=\frac{K_1(s+1)}{s^2(s+a)}$$

的系统在下列条件下的根轨迹，并讨论如何选取 a 值才能使系统的临界开环增益 K_c 较大。

（1）$a=10$　（2）$a=9$　（3）$a=8$　（4）$a=3$

4-6　利用根轨迹法，求多项式 $3s^4+10s^3+21s^2+24s-16=0$ 的根。

4-7　设系统的框图如图 4-T-2 所示，请绘制以 α 为变量的根轨迹，并要求：

（1）求无局部反馈时系统单位斜坡响应的给定稳态误差终值 e_{sr}、阻尼比及调整时间。

（2）讨论 $\alpha=0.2$ 时局部反馈对系统性能的影响。

（3）确定临界阻尼时的 α 值。

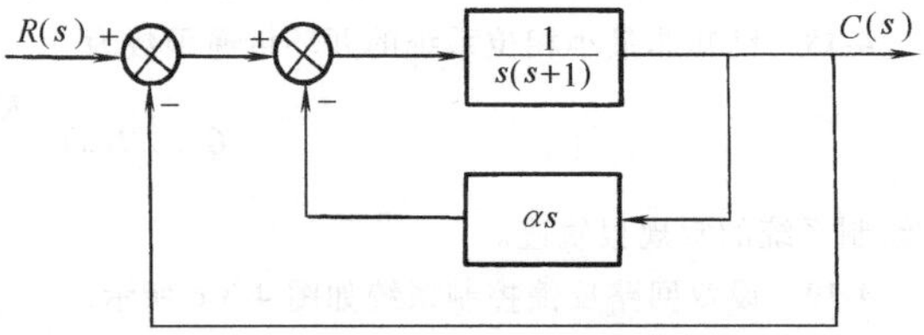

图 4-T-2　题 4-7 图

4-8　根据下列正反馈回路的开环传递函数，绘制零度根轨迹的大致图形。

（1）$G(s)H(s)=\dfrac{K_1}{(s+1)(s+2)}$　　（2）$G(s)H(s)=\dfrac{K_1}{s(s+1)(s+2)}$

(3) $G(s)H(s)=\dfrac{K_1(s+2)}{s(s+1)(s+3)(s+4)}$

4-9 绘出图 4-T-3 所示滞后系统的主根轨迹，并确定能使系统稳定的 K 值范围。

4-10 若已知一个滞后系统的开环传递函数为

$$G(s)H(s)=\frac{Ke^{-\tau s}}{s}$$

试绘出此系统的主根轨迹。

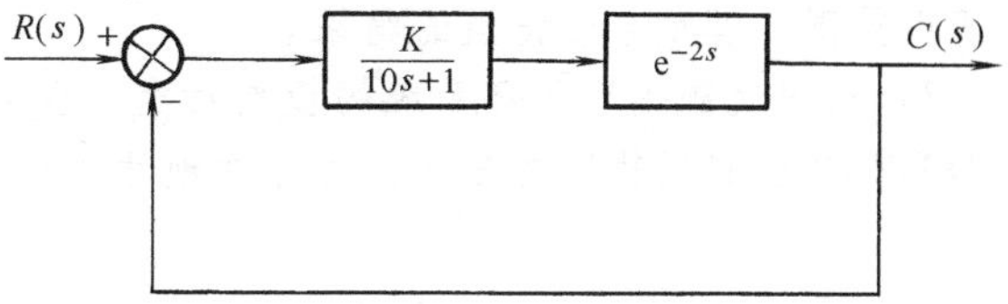

图 4-T-3 题 4-9 图

4-11 上题中的开环传递函数可用下列近似公式表示为

(1) $G(s)H(s)=\dfrac{K(1-\tau s)}{s}$

(2) $G(s)H(s)=\dfrac{K\left(1-\dfrac{\tau}{2}s\right)}{s\left(\dfrac{\tau}{2}s+1\right)}$ (3) $G(s)H(s)=\dfrac{K}{s(\tau s+1)}$

请绘制以上三种情况的根轨迹，并和题 4-10 的主根轨迹进行比较，讨论采用近似式的可能性和条件。

4-12 已知控制系统的框图如图 4-T-4 所示，图中 $G_1(s)=\dfrac{K_1}{(s+5)(s-5)}$，$G_2(s)=\dfrac{s+2}{s}$。试绘制系统的常规根轨迹，并加简要说明。

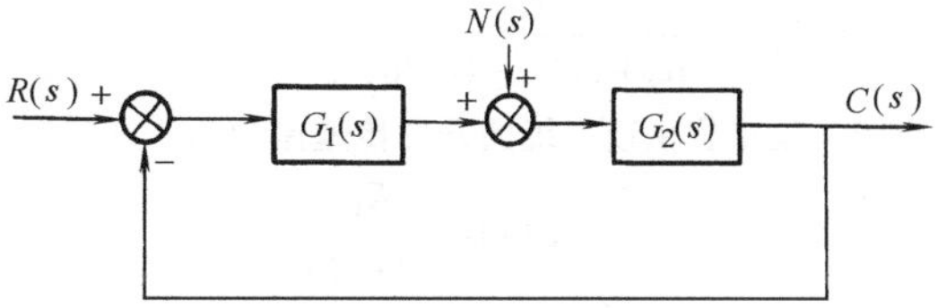

图 4-T-4 题 4-12 图

4-13 设单位反馈系统的开环传递函数为 $G(s)=\dfrac{K_1(s+a)}{s^2(s+1)}$，确定 a 值，使根轨迹图分别具有 0、1、2 个分离点，画出这三种情况的根轨迹图。

4-14 用 MATLAB 绘制题 4-2 所给系统的常规根轨迹。

4-15 用 MATLAB 绘制题 4-3 所给系统的常规根轨迹，并讨论零点对系统性能的影响。

4-16 用 MATLAB 绘制题 4-7 所给系统以 α 为变量的根轨迹，并求系统的单位阶跃响应，分析局部反馈对系统的最大超调量、调整时间和稳态误差的影响。

4-17 讨论图 4-3-12 所示具有正反馈内环的闭环控制系统，已知 $\zeta=0.5$，$\omega_n=1\text{rad/s}$。

(1) 分别取 $K_o=1$ 和 $K_o=2$，确定内环的闭环极点，分析内环的稳定性。

(2) 串联比例微分控制器 $G_c(s)=\dfrac{K_c(s+1/\tau)}{s+1/\alpha\tau}$，取 $\tau=2\text{s}$，$\alpha=0.2$，内环 $K_o=1$。用 MATLAB 绘制系统的常规根轨迹。

(3) 若 $K_o=2$，其他参量和 (2) 相同，用 MATLAB 绘制系统的常规根轨迹，并与 (2) 的结果比较。

(4) 在 (2) 的根轨迹中确定使闭环共轭复数极点的阻尼比为 0.707 的控制器增益 K_c 值，并确定该 K_c 下的另一闭环极点。用 MATLAB 绘制系统的单位阶跃响应曲线。

4-18 已知非最小相位系统的开环传递函数为

$$G(s)H(s)=\frac{K_1(1-0.5s)}{s(s+1)}$$

试绘制系统的常规根轨迹。

4-19 设双回路反馈控制系统如图 4-3-6 所示。

(1) 已知内环的参数为 $\tau_1=1\text{s}$，$\tau_2=0.33\text{s}$，$K_o=9$，$K_p=1$，用 MATLAB 绘制内环以 K_oK_p 为变量的常规根轨迹，并确定内环的闭环极点。

(2) 已知控制器的参数为 $\tau_c=1.5\text{s}$，用 MATLAB 绘制以 K_c 为变量的常规根轨迹，并确定使系统一对共轭复数极点的阻尼比为 0.707 时的控制器增益 K_c。

第五章　线性系统的频域分析

在第三章中，介绍了线性控制系统的时域分析法。显然，系统的动态性能用时域响应来描述最为直观与逼真。但是，用解析方法求解系统的时域响应往往十分不易，对于高阶系统就更加困难。因此，人们借助首先在通信领域中发展起来的频域分析法。在通信系统中，较常见到的信号是正弦信号。在正弦输入信号的作用下，系统输出的稳态分量称为频率响应。系统频率响应与正弦输入信号之间的关系称为频率特性。

人们发现，频率特性虽然是一种稳态特性，但它却不仅能够反映系统的稳态性能，而且还可以用来研究系统的稳定性和暂态性能。频域分析法是一种图解分析方法，其特点是可以根据系统的开环频率特性去判断闭环控制系统的性能，并能较方便地分析系统中的参量对系统暂态响应的影响，从而进一步指出改善系统性能的途径。频域分析和设计系统方法已经发展成为一种实用的工程方法，应用十分广泛。

频率特性有明确的物理意义，许多元件和稳定系统的频率特性都可用实验方法测定。对于一些难于采用机理分析方法建立系统数学模型的情况，这一点具有特别重要的意义。

频率特性主要适用于线性定常系统。在线性定常系统中，频率特性与输入正弦信号的幅值和相位无关。当然，这种方法也可以有条件地推广应用到某些非线性系统中去。

频率特性的数学基础是傅里叶变换。

本章介绍频率特性的基本概念、典型环节和系统的频率特性、奈奎斯特稳定判据及系统的相对稳定性、系统性能的频域分析方法、基于 MATLAB 的系统频域分析，以及频率特性的实验确定方法。利用频率特性对系统进行校正的方法将在第六章中讨论。

第一节　频 率 特 性

一、基本概念

对于频率特性的概念，读者在电工原理中已经有所了解。

对图 5-1-1 所示电路，当输出阻抗足够大时，可以列出以下方程

$$u_1=Ri+u_2$$

$$u_2=\frac{1}{C}\int i\mathrm{d}t$$

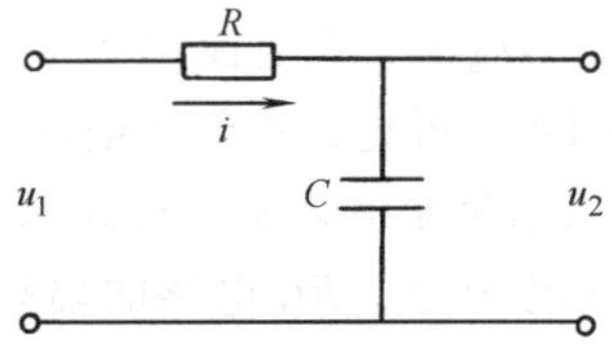

图 5-1-1　RC 电路

从上两式中消去中间变量 i 后可得

$$\tau \frac{\mathrm{d}}{\mathrm{d}t}u_2+u_2=u_1 \tag{5-1-1}$$

式中，$\tau=RC$。

对上式进行拉普拉斯变换，可以求出此电路的传递函数

$$\frac{U_2(s)}{U_1(s)}=\frac{1}{\tau s+1} \tag{5-1-2}$$

设输入电压 u_1 为正弦电压，即

$$u_1=U_{1\mathrm{m}}\sin\omega t$$

上式的拉普拉斯变换式为

$$U_1(s)=\frac{U_{1\mathrm{m}}\omega}{s^2+\omega^2}$$

将 $U_1(s)$ 代入式（5-1-2），可以得到

$$U_2(s)=\frac{1}{\tau s+1}\frac{U_{1\mathrm{m}}\omega}{s^2+\omega^2} \tag{5-1-3}$$

对上式进行拉普拉斯反变换，可得

$$u_2=\frac{U_{1\mathrm{m}}\tau\omega}{1+\tau^2\omega^2}\mathrm{e}^{-\frac{t}{\tau}}+\frac{U_{1\mathrm{m}}}{\sqrt{1+\tau^2\omega^2}}\sin(\omega t+\varphi) \tag{5-1-4}$$

式中，$\varphi=-\arctan\tau\omega$。

式（5-1-4）中，第一项是输出的暂态分量，第二项是输出的稳态分量。当时间 $t\to\infty$ 时，暂态分量趋近于零，所以上述电路的稳态响应可以表示为

$$\begin{aligned}\lim_{t\to\infty}u_2&=\frac{U_{1\mathrm{m}}}{\sqrt{1+\tau^2\omega^2}}\sin(\omega t+\varphi)\\&=U_{1\mathrm{m}}\left|\frac{1}{1+\mathrm{j}\omega\tau}\right|\sin\left(\omega t+\angle\frac{1}{1+\mathrm{j}\omega\tau}\right)\end{aligned} \tag{5-1-5}$$

以上分析表明，对于 τ 已确定的电路，当输入为正弦信号时，其输出的稳态响应（频率响应）也是一个正弦信号，其频率和输入信号的频率相同，但幅值和相位发生了变化，其变化取决于 ω。

若把输出的稳态响应和输入正弦信号用复数表示，并求它们的复数比，可以得到

$$G(\mathrm{j}\omega)=\frac{1}{1+\mathrm{j}\omega\tau}=A(\omega)\mathrm{e}^{\mathrm{j}\varphi(\omega)} \tag{5-1-6}$$

式中，$A(\omega)=\left|\frac{1}{1+\mathrm{j}\omega\tau}\right|=\frac{1}{\sqrt{1+\tau^2\omega^2}}$；$\varphi(\omega)=\angle\left(\frac{1}{1+\mathrm{j}\omega\tau}\right)=-\arctan\tau\omega$。

$G(\mathrm{j}\omega)$ 是上述电路的频率响应与输入正弦信号的复数比，称为频率特性。由式（5-1-6）可见，将传递函数中的 s 以 $\mathrm{j}\omega$ 代替，即得频率特性。$A(\omega)$ 是输出信号的幅值与输入信号幅值之比，称为幅频特性。$\varphi(\omega)$ 是输出信号的相位与输入信号的相位之差，称为相频特性。*RC* 电路的幅频和相频特性如图 5-1-2 所示。

二、频率特性的图形表示

1. 极坐标图

式（5-1-6）中的 $G(\mathrm{j}\omega)$ 可以分为实部和虚部，即

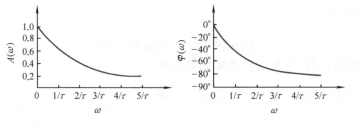

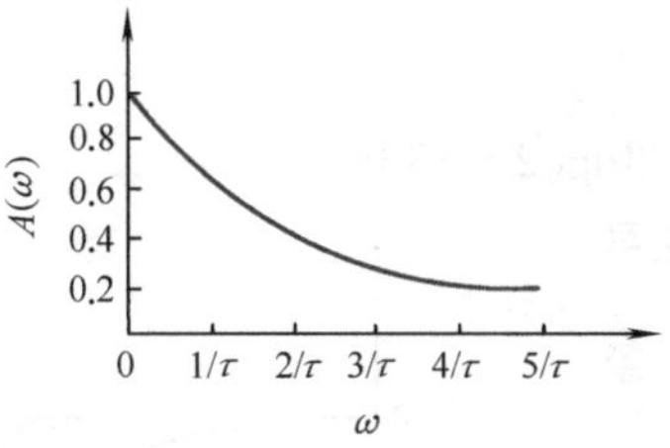

图 5-1-2　*RC* 电路的幅频和相频特性

频率特性的
极坐标图

$$G(\mathrm{j}\omega)=\frac{1}{1+\mathrm{j}\omega\tau}=\frac{1}{1+\omega^2\tau^2}-\mathrm{j}\frac{\omega\tau}{1+\omega^2\tau^2}=X(\omega)+\mathrm{j}Y(\omega)$$

$X(\omega)$ 称为实频特性，$Y(\omega)$ 称为虚频特性。

在 $G(\mathrm{j}\omega)$ 平面上，以横坐标表示 $X(\omega)$，纵坐标表示 $\mathrm{j}Y(\omega)$，根据上式画出 *RC* 电路的频率特性，如图 5-1-3 所示。图中 $G(\mathrm{j}\omega)$ 的轨迹为一半圆。

这种采用极坐标系的频率特性图称为奈奎斯特图，又称极坐标图。通常极坐标图用列表、计算、描点的方法绘制。

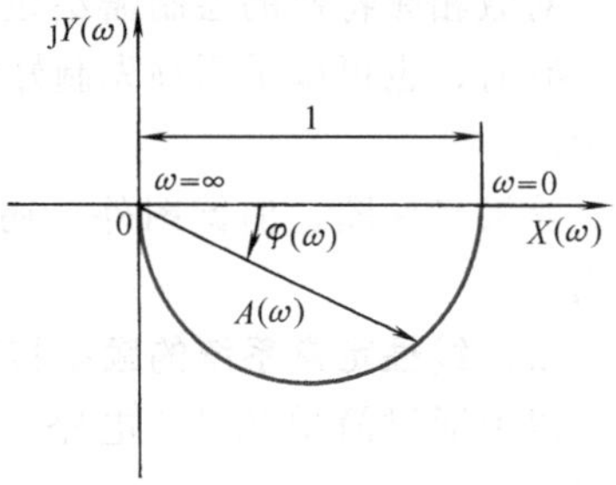

图 5-1-3　*RC* 电路的极坐标图

2. 伯德图

在工程实际中，常常将频率特性画成对数坐标图的形式。这种对数坐标图又称伯德（Bode）图，由对数幅频特性和对数相频特性组成。

对数幅值表达式为 $L(\omega)=20\lg|G(\mathrm{j}\omega)|$，单位为分贝（dB）。这里对数是以 10 为底的。横坐标的频率值采用对数分度，纵坐标的对数幅值或相角值采用线性分度。因此，绘制伯德图时要用半对数坐标纸。

伯德图的主要优点在于，利用对数运算可以将幅值的乘除运算化为加减运算，并且可以用简便的方法绘制近似的对数幅频特性，从而使绘制过程大为简化。

对上述 *RC* 电路，其对数幅频特性的表达式为

$$L(\omega)=20\lg\frac{1}{\sqrt{1+\tau^2\omega^2}}=20\lg1-20\lg\sqrt{1+\tau^2\omega^2} \tag{5-1-7}$$

相频特性为

$$\varphi(\omega)=-\arctan\tau\omega=-\arctan\frac{\omega}{\omega_1} \tag{5-1-8}$$

式中，$\omega_1=\dfrac{1}{\tau}$。

当 $\omega\ll\dfrac{1}{\tau}=\omega_1$ 时，可近似认为 $\tau\omega=0$，则

$$L(\omega)\approx20\lg1=0\mathrm{dB}$$

当 $\omega\gg\dfrac{1}{\tau}=\omega_1$ 时，$\omega\tau\gg1$，则

$$L(\omega)\approx20\lg1-20\lg\tau\omega=-20\lg\tau\omega$$

在 $\omega=\frac{1}{\tau}=\omega_1$ 处

$$L(\omega)=20\lg1-20\lg\sqrt{2}=-3\text{dB}$$

以上分析表明，*RC* 电路的对数幅频特性可以近似地用渐近线来表示。在 $\omega<\frac{1}{\tau}$ 部分为一条 0dB 的水平线，在 $\omega>\frac{1}{\tau}$ 部分为斜率等于 −20dB/dec 的直线。两条直线交接处的频率为 $\omega_1=\frac{1}{\tau}$，此处渐近线与对数幅频特性的误差为 −3dB。

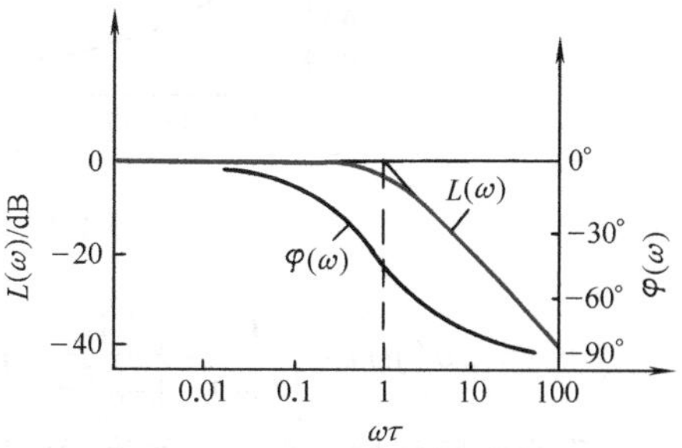

图 5-1-4 *RC* 电路的伯德图

对数相频特性的绘制需给定若干 ω 值，逐点求出相应的 $\varphi(\omega)$ 值，然后用平滑曲线连接。有时，也可以采用预先制好的模板绘制。*RC* 电路的对数频率特性（伯德图）如图 5-1-4 所示。

除极坐标图、伯德图外，还有对数幅相特性图（尼柯尔斯图），本章后续内容中也有采用。

三、线性定常系统的频率特性

以上通过简单的 *RC* 电路，复习了频率特性的概念。下面分析线性定常系统的一般情况。

对于线性定常系统，传递函数的表达式为

$$G(s)=\frac{C(s)}{R(s)}=\frac{N(s)}{D(s)}=\frac{N(s)}{(s-p_1)(s-p_2)\cdots(s-p_n)} \tag{5-1-9}$$

式中，$N(s)$，$D(s)$ 为分子和分母多项式；$C(s)$，$R(s)$ 为输出信号和输入信号的拉普拉斯变换；p_1，p_2，…，p_n 为传递函数的极点，对于稳定的系统，它们都具有负实部。

由上式可求得输出信号的拉普拉斯变换式

$$C(s)=\frac{N(s)}{(s-p_1)(s-p_2)\cdots(s-p_n)}R(s)$$

当输入信号为正弦信号，即 $r(t)=M\sin\omega t$ 时，其拉普拉斯变换式为

$$R(s)=\frac{M\omega}{s^2+\omega^2}$$

代入上式，得

$$C(s)=\frac{N(s)}{(s-p_1)(s-p_2)\cdots(s-p_n)}\frac{M\omega}{s^2+\omega^2} \tag{5-1-10}$$

若系统无相重极点，则上式可写为

$$C(s)=\frac{b_1}{s+\mathrm{j}\omega}+\frac{b_2}{s-\mathrm{j}\omega}+\sum_{i=1}^{n}\frac{a_i}{s-p_i} \tag{5-1-11}$$

对上式求拉普拉斯反变换，可得输出信号

$$c(t)=b_1\mathrm{e}^{-\mathrm{j}\omega t}+b_2\mathrm{e}^{\mathrm{j}\omega t}+\sum_{i=1}^{n}a_i\mathrm{e}^{p_it} \tag{5-1-12}$$

若系统稳定，p_i 都具有负实部。当 $t\to\infty$ 时，上式中的最后一项暂态分量将衰减至零。

这时，可得到系统在正弦信号输入下的稳态响应

$$\lim_{t\to\infty} c(t)=b_1 e^{-j\omega t}+b_2 e^{j\omega t} \tag{5-1-13}$$

求出待定系数 b_1 和 b_2，代入上式可得

$$\begin{aligned} c(t)\big|_{t=\infty} &= |G(j\omega)| M \frac{e^{j(\omega t+\varphi)}-e^{-j(\omega t+\varphi)}}{2j} \\ &= |G(j\omega)| M\sin(\omega t+\varphi) \\ &= C_m \sin(\omega t+\varphi) \end{aligned} \tag{5-1-14}$$

以上分析表明，在正弦输入信号的作用下，系统的稳态响应仍然是一个正弦函数，其频率与输入信号的频率相同，输出振幅 C_m 为输入正弦信号幅值 M 的 $|G(j\omega)|$ 倍，相移为 $\varphi(\omega)=\angle G(j\omega)$。

通常把

$$G(j\omega)=|G(j\omega)| e^{j\varphi(\omega)} \tag{5-1-15}$$

称为系统的频率特性。它反映了在正弦输入信号作用下，系统稳态响应与输入正弦信号之间的关系。系统稳态输出信号与输入正弦信号的幅值比 $|G(j\omega)|$ 称为幅频特性，它是频率的函数，反映了系统对于不同频率的正弦输入信号的衰减（或放大）特性。**系统稳态输出信号对输入正弦信号的相移 $\varphi(\omega)$ 称为系统的相频特性，**它表示系统输出对于不同频率正弦输入信号的相移特性。在本书中，凡未标明单位的角频率 ω 都以 rad/s 或 s^{-1} 为单位。

在初始条件为零的条件下，系统输出信号为

$$c(t)=\frac{1}{2\pi j}\int_{\sigma-j\infty}^{\sigma+j\infty} G(s)R(s)e^{st}ds$$

式中，σ 为绝对收敛的横坐标值。

若系统稳定，$G(s)$ 在 s 右半平面无极点，而输入信号 $r(t)$ 的傅里叶变换又存在，则上式中的 σ 可取为零，于是可得

$$c(t)=\frac{1}{2\pi j}\int_{-j\infty}^{j\infty} G(s)R(s)e^{st}ds$$

令 $s=j\omega$，上式化为

$$c(t)=\frac{1}{2\pi}\int_{-\infty}^{\infty} G(j\omega)R(j\omega)e^{j\omega t}d\omega \tag{5-1-16}$$

这是 $C(j\omega)$ 的傅里叶反变换。由此可见

$$C(j\omega)=G(j\omega)R(j\omega)$$

或

$$G(j\omega)=\frac{C(j\omega)}{R(j\omega)} \tag{5-1-17}$$

上式表明，系统的频率特性为输出信号的傅里叶变换与输入信号的傅里叶变换之比。

系统的频率特性与时域响应之间存在一定的关系，这种关系是频域分析和设计方法的依据。

设线性定常系统的输入 $r(t)$ 和输出 $c(t)$ 均满足狄里赫利条件，并且绝对可积，则可求得其傅里叶变换

$$R(j\omega)=\int_{-\infty}^{\infty} r(t)e^{-j\omega t}dt$$

$$C(j\omega)=\int_{-\infty}^{\infty} c(t)e^{-j\omega t}dt$$

由上述已知，此系统之频率特性为

$$G(\mathrm{j}\omega)=\frac{C(\mathrm{j}\omega)}{R(\mathrm{j}\omega)}=|G(\mathrm{j}\omega)|\mathrm{e}^{\mathrm{j}\angle G(\mathrm{j}\omega)}$$
$$=A(\omega)\mathrm{e}^{\mathrm{j}\varphi(\omega)}=A(\omega)\cos\varphi(\omega)+\mathrm{j}A(\omega)\sin\varphi(\omega)$$
$$=X(\omega)+\mathrm{j}Y(\omega)$$

根据傅里叶反变换式（5-1-16），即可求得系统的时域响应。例如，系统的单位脉冲响应为

$$g(t)=\frac{1}{2\pi}\int_{-\infty}^{\infty}G(\mathrm{j}\omega)\mathrm{e}^{\mathrm{j}\omega t}\mathrm{d}\omega \tag{5-1-18}$$

如果输入为单位阶跃信号，即 $r(t)=1(t)$，则系统输出的单位阶跃响应 $h(t)$ 可用卷积公式求得

$$h(t)=\int_{0}^{t}g(t-\tau)r(\tau)\mathrm{d}\tau=\int_{0}^{t}g(t-\tau)\mathrm{d}\tau \tag{5-1-19}$$

式（5-1-18）左侧为系统的时域响应，右侧积分式中的 $G(\mathrm{j}\omega)$ 为系统的频率特性。故可认为，式（5-1-18）即是系统频率特性和时域响应之间的一种数学表达式。读者如有兴趣进一步探讨这一问题，请参阅附录 C。

第二节　典型环节的频率特性

第二章中曾经述及，控制系统通常由若干环节所组成。根据数学模型的特点，可以划分为几种典型环节。下面介绍这些典型环节的频率特性。

一、比例环节

比例环节的传递函数为常数 K，其特点是输出能够无滞后、无失真地复现输入信号。

比例环节的频率特性为

$$G(\mathrm{j}\omega)=K \tag{5-2-1}$$

显然，它与频率无关。相应的对数幅频特性和相频特性为

$$\left.\begin{aligned}L(\omega)&=20\lg K\\ \varphi(\omega)&=0\end{aligned}\right\} \tag{5-2-2}$$

比例环节的伯德图如图 5-2-1 所示（$K>1$ 的情况）。

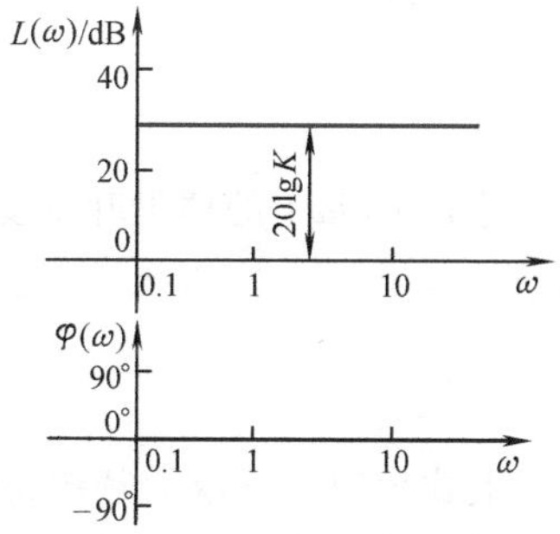

图 5-2-1　比例环节的伯德图

比例环节频率特性的极坐标图是 s 平面中正实轴上的一个点，坐标值为 K。

式（5-2-1）、式（5-2-2）和图 5-2-1 是完全理想化了的比例环节的频率特性表达式和相应的伯德图。在第二章曾明确指出，完全理想的比例环节在实际中是不存在的，此问题将在下一章中详加论述。

二、惯性环节

惯性环节的传递函数为

$$G(s)=\frac{1}{1+\tau s}$$

典型环节的频率特性

此环节的幅频和相频特性为

$$G(\mathrm{j}\omega)=A(\omega)\mathrm{e}^{\mathrm{j}\varphi(\omega)} \tag{5-2-3}$$

其中

$$A(\omega)=\frac{1}{\sqrt{1+\tau^2\omega^2}}$$

$$\varphi(\omega)=-\arctan\tau\omega$$

或用实频或虚频特性表示，即

$$G(\mathrm{j}\omega)=X(\omega)+\mathrm{j}Y(\omega) \tag{5-2-4}$$

式中，$X(\omega)=\dfrac{1}{1+\tau^2\omega^2}$；$Y(\omega)=\dfrac{-\tau\omega}{1+\tau^2\omega^2}$。

惯性环节的对数幅频和相频特性分别为

$$\left.\begin{aligned}L(\omega)&=20\lg A(\omega)=-20\lg\sqrt{1+\tau^2\omega^2}\\ \varphi(\omega)&=-\arctan\tau\omega=-\arctan\frac{\omega}{\omega_1}\end{aligned}\right\} \tag{5-2-5}$$

式中，$\omega_1=\dfrac{1}{\tau}$。

第一节中述及的 RC 电路即为一惯性环节，其极坐标图和伯德图分别如图 5-1-3 和图 5-1-4 所示。

如前所述，此环节的伯德图可以采用渐近线来表示。在接近交接频率 ω_1 处会出现一些误差。最大的误差发生在交接频率处，其值为-3dB。必要时可用图 5-2-2 所示的误差曲线来修正渐近线。

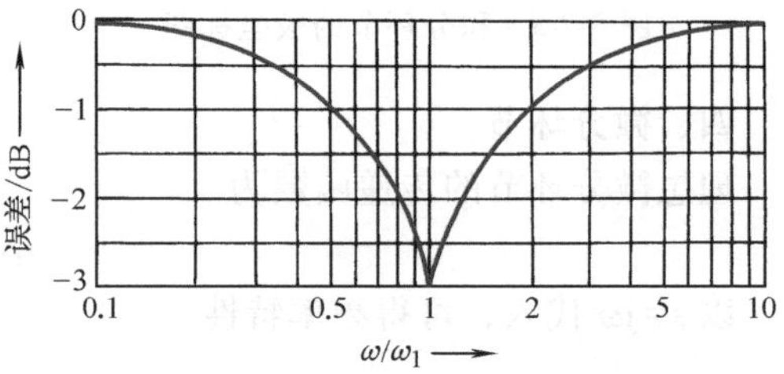

图 5-2-2　惯性环节伯德图的误差修正曲线

为了绘制相频特性，只需计算若干点，例如

ω/ω_1	0	0.25	0.5	0.75	1	1.5	2	4	∞
$\varphi(\omega)$	0°	-14°	-26.6°	-36.87°	-45°	-56.31°	-63.4°	-75.96°	-90°

然后用平滑曲线将其连接。有时也可以采用模板来绘制。

由图 5-1-4 可见，**惯性环节的幅频特性随着角频率的增加而衰减，呈低通滤波特性。而相频特性呈滞后特性**，即输出信号的相位滞后于输入信号的相位。角频率越高，则相位角滞后越大，最终滞后角趋向-90°。

三、积分环节

积分环节的传递函数为

$$G(s)=\frac{1}{s}$$

积分环节的频率特性为

$$G(\mathrm{j}\omega)=\frac{1}{\mathrm{j}\omega}=\frac{1}{\omega}\mathrm{e}^{-\mathrm{j}\frac{\pi}{2}} \tag{5-2-6}$$

相应的极坐标图如图 5-2-3 所示。

由上式可见，它的**幅频特性与角频率 ω 成反比，而相频特性恒为$-\dfrac{\pi}{2}$，即-90°**。

积分环节的对数幅频特性和相频特性分别为

$$\left.\begin{aligned}L(\omega)&=-20\lg\omega\\ \varphi(\omega)&=-90^\circ\end{aligned}\right\}\tag{5-2-7}$$

相应的伯德图如图 5-2-4 所示。由图可见，其对数幅频特性为一条斜率为-20dB/dec（分贝/十倍频程）的直线，此线通过 $L(\omega)=0$，$\omega=1$ 的点。相频特性是一条平行于横坐标的直线，其纵坐标为$-\pi/2$（-90°）。

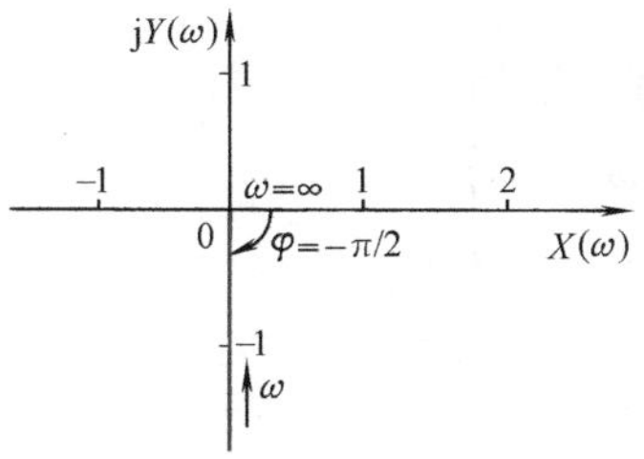

图 5-2-3 积分环节的极坐标图

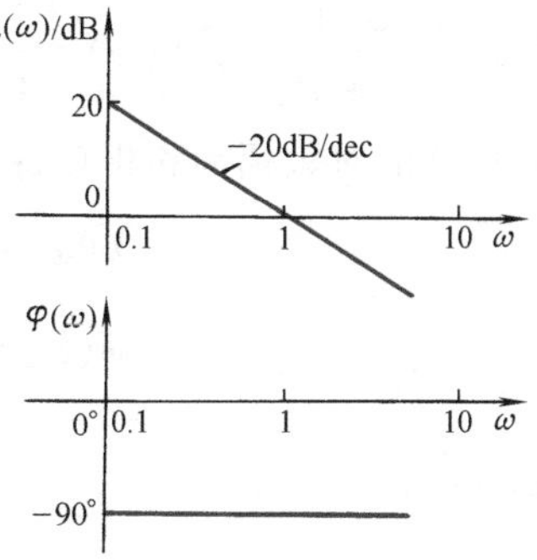

图 5-2-4 积分环节的伯德图

四、微分环节

理想微分环节的传递函数为

$$G(s)=s$$

以 $s=\mathrm{j}\omega$ 代入，可得频率特性

$$G(\mathrm{j}\omega)=\mathrm{j}\omega=\omega\mathrm{e}^{\mathrm{j}\frac{\pi}{2}}\tag{5-2-8}$$

式（5-2-8）表明，理想微分环节的幅频特性 $A(\omega)$ 等于角频率 ω，相频特性 $\varphi(\omega)$ 恒等于$\frac{\pi}{2}$，即 90°，其极坐标图如图 5-2-5 所示。

对数幅频和相频特性分别为

$$\left.\begin{aligned}L(\omega)&=20\lg\omega\\ \varphi(\omega)&=90^\circ\end{aligned}\right\}\tag{5-2-9}$$

不难看出，对数幅频特性是一条斜率为 20dB/dec 的直线，它与 0dB 线交于 $\omega=1$ 点。相频特性为 90°的水平线，如图 5-2-6 所示。

一阶比例微分环节的传递函数为

$$G(s)=1+\tau s$$

其频率特性为

$$G(\mathrm{j}\omega)=1+\mathrm{j}\tau\omega=\sqrt{1+\tau^2\omega^2}\,\mathrm{e}^{\mathrm{j}\varphi(\omega)}\tag{5-2-10}$$

式中，$\varphi(\omega)=\arctan\tau\omega$。

对数频率特性为

$$\left.\begin{aligned}L(\omega)&=20\lg\sqrt{1+\tau^2\omega^2}\\ \varphi(\omega)&=\arctan\tau\omega\end{aligned}\right\}\tag{5-2-11}$$

一阶比例微分环节频率特性的极坐标图和对数坐标图分别如图 5-2-7 和图 5-2-8 所示。

二阶微分环节的传递函数和频率特性分别为

$$\left.\begin{aligned}G(s)&=1+2\zeta\tau s+\tau^2s^2\\ G(\mathrm{j}\omega)&=1+2\zeta\tau(\mathrm{j}\omega)+\tau^2(\mathrm{j}\omega)^2\end{aligned}\right\}\tag{5-2-12}$$

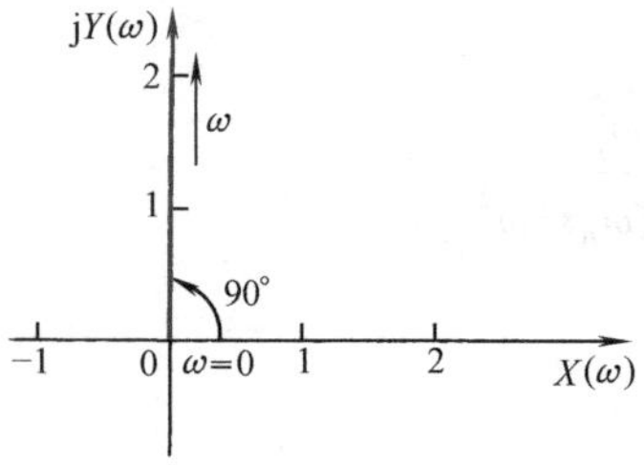

图 5-2-5　理想微分环节的极坐标图

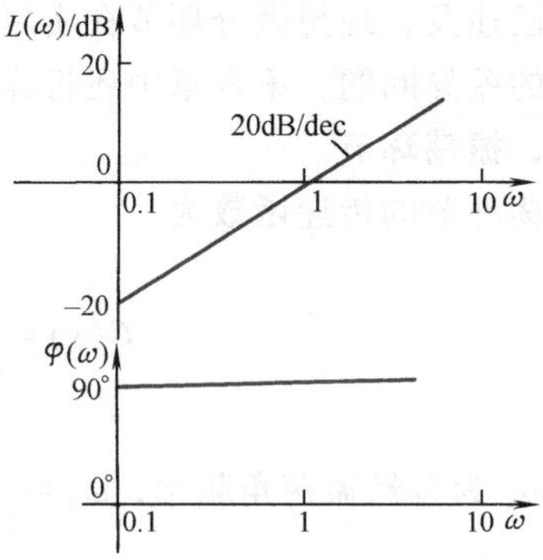

图 5-2-6　理想微分环节的伯德图

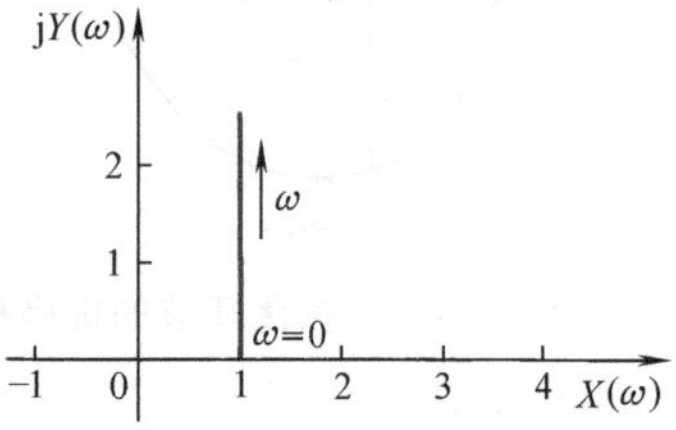

图 5-2-7　一阶比例微分环节的极坐标图

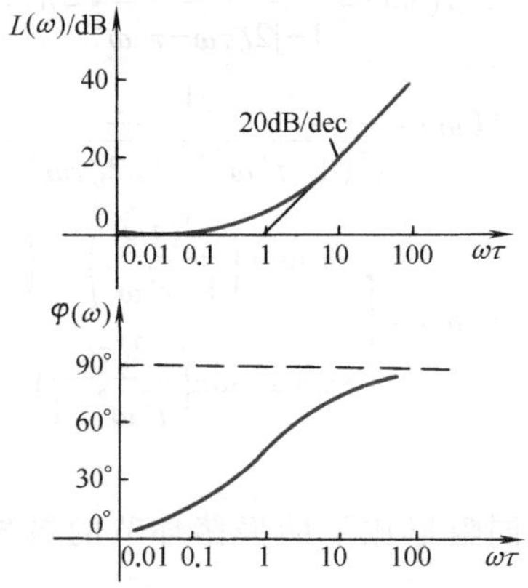

图 5-2-8　一阶比例微分环节的伯德图

极坐标图如图 5-2-9 所示。相应的对数幅频和相频特性的表达式为

$$\left.\begin{aligned}
&L(\omega)=20\lg\sqrt{(1-\tau^2\omega^2)^2+(2\zeta\tau\omega)^2}\\
&\varphi(\omega)=\begin{cases}\arctan\left(\dfrac{2\zeta\tau\omega}{1-\tau^2\omega^2}\right) & \left(\omega\leqslant\dfrac{1}{\tau}\right)\\[2mm] \pi-\arctan\left(\dfrac{2\zeta\tau\omega}{\tau^2\omega^2-1}\right) & \left(\omega>\dfrac{1}{\tau}\right)\end{cases}
\end{aligned}\right\}\qquad(5\text{-}2\text{-}13)$$

$\zeta=0.707$ 时二阶微分环节的伯德图如图 5-2-10 所示。

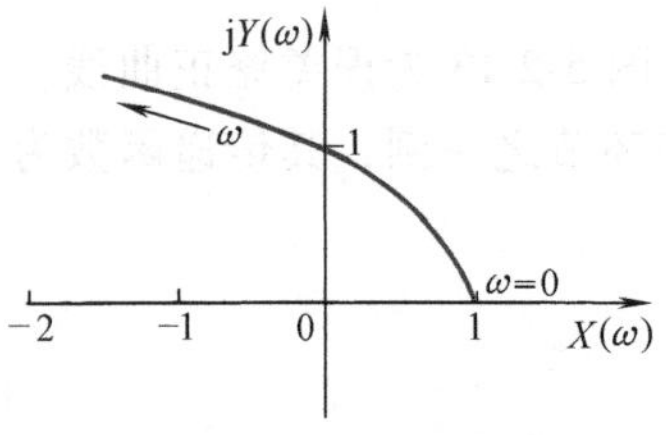

图 5-2-9　二阶微分环节的极坐标图

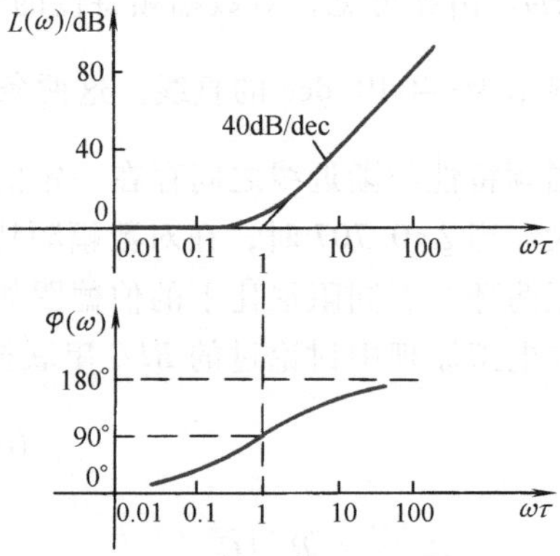

图 5-2-10　二阶微分环节的伯德图

前已述及，理想微分环节在实际中是不存在的。对理想的微分环节和实际可以实现的微分环节的差异问题，第六章中还将详加讨论。

五、振荡环节

振荡环节的传递函数为

$$G(s)=\frac{1}{\tau^2 s^2+2\zeta\tau s+1}=\frac{\omega_n^2}{s^2+2\zeta\omega_n s+\omega_n^2}$$

式中，ω_n 为自然振荡角频率，$\omega_n=\frac{1}{\tau}$；ζ 为阻尼比。

幅相频率特性为

$$G(j\omega)=\frac{1}{1+j2\zeta\tau\omega-\tau^2\omega^2}=A(\omega)e^{j\varphi(\omega)} \quad (5\text{-}2\text{-}14)$$

$$\left.\begin{aligned} A(\omega)&=\frac{1}{\sqrt{(1-\tau^2\omega^2)^2+(2\zeta\tau\omega)^2}} \\ \varphi(\omega)&=\begin{cases}-\arctan\left(\dfrac{2\zeta\tau\omega}{1-\tau^2\omega^2}\right) & \left(\omega\leqslant\dfrac{1}{\tau}\right)\\ -\pi+\arctan\left(\dfrac{2\zeta\tau\omega}{\tau^2\omega^2-1}\right) & \left(\omega>\dfrac{1}{\tau}\right)\end{cases}\end{aligned}\right\} \quad (5\text{-}2\text{-}15)$$

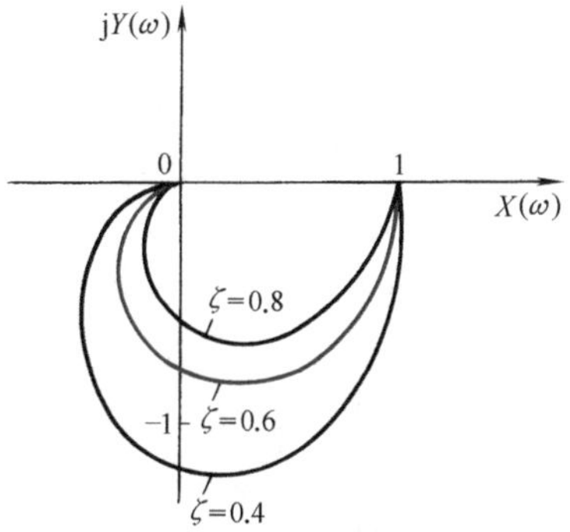

图 5-2-11 振荡环节的极坐标图

不同阻尼比下的振荡环节的极坐标图如图 5-2-11 所示。

根据式（5-2-15），可求对数幅频特性与相频特性

$$\left.\begin{aligned} L(\omega)&=20\lg A(\omega)=-20\lg\sqrt{(1-\tau^2\omega^2)^2+(2\zeta\tau\omega)^2} \\ \varphi(\omega)&=\begin{cases}-\arctan\left(\dfrac{2\zeta\tau\omega}{1-\tau^2\omega^2}\right) & \left(\omega\leqslant\dfrac{1}{\tau}\right)\\ -\pi+\arctan\left(\dfrac{2\zeta\tau\omega}{\tau^2\omega^2-1}\right) & \left(\omega>\dfrac{1}{\tau}\right)\end{cases}\end{aligned}\right\} \quad (5\text{-}2\text{-}16)$$

在 $\omega\ll\frac{1}{\tau}$ 的低频段，$A(\omega)\approx1$，$L(\omega)\approx0$。在 $\omega\gg\frac{1}{\tau}$ 的高频段，$A(\omega)\approx\frac{1}{\tau^2\omega^2}$，$L(\omega)\approx-40\lg\tau\omega$。由此可见，对数幅频特性的低频渐近线是一条零分贝的水平线，而高频渐近线是一条斜率为-40dB/dec 的直线。这两条直线相交处的交接频率为 $\omega_1=\frac{1}{\tau}$。在交接频率附近，对数幅频特性与渐近线之间存在一定的误差，其值取决于阻尼比 ζ 的值，阻尼比越小，则误差越大。当 $\zeta<0.707$ 时，在对数幅频特性上出现峰值。

振荡环节不同阻尼比下的伯德图如图 5-2-12 所示。图 5-2-13 为误差修正曲线。

在电工原理中讨论过的 *RLC* 串联振荡电路即为振荡环节之一例，其传递函数为

$$G(s)=\frac{1}{1+2\zeta\tau s+\tau^2 s^2}$$

式中，$\tau=\sqrt{LC}$；$\zeta=\frac{R}{2}\sqrt{\frac{C}{L}}$。

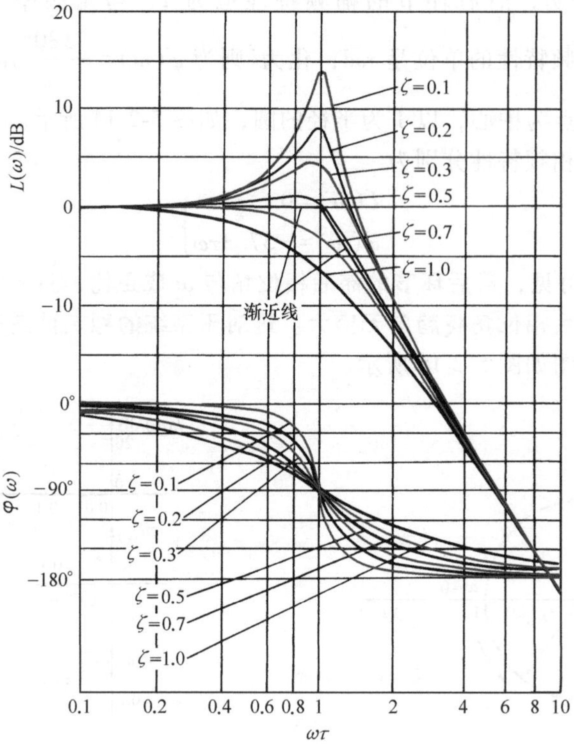

图 5-2-12　振荡环节的伯德图

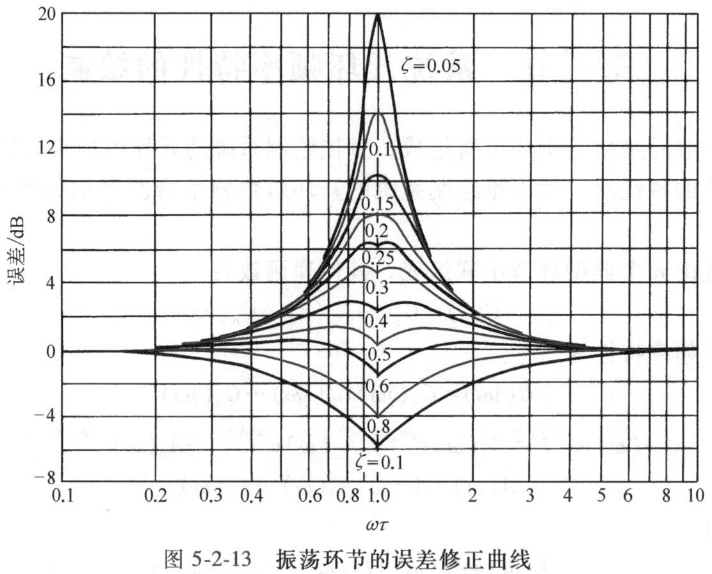

图 5-2-13　振荡环节的误差修正曲线

只要整定电路参数满足 $\zeta<1$ 的条件，上述的 *RLC* 串联电路就是一个振荡环节。

六、滞后环节

滞后环节的传递函数为

$$G(s)=\mathrm{e}^{-\tau s}$$

其频率特性为

$$G(\mathrm{j}\omega)=\mathrm{e}^{-\mathrm{j}\tau\omega} \tag{5-2-17}$$

式（5-2-17）表明，滞后环节的幅频特性恒为 1，与角频率 ω 无关，而相频特性 $\varphi(\omega)=-\tau\omega$（此式相频特性的单位是 rad，化为°则为 $\varphi(\omega)=-\dfrac{180°}{\pi}\tau\omega=-57.3\tau\omega$），其极坐标图是一个以坐标原点为中心，以 1 为半径的圆，如图 5-2-14 所示。

对数幅频特性和相频特性分别为

$$\left.\begin{aligned}L(\omega)&=0\\ \varphi(\omega)&=-57.3\tau\omega\end{aligned}\right\}\tag{5-2-18}$$

由式（5-2-18）可见，滞后环节的滞后相位角与 ω 成正比，且 τ 值越大，滞后相位角越大，当 $\omega\to\infty$ 时，滞后相位角将趋向无穷大。这对于系统的稳定性是很不利的。

滞后环节的伯德图如图 5-2-15 所示。

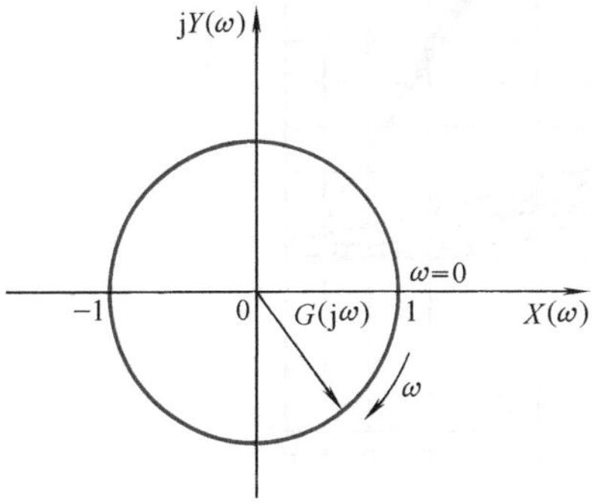

图 5-2-14　滞后环节的极坐标图

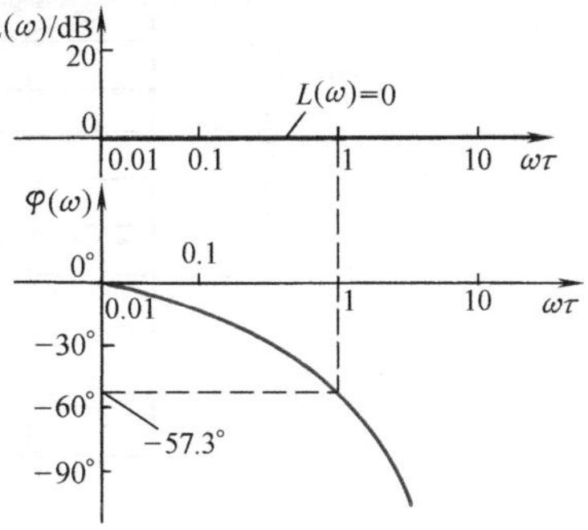

图 5-2-15　滞后环节的伯德图

第三节　系统开环频率特性的绘制

控制系统一般总是由若干环节所组成，直接绘制系统的开环幅相频率特性比较繁琐，但熟悉了典型环节的特性后，就不难绘制系统的开环对数频率特性（伯德图）。这里着重介绍绘制方法。

设开环系统由 n 个典型环节串联组成，其传递函数为

$$G(s)=G_1(s)G_2(s)\cdots G_n(s)$$

系统的开环频率特性为

$$G(\mathrm{j}\omega)=G_1(\mathrm{j}\omega)G_2(\mathrm{j}\omega)\cdots G_n(\mathrm{j}\omega)\tag{5-3-1}$$

或

$$A(\omega)\mathrm{e}^{\mathrm{j}\varphi(\omega)}=A_1(\omega)\mathrm{e}^{\mathrm{j}\varphi_1(\omega)}A_2(\omega)\mathrm{e}^{\mathrm{j}\varphi_2(\omega)}\cdots A_n(\omega)\mathrm{e}^{\mathrm{j}\varphi_n(\omega)}$$

式中

$$A(\omega)=A_1(\omega)A_2(\omega)\cdots A_n(\omega)$$

取对数后，则有

$$\left.\begin{aligned}L(\omega)&=L_1(\omega)+L_2(\omega)+\cdots+L_n(\omega)\\ \varphi(\omega)&=\varphi_1(\omega)+\varphi_2(\omega)+\cdots+\varphi_n(\omega)\end{aligned}\right\}\tag{5-3-2}$$

$A_i(\omega)(i=1,2,\cdots n)$ 表示各典型环节的幅频特性，$L_i(\omega)$ 和 $\varphi_i(\omega)$ 分别为各典型环节的对数幅频特性和相频特性。根据 $L(\omega)$ 和 $\varphi(\omega)$ 可以绘制系统的开环对数频率特性。

例 5-3-1　绘制开环传递函数为 $G(s)=\dfrac{K}{(1+\tau_1 s)(1+\tau_2 s)}$ 的 0 型系统的开环频率特性的伯德图，其中 $\tau_1>\tau_2$。

解　此系统的开环对数幅频和相频特性为

$$L(\omega)=20\lg K-20\lg\sqrt{1+\tau_1^{\ 2}\omega^2}-20\lg\sqrt{1+\tau_2^2\omega^2}$$
$$\varphi(\omega)=-\arctan\omega\tau_1-\arctan\omega\tau_2$$

根据上式画出各环节的对数幅频和相频特性，然后相加，即可得到图 5-3-1 所示的伯德图。

实际上，在熟悉了对数幅频特性的性质后，不必先一一画出各环节的特性，然后相加，而可以采用更简便的方法。

由求 $L(\omega)$ 的公式可见，这类 0 型系统开环对数幅频特性的低频段为 $20\lg K$ 的水平线，随着角频率 ω 的增加，每遇到一个交接频率，对数幅频特性就要改变一次斜率。若遇到惯性环节的交接频率时，斜率改变-20dB/dec，若遇到振荡环节时，斜率改变-40dB/dec。如果遇到一阶微分环节，则斜率改变+20dB/dec。

例 5-3-2　设Ⅰ型系统的开环传递函数为 $G(s)=\dfrac{K}{s(\tau s+1)}$，绘制系统的开环频率特性的伯德图（$K>1$）。

解　此系统之对数幅频和相频特性表达式为

$$L(\omega)=20\lg K-20\lg\omega-20\lg\sqrt{1+\omega^2\tau^2}$$
$$\varphi(\omega)=-90°-\arctan\omega\tau$$

不难看出，此系统对数幅频特性的低频段斜率为-20dB/dec，它（或者其延长线）在 $\omega=1$ 处与 $L(\omega)=20\lg K$ 的水平线相交。在交接频率 $\omega_1=\dfrac{1}{\tau}$ 处，幅频特性的斜率由-20dB/dec 变为-40dB/dec。系统之伯德图如图 5-3-2 所示。

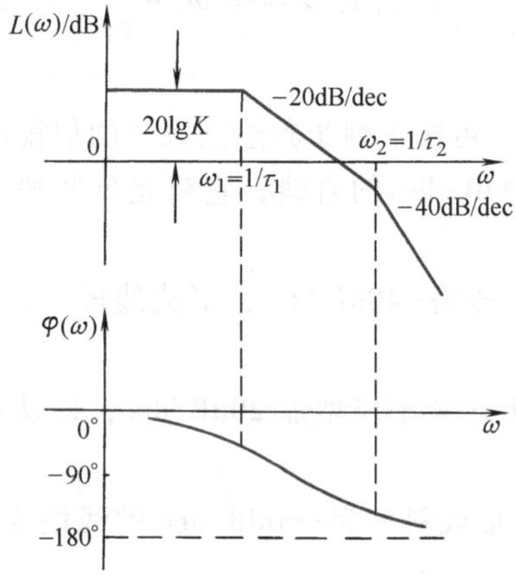

图 5-3-1　例 5-3-1 中系统的伯德图

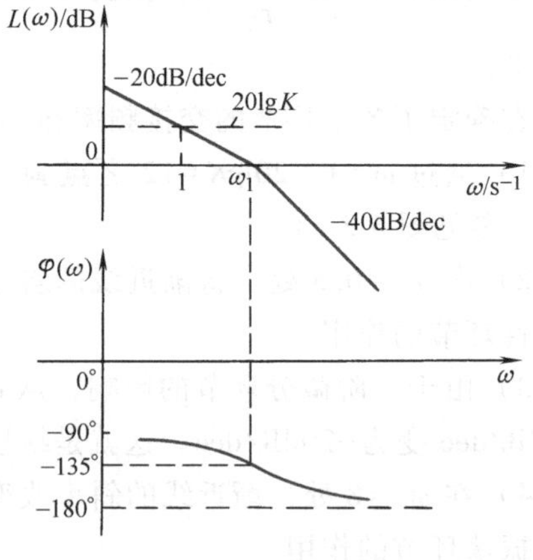

图 5-3-2　例 5-3-2 系统之伯德图

用类似的方法，可以绘制Ⅱ型系统的伯德图。

通过以上分析，可以看出**系统开环对数幅频特性有如下特点：低频段的斜率为 -20νdB/dec，ν 为开环系统中所包含的串联积分环节的数目。低频段（若存在小于 1 的交接频率时则为其延长线）在 $\omega=1$ 处的对数幅值为 $20\lg K$。在典型环节的交接频率处，对数幅频特性渐近线的斜率要发生变化，变化的情况取决于典型环节的类型。**如果遇到 $G(s)=(1+\tau s)^{\pm1}$ 的环节，在交接频率处斜率改变±20dB/dec。当遇到 $G(s)=(1+2\zeta\tau s+\tau^2s^2)^{\pm1}$ 的环节时，在交接频率处斜率改变±40dB/dec。

开环频率特性的绘制

综上所述，可以将绘制对数幅频特性的步骤归纳如下：

1）计算各典型环节的交接频率。

2）计算 $20\lg K$ 的分贝值。

3）通过 $\omega=1$，$L(\omega)=20\lg K$ 之点，绘制斜率为 -20νdB/dec 的低频段。其中 ν 为开环传递函数中串联积分环节数。

4）从低频段开始，随着 ω 的增加，每遇着一个典型环节的交接频率，就按上述方法改变一次斜率。

5）必要时可利用误差修正曲线，对交接频率附近的曲线进行修正，以求得更精确的特性。

相频特性的绘制可以按照前面叙述的常规方法，有时也可利用模板。这里不再赘述。

例 5-3-3 已知系统的开环传递函数为

$$G(s)=\frac{4\left(1+\dfrac{s}{2}\right)}{s(1+2s)\left(1+0.05s+\dfrac{s^2}{64}\right)}$$

要求绘制开环系统的伯德图。

解 此系统由一个比例环节、一个积分环节、一个惯性环节、一个一阶比例微分环节和一个振荡环节组成。

比例环节的 $K=4$，$20\lg K=12$dB。

惯性环节的时间常数 $\tau_1=2$，其交接频率 $\omega_1=\dfrac{1}{\tau_1}=0.5$，一阶微分环节的时间常数 $\tau_2=\dfrac{1}{2}$，其交接频率 $\omega_2=\dfrac{1}{\tau_2}=2$。振荡环节的时间常数 $\tau_3=\dfrac{1}{8}$，其交接频率 $\omega_3=\dfrac{1}{\tau_3}=8$，阻尼比 $\zeta=0.2$。

在确定了各个环节的交接频率和 $20\lg K$ 的值以后，可按下列步骤绘制系统的伯德图。

1）通过 $\omega=1$，$20\lg K=12$ 之点画一条斜率为 -20dB/dec 的直线，它就是低频段的渐近线 1（参见图 5-3-3）。

2）在 $\omega_1=0.5$ 处，将渐近线的斜率从 -20dB/dec 改为 -40dB/dec，形成线段 2。这是考虑惯性环节的作用。

3）由于一阶微分环节的影响，从 $\omega_2=2$ 起，渐近线斜率应增加 20dB/dec，即从原来的 -40dB/dec 变为 -20dB/dec。这就是线段 3。

4）在 $\omega_3=8$ 处，渐近线的斜率改变 -40dB/dec，形成斜率为 -60dB/dec 的线段 4。这是由于振荡环节的作用。

5）利用误差修正曲线，对对数幅频特性的渐近线进行修正，得到的对数幅频特性如图 5-3-3 中蓝色曲线所示。

根据各环节的相频特性，可以绘制系统的相频特性，如图 5-3-3 所示。当 $\omega\to\infty$，$\varphi(\omega)\to-360°$。

在上述几个例子中，系统传递函数的极点和零点都位于 s 平面的左半部，这种系统称为最小相位系统。反之，如果系统的传递函数具有位于 s 右半部的极点或零点，则相应的系统称为非最小相位系统。

对于幅频特性相同的系统，最小相位系统的相位滞后是最小的，而非最小相位系统的相

位滞后则必定大于前者。

若单回路系统中只包含比例、积分、微分、惯性和振荡环节时，系统一定是最小相位系统。如果在系统中存在滞后环节或者不稳定的环节（包括不稳定的内环回路）时，系统就成为非最小相位系统。

对于最小相位系统，对数幅频特性与相频特性之间存在着唯一的对应关系。这就是说，根据系统的对数幅频特性，可以唯一地确定相应的相频特性和传递函数，反之亦然。但是，对于非最小相位系统，就不存在上述的这种关系。

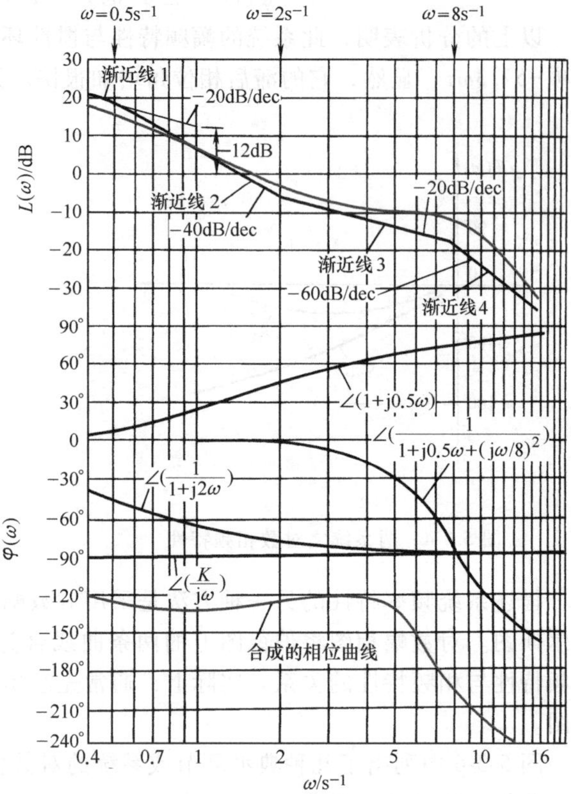

图 5-3-3　例 5-3-3 系统的伯德图

例如有一最小相位系统，其传递函数和频率特性分别为

$$G_1(s)=\frac{1+\tau_2 s}{1+\tau_1 s}\qquad (0<\tau_2<\tau_1)$$

$$G_1(j\omega)=\frac{1+j\omega\tau_2}{1+j\omega\tau_1}$$

$$\varphi_1(\omega)=\arctan\tau_2\omega-\arctan\tau_1\omega$$

另有一非最小相位系统，其传递函数和频率特性为

$$G_2(s)=\frac{1-\tau_2 s}{1+\tau_1 s}$$

$$G_2(j\omega)=\frac{1-j\omega\tau_2}{1+j\omega\tau_1}$$

$$\varphi_2(\omega)=-\arctan\tau_2\omega-\arctan\tau_1\omega$$

不难看出，这两个系统的对数幅频特性是完全相同的，而相频特性却根本不同。前一系统的相位 $\varphi_1(\omega)$ 变化范围很小，而后一系统的相位 $\varphi_2(\omega)$ 随着角频率 ω 的增加却从 0°变到趋于−180°，如图 5-3-4 所示。

例 5-3-4　绘制开环传递函数为 $G(S)=\dfrac{K}{\tau_1 s+1}e^{-\tau s}$ 的系统的伯德图。

解　若令 $G_1(s)=\dfrac{K}{\tau_1 s+1}$

则

$$G(s)=G_1(s)e^{-\tau s}$$

$$G(j\omega)=G_1(j\omega)e^{-j\omega\tau}$$

设 $K=1$，由上式可得

$$A(\omega)=|G(j\omega)|=\left|\frac{1}{j\omega\tau_1+1}\right|$$

$$\varphi(\omega)=\angle G(j\omega)=-\arctan\omega\tau_1-57.3\omega\tau$$

以上的分析表明，此系统的幅频特性与惯性环节相同，而其相频特性却比惯性环节多了一项$-57.3\omega\tau$。显然，它的滞后相位角增加很快。开环控制系统的伯德图如图 5-3-5 所示。

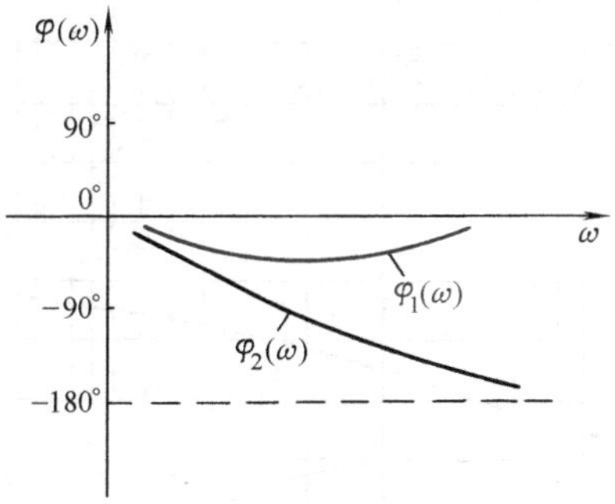

图 5-3-4 两系统之对数相频特性

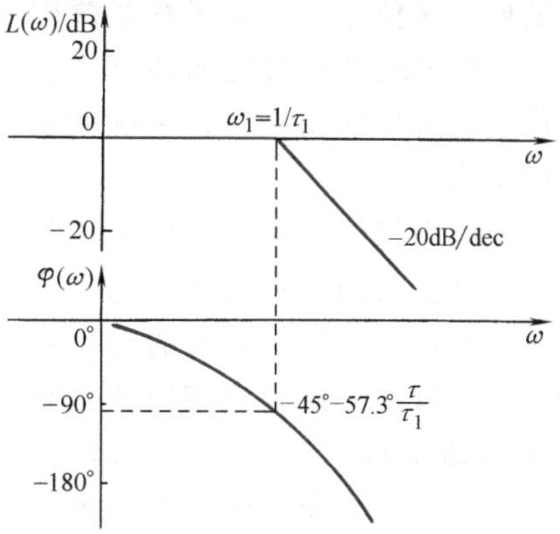

图 5-3-5 例 5-3-4 系统之伯德图

描述系统频率特性的另一种方法是采用对数幅相特性图，简称为对数幅相图，又称为尼柯尔斯图。对数幅相图将伯德图上的两条曲线合为一条，反映以角频率 ω 为参变量的对数幅频特性与相频特性的关系。实际上，通常先绘出伯德图，然后由其上取若干点绘制对数幅相图。

图 5-3-6 中列出了几种典型环节或系统的对数幅相图。请读者对照前面讨论过的伯德图进行分析，这里不再说明。

由图 5-3-6 不难看出，$G(j\omega)$ 和$\dfrac{1}{G(j\omega)}$ 的对数幅相图是斜对称的，因为

$$20\lg|G(j\omega)|=-20\lg\left|\frac{1}{G(j\omega)}\right|$$

$$\angle G(j\omega)=-\angle\frac{1}{G(j\omega)}$$

振荡环节的对数幅相图如图 5-3-7 所示。

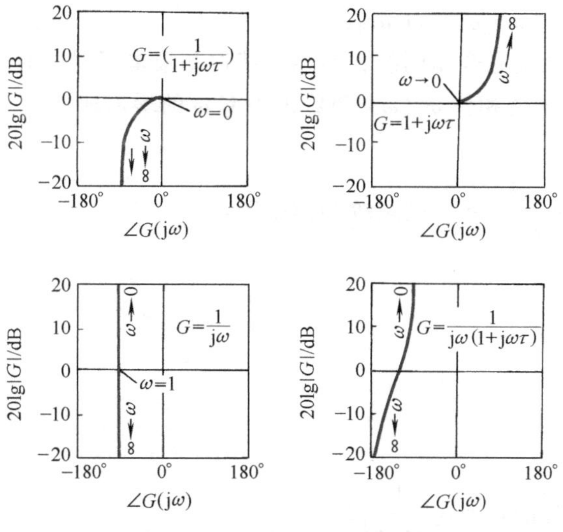

图 5-3-6 对数幅相特性举例

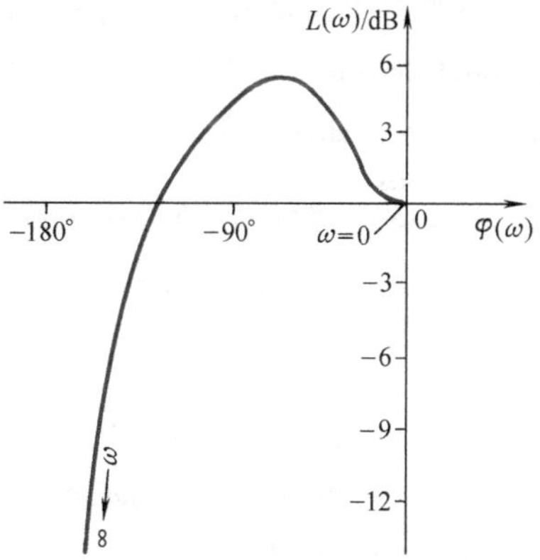

图 5-3-7 振荡环节的对数幅相图

第四节　奈奎斯特稳定判据和系统的相对稳定性

在第三章中已经指出，闭环控制系统稳定的充分和必要条件是，其特征方程式的所有根（闭环极点）都具有负实部，即都位于 s 平面的左半部。

前面介绍了两种判断系统稳定性的方法。代数判据法根据特征方程根和系数的关系判断系统的稳定性；根轨迹法依据特征方程的根随系统参量变化的轨迹来判断系统的稳定性。本节介绍另一种重要并且实用的方法——奈奎斯特稳定判据。**这种方法可以根据系统的开环频率特性，来判断闭环系统的稳定性，并能确定系统的相对稳定性。**

奈奎斯特稳定判据的数学基础是复变函数论中的映射定理，又称幅角定理。

一、映射定理

设有一复变函数为

$$F(s)=\frac{K_1(s-z_1)(s-z_2)\cdots(s-z_m)}{(s-p_1)(s-p_2)\cdots(s-p_n)} \tag{5-4-1}$$

式中，s 为复变量，以 s 复平面上的 $s=\sigma+\mathrm{j}\omega$ 表示；$F(s)$ 为复变函数，以 $F(s)$ 复平面上的 $F(s)=U+\mathrm{j}V$ 表示。

设对于 s 平面下除了有限奇点之外的任一点 s，复变函数 $F(s)$ 为解析函数，即单值、连续的正则函数，那么，对于 s 平面上的每一点，在 $F(s)$ 平面上必定有一个对应的映射点。因此，如果在 s 平面画一条封闭曲线，并使其不通过 $F(s)$ 的任一奇点，则在 $F(s)$ 平面上必有一条对应的映射曲线，参阅图 5-4-1。若在 s 平面上的封闭曲线是沿着顺时针方向运动的，则在 $F(s)$ 平面上的映射曲线的运动方向可能是顺时针的，也可能是逆时针的，取决于 $F(s)$ 函数的特性。

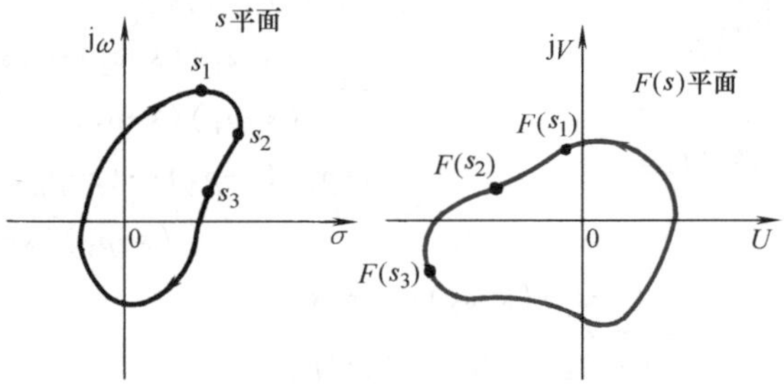

图 5-4-1　s 平面与 $F(s)$ 平面的映射关系

人们感兴趣的不是映射曲线的形状，而是它包围坐标原点的次数和运动方向，因为这两者与系统的稳定性密切相关。

根据式（5-4-1），复变函数 $F(s)$ 的相位可表示为

$$\angle F(s)=\sum_{j=1}^{m}\angle(s-z_j)-\sum_{i=1}^{n}\angle(s-p_i)$$

假定在 s 平面上的封闭曲线包围了 $F(s)$ 的一个零点 z_1，而其他零、极点都位于封闭曲线之外，则当 s 沿着 s 平面上的封闭曲线顺时针方向移动一周时，相量（$s-z_1$）的相位变化 -2π 弧度，而其他各相量的相位变化为零。这意味着在 $F(s)$ 平面上的映射曲线沿顺时针方向围绕着原点旋转一周，也就是相量 $F(s)$ 的相角变化了 -2π 弧度，如图 5-4-2 所示。

若 s 平面上的封闭曲线包围着 $F(s)$ 的 Z 个零点，则在 $F(s)$ 平面上的映射曲线将按顺时针方向围绕着坐标原点旋转 Z 周。

用类似分析方法可以推论，若 s 平面上的封闭曲线包围了 $F(s)$ 的 P 个极点，则当 s 沿着 s 平面上的封闭曲线顺时针移动一周时，在 $F(s)$ 平面上的映射曲线将按逆时针方向围绕着原点旋转 P 周。

综上所述，归纳如下：

映射定理 设 s 平面上的封闭曲线包围了复变函数 $F(s)$ 的 P 个极点和 Z 个零点，并且此曲线不经过 $F(s)$ 的任一零点和极点，则当复变量 s 沿封闭曲线顺时针方向移动一周时，在 $F(s)$ 平面上的映射曲线按逆时针方向包围坐标原点 $P-Z$ 周。

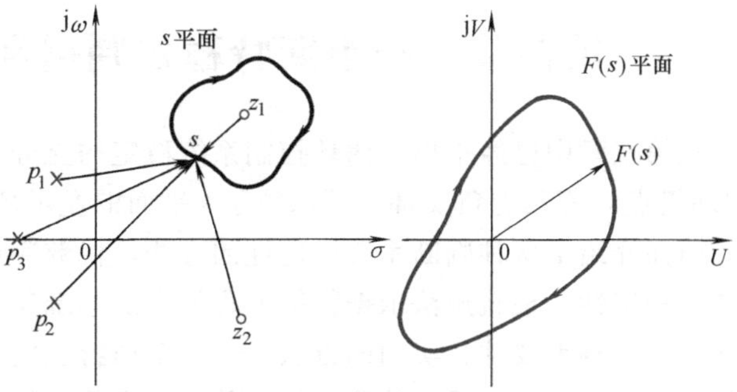

图 5-4-2 封闭曲线包围 z_1 时的映射情况

二、奈奎斯特稳定判据

现在讨论闭环控制系统的稳定性。设系统的特征方程为

$$F(s)=1+G(s)H(s)=0$$

系统的开环传递函数可以写为

$$G(s)H(s)=K_1\frac{(s-z_1)(s-z_2)\cdots(s-z_m)}{(s-p_1)(s-p_2)\cdots(s-p_n)}\quad (m\leqslant n)$$

奈奎斯特稳定判据

代入特征方程，可得

$$F(s)=1+K_1\frac{(s-z_1)(s-z_2)\cdots(s-z_m)}{(s-p_1)(s-p_2)\cdots(s-p_n)}$$

$$=\frac{(s-p_1)(s-p_2)\cdots(s-p_n)+K_1(s-z_1)(s-z_2)\cdots(s-z_m)}{(s-p_1)(s-p_2)\cdots(s-p_n)}$$

$$=\frac{(s-s_1)(s-s_2)\cdots(s-s_n)}{(s-p_1)(s-p_2)\cdots(s-p_n)}\tag{5-4-2}$$

由式（5-4-2）可见，复变函数 $F(s)$ 的零点为系统特征方程的根（闭环极点）s_1，s_2，…，s_n，而 $F(s)$ 的极点则为系统的开环极点 p_1，p_2，…，p_n。

闭环系统稳定的充分和必要条件是，特征方程的根，即 $F(s)$ 的零点，都位于 s 平面的左半部。

为了判断闭环系统的稳定性，需要检验 $F(s)$ 是否具有位于 s 平面右半部的零点。为此可以选择一条包围整个 s 平面右半部的按顺时针方向运动的封闭曲线，通常称为奈奎斯特回线，简称奈氏回线，如图 5-4-3 所示。

奈奎斯特回线由两部分组成。一部分是沿着虚轴由下向上移动的直线段 C_1，在此线段上 $s=j\omega$，ω 由 $-\infty$ 变到 $+\infty$。另一部分是半径为无穷大的半圆 C_2。如此定义的封闭曲线肯定包围了 $F(s)$ 的位于 s 平面右半部的所有零点和极点。

设复变函数 $F(s)$ 在 s 平面的右半部有 Z 个零点和 P 个极点。根据映射定理，当 s 沿着 s 平面上的奈奎斯特回线移动一周时，在 $F(s)$ 平面上的映射曲线 $\Gamma_F=1+G(j\omega)H(j\omega)$ 将按逆时针方向围绕坐标原点旋转 $N=P-Z$ 周。

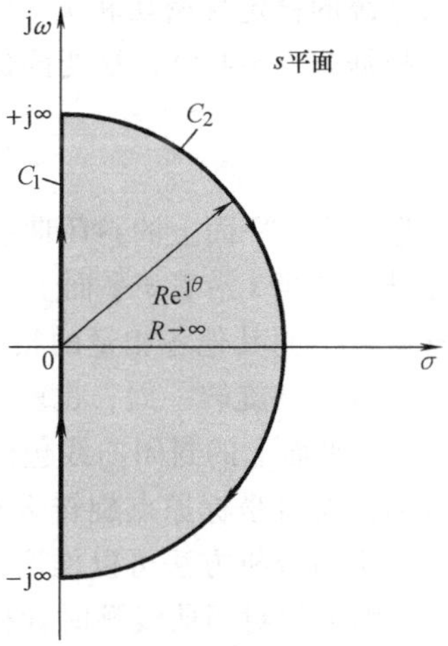

图 5-4-3 奈奎斯特回线

由于闭环控制系统稳定的充要条件是，$F(s)$ 在 s 平面右半部无零点，即 $Z=0$。因此可得以下的稳定判据。

如果在 s 平面上，s 沿着奈奎斯特回线顺时针方向移动一周时，在 $F(s)$ 平面上的映射曲线 Γ_F 围绕坐标原点按逆时针方向旋转 $N=P$ 周，则系统为稳定的。

根据系统闭环特征方程有

$$G(s)H(s)=F(s)-1 \tag{5-4-3}$$

这意味着 $F(s)$ 的映射曲线 Γ_F 围绕原点运动的情况，相当于 $G(s)H(s)$ 的封闭曲线 Γ_{GH} 围绕着（-1，j0）点的运动情况，如图 5-4-4 所示。

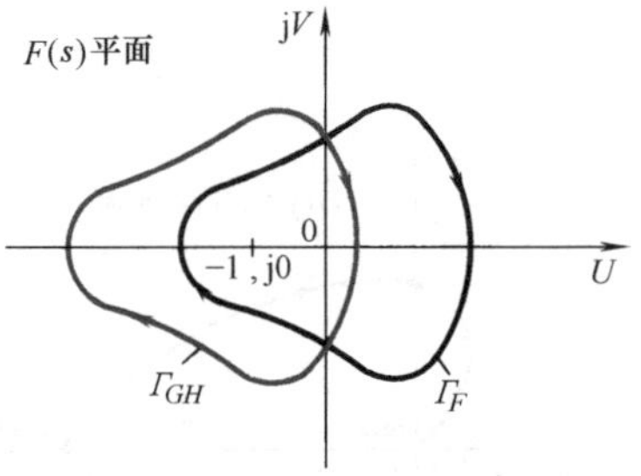

图 5-4-4　Γ_{GH} 和 Γ_F 的关系

绘制映射曲线 Γ_{GH} 的方法是，将 $s=\mathrm{j}\omega$ 代入 $G(s)H(s)$，得到开环频率特性 $G(\mathrm{j}\omega)H(\mathrm{j}\omega)$，给出不同的 ω 值，可以求出相应的 $G(\mathrm{j}\omega)H(\mathrm{j}\omega)$ 上的点，然后用平滑曲线连接，即可得到映射曲线。至于映射曲线上对应于 $s=\lim\limits_{R\to\infty}Re^{\mathrm{j}\theta}$ 的部分，由于在实际物理系统中 $n\geqslant m$，当 $n>m$ 时 $G(s)H(s)$ 趋近于零，$n=m$ 时 $G(s)H(s)$ 为实常数。因此，只要绘制出 ω 从 $-\infty$ 变化到 $+\infty$ 的开环频率特性，就构成了完整的映射曲线 Γ_{GH}。

综合上述，可将奈奎斯特稳定判据表述为：**闭环控制系统稳定的充分和必要条件是，当 ω 从 $-\infty$ 变化到 $+\infty$ 时，系统的开环频率特性 $G(\mathrm{j}\omega)H(\mathrm{j}\omega)$ 按逆时针方向包围（-1，j0）点 P 周，P 为位于 s 平面右半部的开环极点数目。**

显然，若开环控制系统稳定，即位于 s 平面右半部的开环极点数 $P=0$，则闭环控制系统稳定的充分和必要条件是，系统的开环频率特性 $G(\mathrm{j}\omega)H(\mathrm{j}\omega)$ 不包围（-1，j0）点。

例 5-4-1　绘制开环传递函数为

$$G(s)H(s)=\frac{K}{(\tau_1 s+1)(\tau_2 s+1)}$$

的系统的奈奎斯特图，并判断闭环系统的稳定性。

解　此系统的开环频率特性为

$$G(\mathrm{j}\omega)H(\mathrm{j}\omega)=\frac{K}{(\mathrm{j}\omega\tau_1+1)(\mathrm{j}\omega\tau_2+1)}$$

由上式可见，当 $\omega=0$ 时，$G(\mathrm{j}\omega)H(\mathrm{j}\omega)=K$，当 $\omega\to\infty$ 时，$G(\mathrm{j}\omega)H(\mathrm{j}\omega)=0$。给出若干 ω 值，求出相应的幅频特性 $A(\omega)$ 和相频特性 $\varphi(\omega)$ 的值，可绘制出系统的奈奎斯特图（参见图 5-4-5）。由图可见，$G(\mathrm{j}\omega)H(\mathrm{j}\omega)$ 不包围（-1，j0）点，故此闭环控制系统为稳定的。

由于系统的开环频率特性极坐标图总是对称于实轴的，因此在实际中常常只画 ω 从 0 变至 $+\infty$ 的一部分。这时上述奈奎斯特判据中的 P 周应改为 $\frac{P}{2}$ 周。

三、虚轴上有开环极点时的奈奎斯特稳定判据

虚轴上有开环极点的情况通常出现于在系统中有串联积分环节的时候，即在 s 平面的坐标原点有开环极点。这时不能直接应用图 5-4-3 所示的奈奎斯特回线，因为映射定理要求此回线不经过 $F(s)$ 的奇点。

为了在这种情况下仍能应用奈奎斯特判据，可以选择图 5-4-6a 所示的奈奎斯特回线，它与图 5-4-3 中奈奎斯特回线的区别仅在于，此回线经过以坐标原点为圆心，以无穷小量 ε

为半径的，在 s 平面右半部的小半圆，绕过了开环极点所在的原点。当 $\varepsilon\to0$ 时，此小半圆

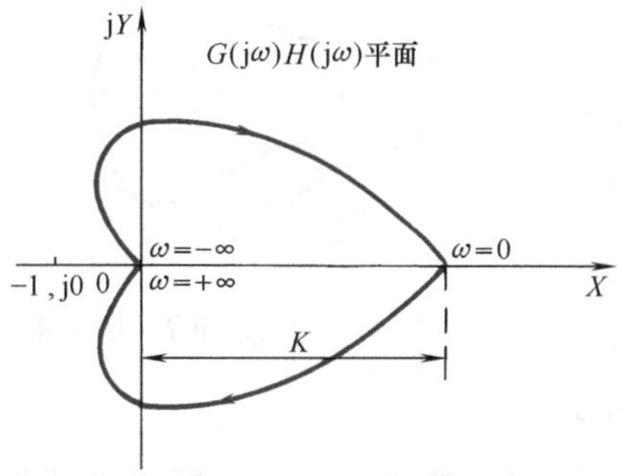

图 5-4-5 例 5-4-1 系统的奈奎斯特图

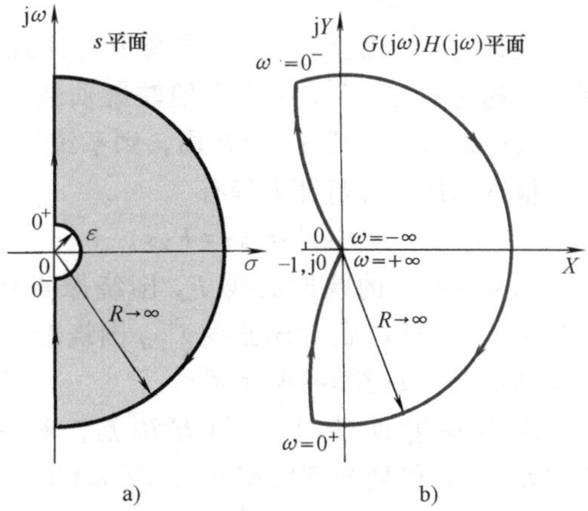

图 5-4-6 例 5-4-2 系统的奈奎斯特图

的面积也趋近于零。因此，$F(s)$ 的位于 s 平面右半部的零点和极点均被此奈奎斯特回线包围在内，而将位于坐标原点处的开环极点划到了左半部。这样处理是为了适应奈奎斯特判据的要求，因为应用奈奎斯特判据时必须首先明确位于 s 平面右半部和左半部的开环极点的数目。

当 s 沿着上述小半圆移动时，有

$$s=\lim_{\varepsilon\to0}\varepsilon e^{j\theta}$$

当 ω 从 0^- 沿小半圆变到 0^+ 时，θ 按逆时针方向旋转了 π，$G(s)H(s)$ 在其平面上的映射为

$$G(s)H(s)\Bigg|_{s=\lim\limits_{\varepsilon\to0}\varepsilon e^{j\theta}} = K\frac{\prod\limits_{j=1}^{m}(T_js+1)}{s^{\nu}\prod\limits_{i=1}^{n-\nu}(\tau_is+1)}\Bigg|_{s=\lim\limits_{\varepsilon\to0}\varepsilon e^{j\theta}} = \left(\lim_{\varepsilon\to0}\frac{K}{\varepsilon^{\nu}}\right)e^{-j\nu\theta}=\infty\, e^{-j\nu\theta}$$

式中，ν 为系统中串联的积分环节数目。

由以上分析可见，当 s 沿着小半圆从 $\omega=0^-$ 变化到 $\omega=0^+$ 时，θ 角从 $-\dfrac{\pi}{2}$ 经 0 变化到 $\dfrac{\pi}{2}$，这时在 $G(s)H(s)$ 平面上的映射曲线将沿着半径为无穷大的圆弧按顺时针方向从 $\nu\dfrac{\pi}{2}$ 经过 0 转到 $-\nu\dfrac{\pi}{2}$。

下面举例说明在有串联积分环节情况下奈奎斯特判据的应用。

例 5-4-2 绘制开环传递函数为 $G(s)H(s)=\dfrac{K}{s(\tau s+1)}$ 的系统的奈奎斯特图，并判断闭环控制系统的稳定性。

解 系统开环传递函数有一极点在 s 平面的原点处，因此奈奎斯特回线应沿半径为无穷小值 ε 的半圆弧绕过它，如图 5-4-6a 所示。将 $s=j\omega$ 代入 $G(s)H(s)$，给定若干 ω 值，求出相应的奈奎斯特图，如图 5-4-6b 所示。

此系统的开环传递函数在 s 平面的右半部没有极点，开环频率特性 $G(j\omega)H(j\omega)$ 又不包

围（-1，j0）点，故闭环控制系统是稳定的。

例 5-4-3 设系统的开环传递函数为

$$G(s)H(s)=\frac{(4s+1)}{s^2(s+1)(2s+1)}$$

要求绘制系统的奈奎斯特图，并判断闭环控制系统的稳定性。

解 开环控制系统有两个极点位于 s 平面的坐标原点。因此，在 s 平面的奈奎斯特回线和例 5-4-2 一样，应绕过坐标原点，如图 5-4-7a 所示。

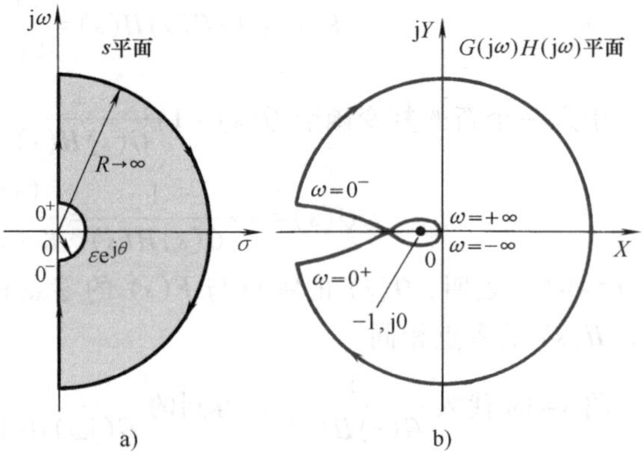

图 5-4-7 例 5-4-3 系统的奈奎斯特图

在 s 平面坐标原点附近的小半圆可表示为

$$s=\lim_{\varepsilon\to 0}\varepsilon e^{j\theta}$$

θ 从$-\frac{\pi}{2}$经 0 变到$+\frac{\pi}{2}$。

在 $G(s)H(s)$ 平面上相应的映射曲线的表达式为

$$\lim_{\varepsilon\to 0}\left[\frac{4\varepsilon e^{j\theta}+1}{\varepsilon^2 e^{j2\theta}(\varepsilon e^{j\theta}+1)(2\varepsilon e^{j\theta}+1)}\right]=\lim_{\varepsilon\to 0}\left(\frac{1}{\varepsilon^2 e^{j2\theta}}\right)=\infty\ e^{-j2\theta}$$

不难看出，这部分映射曲线是一个半径为无穷大的圆弧，其相位角由 π 经 0 变为-π。

对于奈奎斯特回线中沿虚轴运动的部分，可选取若干 ω 值，计算相应的 $G(j\omega)H(j\omega)$。

在 s 平面奈奎斯特回线上的半径为无穷大的半圆可以表示为

$$s=\lim_{R\to\infty}Re^{j\varphi}$$

φ 从$\frac{\pi}{2}$经 0 变到$-\frac{\pi}{2}$。

在 $G(s)H(s)$ 平面上这一部分的映射曲线可表示为

$$\lim_{R\to\infty}\frac{(4Re^{j\varphi}+1)}{R^2e^{j2\varphi}(Re^{j\varphi}+1)(2Re^{j\varphi}+1)}=0e^{-j3\varphi}$$

上式表明，这部分映射曲线的幅值趋近于零，相位角从$-\frac{3\pi}{2}$经 0 变到$\frac{3\pi}{2}$。

系统的奈奎斯特图如图 5-4-7b 所示。

由图 5-4-7b 可见，$G(j\omega)H(j\omega)$ 曲线按顺时针方向包围了（-1，j0）点两周。由于此系统无开环极点在 s 平面右半部，故闭环系统是不稳定的，并有两个闭环极点在 s 平面的右半部。

四、采用逆极坐标图的奈奎斯特稳定判据

在有些情况下，应用奈奎斯特稳定判据时采用开环频率特性的倒数$\frac{1}{G(j\omega)H(j\omega)}$更方便。这时在极坐标上绘出的图形称为逆极坐标图。

设已知系统的开环传递函数

$$G(s)H(s)=\frac{K_1(s-z_1)(s-z_2)\cdots(s-z_m)}{(s-p_1)(s-p_2)\cdots(s-p_n)},m\leqslant n$$

令 $$F(s)=1+G(s)H(s)=\frac{(s-s_1)(s-s_2)\cdots(s-s_n)}{(s-p_1)(s-p_2)\cdots(s-p_n)}$$

引入一个新的复变函数 $Q(s)=1+\frac{1}{G(s)H(s)}$，由上两式可得

$$Q(s)=1+\frac{1}{G(s)H(s)}=\frac{(s-s_1)(s-s_2)\cdots(s-s_n)}{K_1(s-z_1)(s-z_2)\cdots(s-z_m)} \tag{5-4-4}$$

式（5-4-4）表明，$Q(s)$ 的零点与 $F(s)$ 的零点相同，是特征方程的根，而 $Q(s)$ 的极点与 $G(s)H(s)$ 的零点相同。

将 $s=j\omega$ 代入 $\frac{1}{G(s)H(s)}$，得到的 $\frac{1}{G(j\omega)H(j\omega)}$ 与 ω 之间的函数关系图，称为逆极坐标图。不难看出，采用逆极坐标图时，奈奎斯特稳定判据可表述为：闭环控制系统稳定的充分和必要条件是，当 ω 从 $-\infty$ 变到 $+\infty$ 时，$\frac{1}{G(j\omega)H(j\omega)}$ 的奈奎斯特曲线按逆时针方向包围（-1，j0）点 N 次。N 为位于 s 平面右半部的 $\frac{1}{G(s)H(s)}$ 的极点数，即 $G(s)H(s)$ 的零点数。

如果 $G(s)H(s)$ 在 s 平面右半部无零点，则系统稳定的充要条件是，$\frac{1}{G(s)H(s)}$ 的奈奎斯特曲线不包围（-1，j0）点。

例 5-4-4 设反馈控制系统的开环传递函数为

$$G(s)H(s)=\frac{K}{s(\tau s+1)}$$

试判断系统的稳定性。

解 此系统开环传递函数和频率特性的倒数分别为

$$\frac{1}{G(s)H(s)}=\frac{s(\tau s+1)}{K},\quad \frac{1}{G(j\omega)H(j\omega)}=\frac{j\omega(j\omega\tau+1)}{K}$$

对应的逆极坐标图如图 5-4-8 所示。由于 $\frac{1}{G(s)H(s)}$ 在 s 平面右半部无极点，其奈奎斯特曲线又不包围（-1，j0）点，故闭环控制系统是稳定的。

五、根据伯德图判断系统的稳定性

系统开环频率特性的奈奎斯特图（极坐标图）和伯德图之间存在着一定的对应关系。**奈奎斯特图上 $|G(j\omega)H(j\omega)|=1$ 的单位圆与伯德图对数幅频特性的零分贝线相对应，单位圆以外对应于 $L(\omega)>0$。奈奎斯特图上的负实轴对应于伯德图上相频特性的 $-\pi$ 线。**

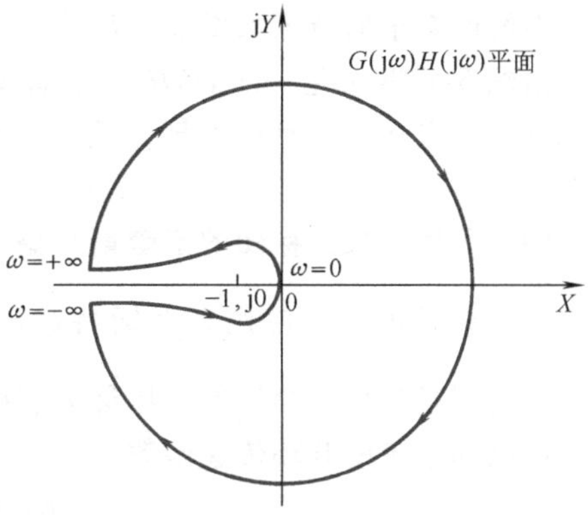

图 5-4-8 例 5-4-4 系统的逆极坐标图

如开环频率特性按逆时针方向包围（-1，j0）点一周，则 $G(j\omega)H(j\omega)(0\leqslant\omega\leqslant\infty)$ 必然从上而下穿过负实轴的（-1，-∞）线段一次。这种穿越伴随着相位增加，称为正穿越。反之，若 $G(j\omega)H(j\omega)$ 按顺时针方向包围（-1，j0）点一周，则 $G(j\omega)H(j\omega)$（$0\leqslant\omega\leqslant+\infty$）必然由下而上穿过负实轴的（-1，-∞）线段一次。这种

穿越伴随着相位的减少，故称负穿越，请参阅图 5-4-9a。在伯德图上，正穿越以“+”表示，负穿越以“-”表示。

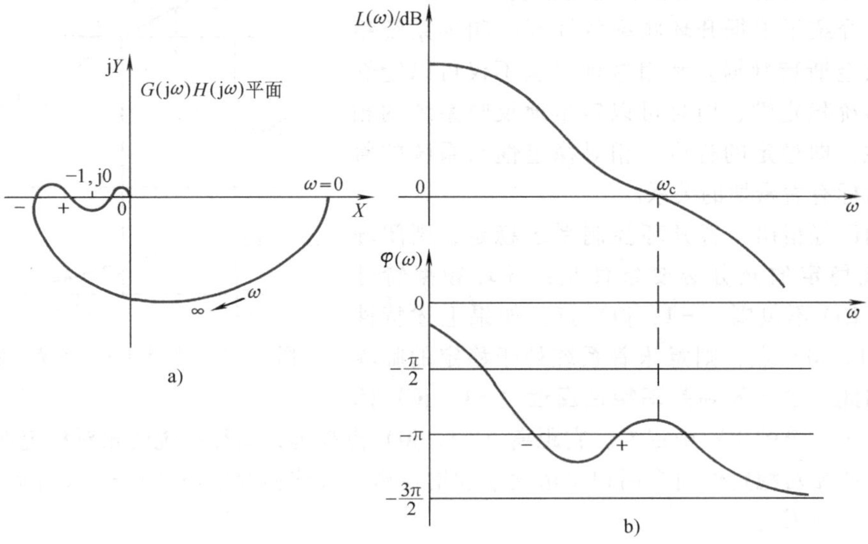

图 5-4-9　奈奎斯特图和伯德图的对应关系

上述正、负穿越在伯德图上的反映为：在 $L(\omega)>0$ 的频段内，随着 ω 的增加，相频特性由上而下穿过 $-\pi$ 线为负穿越，它表示滞后相位角的增大；反之，$\varphi(\omega)$ 由下而上穿过 $-\pi$ 线为正穿越，它意味着相位的增加（或滞后相位角的减少），请参阅图 5-4-9b。

众所周知，当系统的开环增益大为降低或提高时，系统的开环幅相特性曲线将在 $G(j\omega)H(j\omega)$ 平面上按比例缩小和放大，穿越负实轴的位置会相应变化。图 5-4-9 所示系统在这样的开环增益下，闭环是稳定的，但在开环增益降低或提高到一定程度时，有可能将 $(-1, j0)$ 点包围在其开环幅相特性之内，则闭环控制系统将不稳定。通常将这种系统称为条件稳定系统。

综上所述，采用伯德图时奈奎斯特判据可表述为：**闭环控制系统稳定的充要条件是，当 ω 由 0 变到 ∞ 时，在开环对数幅频特性 $L(\omega)\geqslant 0$ 的频段内，相频特性 $\varphi(\omega)$ 穿越 $-\pi$ 线的次数（正穿越与负穿越次数之差）为 $P/2$。**P 为 s 平面右半部开环极点数目。

应该指出，在上述判据中 ω 是由 0 变到 ∞，而不是从 $-\infty$ 变到 $+\infty$，因此穿越次数为 $P/2$，而不是 P。

若开环系统稳定，即 $P=0$，则上述正、负穿越次数之差应等于零，或者 $\varphi(\omega)$ 不穿越 $-\pi$ 线。

例 5-4-5　根据伯德图判断例 5-4-4 中的系统在闭环时的稳定性。

解　此系统的开环传递函数为

$$G(s)H(s)=\frac{K}{s(\tau s+1)}$$

它由一个比例环节、一个积分环节和一个惯性环节串联组成。对应的伯德图如图 5-4-10 所示。

此系统的开环传递函数在 s 平面右半部无极点，即 $P=0$，而在 $L(\omega)\geqslant 0$ 的频段内，相

频特性 $\varphi(\omega)$ 又不穿越$-\pi$线，故系统在闭环时必然稳定。

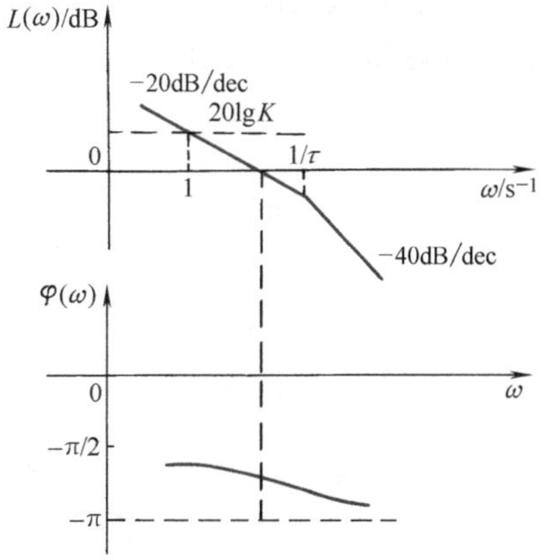

图 5-4-10 例 5-4-5 中系统的伯德图

六、系统的相对稳定性和稳定裕度

上面介绍了根据开环频率特性判断闭环系统稳定性的奈奎斯特判据。利用这种方法不仅可以定性地判别系统稳定性，而且可以定量地反映系统的相对稳定性，即稳定的程度。相对稳定性与系统的暂态响应指标有着密切的关系。

前面已经指出，若开环控制系统稳定，则闭环控制系统稳定的充分必要条件是：开环频率特性 $G(j\omega)H(j\omega)$ 不包围（-1，j0）点。如果上述特性穿过（-1，j0）点，则意味着系统处于稳定的临界状态。因此，**系统开环频率特性靠近（-1，j0）的程度表征了系统的相对稳定性**。它距离（-1，j0）点越远，闭环系统的相对稳定性越高。

系统的相对稳定性通常用相位裕度 γ 和增益裕度（或称幅值裕度）K_g 来衡量。

1. 相位裕度 γ

在开环对数频率特性上对应于幅值 $A(\omega)=1$（即 $20\lg|A(\omega)|=0$）的角频率称为剪切频率，以 ω_c 表示。在剪切频率 ω_c 下，使系统达到稳定的临界状态所要附加的相位滞后量，称为相位裕度，以 γ 或 PM 表示。不难看出

$$\gamma=180°+\varphi(\omega_c) \tag{5-4-5}$$

式中，$\varphi(\omega_c)$ 为开环相频特性在 $\omega=\omega_c$ 处的相位。

2. 增益裕度 K_g

在相频特性等于$-\pi$弧度的频率 ω_g 处，开环幅频特性的倒数 $\dfrac{1}{A(\omega_g)}$ 称为增益裕度，以 K_g 或 GM 表示

$$K_g=\frac{1}{A(\omega_g)},\text{或 } GM=20\lg K_g(\text{dB}) \tag{5-4-6}$$

K_g 为一个系数，若开环控制系统的增益增加该系数倍，则闭环控制系统达到稳定的临界状态。

对于一个稳定的最小相位系统，其相位裕度应为正值，增益裕度 K_g 应大于 1，或 GM 为正。图 5-4-11 中给出了稳定系统和不稳定系统的频率特性，并标明了其相位和增益裕度，请读者分析比较。图 5-4-11 中标出的 $K_g>1$ 为正增益裕度，而 $K_g<1$ 为负增益裕度。

严格地讲，应当同时给出相位裕度和增益裕度，才能确定系统的相对稳定性。但在粗略估计系统的暂态响应指标时，有时主要对相位裕度提出要求。对于最小相位系统，这样做是合理的。

保持适当的稳定裕度，可以预防系统中元件性能变化可能带来的不利影响。为了得到较满意的暂态响应，一般相位裕度应当在 30°～60°之间，而增益裕度应大于 6dB。

前面已经指出，对于最小相位系统，开环幅频特性和相频特性之间存在唯一的对应关系。因此，30°～60°之间的相位裕度意味着，系统开环对数幅频特性在剪切频率 ω_c 处的斜率（简称剪切率）应该是-20dB/dec。

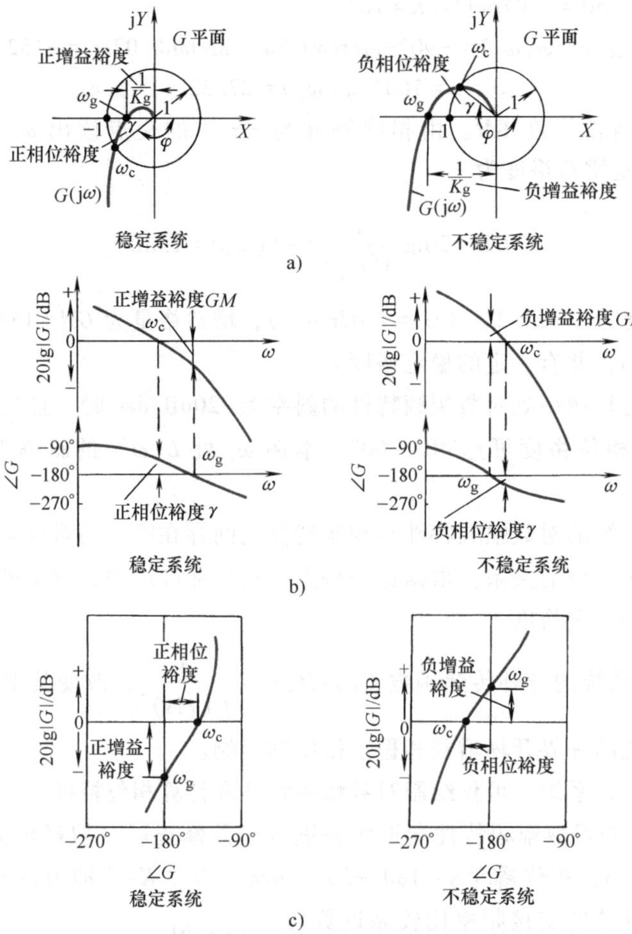

图 5-4-11　稳定和不稳定系统的频率特性

a）极坐标图　b）伯德图　c）对数幅相图

系统的相对稳定性和稳定裕度

例 5-4-6　已知系统的开环传递函数 $G(s)H(s)=\dfrac{10}{s(1+0.2s)(1+0.02s)}$，确定系统的稳定裕度。

解： 1）绘制系统的伯德图。2 个惯性环节的交接频率分别为 $\omega_1=5\text{rad/s}$，$\omega_2=50\text{rad/s}$。低频段（$\omega\ll\omega_1$）对数幅频为 $L(\omega)=20\lg 10=20\text{dB}$。对数幅频特性的渐近线和相频特性如图 5-4-12 所示。

2）确定剪切频率 ω_c。一般通过读取对数幅频特性 $L(\omega)$ 与 ω 轴交点的坐标值得到 ω_c。对于本例的 3 阶系统，且为 I 型（有一个串联积分环节），可列出如下关系式

$$L(\omega_1)=20\lg\frac{K}{\omega_1}=40\lg\frac{\omega_c}{\omega_1},\quad K=\frac{\omega_c^2}{\omega_1}$$

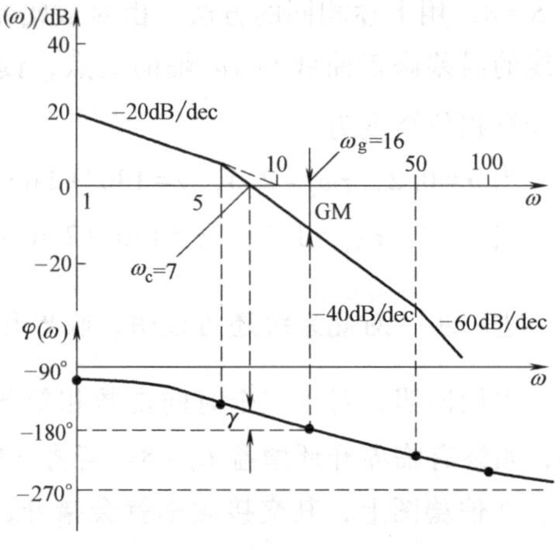

图 5-4-12　例 5-4-6 系统伯德图

并求出 $\omega_c=\sqrt{K\omega_1}=\sqrt{50}=7.07\text{rad/s}(K=10)$。

3）计算相位裕度 γ。$\varphi(\omega_c)=-90°-\arctan0.2\omega_c-\arctan0.02\omega_c=-152.78°$，相位裕度为

$$\gamma=180°+\varphi(\omega_c)=27.22°$$

4）确定 ω_g 和增益裕度 GM。由相频特性与 $-\pi$ 线的交点读出 $\omega_g=16\text{rad/s}$。可量得 $L(\omega_g)=-15\text{dB}$，于是增益裕度为

$$GM=20\lg\frac{1}{A(\omega_g)}=-L(\omega_g)=15\text{dB}$$

系统的相位裕度为 $\gamma=27.22°$（$\omega_c=7.07\text{rad/s}$），增益裕量为 $GM=15\text{dB}$（$\omega_g=16\text{rad/s}$）。可见，系统是稳定的，并有一定的稳定裕度。

前已指出，当剪切频率处对数幅频特性的斜率为-20dB/dec 时，且左、右两个交接频率离开 ω_c 一定距离，相位裕度可达 40°~60°。本例 ω_c 处 $L(\omega)$ 的斜率为-40dB/dec，故 γ 较小。

由于最小相位系统的对数幅频特性和相频特性之间存在唯一的对应关系，因此，相位裕度和增益裕度也有相对应的关系。根据这一特点，在实际应用中，对于最小相位系统，常用相位裕度表示系统的稳定裕度。

例 5-4-7 已知系统的开环传递函数 $G(s)H(s)=\dfrac{K}{(1+\tau s)^3}$，改变其中一个惯性环节的时间常数，讨论对系统的临界开环增益和稳定裕度的影响。

解：对于最小相位系统，可仅绘制对数幅频特性和计算相位裕度。

1）令 $K=8$，绘制对数幅频特性渐近线并进行误差修正后（取横轴为 $\tau\omega$）如图 5-4-13 所示，可知 $\tau\omega_c=1.73$，相位裕度 $\gamma=180°+3\arctan\tau\omega_c=0°$，$K=8$ 即为临界开环增益。

需要注意，当环节的交接频率比较靠近剪切频率时，经过误差修正后的对数幅频特性曲线和渐近线与横轴的交点的差别较大。

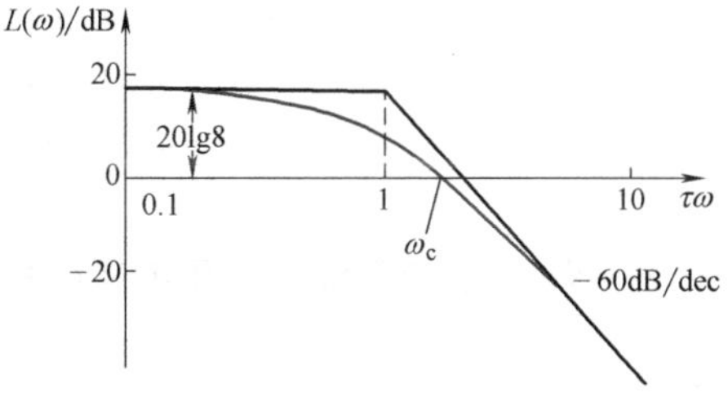

图 5-4-13 例 5-4-7 系统伯德图

2）将其中一个惯性环节的时间常数改变为 $a\tau$（$a>0$，且 $a\neq1$），有 $G(s)H(s)=\dfrac{K}{(1+\tau s)^2(1+a\tau s)}$，令 $K=8$，用上述相同的方法，由对数幅频特性渐近线的误差修正曲线与 $\tau\omega$ 轴的交点，读出 $\tau\omega_c$，可计算相位裕度为

当 $a=0.2$，$\tau\omega_c=2.5$，$\gamma=180°+2\arctan\tau\omega_c+\arctan0.2\tau\omega_c=18°$

当 $a=3$，$\tau\omega_c=1.21$，$\gamma=180°+2\arctan\tau\omega_c+\arctan3\tau\omega_c=5°$

进一步，对此系统还可证明，临界开环增益满足 $K_c=2a+4+\dfrac{2}{a}$，对应有 $\tau\omega_c=\sqrt{\dfrac{a+2}{a}}$。

本例说明，对于三个时间常数相等的惯性环节串联的系统，不论时间常数绝对值的大小，始终有临界开环增益 $K_c=8$。若将其中一个惯性环节的时间常数改变为 $a\tau$（$a>0$，且 $a\neq1$），在伯德图上，其交接频率就会错开，可使系统的临界开环增益有所提高。请读者比较分析，取 $0<a<1$ 和 $a>1$，对改善系统稳定裕度的效果。

此例说明一个最小相位系统，其开环传递函数如有数个实极点在 s 平面上之位置相互极为靠近，则系统之临界开环增益值必不可能大。若将数个实极点的位置用某种方法使其错开，则可提高其临界开环增益，这与第三章的例 3-9-9，第四章的例 4-2-5 的分析结论一致。

以上结论对于采用什么措施去改善系统的性能会有帮助。

第五节　系统的频率特性及频域性能指标

在这一节里介绍如何从系统的频率特性去分析其性能。

一、系统的频域性能指标

通常，系统的闭环幅频特性 $M(\omega)$ 大致如图 5-5-1 所示，而系统的频域性能指标系指

M_r——谐振峰；

ω_r——谐振频率，即谐振峰对应的频率；

ω_b——带宽频率（亦称截止频率），它是当频率特性的幅值下降到 $\omega=0$ 时幅值的$\dfrac{1}{\sqrt{2}}$倍所对应的频率。

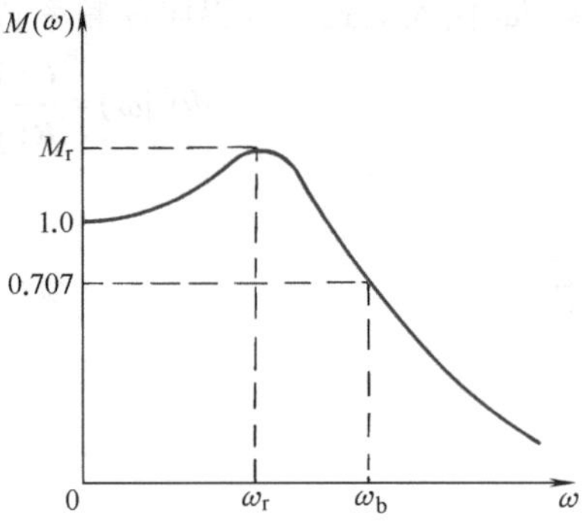

图 5-5-1　系统的闭环幅频特性

不难推论，系统的频域性能指标与时域性能指标必然存在某种依存关系。大致可以认为，频域响应的谐振峰 M_r 较大，则时域阶跃响应之超调量 $M_p(\%)$ 必然也比较大；ω_r 较高时，相应的 t_p 值可能较小；而带宽频率 ω_b 越高，则系统快速反映性能越好，相应于时域响应的调整时间 t_s 就会越短。

第三章曾述及，一二阶系统的时域响应性能指标与系统参量有明确的解析关系，因而一二阶系统的频域性能指标与系统的参量也应有较为直观的解析关系。

二、一阶系统的频域性能指标

具有单位反馈的一阶系统的开环和闭环传递函数分别为

$$G(s)=\frac{1}{\tau s}$$

$$\Phi(s)=\frac{C(s)}{R(s)}=\frac{1}{\tau s+1}$$

系统的闭环幅频特性如式（5-5-1）所示，即

$$M(\omega)=\frac{1}{\sqrt{1+\tau^2\omega^2}} \tag{5-5-1}$$

不难看出，$M(\omega)$ 随 ω 的增大而单调衰减，即对于一阶系统而言，不存在 M_r 和 ω_r。

令 $M(\omega)=\dfrac{1}{\sqrt{2}}$，即可求得 ω_b

$$M(\omega_b)=\frac{1}{\sqrt{1+\tau^2\omega_b^2}}=\frac{1}{\sqrt{2}}$$

则有

$$\omega_b=\frac{1}{\tau}$$

一阶系统的调整时间为 $t_s=3\tau$（取到达稳态值的95%的时间），可以看出 t_s 与 ω_b 成反比关系。

三、二阶系统的频域性能指标

二阶系统的开环传递函数和闭环传递函数为

$$G(s)=\frac{\omega_n^2}{s(s+2\zeta\omega_n)} \tag{5-5-2}$$

$$\Phi(s)=\frac{C(s)}{R(s)}=\frac{\omega_n^2}{s^2+2\zeta\omega_n s+\omega_n^2} \tag{5-5-3}$$

将 $s=\mathrm{j}\omega$ 代入上式，可得闭环频率特性为

$$\Phi(\mathrm{j}\omega)=\frac{C(\mathrm{j}\omega)}{R(\mathrm{j}\omega)}=\frac{1}{\left(1-\frac{\omega^2}{\omega_n^2}\right)+\mathrm{j}2\zeta\frac{\omega}{\omega_n}}=M(\omega)\mathrm{e}^{\mathrm{j}\alpha(\omega)} \tag{5-5-4}$$

式中

$$M(\omega)=\frac{1}{\sqrt{\left(1-\frac{\omega^2}{\omega_n^2}\right)^2+\left(2\zeta\frac{\omega}{\omega_n}\right)^2}} \tag{5-5-5}$$

$$\alpha(\omega)=-\arctan\frac{2\zeta\frac{\omega}{\omega_n}}{1-\frac{\omega^2}{\omega_n^2}}$$

当取 $0<\zeta<\frac{1}{\sqrt{2}}$ 时，幅频特性 $M(\omega)$ 将出现峰值。现将 $M(\omega)$ 对 ω 求导，并令其为零，即

$$\frac{\mathrm{d}M(\omega)}{\mathrm{d}\omega}=0$$

不难求得

$$\omega_r=\omega_n\sqrt{1-2\zeta^2} \tag{5-5-6}$$

$$M_r=\frac{1}{2\zeta\sqrt{1-\zeta^2}} \tag{5-5-7}$$

由式（5-5-6）可见，当 $\zeta>\frac{1}{\sqrt{2}}$ 时，ω_r 无实数解，说明此时幅频特性 $M(\omega)$ 不存在峰值。

令 $M(\omega)=\frac{1}{\sqrt{2}}$，可求得带宽频率为

$$\omega_b=\omega_n\sqrt{1-2\zeta^2\sqrt{2-4\zeta^2+4\zeta^4}} \tag{5-5-8}$$

至此，已求得二阶系统的频域性能指标与系统参量间的解析关系。但是，系统的频域性能指标在使用上还存在一些问题。其一是系统频域性能指标往往不如时域性能指标那样直观，最好能将两者联系起来以便于应用。此问题对于二阶系统不难解决，因为在第三章中，已经求得系统时域性能指标与系统参量间的解析关系，即式（3-5-17）、式（3-5-18）和式（3-5-19）。

现在只需将两者对应起来即可。使用频域性能指标的另一问题是须先求得系统闭环幅频特性。

对于二阶系统，可以直接通过系统开环频率特性，求得系统的相角稳定余量 γ 及剪切频率 ω_c 与系统参量间的解析关系。这样也就不难将系统的频域性能指标与系统的开环频率特

性联系起来了。

根据式（5-5-2），以 $s=\mathrm{j}\omega$ 代入，即得系统的开环幅频特性和相频特性为

$$A(\omega)=\frac{\omega_n^2}{\omega\sqrt{\omega^2+(2\zeta\omega_n)^2}}$$

$$\varphi(\omega)=-\frac{\pi}{2}-\arctan\frac{\omega}{2\zeta\omega_n}$$

令开环幅频特性 $A(\omega)=1$，可求得剪切频率 ω_c，即

$$\omega_c=\omega_n\sqrt{\sqrt{4\zeta^4+1}-2\zeta^2} \tag{5-5-9}$$

将此式代入相频特性 $\varphi(\omega)$ 的表达式中，即得

$$\varphi(\omega_c)=-\pi+\arctan\frac{2\zeta}{\sqrt{\sqrt{4\zeta^4+1}-2\zeta^2}} \tag{5-5-10}$$

于是可求得系统的相位裕度为

$$\gamma=\arctan\frac{2\zeta}{\sqrt{\sqrt{4\zeta^4+1}-2\zeta^2}} \tag{5-5-11}$$

为使用方便，利用式（5-5-6）、式（5-5-7）、式（5-5-8）、式（3-5-17）、式（3-5-18）、式（3-5-19）、式（5-5-9）及式（5-5-11），将系统阻尼比 ζ 为不同值时，系统频域及时域的多项性能指标计算出来，并将其列于表 5-5-1 中。将表 5-5-1 的数据绘成曲线，则如图 5-5-2 及图 5-5-3 所示。

表 5-5-1　不同 ζ 值时二阶系统的性能指标

ζ	0.2	0.3	0.4	0.5	0.6	0.7	0.8	0.9
ω_r/ω_n	0.959	0.906	0.825	0.707	0.529	0.141	—	—
M_r	2.55	1.75	1.36	1.15	1.04	1.00	—	—
ω_b/ω_n	1.510	1.454	1.375	1.272	1.15	1.010	0.871	0.746
$M_p(\%)$	52.7	37.2	25.4	16.3	9.5	4.6	1.5	0.2
$t_p\omega_n$	3.21	3.29	3.43	3.63	3.93	4.40	5.24	7.21
$t_s\omega_n$	15.1	10.1	7.7	6.3	5.4	2.8	3.1	3.3
ω_c/ω_n	0.961	0.914	0.854	0.786	0.716	0.648	0.587	0.533
$\gamma(°)$	22.60	33.27	43.12	52.83	59.19	65.16	69.86	73.51

四、高阶系统的闭环频率特性和频域性能指标

对于高阶系统，取得其开环频率特性，尤其是对数频率特性并无多大困难，由此去分析系统的稳定性，尤其是相对稳定性，如系统的相位和幅值稳定裕度就很方便。但如欲仿照二阶系统那样，很容易地求取系统闭环频率特性的解析表达式，并进而得到系统全面的性能指标则非易事。

在计算机尚未普及应用时，求取高阶系统的闭环频率特性主要是利用尼柯尔斯图线。在已知系统开环对数频率特性的情况下，以手工计算和绘图的方法去求取系统的闭环频率特性，然后据此进一步求出高阶系统的频域性能指标。这种方法繁琐、费时，且精确程度较差，甚至极易发生错误。现在则用 MATLAB，去求取系统闭环频率特性和各项性能指标。

由于利用尼柯尔斯图线手工绘制系统闭环频率特性的方法目前已不多见，故本节只对其作简要的介绍。而在本章第七节中将介绍应用 MATLAB 去求取系统闭环频率特性及性能指标的内容。

设系统的开环频率特性为

$$G(\mathrm{j}\omega)=A(\omega)\mathrm{e}^{\mathrm{j}\varphi(\omega)}$$

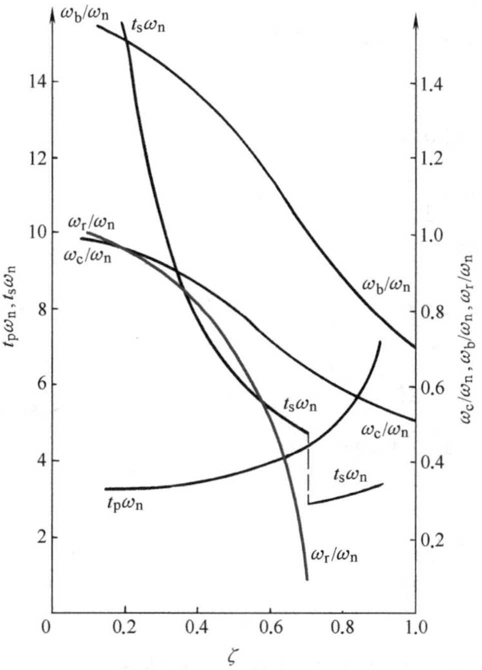

图 5-5-2 二阶系统不同 ζ 值时性能指标的关系（1）

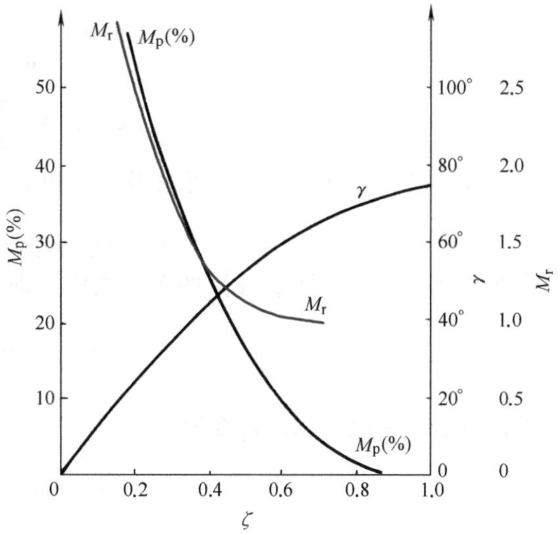

图 5-5-3 二阶系统不同 ζ 值时性能指标的关系（2）

则单位反馈系统的闭环频率特性为

$$\frac{C(j\omega)}{R(j\omega)}=Me^{j\alpha}=\frac{Ae^{j\varphi}}{1+Ae^{j\varphi}} \tag{5-5-12}$$

$$Me^{j(\alpha-\varphi)}+MAe^{j\alpha}=A$$

根据欧拉公式将上式中的指数项展开，得

$$M\cos(\alpha-\varphi)+jM\sin(\alpha-\varphi)+MA\cos\alpha+jMA\sin\alpha=A$$

上式两边的实数和虚数部分分别相等，有

$$\sin(\alpha-\varphi)+A\sin\alpha=0$$

由此可得

$$A(\omega)=\frac{\sin[\varphi(\omega)-\alpha(\omega)]}{\sin\alpha(\omega)}$$

或

$$L(\omega)=20\lg A(\omega)=20\lg\frac{\sin[\varphi(\omega)-\alpha(\omega)]}{\sin\alpha(\omega)} \tag{5-5-13}$$

如令上式中的 α 为常数，就可得到 $L(\omega)$ 和 $\varphi(\omega)$ 之间的方程。给定不同的 α 值，可得一组等 α 曲线。

式（5-5-12）可改写为

$$Me^{j\alpha}=\left(\frac{e^{-j\varphi}}{A}+1\right)^{-1}=\left(\frac{\cos\varphi}{A}-\frac{j\sin\varphi}{A}+1\right)^{-1}$$

由上式可得

$$M=\left[\left(1+\frac{1}{A^2}+\frac{2\cos\varphi}{A}\right)^{\frac{1}{2}}\right]^{-1}$$

或

$$M^{-2}=1+\frac{1}{A^2}+\frac{2\cos\varphi}{A}$$

上式可改写为

$$\frac{1-M^2}{M^2}=\frac{1+2A\cos\varphi}{A^2}$$

经整理后得

$$A^2-2A\frac{M^2}{1-M^2}\cos\varphi-\frac{M^2}{1-M^2}=0$$

对以上方程求解，可得 A 的两个根

$$A_{1,2}=\frac{\cos\varphi\pm\sqrt{\cos^2\varphi+M^{-2}-1}}{M^{-2}-1}$$

或

$$L(\omega)=20\lg A(\omega)=20\lg\frac{\cos\varphi\pm\sqrt{\cos^2\varphi+M^{-2}-1}}{M^{-2}-1} \tag{5-5-14}$$

如令 M 为常数，φ 为变量，依次计算每一 φ 值相对应的 $L(\omega)$ 值，就可得到一条等 M 曲线。设定不同的 M 值，就可求得一组等 M 曲线。将等 M 线和等 α 线组合在对数幅相图上，就构成图 5-5-4 所示的尼柯尔斯图线。

下面举例说明尼柯尔斯图线的用法。

例 5-5-1 设单位反馈系统的开环频率特性为

$$G(\mathrm{j}\omega)=\frac{10}{\mathrm{j}\omega(\mathrm{j}0.1\omega+1)(\mathrm{j}0.05\omega+1)}$$

用尼柯尔斯图求系统的闭环频率特性。

解 将此系统的开环对数幅相特性画在尼柯尔斯图上，如图 5-5-4 所示。根据其与等 M 和等 α 曲线的交点可以求出系统的闭环频率特性。

由图 5-5-4 可见，开环对数幅相特性与 M 为 5dB 的 M 圆相切，切点处的角频率为 $\omega=8\mathrm{s}^{-1}$。这意味着，闭环幅频特性之峰值 $M_r=5\mathrm{dB}$，对应的角频率 $\omega_r=8\mathrm{s}^{-1}$。开环对数幅相特性与 M 值为 $-3\mathrm{dB}$ 的 M 圆相交点的频率为 $10.3\mathrm{s}^{-1}$。依此类推，根据各个交点的 M、α 和 ω 的值，可以绘出图 5-5-5 所示的闭环频率特性。

当 $\omega=0$ 时，系统闭环频率特性的幅值 $M=1$（分贝值为 0），当幅值衰减到 $M=\frac{1}{\sqrt{2}}=0.707$，即分贝值为 $-3.01\mathrm{dB}$，于是求得系统的带宽频率为 $\omega_b=10.3\mathrm{s}^{-1}$。

关于系统的频域响应和时域响应之间还有重要性质需要强调指出。设两个控制系统的闭环传递函数之间有如下等式关系

$$\Phi_1(s)=\Phi_2\left(\frac{s}{\lambda}\right)$$

式中，λ 为任意正值常数。
则两个系统的闭环频率特性亦有

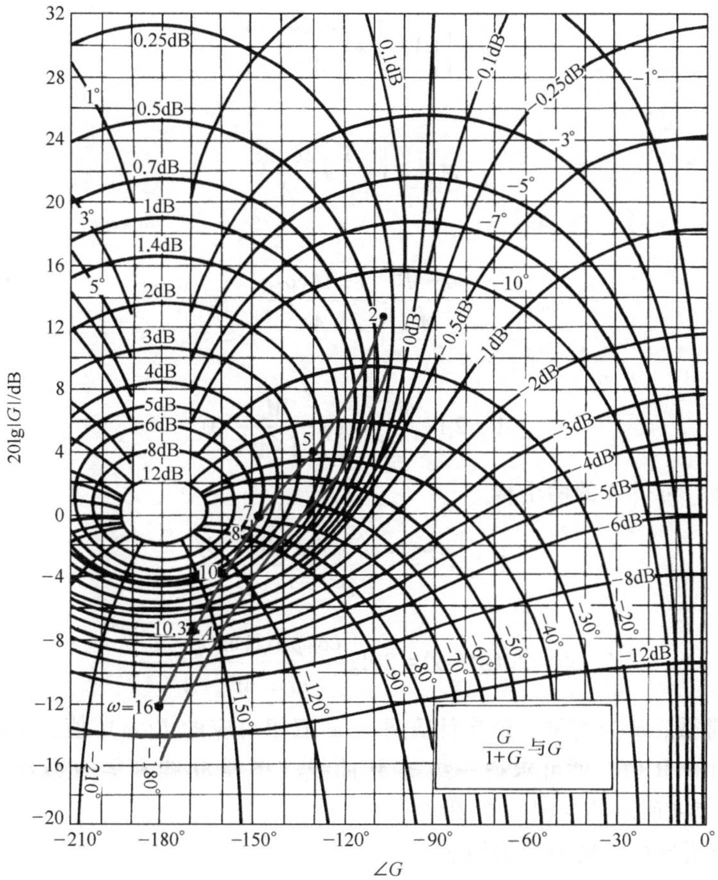

图 5-5-4 用尼柯尔斯图求闭环频率特性

$$\Phi_1(\mathrm{j}\omega)=\Phi_2\left(\mathrm{j}\frac{\omega}{\lambda}\right)$$

当对数幅频特性 $20\lg|\Phi_1(\mathrm{j}\omega)|$ 和 $20\lg\left|\Phi_2\left(\mathrm{j}\frac{\omega}{\lambda}\right)\right|$ 的横坐标分别取为 ω 及 $\frac{\omega}{\lambda}$ 时，其对数幅频特性的形状应完全一样，因此按带宽频率的定义即有

$$\omega_{b1}=\lambda\omega_{b2}$$

亦即系统 $\Phi_1(s)$ 的带宽将是系统 $\Phi_2(s)$ 的 λ 倍。如两个系统的单位阶跃响应分别是 $h_1(t)$ 和 $h_2(t)$，于是就有

$$\frac{1}{s}\Phi_1(s)=\int_0^{\infty}h_1(t)\mathrm{e}^{-st}\mathrm{d}t$$

$$=\frac{1}{\lambda}\frac{1}{s/\lambda}\Phi_2\left(\frac{s}{\lambda}\right)=\int_0^{\infty}h_2(\lambda t)\mathrm{e}^{-st}\mathrm{d}t$$

或者

$$h_1(t)=h_2(\lambda t)$$

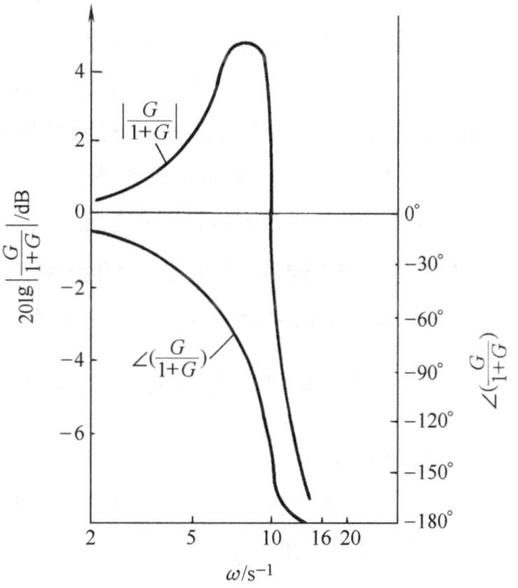

图 5-5-5 例 5-5-1 系统的闭环频率特性

这个性质可以说明频率特性展宽多少倍，输出的响应将加快多少倍，即带宽频率越高，

则调整时间越短。

对于高阶系统，正如第三章指出的那样，其时域响应是由若干一阶和二阶系统的时域响应叠加而成，而多数高阶系统的时域响应主要是由一对主导复数极点对应的时域响应决定的。故在工程实践中，往往用一对主导复数极点对应的二阶系统时域响应的特征去近似表达高阶系统的时域响应特征。因此，以上所述的二阶系统的性能指标均可在一定条件下适用于高阶系统。

第六节　频率特性的实验确定方法

用频率特性分析或设计系统时，其前提是系统的频率特性已知。若难于用解析法从机理去建立系统的传递函数或频率特性，可考虑采用实验方法。

一、用正弦信号相关分析法测试频率特性的原理

用实验法测试系统或部件的频率特性，需要解决影响测试精度的主要因素。

1）由于被测系统或部件具有某些非线性因素或其他漂移等影响，尽管输入是正弦波信号，但输出可能含有直流分量及高次谐波。

2）由于随机干扰，主要是噪声，使输出畸变。

相关分析法能从被测系统的输出信号中检出正弦波的一次谐波，同时抑制直流分量、高次谐波和噪声。

线性系统频率特性 $G(\mathrm{j}\omega)$ 可表示为复数形式

$$G(\mathrm{j}\omega)=X(\omega)+\mathrm{j}Y(\omega)=A(\omega)\mathrm{e}^{\mathrm{j}\varphi(\omega)} \tag{5-6-1}$$

实频特性 $X(\omega)$、虚频特性 $Y(\omega)$ 与幅频特性 $A(\omega)$ 及相频特性 $\varphi(\omega)$ 之间有下列关系

$$\left.\begin{aligned}X(\omega)&=A(\omega)\cos\varphi(\omega)\\Y(\omega)&=A(\omega)\sin\varphi(\omega)\\A(\omega)&=\sqrt{X^2(\omega)+Y^2(\omega)}\\\varphi(\omega)&=\arctan Y(\omega)/X(\omega)\end{aligned}\right\} \tag{5-6-2}$$

用相关分析法测试控制系统频率特性的原理可用图 5-6-1 表示。

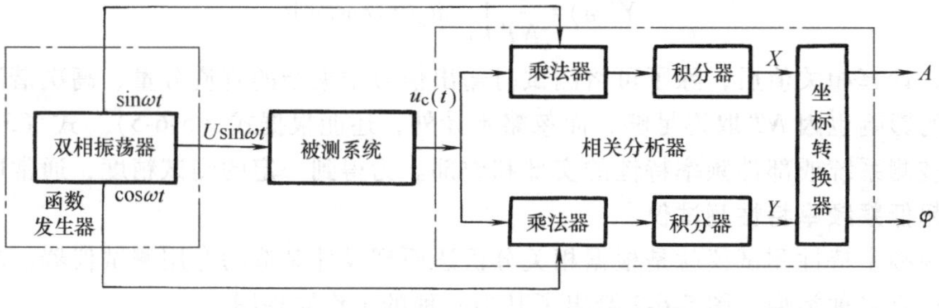

图 5-6-1　用相关分析法测试系统频率特性的原理示意图

在输入信号 $u_\mathrm{r}(t)=U\sin\omega t$ 的作用下，被测系统的输出信号为

$$\begin{aligned}u_\mathrm{c}(t)&=A_0+A\sin(\omega t+\varphi)+\sum_{n=2}^{\infty}A_n\sin(n\omega t+\varphi_n)+u(t)\\&=A_0+X\sin\omega t+Y\cos\omega t+\sum_{n=2}^{\infty}(X_n\sin n\omega t+Y_n\cos n\omega t)+u(t)\end{aligned} \tag{5-6-3}$$

式中，A_0 为输出信号中的直流分量；$u(t)$ 为输出信号中的噪声分量；$A\sin(\omega t+\varphi)$ 为输出

信号中的基波分量；$A_n\sin(n\omega t+\varphi_n)$ 为输出信号中的高次谐波分量。

若以幅值为一个单位的基准信号 $\sin\omega t$ 和 $\cos\omega t$ 分别与输出信号 $u_c(t)$ 相乘，然后在基波的整倍数周期内积分并求平均值，则可得到基波分量的实部和虚部，而抑制掉其他分量，此即相关滤波原理。

设输入信号正弦波的频率为 f，周期为 T，取整数倍周期 NT 求相关值，则有

$$
\begin{aligned}
\frac{1}{NT}\int_0^{NT}u_c(t)\sin\omega t\mathrm{d}t &= \frac{1}{NT}\frac{1}{\omega}\int_0^{2N\pi}u_c(t)\sin\omega t\mathrm{d}(\omega t)\\
&= \frac{1}{NT\omega}\left[\int_0^{2N\pi}A_0\sin\omega t\mathrm{d}(\omega t)+\int_0^{2N\pi}-(X\sin\omega t+Y\cos\omega t)\sin\omega t\mathrm{d}(\omega t)+\right.\\
&\left.\sum_{n=2}^{\infty}\int_0^{2N\pi}(X_n\sin n\omega t+Y_n\cos n\omega t)\sin\omega t\mathrm{d}(\omega t)+\omega\int_0^{NT}u(t)\sin\omega t\mathrm{d}t\right]
\end{aligned}
\tag{5-6-4}
$$

考虑到

$$\int_0^{2N\pi}\sin\omega t\mathrm{d}(\omega t)=0,\ \int_0^{2N\pi}\cos n\omega t\sin\omega t\mathrm{d}(\omega t)=0,\ \int_0^{2N\pi}\sin n\omega t\sin\omega t\mathrm{d}(\omega t)=0\quad(n\neq1)$$

并且从相关理论知，一个信号与另一随机信号之间的相关值，将随所取积分时间增长而降低，即有

$$\lim_{N\to\infty}\frac{1}{NT}\int_0^{NT}u(t)\sin\omega t\mathrm{d}t=0$$

故当 N 值取得较大时，式（5-6-4）可以写作

$$\frac{1}{NT}\int_0^{NT}u_c(t)\sin\omega t\mathrm{d}t=\frac{X}{NT\omega}\int_0^{2N\pi}\sin^2\omega t\mathrm{d}(\omega t)=\frac{X}{2}$$

或者写成

$$X(\omega)=\frac{2}{NT}\int_0^{NT}u_c(t)\sin\omega t\mathrm{d}t \tag{5-6-5}$$

式（5-6-5）是考虑了 $T=\frac{1}{f}=\frac{2\pi}{\omega}$ 之后而得出的。

同理可求得

$$Y(\omega)=\frac{2}{NT}\int_0^{NT}u_c(t)\cos\omega t\mathrm{d}t \tag{5-6-6}$$

因此，计算相关值后，除了可将测试时输出信号中夹杂的直流分量、高次谐波分量都滤掉，噪声的影响也因 NT 取得足够大而忽略不计外，还能根据式（5-6-5）、式（5-6-6）很方便地求得被测系统或部件频率特性的实部和虚部。为得到一定的测试精度，通常取 $N>5$。

二、超低频频率特性测试仪

超低频频率特性测试仪就是根据相关分析法原理设计制造的专用测试仪器。超低频频率特性测试仪有多种类型，图 5-6-2 给出了其中一种的工作原理图。

用模拟电子技术实现相关分析不能得到满意的精度，因为模拟电路的精度几乎完全由所用元器件的精度及稳定度所决定。用模拟电路难以准确控制积分的起始与终止时间，积分和乘法运算的精度都不高。所以测试仪采用数字式相关分析，它由数字振荡器、数字积分器、数字乘法器及数-模转换器等组成。测试仪的频率与振幅能在很宽的变化范围内保持较高精度，控制积分的时间准确、稳定，乘法和积分运算都有较高的精度。

函数发生器主要产生正弦信号。它所产生的数字式正弦波，经过一个不接地的、独立的数-模转换器和三阶滤波器（图中未画出）即可获得与阶梯波高精度逼近的正弦波，然后输

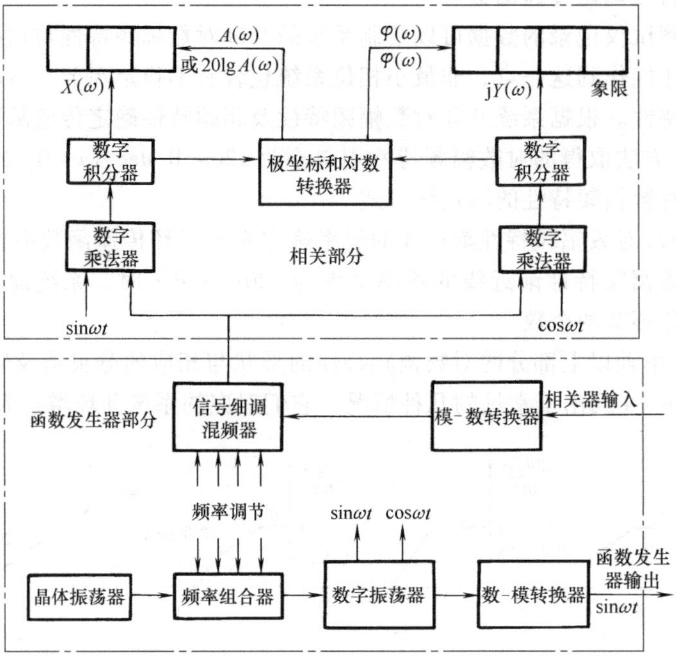

图 5-6-2　超低频频率特性测试仪原理框图

入到被测系统作为激励信号。

被测系统的输出 $u_c(t)$ 经过一个不接地和独立的模-数转换器转换为数字信号，输入到信号细调混频器，通过面板频率控制旋钮调节，使它与函数发生器频率同步。混频器的输出与函数发生器产生的数字式正、余弦信号一齐送入仪器的相关部分，通过两个并列的数字式乘法器，使 $u_c(t)$ 分别与函数发生器的正弦及余弦信号相乘。正弦和余弦两个通道上的积分器将乘法器的输出在激励信号基频整数倍的周期时间内积分并平均。经过相关分析过程处理，即能得出频率特性的实部 $X(\omega)$ 及虚部 $Y(\omega)$ 并判定象限。

超低频频率特性测试仪用数字显示，通常显示的形式如图 5-6-3 所示。频率特性的实部及虚部能够通过坐标转换运算器自动转换成极坐标 $A(\omega)$ 及 $\varphi(\omega)$（即振幅和相位角），还可以转换成对数极坐标 $20\lg A(\omega)$ 及 $\varphi(\omega)$。

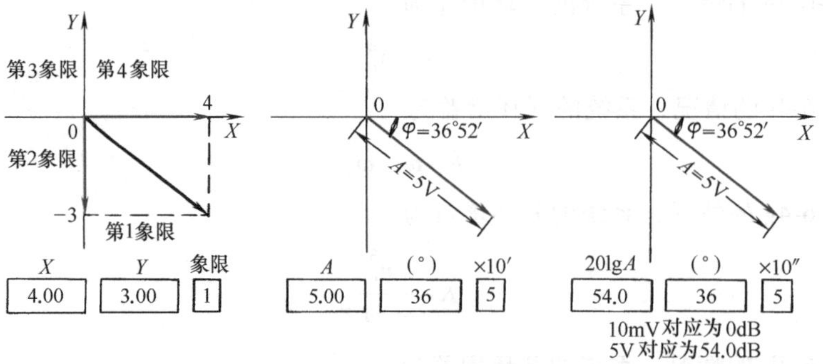

图 5-6-3　超低频频率特性测试仪的显示形式

超低频频率特性测试仪备有计算机接口，可与计算机连接使用，直接打印输出或绘出曲线。

三、由频率特性确定传递函数

由频率特性测试仪记录的数据可以绘制系统的开环对数幅频特性与相频特性。当然，只有最小相位系统才能作到这一点，非最小相位系统包含有不稳定环节，不可能通过实验求取系统的开环频率特性。根据系统开环对数幅频特性及相频特性确定传递函数的步骤为：

1）将用实验方法取得的对数幅频特性用斜率为±20νdB/dec（$\nu=0$，1，2，…）的直线线段近似，此即对数幅频特性的渐近线形式。

2）根据低频段对数幅频特性渐近线的斜率确定系统开环传递函数中含有积分环节的个数。当低频段对数幅频特性渐近线的斜率呈现为-20νdB/dec 时，系统即为 ν 型系统。ν 即是系统中串联积分环节的个数。

3）根据在频率轴以上部分的对数幅频特性的形状与相应的分贝值及频率值确定系统的开环增益 K。图 5-6-4 列出了常见的几种情况，它们对应的系统开环增益 K 可分别求得。

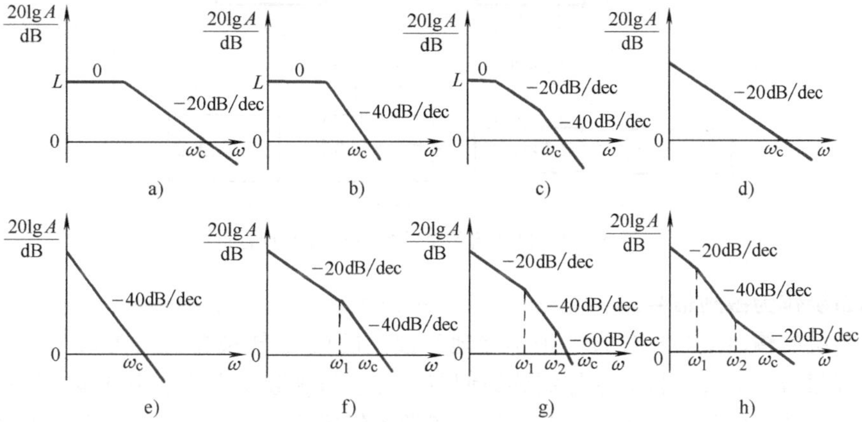

图 5-6-4 几种常见的系统开环对数幅频特性

对于图 5-6-4a、b、c 中的三种情况，系统的开环增益均是

$$K=10^{\frac{L}{20}}$$

对于图 5-6-4d 的情况，系统的开环增益为

$$K=\omega_c$$

对于图 5-6-4e 的情况，系统的开环增益为

$$K=\omega_c^2$$

对于图 5-6-4f 的情况，系统的开环增益为

$$K=\omega_c^2/\omega_1$$

对于图 5-6-4g 的情况，系统的开环增益为

$$K=\frac{\omega_c^3}{\omega_1\omega_2}$$

对于图 5-6-4h 的情况，系统的开环增益为

$$K=\frac{\omega_2\omega_c}{\omega_1}$$

4）根据对数幅频特性渐近线在交接频率处斜率的改变，确定系统的串联环节。

例如在交接频率 ω_1 处，渐近线斜率由-20dB/dec 改为-40dB/dec，则说明系统中有一个传递函数为$\frac{1}{\tau_1 s+1}$的串联非周期环节，并且 $\tau_1=\frac{1}{\omega_1}$。若在交接频率 ω_2 处，渐近线斜率由-40dB/dec 改变为-20dB/dec，则说明系统串联有一个传递函数为 $\tau_2 s+1$ 的比例微分环节，而且 $\tau_2=\frac{1}{\omega_2}$。

依此类推，如在交接频率 ω_3 处，渐近线的斜率改变了-40dB/dec，则说明系统串联有传递函数为 $(\tau_3^2 s^2+2\zeta\tau_3 s+1)^{-1}$ 的二阶振荡环节，而且其中 $\tau_3=\frac{1}{\omega_3}$。

5）进一步根据对数幅频特性的形状及参量，计算二阶振荡环节中的阻尼比 ζ。或者根据最小相位系统对数幅频特性的斜率与相频特性之间的单值对应关系，检验系统是否串联有滞后环节，并计算滞后环节的参量。

例 5-6-1 设通过实验测定的系统伯德图如图 5-6-5 所示，试确定系统的开环传递函数。

解 首先根据实验所得的对数幅频特性，绘出其相应的渐近线，如图 5-6-5 中细虚线所示。低频段渐近线斜率为-20dB/dec，这表明系统中包含了一个积分环节。在交接频率 $\omega_1=1\text{s}^{-1}$ 处，渐近线斜率由-20dB/dec 变为-40dB/dec，这说明系统中有一个惯性环节$\frac{1}{s+1}$。在交接频率 $\omega_2=2\text{s}^{-1}$ 处，渐近线斜率由-40dB/dec 变为-20dB/dec，由此可知有一阶微分环节（$0.5s+1$）存在。在交接频率 $\omega_3=8\text{s}^{-1}$ 处，渐近线斜率由-20dB/dec 变为-60dB/dec，意味着有振荡环节的存在。根据谐振峰值，可求出该振荡环节的阻尼比为 $\zeta=0.5$。从 $\omega<\omega_c$ 频率段中对数幅频特性渐近线的形状及参量 $\omega_1=1\text{s}^{-1}$，$\omega_2=2\text{s}^{-1}$，$\omega_c=5\text{s}^{-1}$ 可知，系统的开环增益为

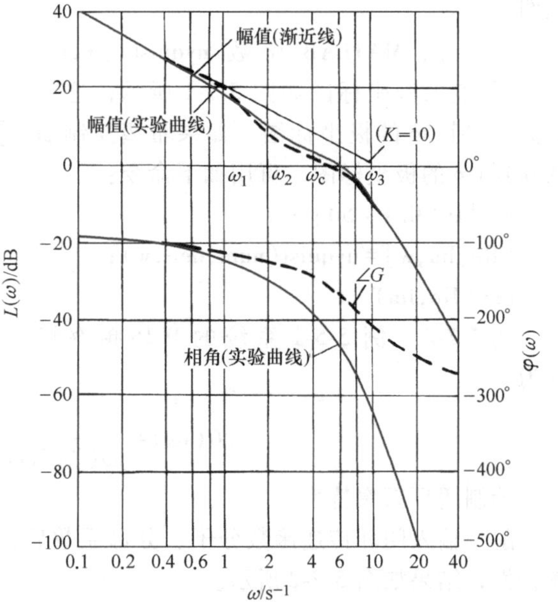

图 5-6-5 例 5-6-1 中被测系统的伯德图

$$K=\frac{\omega_2\omega_c}{\omega_1}=10$$

由此可以初步确定系统的开环传递函数至少由积分环节、非周期环节、比例微分环节及振荡环节串联组成，其传递函数初步可写为

$$G(s)=\frac{10(0.5s+1)}{s(s+1)\left[\left(\frac{s}{8}\right)^2+\frac{s}{8}+1\right]}=\frac{320(s+2)}{s(s+1)(s^2+8s+64)}$$

根据初步写出的传递函数绘制出相频特性 $\angle G$ 与实验所得的相频特性差别较大。实验所得相频特性随 ω 增加相位越负，故知，系统还串联有滞后环节。由于高频段的滞后相位角之差约为 -0.2ω，所以滞后环节的传递函数为 $\text{e}^{-0.2s}$。

综上所述，被测系统的开环传递函数为

$$G(s)=\frac{10(0.5s+1)}{s(s+1)\left(\frac{s^2}{8^2}+\frac{s}{8}+1\right)}e^{-0.2s}$$

第七节　基于 MATLAB 的系统频域分析

用 MATLAB 控制系统工具箱中频域分析的有关函数可绘制系统的伯德图、极坐标图和闭环频率特性，计算系统的相位裕度和增益裕度。

本节重点分析了增加串联的具有超前作用的控制器前后，系统的稳定裕度、闭环频域指标的改变，以及系统暂态性能的相应改善之间的关系。

例 5-7-1　绘制系统 $G(s)=\frac{2}{s^2+s+2}$ 的极坐标图。

解　用 MATLAB 函数 nyquist（num，den）绘制的极坐标图如图 5-7-1 所示，这是 ω 从 $-\infty$ 到 $+\infty$ 的极坐标图。如果希望绘制 ω 从 0 到 $+\infty$ 的极坐标图，可用如下命令：

```
w=[0:0.1:50]';
[Re,Im,w]=nyquist(num,den,w);
plot(Re,Im)
```

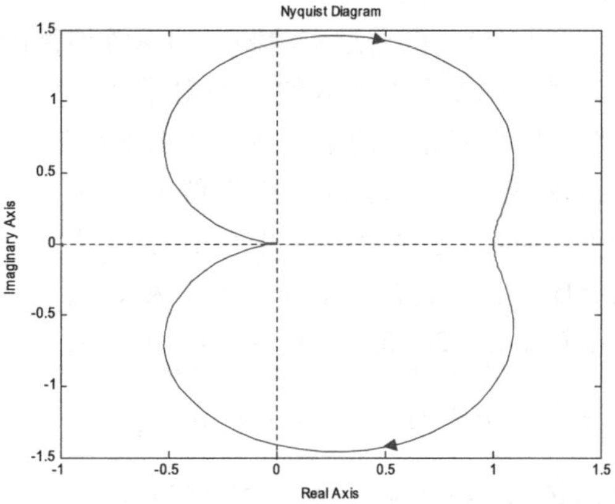

图 5-7-1　例 5-7-1 系统的极坐标图

例 5-7-2　例 5-5-1 系统的开环频率特性为

$$G(j\omega)=\frac{10}{j\omega(j0.1\omega+1)(j0.05\omega+1)}$$

绘制闭环频率特性。

解　输入闭环传递函数分子、分母系数后，用函数 bode 可绘制闭环对数幅频特性和相频特性，结果如图 5-7-2 所示。

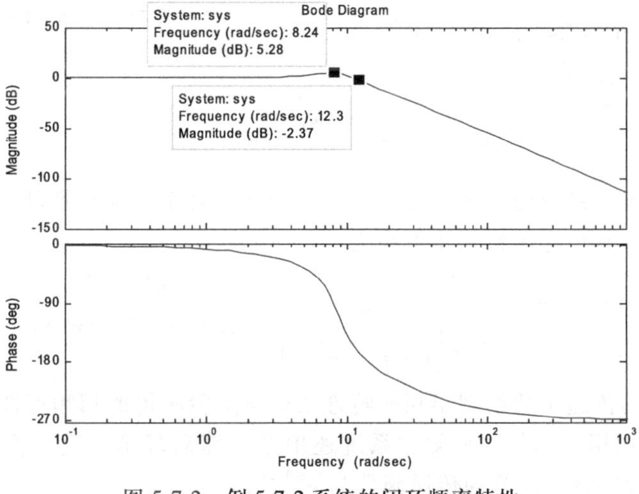

图 5-7-2　例 5-7-2 系统的闭环频率特性

从图 5-7-2 可知，谐振频率 $\omega_r = 8.24\text{s}^{-1}$，谐振峰值 $M_r = 5.28\text{dB}$，带宽频率 $\omega_b \approx 12.3\text{s}^{-1}$。当 $\omega \to \infty$ 时，闭环相频特性趋于$-270°$。

例 5-7-3 已知系统的开环传递函数为 $G(s)=\dfrac{1}{s^2+0.4s+1}$，求系统的相位裕度和增益裕度。

解 主要 MATLAB 命令如下：

```
[mag,phase,w]=bode(num,den);          %保存幅频、相频计算结果
margin(mag,phase,w)                   %计算相位裕度、增益裕度
```

结果如图 5-7-3 所示，伯德图顶端显示了 $\text{GM}(\omega_g)$ 和 $\gamma(\omega_c)$。

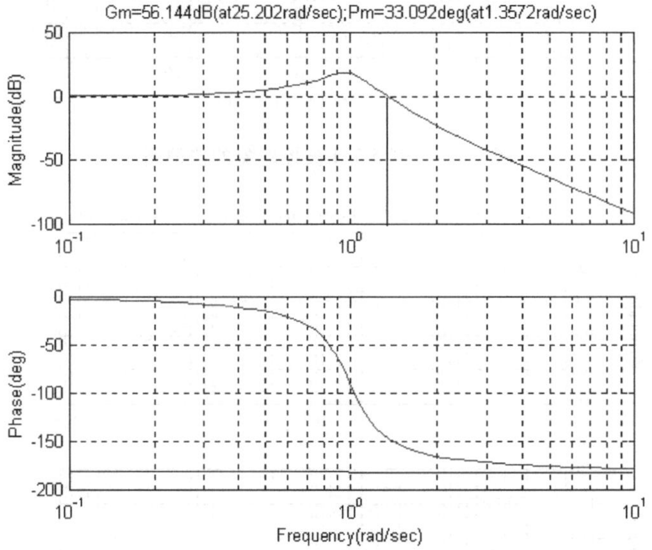

图 5-7-3 例 5-7-3 系统的伯德图

例 5-7-4 设有单位负反馈的 I 型系统的被控对象传递函数为

$$G_o(s)=\frac{5}{s(s+1)(s+4)}$$

串联具有超前校正作用的控制器的传递函数为

$$G_c(s)=\frac{5.94(s+1.2)}{(s+4.95)}$$

分析系统串联控制器前、后的频率特性。

解 被控对象的伯德图和稳定裕度如图 5-7-4 所示。

串联控制器后，系统的开环传递函数为

$$G(s)=\frac{29.7(s+1.2)}{s(s+1)(s+4)(s+4.95)}$$

先用模型转换函数 zp2tf 将零极点形式的传递函数转换成 s 多项式的形式：

```
z=[-1.2];
p=[0,-1,-4,-4.95],k=29.7;
[num,den]=zp2tf(z,p,k);
```

串联控制器后系统的伯德图和稳定裕度如图 5-7-5 所示。

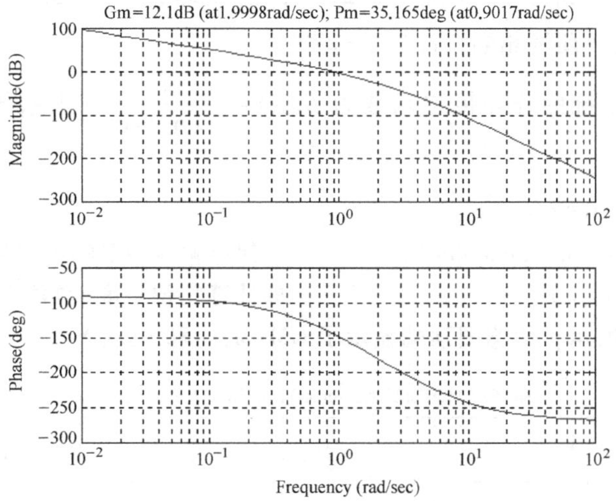

图 5-7-4 例 5-7-4 被控对象的伯德图

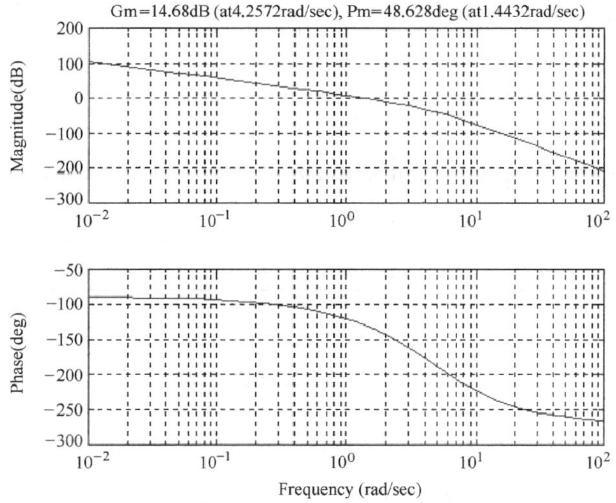

图 5-7-5 例 5-7-4 系统串联控制器后的伯德图

比较可知，串联控制器后相位裕度 γ 从 35.165°提高到 48.628°，剪切频率 ω_c 也有所增大。根据时域响应性能和频域响应的对应关系，稳定裕度的提高将使时域中暂态性能得到改善，较大的相位裕度对应较小的最大超调量。从系统串联控制器前、后的单位阶跃响应曲线（见图 5-7-6），可见，最大超调量 M_p 由 35%减小到 20%，调整时间 t_s 由 9s 下降为 3s。

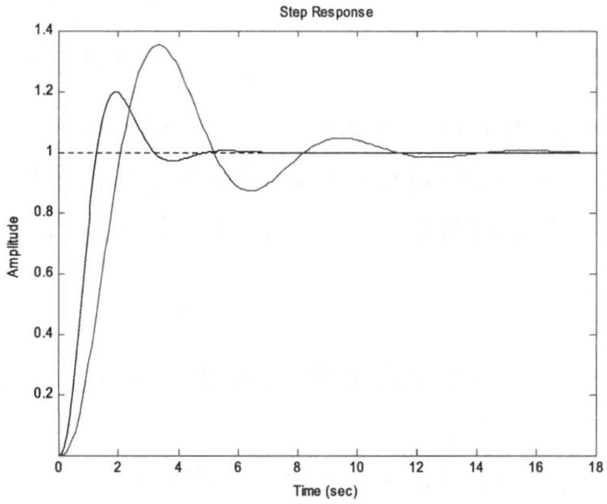

图 5-7-6 例 5-7-4 系统串联控制器前、后的单位阶跃响应

例 5-7-5 分析例 5-7-4 中的系统串联控制器前、后的闭环频率特性。

解 用 MATLAB 绘制的系统串联控制器

前、后闭环对数幅频特性和相频特性分别如图 5-7-7、图 5-7-8 所示。

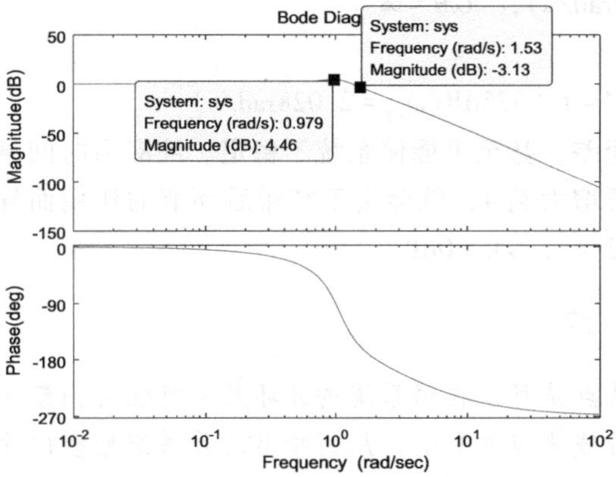

图 5-7-7 例 5-7-4 系统串联控制器前的闭环频率特性

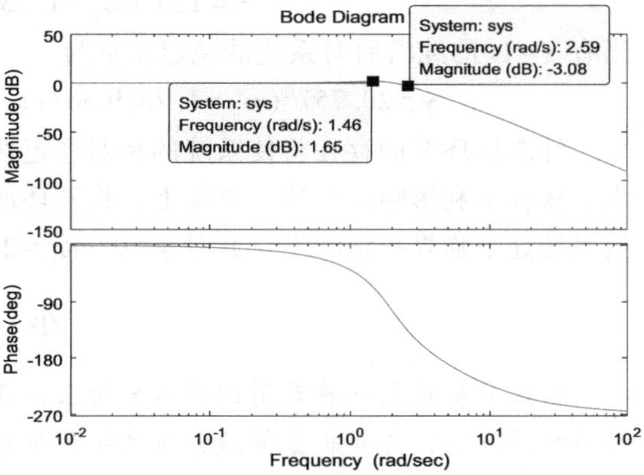

图 5-7-8 例 5-7-4 系统串联控制器后的闭环频率特性

比较图 5-7-7 和图 5-7-8 可见，串联控制器后闭环幅频特性的谐振峰值 M_r 由 4.46 减小到 1.65，同时带宽频率 ω_b 由 1.53 增大到 2.59。这与时域响应暂态性能的改善是相对应的。

例 5-7-6 含有纯滞后环节系统的开环传递函数为

$$G(s)=\frac{2}{s+1}e^{-Ts}$$

其中纯滞后时间 $T=1s$。分析纯滞后环节对系统稳定性的影响。

解 主要命令如下：

```
T=1;
w=logspace(-2,1,100)';
[mag,phase]=bode(num,den,w);
phase1=phase-(T*w*180/pi);                    %计算含纯滞后环节系统的φ(ω)
subplot(211),semilogx(w,20*log10(mag)),grid %绘制对数幅频特性
subplot(212),semilogx(w,[phase  phase1]),grid %在同一坐标系下绘制有、无纯滞后环
                                               节系统的相频特性
```

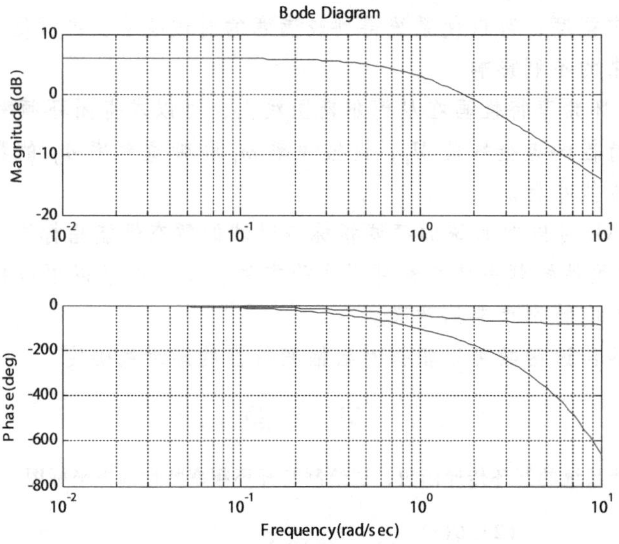

图 5-7-9 例 5-7-6 系统的伯德图

由图 5-7-9 可见，无纯滞后时

$$\gamma=120°(\omega_c=1.7319\text{rad/s}),\quad GM=\infty$$

当有 T=1s 的纯滞后时系统的稳定裕量为

$$\gamma=20.757°(\omega_c=1.7319\text{rad/s}), GM=1.0675\text{dB}(\omega_{cg}=2.028\text{rad/s})$$

纯滞后环节的存在将使系统的相对稳定性变差，甚至可能使系统不稳定。纯滞后时间越大，这种不利影响越严重。事实上，将开环增益增大到 4，就会由于纯滞后环节的作用而导致系统处于临界稳定状态，此时 $\gamma=0°(\omega_c=2\text{rad/s})$，$GM=0\text{dB}$。

小　　结

频域分析法是一种常用的图解分析法，其特点是可以根据系统的开环频率特性去判断闭环系统的性能，并能较方便地分析系统参量对时域响应的影响，从而指出改善系统性能的途径。本章介绍的频域分析方法已经发展成为一种实用的工程方法，应用十分广泛，其主要内容是：

1）系统是由若干环节所组成。熟悉了典型环节的频率特性以后，不难绘制系统的开环对数频率特性（伯德图）。

由于对数运算可以将幅值的乘除运算化为加减运算，并可用简单的渐近线线段近似地绘出对数幅频特性，所以伯德图应用最广。

2）若系统传递函数的极点和零点都位于 s 平面的左半部。这种系统称为最小相位系统。反之，若系统的传递函数具有位于 s 平面右半部的极点或零点，则系统称为非最小相位系统。

对于最小相位系统，幅频和相频特性之间存在着唯一的对应关系，即根据对数幅频特性，可以唯一地确定相应的相频特性和传递函数，而非最小相位系统则不然。

3）由复变函数理论的映射定理推证出来的奈奎斯特稳定判据，可以用系统的开环频率特性来判别闭环系统的稳定性。

4）依据开环频率特性不仅能够定性地判断闭环系统的稳定性，而且可以定量地反映系统的相对稳定性，即稳定的程度。

系统的相对稳定性通常用相位裕度 γ 和增益裕度 K_g 来衡量。

保持适当的稳定裕度，可以使系统得到较满意的时域响应，并预防系统中元器件性能变化对稳定性可能带来的不利影响。

5）把系统的开环频率特性画在尼柯尔斯图线上，可以求得闭环频率特性。

根据闭环频率特性的谐振峰值 M_r、谐振频率 ω_r 和带宽频率 ω_b 的数值可以粗略估计系统时域响应的一些性能指标。

6）运用 MATLAB 可以对系统的频域指标与时域的暂态性能指标进行对比分析。

7）许多系统和元件的频率特性都可用实验方法测定。在难以用解析方法确定系统特性的情况下，这一点具有特别重要的意义。

最小相位系统的传递函数可以根据对数幅频特性的渐近线确定。

习　　题

5-1　已知单位反馈系统的开环传递函数，试绘制其开环频率特性的极坐标图。

（1）$G(s)=\dfrac{1}{s(1+s)}$　　　（2）$G(s)=\dfrac{1}{(1+s)(1+2s)}$

(3) $G(s)=\dfrac{2(1+s)}{s(1+2s)}$　　(4) $G(s)=\dfrac{1}{s^2(1+s)(1+2s)}$

5-2　请绘制上题中各系统的开环对数频率特性（伯德图）。

5-3　设单位反馈系统的开环传递函数为

$$G(s)=\frac{10}{s(0.1s+1)(0.5s+1)}$$

试绘制系统的奈奎斯特图和伯德图，并求相角裕度和增益裕度。

5-4　绘制 $G(s)=\dfrac{1}{s-1}$环节的伯德图，并和惯性环节 $G(s)=\dfrac{1}{s+1}$的伯德图相比较。

5-5　已知单位反馈系统的开环传递函数为

$$G(s)=\frac{1}{s(1+s)^2}$$

用 MATLAB 绘制系统的伯德图，并求稳定裕度。

5-6　根据下列开环频率特性，用 MATLAB 绘制系统的伯德图，并用奈奎斯特稳定判据判断闭环系统的稳定性。

(1) $G(j\omega)H(j\omega)=\dfrac{10}{(j\omega)(0.1j\omega+1)(0.2j\omega+1)}$

(2) $G(j\omega)H(j\omega)=\dfrac{2}{(j\omega)^2(0.1j\omega+1)(10j\omega+1)}$

5-7　已知 3 个最小相位系统的开环对数幅频特性的渐近线如图 5-T-1 所示，试写出各系统的开环传递函数，并绘出相应的相频特性的大致图形。

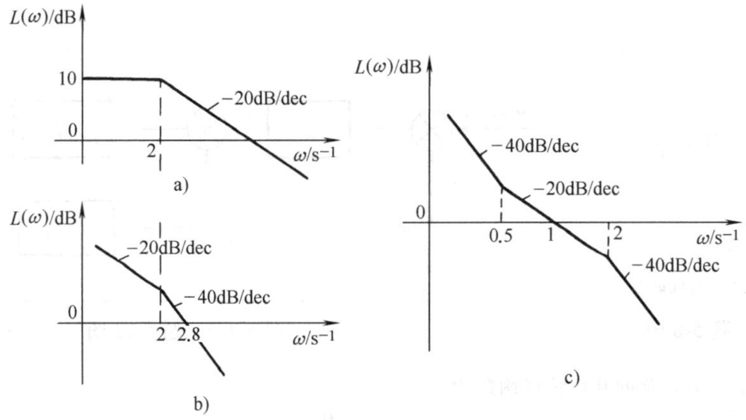

图 5-T-1　题 5-7 图

5-8　设系统开环频率特性的极坐标图如图 5-T-2 所示，试判断闭环系统的稳定性。

5-9　根据系统的开环传递函数 $G(s)H(s)=\dfrac{2e^{-\tau s}}{s(1+s)(1+0.5s)}$绘制系统的伯德图，并确定能使系统稳定的最大 τ 值范围。

5-10　已知系统的开环传递函数为

$$G(s)H(s)=\frac{K}{s(1+s)(1+3s)}$$

试用伯德图方法确定闭环系统稳定的临界增益 K 值。

5-11　根据图 5-T-3 中 $G(j\omega)$ 的伯德图求传递函数 $G(s)$。

5-12　根据图 5-T-4 中所示的系统框图绘制系统的伯德图，并求使系统稳定的 K 值范围。

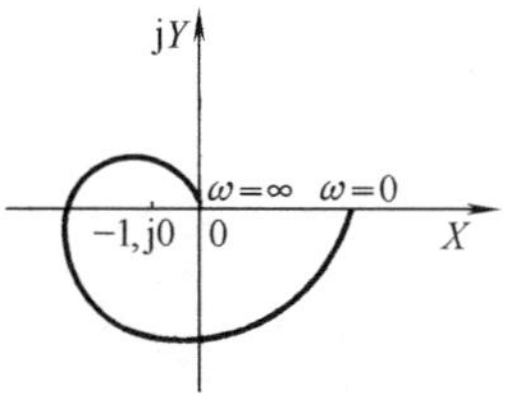

a)开环系统稳定

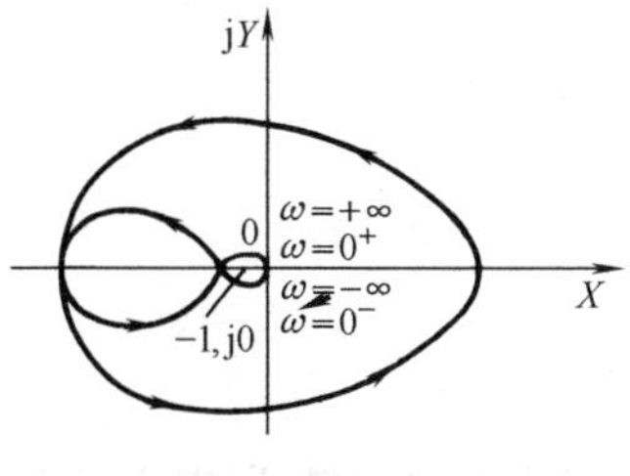

b)开环系统稳定

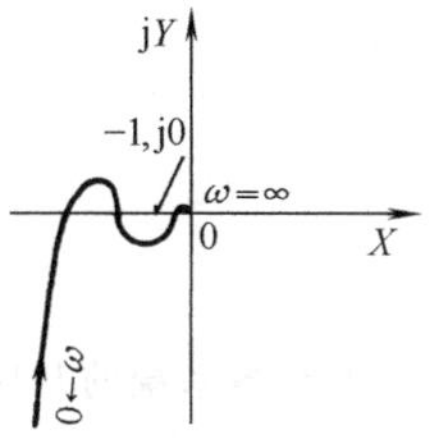

c)开环系统稳定

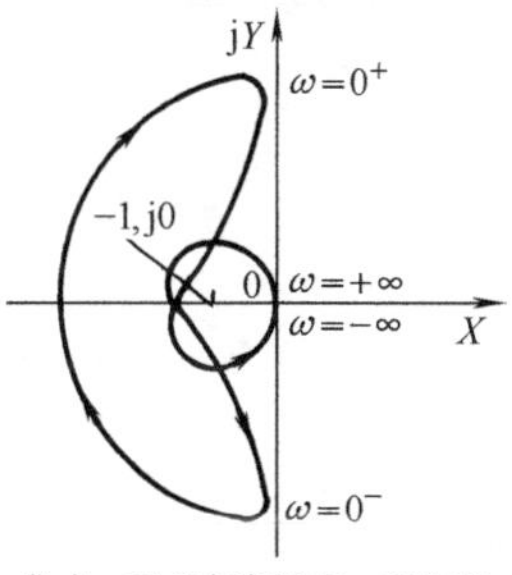

d)在s平面右半部有一开环极点

图 5-T-2 题 5-8 图

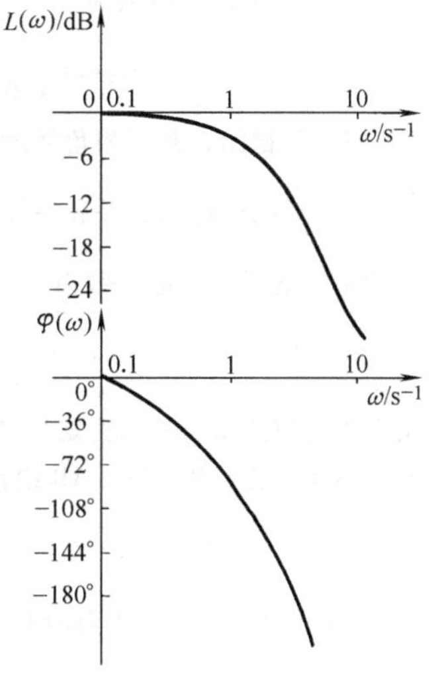

图 5-T-3 题 5-11 图

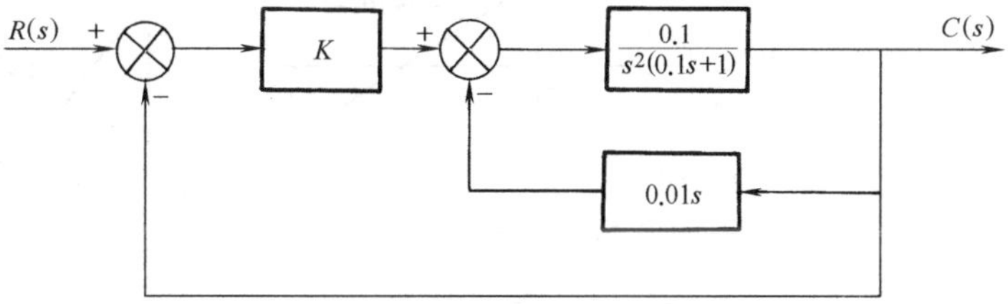

图 5-T-4 题 5-12 图

5-13 设单位反馈系统的开环传递函数为

$$G(s)=\frac{10}{s(0.05s+1)(0.1s+1)}$$

用 MATLAB 绘制系统的伯德图，计算系统的稳定裕度；绘制系统的闭环频率特性，确定谐振峰值 M_r、谐振频率 ω_r 和截止频率 ω_b。

5-14 设单位反馈系统的开环传递函数为

$$G(s)=\frac{K}{s(0.1s+1)(s+1)}$$

（1）用 MATLAB 求系统相角裕度为 60°时的 K 值；

（2）求谐振峰值为 1.4 时的 K 值。

5-15 在题 5-14 系统中，串联一个纯滞后环节 $e^{-0.1s}$，用 MATLAB 求系统相角裕度为 60°时的 K 值，并和题 5-14 的结果比较，进行讨论。

5-16 已知系统的开环传递函数为

$$G(s)H(s)=\frac{K}{s(2s+1)(s^2+0.5s+1)}$$

用 MATLAB 绘制 $K=10$ 时的伯德图，求系统的稳定裕度，并讨论：

(1) 改变增益 K 可否使系统稳定，给出系统稳定的 K 值范围。

(2) 说明当剪切频率 ω_c 在振荡环节的自然振荡角频率 $\omega_n=1$ 附近，系统很难稳定的原因。

5-17 已知 $G_1(s)=\dfrac{1+\tau_2 s}{1+\tau_1 s}$，$G_2(s)=\dfrac{1-\tau_2 s}{1+\tau_1 s}$，$\tau_1=2$，$\tau_2=0.2$，分别绘制伯德图，比较分析最小相位系统和非最小相位系统。

5-18 已知系统的伯德图如例 5-3-3 的图 5-3-3，试由伯德图确定相位裕度 $\gamma(\omega_c)$ 和增益裕度 $GM(\omega_g)$。试比较由对数幅频特性的渐近线，和经误差修正后曲线确定的稳定裕度的差别。

5-19 系统的开环传递函数如例 5-4-7

$$G(s)H(s)=\frac{K}{(\tau s+1)^2(a\tau s+1)},(a>0,a\neq 1)$$

试证明系统临界稳定的开环增益 $K_c=2a+4+\dfrac{2}{a}$，$\omega_c=\sqrt{\dfrac{a+2}{a\tau^2}}$。

第六章　线性系统的校正

第一节　线性系统校正的概念

前面介绍了分析控制系统的两种基本方法——频率特性法和根轨迹法，本章着重讨论有关控制系统设计中的一个重要问题，即控制系统的校正。

为某种特殊用途而设计的每个控制系统都必须满足一定的性能指标，在第三章和第五章中曾讨论过控制系统的时域指标、频域指标及广义的误差积分性能指标。

在设计控制系统时，性能指标的确定是重要的一步。一般说来，在提出性能指标时应从生产的实际需要出发，实事求是，切忌盲目追求高指标。因为过高的性能指标不但是不必要的，有时甚至是不可能达到的，或者要付出大量的投资，或者导致系统过分复杂。

在控制系统的设计中，除了性能指标外，还往往附加有一些其他的限制，例如可供选用的能源、元器件、空间及经济限制等。

前已述及，自动控制系统一般由控制器及被控对象组成。被控对象是指要求实现自动控制的机器、设备或生产过程，控制器则是指对被控对象起控制作用的装置总体，其中包括测量及信号转换装置、信号放大及功率放大装置和实现控制指令的执行机构等基本组成部分。

当明确了被控对象并制定出合理的性能指标及相应的限制条件后，即可着手于系统的初步设计工作，这就是选择或设计控制器的基本组成部分。在初步设计中，需选择信号及功率放大装置的增益有一定的裕量。在某些情况下，执行机构的容量需根据系统稳态及暂态性能指标的全面要求确定。

由控制器的基本组成部分及被控对象组成反馈控制系统，如果此时系统能全面满足提出的性能指标要求，则系统技术设计中的主要工作就基本完成了，但这种情况并不多。更经常的情况是，这样组成的系统往往不能同时满足各项性能指标的要求，甚至反馈控制系统不能稳定。为了改善控制系统的性能，人们可能希望修改被控对象的动特性。但在许多实际情况下，难以做到此点，因为被控对象往往是不能改变的。因此就需要调整被控对象以外的控制器基本组成部分的参量。通常在这一部分中除了放大器的增益外，其他也都难以任意变更。对于简单而性能指标要求不很高的系统，通过调整增益有可能奏效，但在多数情况下，仅调整增益并不能解决问题。例如提高系统的稳态精度不一定都能通过提高增益来实现。有时即使提高增益能满足稳态精度要求，但可能导致暂态性能恶化，甚至使系统不稳定。这时必须在系统中引入一些附加装置用来校正系统的暂态和稳态性能，使其全面满足性能指标要求。这些为校正系统性能而有目的地引入的装置称为校正装置。校正装置是控制器的一部分，它

与基本组成部分一起构成完整的控制器。在研究系统校正装置时，为了方便，将系统中除了校正装置以外的部分，包括被控对象及控制器的基本组成部分一起，称为“原有部分”（亦称固有部分或不可变部分）。因此，**控制系统的校正，就是按给定的原有部分和性能指标设计校正装置，它是系统设计的一个组成部分**。本章主要介绍确定校正装置传递函数的方法，并适当地探讨校正装置的实现问题。

根据校正装置在系统中的位置，系统有多种结构形式，如图 6-1-1 所示。最常见的系统结构如图 6-1-1a 所示，在这种形式中校正装置与被控对象等不可变部分串联，因此常称为**串联校正**。在图 6-1-1b 中，校正装置设在局部反馈回路里，故称为**反馈校正**。为提高性能，也常采用如图 6-1-1c 所示的串联和反馈校正。图 6-1-1d 称为**前馈补偿或前馈校正**。在此，反馈控制与前馈控制并用，所以也称为**复合控制系统**。图 6-1-1e 则是**按扰动补偿的复合控制系统**。

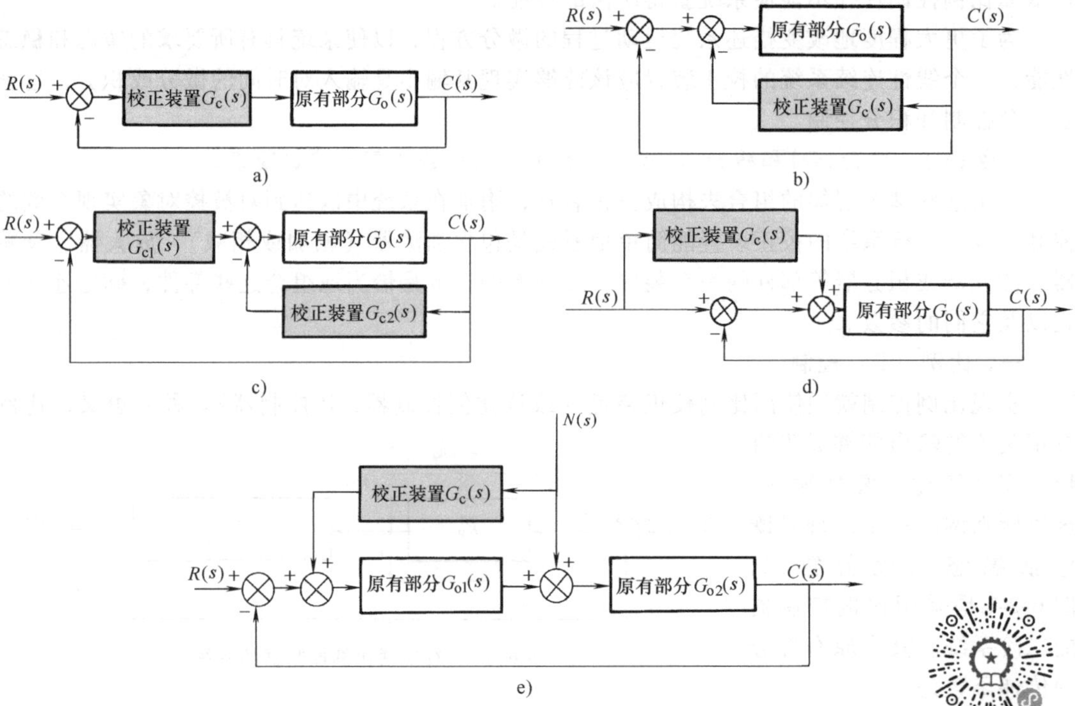

图 6-1-1　校正装置在控制系统中的位置

a）串联校正　b）反馈校正　c）串联、反馈校正　d）前馈补偿　e）扰动补偿

线性系统校正的概念

选择何种校正装置，主要取决于系统结构的特点、采用的元件、信号的性质、经济条件及设计者的经验等。一般说来，串联校正简单，较易实现。目前多采用有源校正网络构成串联校正装置。串联校正装置常设于系统前向通道的能量较低的部位，以减少功率损耗。反馈校正的信号是从高功率点传向低功率点，故通常不需采用有源元件。采用反馈校正还可以改造被反馈包围的环节的特性，抑制这些环节参数波动或非线性因素对系统性能的不良影响。复合控制则对于既要求稳态误差小，同时又要求暂态响应平稳快速的系统尤为适用。

综上所述，可见**控制系统的校正不会像系统分析那样只有单一答案**，这就是说，**能够满足性能指标的校正方案不是唯一的**，在最终确定校正方案时应该根据技术和经济两方面以及其他一些附加限制综合考虑。

第二节 线性系统的基本控制规律

前已述及，线性系统的运动过程可由微分方程描述，微分方程的解就是系统的响应。欲使线性系统响应具有所需的性能，可以通过附加校正装置去实现。抽象地看，增加了校正装置后，就改变了描述系统运动过程的微分方程。

如果校正装置的输出与输入之间是一个简单的但能按需要整定的比例常数关系，则这种控制作用通常称为比例控制。整定不同的比例常数值，就能改变系统微分方程的相应项的系数，于是系统的零、极点分布随之相应地变化，从而达到改变系统响应的目的。

比例控制对改变系统零、极点分布的作用是很有限的，它不具有削弱甚至抵消系统原有部分中“不良”的零、极点的作用，也不具有向系统增添所需零、极点的作用。也就是说，仅依靠比例控制往往不能使系统获得所需的性能。

为了更大程度地改变描述系统运动过程的微分方程，以使系统具有所要求的暂态和稳态性能，一个线性连续系统的校正装置应该能够实现其输出是输入对时间的微分或积分，这就是微分控制和积分控制。

比例(P)、微分(D)和积分(I)控制常称为线性系统的基本控制规律。

应用这些基本规律的组合去构成校正装置，附加在系统中以达到对被控对象实现有效的控制。线性连续系统的校正装置能简单地看成是包含加法器（相加或相减）、放大器、衰减器、微分器或积分器等部件的一个装置。设计者的任务是恰当地组合这些部件，确定连接方式以及它们的参数。

一、比例（P）控制

实现比例控制就须使用比例校正装置（或称比例控制器，P 控制器）。顾名思义，比例校正装置的输出能够无失真地、完全按比例复现输入，这里所强调的完全复现是既包括稳态又涵盖暂态，图 6-2-1 是采用比例控制器的二阶系统。其中原有部分的传递函数是

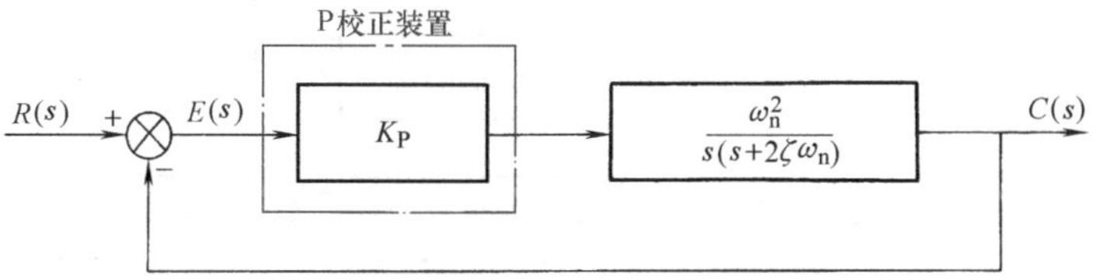

图 6-2-1 有串联比例控制器的系统

$$G_o(s)=\frac{\omega_n^2}{s(s+2\zeta\omega_n)} \tag{6-2-1}$$

比例控制器的传递函数是

$$G_c(s)=K_P \tag{6-2-2}$$

式中，K_P 为比例系数，亦即增益。

于是系统的开环传递函数为

$$G(s)=G_c(s)G_o(s)=K_P\frac{\omega_n^2}{s(s+2\zeta\omega_n)} \tag{6-2-3}$$

图 6-2-2 给出了系统以 K_P 为变量的根轨迹，当 $K_P=0$ 时，根轨迹始于 $s_1=0$ 和 $s_2=-2\zeta\omega_n$ 两个开环极点。当 K_P 从零增大至 $K_P=\zeta^2$ 时，两条根轨迹分支在实轴 $\sigma=-\zeta\omega_n$ 处会合。当 K_P 继续增大，两条根轨迹分支从实轴分离，沿着 $\sigma=-\zeta\omega_n$ 垂线向无穷远处延伸。闭环极点的坐标是 $p_{1,2}=-\zeta\omega_n\pm j\omega_n\sqrt{K_P-\zeta^2}$，随着 K_P 的增长，闭环系统极点坐标的实部不变，

但虚部却在增长。

由于系统属于Ⅰ型系统，位置误差系数为无穷大，速度误差系数则是

$$K_v = \lim_{s\to 0} sG(s) = K_P \frac{\omega_n}{2\zeta}$$

系统在斜坡函数形式的输入作用下，其稳态误差的终值与 K_v 成反比，如欲减小稳态误差，就须增大比例系数 K_P，这必将导致闭环控制系统的一对复数极点的虚部增大，从而使系统的暂态响应有较大的超调和强烈的振荡过程。如果是三阶系统，甚至可能导致系统失去稳定。

由此可知，单纯的比例控制较难兼顾系统稳态和暂态两方面的性能要求。

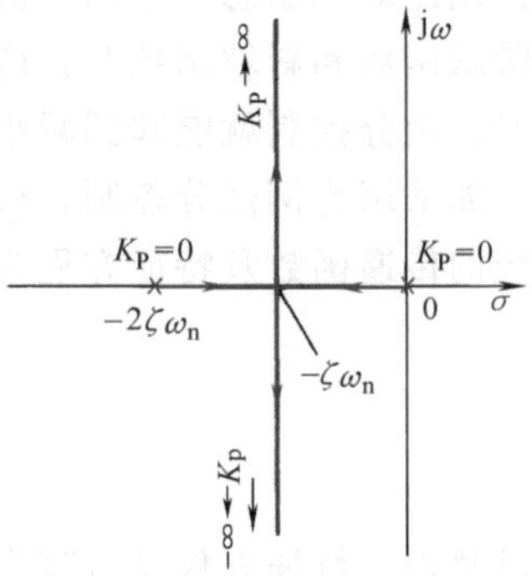

图 6-2-2　比例控制时系统的根轨迹

二、比例微分（PD）控制

图 6-2-3 是一反馈控制系统的框图，它是一个采用串联的比例微分（PD）校正装置的二阶系统。其中原有部分的传递函数是

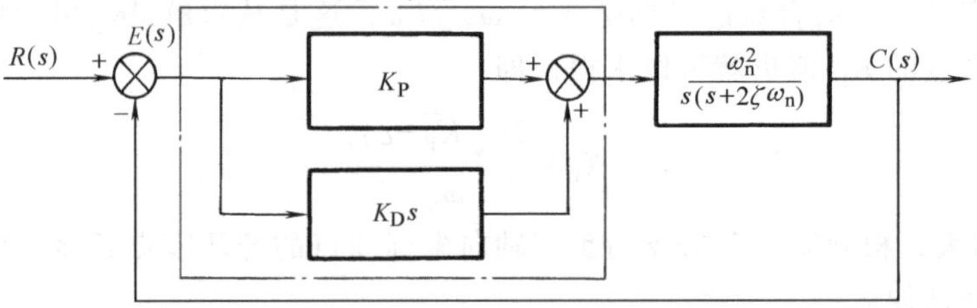

图 6-2-3　有串联比例微分控制器的系统

$$G_o(s) = \frac{\omega_n^2}{s(s+2\zeta\omega_n)} \tag{6-2-4}$$

比例微分控制器的传递函数是

$$G_c(s) = K_P + K_D s \tag{6-2-5}$$

式中，K_P 为比例系数；K_D 为微分系数（s）。

系统的开环传递函数为

$$G(s) = G_c(s)G_o(s) = \frac{\omega_n^2(K_P + K_D s)}{s(s+2\zeta\omega_n)} \tag{6-2-6}$$

式（6-2-6）说明，**比例微分控制相当于系统开环传递函数增加了一个位于负实轴上 $\sigma = -K_P/K_D$ 的零点。**

因为 $de(t)/dt$ 是 $e(t)$ 随时间的变化率，所以**微分控制实质上是一种"预见"型控制。**通常一个线性系统，如果其阶跃响应 $c(t)$ 或误差 $e(t)$ 的变化率过大，则必然会出现大的超调。微分控制可测量出 $e(t)$ 的瞬时变化率，提前预见到这一过大的超调，因而在超调出现之前产生一个适当的校正作用。

微分控制对系统稳态误差的影响可以这样考虑：只有当稳态误差随时间而变化时，微分控制才会对系统的稳态误差起作用。如果系统的稳态误差对时间而言是一个常量，则其对时间的变化率为零，微分控制对稳态误差将无任何影响。如果稳态误差随时间推移而增大，微

分控制能减小稳态误差的幅值。以图 6-2-3 所示系统为例，由于是 I 型系统，当系统的输入为阶跃函数和斜坡函数时，微分控制对系统稳态误差没有影响。但当系统的输入为抛物线函数时，微分控制就能起到减小系统稳态误差的作用。

如采用比例微分控制，根据式（6-2-6）所给出的系统开环传递函数，可求得闭环控制系统的传递函数及特征方程为

$$\left.\begin{aligned}&\frac{C(s)}{R(s)}=\frac{\omega_n^2(K_P+K_Ds)}{s^2+(2\zeta\omega_n+K_D\omega_n^2)s+K_P\omega_n^2}\\&s^2+(2\zeta\omega_n+K_D\omega_n^2)s+K_P\omega_n^2=0\end{aligned}\right\}\tag{6-2-7}$$

经过整理，特征方程又可写为

$$K_D\frac{\omega_n^2 s}{s^2+2\zeta\omega_n s+K_P\omega_n^2}=-1\tag{6-2-8}$$

现按式（6-2-8）绘制以微分系数 K_D 为变量的根轨迹图。假设为满足系统稳态误差要求，将 K_P 值选取得足够大，当 $K_D=0$ 时，根轨迹始于一对复数极点 $-\zeta\omega_n\pm j\omega_n\sqrt{K_P-\zeta^2}$。当 $K_D\to\infty$ 时，根轨迹的一条分支将终止位于坐标原点的零点上，另一根轨迹分支将延伸至无穷远处。系统的根轨迹如图 6-2-4 所示。随着 K_D 从零增大，根轨迹向负实轴左方移动，两分支会合于负实轴上，会合点的坐标是 $\sigma=-\omega_n\sqrt{K_P}$，这是从求解 $dK_D/ds=0$ 而得到的。对应于根轨迹会合点的 K_D 值也就可以求得，即

$$K_D=\frac{2(\sqrt{K_P}-\zeta)}{\omega_n}\tag{6-2-9}$$

当 K_D 值继续增大，根轨迹一条分支沿负实轴向坐标原点的开环零点延伸，另一分支则沿负实轴向无穷远处延伸。

图 6-2-4 清楚地表明，当采用微分控制后，随着微分控制作用的加强，系统的根轨迹将向负实轴的左方移动。尽管为了减小稳态误差，可以将 K_P 值选定得很大，但总可以选择适当的 K_D 值，使系统的暂态响应同时满足要求。例如，希望系统的阶跃响应是单调的，则选定的 K_D 值应等于或大于式（6-2-9）所确定的 K_D 值。

为了便于选定参量，可以利用如图 6-2-5 所示的 K_P-K_D 参量平面图，在这里横坐标表示参量 K_D，纵坐标表示参量 K_P。

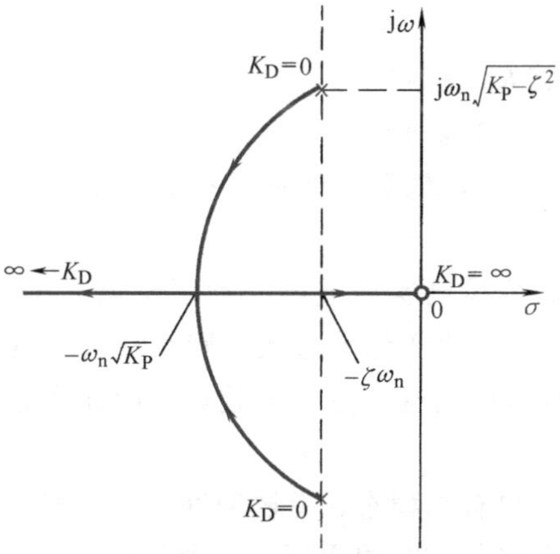

图 6-2-4　比例微分控制时系统的根轨迹

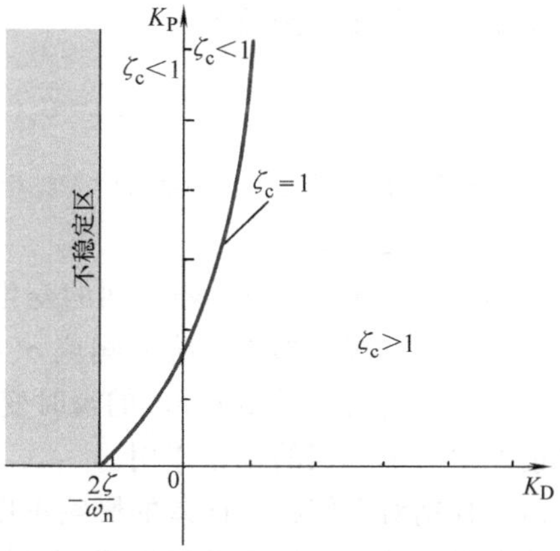

图 6-2-5　K_P-K_D 参量平面图

首先根据闭环控制系统特征方程式（6-2-7）按代数判据确定出系统稳定的条件是

$$\left.\begin{array}{l}K_P>0\\K_D>-2\zeta/\omega_n\end{array}\right\}\tag{6-2-10}$$

其次，从式（6-2-7）可知，闭环控制系统的无阻尼自然振荡角频率为 $\omega_n\sqrt{K_P}$。于是根据典型的二阶系统特征方程可知，闭环控制系统的阻尼比 ζ_c 为

$$\zeta_c=\frac{2\zeta+\omega_n K_D}{2\sqrt{K_P}}\tag{6-2-11}$$

据此，不但能在 K_P-K_D 参量平面内划出系统稳定区域，而且还能画出相应的等 ζ_c 曲线。当由系统稳态误差、暂态响应所要求的 K_P 及 ζ_c 已定时，能够方便地确定出 K_D 值。

以上都是按理想的比例微分校正装置的传递函数［式（6-2-5）］分析得出的结论。正如第二章讲述典型环节的数学模型时所解释的那样，在实际上得不到传递函数只有零点而无极点的部件，不但用电阻、电感、电容等无源元件做不到，就是用极高增益的运算放大器也是做不到的。但是用运算放大器这样的有源元件能够做出与理想的比例微分环节性能很近似的校正装置。在一定的条件下，其对系统性能所起的校正作用与理想的比例微分控制很接近。当然，为保证微分控制作用，功率放大器的容量亦需增大，否则仍将有“瓶颈”抑制现象。

三、比例积分（PI）控制

图 6-2-6 是一个采用串联的比例积分（PI）校正装置的二阶反馈控制系统的框图。其中原有部分的传递函数仍如式（6-2-1）所示，而比例积分校正装置的传递函数则为

$$G_c(s)=K_P+K_I\frac{1}{s}\tag{6-2-12}$$

式中，K_I 为积分系数（s^{-1}）。于是，系统的开环传递函数为

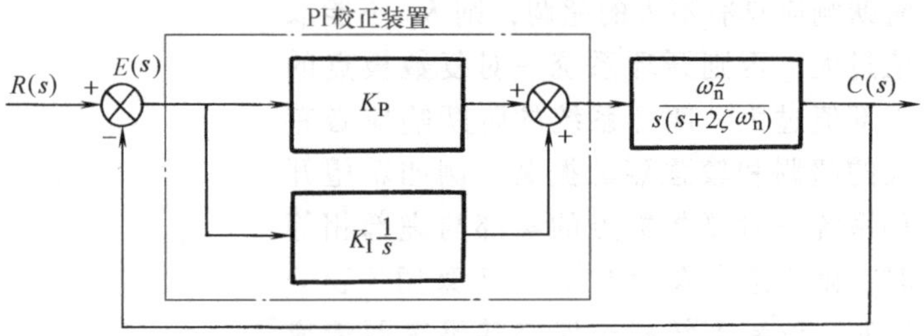

图 6-2-6　有串联比例积分控制器的系统框图

$$G(s)=\frac{\omega_n^2(K_P s+K_I)}{s^2(s+2\zeta\omega_n)}\tag{6-2-13}$$

显而易见，比例积分校正装置相当于在系统开环传递函数中增加了一个位于坐标原点的极点和一个位于负实轴上 $-K_I/K_P$ 处的零点。积分控制的一个明显作用是把原来的 I 型系统转换为 II 型系统，从而使系统的稳态误差得到本质性的改善。例如在斜坡函数输入下，原 I 型系统的稳态误差为常量，但采用积分控制后，系统稳态误差将为零。

在比例微分控制系统中，比例系数 K_P 的取值将由系统的稳态误差要求而决定。但在比例积分控制中，比例系数 K_P 的取值不再依据系统的稳态误差的要求，而是选取配合适当的 K_P 与 K_I，使系统开环传递函数有一个所需要的零点，从而得到满意的暂态响应。

不难看出，如果被控对象中已有一个串联的积分环节，即对象传递函数中已有一个 $s=0$ 的极点的情况下，仅使用积分控制而无比例控制（相当于 $K_P=0$），将使式（6-2-13）所示的系统开环传递函数的零点位于无穷远处（通常称为没有零点）。这时，闭环系统的特征方程将缺少 s 的一次项，根据劳斯判据知，无论怎样调整参量，均不能使系统稳定，这就是结构不稳定问题。因此，II 型系统的开环传递函数必须具有有限零点才能稳定。

可以用根轨迹图去分析 K_P 与 K_I 之间应满足何种关系，才能使系统稳定并具有所要求的暂态响应。

根据式（6-2-13）知，闭环控制系统的特征方程为

$$s^3+2\zeta\omega_n s^2+K_P\omega_n^2 s+K_I\omega_n^2=0 \tag{6-2-14}$$

可以很容易地根据劳斯判据定出系统稳定的充分和必要条件是

$$\left.\begin{aligned}&K_P>0\\&2\zeta\omega_n K_P>K_I>0\end{aligned}\right\} \tag{6-2-15}$$

进一步绘制系统的根轨迹，以分析参量 K_P 与 K_I。将式（6-2-14）改写为如下形式

$$K_I\frac{\omega_n^2}{s(s^2+2\zeta\omega_n s+K_P\omega_n^2)}=-1 \tag{6-2-16}$$

当选定 K_P 值后，系统开环极点有三个，分别是 $s_1=0$，$s_{2,3}=-\zeta\omega_n\pm j\omega_n\sqrt{K_P-\zeta^2}$。图 6-2-7 给出了按式（6-2-16）绘制的以 K_I 为变量的根轨迹。显然，当 K_P 选定后，K_I 的取值必须满足式（6-2-15）的条件，否则闭环系统的极点将进入 s 平面的右半部。从图 6-2-7 还可以看出，如欲使闭环系统不但稳定，而且还希望其阶跃响应具有不大的超调，则 K_P 不能取值过大，否则开环系统一对复数极点的虚部值过大，闭环系统的阶跃响应必有大的超调和较强烈的振荡。例如希望开环系统一对复数极点的实部与虚部相等时，则应选定 $K_P=2\zeta^2$。由于采用了积分控制，改善系统稳态误差并不主要依靠 K_P，所以在此可以适当减小 K_P 的取值。

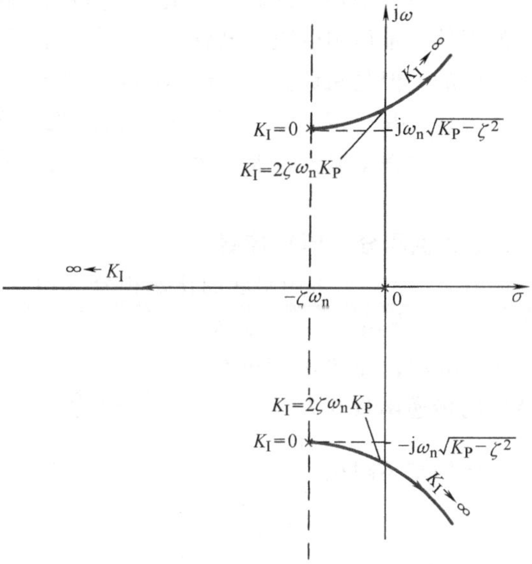

图 6-2-7 K_P 选定后以 K_I 为变量的根轨迹

将式（6-2-14）改写成下列形式还可以绘制选定 K_I 后以 K_P 为变量的根轨迹图

$$K_P\frac{\omega_n^2 s}{s^2(s+2\zeta\omega_n)+K_I\omega_n^2}=-1 \tag{6-2-17}$$

为了确定系统的开环极点，可先绘制下式的根轨迹图

$$s^2(s+2\zeta\omega_n)+K_I\omega_n^2=0$$

或

$$K_I\frac{\omega_n^2}{s^2(s+2\zeta\omega_n)}=-1 \tag{6-2-18}$$

图 6-2-8 给出了按式（6-2-18）绘制的以 K_I 为变量的根轨迹。它实质上就是当 $K_P=0$ 时，单纯采用积分控制的系统根轨迹。无论怎样选取 K_I 值，都不可能使系统稳定，其结论与劳斯判据的判断一样。将图 6-2-8 与图 6-2-2 比较可以看出，积分控制使系统由二阶成为三阶，并且使系统根轨迹在 s 平面上向右移动，因而对系统的稳定性不利。当 K_I 值选定后，式（6-2-17）所示传递函数的开环极点就在图 6-2-8 根轨迹上对应于 K_I 值的位置。

图 6-2-9 给出了按式（6-2-17）绘制的根轨迹。K_P 必须按式（6-2-15）的条件取值，否

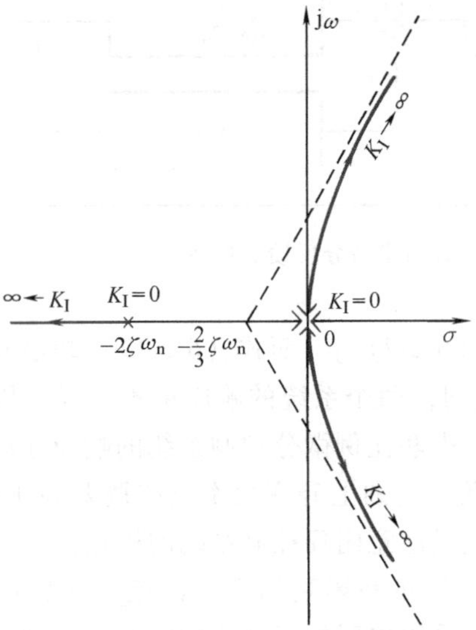

图 6-2-8　式（6-2-18）系统以 K_I 为参变量的根轨迹

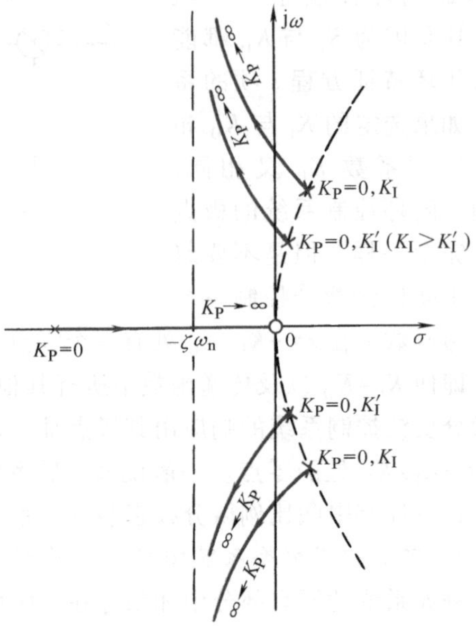

图 6-2-9　K_I 选定后以 K_P 为变量的根轨迹

则闭环控制系统的极点不能进入 s 平面的左半部。当 K_P 充分大时，根轨迹趋向于渐近线。渐近线与实轴相交点的坐标将由系统开环的零、极点的位置决定。由于式（6-2-17）的零点在坐标原点，因此，开环三个极点之和的负值就等于特征方程中 s^2 项的系数。从式（6-2-17）看出，s^2 项的系数为 $2\zeta\omega_n$，它与 K_I 无关。又因为零、极点的个数差是 2，所以根轨迹的渐近线与负实轴相交于 $-\zeta\omega_n$ 处，不论选定 K_I 为何值都不变。从图 6-2-9 还可以看出，如欲使闭环控制系统一对复数极点的虚部不要太大，则 K_I 值不应取得很大。

由以上分析可知，**比例积分控制虽然能将系统的稳态误差改善提高一级，但如果同时只允许暂态响应有小的超调甚至没有超调，则响应的时间可能较长**（因为闭环控制系统的主导极点距坐标原点很近）。**如果采用比例积分控制不能兼顾系统的稳态和暂态响应的要求，可以考虑采用比例积分微分控制，以便充分利用各种控制的最佳性能。**

用无源元件很难做出接近理想的比例积分校正装置，但是使用运算放大器却不难做出性能接近理想的比例积分校正装置。P、PD 和 PI 控制的时域分析参见例 6-8-1。

四、并联支路的反馈控制

前面所述的串联校正装置便于实现，应用较为普遍。但是有时将校正装置设置在局部反馈支路中，可能使校正作用更为有效，这就是并联支路的反馈控制，或称并联校正、反馈校正。

并联校正的作用大致有以下两个方面。

1）**并联校正可利用系统输出信号的微分反馈得到与串联比例微分校正类似的改善闭环控制系统阻尼的效果。**图 6-2-10 是一有输出微分反馈的控制系统，其中并联校正装置的传递函数是 $K_t s$，K_t 的单位为 s。闭环控制系统的传递函数与特征方程分别为

$$\left.\begin{aligned}&\frac{C(s)}{R(s)}=\frac{K_P\omega_n^2}{s^2+(2\zeta\omega_n+K_t\omega_n^2)s+K_P\omega_n^2}\\&s^2+(2\zeta\omega_n+K_t\omega_n^2)s+K_P\omega_n^2=0\end{aligned}\right\}\qquad(6\text{-}2\text{-}19)$$

将式（6-2-19）与式（6-2-7）比较，不难看出，输出微分反馈与串联比例微分控制都

能增加闭环控制系统的阻尼，这是因为 K_t 与 K_D 都能增大闭环特征方程 s 项的系数。如果选定的 K_t 与 K_D 相等，比例系数 K_P 又相同，则两个闭环控制系统的极点分布完全一样。但是不要忽视了串联比例微分控制系统的传递函数中在 $s=-K_P/K_D$ 处有一个零点［参见式（6-2-7）］，而式（6-2-19）却没有。因此，即使 $K_t=K_D$ 以及传递函数中所有其他系数均相同，两个系统的响应也不一样。因为输出微分反馈控制系统的响应由其极点唯一地确定，而串联比例微分控制系统的响应还取决于在 $s=-K_P/K_D$ 处的零点。一般说来，后者的单位阶跃响应的上升变化率及超调要高于前者。所以在设计有串联比例微分校正装置的系统时，不应只注意闭环控制系统的极点。

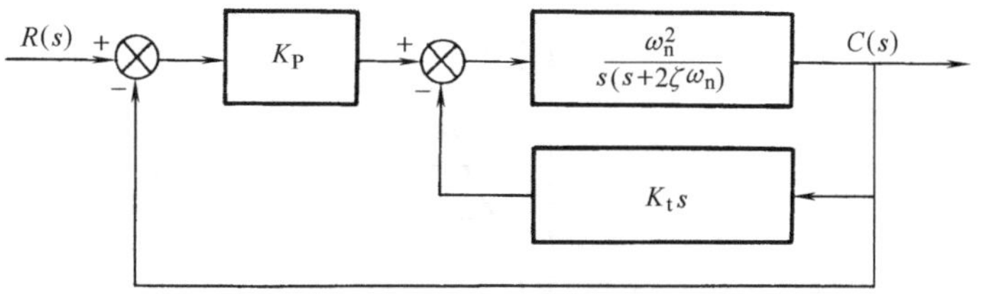

图 6-2-10　有输出微分反馈的控制系统

2）**并联校正可将系统中某一部分对系统性能产生不利影响的环节改造为所需的控制器**，例如系统的原有部分中如果存在二阶振荡环节，采用串联校正往往难以奏效，如果采用并联校正常可得到满意的效果。并联校正装置设在局部反馈通道中，信号是从高功率点传向低功率点，一般都采用无源元件组成。并联校正和串联比例微分校正的对比分析参见例 6-8-2。

第三节　常用校正装置及其特性

本节介绍一些常用的校正装置及其特性，分别是由无源网络构成的无源校正装置和主要由直流运算放大器构成的有源校正装置，以及在工业过程控制系统中广泛使用的 PID 调节器。

上一节阐述了微分和积分控制在校正系统特性中的作用，其实，从滤波器的观点看，比例微分校正装置是一个高通滤波器，而比例积分校正装置则是一个低通滤波器，比例积分微分校正装置无疑是由其参量决定的带通滤波器。由于高通滤波器在高于某一频率范围时给系统一个正相移，所以又常称为相位超前校正装置；而低通滤波器引入了负相移，所以也常称为相位滞后校正装置；而理想的比例校正装置，其通频带应是从 0 到∞，并且输出与输入之间无任何相移。

一、无源校正装置

采用无源网络构成的校正装置，其理想的传递函数一般最简单的形式是

$$G_c(s)=K\frac{\tau s+1}{\eta\tau s+1}=K_1\frac{s-z_c}{s-p_c} \tag{6-3-1}$$

式中，K 为比例系数，对于无源网络 $K\leqslant 1$；τ 为时间常数；η 为比例常数，可以取 $\eta<1$ 或 $\eta>1$，甚至 $\eta=1$；z_c 为传递函数的零点位置，$z_c=-\frac{1}{\tau}$；p_c 为传递函数的极点位置，$p_c=-\frac{1}{\eta\tau}$；K_1 为传递函数写成零、极点形式时的增益，$K_1=\frac{K}{\eta}$。

在式（6-3-1）中，若 $\eta<1$（$p_c<z_c$），则此网络是高通滤波器，或称相位超前校正装置；

若 $\eta>1$（$p_c>z_c$），则是低通滤波器，或称相位滞后校正装置；当 $\eta=1$（$p_c=z_c$）时，即是无相移校正装置。

（一）无相移校正装置（比例控制器）

当式（6-3-1）中 $p_c=z_c$ 时，则校正装置的传递函数为

$$G_c(s)=K \quad (K\leqslant 1) \tag{6-3-2}$$

可由图 6-3-1 所示的电路实现。如认为输入阻抗为零，输出阻抗为无限大，并且不考虑电路间的电容等因素，即在理想的情况下，比例系数

$$K=\frac{R_2}{R_1+R_2}<1$$

这种分压器实际就是衰减器，其伯德图如图 6-3-2 所示。

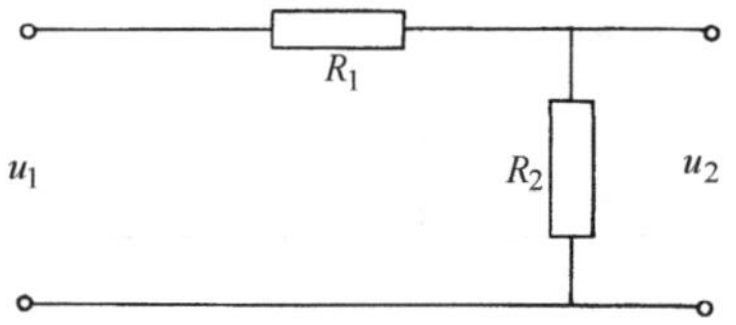

图 6-3-1 分压器电路

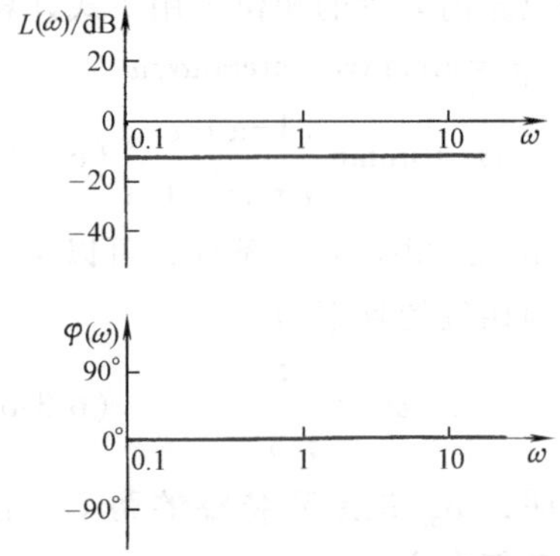

图 6-3-2 比例控制器的伯德图

（二）相位超前校正装置

相位超前校正装置可用如图 6-3-3 所示的 *RC* 电路实现，它是由无源阻容元件组成的。设此电路输入信号源的内阻为零，输出端的负载阻抗为无穷大，则此相位超前校正装置的传递函数是

$$G_c(s)=\frac{s-z_c}{s-p_c}=\frac{s+1/\tau}{s+1/(\alpha\tau)}=\alpha\left(\frac{\tau s+1}{\alpha\tau s+1}\right) \tag{6-3-3}$$

式中，$\tau=R_1C$；$\alpha=\dfrac{R_2}{R_1+R_2}<1$。

在 s 平面上，相位超前校正装置传递函数的零点与极点位于负实轴上，如图 6-3-4 所示。其

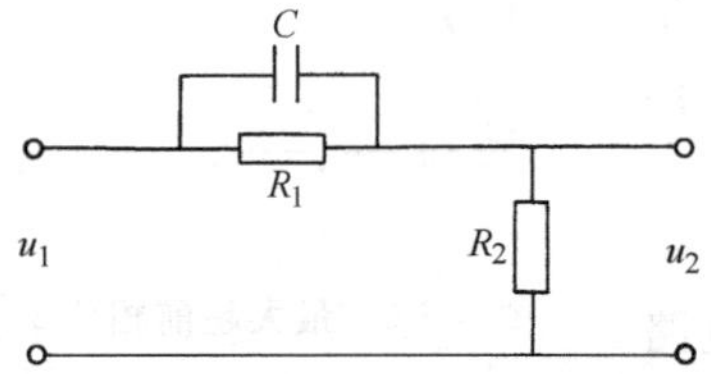

图 6-3-3 相位超前 *RC* 电路

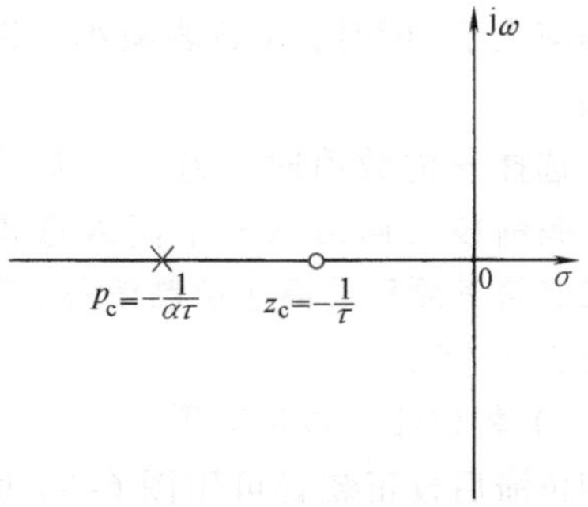

图 6-3-4 相位超前校正装置的零、极点分布

中零点靠近坐标原点，零、极点之间的比值为 α，改变 α 和 τ 之值，能改变零、极点的位置。

相位超前校正装置

式（6-3-3）表明，在采用无源相位超前校正装置时，系统的开环增益要下降，因为 α 值小于 1。

图 6-3-3 所示的相位超前校正装置的频率特性为

$$G_c(j\omega)=\alpha\frac{j\omega\tau+1}{j\alpha\omega\tau+1} \tag{6-3-4}$$

其伯德图如图 6-3-5 所示。由于 $\alpha<1$，所以校正装置正弦稳态输出信号的相位超前于输入信号，或者说具有正的相位特性，它反映了输出信号包含有输入对时间的微分分量。

相位超前装置的相位可用下式计算

$$\varphi_c=\arctan\tau\omega-\arctan\alpha\tau\omega$$

或

$$\varphi_c=\arctan\frac{(1-\alpha)\tau\omega}{\alpha\tau^2\omega^2+1} \tag{6-3-5}$$

利用 $d\varphi_c/d\omega=0$ 的条件，可以求出最大超前相位的频率为

$$\omega_m=\frac{1}{\tau\sqrt{\alpha}} \tag{6-3-6}$$

上式表明，ω_m 是频率特性的两个交接频率的几何中心。

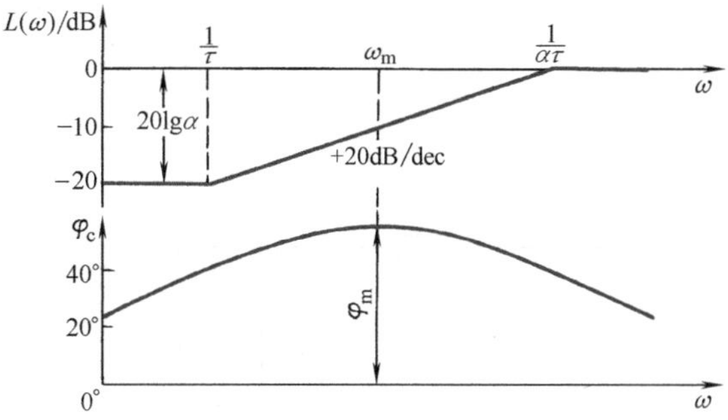

图 6-3-5 相位超前校正装置的伯德图

将式（6-3-6）代入式（6-3-5）可得到

$$\varphi_m=\arctan\frac{1-\alpha}{2\sqrt{\alpha}}$$

或

$$\varphi_m=\arcsin\frac{1-\alpha}{1+\alpha}$$

上式又可以写成如下的形式

$$\alpha=\frac{1-\sin\varphi_m}{1+\sin\varphi_m} \tag{6-3-7}$$

由此可见，φ_m 仅与 α 值有关，α 值越小，输出稳态正弦信号相位超前越多，微分作用越强，而通过校正装置后信号幅度衰减也越严重。图 6-3-6 给出了 φ_m 与 α 之间的关系，当相位超前大于 60°时，α 急剧减小，说明校正装置增益衰减很快。

在选择 α 的数值时，另一个需要考虑的是系统高频噪声。超前校正网络是一个高通滤波器，而噪声的一个重要特点是其频率要高于控制信号的频率，α 值过小对抑制系统噪声不利。

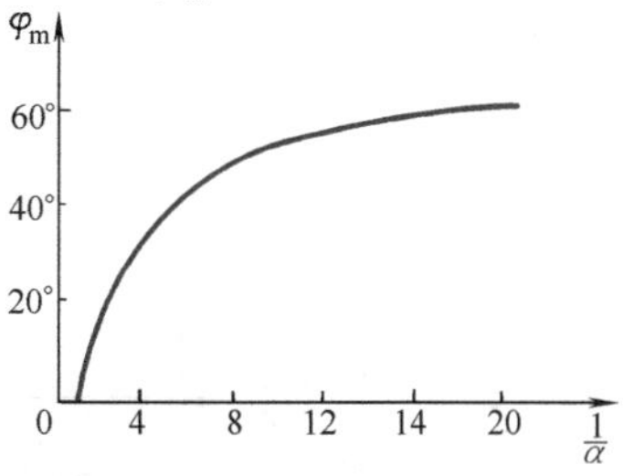

图 6-3-6 最大超前相位 φ_m 与 α 的关系

（三）相位滞后校正装置

相位滞后校正装置可用图 6-3-7 所示的 RC 无源电路实现，假设输入信号源的内阻为零，输出负载阻抗为无

穷大，可求得其传递函数为

$$G_c(s)=\frac{1}{\beta}\cdot\frac{s-z_c}{s-p_c}=\frac{1}{\beta}\left(\frac{s+1/\tau}{s+1/(\beta\tau)}\right)=\frac{\tau s+1}{\beta\tau s+1} \quad (6\text{-}3\text{-}8)$$

式中，$\tau=R_2C$；$\beta=\dfrac{R_1+R_2}{R_2}>1$。

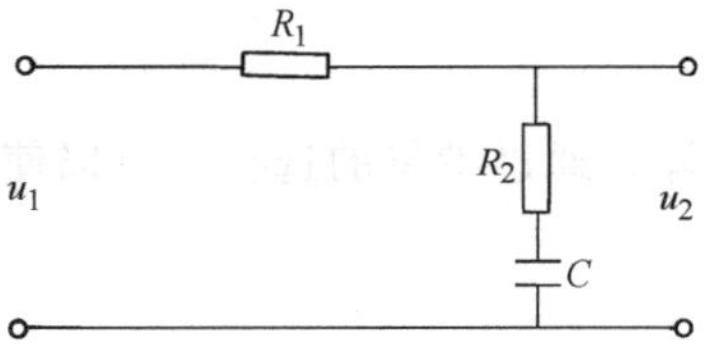

图 6-3-7　相位滞后 RC 电路

在 s 平面上，相位滞后校正装置传递函数的零点与极点位于负实轴上，如图 6-3-8 所示。其中极点靠近坐标原点，零、极点之间的比值为 β，改变 β 及 τ 值，能改变零、极点位置。

式（6-3-8）表明，在采用无源相位滞后校正装置时，对系统稳态的开环增益没有影响，但在暂态过程中，将减小系统的开环增益。

图 6-3-7 所示的相位滞后校正装置的频率特性为

$$G_c(j\omega)=\frac{j\omega\tau+1}{j\beta\omega\tau+1} \quad (6\text{-}3\text{-}9)$$

其伯德图如图 6-3-9 所示。由于 $\beta>1$，所以校正网络正弦稳态输出信号的相位滞后于输入信号，或者说具有负相位特性，它反映了输出信号包含有输入对时间的积分分量。

与相位超前校正装置类似，相位滞后校正装置的最大滞后角位于 $\dfrac{1}{\beta\tau}$ 与 $1/\tau$ 的几何中心 $\omega_m=\dfrac{1}{\sqrt{\beta}\tau}$ 处。

图 6-3-9 还表明相位滞后校正装置实际是一低通滤波器，它对低频信号基本没有衰减作用，但能削弱高频噪声，β 值越大，抑制噪声的能力越强。通常选择 $\beta=10$ 较为适宜。

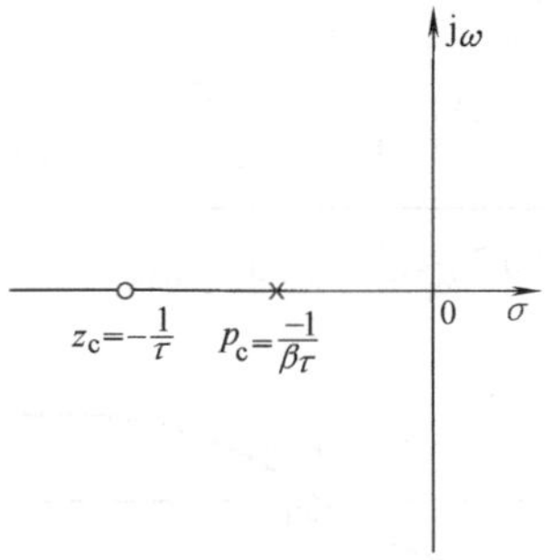

图 6-3-8　相位滞后校正装置的零、极点分布

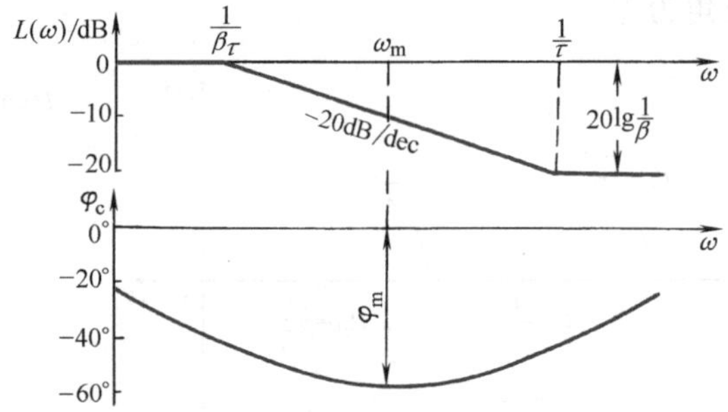

图 6-3-9　相位滞后校正网络的伯德图

采用相位滞后校正装置改善系统的暂态性能时，主要是利用其高频幅值衰减特性。

（四）相位滞后—超前校正装置

相位滞后—超前校正装置可用图 6-3-10 所示的电路实现。设此电路输入信号源内阻为零，输出负载阻抗为无穷大，则其传递函数为

$$G_c(s)=\frac{(\tau_1s+1)(\tau_2s+1)}{\tau_1\tau_2s^2+(\tau_1+\tau_2+\tau_{12})s+1} \quad (6\text{-}3\text{-}10)$$

式中，$\tau_1=R_1C_1$；$\tau_2=R_2C_2$；$\tau_{12}=R_1C_2$。

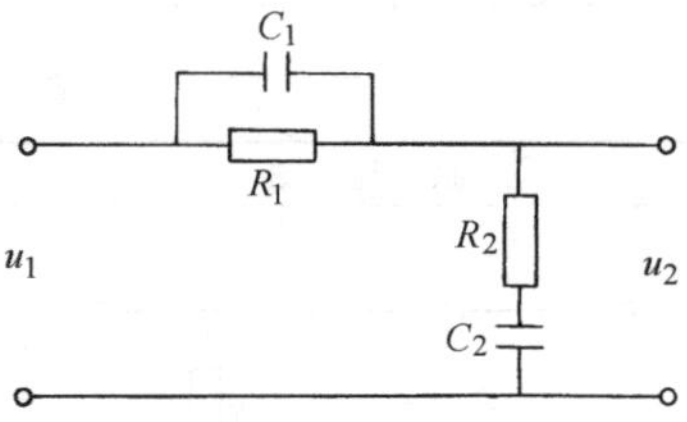

图 6-3-10　相位滞后—超前 RC 电路

若适当选择参量，使式（6-3-10）具有两个不相等的负实数极点，则式（6-3-10）可以改写为

$$G_c(s)=\frac{(\tau_1 s+1)(\tau_2 s+1)}{(T_1 s+1)(T_2 s+1)} \tag{6-3-11}$$

同样，通过参量的选择，可以使

$$T_1>\tau_1>\tau_2>T_2$$

而且

$$\frac{T_1}{\tau_1}=\frac{\tau_2}{T_2}=\beta>1 \tag{6-3-12}$$

将式（6-3-12）的关系代入式（6-3-11），得到

$$G_c(s)=\frac{(s-z_{c1})(s-z_{c2})}{(s-p_{c1})(s-p_{c2})}=\frac{\left(s+\dfrac{1}{\tau_1}\right)\left(s+\dfrac{1}{\tau_2}\right)}{\left(s+\dfrac{1}{\beta\tau_1}\right)\left(s+\dfrac{\beta}{\tau_2}\right)}$$

$$=\frac{(\tau_1 s+1)(\tau_2 s+1)}{(\beta\tau_1 s+1)\left(\dfrac{\tau_2}{\beta}s+1\right)} \tag{6-3-13}$$

在 s 平面上，相位滞后—超前校正装置传递函数的零、极点位于负实轴上，如图 6-3-11 所示。滞后部分的极、零点更靠近坐标原点。

相位滞后—超前校正装置的频率特性为

$$G_c(j\omega)=\frac{(j\omega\tau_1+1)(j\omega\tau_2+1)}{(j\omega\beta\tau_1+1)(j\omega\tau_2/\beta+1)} \tag{6-3-14}$$

相应的伯德图如图 6-3-12 所示。由图可见，在 ω 由 0 增至 ω_1 的频带中，此校正装置有滞后的相位特性，在 ω 由 ω_1 增至 ∞ 的频带内，此校正装置有超前的相位特性，在 $\omega=\omega_1$ 处，相位角为零。

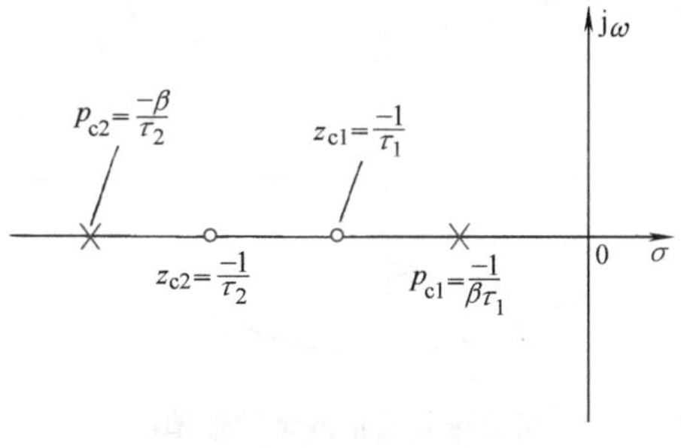

图 6-3-11　相位滞后—超前校正装置零、极点分布

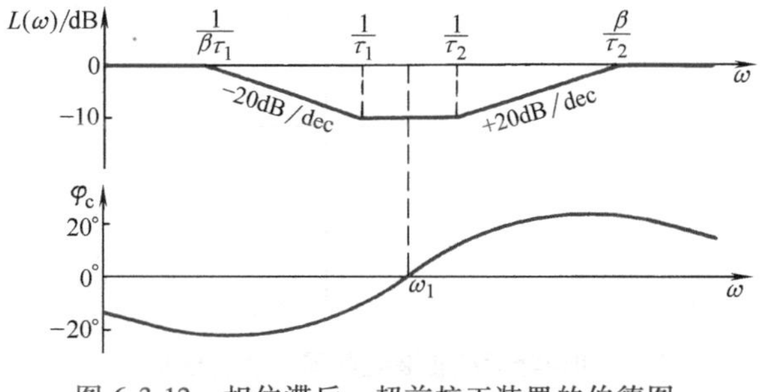

图 6-3-12　相位滞后—超前校正装置的伯德图

为便于读者应用，表 6-3-1 中列出了一些常用的无源校正装置及其频率特性。

表 6-3-1　常用无源校正装置及其频率特性

原　理　图	传递函数	伯　德　图
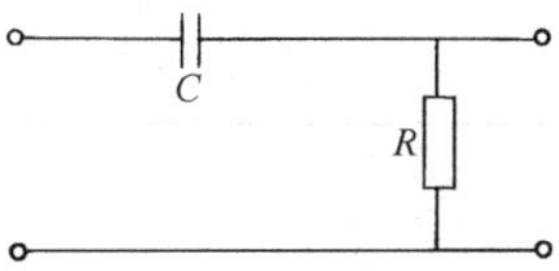	$\frac{\tau s}{\tau s+1}$ $\tau=RC$	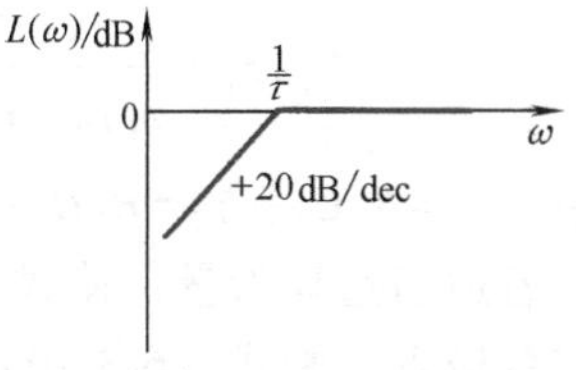

（续）

原 理 图	传 递 函 数	伯 德 图
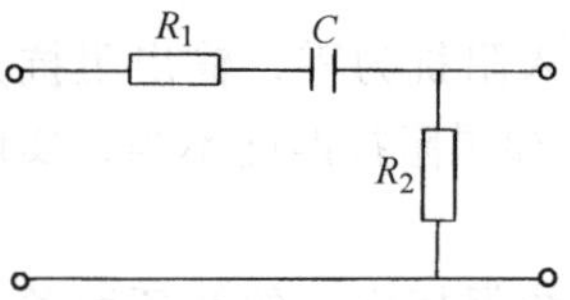	$\dfrac{\tau_1 s}{\tau_2 s+1}$ $\tau_1=R_2C$ $\tau_2=(R_1+R_2)C$	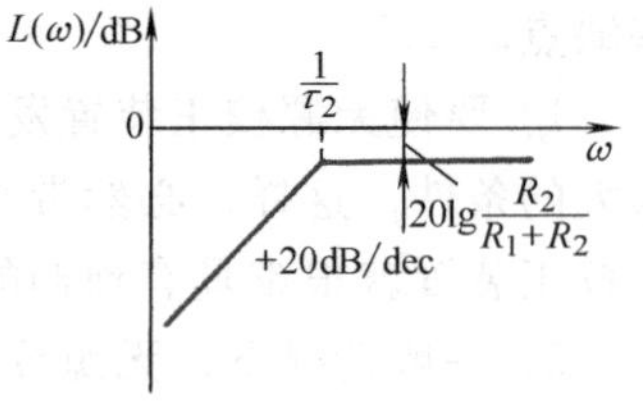
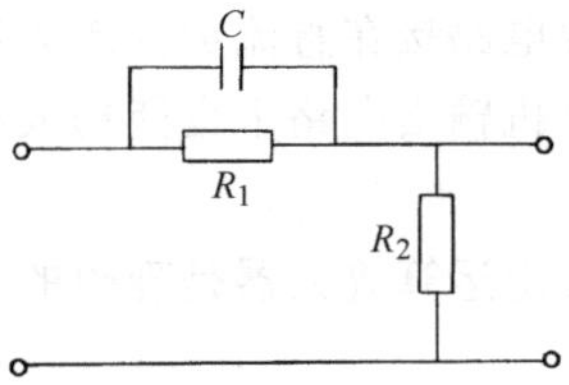	$K\dfrac{\tau_1 s+1}{\tau_2 s+1}$ $\tau_1=R_1C$ $\tau_2=\dfrac{R_1R_2}{R_1+R_2}C$ $K=\dfrac{R_2}{R_1+R_2}$	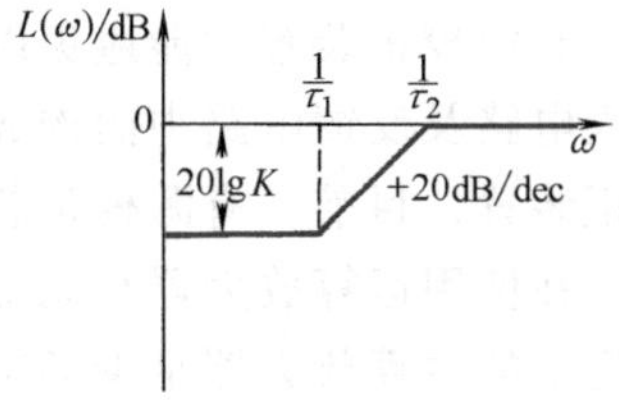
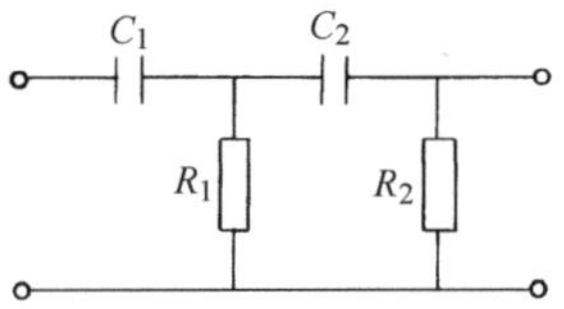	$\dfrac{\tau_1\tau_2 s^2}{\tau_1\tau_2 s^2+(\tau_1+\tau_2+\tau_{12})s+1}$ $\tau_1=R_1C_1$ $\tau_2=R_2C_2$ $\tau_{12}=R_1C_2$	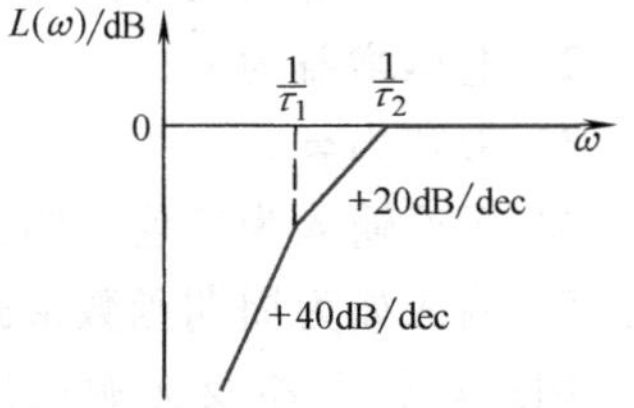
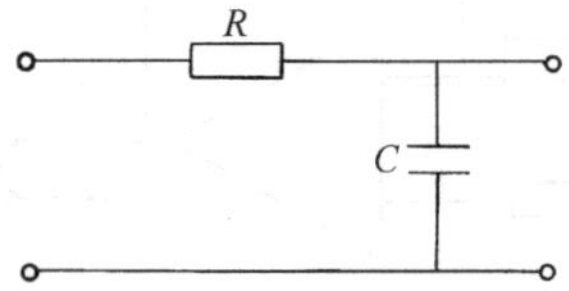	$\dfrac{1}{\tau s+1}$ $\tau=RC$	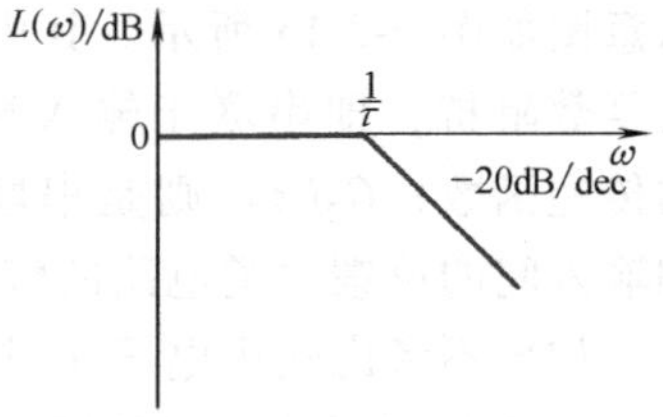
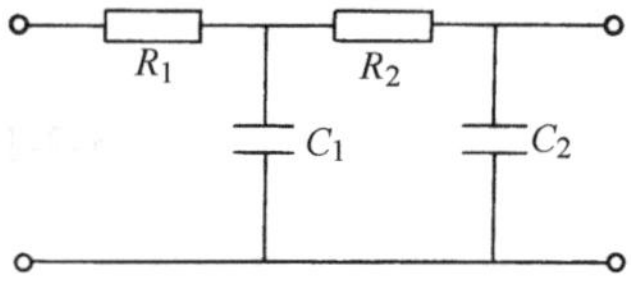	$\dfrac{1}{\tau_1\tau_2 s^2+(\tau_1+\tau_2+\tau_{12})s+1}$ $\tau_1=R_1C_1$ $\tau_2=R_2C_2$ $\tau_{12}=R_1C_2$	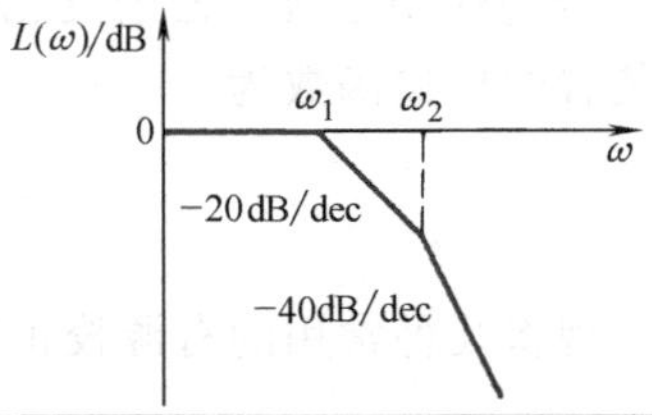
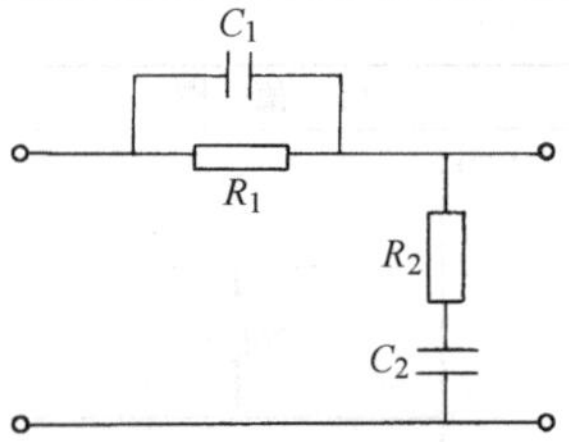	$\dfrac{(\tau_1 s+1)(\tau_2 s+1)}{\tau_1\tau_2 s^2+(\tau_1+\tau_2+\tau_{12})s+1}$ $\tau_1=R_1C_1$ $\tau_2=R_2C_2$ $\tau_{12}=R_1C_2$	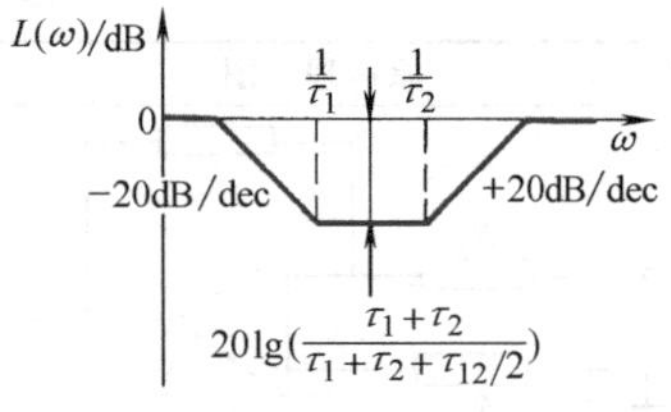
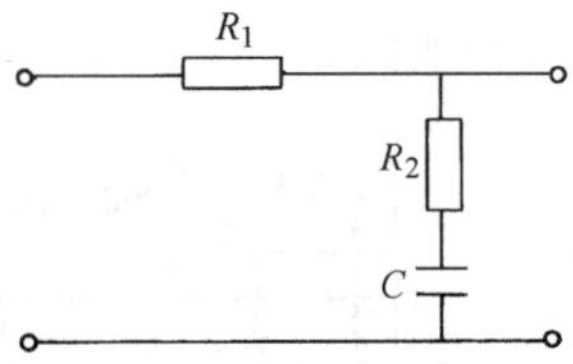	$\dfrac{\tau_2 s+1}{\tau_1 s+1}$ $\tau_2=R_2C$ $\tau_1=(R_1+R_2)C$	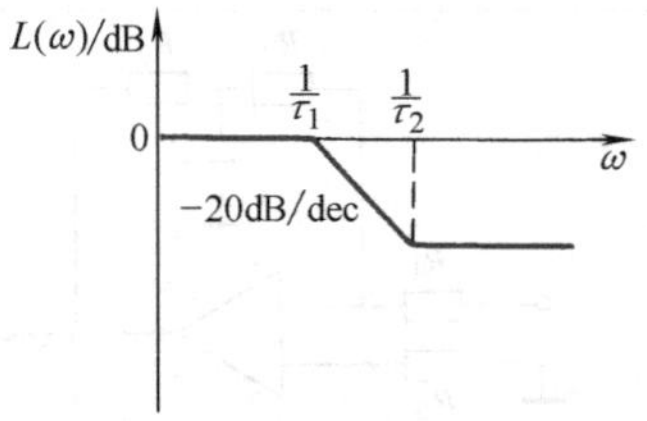

二、有源校正装置

在实际控制系统中，使用无源校正装置可以实现一定的校正系统特性的目的，但存在某些缺点。

1）要使无源校正装置发挥其理想校正作用，必须满足其输入阻抗为零，输出阻抗为无限大的条件，这样，必然带来与前、后端电路阻抗匹配的困难。如果阻抗匹配不当，实际无源校正装置就很难具有预期的效果。

2）一般情况下，无源校正装置都有衰减特性，有时为使系统保持应有的开环增益，在其控制通道中串联校正装置的同时，不得不再增添放大器。

有源校正装置却能避免以上缺点，有源校正装置多是将无源电路接在直流运算放大器的输入电路及反馈电路中而构成的。另外，无源电路接在测速发电机输出电路中也能构成有源校正装置，目前，有源校正装置已得到广泛应用。

在使用运算放大器与无源电路构成有源校正装置时，首先假定运算放大器是理想的，理想化了的运算放大器至少必须符合以下条件：

1）进入运算放大器的输入电流为零，因而输入阻抗为∞，同时输出端的内阻为零；

2）电压增益为∞；

3）带宽为∞；

4）无论输入为何值，输入与输出间呈线性关系；

5）输入如为周期函数形式时，输出与输入间无相移。

用运算放大器及无源电路组成的有源校正装置示意图如图 6-3-13 所示。其中 $G_1(s)$ 是反相输入端的复数阻抗，即串联于输入端与虚地端之间的电路的传递函数；$G_2(s)$ 则是串联于输出端与放大器反相输入间的反馈通道电路的传递函数（复数阻抗）。

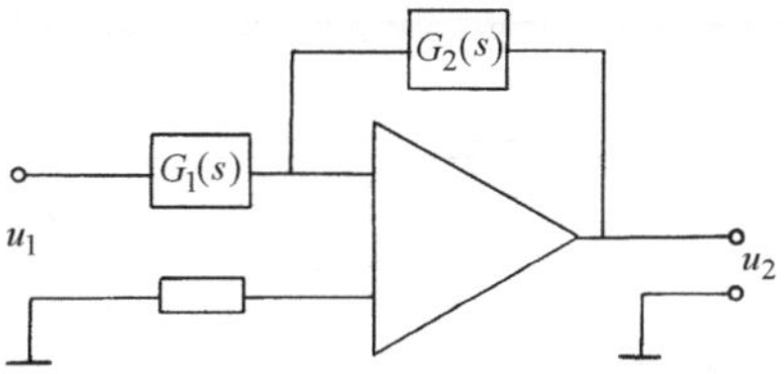

图 6-3-13　有源校正装置示意图

如果不考虑输出电压 u_2 与输入电压 u_1 的极性相反（因为使用了放大器的反相输入端），则此有源校正装置的传递函数为

$$G_c(s)=\frac{G_2(s)}{G_1(s)} \tag{6-3-15}$$

现将几种常用的有源校正装置列于表 6-3-2。

表 6-3-2　常用有源校正装置及其频率特性

原　理　图	传递函数	伯　德　图
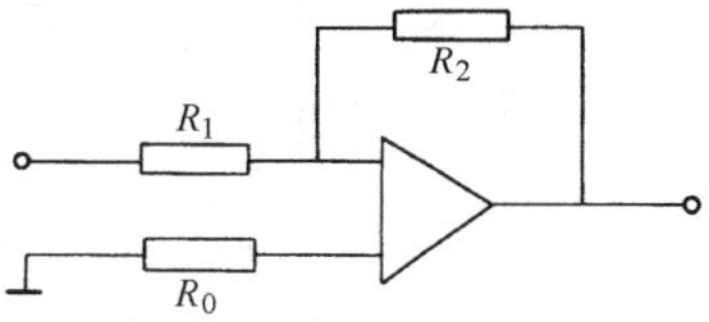	K $K=\frac{R_2}{R_1}$	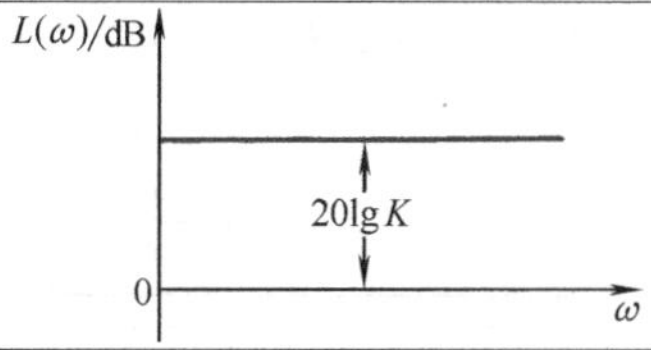
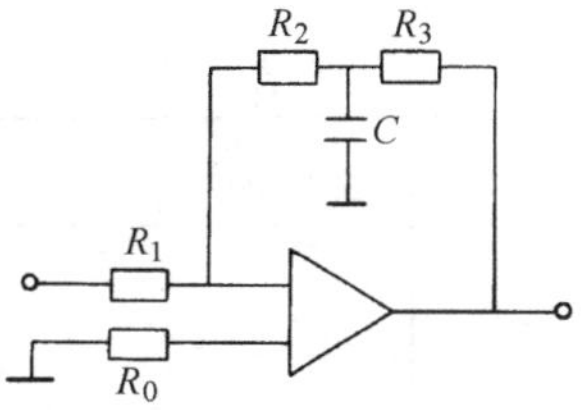	$K(\tau s+1)$ $\tau=\frac{R_2R_3}{R_2+R_3}C$ $K=\frac{R_2+R_3}{R_1}$	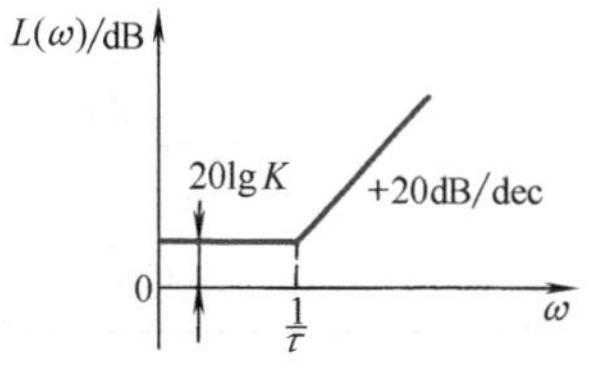

（续）

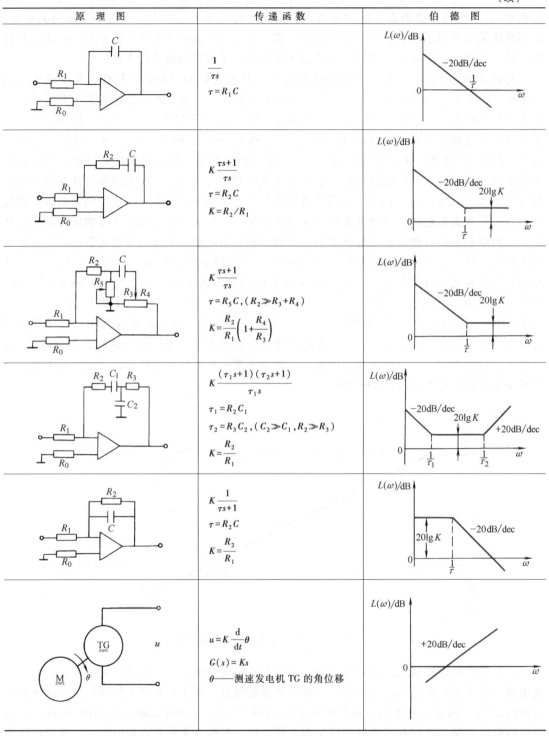

<table>
<tr><th>原　理　图</th><th>传 递 函 数</th><th>伯　德　图</th></tr>
<tr><td>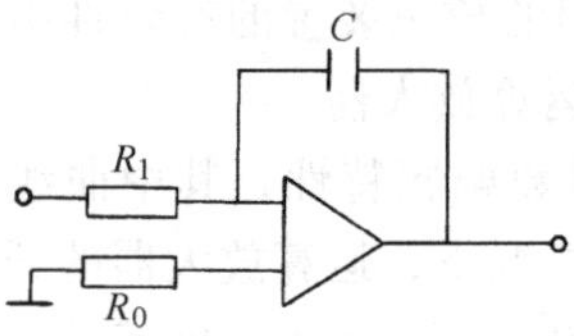
</td><td>$\frac{1}{\tau s}$
$\tau=R_1C$</td><td>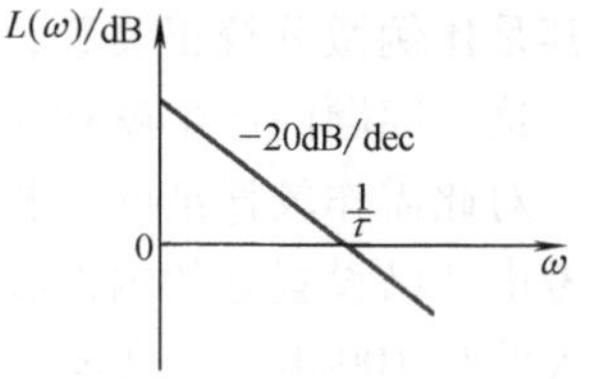
</td></tr>
<tr><td>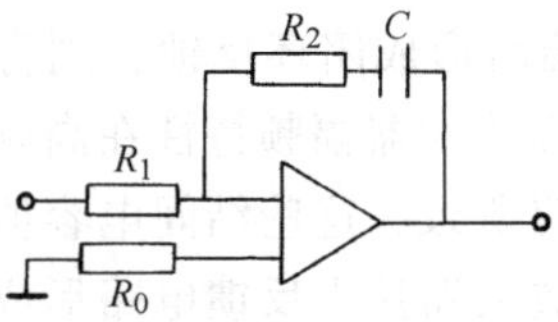
</td><td>$K\frac{\tau s+1}{\tau s}$
$\tau=R_2C$
$K=R_2/R_1$</td><td>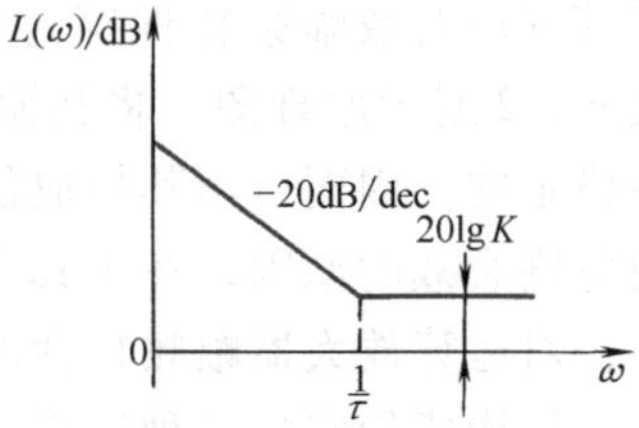
</td></tr>
<tr><td>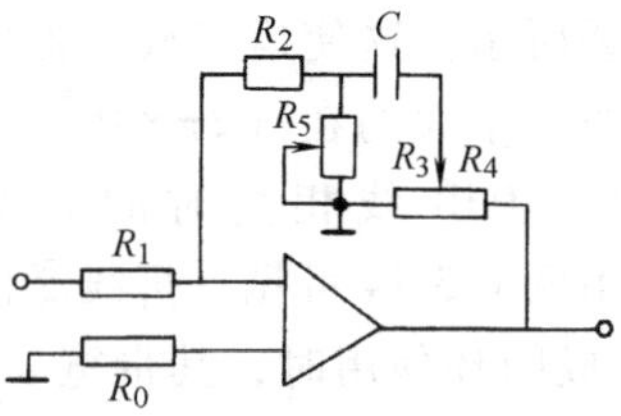
</td><td>$K\frac{\tau s+1}{\tau s}$
$\tau=R_5C,(R_2\gg R_3+R_4)$
$K=\frac{R_2}{R_1}\left(1+\frac{R_4}{R_3}\right)$</td><td>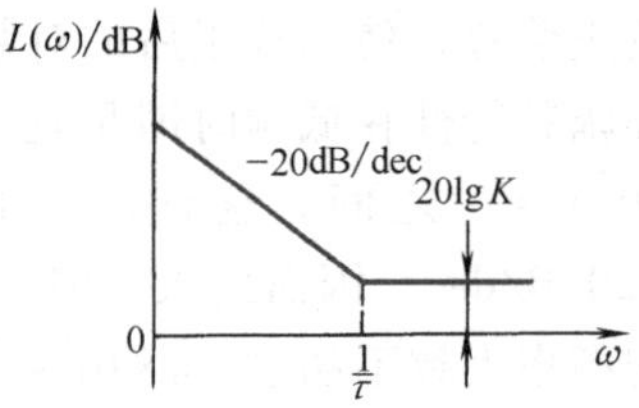
</td></tr>
<tr><td>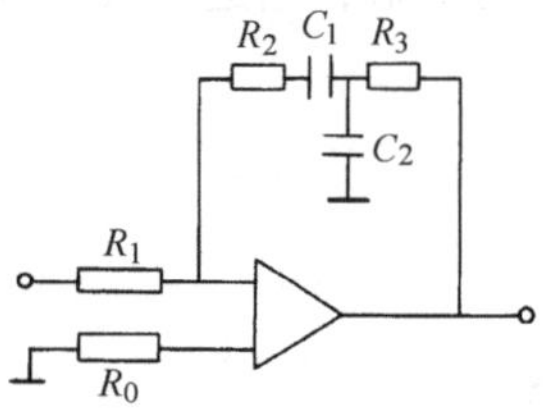
</td><td>$K\frac{(\tau_1s+1)(\tau_2s+1)}{\tau_1s}$
$\tau_1=R_2C_1$
$\tau_2=R_3C_2,(C_2\gg C_1,R_2\gg R_3)$
$K=\frac{R_2}{R_1}$</td><td>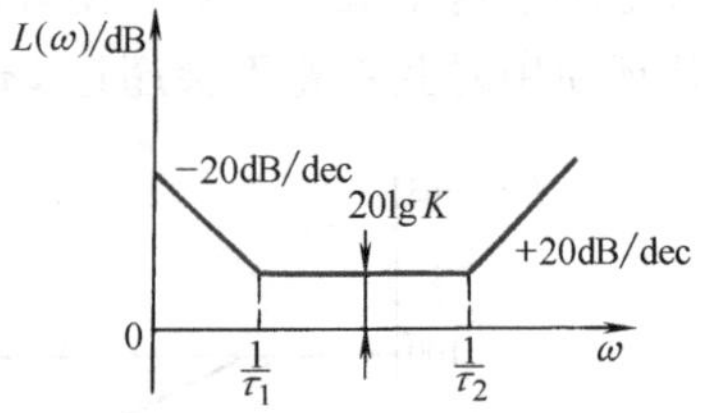
</td></tr>
<tr><td>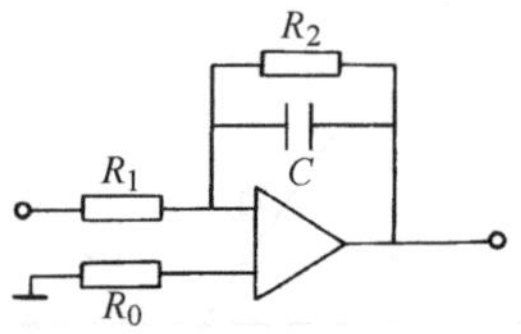
</td><td>$K\frac{1}{\tau s+1}$
$\tau=R_2C$
$K=\frac{R_2}{R_1}$</td><td>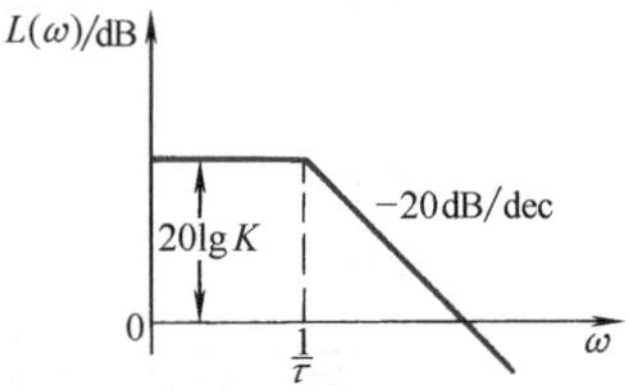
</td></tr>
<tr><td>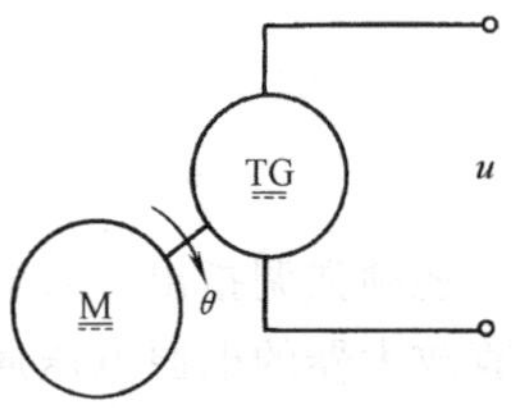
</td><td>$u=K\frac{\mathrm{d}}{\mathrm{d}t}\theta$
$G(s)=Ks$
θ——测速发电机 TG 的角位移</td><td>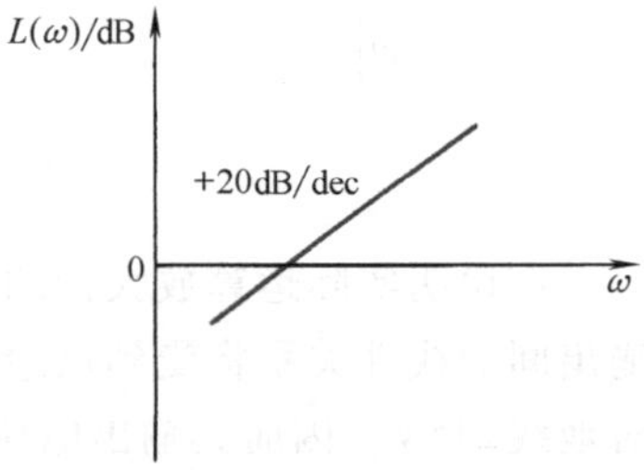
</td></tr>
</table>

表 6-3-2 中，凡是用运算放大器构成的有源校正装置，均认为运算放大器是高度理想化的，而且均使用了反相输入端，但校正装置的传递函数都未将符号考虑在内。此外，使用反相输入端的校正装置，其传递函数中的增益 K 可以整定为 $K<1$，但表 6-3-2 中的伯德图均是按 $K>1$ 绘制的。

某些有一定实践经验的读者发现在实际中使用运算放大器构成有源校正装置时，得不到如表 6-3-2 所列的伯德图表达的理想情况，因此，将其用于系统中，也达不到预期的效果。尤其是比例微分校正装置，有时差异极大，甚至对表 6-3-2 所列的校正装置的有效性引起怀疑。这一问题的产生就在于实际的运算放大器毕竟不是理想的运算放大器。

对此需作较详细的分析，图 6-3-14 是实际运算放大器的对数幅频特性，其中曲线①是不考虑其已设置好的内部校正装置的开环对数幅频特性。一般情况下，运算放大器的开环增益大约是 100dB，不是∞。从带宽看，大约在（$2\pi\times10^6\sim2\pi\times10^7$）$s^{-1}$ 之间，也不是∞。由于其开环对数幅频特性穿过 0dB 线时的斜率大约在 -60～-40dB/dec 之间。因此，如果按表 6-3-2 所示原理图，将其输出通过一定的电路接到反相输入端而形成闭环反馈，则肯定是不稳定的，因而，用其构成任何校正装置都无从谈起。实际运算放大器幅频特性在高频时出现急剧衰减的原因，在于其电子元器件及线路存在各种结间电容所致，这些结间电容值都极小，对运算放大器幅频特性的低频段几乎毫无影响。为使运算放大器接入反馈电路形成闭环后，能构成稳定的各种运算或校正装置，在设计和制造之初，就在运算放大器的内部附加有校正装置，使其校正后的对数幅频特性如图 6-3-14 中的折线②所示。这使运算放大器的开环幅频特性在低频时即呈现出一阶非周期环节的特点，其剪切频率大约在（$2\pi\times10^5\sim2\pi\times10^7$）$s^{-1}$ 之间。这样，运算放大器的开环对数幅频特性与 0dB 线相交时的斜率为 -20dB/dec，因而接入反馈电路形成闭环后，就能稳定工作。由图 6-3-14 可见，折线②的剪切频率大致不超过 $2\pi\times10^6 s^{-1}$，如果粗略估计，运算放大器接成闭环使用时，其带宽 ω_b 也必定小于这个数值。随着闭环增益的增长，带宽还要不断按反比而降低，当运算放大器完全开环使用时其带宽不会超过 $2\pi\times10s^{-1}$。

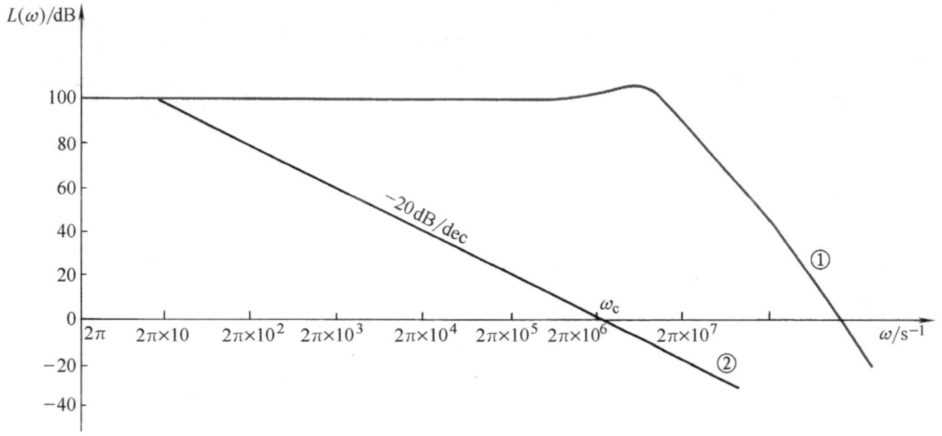

图 6-3-14　实际运算放大器的对数幅频特性

在说明实际运算放大器的开环增益和带宽都不可能是∞之后，还须强调指出，其输入与输出间的线性关系将受到供给运算放大器的电源的限制。用于运算放大器的电源电压通常是对地线±15V，因而其输出电压最高值必定在±15V 之间，一般最大输出在±10V 左右，在此范围内输出与输入之间基本具有线性关系。超过这个范围，无论输入如何增大，输出将逐渐趋于饱和，不再增长，所以实际运算放大器的输入与输出之间具有饱和非线性关系，线性关系只可能存在于输出为±10V 之内的一段区间。

现在分析由实际运算放大器及反馈电路构成的有源比例微分校正装置的特性，图 6-3-15 是其原理图。表 6-3-2 中给出了当运算放大器理想化了之后的传递函数，即

$$G_c(s)=\frac{U_2(s)}{U_1(s)}=K(\tau s+1) \qquad (6\text{-}3\text{-}16)$$

式中，$\tau=\frac{R_2R_3}{R_2+R_3}C$；$K=\frac{R_2+R_3}{R_1}$。

据此绘制的伯德图（对数幅频特性）已列于表 6-3-2 中，其中 $K>1$。如果令 $K=1$，则伯德图的低频部分应与 ω 轴重合，因为 $20\lg K=0\text{dB}$。

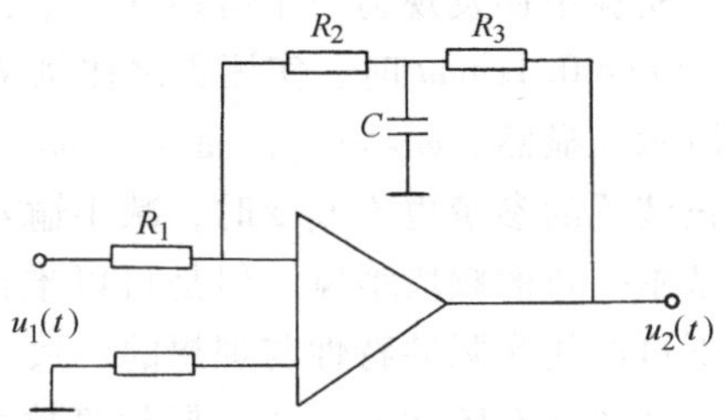

图 6-3-15　比例微分校正装置

在实验室内可按图 6-3-15 组成比例微分校正装置，如配置的参量是 $R_2=R_3=\frac{1}{2}R_1$，即 $K=1$，令 $\tau=0.1\text{s}$，然后使用相关设备和仪器测试其频率特性，根据测定的数据绘制出大致的伯德图如图 6-3-16 所示。运算放大器的电源电压是±15V，所使用的运算放大器的输出饱和电压大致是±10V。当输入为正弦波电压信号 $u_1(t)=|u_1|\sin\omega t=\sin\omega t$，其幅值 $|u_1|=1\text{V}$ 时，改变频率 ω 从低频到高频，实测得到的对数幅频特性大致如图 6-3-16 中的曲线①（将采集的各数据点用光滑曲线连接或穿行其附近的结果）。图 6-3-16 中的曲线③（有一段画为虚线）则是用理想的运算放大器构成的比例微分校正装置的对数幅频特性。比较可知，当 $\omega<10^2\text{s}^{-1}$ 时，两者基本一致，当 $\omega>10^2\text{s}^{-1}$ 后，由于运算放大器输出饱和的限制，因此，幅频特性也就不能再随 ω 增高而上升。由于运算放大器输入正弦波信号的幅值 $|u_1|=1\text{V}$，而输出饱和值大致为±10V，所以其随 ω 增高到 $\omega=\omega_{a1}$ 之后，其输出将不再是正弦波的形式（顶部是平的），可见除基波外，还有高次谐波，基波的幅值大致是±10V。因而实际的比例微分校正装置的伯德图在 $\omega>\omega_{a1}$ 之后就是与横轴基本平行的直线。图 6-3-16 中的直线④是实际的运算放大器开环幅频特性高频段，它与图 6-3-14 中的折线②基本一致。所以在频率 $\omega=\omega_{b1}$ 之后，实际的比例微分装置的幅频特性随 ω 增高而逐渐向折线②趋近，并沿着开环幅频特性而衰减。

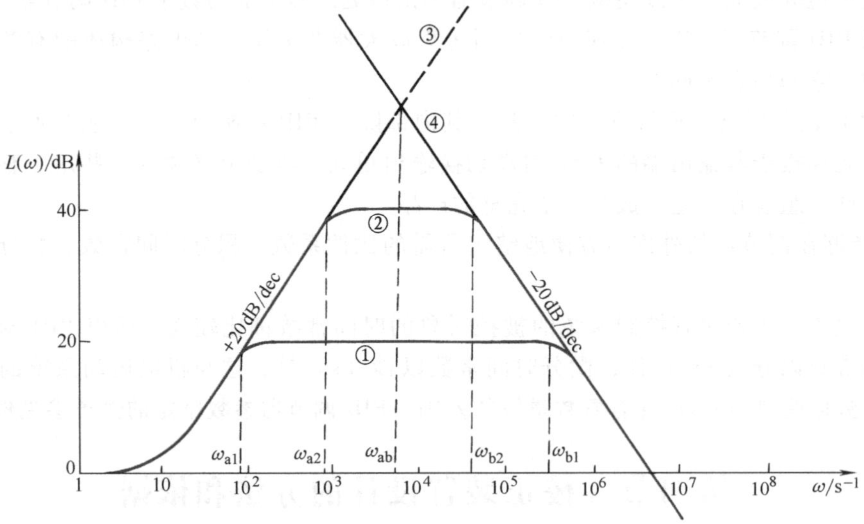

图 6-3-16　比例微分校正装置从实验求得的伯德图

因此由实际的运算放大器做成的比例微分校正装置的特性与理想的特性有较大差异，可以说，在较低频段，即 $\omega<\omega_{a1}$ 频段内，两者特性基本一致，但在 $\omega>\omega_{a1}$ 的频段中，两者特性就完全不同了，由此也可以看出线性理论在实际应用中的局限性。

实验中还发现另一个有趣的现象，当将输入测试正弦信号的幅值降低到 $|u_1|=0.1\mathrm{V}$，即 $u(t)=0.1\sin\omega t$ 时，实测得之比例微分校正装置的对数幅频特性大致如图 6-3-16 中的曲线②所示。显然，$\omega_{a2}>\omega_{a1}$，而 $\omega_{b2}<\omega_{b1}$。也可以认为，当运算放大器的输出饱和值不变，且校正装置的参量也不改变时，减小输入信号，将使实际的比例微分校正装置的特性有与预期的基本一致的频段增宽。但是可以推论，继续减小输入信号，极限的情况是 $\omega_a\approx\omega_b=\omega_{ab}$，也不可能使实际的特性与理想的一致。

从图 6-3-16 可见，由实际运算放大器构成的比例微分校正装置的传递函数用下式描述将更为恰当

$$G_c(s)=\frac{K(\tau s+1)}{\left(\frac{1}{\omega_{a1}}s+1\right)\left(\frac{1}{\omega_{b1}}s+1\right)} \tag{6-3-17}$$

显然，式（6-3-17）与式（6-3-16）相差很大。但以上分析也说明，实际的与理想的比例微分控制器的特性在 $\omega<\omega_a$ 频段上所起的校正作用基本一致。因此，也不能完全否定实际比例微分校正装置的作用。但将两者等同起来也是错误的。在实际中不顾条件盲目地使用线性理论，有可能产生错误的结论并导致不良后果。

当然由于 ω_a 和 ω_b 都是与运算放大器输入及输出饱和值有关的参量，在实际中其值也很难确定，这也为有源比例微分校正装置在实际中有效而恰当地使用带来困难。

用运算放大器做成的校正装置，凡是其传递函数中分子部分的阶数高于分母者，都存在上述所分析的问题。对于传递函数分子阶数低于分母的有源校正装置，虽然实际特性与理性特性仍有一定差异，但不会产生本质的影响，故可不予重视。

三、PID 调节器

在工业过程控制系统中经常使用的 PID 调节器（亦称 PID 控制器），已经是比较成熟的有源校正装置。依据组成的元、部件不同，有多种 PID 调节器产品。但目前应用较为广泛的是由电子运算放大器组成模拟 PID 调节器和由微处理器构成的数字 PID 调节器。

模拟 PID 调节器的工作原理与前述用运算放大器及无源反馈电路构成的有源校正装置是相同的，它与后者不同之点主要有：

1）PID 调节器已是比较成熟的产品，其内部除了 PID 控制单元外，还有置于其输入端的给定单元和接于其输出端的手动/自动切换输出单元。再加上必须的一些用于整定和显示等功能部件，组装在一起，成为一个完整的产品。

2）能够在调节器的外部很方便地整定所需的比例系数、积分时间常数、微分时间常数等参量。

一般说来，工业过程控制系统的被控对象的时间常数都比较大，所以 PID 调节器中的积分时间常数以分（min）计，微分时间常数以秒（s）计，这与机电运动系统的被控对象的时间常数以毫秒（ms）计有着数量级的差别。PID 调节器参数整定的例子参见例 6-8-6。

第四节 校正装置设计的方法和依据

控制系统的设计大致分为几个阶段。首先根据被控对象的工作条件和性能要求等，初步选定执行机构，然后再选定功率放大级，可调增益的前置放大级、信号测量元件及反馈元件等，以上这些就构成了系统的固有部分（亦即不可变部分、原有部分）。如果通过调整前置放大器的增益仍不能使系统达到要求的性能，就需要设计校正装置，附加于系统内，以使系

统能够较满意地达到性能要求。

一、设计校正装置的方法

系统的分析方法有时域法和频域法。时域法是以描述系统运动规律的微分方程作为基础的。由于微分方程不能直观地显示出系统的结构和参量，对于高阶系统更难于直观地从中找出系统的结构和参量与其性能间的关系。显然，用时域方法设计校正装置是困难的。

根轨迹法用于系统分析是方便的，因为当系统结构已定，通过某一参量变化时系统闭环极点形成的轨迹，可以找出此参量与系统性能的关系。但作为设计校正装置的方法，根轨迹法却有明显的缺陷。设计之初首先要按性能指标确定系统闭环极点的位置，其次，要作出由系统开环极点出发随系统某一参量变化（最常见、可行的是开环增益描绘出的系统闭环极点的变化轨迹）。如果所要求的系统闭环极点不在此根轨迹上，甚至有相当距离，就要设计校正装置加入系统，使加入校正装置后的系统根轨迹能通过所要求的闭环极点。这里就存在问题，究竟设计何种控制规律的校正装置和怎样的参量配合才能达到目的，可以预见，这将是一个带有相当盲目性的繁琐冗长的反复试凑过程。众所周知，系统分析的答案只有一个，而系统设计的答案却不是唯一的，为满足性能要求，系统设计出来的方案可能有几种，因而校正装置的设计过程总不免会有一些试凑的特点。但用根轨迹法设计校正装置将使此问题更为复杂和难解。

从目前看，对于单变量定常线性系统校正装置的设计，使用频率特性法，尤其是用伯德图法比较方便。系统的开环伯德图不但容易绘制，而且能比较直观地显示出系统的结构、参量及其性能。设想，如果根据系统的性能指标要求能够确定出系统的期望开环伯德图，于是从这两者间的差异，即能大致确定需在系统中附加何种控制规律的校正装置及应该配置的参量数值。故本章以后的内容将主要介绍用伯德图设计校正装置的方法。

二、设计校正装置的依据

设计系统的校正装置的过程大致是：

1）已知控制系统固有部分的结构、特性及参量，并绘制系统固有部分的开环伯德图；

2）列出控制系统需要满足的性能指标；

3）从性能指标要求去确定系统校正后的开环伯德图，亦称期望特性或预期特性；

4）求得校正装置的伯德图并按此予以实现。

上述1)~3）项都是设计校正装置的必要条件和依据，现对此作一些分析和论述。

系统要求的性能指标基本上是两类，一类是系统的稳态性能，主要表现在稳态误差的限制上。从第三章有关系统稳态误差的分析和计算得知，根据输入（包括给定及扰动）的形式及要求的系统稳态误差的限制，可以确定预期的系统应做成0型，Ⅰ型和Ⅱ型等不同的系统。由此也就决定了为满足稳态精度要求，附加校正装置后系统的类型及有关参量。另一类是系统的暂态性能指标。

1）以系统的单位阶跃响应为基础而提出的性能指标有：

① 调整时间 t_s；

② 最大超调量 $M_p\%$；

③ 峰值时间 t_p。

这也就是时域性能指标。

2）以系统的闭环频率特性为基础提出的性能指标有：

① 带宽频率 ω_b；

② 谐振峰值 M_r；

③ 峰值频率 ω_r。

3）以系统的开环幅频特性（伯德图）为基础提出的性能指标有：

① 系统开环伯德图的剪切频率 ω_c；

② 系统的相角裕度 γ，或称相对稳定性。

不论是系统稳态性能指标亦或暂态性能指标，都应当是在系统闭环必须是稳定的前提下提出来的，只有稳定的闭环控制系统才能进一步对其性能指标提出要求。

以上三组性能指标不是各自独立的，例如带宽频率 ω_b 与剪切频率 ω_c、调整时间 t_s 是互相关联的，相角裕度 γ 与谐振峰值 M_r、最大超调量也是相互联系的。性能指标可以混合使用，但不得构成矛盾。

从直观的角度看，以阶跃响应为基础的性能指标最为直观。但从设计校正装置的角度去衡量，无疑后两组，尤其是以系统开环伯德图为基础的那一组性能指标最适用。表 5-5-1 及图 5-5-2、图 5-5-3 给出了二阶系统上述这些性能指标间的关系。即使对于高阶系统，这些数据也有一定的参考价值。正确地使用这些资料，有助于正确设计校正装置。

在以上这些性能指标中，带宽频率 ω_b 应给予特别的重视。这是因为，一方面带宽频率 ω_b 对系统的性能有着更为重要的影响；另一方面，如何确定系统带宽频率 ω_b 又受到诸多因素的制约。概括起来，这些制约因素大致有：

1）为使控制系统能够尽可能无失真地复现输入中的有关信号，同时又尽可能强有力地抑制噪声和干扰，建议系统的带宽频率 ω_b 可按以下范围取值

$$5\omega_s<\omega_b<\frac{1}{2}\omega_n \tag{6-4-1}$$

式（6-4-1）是假定输入有用信号的带宽频段将是 $0\sim\omega_s$，而噪声和干扰信号集中起作用的频段为 $\omega_n\sim\omega_h$ 而提出的。按此原则选定的系统带宽大致如图 6-4-1 所示。当然，如何先确定输入有用信号及噪声的频带也非易事。有时也可能 ω_s 与 ω_n 靠得比较近，难于按式（6-4-1）确定系统带宽频率 ω_b，不得已也只能采取某种折中了。

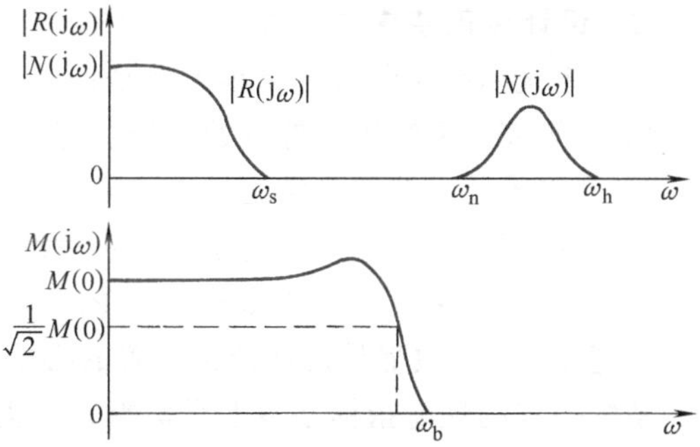

图 6-4-1 系统带宽的确定

2）以上确定系统带宽频率 ω_b 只考虑了如何能更好地复现输入和更好地抑制噪声，但在机电系统中仅此尚有不足。在电动机驱动机械设备运动的控制系统中，确定带宽频率 ω_b 时还需考虑机械谐振的制约。通常机械运动（无论是直线或旋转运动）系统，如果机械部件不是完全刚性的（实际也不存在完全刚性的机械部件），受力后就存在弹性变形的问题，如忽略次要因素，可用二阶振荡环节描述机械部件的运动，其谐振频率为 ω_m。如果此机械运动部件在闭环控制系统之外，当选定的系统带宽频率 ω_b 与 ω_m 靠近，则有可能激起机械振荡，甚至形成共振。因此，一般应选定

$$\omega_b\leqslant\frac{1}{5}\omega_m \tag{6-4-2}$$

假如机械运动部件包围在闭环控制系统之内，如果选定的 ω_b 靠近 ω_m，则还会降低系统的相对稳定性。如相对于系统开环伯德图而言，则希望尽可能使剪切频率 ω_c 距 ω_m 远一些。

3）人们希望设计出既能满足性能指标要求又尽可能简单易于实现的校正装置。如果系

统的固有部分的数学模型阶数高且结构又复杂，则设计得到的必是数学模型阶次高而且极难实现的校正装置。即使能够实现，也未必能起到预期的校正效果。为解决这一难题，常用的方法是将系统固有部分的数学模型在一定条件下予以简化，用较为简单的低阶数学模型去近似和代替原有的数学模型。为使近似的数学模型带来的误差在人们能够接受的范围内，必须遵守模型简化近似的条件，这个条件经常用频带表示，或者说必然与系统带宽频率 ω_b 有关，即与系统开环伯德图的剪切频率 ω_c 联系在一起，要求选定的 ω_c 应在近似的数学模型适用的频带之内。现将几种常用的近似式的适用条件列于表 6-4-1。

表 6-4-1　几种常见的近似式及其适用条件

近　似　式	适用条件	误　　差
$e^{-\tau s}\approx\dfrac{1}{\tau s+1}$	$\omega\leqslant\dfrac{1}{2\tau}$ 的频带内	幅值误差 $L_r(\omega)<1\text{dB}$ 相位误差 $\varphi_r(\omega)<5°$
$\dfrac{e^{-\tau_1 s}}{\tau_2 s+1}\approx\dfrac{1}{\tau s+1}$ $\tau=\tau_1+\tau_2$	$\omega\leqslant\dfrac{1}{2\tau}$ 的频带内	
$\dfrac{1}{(\tau_1 s+1)(\tau_2 s+1)\cdots(\tau_n s+1)}\approx\dfrac{1}{\left(\sum\limits_{i=1}^{n}\tau_i\right)s+1}$	$\omega\leqslant\dfrac{1}{2\sum\limits_{i=1}^{n}\tau_i}$ 的频带内	
$\dfrac{1}{(\tau_1^2 s^2+2\zeta\tau_1 s+1)(\tau_2 s+1)}\approx\dfrac{1}{(2\zeta\tau_1+\tau_2)s+1}$	$\omega\leqslant\dfrac{1}{2(2\zeta\tau_1+\tau_2)}$ 的频带内	

三、期望的系统开环伯德图（期望特性）

要设计校正装置，须先确定符合性能要求的系统开环伯德图。虽然自动控制系统应用范围很广，具体的类型很多，但经过前述系统固有部分的数学模型简化过程，使用近似的数学模型，同时又要求附加的校正装置效果明显，结构又简单易于实现，则可将预期的系统开环伯德图（简称期望特性）归结成简单实用的几种基本类型。这几种基本类型系统伯德图的中频段（即 ω_c 附近频段）和高频段都一样，只是低频段不同。表 6-4-2 列出了三种基本类

表 6-4-2　三种基本类型的期望特性及开环传递函数

系统类型	开环传递函数	伯　　德　　图
0 型	$\dfrac{K}{(\alpha\tau s+1)(\tau s+1)}$ $\alpha>1$	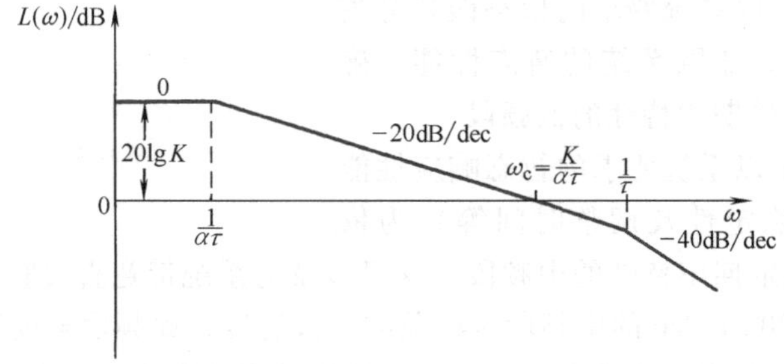
Ⅰ型	$\dfrac{1}{\alpha\tau s(\tau s+1)}$ $\alpha>1$	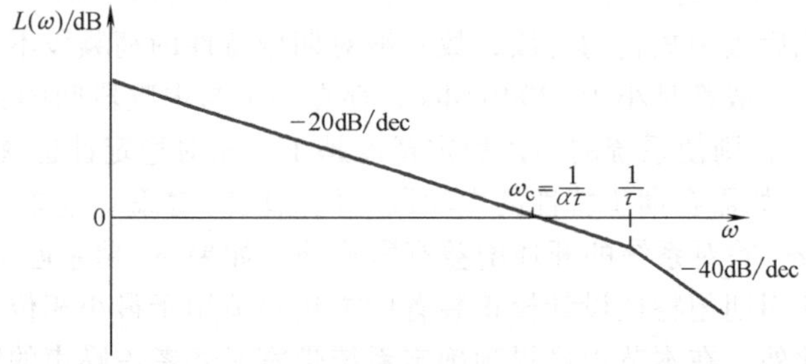

（续）

系统类型	开环传递函数	伯　德　图
Ⅱ型	$\dfrac{\beta\tau s+1}{\alpha\beta\tau^2 s^2(\tau s+1)}$ $\beta>\alpha>1$	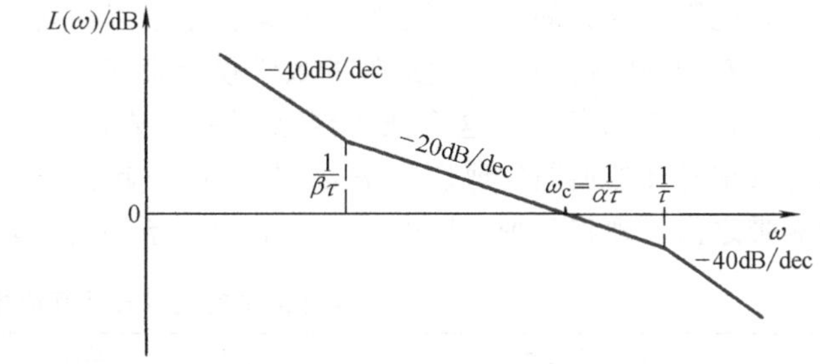

型的期望特性及对应的开环传递函数。设计者可依据要求的稳态和暂态性能指标，选定其中的一种基本类型作为设计的期望特性。

在设计中，有时希望所设计的系统具有较高的稳态精度（即很小的稳态误差），但同时又想避免采用Ⅱ型系统带来的过大超调量（Ⅱ型系统的阶跃响应不能避免超调），也可采用如图 6-4-2 所示的改进Ⅰ型系统的伯德图作为系统的期望特性。此特性的低频段斜率为 −20dB/dec，故为Ⅰ型系统，中频段特性的斜率仍为 −20dB/dec，但为提高系统的开环增益，在低频段与中频段之间加了一段斜率为 −40dB/dec 的过渡段特性。如系统之剪切频率 ω_c 确定下来之后，当采用Ⅰ型系统时，特性如图 6-4-2 中虚线所示，其开环增益是

$$K=\omega_c$$

但采用改进Ⅰ型系统时，如仍保持 ω_c 不变，系统的开环增益是

$$K=\omega_c\frac{\omega_2}{\omega_1}$$

由于 $\omega_2>\omega_1$，故可将 K 值提高。

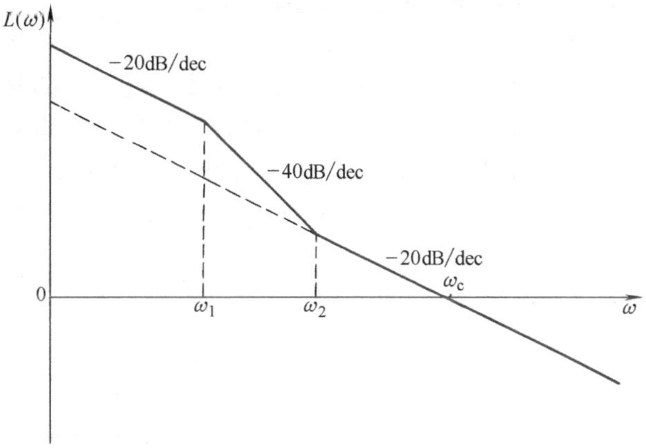

图 6-4-2　改进Ⅰ型系统的开环伯德图

在根据期望特性设计校正装置时，通常分为三个频段去考虑。

1）以系统要求的稳态误差为主要条件，兼顾系统的暂态性能，确定系统的期望特性的低频段。

2）以系统要求的暂态响应性能（相对稳定性及调整时间等）为依据，确定期望特性的中频段。这里涉及与系统带宽直接联系的剪切频率 ω_c，以及穿过 ω_c 斜率为 −20dB/dec 的中频段所覆盖的频段宽度，此频段宽度影响系统的相对稳定性。

3）期望特性的高频段对系统性能的影响甚微，例如，对系统阶跃响应只影响输入作用于系统后极为短暂的时段，故一般对期望特性的高频段不须过多重视。不过，伯德图高频段的斜率一般都是小于 −20dB/dec，存在一个与中频段间的交接频率，此交接频率越靠近剪切频率 ω_c，则使系统的相角稳定裕度越小，相对稳定性也就越低。

4）如需在期望特性的中频段与低频段间增添一过渡频段，此过渡频段两端之交接频率 ω_1 和 ω_2 除对系统的开环增益有影响外，如果 ω_2 越靠近 ω_c，则系统的相角稳定裕度越小。

使用期望特性设计校正装置的方法只适用于最小相位系统。

此外，在本节中虽提到确定系统带宽时要考虑噪声的因素，但并未详述。以下几节的内

容也并未将噪声的因素考虑进去。有关噪声对系统的影响将在本书的最后一章阐述。

四、校正装置的实现问题

当要求的校正装置的传递函数已求得后，如何设计一个实际的电路或装置来实现其校正作用，并且既经济又实用，也不容易，特别是微分校正装置的设计。理想的微分装置在输入信号突变时能瞬时输出具有无穷大能量的信号，这一点在实际的物理装置上是无论如何也做不到的，在实际上只能尽量地去做。但要求瞬时输出的能量越大，则装置的容量就越大，成本越高，体积也越笨重。而且从系统的观点看，不仅是这一部分校正装置，所有传递校正装置输出信号的各装置均应如此，不然就会受到其中任一部分饱和非线性特性的限制，使校正作用不能真正实现。在这种情况下，需要在经济性与技术性两者要求下做出某种折中。

五、各种非线性因素和噪声干扰问题

有时仅从线性数学模型出发去设计校正装置，并不能获得预期的校正效果，往往需要从分析各种非线性因素及噪声对系统控制性能的影响着手重新设计校正装置。有关非线性特性和噪声对系统性能的影响将在第七章和第九章中阐述。

应该说，这里向读者介绍的是高度理想化了的问题，而解决实际工程问题绝不可能这样简单。这里着重介绍了线性定常系统校正的基本思路和方法，其目的仅在于为读者进一步学习后续课程及将来从事实际工作打下必要的基础。

第五节　串联校正的设计

串联校正装置在控制系统中应用最多，相对来说，它的设计也较为简单。

利用频率特性设计系统的校正装置是一种比较简单实用的方法，在频域中设计校正装置实质是一种配置系统滤波特性的方法。设计依据的指标不是时域参量，而是频域参量，如相位裕度 γ 或谐振峰值 M_r，闭环系统带宽 ω_b 或开环对数幅频特性的剪切频率 ω_c，以及系统的开环增益 K。

如果给定的系统暂态性能指标是时域参量，对于二阶系统可以通过第五章介绍的方法予以换算。如果高阶系统具有一对主导共轭复数极点，这种换算关系虽是近似但也有效。

频率特性法设计校正装置主要是通过伯德图进行的。设计需根据给定的性能指标大致确定所期望的系统开环对数幅频特性（即伯德图），**期望特性低频段的增益应满足稳态误差的要求，期望特性中频段的斜率（即剪切斜率）一般应为-20dB/dec，并且具有所要求的剪切频率 ω_c，期望特性的高频段应尽可能迅速衰减，以抑制噪声的不良影响。**

用伯德图设计校正装置后，需要检验性能指标是否满足。

一、串联相位超前校正

超前校正的基本原理是利用超前校正装置的相位超前特性去增大系统的相位裕度，以改善系统的暂态响应。因此在设计校正装置时应使最大的超前相位角尽可能出现在校正后系统的剪切频率处。

用频率特性法设计串联超前校正装置的步骤大致如下：

1）根据给定的系统稳态性能指标，确定系统的开环增益 K。

2）绘制在确定的 K 值下系统的伯德图，并计算其相位裕度 γ_0。

3）根据给定的相位裕度 γ，计算所需要的相位超前量 φ_0

$$\varphi_0=\gamma-\gamma_0+\varepsilon$$

上式中的 $\varepsilon=5°\sim20°$，是因为考虑到校正装置在剪切频率处的负相位而留出的裕度。

4）令超前校正装置的最大超前角 $\varphi_m=\varphi_0$，并按下式计算校正装置的系数 α 值

$$\alpha=\frac{1-\sin\varphi_m}{1+\sin\varphi_m}$$

如 φ_m 大于 60°，则应考虑采用有源校正装置或两级校正装置串联。

5）将校正装置在 ω_m 处的增益定为 $10\lg(1/\alpha)$，同时确定未校正系统伯德图上增益为 $-10\lg(1/\alpha)$ 处的频率即为校正后系统的剪切频率 $\omega_c=\omega_m$。

6）确定超前校正装置的交接频率为

$$\omega_1=\frac{1}{\tau}=\omega_m\sqrt{\alpha},\quad \omega_2=\frac{1}{\alpha\tau}=\frac{\omega_m}{\sqrt{\alpha}}$$

7）画出校正后系统的伯德图，验算系统的相位稳定裕度。如不符要求，可增大 ε 值，并从第 3 步起重新计算。

8）校验其他性能指标，必要时重新设计参量，直到满足全部性能指标。

例 6-5-1 设Ⅰ型单位反馈系统原有部分的开环传递函数为

$$G_o(s)=\frac{K}{s(s+1)}$$

要求设计串联相位超前校正装置，使系统具有 $K=12$ 及 $\gamma=40°$的性能指标。

解 当 $K=12$ 时，未校正系统的伯德图如图 6-5-1 中的曲线 G_o，可以计算出其剪切频率 ω_{c1}。由于伯德曲线自 $\omega=1\text{s}^{-1}$ 开始以-40dB/dec 的斜率与零分贝线相交于 ω_{c1}，故存在下述关系：

$$\frac{20\lg 12}{\lg\omega_{c1}/\omega}=40$$

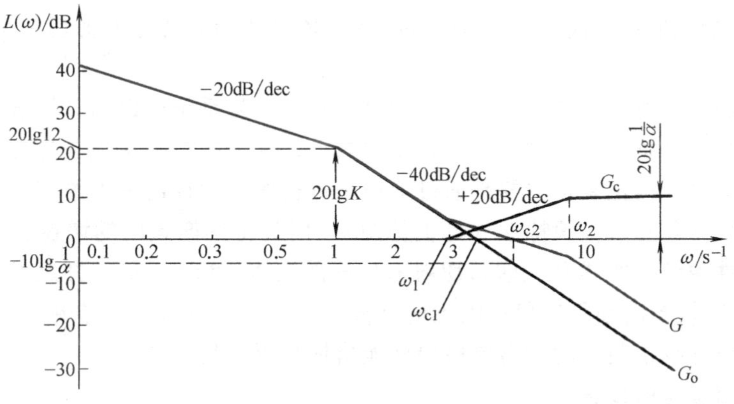

图 6-5-1 例 6-5-1 系统的伯德图

由于 $\omega=1\text{s}^{-1}$，故

$$\omega_{c1}=\sqrt{12}\,\text{s}^{-1}=3.46\text{s}^{-1}$$

于是未校正系统的相位裕度为

$$\gamma=180°-90°-\arctan\omega_{c1}=16.12°<40°$$

为使系统相位裕度满足要求，引入串联超前校正网络。在校正后系统剪切频率处的超前相位应为

$$\varphi_0=40°-16.12°+6.12°=\varphi_m=30°$$

因此
$$\alpha=\frac{1-\sin30°}{1+\sin30°}=0.334$$

在校正后系统剪切频率 $\omega_{c2}=\omega_m$ 处校正网络的增益应为

$$10\lg(1/0.334)=4.77\text{dB}$$

根据前面计算 ω_{c1} 的方法，可以计算出未校正系统增益为-4.77dB 处的频率即为校正后系统之剪切频率 ω_{c2}，即

$$\frac{10\lg(1/0.334)}{\lg\omega_{c2}/\omega_{c1}}=40$$

或
$$\lg\frac{\omega_{c2}}{\omega_{c1}}=\frac{1}{4}\lg(1/0.334)$$

于是
$$\omega_{c2}=\omega_{c1}\sqrt[4]{3}=4.55\text{s}^{-1}=\omega_m$$

校正装置的两个交接频率分别为

$$\omega_1=1/\tau=\omega_m\sqrt{\alpha}=2.63\text{s}^{-1}$$

$$\omega_2=1/\alpha\tau=\omega_m/\sqrt{\alpha}=7.9\text{s}^{-1}$$

为补偿超前校正网络衰减的开环增益，放大倍数需要再提高 $1/\alpha=3$ 倍。

经过超前校正后，系统开环传递函数为

$$G(s)=G_c(s)G_o(s)=\frac{12(s/2.63+1)}{s(s+1)(s/7.9+1)}$$

其相位稳定裕度为

$$\gamma=180°-90°+\arctan4.55/2.63-\arctan4.55-\arctan4.55/7.9=42.4°$$

符合给定相位裕度 40°的要求。

综上所述，串联相位超前校正装置使系统的相位裕度增大，从而降低了系统响应的超调量。与此同时，增加了系统的带宽，使系统的响应速度加快。

在有些情况下，串联超前校正的应用受到限制。例如，当未校正系统的相位角在所需剪切频率附近向负相位方面急剧减小时，采用串联超前校正往往效果不大。或者，当需要超前相位的数量很大时，超前校正网络的系数 α 值需选得很小，从而使系统的带宽过大，高频噪声能较顺利地通过系统，严重时可能导致系统失控。在遇到此类情况时，应考虑其他类型的校正装置。

二、串联相位滞后校正

串联相位滞后校正装置的作用：一是系统固有部分的相位裕度满足要求，而开环增益太小，可利用串联相位滞后校正使低频段的对数幅频特性衰减若干分贝，在保持剪切频率不变的情况下，可将开环增益提高上述相同的分贝值，从而起到提高开环增益，相位裕度基本不变的效果；二是系统固有部分的开环增益满足要求，但相位裕度太小，利用串联相位滞后校正装置对数幅频特性在低频段的衰减特性，使系统的剪切频率减小，从而达到增大相位裕度，改善系统相对稳定性的目的。

用频率特性法设计串联滞后校正装置的步骤大致如下：

1）根据给定的稳态性能要求去确定系统的开环增益。

2）绘制未校正系统在已确定的开环增益下的伯德图，并求出其相位裕度 γ_0。

3）求出未校正系统伯德图上相位裕度为 $\gamma_2=\gamma+\varepsilon$ 处的频率 ω_{c2}，其中 γ 是要求的相位裕度，而 $\varepsilon=10°\sim15°$则是为补偿滞后校正装置在 ω_{c2} 处的相位滞后。ω_{c2} 即是校正后系统的剪

切频率。

4）令未校正系统的伯德图在 ω_{c2} 处的增益等于 $20\lg\beta$，由此确定滞后校正装置的 β 值。

5）按下列关系式确定滞后校正网络的交接频率

$$\omega_2=\frac{1}{\tau}=\frac{\omega_{c2}}{2}\sim\frac{\omega_{c2}}{10}$$

6）画出校正后系统的伯德图，校验其相位裕度。

7）必要时检验其他性能指标，若不能满足要求，可重新选定 τ 值。但 τ 值不宜选取过大，只要满足要求即可，以免校正装置中电容太大，难以实现。

例 6-5-2 设未校正系统原有部分的开环传递函数为

$$G_o(s)=\frac{K}{s(s+1)(0.25s+1)}$$

试设计串联相位滞后校正装置，使系统满足性能指标 $K\geqslant5$，$\gamma\geqslant40°$，$\omega_c\geqslant0.5\text{s}^{-1}$。

解 以 $K=5$ 代入未校正系统的开环传递函数中，并绘制伯德图如图 6-5-2 所示。可以求得未校正系统的剪切频率 ω_{c1}。由于在 $\omega=1\text{s}^{-1}$ 处，系统的开环对数幅频特性的值为 20lg5，而穿过剪切频率 ω_{c1} 的系统对数幅频特性的斜率为 -40dB/dec，所以

$$\lg\omega_{c1}/\omega=\frac{1}{2}\lg5$$

或

$$\omega_{c1}=\sqrt{5}\,\text{s}^{-1}=2.24\text{s}^{-1}$$

相位滞后校正的应用例题

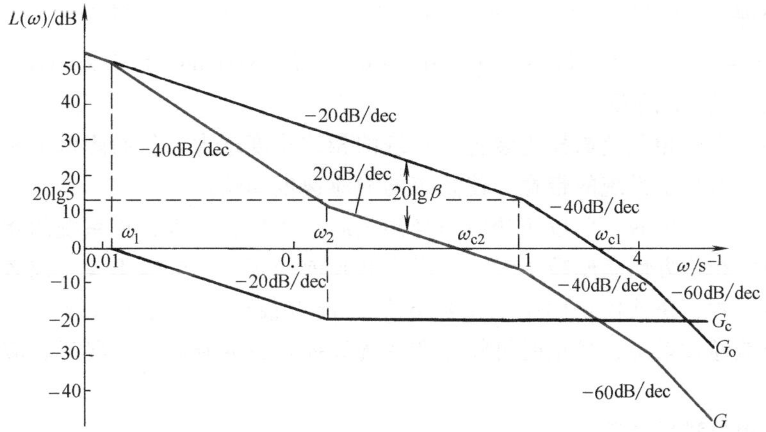

图 6-5-2 例 6-5-2 系统的伯德图

相应的相位稳定裕度为

$$\gamma=180°-90°-\arctan\omega_{c1}-\arctan0.25\omega_{c1}=-5.1°$$

说明未校正系统是不稳定的。

计算未校正系统相频特性中对应于相位裕度为 $\gamma_2=\gamma+\varepsilon=40°+15°=55°$ 时的频率 ω_{c2}。由于

$$\gamma_2=180°-90°-\arctan\omega_{c2}-\arctan0.25\omega_{c2}=55°$$

或

$$\arctan\omega_{c2}+\arctan0.25\omega_{c2}=35°$$

即

$$\arctan\frac{(1+0.25)\omega_{c2}}{1-0.25\omega_{c2}^2}=35°$$

则可解得

$$\omega_{c2}=0.52\text{s}^{-1}$$

此值符合系统剪切频率 $\omega_c \geqslant 0.5\text{s}^{-1}$ 的要求，故可选为校正后系统的剪切频率，即选定

$$\omega_c = 0.52\text{s}^{-1}$$

当 $\omega = \omega_c = 0.52\text{s}^{-1}$ 时，令未校正系统的开环增益为 $20\lg\beta$，从而求出串联滞后校正装置的系数 β。由于未校正系统的增益在 $\omega = 1\text{s}^{-1}$ 时为 $20\lg5$，故有

$$\frac{20\lg\beta - 20\lg5}{\lg1/0.52} = 20$$

于是选

$$\beta = \frac{5}{0.52} = 9.62 \approx 10$$

选定

$$\omega_2 = \frac{1}{\tau} = \frac{\omega_c}{4} = 0.13\text{s}^{-1}$$

则

$$\omega_1 = \frac{1}{\beta\tau} = 0.013\text{s}^{-1}$$

于是，滞后校正装置的传递函数为

$$G_c(s) = \frac{1}{10}\left(\frac{s+0.13}{s+0.013}\right) = \frac{7.7s+1}{77s+1}$$

故校正后系统的开环传递函数为

$$G(s) = G_c(s)G_o(s) = \frac{5(7.7s+1)}{s(77s+1)(s+1)(0.25s+1)}$$

校验校正后系统的相位稳定裕度为

$$\begin{aligned}\gamma &= 180° - 90° - \arctan77\omega_c - \arctan\omega_c - \arctan0.25\omega_c + \arctan7.7\omega_c \\ &= 42.53° > 40°\end{aligned}$$

还可以计算滞后校正装置在 ω_c 时的滞后相位为

$$\arctan7.7\omega_c - \arctan77\omega_c = -12.6°$$

从而说明，取 $\varepsilon = 15°$是正确的。

三、串联相位滞后—超前校正

单纯采用超前校正或滞后校正均只能改善系统暂态或稳态一个方面的性能。若未校正系统不稳定，并且对校正后系统的稳态和暂态都有较高要求时，宜采用串联滞后—超前校正装置。利用校正网络中的超前部分改善系统的暂态性能，而校正网络的滞后部分则可提高系统的稳态精度。

用频率特性法设计校正装置除可按本节前述之步骤外，还可以按期望特性去设计。下面将用例子说明。

例 6-5-3 设未校正系统原有部分的开环传递函数为

$$G_o(s) = \frac{K}{s(0.5s+1)(0.167s+1)}$$

试设计串联校正装置，使系统满足性能指标 $K \geqslant 180$，$\gamma > 40°$，$3\text{s}^{-1} < \omega_c < 5\text{s}^{-1}$。

解 1. 绘制未校正系统伯德图

绘制未校正系统在 $K=180$ 时伯德图如图 6-5-3 所示。可以计算未校正系统的剪切频率 ω_{c2}。由于未校正系统在 $\omega = 1\text{s}^{-1}$ 时的开环增益为 $20\lg180$，故增益与各交接频率间存在下述关系

$$20\lg2 + 40\lg\frac{6}{2} + 60\lg\frac{\omega_{c2}}{6} = 20\lg180$$

或

$$\lg\ (\omega_{c2}^3/12)\ = \lg180$$

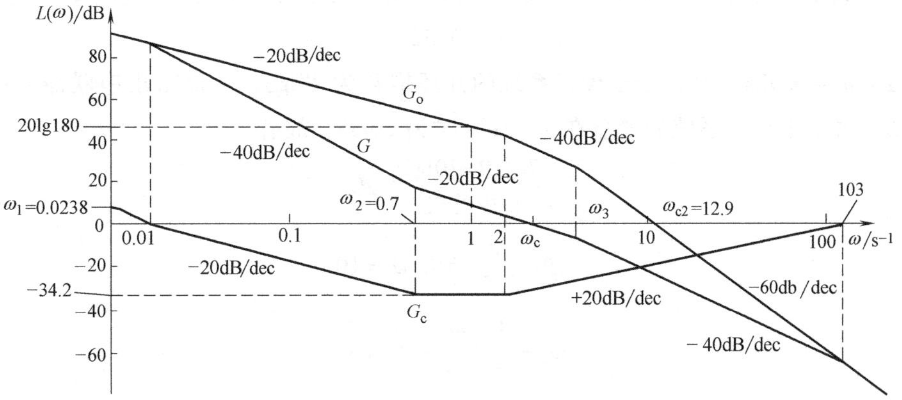

图 6-5-3 例 6-5-3 系统的伯德图

则
$$\omega_{c2}=\sqrt[3]{180\times12}\,\mathrm{s}^{-1}=12.9\mathrm{s}^{-1}$$

未校正系统的相位稳定裕度为

$$\gamma=180°-90°-\arctan0.167\omega_{c2}-\arctan0.5\omega_{c2}=-56.35°$$

表明未校正系统不稳定。

2. 确定系统的期望开环对数幅频特性

首先按给定的要求选定期望特性的剪切频率为 $\omega_c=3.5\mathrm{s}^{-1}$，然后过 ω_c 作一斜率为-20dB/dec 的直线作为期望特性的中频段。

为使校正后系统的开环增益不低于 180，期望特性的低频段应与未校正系统特性一致。为此，需在期望特性的中频段与低频率之间用一斜率为-40dB/dec 的直线作连接线。连接线与中频段特性相交的交接频率 ω_2 距 ω_c 不宜太近，否则难于保证系统相位裕度的要求。现按 $\omega_2=\dfrac{\omega_c}{10}\sim\dfrac{\omega_c}{2}$ 的原则选取：

$$\omega_2=\frac{\omega_c}{5}=0.7\mathrm{s}^{-1}$$

为使校正装置不过于复杂，期望特性的高频段应与未校正系统特性一致。由于未校正系统高频段特性的斜率是-60dB/dec，故期望特性中频段与高频段之间也应有斜率为-40dB/dec 的直线作为连接线。此连接线与中频段期望特性相交之交接频率 ω_3 距 ω_c 也不宜过近，否则也影响系统的相位稳定裕度。考虑到未校正系统有一个交接频率为 $6\mathrm{s}^{-1}$ 的惯性环节，为使校正装置尽可能易于实现，将 ω_3 选为 $6\mathrm{s}^{-1}$。

于是，绘制出系统的期望特性如图 6-5-3 中之 G。

3. 获得串联校正装置的传递函数

从 G 减去 G_0 可得如图 6-5-3 中串联校正装置的对数幅频特性。表明应在系统中串联相位滞后—超前校正装置。据式（6-3-13）知，其传递函数为

$$G_c(s)=\frac{(\tau_1s+1)(\tau_2s+1)}{(\beta\tau_1s+1)\left(\dfrac{\tau_2}{\beta}s+1\right)}$$

式中，$\tau_1=\dfrac{1}{0.7}\mathrm{s}=1.43\mathrm{s}$；$\tau_2=\dfrac{1}{2}\mathrm{s}=0.5\mathrm{s}$。

现需确定 β 值。由于期望特性的剪切频率为 $\omega_c=3.5\text{s}^{-1}$，则期望特性在 $\omega_2=0.7\text{s}^{-1}$ 时的对数幅频特性值为

$$20\lg\frac{3.5}{0.7}=14\text{dB}$$

而未校正系统在 $\omega_2=0.7\text{s}^{-1}$ 时的对数幅频特性值是

$$20\lg\frac{180}{0.7}=48.2\text{dB}$$

两者相减，就得到串联校正装置在 $0.7\text{s}^{-1}\leqslant\omega\leqslant 2\text{s}^{-1}$ 区间内应使未校正系统的增益衰减 34.2dB。于是，就有

$$20\lg\frac{\beta\tau_1}{\tau_1}=34.2\text{dB}$$

所以

$$\beta=51.3$$

因此，串联滞后—超前校正装置的传递函数为

$$G_c(s)=\frac{(1.43s+1)(0.5s+1)}{(73.3s+1)(0.0097s+1)}$$

校正后系统的开环传递函数为

$$G(s)=G_c(s)G_o(s)=\frac{180(1.43s+1)}{s(73.3s+1)(0.167s+1)(0.0097s+1)}$$

校验系统相位裕度

$$\begin{aligned}\gamma &= 180°-90°-\arctan 73.3\omega_c+\arctan 1.43\omega_c-\\ &\quad \arctan 0.167\omega_c-\arctan 0.0097\omega_c\\ &=46.7°\end{aligned}$$

至此，可以认为，采用串联滞后—超前校正装置，能使校正后系统满足全部性能指标的要求。

如单纯采用串联超前校正装置，姑且先不论补偿超前相位需达到 100°以上的超前校正装置能否容易实现，仅为保持校正后系统的开环增益 $K\geqslant 180$，就需将系统的剪切频率 ω_c 选得远远大于 5s^{-1}。

4. 分析单纯选用串联滞后校正装置的情况

为保证系统剪切频率在 $3\sim5\text{s}^{-1}$ 的范围内，则校正后系统的开环对数幅频特性的中频段的斜率是 -40dB/dec，因为未校正系统中串联有一个交接频率为 2s^{-1} 的惯性环节。如果仍选定 $\omega_2=0.7\text{s}^{-1}$，校正后系统的开环对数幅频特性如图 6-5-4 中的折线 G，其剪切频率从图 6-5-4 上查得为 $\omega_c=3.5\text{s}^{-1}$。在 $\omega=2\text{s}^{-1}$ 时，校正后系统的开环增益为

$$40\lg\frac{3.5}{2}=9.72\text{dB}$$

如仍选 $\omega_2=\dfrac{\omega_c}{5}=0.7\text{s}^{-1}$，则校正

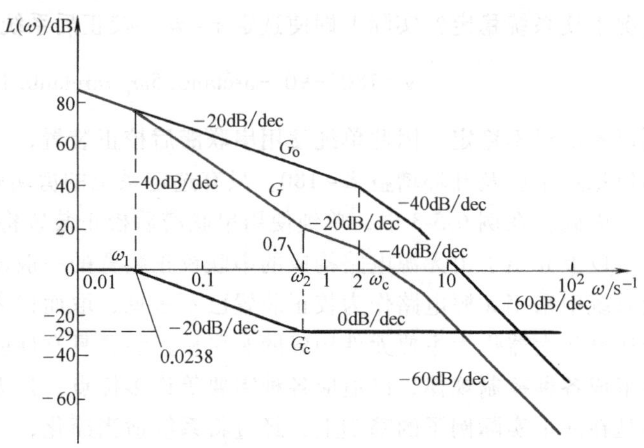

图 6-5-4 单纯用滞后校正时系统伯德图

后系统在 $\omega_2=0.7\text{s}^{-1}$ 时的开环增益为

$$20\lg\frac{2}{0.7}+40\lg\frac{3.5}{2}=18.84\text{dB}$$

而未校正系统在 $\omega_2=0.7\text{s}^{-1}$ 时的开环增益为

$$20\lg\frac{180}{0.7}=48.2\text{dB}$$

由此可知，滞后校正装置在 $\omega\geqslant\omega_2=0.7\text{s}^{-1}$ 区间内将使未校正系统的开环增益衰减的分贝值为

$$(48.2-18.84)\text{dB}=29.36\text{dB}$$

串联滞后校正装置的传递函数为

$$G_c(s)=\frac{\tau s+1}{\beta\tau s+1}$$

由于

$$20\lg\frac{\beta\tau}{\tau}=29.36\text{dB}$$

所以求得

$$\beta=29.38$$

又因为已选定

$$\tau=\frac{1}{\omega_2}=1.43\text{s}$$

故有

$$G_c(s)=\frac{1.43s+1}{42s+1}$$

校正后系统的开环传递函数为

$$G(s)=G_c(s)G_o(s)=\frac{180(1.43s+1)}{s(42s+1)(0.5s+1)(0.167s+1)}$$

相应的相位稳定裕度为

$$\begin{aligned}\gamma&=180°-90°-\arctan42\omega_c+\arctan1.43\omega_c-\\&\quad\arctan0.5\omega_c-\arctan0.167\omega_c\\&=-11.4°\end{aligned}$$

上述结果表明，如单纯采用串联滞后校正装置，为满足系统的开环增益 $K=180$ 及剪切频率 $\omega_c=3.5\text{s}^{-1}$，校正后的系统不稳定。

是否能从改变滞后校正装置的参量，在保证校正后系统仍满足 $K=180$ 及 $\omega_c=3.5\text{s}^{-1}$ 的情况下使系统稳定？实际上即使选定 $\tau=\infty$，校正后系统的相位稳定裕度为

$$\gamma=180°-90°-\arctan0.5\omega_c-\arctan0.167\omega_c=-0.567°$$

所以系统仍不稳定。因此单纯使用串联滞后校正装置，为使校正后系统稳定并有 40°以上的相位稳定裕度及开环增益 $K=180$，只有选定系统的剪切频率 $\omega_c\ll3\text{s}^{-1}$ 才行。

因此，在例 6-5-3 中，单纯使用串联滞后校正装置将难以满足全部性能指标要求。

以上介绍了由无源电路构成的串联校正装置的一般设计方法，从现实情况看，在自动控制系统中采用无源电路作为校正装置已不多见，取而代之的是大量使用有源校正装置。以电子运算放大器作为主要元件构成的有源校正装置具有性能好、体积小，与无源电路配合可灵活组成各种控制规律，以适应各种需要等许多优点，是无源校正装置无法比拟的。下面介绍的是在一个实际例子的基础上，经过将系统适当简化，并删除了许多反复试探过程而形成的串联有源校正装置设计的例子。

四、多环控制系统校正装置的设计

例 6-5-4 某控制系统框图如图 6-5-5 所示。图中各部分的传递函数为

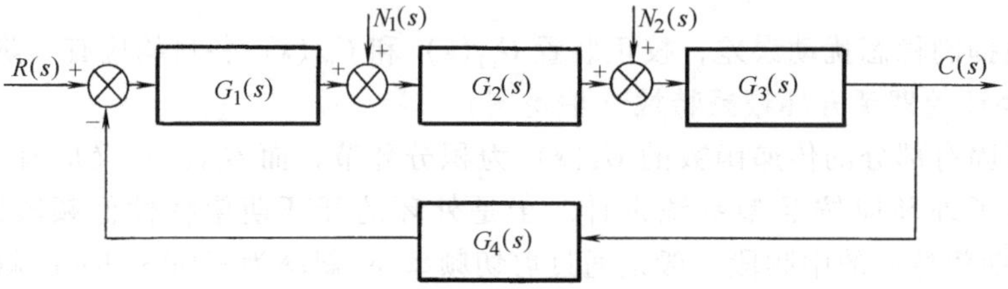

图 6-5-5 未校正前系统框图

$$G_1(s)=K_1 e^{-\tau_1 s}, K_1=65, \tau_1=0.0023\text{s}$$

$$G_2(s)=K_2\frac{1}{\tau_2 s+1}, K_2=1, \tau_2=0.03\text{s}$$

$$G_3(s)=K_3\frac{1}{\tau_3 s}, K_3=35, \tau_3=0.08\text{s}$$

$$G_4(s)=K_4, K_4=0.1$$

系统的特点是有两处外扰 $n_1(t)$ 和 $n_2(t)$，扰动作用点如图 6-5-5 所示。现要求设计校正装置，以满足如下性能指标：

1）当两处扰动 $n_1(t)$ 及 $n_2(t)$ 均是阶跃函数形式时，系统输出 $c(t)$ 的扰动稳态误差为零。

2）系统的输入信号频率范围是 0~15Hz，而噪声集中起作用的最低频率较高，设计校正装置时可暂不考虑。要求系统输出 $c(t)$ 能较为准确地复现输入 $r(t)$。

3）要求系统有适当的相对稳定性，其相位稳定裕度要求 $\gamma\geq 35°$。

解

1. 确定系统校正后的基本结构

系统固有部分中虽有一个积分环节 $G_3(s)$，但它位于扰动作用点之后。根据第三章中对系统的扰动稳态误差与系统结构的关系可知，系统的校正装置必须有 $s=0$ 的一阶极点，才能满足系统扰动稳态误差为零的要求。其次，在系统中有两处扰动作用点，为了有效地抑制扰动稳态误差，应该采用多回路控制（串级控制）技术。设置内环回路先抑制由扰动量 $n_1(t)$ 引入的扰动稳态误差，再由外环回路抑制 $n_2(t)$ 引入的稳态误差。针对两处扰动，设置内、外环，并分别附加校正装置。基于上述考虑，校正后的系统框图如图 6-5-6 所示。

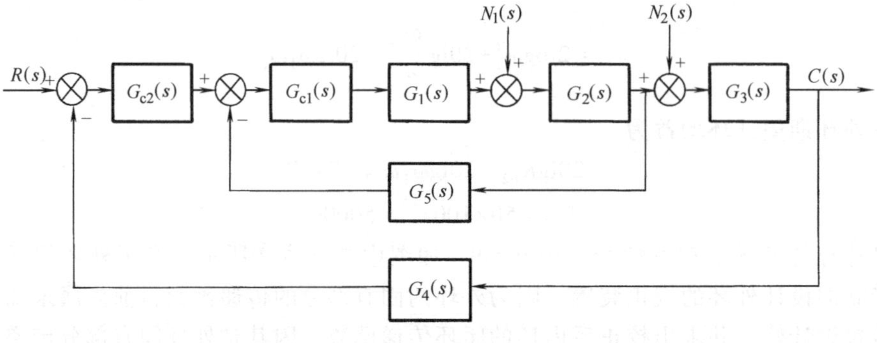

图 6-5-6 加入校正装置后系统的框图

图中，$G_{c1}(s)$ 为内环的串联校正装置；$G_{c2}(s)$ 为外环的串联校正装置；$G_5(s)$ 为内环的反馈环节，根据内环在稳态时，反馈环节的输入与输出稳态值的数量级关系，确定 $G_5(s)=0.05$。

为有效地抑制稳态扰动误差，校正装置 $G_{c1}(s)$ 和 $G_{c2}(s)$ 各自均应有一阶 $s=0$ 的极点。

2. 确定外环的期望开环幅频特性（伯德图）

由于外环固有部分的传递函数的 $G_3(s)$ 为积分环节，而 $G_{c2}(s)$ 又应有一阶 $s=0$ 的极点，这就决定了外环应按Ⅱ型系统设计。于是外环的开环期望特性低频段的斜率就应是 -40dB/dec。期望特性的中频段一般是通过剪切频率 ω_c 斜率为-20dB/dec 的斜线。

现确定校正后系统的带宽频率 ω_b。系统有用的输入信号频率范围是 0~15Hz，如换算成角频率则是 $0\sim94.24\mathrm{s}^{-1}$，故有校正后系统的带宽频率应是 $\omega_b>94.24\mathrm{s}^{-1}$。

通常，具有一对主导复数极点的高阶系统，其带宽频 ω_b 往往大于其剪切频率 ω_c（参阅第五章，这里借用了二阶系统的性能指标关系）。据此可以考虑将外环的期望开环伯德图的剪切频率 ω_{c2} 定为 $100\mathrm{s}^{-1}$。

对于Ⅱ型系统，如欲使相位稳定裕度 $\gamma\geqslant35°$，则期望特性 ω_{c2} 两侧高频和低频段的交接频率 ω_1 和 ω_2 必与 ω_{c2} 有一定的距离，根据对Ⅱ型系统相位裕度的测算可知，为保证要求的相位裕度，中频段与低频段连接的交接频率 ω_1 应该是 $\omega_1\leqslant\dfrac{\omega_{c2}}{2}$，而中频段与高频段连接的交接频率 ω_2 应是 $\omega_2\geqslant2\omega_{c2}$。由此，外环的期望开环伯德图即可确定下来，或者写成期望的外环开环传递函数 $G_{h2}(s)$，即

$$G_{h2}(s)=K_{h2}\frac{\left(\dfrac{1}{\omega_1}\right)s+1}{s^2\left[\left(\dfrac{1}{\omega_2}\right)s+1\right]} \tag{6-5-1}$$

式中，K_{h2} 为期望特性的开环增益，其量纲为 s^{-2}；ω_1 为期望特性中频段与低频段连接的交接频率；ω_2 为期望特性中频段与高频段连接的交接频率。

已知 $\omega_{c2}=100\mathrm{s}^{-1}$，可选定 $\omega_1=\dfrac{\omega_{c2}}{2}=50\mathrm{s}^{-1}$，$\omega_2=2\omega_{c2}=200\mathrm{s}^{-1}$。

当 ω_1 和 ω_2 确定后，可以直接计算出外环期望特性的增益 K_{h2}。根据伯德图上的线段斜率与频率和增益（dB 值）之间的关系可知

$$\begin{aligned}20\lg K_{h2}&=40\lg\omega_1+20\lg\omega_{c2}-20\lg\omega_1\\&=20\lg\omega_1^2+20\lg\frac{\omega_{c2}}{\omega_1}=20\lg\omega_1\omega_{c2}\end{aligned}$$

于是求得外环期望开环增益为

$$20\lg K_{h2}=20\lg\omega_1\omega_{c2}=74\mathrm{dB}$$

或

$$K_{h2}=50\times100\mathrm{s}^{-2}=5000\mathrm{s}^{-2} \tag{6-5-2}$$

现将外环的开环期望特性绘于图 6-5-9，如图中之折线②所示。有了外环的开环期望特性还不能立即设计外环的校正装置。因为外环的固有部分的传递函数目前尚属未知，有待内环校正装置设计好，并求出校正后内环的闭环传递函数，因其是外环固有部分传递函数中的一部分。为此，在外环的期望特性确定后，即应先着手内环校正装置的设计。

3. 确定内环的开环期望特性

设计未对内环的性能提出要求，这是因为设计之初并未明确系统采用多回路控制方案。前已述及，要求由 $n_1(t)$ 造成的扰动稳态误差为零，故设置内环，并使内环之校正装置传递函数 $G_{c1}(s)$ 应具有一阶 $s=0$ 的极点。内环的固有部分传递函数均为已知，系由 $G_1(s)$、$G_2(s)$ 和 $G_5(s)$ 串联组成，于是，内环固有部分传递函数 $G_{o1}(s)$ 是

$$G_{o1}(s)=G_1(s)G_2(s)G_5(s)=3.25\frac{e^{-0.0023s}}{0.03s+1} \tag{6-5-3}$$

由此看出，内环固有部分不包含积分环节，因而校正的内环可采用Ⅰ型系统，即内环的开环期望特性的低频段和中频段的斜率都是-20dB/dec。为确定内环的期望开环特性，还须选定剪切频率 ω_{c1}。

为保证实现已选定的外环期望特性上的剪切频率 $\omega_{c2}=100s^{-1}$，内环的剪切频率 ω_{c1} 应远大于此。但这仅是期望，还应根据内环固有部分的传递函数及内环校正装置易于实现的条件分析其可能性。内环固有部分虽有滞后环节，但其滞后时间极小，仅为0.0023s，相应的频率为 $\frac{1}{0.0023}=435s^{-1}$，相当高，如果选定之剪切频率 ω_{c1} 远小于此值，则滞后环节对系统性能的影响就不足为虑了，这为选择 ω_{c1} 提供了较大的余地。其次，内环固有部分中虽有一个时间常数较大的惯性环节，但它有可能被比例积分校正装置提供的零点作用削弱，因此也不必过多地考虑此时间常数（$\tau_2=0.03s$）的惯性环节的影响。基于以上分析，可以初步选定 $\omega_{c1}=200s^{-1}$，它满足了

$$\omega_{c2}=100s^{-1}\ll\omega_{c1}=200s^{-1}\ll\frac{1}{0.0023}s^{-1}=435s^{-1}$$

的条件。

如果按表6-4-1提供的依据，现在已经具备了

$$\omega_{c1}=200s^{-1}<\frac{1}{2}\times435s^{-1}$$

的条件，故在设计 $G_{c1}(s)$ 时可以使用表6-4-1所列的近似式，即

$$e^{-0.0023s}\approx\frac{1}{0.0023s+1}$$

于是内环固有部分的传递函数式（6-5-3），可以用近似式表述为

$$G_{o1}(s)=\frac{3.25}{(0.03s+1)(0.0023s+1)} \tag{6-5-4}$$

与此同时，内环的开环期望特性的传递函数 $G_{h1}(s)$ 随着 ω_{c1} 确定后为

$$G_{h1}(s)=K_{h1}\frac{1}{s(0.0023s+1)} \tag{6-5-5}$$

式中，K_{h1} 为内环的期望开环增益。

$$20\lg K_{h1}=20\lg\omega_{c1}=20\lg200=46dB$$

或

$$K_{h1}=\omega_{c1}=200s^{-1} \tag{6-5-6}$$

内环期望开环特性高频段中的惯性环节 $\frac{1}{0.0023s+1}$，是考虑到内环固有部分原有此惯性环节，现可在期望特性中保留。因此，可使内环的期望特性与其固有部分特性的形状在高频段结构一致，从而简化校正装置。内环固有部分伯德图如图6-5-7中折线①所示，内环开环

期望特性则如图 6-5-7 中的折线②所示。

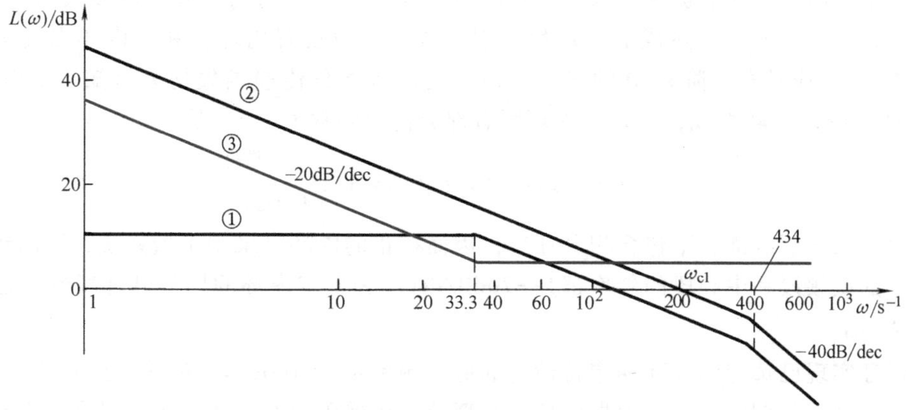

图 6-5-7 内环的伯德图

4. 确定内环校正装置

在图 6-5-7 中，将折线②减去折线①即得折线③，此即内环串联校正装置的伯德图。或者根据下列关系式求取内环的串联校正装置的传递函数为

$$
\begin{aligned}
G_{c1}(s) &= G_{h1}(s)/G_{o1}(s) \\
&= \frac{200}{s(0.0023s+1)} \frac{(0.03s+1)(0.0023s+1)}{3.25} \\
&= 61.53\frac{0.03s+1}{s}
\end{aligned}
$$

或

$$
G_{c1}(s) = 1.846\frac{0.03s+1}{0.03s} \tag{6-5-7}
$$

无论从伯德图或是式（6-5-7）均能看出，内环的串联校正装置是一个比例积分控制器。

5. 内环串联校正装置的实现

依据表 6-3-2，可由图 6-5-8 所示的原理图实现。比例积分校正装置的传递函数为

$$
G_{c1}(s) = \frac{U_2(s)}{U_1(s)} = K\frac{\tau s+1}{\tau s} \tag{6-5-8}
$$

式中，$\tau = R_2C$； $K = \frac{R_2}{R_1}\frac{R_3+R_4}{R_3}$。

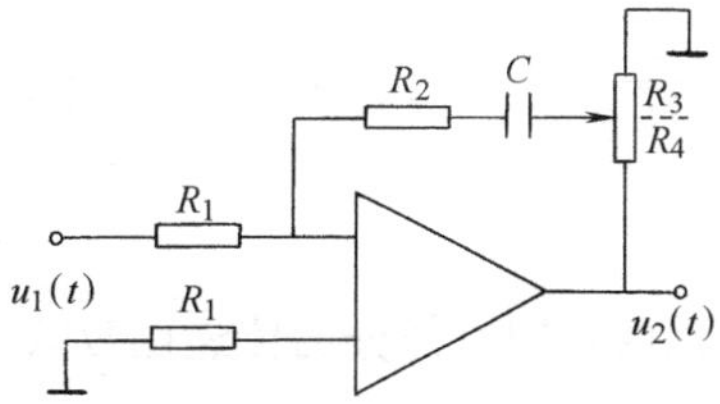

图 6-5-8 内环的 PI 校正装置原理图

R_3、R_4 是一个分压器，如其电阻值远较 R_2、R_1 的电阻值小，对 τ 的相对影响可忽略不计。这种形式的 PI 校正装置可使 K 及 τ 分别整定，调试较为灵活方便。

将式（6-5-8）与式（6-5-7）比较可选定参量为

$R_3+R_4 = 10\text{k}\Omega$（选 10kΩ 电位器）

$R_2 = 50\text{k}\Omega$（限于电阻值的规格，可选 51kΩ）

$C = 0.6\mu\text{F}$

$R_1 = 50\text{k}\Omega$

其中 R_3 及 R_4 的电阻值分别是 $R_3 = 5.4\text{k}\Omega$，$R_4 = 4.6\text{k}\Omega$。

6. 校验内环相位稳定裕度 γ

由式（6-5-5）可知，内环的相位裕度为

$$\gamma=180°-90°-\frac{180°}{\pi}\times0.0023\times200=63.64°$$

上式是将内环的开环传递函数中的惯性环节 $\frac{1}{0.0023s+1}$ 仍然再换回到滞后环节 $e^{-0.0023s}$ 计算的。假如用近似式计算内环的相位裕度为

$$\gamma=180°-90°-\arctan(0.0023\times200)=65.3°$$

两者相差甚微，由此可证明，只要注意了近似式的使用条件，就不会产生大的误差。

显然，内环的相位裕度过大了些，如再将 ω_{c1} 选得比 $200s^{-1}$ 大一些，可能内环的暂态响应的性能更好些。

7. 内环的闭环传递函数 $\boldsymbol{\Phi}_1(s)$

内环闭环传递函数由下式求得

$$\begin{aligned}\Phi_1(s)&=\frac{G_{h1}(s)}{1+G_{h1}(s)}\frac{1}{G_5(s)}\\&=\frac{200}{s(0.0023s+1)+200}\frac{1}{0.05}=\frac{20}{(0.0035)^2s^2+0.005s+1}\\&=\frac{20}{(0.0035)^2s^2+2\frac{1}{\sqrt{2}}0.0035s+1}\end{aligned}\tag{6-5-9}$$

由此可见，内环闭环传递函数相当于一个阻尼比 $\zeta=\frac{1}{\sqrt{2}}=0.707$ 的振荡环节与一个增益为20的比例环节串联。这一结果可与相位裕度相互映证。

由于前述选定的外环期望特性上的剪切频率 $\omega_{c2}=100s^{-1}$，是内环二阶环节分母 s 的一次项系数的倒数的一半，即与 $\frac{1}{2}\times\frac{1}{0.005}s^{-1}=100s^{-1}$ 相等，由表 6-4-1 可知，符合近似式的适用条件，故内环的闭环传递函数式（6-5-9）可用下式近似

$$\Phi_1(s)\approx\frac{20}{0.005s+1}\tag{6-5-10}$$

8. 外环固有部分的传递函数 $\boldsymbol{G}_{o2}(s)$

$$G_{o2}(s)=\Phi_1(s)G_3(s)G_4(s)=\frac{20}{0.005s+1}\times\frac{35}{0.08s}\times0.1=\frac{875}{s(0.005s+1)}\tag{6-5-11}$$

外环固有部分的伯德图如图 6-5-9 中的折线①所示，折线②是外环的开环期望特性。

9. 确定外环的校正装置 $\boldsymbol{G}_{c2}(s)$

$$\begin{aligned}G_{c2}(s)&=G_{h2}(s)/G_{o2}(s)\\&=5000\frac{0.02s+1}{s^2(0.005s+1)}\frac{s(0.005s+1)}{875}\\&=5.7\times\frac{0.02s+1}{s}=0.114\times\frac{0.02s+1}{0.02s}\end{aligned}\tag{6-5-12}$$

这是比例积分控制器的传递函数，其对数幅频特性如图 6-5-9 中的折线③。

10. 外环串联校正装置的实现

由于式（6-5-12）中的比例系数 0.114<1，故用图 6-5-10 的原理图实现外环的串联校正装置。这一PI控制器的传递函数为

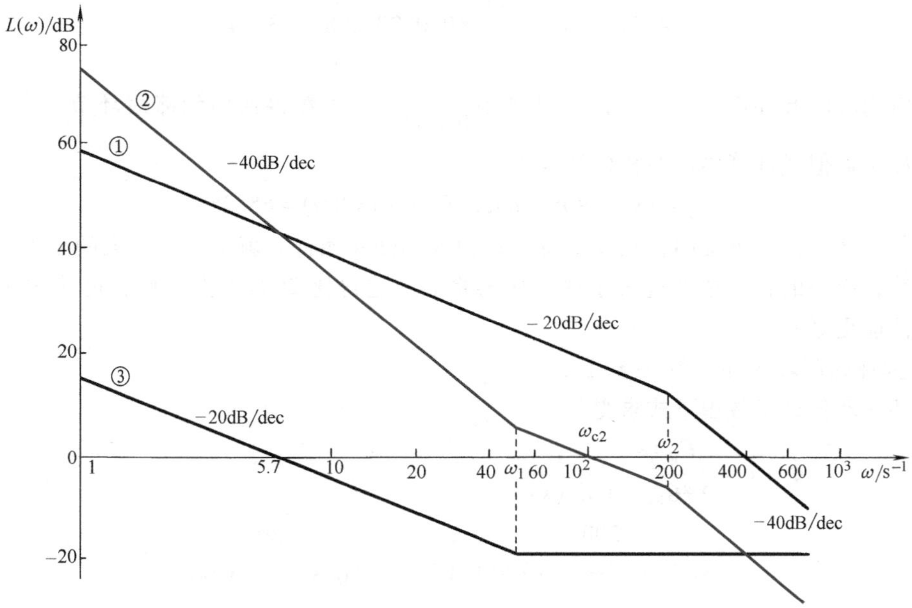

图 6-5-9　外环的伯德图

$$G_{c2}(s)=\frac{U_2(s)}{U_1(s)}=K\frac{\tau s+1}{\tau s}$$

式中，$\tau=R_2C$；$K=\dfrac{R_2}{R_1}$。

根据式（6-5-12），可选定参量为

$R_1=100\text{k}\Omega$，$R_2=11.4\text{k}\Omega$，$C=1.75\mu\text{F}$

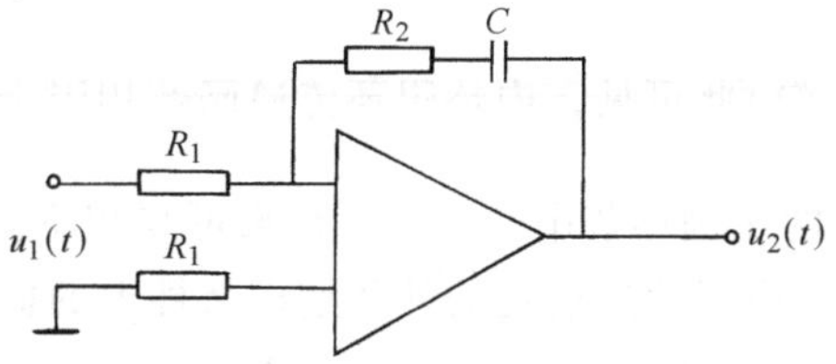

图 6-5-10　外环串联校正装置原理图

11. 校验外环的相位稳定裕度

由式（6-5-1）表示的外环的开环期望特性为

$$G_{h2}(s)=5000\times\frac{0.02s+1}{s^2(0.005s+1)}$$

则外环的相位裕度为

$$\gamma=180°-180°+\arctan(0.02\times100)-\arctan(0.005\times100)=36.86°>35°$$

如果内环的闭环传递函数不用近似式，则有

$$\gamma=180°-180°+\arctan(0.02\times100)-\arctan\left(\frac{0.005\times100}{1-(0.0035)^2100^2}\right)=33.76°$$

此值只比要求的 $\gamma=35°$略小，可以认为问题不大。

如希望适当地将外环的相位裕度 γ 加大，必须先从内环开始调整。现在内环选定的剪切频率 ω_{c1} 还有增高的余地，适当加大 ω_{c1} 之值，重新计算，使外环的相位裕度达到 $\gamma\geqslant35°$是没有多大困难的。实践证明，此系统在实际使用时未发现有相对稳定性不足的问题。

本章第八节例 6-8-3 和例 6-8-4 对此系统进行了化简前、后的频域、时域分析，并分析了系统的抗扰动能力。

第六节　反馈校正的设计

反馈校正的特点是采用局部反馈包围系统前向通道中的一部分环节以实现校正，其系统框图如图 6-6-1 所示。图中被局部反馈包围部分的传递函数是

$$G_{2c}(s)=\frac{G_2(s)}{1+G_2(s)G_c(s)} \tag{6-6-1}$$

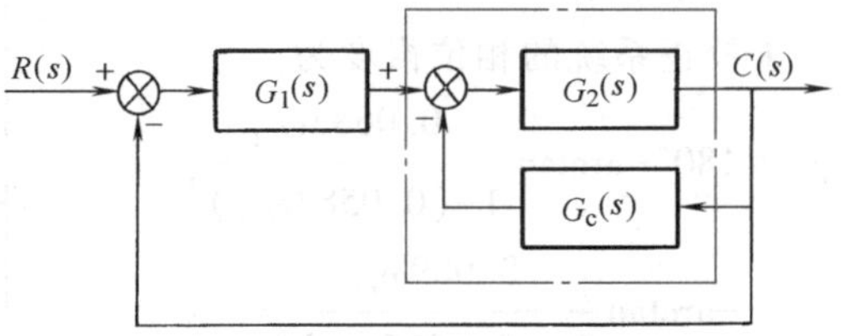

图 6-6-1　反馈校正系统的框图

前曾述及，负反馈能抑制被包围部分 $G_2(s)$ 内部参量变化（包括非线性因素）和外部作用于 $G_2(s)$ 上的干扰（包括高频噪声）影响。除此之外，如果这个内环（或称子环）稳定，则在

$$|G_2(j\omega)G_c(j\omega)|\gg 1$$

的频带内，有

$$G_{2c}(j\omega)\approx\frac{1}{G_c(j\omega)}$$

在这种情况下，系统的特性几乎与被反馈包围的环节 $G_2(s)$ 的特性无关。

由于反馈校正的上述特点，使得它在控制系统的校正方面得到广泛应用。

用频率特性法设计反馈校正装置时，首先应使内环稳定，然后利用下述近似式设计

$$G_{2c}(j\omega)\approx\frac{1}{G_c(j\omega)}\qquad \left.\begin{array}{l}\text{当}|G_2(j\omega)G_c(j\omega)|\gg 1\\ \text{或}20\lg|G_2(j\omega)G_c(j\omega)|\gg 0\end{array}\right\} \tag{6-6-2}$$

$$G_{2c}(j\omega)\approx G_2(j\omega)\qquad \left.\begin{array}{l}\text{当}|G_2(j\omega)G_c(j\omega)|\ll 1\\ \text{或}20\lg|G_2(j\omega)G_c(j\omega)|\ll 0\end{array}\right\} \tag{6-6-3}$$

这样即可使设计过程大为简化。

例 6-6-1　某电动机调速系统未校正时的框图如图 6-6-2 所示，试设计校正装置，使系统满足下列性能指标：系统的开环增益 $K\geqslant 350$，剪切频率 $\omega_c\geqslant 14\text{s}^{-1}$，相位稳定裕度 $\gamma\geqslant 40°$。

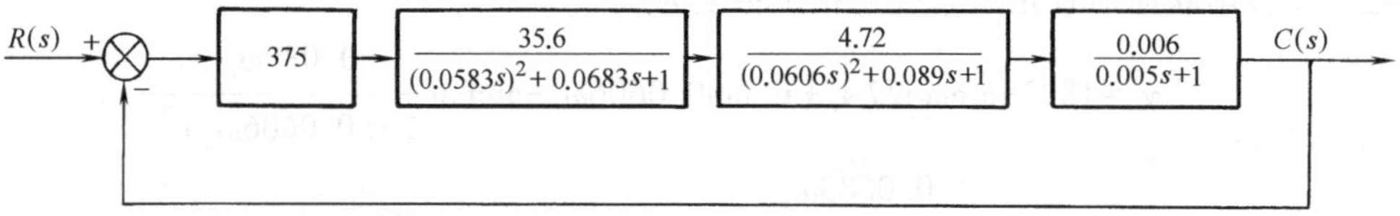

图 6-6-2　未校正系统的框图

解　1. 未校正系统分析

未校正系统的开环增益为

$$K=375\times35.6\times4.72\times0.006=378>350$$

未校正系统的开环传递函数则为

$$G_{o1}(s)=\frac{378}{(0.0583^2s^2+0.0638s+1)(0.0606^2s^2+0.089s+1)(0.005s+1)} \tag{6-6-4}$$

其对数幅频特性绘于图 6-6-3，如图中特性曲线 G_o。可以利用以下的关系式求剪切频率 ω_{c1}

$$40\lg\frac{17.15}{16.5}+80\lg\frac{\omega_{c1}}{17.15}=20\lg378$$

或$20\lg\left(\frac{17.15}{16.5}\right)^2\left(\frac{\omega_{c1}}{17.15}\right)^4=20\lg378$

则 $\omega_{c1}=\sqrt[4]{378\times16.5^2\times17.15^2}\text{s}^{-1}$

$=74.17\text{s}^{-1}$

未校正系统的相位裕度为

$$\gamma_{o1}=180°-\arctan\frac{0.0683\omega_{c1}}{1-(0.0583\omega_{c1})^2}-\arctan\frac{0.089\omega_{c1}}{1-(0.0606\omega_{c1})^2}-\arctan0.005\omega_{c1}=-165.3°$$

所以未校正系统肯定不稳定。

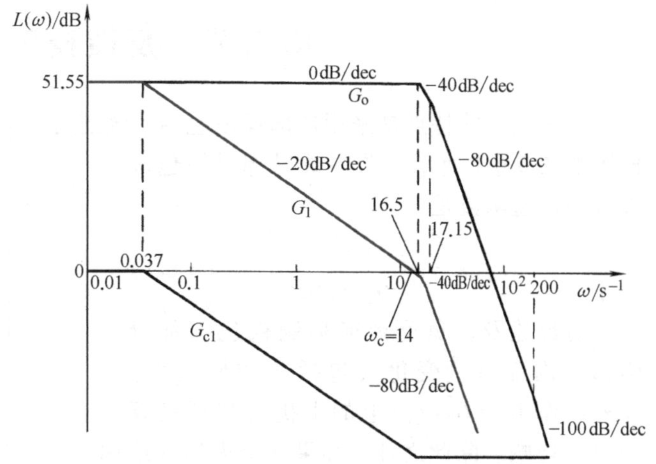

图 6-6-3 例 6-6-1 系统串联滞后校正的伯德图

2. 串联滞后校正装置的效果

由于 $\omega_{c1}\gg\omega_c=14\text{s}^{-1}$，因此可以首先考虑使用串联滞后校正装置使系统稳定并满足全部性能指标要求。为此，需作出系统的期望开环对数幅频特性。过 $\omega_c=14\text{s}^{-1}$ 作斜率为-20dB/dec 的直线，并令其与未校正系统特性交于频率为 ω_1 处，而

$$\omega_1=\frac{14}{378}\text{s}^{-1}=0.037\text{s}^{-1}$$

期望特性的斜率在 $16.5\text{s}^{-1}\leqslant\omega\leqslant17.15\text{s}^{-1}$ 区间为-40dB/dec；在 $17.15\text{s}^{-1}\leqslant\omega\leqslant200\text{s}^{-1}$ 区间为-80dB/dec；在 $\omega\geqslant200\text{s}^{-1}$ 区间为-100dB/dec。于是期望特性的传递函数为

$$G_1(s)=\frac{378(0.0606s+1)}{(27s+1)(0.0606^2s^2+0.089s+1)(0.0583^2s^2+0.0683s+1)(0.005s+1)}$$

其对数幅频特性则如图 6-6-3 中的 G_1。串联滞后校正装置的传递函数为

$$G_{c1}(s)=\frac{G_1(s)}{G_{o1}(s)}=\frac{0.0606s+1}{27s+1}\tag{6-6-5}$$

检验经过串联滞后校正后系统的相位裕度为

$$\gamma=180°-\arctan27\omega_c+\arctan0.0606\omega_c-\arctan\frac{0.089\omega_c}{1-(0.0606\omega_c)^2}-\arctan\frac{0.0683\omega_c}{1-(0.0583\omega_c)^2}-\arctan0.005\omega_c=-21.6°$$

这表明选定 $\omega_c=14\text{s}^{-1}$ 单纯采用串联滞后校正装置仍不能令系统稳定。如欲使系统的相位稳定裕度达到 40°，必须降低 ω_c 的取值。例如取 $\omega_c=7.5\text{s}^{-1}$ 时的相位裕度为 40.24°。由此可见，用串联滞后校正不能使系统满足全部性能指标。究其原因，主要在于系统中两个二阶振荡环节的无阻尼振荡频率几乎相等，而且与要求的剪切频率 $\omega_c=14\text{s}^{-1}$ 太靠近了，滞后相位过大所致。

3. 用局部反馈改造振荡环节

如果将增益为 375 的前置放大器及其后的二阶振荡环节（功率放大装置）通过局部反馈加以改造，则有可能使校正后系统满足全部性能指标要求。反馈校正后系统的框图如图 6-6-4 所示，其中被控对象部分的传递函数为

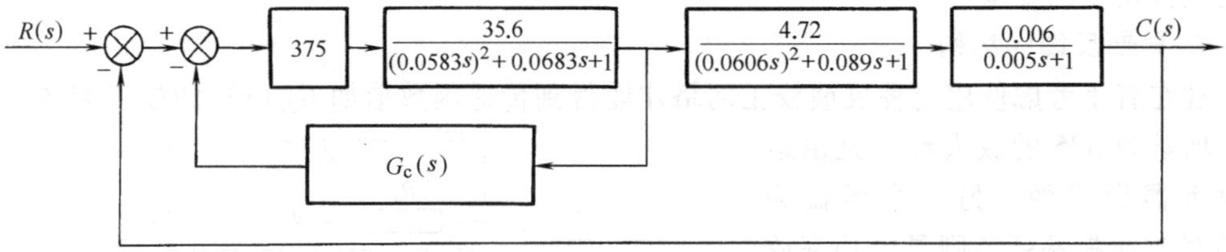

图 6-6-4 反馈校正系统的框图

$$G_2(s)=\frac{0.0283}{(0.0606^2s^2+0.089s+1)(0.005s+1)} \tag{6-6-6}$$

其伯德图则如图 6-6-5 中的 G_2 所示。在图 6-6-5 中作出系统的期望开环幅频特性，如 G 所示，对应的校正后系统的开环传递函数可以近似地写成

$$G(s)=\frac{378(0.0606s+1)}{(27s+1)(0.0606^2s^2+0.089s+1)(0.005s+1)} \tag{6-6-7}$$

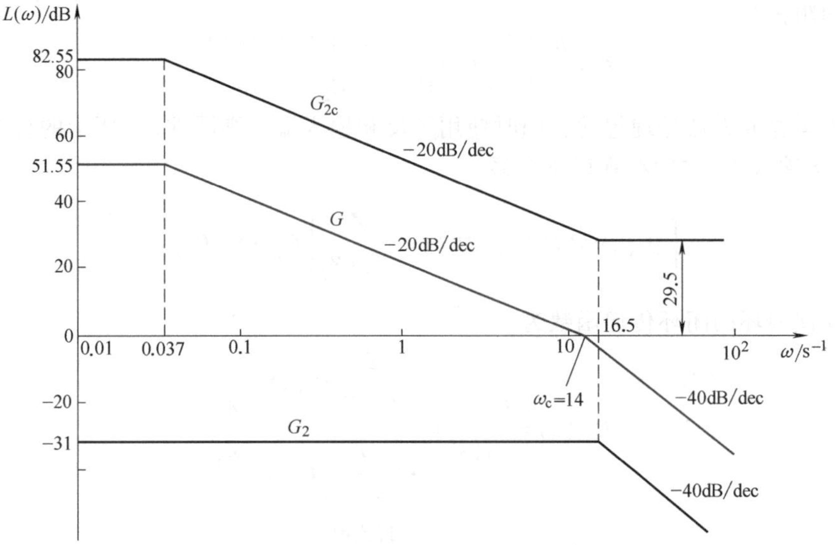

图 6-6-5 反馈校正系统的伯德图

式（6-6-7）只在一定频带内适用，从以下的分析可知，大致在 $\omega<100\text{s}^{-1}$ 频带内是容许的。而 $\omega=100\text{s}^{-1}$ 是剪切频率 $\omega_c=14\text{s}^{-1}$ 的 7 倍，所以这种近似不会对系统性能带来实质影响。

由图 6-6-5 可知，传递函数 $G_{2c}(s)$ 为

$$G_{2c}(s)=\frac{G(s)}{G_2(s)}=13357\frac{0.0606s+1}{27s+1}=495\frac{0.0606s+1}{s+\dfrac{1}{27}}\approx495\frac{0.0606s+1}{s} \tag{6-6-8}$$

式（6-6-8）表明，$G_{2c}(s)$ 实质上还是相当于一个串联滞后校正装置的传递函数。但它在原系统中使用局部反馈校正而构成的，与通常意义下的串联滞后校正装置不同。

下面检验式（6-6-7）所示期望特性所对应系统的相位裕度

$$\gamma=180°-\arctan27\omega_c+\arctan0.0606\omega_c-\arctan\frac{0.089\omega_c}{1-(0.0606\omega_c)^2}-\arctan0.005\omega_c$$

$$=49°>40°$$

满足相位裕度的要求。

4. 局部反馈的结构

现在着手考虑使用何种反馈校正网络才能得到传递函数形如 $G_{2c}(s)$ 的校正装置。在系统中增益为 375 的放大环节是由运算放大器做成的，另一个增益为 35.6 的二阶振荡环节则是电功率放大装置。图 6-6-6 所示的结构可以实现要求的反馈校正。其中，输入信号经过电阻 R_4 进入运算放大器的反号输入端，功率放大器的输出经过分压器及由电阻 R_1 和电容 C 串联组成的反馈电路反馈到运算放大器的输入端，形成负反馈。在此，运算放大器输入端的阻抗为

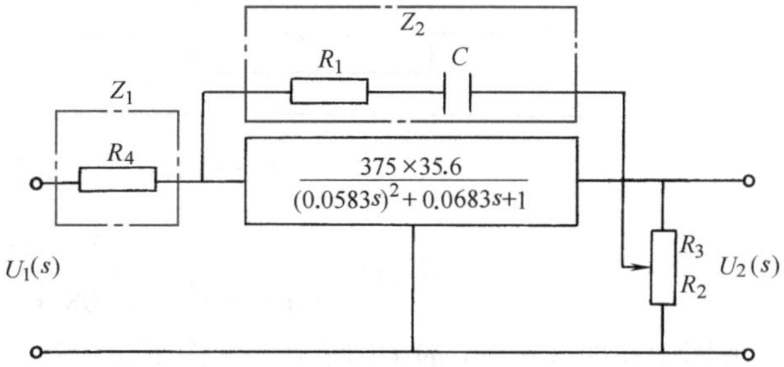

图 6-6-6 局部反馈的示意图

$$Z_1=R_4$$

反馈电路的阻抗为

$$Z_2=\frac{R_2+R_3}{R_2}\left(R_1+\frac{1}{Cs}\right)=\frac{R_2+R_3}{R_2}\,\frac{R_1Cs+1}{Cs}$$

如认为运算放大器是理想的，同时使用了反相输入端，则图 6-6-6 所示的反馈校正装置的输出 U_2 与输入 U_1 之间存在以下关系

$$\left[U_1(s)-(U_1(s)+U_2(s))\frac{Z_1}{Z_1+Z_2}\right]G_1(s)=U_2(s)$$

所以局部反馈内环的闭环传递函数为

$$G_{2c}(s)=\frac{U_2(s)}{U_1(s)}=\frac{\dfrac{Z_1}{Z_1+Z_2}G_1(s)}{1+\dfrac{Z_1}{Z_1+Z_2}G_1(s)}\,\frac{Z_2}{Z_1} \tag{6-6-9}$$

式中

$$G_1(s)=\frac{13350}{0.0583^2s^2+0.0683s+1} \tag{6-6-10}$$

如果在一定的频带中，满足以下条件

$$\left|\frac{Z_1}{Z_1+Z_2}G_1(j\omega)\right|\gg1 \tag{6-6-11}$$

则局部反馈内环的下列近似式成立，即

$$G_{2c}(s)\approx\frac{Z_2}{Z_1}=\frac{R_2+R_3}{R_2}\,\frac{R_1}{R_4}\,\frac{R_1Cs+1}{R_1Cs} \tag{6-6-12}$$

此式与前面由期望特性式（6-6-7）求得的校正装置传递函数 $G_{2c}(s)$ ［式（6-6-8）］的形式一样。这表明，图 6-6-6 所示的电路结构，在一定的条件下，通过适当配置参量，就能做出符合期望的校正装置，而条件之一是该内环必需稳定，之二是符合近似式（6-6-12）的频带一定是包含系统剪切频率 $\omega_c=14\mathrm{s}^{-1}$ 在内，并且低频需小于 $\frac{\omega_c}{6}$，高频大于 $6\omega_c$ 的频带。

5. 局部反馈内环的稳定性

为检验内环的稳定性，需先确定 Z_1 及 Z_2 中的参量，根据要求的 $G_{2c}(s)$ 可知，存在如下关系

$$R_1C=0.06\text{s}$$

$$\frac{R_2+R_3}{R_2}\frac{1}{R_4C}=495\text{s}^{-1}$$

如选定

$$R_1=150\text{k}\Omega,\ C=0.4\mu\text{F},\ R_4=20\text{k}\Omega$$

则可求出分压系数 $\frac{R_2+R_3}{R_2}=3.96$，此系数可以通过整定电位器取得。从上述确定的参量看，该校正装置在选配元件上应无困难。

现根据式（6-6-9）求 $G_{2c}(s)$ 的特征方程。将 Z_1、Z_2 及 $G_1(s)$ 都代入下式即得

$$\frac{Z_1}{Z_1+Z_2}G_1(s)=\frac{R_2}{R_2+R_3}\frac{R_4}{R_1}\times\frac{13350(R_1Cs)}{\left[\left(1+\frac{R_2R_4}{R_1(R_2+R_3)}\right)R_1Cs+1\right](0.0583^2s^2+0.0683s+1)}$$

$$=27.24\frac{s}{(0.062s+1)(0.0583^2s^2+0.0683s+1)} \tag{6-6-13}$$

将式（6-6-12）及 Z_1、Z_2 均代入 $G_{2c}(s)$ 的表达式（6-6-9）中，得到

$$G_{2c}(s)=\frac{13484(0.06s+1)}{(0.062s+1)(0.0583^2s^2+0.0683s+1)+27.24s} \tag{6-6-14}$$

式（6-6-14）的分母多项式即为内环的特征方程

$$(0.062s+1)(0.0583^2s^2+0.0683s+1)+27.24s=0$$

或写成

$$0.00021s^3+0.0076s^2+27.37s+1=0$$

用劳斯判据可以检验内环的稳定性，由于

$$0.0076\times27.37\gg0.00021$$

所以由局部负反馈包围的内环稳定。

6. 检验内环近似表达式成立的条件

进而分析内环近似表达式（6-6-12）成立的条件。根据式（6-6-11）给出的近似式（6-6-12）成立应满足的条件，在图 6-6-7 中绘出了传递函数 $\frac{Z_1(s)G_1(s)}{Z_1(s)+Z_2(s)}$ 对应的伯德图［参见式（6-6-13）］。该对数幅频特性在 $\omega=1\text{s}^{-1}$ 时，有 $20\lg27.24=28.7\text{dB}$，对应于 20dB 的低频段的 ω 值可由下式求出，即

$$20\lg\frac{1}{\omega_1}=8.7\text{dB}$$

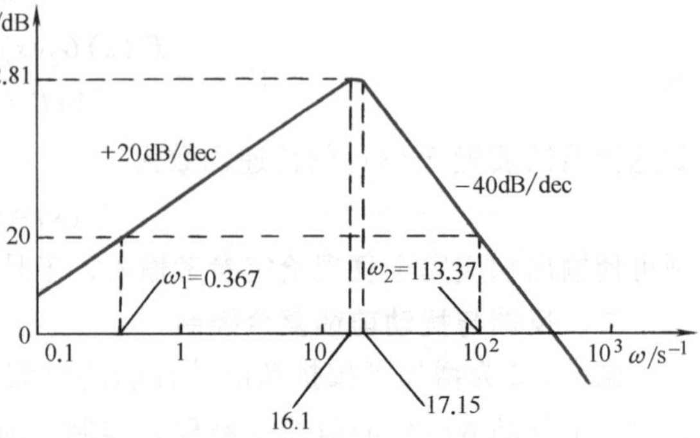

图 6-6-7 $\frac{Z_1(s)G_1(s)}{Z_1(s)+Z_2(s)}$ 的伯德图

故
$$\omega_1=0.367\mathrm{s}^{-1}=\frac{\omega_c}{38}$$

对应于-40dB/dec 的高频段的 ω 值可由下列求出，即

$$40\lg\frac{\omega_2}{17.15}=(52.81-20)\,\mathrm{dB}$$

故
$$\omega_2=113.37\mathrm{s}^{-1}=8.1\omega_c$$

由此可知，在 $0.367\mathrm{s}^{-1}\leqslant\omega\leqslant113.37\mathrm{s}^{-1}$ 频带内，下列不等式成立，即

$$\left|\frac{Z_1(\mathrm{j}\omega)G_1(\mathrm{j}\omega)}{Z_1(\mathrm{j}\omega)+Z_2(\mathrm{j}\omega)}\right|\geqslant10\gg1$$

所以内环的近似表达式

$$G_{2c}(s)\approx495\frac{0.06s+1}{s}$$

在设计校正装置中完全可以使用，不必担心会带来实质性的误差。例 6-8-5 给出了内环简化前、后的伯德图和单位阶跃响应曲线。

第七节 反馈和前馈复合控制

如前所述，设计反馈控制系统的校正装置时，经常遇到稳态和暂态性能难于兼顾的情况，例如为减小稳态误差，可以采用提高系统的开环增益 K，或是增加串联积分环节的办法，但由此可能导致系统的相对稳定性甚至稳定性难于保证。本节介绍一种复合控制，如使用得当，有可能既减小系统稳态误差，又保证系统稳定。

一、反馈与给定输入前馈复合控制

图 6-7-1 示出了增加按给定输入前馈控制的反馈控制系统框图。在此，除了原有的反馈控制外，给定的参考输入 $R(s)$ 还通过前馈（补偿）装置 $F_r(s)$ 对系统输出 $C(s)$ 进行控制。对于线性系统可以应用叠加原理，故有

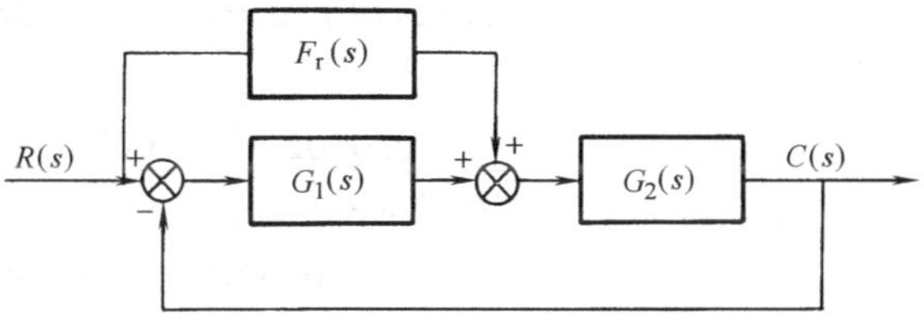

图 6-7-1 增加输入前馈控制

$$C(s)=[(R(s)-C(s))G_1(s)+R(s)F_r(s)]G_2(s)$$

或
$$C(s)=\frac{F_r(s)G_2(s)+G_1(s)G_2(s)}{1+G_1(s)G_2(s)}R(s) \tag{6-7-1}$$

如选择前馈装置 $F_r(s)$ 的传递函数为

$$F_r(s)=1/G_2(s) \tag{6-7-2}$$

则可使输出响应完全复现给定参考输入，于是系统的暂态和稳态误差都是零。

二、反馈与扰动前馈复合控制

图 6-7-2 为增加了按扰动前馈控制的反馈控制系统框图。此处除了原有的反馈控制外，还引入了扰动 $N(s)$ 的前馈（补偿）控制。前馈控制装置的传递函数是 $F_n(s)$。如认为参考输入 $R(s)=0$，则有

$$C(s)=\{N(s)-[C(s)+F_n(s)N(s)]G_1(s)\}G_2(s)$$

或 $C(s)=\dfrac{[1-F_n(s)G_1(s)]G_2(s)}{1+G_1(s)G_2(s)}N(s)$ (6-7-3)

如选择前馈装置的传递函数 $F_n(s)$ 为

$$F_n(s)=1/G_1(s) \quad (6\text{-}7\text{-}4)$$

则可使输出响应 $C(s)$ 完全不受扰动 $N(s)$ 的影响，于是系统受扰动后的暂态和稳态误差都是零。

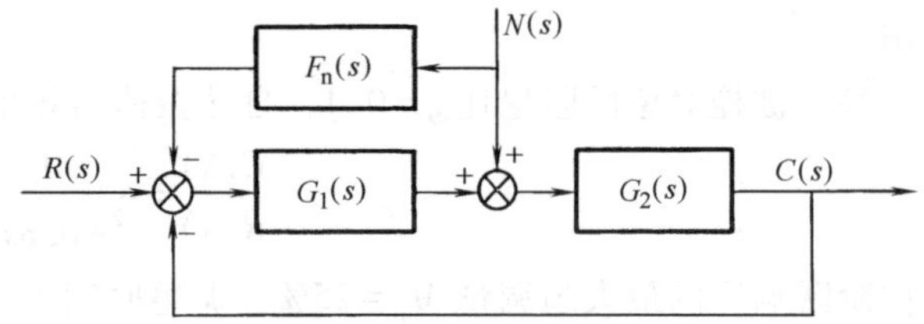

图 6-7-2　增加扰动前馈控制

但是以上结论仅在理想条件下成立，实际是做不到的。

1）以上所述结论，无论是输出响应完全复现输入或是完全不受扰动影响，都是根据传递函数零、极点对消能够完全实现的基础上得到的，由于控制器和对象都是包含惯性的装置，故 $G_1(s)$ 和 $G_2(s)$ 的分母多项式的 s 阶数比分子多项式的 s 阶数高。据式（6-7-2）及式（6-7-4）可见，要求选择前馈装置的传递函数是它们的倒数，即 $F_r(s)$ 或 $F_n(s)$ 的分子 s 多项式的阶数应高于其分母 s 多项式的阶数，这就要求前馈装置是一个理想的（甚至是高阶的）微分环节。前已述及，**理想的微分环节实际不存在，所以完全实现传递函数的零、极点对消实际上是做不到的**。盲目相信零、极点对消理论，有可能使设计面临脱离实际的困境。这一点不但在对待复合控制时需注意，对于其他的校正方案（特别是串联校正）也是如此，**使用零、极点对消方法去校正系统的特性时务须谨慎**。

2）从图 6-7-1 及图 6-7-2 可见，前馈信号加入系统的作用点越向后移，即越靠近输出端，$G_1(s)$ 或 $G_2(s)$ 的分母 s 多项式的阶数越低，则 $F_r(s)$ 或 $F_n(s)$ 越易于实现。但这势必使前馈装置的功率等级迅速增加。通常功率越大的装置惯性也越大，实现微分也越困难。而且大功率信号的叠加在技术上及经济上都存在障碍。

3）不能保证 $G_1(s)$、$G_2(s)$、$F_r(s)$ 及 $F_n(s)$ 中的元件参量及性能都不发生变化，随着时间的推移，补偿越难准确。

所以，对复合控制应有正确的认识，若使用得当，对减小稳态误差能有较明显的作用，但对暂态误差所起作用有限。

顺便指出，复合控制系统如设计得成功，其系统的稳定性与前馈控制不存在时的反馈控制系统一样，式（6-7-1）和式（6-7-3）表明，加入前馈控制后并不影响系统传递函数的极点。

第八节　MATLAB 在线性系统校正中的应用

在经典控制理论中，无论是对系统进行串联校正，还是反馈校正，都基于试凑法。这是一种某种程度依赖于设计者经验的方法，最后得到的结果也不是唯一的。在用试凑法的设计过程中，MATLAB 可以发挥作用。

本节结合本章中线性系统串联校正和反馈校正的实例进行分析，还给出 PID 控制器的设计例子。考虑到第三～五章的相关小节中已给出了应用 MATLAB 进行时域分析、根轨迹分析和频域分析的方法，本节不再列出 MATLAB 命令，而直接给出结果。

例 6-8-1　单位反馈系统被控对象的开环传递函数为

$$G(s)=\frac{1}{s(s+0.8)}$$

分析比较该系统串联比例（P）控制、比例微分（PD）控制、比例积分（PI）控制的校正作用。

解 被控对象的阻尼比 $\zeta=0.4$，自然振荡角频率 $\omega_n=1\text{rad/s}$。闭环传递函数为

$$\frac{C(s)}{R(s)}=\frac{1}{s^2+0.8s+1}$$

单位阶跃响应的最大超调量 $M_p=25\%$，调整时间 $t_s\approx10\text{s}$（参见图 6-8-1 中的曲线①）。现按本章第二节的分析选定控制器参数。

（1）串联比例控制

为使校正后系统的阻尼比 $\zeta_P=0.707$，令闭环极点 $s_{1,2}=-\zeta\omega_n\pm j\sqrt{K_P-\zeta^2}\,\omega_n=-0.4\pm j0.4$，可求得 $K_P=0.32$。闭环传递函数为

$$\frac{C(s)}{R(s)}=\frac{0.32}{s^2+0.8s+0.32}$$

单位阶跃响应的最大超调量 $M_p=4.3\%$，调整时间 $t_s\approx10\text{s}$（参见图 6-8-1 中的曲线②）。

（2）串联比例微分控制

为使校正后 $\zeta_{PD}=0.707$，应使特征方程

$$s^2+(2\zeta\omega_n+K_D\omega_n^2)s+\omega_n^2K_P=0$$

的根满足实部和虚部相等，即

$$2\zeta\omega_n+K_D\omega_n^2=\sqrt{4K_P\omega_n^2-(2\zeta\omega_n+K_D\omega_n^2)^2}$$

令 $K_P=1$，并代入 $\zeta=0.4$，$\omega_n=1$，可解得 $K_D=0.614$。串联比例微分控制后闭环传递函数为

$$\frac{C(s)}{R(s)}=\frac{0.614s+1}{s^2+1.414s+1} \qquad (6\text{-}8\text{-}1)$$

单位阶跃响应的最大超调量 $M_p=6\%$，调整时间 $t_s=5.19\text{s}$（参见图 6-8-1 中的曲线③）。

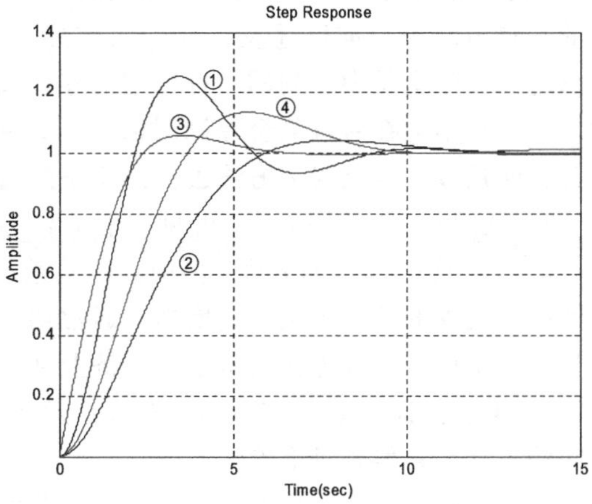

图 6-8-1 例 6-8-1 中系统串联 P、PD、PI 控制的单位阶跃响应曲线

（3）串联比例积分控制

由比例积分控制的根轨迹（见图 6-2-7、图 6-2-9）可知，一对闭环共轭复数极点的位置比较靠近虚轴，且极点的虚部大于实部。若 K_P 较大，则校正后的阻尼比 ζ_{PI} 较小。现取 $K_P=0.5$，并使 K_I 满足式（6-2-15），$K_I=0.005<2\zeta\omega_nK_P$。闭环传递函数为

$$\frac{C(s)}{R(s)}=\frac{0.5s+0.005}{s^3+0.8s^2+0.5s+0.005}$$

单位阶跃响应的最大超调量 $M_P=14\%$，调整时间 $t_s\approx9\text{s}$（参见图 6-8-1 中的曲线④）。

表 6-8-1 列出了本例中系统在各种控制规律下的暂态、稳态性能。

表 6-8-1 例 6-8-1 中系统在各种控制规律下的暂态、稳态性能

控制规律	控制器	$M_P(\%)$	t_s/s	结构类型	给定稳态误差系数
无	无	25	10	Ⅰ	$K_v=1.25$
P	$G_c(s)=0.32$	4.3	10	Ⅰ	$K_v=0.4$
PD	$G_c(s)=0.614s+1$	6	5.19	Ⅰ	$K_v=1.25$
PI	$G_c(s)=0.5+0.005/s$	14	9	Ⅱ	$K_a=0.006$
输出微分反馈	$K_P=1, K_t=0.614$	4	5.71	Ⅰ	$K_v=0.707$

例 6-8-2 仍研究例 6-8-1 的被控对象，比较串联比例微分控制和图 6-2-10 所示的输出微分反馈控制。

解 串联比例微分控制后的闭环传递函数如式（6-8-1）所示。在输出微分反馈控制系统中取和串联比例微分控制相同的参数，即 $K_P=1$，$K_t=K_D=0.614$，则系统的闭环传递函数为

$$\frac{C(s)}{R(s)}=\frac{1}{s^2+1.414s+1}$$

串联比例微分控制和输出微分反馈控制的单位阶跃响应（黑线）如图 6-8-2 所示。

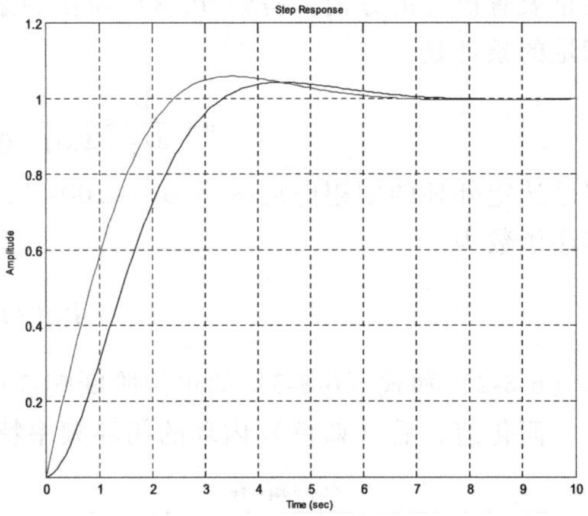

图 6-8-2 串联比例微分控制和输出微分反馈的单位阶跃响应曲线

输出微分反馈控制系统的最大超调量 $M_P=4\%$，调整时间 $t_s\approx5.71s$。由图 6-8-2 可见，串联比例微分控制在响应的初始阶段上升较快，但超调量较大。两者之间的校正效果比较参见表 6-8-1。

例 6-8-3 例 6-5-4 给出了多环控制系统校正装置的设计。讨论校正装置设计过程中传递函数的简化问题。

解 （1）内环固有部分滞后环节的简化

如图 6-5-6，内环的开环传递函数为

$$G_{o1}(s)=\frac{3.25}{0.03s+1}e^{-0.0023s}$$

将滞后环节 $G_1(s)=65e^{-0.0023s}$ 简化为时间常数为 0.0023s 的惯性环节后，得简化后的内环开环传递函数为

$$G_{o1s}(s)=\frac{3.25}{(0.03s+1)(0.0023s+1)}$$

校正后内环的剪切频率 $\omega_{c1}=200s^{-1}$，而该惯性环节的交接频率 $435s^{-1}$ 远大于 ω_{c1}，满足简化条件。图 6-8-3 给出了简化前、后内环固有部分的伯德图。由图可见在 $\omega<400s^{-1}$ 频段，两者几乎相等。

（2）串联校正后内环闭环传递函数的简化

内环增加串联校正装置 $G_{c1}(s)=61.53\dfrac{0.03s+1}{s}$ 后，内环的闭环传递函数为

$$\Phi_1(s)=\frac{20}{(0.0035)^2s^2+2\times0.707\times0.0035s+1} \tag{6-8-2}$$

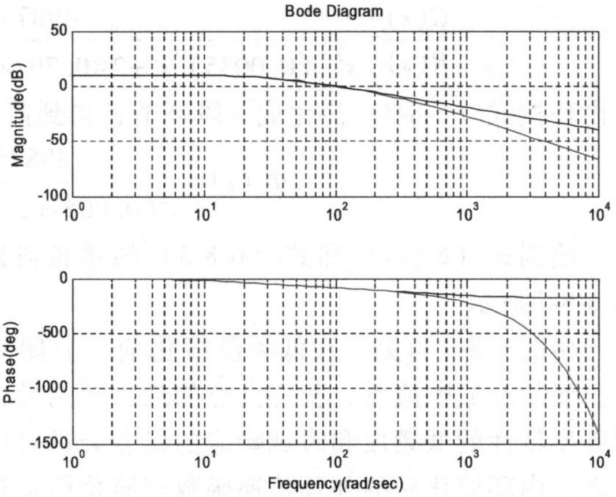

图 6-8-3 简化前、后内环固有部分的伯德图

注意，因为内环反馈环节 $G_5(s)=0.05$，不是单位反馈。由式（6-8-2）知，经校正后的内环是一个振荡环节，阻尼比为 0.707，时间常数为 0.0035s。为了外环

校正装置设计的方便，检验 $\Phi_{\mathrm{I}}(s)$ 简化的条件。根据表 6-4-1，振荡环节简化为惯性环节应满足的条件是

$$\omega \leqslant \frac{1}{4\zeta\tau} = \frac{1}{4\times0.707\times0.0035}\mathrm{s}^{-1} = 101\mathrm{s}^{-1}$$

因已选定外环的期望剪切频率 $\omega_{c2} = 100\mathrm{s}^{-1}$，故满足简化条件。于是得到简化后的内环闭环传递函数为

$$\Phi_{\mathrm{Is}}(s) = \frac{20}{0.005s+1} \tag{6-8-3}$$

式（6-8-2）和式（6-8-3）的单位阶跃响应曲线如图 6-8-4 所示。

简化前、后（蓝色）内环的闭环频率特性如图 6-8-5 所示。

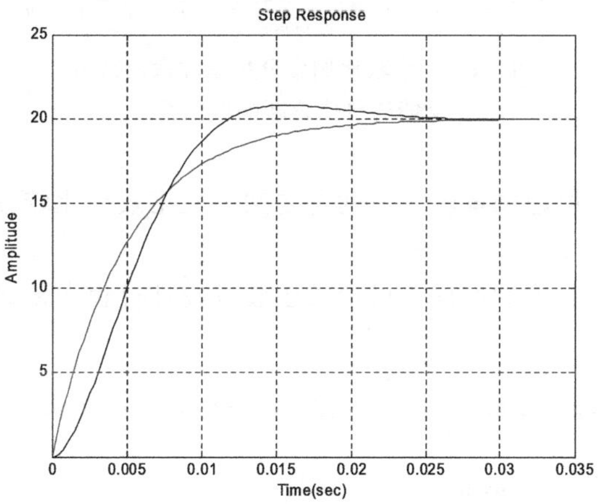

图 6-8-4 内环闭环传递函数简化前、后的单位阶跃响应曲线

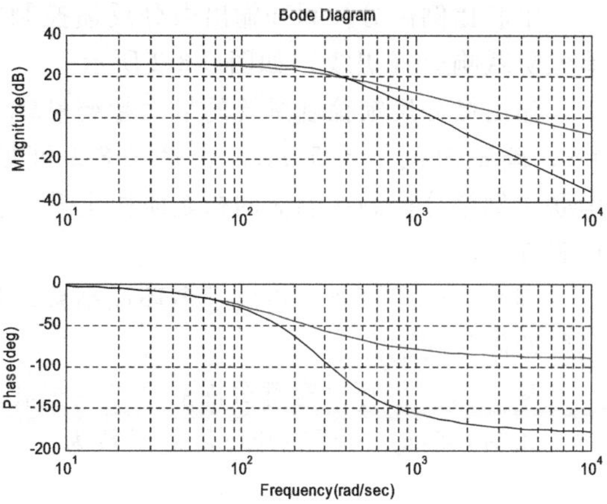

图 6-8-5 内环闭环传递函数简化前、后的闭环频率特性

由图 6-8-5 可见，在 $\omega \geqslant 100\mathrm{s}^{-1}$ 后，闭环对数幅频特性、相频特性的差异开始增大。

（3）外环闭环传递函数的简化

根据外环的期望频率特性设计的校正装置为

$$G_{c2}(s) = 5.7\frac{0.02s+1}{s}$$

得到内环未简化时的闭环传递函数为

$$\frac{C(s)}{R(s)} = \frac{49875(0.02s+1)}{s^2[(0.0035)^2s^2+2\times0.707\times0.0035s+1]+4987.5(0.02s+1)} \tag{6-8-4}$$

若内环按式（6-8-3）简化成一阶环节，得到简化的闭环传递函数为

$$\Phi_{\mathrm{s}}(s) = \frac{49875(0.02s+1)}{s^2(0.005s+1)+4987.5(0.02s+1)} \tag{6-8-5}$$

绘制式（6-8-4）和式（6-8-5）的单位阶跃响应曲线和闭环频率特性分别如图 6-8-6、图 6-8-7 所示。

由图 6-8-7 可见，在低频段简化前、后闭环频率特性差异小，随着频率增高，差异增大。而从时域响应看，暂态性能的最大超调量、上升时间差异大，而响应终值则相同。这说明频率特性的低频段和时域响应的稳态分量对应，而高频段则与时域响应的暂态分量相关。总之，内环简化后的外环传递函数与简化前是有差异的，但简化使分析简便，在一定条件下是可用的。

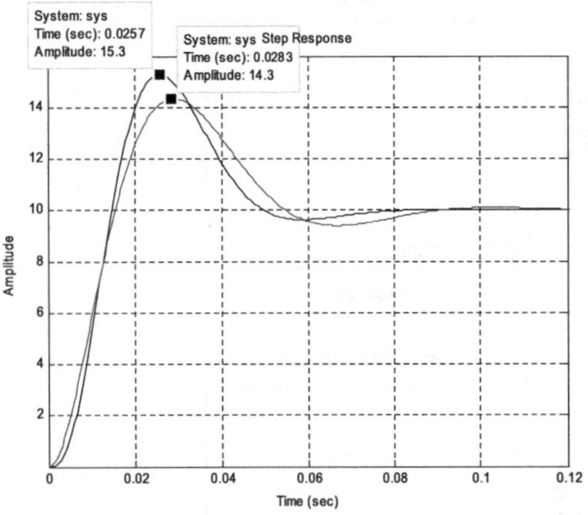

图 6-8-6 外环闭环传递函数简化前、后的单位阶跃响应曲线

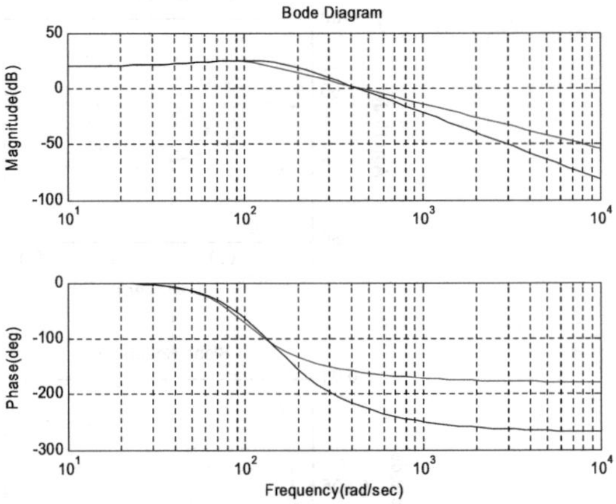

图 6-8-7 外环闭环传递函数简化前、后的闭环频率特性

例 6-8-4 分析例 6-5-4 中多环系统校正后，对扰动 $n_1(t)$，$n_2(t)$ 的抑制能力。

解 例 6-5-4 中系统校正前的开环传递函数为

$$G_o(s)=\prod_{i=1}^{4}G_i(s)=\frac{2843.75}{s(0.03s+1)}e^{-0.0023s}$$

用伯德图分析系统的稳定性。伯德图如图 6-8-8 所示，系统的相位裕度为 -105°，增益裕度为 -15.4dB。可见系统不稳定，因此未校正系统无法工作。

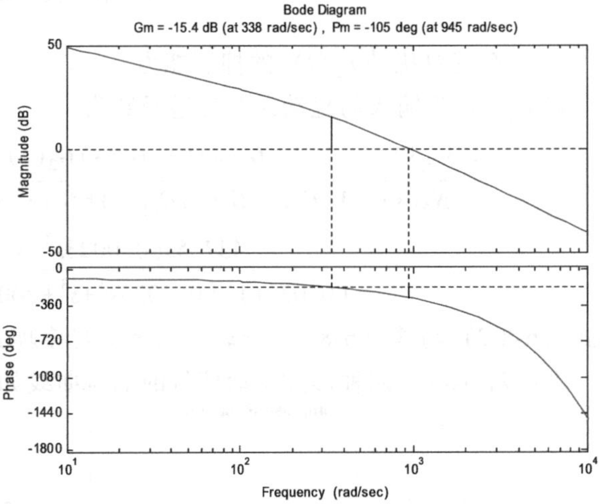

图 6-8-8 校正前系统的伯德图与稳定裕度

下面分析校正后系统对扰动的抑制能力。因为校正后系统的剪切频率为 100rad/s 左右，滞后时间常数为 0.0023s 的滞后环节可用惯性环节近似。

(1) 系统对扰动 $n_1(t)$ 的抑制能力

对 $n_1(t)$ 的扰动误差传递函数为

$$\frac{C_{n_1}(s)}{N_1(s)}=\frac{G_2(s)G_3(s)}{1+G_1(s)G_2(s)G_{c1}(s)[G_5(s)+G_3(s)G_4(s)G_{c2}(s)]}$$

$$=\frac{437.5s^2(0.0023s+1)}{(0.03s+1)(0.0023s^4+s^3+200s^2+19939.5s+996976.5)} \tag{6-8-6}$$

由于式 (6-8-6) 的分子上有 2 个 $z=0$ 的零点，故对于脉冲、阶跃和斜坡形式的扰动，稳态误差终值为零，对抛物线形式的扰动存在稳态误差 $e_{sn_1}=4.4\times10^{-4}$。系统对这四种扰动的输出响应 $C_{n_1}(t)$ 如图 6-8-9 所示。

由图可见，校正后的系统对于阶跃形式的扰动，响应经过一次振荡，在 0.15s 已趋近于零。对于斜坡形式的扰动，响应有一个 0.0093 的峰值，0.2s 后响应值接近零。对于抛物线形式的扰动，响应是单调上升的，稳态误差终值为 4.4×10^{-4}。说明校正后系统对扰动 $n_1(t)$ 有很好的抑制能力。

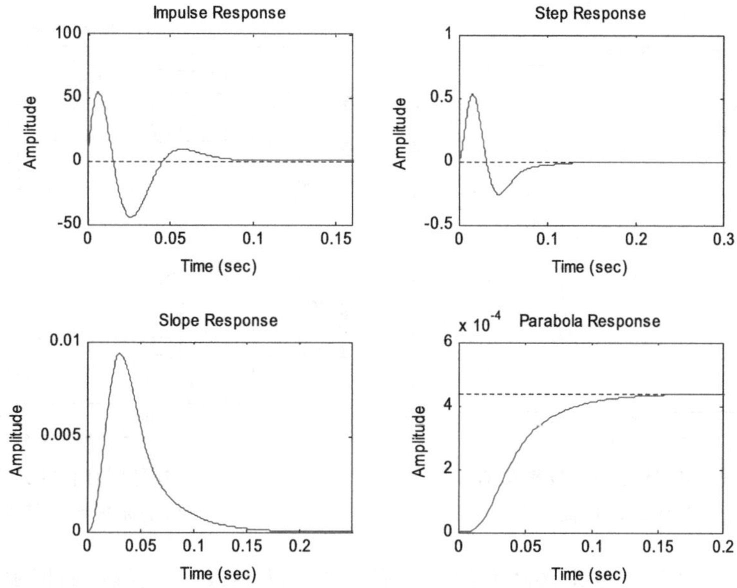

图 6-8-9 系统对四种形式扰动 $n_1(t)$ 的输出响应

（2）系统对扰动 $n_2(t)$ 的抑制能力

以 $n_2(t)$ 为输入的扰动误差传递函数为

$$\frac{C_{n_2}(s)}{N_2(s)}=\frac{G_3(s)[1+G_1(s)G_2(s)G_{c1}(s)G_5(s)]}{1+G_1(s)G_2(s)G_{c1}(s)[G_5(s)+G_3(s)G_4(s)G_{c2}(s)]}$$

$$=\frac{437.5s(0.0023s^2+s+200)(0.03s+1)}{(0.03s+1)[0.0023s^4+s^3+200s^2+19939.5s+996976.5]} \tag{6-8-7}$$

将式（6-8-7）与式（6-8-6）比较，两者分母多项式相等，说明系统的特征方程是唯一的。

系统对 $n_2(t)$ 四种形式扰动信号的响应曲线如图 6-8-10 所示。

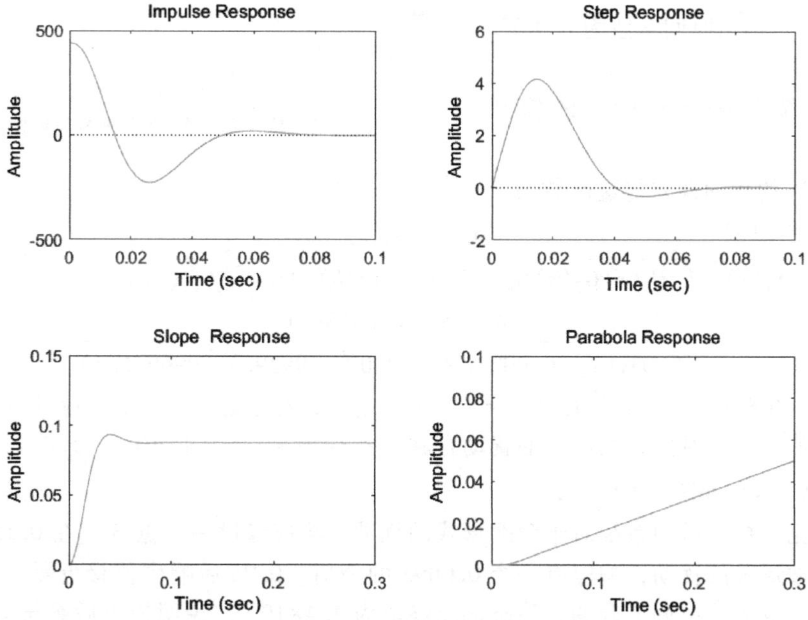

图 6-8-10 系统对四种形式扰动 $n_2(t)$ 的输出响应

式（6-8-7）扰动传递函数的分子上有 1 个 $z=0$ 的零点，故对于脉冲、阶跃形式扰动 $n_2(t)$，稳态误差终值为零。对于单位斜坡形式的扰动，稳态误差终值 $c_{n_2}(\infty)\approx 0.088$。对抛物线形式的扰动，输出响应的终值 $c_{n_2}(\infty)\rightarrow\infty$，但因为 $c_{n_2}(t)\approx 0.167t$，在有限的时间内，对系统输出的影响是比较小的。可见校正后系统对于四种形式的扰动 $n_2(t)$ 也具有抑制能力。

此外，当 $n_2(t)$ 为单位脉冲信号时，在 $t=0$ 时输出响应瞬间值非常大，这与实际不相符。因为实际系统的能量有限，且存在输出饱和，瞬间不可能有如此大的跳变。可见，仿真只是理想化的结果，应该对仿真结果有正确认识。

例 6-8-5 例 6-6-1 是一个实际电动机调速系统进行反馈校正的例子，对系统进行分析。

解 （1）局部反馈内环传递函数简化的分析

如图 6-6-4 所示，对系统进行局部反馈校正后，内环的传递函数为［参见式（6-6-14）］

$$G_{2c}(s)=\frac{13484(0.06s+1)}{(0.06s+1)(0.0583^2s^2+0.0683s+1)+27.24s} \tag{6-8-8}$$

此式可用下列近似式表示为

$$G_{2c}(s)=495\frac{0.06s+1}{s} \tag{6-8-9}$$

两者在区间 $0.1<\omega<100$ 的伯德图如图 6-8-11 所示。

可见在感兴趣的频段 $0.367\text{rad/s}<\omega<113.37\text{rad/s}$ 两者对数幅频特性几乎相等，相频特性则在低频段的差异较大。

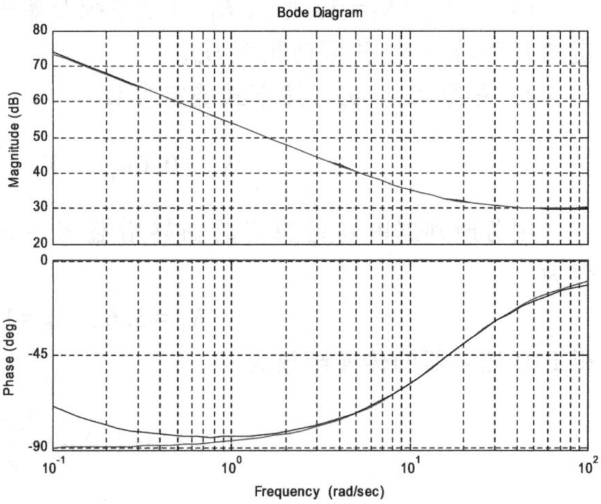

图 6-8-11 例 6-8-5 反馈校正内环化简前、后的闭环频率特性

（2）内环简化前、后系统的时域响应

局部反馈校正后，系统总的开环传递函数为

$$G(s)=\frac{0.0283}{(0.0606^2s^2+0.089s+1)(0.005s+1)}\times\frac{13484(0.06s+1)}{(0.06s+1)(0.0583^2s^2+0.0683s+1)+27.24s}$$

而局部反馈内环化简后［见式（6-8-9）］的系统开环传递函数则为

$$G(s)=\frac{0.0283}{(0.0606^2s^2+0.089s+1)(0.005s+1)}\times 495\frac{0.06s+1}{s}$$

上述内环化简前、后系统的单位阶跃响应曲线如图 6-8-12 所示，可见两者是基本重合的。

以上分析表明，在进行反馈校正时，简化条件满足，利用式（6-6-2）和式（6-6-3）去近似反馈内环是合理可行的。

例 6-8-6 单位反馈系统被控对象的传递函数为

$$G(s)=\frac{K}{s(s+1)(0.2s+1)}$$

整定 PID 控制器的参数使系统的最大超调量 $M_P \leqslant 20\%$。

解 PID 控制器待整定参数少，设计实现方便，对被控对象数学模型精度要求不高，但控制效果明显，因此在工业过程控制系统中应用非常广泛。PID 控制器的传递函数为

$$G_c(s)=K_P+K_Ds+\frac{K_I}{s} \tag{6-8-10}$$

需整定的参数有 K_P、K_D、K_I。整定的方法有多种，其中 Ziegler-Nichols 方法是一种基于稳定性分析方法，它的目标是使系统阶跃响应的最大超调量约为 25%。整定分两步进行：

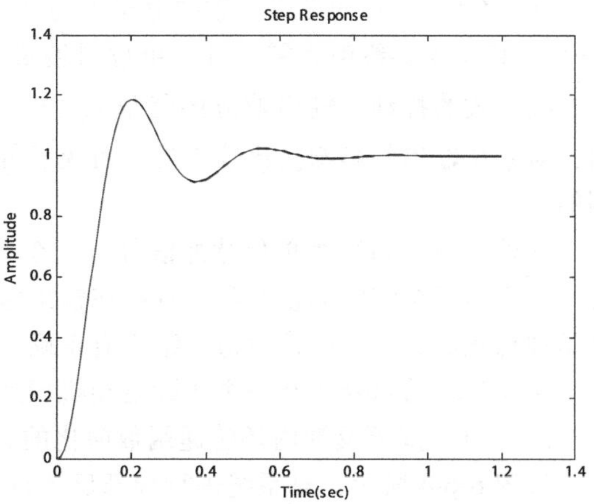

图 6-8-12　例 6-8-5 反馈校正内环化简前、后的系统单位阶跃响应曲线

1）令 $K_D=K_I=0$，增大 K_P 直至系统开始振荡（达到临界稳定状态），确定系统临界稳定的开环增益 K_c 和振荡频率 ω_n。

2）根据 K_c、ω_n，按下式确定参数

$$K_P=0.6K_c,\quad K_D=\frac{K_P\pi}{4\omega_n},\quad K_I=\frac{K_P\omega_n}{\pi} \tag{6-8-11}$$

用劳斯判据可确定稳定的临界增益 $K_c=6$，$\omega_n=2.24$。按式（6-8-11）计算 PID 的参数为

$$K_P=3.6,\ K_D=1.26,\ K_I=2.56$$

得 PID 控制器的传递函数为

$$G_{c1}(s)=3.6+1.26s+\frac{2.56}{s}=\frac{1.26s^2+3.6s+2.56}{s} \tag{6-8-12}$$

在这一参数下，系统的最大超调量达 61.9%（参见图 6-8-13）。绘制系统的伯德图如图 6-8-14 黑线所示，相位裕度为 21.9°，剪切频率为 1.73s^{-1}。

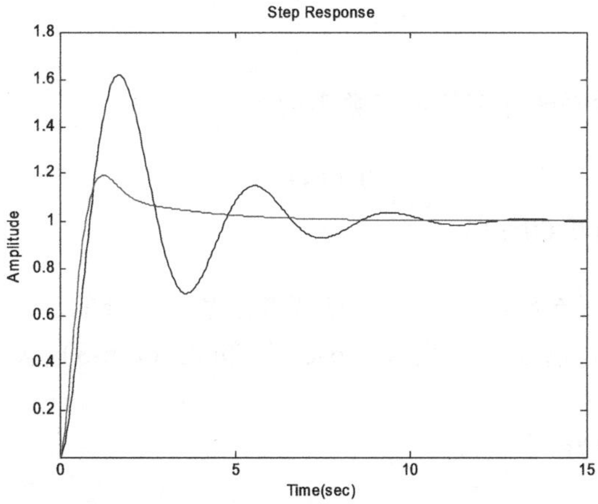

图 6-8-13　例 6-8-6 系统 PID 控制后的单位阶跃响应

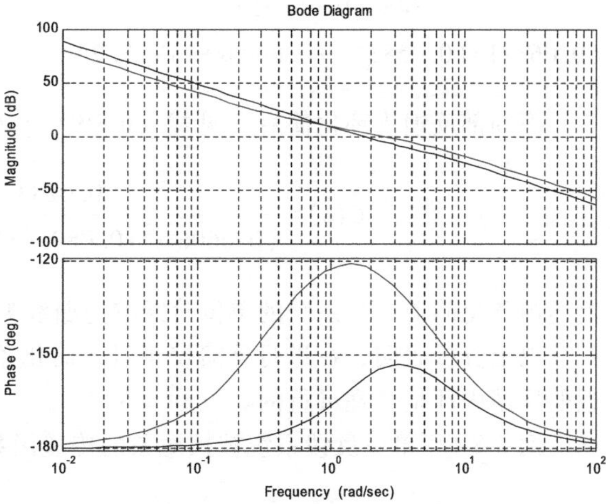

图 6-8-14　PID 控制系统伯德图

分析一下控制效果不佳的原因。将式（6-8-12）改写为

$$G_{c1}(s)=\frac{1.26(s+1.53)(s+1.33)}{s}=\frac{2.56(0.65s+1)(0.75s+1)}{s}$$

可知 PID 控制器中两个一阶微分环节的时间常数与被控对象时间常数相差较大，不足以克服相位滞后的影响，因此相角裕度较小。由于未校正系统中一个较大的惯性时间常数为 1s。因此可取微分环节的时间常数为 1s，另一个微分环节的交接频率为 0.385s^{-1}，并适当调整 K_P，可得 PID 控制器的第二组参数

$$G_c(s)=\frac{2.6(s+1)(s+0.385)}{s}=\frac{(s+1)(2.6s+1)}{s}=3.6+2.6s+\frac{1}{s}$$

在第二组 PID 控制器参数下，系统的最大超调量为 19.2%（参见图 6-8-13），伯德图如图 6-8-14 蓝线所示。可见 PID 控制器的第二组参数产生的相位超前作用加强，使相位裕度增大到 55.3°，剪切频率略有增大，为 2.38s^{-1}。

以上说明，PID 控制器参数的整定是一个试凑的过程，在工程实际中亦如此。

小　结

为了改善控制系统的性能，常需校正系统的特性。本章阐述了系统的基本控制规律及特性校正的原理和方法，其主要内容是：

1）线性系统的基本控制规律有比例控制、微分控制和积分控制。应用这基本控制规律的组合构成校正装置，附加在系统中，可以达到校正系统特性的目的。

2）无论用何种方法去设计校正装置，都表现为修改描述系统运动规律的数学模型的过程，利用根轨迹法设计校正装置实质是实现系统的极点配置，利用频率特性法设计校正装置则是实现系统滤波特性的匹配。

3）正确地将提供基本控制（比例、微分、积分控制）功能的校正装置引入系统是实现极点配置或滤波特性匹配的有效手段。

4）根据校正装置在系统中的位置划分，有串联校正和反馈校正（并联校正）；根据校正装置的构成元件划分，有无源校正和有源校正；根据校正装置的特性划分，有超前校正和滞后校正。

5）串联校正装置（特别是有源校正装置）设计比较简单，也容易实现，应用广泛。但在某些情况下，必须改造未校正系统的某一部分特性方能满足性能指标要求时，应采用反馈校正。

6）由于运算放大器性能高（输入阻抗及增益极高，输出阻抗极低），且价格便宜，用它做成校正装置性能优越，故串联校正几乎全部采用有源校正装置。反馈校正的信号是从高功率点（相应地输出阻抗低）传向低功率点（相应地输入阻抗高），往往采用无源校正装置。

7）超前校正装置具有相位超前和高通滤波器特性，能提供微分控制功能去改善系统的暂态性能，但同时又使系统对噪声敏感；滞后校正装置具有相位滞后和低通滤波器特性，能提供积分控制功能去改善系统的稳态性能和抑制噪声的影响，但系统的带宽受到限制，减缓了响应的速度。所以，只要带宽容许，采用滞后校正能有效地改善系统的性能。

8）本章主要介绍用频率特性法设计系统校正装置以及设计的依据和过程。并用精炼过的实例说明如何简化数学模型和确定预期特性。

9）利用 MATLAB 控制系统工具箱能方便、直观地分析和比较线性系统校正前、后的频

域和时域特性。

习 题

6-1 试求图 6-T-1 所示超前网络和滞后网络的传递函数和伯德图。

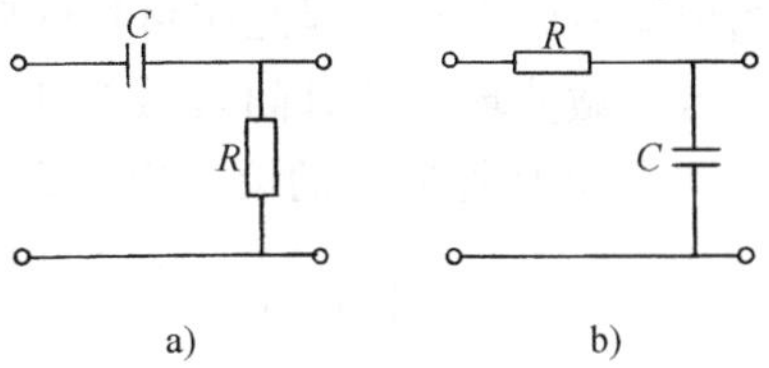

图 6-T-1 超前网络和滞后网络

6-2 试回答下列问题，着重从物理概念说明。

(1) 有源校正装置与无源校正装置有何不同特点，在实现校正规律时它们的作用是否相同?

(2) 如果Ⅰ型系统经校正后希望成为Ⅱ型系统，应采用哪种校正规律才能满足要求，并保证系统稳定?

(3) 串联超前校正为什么可以改善系统的暂态性能?

(4) 在什么情况下加串联滞后校正可以提高系统的稳定裕度?

(5) 若从抑制扰动对系统影响的角度考虑，最好采用哪种校正形式?

6-3 某单位反馈系统的开环传递函数为

$$G(s)=\frac{18}{s(s^2+4s+6)}$$

(1) 计算校正前系统的剪切频率和相位裕度。

(2) 串联传递函数为 $G_c(s)=\dfrac{0.4s+1}{0.125s+1}$的超前校正装置，求校正后系统的剪切频率和相位裕度。

(3) 串联传递函数为 $G_c(s)=\dfrac{10s+1}{100s+1}$的滞后校正装置，求校正后系统的剪切频率和相位裕度。

(4) 讨论串联超前校正、串联滞后校正的不同作用。

6-4 设控制系统的开环传递函数为

$$G(s)=\frac{10}{s(0.5s+1)(0.1s+1)}$$

(1) 绘制系统的伯德图，并求相位裕度。

(2) 采用传递函数为 $G_c(s)=\dfrac{0.33s+1}{0.033s+1}$的串联超前校正装置。试求校正后系统的相位裕度，并讨论校正后系统的性能有何改进。

6-5 单位反馈系统的开环传递函数为

$$G(s)=\frac{4}{s(2s+1)}$$

设计一串联滞后校正装置，使系统的相位裕度 $\gamma\geqslant 40°$，并保持原有的开环增益值。

6-6 设有一单位反馈系统，其开环传递函数为

$$G(s)=\frac{K_1}{s(s+3)(s+9)}$$

(1) 用 MATLAB 绘制根轨迹的方法确定 $M_P=20\%$时的 K_1 值。

(2) 在上述 K_1 值下，求系统的调整时间和静态速度误差系数。

(3) 使开环增益 $K\geqslant 20$，对系统进行串联超前—滞后校正 $G_c(s)=\dfrac{(s+3)(s+0.5)}{(s+11.4)(s+0.07)}$，用 MATLAB 确定校正后系统的最大超调量和调整时间。

6-7 单位反馈系统如图 6-T-2 所示。系统的输入和输出均为转角，单位是（°）。对系统进行串联超前校正，使满足相位裕度大于 45°，在单位斜坡输入［单位是（°）s^{-1}］下的稳态误差为$\dfrac{1°}{15}$，剪切频率小于 $7.5s^{-1}$。

6-8 单位反馈系统的开环传递函数为

$$G(s)=\frac{K}{s(s+1)(0.2s+1)}$$

试设计串联滞后校正装置以满足下列要求：

（1）系统开环增益 $K=8$；

（2）相位裕度 $\gamma=40°$。

6-9　设控制系统如图 6-T-3 所示，系统采用反馈校正。试用 MATLAB 比较校正前、后系统的相位裕度和带宽（调整 K_A 使系统的开环增益 $K=10$）。

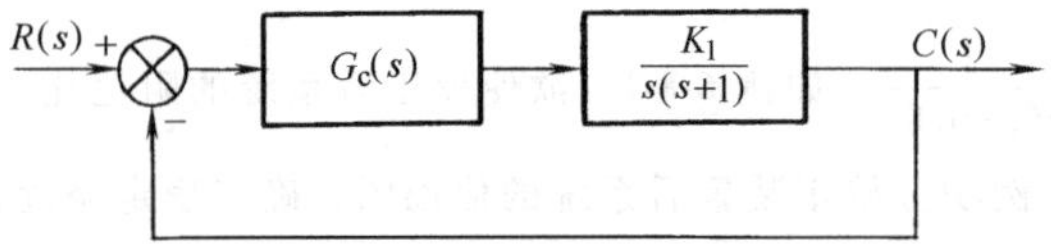

图 6-T-2　题 6-7 系统框图

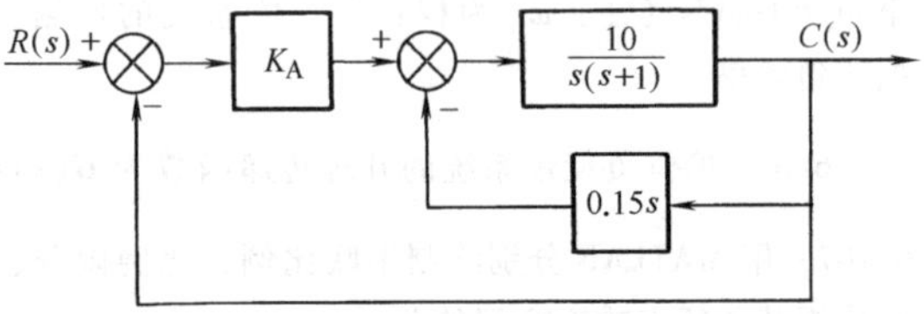

图 6-T-3　题 6-9 系统框图

6-10　设单位反馈系统的开环传递函数为

$$G(s)=\frac{126}{s\left(\frac{1}{10}s+1\right)\left(\frac{1}{60}s+1\right)}$$

设计一串联校正装置，使系统满足下列性能指标：

（1）斜坡输入信号为 $1s^{-1}$ 时，稳态速度误差不大于$\frac{1}{126}$；

（2）系统的开环增益不变；

（3）相位裕度不小于 30°，剪切频率为 $20s^{-1}$。

6-11　设复合控制系统如图 6-T-4 所示。图中 $G_n(s)$ 为前馈装置传递函数，$G_c(s)=K_ts$ 为测速发电机及分压器的传递函数，$G_1(s)=K_1$ 和 $G_2(s)=\frac{1}{s^2}$为前向通路中环节的传递函数，$N(s)$ 为可测量干扰。试确定 $G_n(s)$、$G_c(s)$ 和 K_1，使系统输出量完全不受扰动信号 $n(t)$ 的影响，且单位阶跃响应的超调量等于 25%，峰值时间等于 2s。

6-12　单位反馈系统框图如图 6-T-5 所示，其中 $G_1(s)=\frac{6}{0.25s+1}$，$G_2(s)=\frac{6}{s(s+1)(0.5s+1)}$。已知校正前系统不稳定，对 $G_2(s)$ 进行反馈校正，校正装置的传递函数为 $G_c(s)=\frac{8s^2}{2s+1}$。用 MATLAB 计算校正后系统的稳定裕度［如内环稳定的条件满足，可用式（6-6-2）和式（6-6-3）对内环进行近似］。

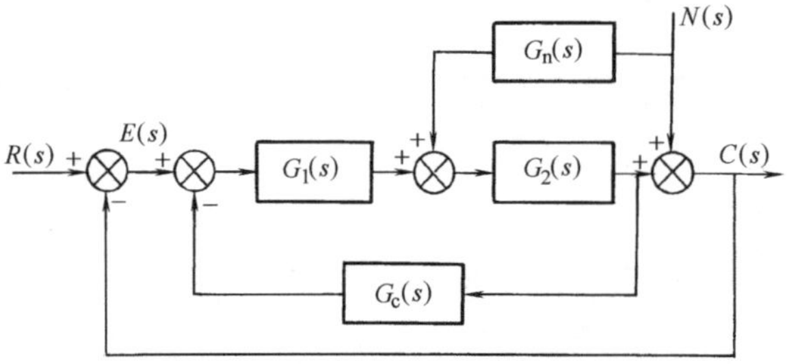

图 6-T-4　题 6-11 复合控制系统

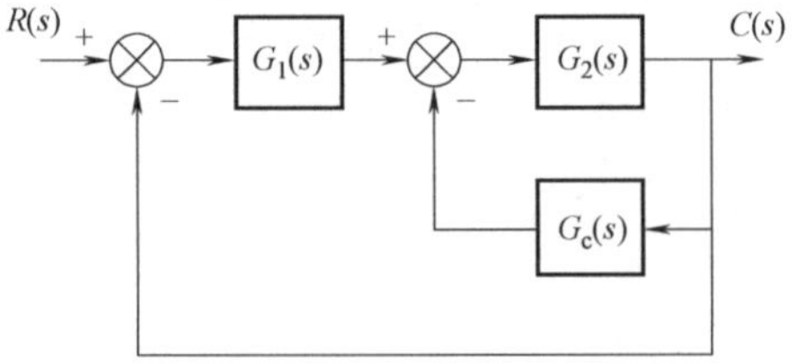

图 6-T-5　题 6-12 图

6-13　控制系统如图 6-T-5 所示，其中 $G_1(s)=K_1$，$G_2(s)=\frac{2}{s(s+1)(0.2s+1)}$，校正装置的传递函数为 $G_c(s)=\frac{K_cs^2}{\tau s+1}$。试确定 $G_c(s)$ 的参数和 K_1 值，使校正后系统的开环增益不小于 100，相位裕度不小于 45°，

剪切频率大于 $1s^{-1}$。

6-14 某控制系统串联比例积分控制器后的框图如图 6-T-6 所示，若要求校正后系统为Ⅰ型的二阶系统，且阻尼比 $\zeta=0.707$。确定 τ、T_i 值，并确定增益 K，以获得尽可能好的性能（考虑 M_P、t_s、K_v）。

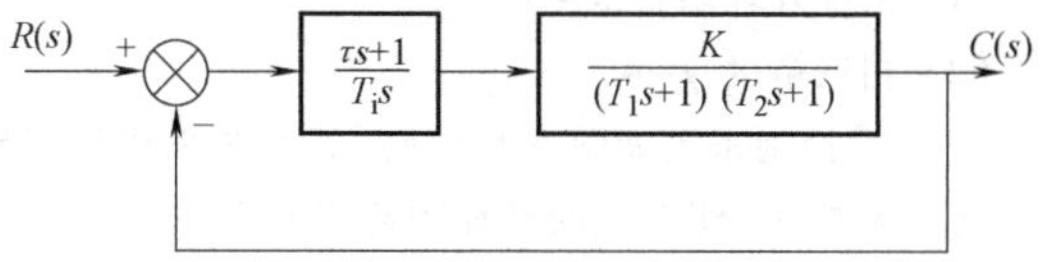

图 6-T-6 题 6-14 图

6-15 某库存控制系统的传递函数为 $G_o(s)=\frac{4}{s^2}$，设计一个比例微分控制器 $G_c(s)=K_P+K_Ds$，使系统的谐振峰值 $M_r=1$，谐振频率 $\omega_r=\omega_n$，带宽频率 $\omega_b=1\text{rad/s}$（注：ω_n 为校正后二阶系统的自然振荡角频率）。

6-16 单位负反馈系统的开环传递函数为 $G(s)=\frac{1}{s(s+0.8)}$，如例 6-8-1，欲使校正后系统的阻尼比为 0.707，用 MATLAB 分别绘制串联比例、比例微分、比例积分校正装置后系统的伯德图，确定稳定裕度，并分析其和暂态响应之间的关系。

6-17 已知滞后校正装置 $G_c(s)=\frac{\tau s+1}{\beta\tau s+1}$，$\beta>1$，求 $\frac{1}{\tau}$ 和 $\frac{1}{\beta\tau}$ 的几何中心和最大滞后角 φ_m，并绘制以 β 为横坐标，φ_m 为纵坐标的 φ_m 和 β 的关系曲线。

6-18 试分析例 6-5-3 系统采用相位超前校正装置能否满足全部给定的性能指标，请分析原因。

第七章　非线性系统的分析

在以上各章中，讨论了线性系统各方面的问题。但是严格地说，理想的线性系统在实际中并不存在。实际的物理系统，由于其组成元件在不同程度上具有某种非线性特性，可以说都是非线性系统。不过，当系统的非线性程度不严重时，在某一范围内或某些条件下可以近似地视为线性系统，这时采用线性方法去研究具有实际意义。但是，如果系统的非线性程度比较严重，采用线性方法研究可能导致错误的结论，故有必要对非线性系统作专门探讨。

第一节　非线性系统的基本概念

一、非线性系统的数学描述

在构成系统的环节中有一个或一个以上的非线性特性时，即称此系统为非线性系统。

图 7-1-1a 是用弹簧悬挂带有阻尼力的质量为 m 的物体的示意图，弹簧力促进了运动，而阻尼则阻碍运动，现研究其上、下振动的运动状态。弹簧力的特性如图 7-1-1b 所示，弹簧力在接近平衡点附近符合虎克定律；在弹簧完全压缩时，其弹性系数急剧增加；当拉伸弹簧使其逐步伸展时，弹性系数减小；进一步加力使弹簧接近全部拉伸时，其弹性系数又增加。整个过程来看，弹簧力将是弹簧位移 y 的非线性函数，可用 $k(y)$ 表示。

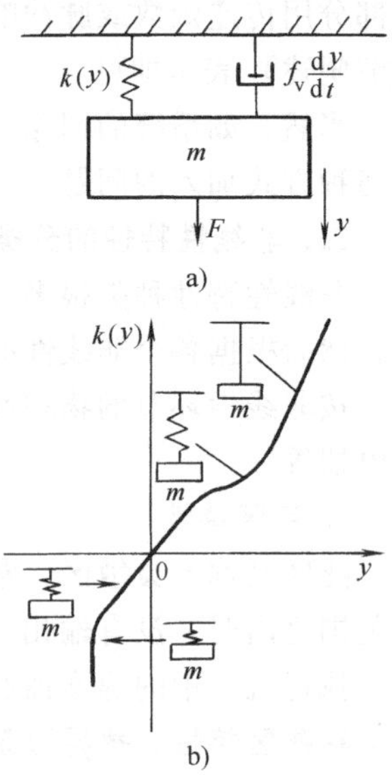

图　7-1-1
a）由质量、弹簧、阻尼器构成的系统　b）弹簧力的非线性特性

严格地说，阻尼力与运动速度的关系也是很复杂的，不过，影响阻尼力的众多因素中，与速度成正比的粘滞摩擦阻尼是主要的。为简单计，将阻尼力表示为 $f_v \dfrac{dy}{dt}$，其中 f_v 是粘性摩擦系数。

考虑到作用于质量 m 上的全部力，其运动可用下面的非线性微分方程描述

$$m\frac{d^2y}{dt^2}+f_v\frac{dy}{dt}+k(y)y=F \tag{7-1-1}$$

线性系统的运动用线性微分方程描述，其特点是方程中待求函数 $y(t)$ 及其各阶导数 dy/dt，d^2y/dt^2，…，d^ny/dt^n 都是一次的。但描述非线性系统运动的非线性微分方程则不然，例如式（7-1-1）中，$k(y)$ 就不但包含有与 $y(t)$ 的一次方成比例的项，还有与 $y(t)$ 的其他次方成比例的项。更普遍地看，非线性

微分方程中待求函数 $y(t)$ 及其各阶导数 $\mathrm{d}y/\mathrm{d}t$，$\mathrm{d}^2y/\mathrm{d}t^2$，…，$\mathrm{d}^ny/\mathrm{d}t^n$ 不会都是一次的。

描述大多数非线性物理系统的数学模型是 n 阶非线性常微分方程，其形式为

$$\frac{\mathrm{d}^n y(t)}{\mathrm{d}t^n}=h\left[t,y(t),\frac{\mathrm{d}y(t)}{\mathrm{d}t},\frac{\mathrm{d}^2y(t)}{\mathrm{d}t^2},\cdots,\frac{\mathrm{d}^{n-1}y(t)}{\mathrm{d}t^{n-1}},u(t)\right] \tag{7-1-2}$$

式中，$u(t)$ 为输入函数；$y(t)$为输出函数。

式（7-1-2）右端函数 $h(\cdot)$ 中所包含的 $y(t)$ 及其各阶导数绝不会全都是一次的。

为了求非线性系统的时域响应，必须求出式（7-1-2）的解。

在通常情况下，可以将构成系统的环节分为线性与非线性两部分。对于单回路系统，或者多回路系统中包含孤立的非线性环节时，可将线性部分和非线性部分分开。这样，用框图表示非线性系统时可以画成如图 7-1-2 的基本形式。例如式（7-1-1）描述的质量、弹簧、阻尼系统，也可以用图 7-1-3 所示框图表示。

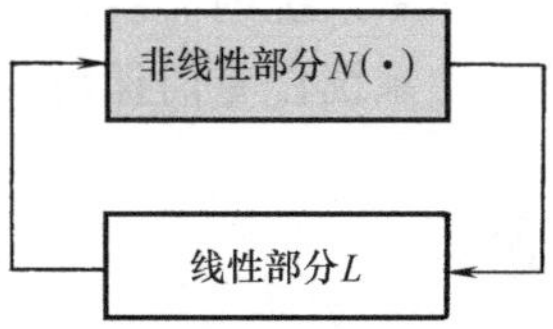

图 7-1-2 非线性系统框图的基本形式

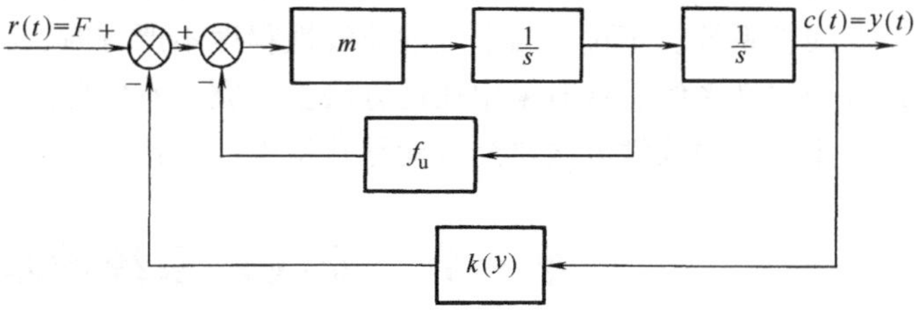

图 7-1-3 质量、弹簧、阻尼系统的框图

当用框图表示非线性系统的数学模型，并以它作为分析的出发点时，因为多数情况下关心的是其各方框的输入和输出关系，所以不必再用微分方程去描述系统，而只需将系统的线性部分用传递函数或脉冲响应表示，非线性部分则用非线性等效增益或描述函数（将在第四节阐述）表示即可。

当然，如系统的回路中包含多个非线性环节时，就必须考虑非线性环节加于系统何处，以何种方式加入的问题，而不能像上面那样简单。

二、非线性特性的分类

非线性特性种类很多，且对非线性系统尚不存在统一的分析方法，所以将非线性特性分类，然后根据各个非线性的类型进行分析得到具体的结论，才能用于实际。

按非线性环节的物理性能及非线性特性的形状划分，非线性特性有死区、饱和、间隙和继电器等。

1. 死区特性

死区又称不灵敏区，常见于测量、放大元件中，其特点是当输入信号在零值附近的某一小范围之内时，没有输出。只有当输入信号大于此范围时，才有输出，并与输入呈线性关系。执行机构中的静摩擦影响也可以用死区特性表示。死区特性如图 7-1-4a 所示。**控制系统存在死区特性，将导致系统产生稳态误差，其中测量元件的死区特性尤为明显。**摩擦死区特性可能造成运动系统的低速不均匀，甚至使随动系统不能准确跟踪目标。

死区非线性特性的数学描述是

$$y(t)=\begin{cases}0 & |x(t)|\leqslant a\\ k[x(t)-a\operatorname{sgn}x(t)] & |x(t)|>a\end{cases} \tag{7-1-3}$$

式中，a 为死区宽度；k 为线性输出特性的斜率，$k=\tan\beta$；$\mathrm{sgn}x(t)$ 为当 $x(t)>0$ 时，$\mathrm{sgn}x(t)=+1$；当 $x(t)<0$ 时，$\mathrm{sgn}x(t)=-1$。

2. 饱和特性

饱和也是一种常见的非线性，在铁磁元件及各种放大器中都存在，其特点是当输入信号超过某一范围后，输出信号不再随输入信号变化而保持某一常值（参见图 7-1-4b）。**饱和特性将使系统在大信号作用下的等效增益降低，深度饱和情况下，甚至使系统丧失闭环控制作用。**还有些系统中有意地利用饱和特性作信号限幅，限制某些物理参量，保证系统安全合理地工作。

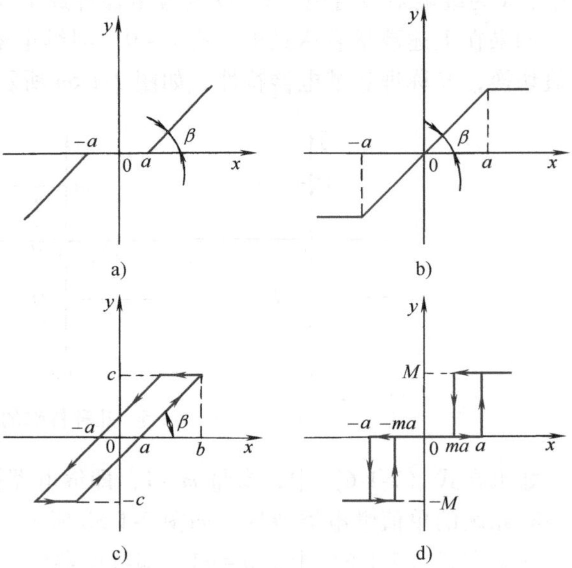

图 7-1-4　典型非线性特性

a）死区　b）饱和　c）间隙　d）继电器

饱和非线性特性的数学描述是

$$y(t)=\begin{cases}kx(t) & |x(t)|\leqslant a\\ ka\,\mathrm{sgn}x(t) & |x(t)|>a\end{cases}\tag{7-1-4}$$

式中，a 为线性区宽度；k 为线性区特性的斜率，$k=\tan\beta$。

3. 间隙特性

间隙又称回环。传动机构的间隙是一种常见的非线性特性（参见图 7-1-4c）。在齿轮传动中，由于间隙存在，当主动齿轮方向改变时，从动轮保持原位不动，直到间隙消除后才改变转动方向。铁磁元件中的磁滞现象也是一种间隙特性。**间隙特性对系统影响较为复杂，一般说来，它将使系统稳态误差增大。频率响应的相位滞后也增大，从而使系统暂态性能恶化。**采用双片弹性齿轮（无隙齿轮）可消除间隙对系统的不利影响。

间隙非线性特性的数学描述是

$$y(t)=\begin{cases}k[x(t)-a] & \dot{y}(t)>0\\ k[x(t)+a] & \dot{y}(t)<0\\ c\,\mathrm{sgn}x(t) & \dot{y}(t)=0\end{cases}\tag{7-1-5}$$

式中，a 为间隙宽度；k 为线性输出特性的斜率，$k=\tan\beta$。

4. 继电器特性

由于继电器吸合电压与释放电压不等，使其特性中包含了死区、间隙及饱和特性（参见图 7-1-4d）。当 $a=0$ 时的特性称为理想继电器特性。**继电器的切换特性使用得当可改善系统的性能。**

继电器非线性特性的数学描述是

$$y(t)=\begin{cases}0 & -ma<x(t)<a, & \dot{x}(t)>0\\ 0 & -a<x(t)<ma, & \dot{x}(t)<0\\ M\,\mathrm{sgn}x(t) & |x(t)|\geqslant a & \\ M & x(t)\geqslant ma, & \dot{x}(t)<0\\ -M & x(t)\leqslant -ma, & \dot{x}(t)>0\end{cases}\tag{7-1-6}$$

式中，a 为继电器吸合电压；ma 为继电器释放电压；M 为常值输出。

如果在上述数学表达式中，有 $a=0$，即继电器的吸合及释放电压为零，此种情况称为零值切换，又称理想继电器特性，如图 7-1-5a 所示。

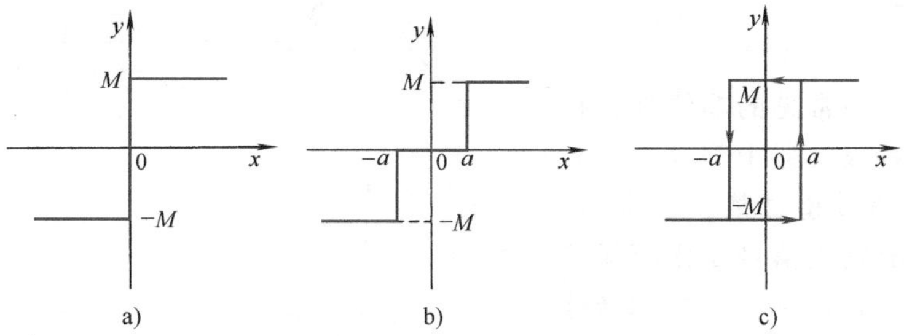

图 7-1-5　几种特殊的继电器特性

如果在式（7-1-6）中，参量 $m=1$，即继电器的吸合电压与释放电压相等，无间隙。此即为有死区的单值继电器特性，如图 7-1-5b 所示。

如果在式（7-1-6）中，$m=-1$，即继电器的正向释放电压与其反向吸合电压相等，这就是有间隙的继电器特性，如图 7-1-5c 所示。

如以非线性环节的输出与输入之间存在的函数关系划分，非线性特性又可分为单值函数与多值函数两类。例如，死区特性、饱和特性及理想继电器特性都属于输出与输入间为单值函数关系的非线性特性。间隙特性和继电器特性则属于输出与输入之间为多值函数关系的非线性特性。从第五节将看到，**多值函数的非线性特性将使频率响应产生滞后相移。**

三、非线性系统的特点与分析的方法

（一）非线性系统的特点

1. 系统的稳定性

线性系统的稳定性与零输入响应的性质只由系统本身的结构及参量决定，而与系统的初始状态无关。**然而非线性系统的稳定性及零输入响应的性质不仅取决于系统本身的结构和参量，而且还与系统的初始状态有关。**对于同一结构和参数的非线性系统，初始状态位于某一较小数值的区域内时系统稳定，但在较大初始值时系统可能不稳定。有时也可能相反。故对非线性系统，不应笼统地讲系统是否稳定。

下面举例说明此问题。

例 7-1-1　比较以下两个系统的特征。一个为线性系统，描述运动的微分方程为

$$\dot{x}(t)=-x(t)$$

另一为非线性系统，微分方程为

$$\dot{x}(t)=-x(t)+x^2(t)=-x(t)[1-x(t)]$$

分析比较两者的时间响应。

解　以 x_o 表示以上系统的初始状态。线性系统的解为

$$x(t)=x_o e^{-t}$$

非线性系统的解为

$$x(t)=\frac{x_o e^{-t}}{1-x_o+x_o e^{-t}}$$

非线性系统在不同初始状态下的时间响应如图 7-1-6 所示。

当 $x_o<1$ 时，非线性系统的运动形式，即时间响应的特征与线性系统一样，都是在 $t=0$

时，$x(t)=x_o$，随着时间的增长，时间响应都逐渐衰减为零，非线性系统也是稳定系统。

当 $x_o=1$ 时，非线性系统的响应是一条 $x(t)=1$ 的水平线。

当 $x_o>1$ 时，线性系统的响应仍与 $x_o<1$ 时一样。但非线性系统的响应则不然，它随时间增长而发散到∞。系统呈不稳定状态。

由此可见，即便是非常简单的非线性系统也有着线性系统所没有的现象。

(1) 线性系统的平衡点只有一个，例 7-1-1 中，$x=0$，但非线性系统却可能有多个，非线性系统的平衡点有两个，$x=0$ 和 $x=1$ 均是平衡点。

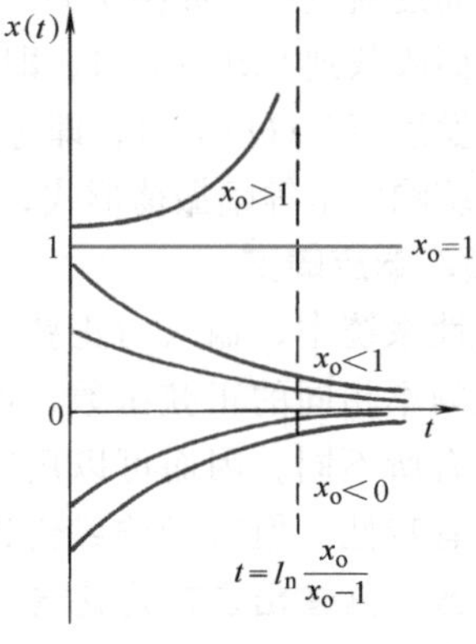

图 7-1-6　非线性系统的时间响应

(2) 非线性系统的时间响应，可能因初始状态的不同而有所不同，从例 7-1-1 看，当 $x_o<1$ 时，系统的响应都能随时间增长而收敛到零；当 $x_o>1$ 时，响应都随时间增长而发散至无限大。但线性系统则不然，其时间响应的性质不因初始状态不同而有所差异。**对于线性系统，局部的时间响应的性质可能推论到全局，但对于非线性系统则不然，局部的时间响应的性质不能概括全局。**

线性系统有稳定和不稳定之分（临界稳定是暂时状态）。但对非线性系统，不能笼统地称稳定的或不稳定的非线性系统，只能具体问题具体分析。

2. 系统的自持振荡

线性系统的时域响应仅有两种基本形式，即随时间发散和收敛。只有当系统处于稳定的临界状态时，才会出现等幅振荡，但这一形式不能持久。系统参量稍有变化（哪怕是非常细微的变化），此临界状态即行终止，转化为发散或收敛。**然而在非线性系统中，其时域响应除了发散和收敛两种形式外，即使无外部激励，也可能发生某一固定振幅和频率的振荡，这种振荡称为自持振荡（或自激振荡）。**在某些非线性系统中还可能产生不止一种振幅和频率的自持振荡。

例 7-1-2　范德波尔方程为

$$\ddot{x}(t)-2\rho[1-x^2(t)]\dot{x}(t)+x(t)=0 \quad (\rho>0)$$

或写作

$$\ddot{x}(t)+2\rho[x^2(t)-1]\dot{x}(t)+x(t)=0 \quad (\rho>0)$$

现分析其响应的特征。

非线性系统的自持振荡

解　众所周知，线性二阶系统的微分方程为

$$\ddot{x}(t)+2\zeta\omega_n\dot{x}(t)+\omega_n^2x(t)=0$$

其中 ζ 是线性二阶系统的阻尼比。如将此方程与范德波尔方程比较，可以认为范德波尔方程描述的非线性系统中 $\dot{x}(t)$ 项的系数 $\rho[x^2(t)-1]$ 与线性系统中的阻尼比 ζ 相当。只不过线性系统中阻尼比 ζ 为常量，而在此非线性系统中的等效阻尼比 $\rho[x^2(t)-1]$ 是与响应 $x(t)$ 有关的变量。

当 $|x(t)|<1$ 时，等效阻尼比 $\rho[x^2(t)-1]<0$，则系统的零输入响应将随时间增长而发散，如图 7-1-7 蓝线所示。当 $|x(t)|>1$ 时，则系统的等效阻尼比 $\rho[x^2(t)-1]>0$，系统的零输入响应将随

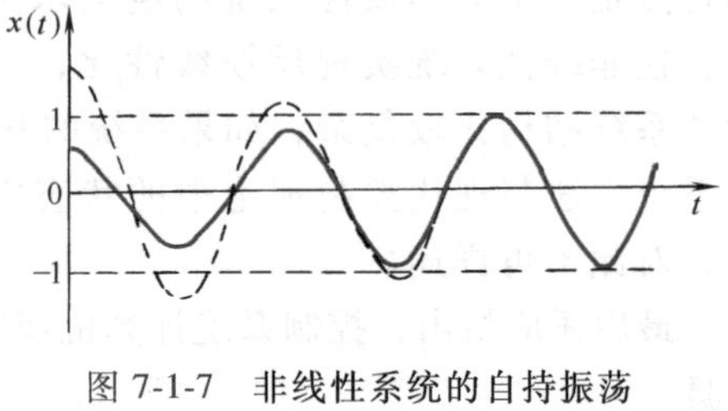

图 7-1-7　非线性系统的自持振荡

时间增长而逐渐收敛，如图 7-1-7 虚线所示。由此可以推论，此系统 $|x(t)|>1$ 的响应最终随时间推移而收敛到 $|x(t)|=1$，即等效阻尼比为零的状态，而所有 $|x(t)|<1$ 的响应均将随时间推移而发散至 $|x(t)|=1$，即等效阻尼比为零的状态而不再发散。当 $|x(t)|=1$，即零阻尼比时，系统响应呈等幅振荡形式，这就是非线性系统的自持振荡。

3. 频率响应畸变

在线性系统中，输入为正弦函数时，稳态输出也是频率相同的正弦函数，两者仅在幅值和相位上有所不同，因而可以用频率特性表示系统的固有特性。但对于非线性系统，**如输入为正弦函数，其输出通常是包含有一定数量的高次谐波的非正弦周期函数，周期则同于输入。非线性系统有时还可能出现跳跃谐振、倍频和分频振荡等现象。**

图 7-1-8 表示的是一正弦输入信号通过间隙非线性元件后，其响应发生畸变的情况。

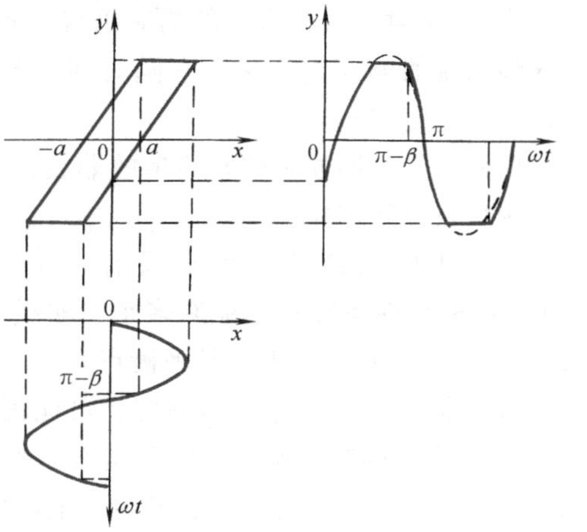

图 7-1-8 间隙特性的正弦响应

4. 系统共振现象

在线性系统中，如外加信号的频率与系统本身所固有的无阻尼自振频率相同时，系统将产生共振，在一定条件下，其振幅可能非常高，按线性关系，理论上振幅可达到∞。但在非线性系统中则不然，它不会发生如线性系统那样的共振现象。线性系统的无阻尼自振频率仅由系统的参量决定，是个固定的频率。而非线性系统周期解的频率多数情况下随其振幅变化而改变，周期性的外作用信号固定频率与系统周期响应的不断变化的自振频率如果相等，也只能发生在短暂时刻，所以非线性系统不会发生线性系统那样的共振现象。

（二）非线性系统的分析和设计方法

从分析方法看，线性系统用线性常微分方程描述，可以应用叠加原理，以齐次方程的通解与非齐次方程的任一特解相叠加，构成线性常微分方程的通解。而非线性系统需用非线性常微分方程描述，不能应用叠加原理。这意味着，一般非线性常微分方程没有统一的求解方法，只有求近似解的方法。对于有些非线性特性不严重的系统可以用小范围线性化方法，将其化为线性系统分析求解。应该指出，研究非线性系统并不需求得其时域响应的精确解，通常着重关心的是时域响应的性质，诸如稳定性、自持振荡等。

李亚普诺夫第二法和波波夫法能分别在时域和频域内判别非线性系统的稳定性。

对于二阶非线性系统，用相平面法能求得其精确的时域响应。对于高阶非线性系统，用谐波平衡法这种近似方法分析其时域响应的性质是很实用的。

近年来，在分析和设计非线性系统方法的研究方面，逆系统法受到重视。此种方法的特点是，不对非线性系统的响应求解，或分析其稳定性，而是运用内环非线性反馈控制，使非线性系统实现反馈线性化，然后再设计构建形成外环控制器。用逆系统方法设计的系统结构比较复杂，如果系统的状态变量不全是能够检测时，还需设计状态观测器。逆系统方法与现代控制理论中的状态空间分析法紧密联系。本教材限于课程的任务及范围，对此不再详述。

最后还应指出，控制系统计算机辅助设计技术的发展，为分析非线性系统提供了有效的工具。

第二节　二阶线性和非线性系统的相平面分析

二阶系统不仅在线性系统的研究中占有特殊地位，在非线性系统的研究中同样重要。究其原因，是由于二阶系统解的轨迹能用平面上的曲线表示，因而非线性系统的许多概念都能有简明的几何解释。

一、相平面、相轨迹和平衡点

一般说来，描述二阶系统的二阶常微分方程可以用两个一阶微分方程表示，即

$$\dot{x}_1(t)=f_1[t,x_1(t),x_2(t)] \tag{7-2-1}$$

$$\dot{x}_2(t)=f_2[t,x_1(t),x_2(t)] \tag{7-2-2}$$

在式（7-2-1）、式（7-2-2）中，有意地令外部输入 $u(t)=0$，这是因为人们感兴趣的是系统本身的特征。分析二阶系统使用状态平面图则比较方便。状态平面是一般的二维平面，其水平轴记为 x_1，垂直轴记为 x_2。假设［$x_1(t)$，$x_2(t)$］表示为式（7-2-1）、式（7-2-2）的一个解，则当 t 为固定值时，解对应于状态平面上的一个点。当 t 变化时，$x_1(t)$ 对于 $x_2(t)$ 在状态平面上形成的运动轨迹称为状态平面轨迹。

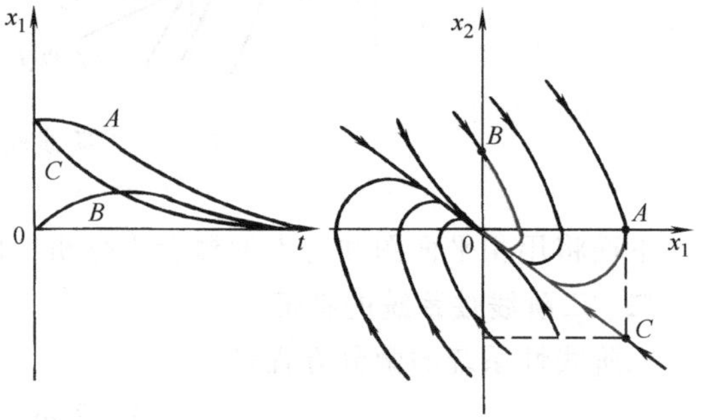

图 7-2-1　某二阶系统的时间响应和相轨迹

当式（7-2-1）的形式为

$$\dot{x}_1(t)=x_2(t) \tag{7-2-3}$$

时，习惯上把这种特殊情况下的状态平面称为相平面，相应的状态平面轨迹称为相平面轨迹，或简称为相轨迹。在图 7-2-1 中给出了某二阶系统的时间响应与相轨迹。图中用 $A(x_1(0)=A,\ x_2(0)=0)$、$B(x_1(0)=0,\ x_2(0)=B)$、$C(x_1(0)=A,\ x_2(0)=-C)$ 分别表示不同的初始状态，每一初始状态下对应一条相轨迹。

状态［x_{10}，x_{20}］称为式（7-2-1）、式（7-2-2）在 t_0 时刻的一个平衡点，其条件为对于所有的 $t\geqslant t_0$，有

$$\left.\begin{aligned}f_1[t,x_{10},x_{20}]=0\\f_2[t,x_{10},x_{20}]=0\end{aligned}\right\} \tag{7-2-4}$$

尤其是非时变系统（常称为自治系统），t_0 时刻的平衡点必然也是 $t\geqslant t_0$ 所有时间的平衡状态。**在相轨迹上满足条件**

$$\frac{\mathrm{d}x_2}{\mathrm{d}x_1}=\frac{0}{0} \tag{7-2-5}$$

为不定值的点称为奇点。由于式（7-2-5）又可写作

$$\frac{\mathrm{d}x_2}{\mathrm{d}t}\bigg/\frac{\mathrm{d}x_1}{\mathrm{d}t}=\frac{0}{0}$$

所以式（7-2-5）的条件与式（7-2-4）是完全等值的。因此，**奇点必然就是平衡点。在图 7-2-2 中只有坐标原点（即相平面的原点）是奇点，无数条相轨迹都通过原点，所以在相平面原点上相轨迹的斜率不是定值。除此之外，相平面上任何点都只有一条相轨迹通过，该点的相轨迹斜率必为定值，故都不是奇点。**

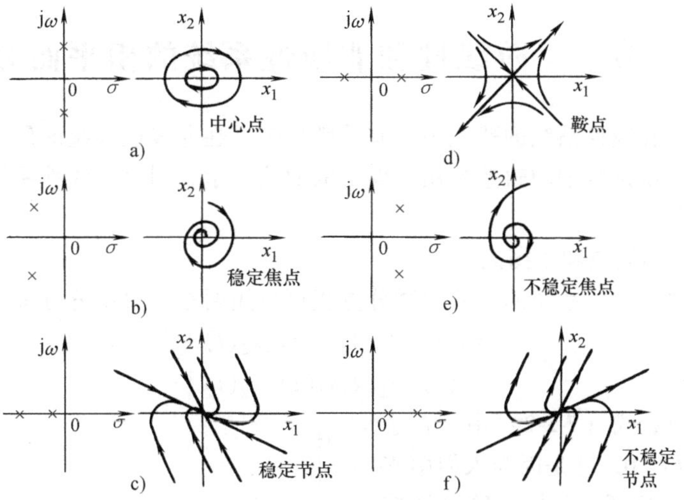

图 7-2-2 二阶线性系统特征根与奇点

下面将用相平面图和奇点的概念去分析二阶线性和非线性系统时间响应的性质。

二、二阶线性系统的特征

二阶线性系统的微分方程是

$$\ddot{x}+2\zeta\omega_n\dot{x}+\omega_n^2x=0 \tag{7-2-6}$$

如令 $x=x_1$，则式（7-2-6）可写成下列一阶微分方程组

$$\left.\begin{aligned}\dot{x}_1&=x_2\\\dot{x}_2&=-\omega_n^2x_1-2\zeta\omega_nx_2\end{aligned}\right\} \tag{7-2-7}$$

合并以上两式，得到

$$\frac{\dot{x}_1}{\dot{x}_2}=-\frac{x_2}{\omega_n^2x_1+2\zeta\omega_nx_2}$$

考虑到 $\dot{x}_1=\mathrm{d}x_1/\mathrm{d}t$，$\dot{x}_2=\mathrm{d}x_2/\mathrm{d}t$，则上式又可写为

$$\frac{\mathrm{d}x_1}{\mathrm{d}x_2}=-\frac{x_2}{\omega_n^2x_1+2\zeta\omega_nx_2} \tag{7-2-8}$$

从式（7-2-8）解得 x_1 与 x_2 的关系式就是二阶线性系统的相轨迹方程。

另一方面，式（7-2-6）的特征方程为

$$\lambda^2+2\zeta\omega_n\lambda+\omega_n^2=0$$

于是特征根（或称二阶线性系统的极点）为

$$\lambda_1,\lambda_2=-\zeta\omega_n\pm\omega_n\sqrt{\zeta^2-1} \tag{7-2-9}$$

前已述及（参见第三章），线性二阶系统的时间响应由其特征根决定，而时间响应又决定了系统相轨迹的性质。下面分情况加以分析。

（1）当 $\zeta=0$ 时，系统处于无阻尼运动状态，λ_1、λ_2 为共轭虚根。此时方程（7-2-8）就成为

$$\frac{\mathrm{d}x_1}{\mathrm{d}x_2}=-\frac{x_2}{\omega_n^2x_1}$$

分离变量后，对上式等号两侧分别积分得

$$x_1^2+\left(\frac{x_2}{\omega_n}\right)^2=R^2$$

式中，$R^2=x_{10}^2+\left(\frac{x_{20}}{\omega_n}\right)^2$，$x_{10}$、$x_{20}$ 为初始状态。

上式所表示的系统相轨迹是一族同心的椭圆（适当选择坐标比例尺，可得一族同心圆）。每一椭圆对应一个简谐运动（参见图 7-2-2a）。在相平面原点处有一孤立奇点，被周围封闭的椭圆曲线包围。此种奇点称为**中心点**。前已指出，线性系统等幅振荡实际上不能持续。

（2）当 $0<\zeta<1$ 时，系统处于欠阻尼运动状态，λ_1、λ_2 为位于根平面左半部的一对共轭复根。系统的零输入响应呈衰减振荡，最终趋于零。对应的相轨迹是对数螺旋线，收敛于相平面原点（参见图 7-2-2b）。此种奇点称为**稳定焦点**。

（3）当 $\zeta>1$ 时，系统处于过阻尼运动状态，λ_1、λ_2 为位于根平面左半部的两个负实根。这时系统的零输入响应是随时间单调地衰减到零。对应的相轨迹是一族趋向相平面原点的抛物线（参见图 7-2-2c）。相平面原点为奇点，并称其为**稳定节点**。

（4）当 λ_1、λ_2 为实根，且其中 λ_1 位于根平面左半部，λ_2 位于根平面右半部时，系统的零输入响应是非周期发散的。相应的相轨迹如图 7-2-2d 所示。此种奇点称为**鞍点**。

（5）当 $-1<\zeta<0$ 时，λ_1、λ_2 为位于根平面右半部的一对共轭复根。系统的零输入响应是发散振荡的。对应的相轨迹为由相平面原点出发的对数螺旋线（参见图 7-2-2e）。此种奇点称为**不稳定焦点**。

（6）当 $\zeta<-1$ 时，λ_1，λ_2 为位于根平面右半部的两个正实根。系统的零输入响应为非周期发散的，对应的相轨迹是由相平面原点出发的发散型抛物线族（参见图 7-2-2f）。此种奇点称为**不稳定节点**。

综上所述，**二阶线性系统的相轨迹和奇点的性质由系统的特征根决定，亦即由系统本身的结构与参量决定，而与初始状态无关。不同的初始状态只能在相平面上形成一组几何形状相似的相轨迹，而不能改变相轨迹的性质**。由不同初始状态决定的相轨迹不会相交，但有可能部分重合。只有在奇点处，才能有无数条相轨迹逼近或离开它。由于相轨迹的性质与系统的初始状态无关，相平面中局部范围内相轨迹的性质就有决定性意义，从局部范围内相轨迹的性质可以推知全局。另外，还能看到一点很重要的结论，二阶或更高阶的线性系统不会形成在全部时间内有定义的孤立封闭曲线形状的相轨迹，这里应该注意的是，当 $\zeta=0$ 时，线性系统处于无阻尼运动状态，相轨迹虽然是封闭曲线形的，但不是孤立的。

三、二阶非线性系统的特征

二阶非线性自治系统在零输入情况下，其数学描述可写为

$$\dot{x}_1(t)=f_1[x_1(t),x_2(t)] \tag{7-2-10}$$

$$\dot{x}_2(t)=f_2[x_1(t),x_2(t)] \tag{7-2-11}$$

用第二章介绍的小范围线性化方法求出其在平衡点附近的线性化方程，然后再去分析系统的相轨迹与奇点的情况。

式（7-2-10）、式（7-2-11）所表示的系统的平衡点是［0，0］，因为只有当 x_1 及 x_2 均为零时，函数 f_1 及 f_2 均等于零。

根据泰勒定理，将函数 f_1 及 f_2 展开成下式

$$\left.\begin{aligned} f_1(x_1,x_2)&=f_1(0,0)+\frac{\partial f_1}{\partial x_1}\bigg|_{\substack{x_1=0\\x_2=0}}x_1+\frac{\partial f_1}{\partial x_2}\bigg|_{\substack{x_1=0\\x_2=0}}x_2+r_1(x_1,x_2)\\ &=a_{11}x_1+a_{12}x_2+r_1(x_1,x_2)\\ f_2(x_1,x_2)&=a_{21}x_1+a_{22}x_2+r_2(x_1,x_2) \end{aligned}\right\} \tag{7-2-12}$$

式中，$a_{ij}=\frac{\partial f_i}{\partial x_j}\bigg|_{\substack{x_1=0\\x_2=0}}$，$i$，$j=1$，2；$r_1$，$r_2$ 为余项或称高次项。

式（7-2-10）、式（7-2-11）在其平衡点［0，0］附近小范围内线性化的方程为

$$\left.\begin{aligned} \dot{x}_1(t)&=a_{11}x_1(t)+a_{12}x_2(t)\\ \dot{x}_2(t)&=a_{21}x_1(t)+a_{22}x_2(t) \end{aligned}\right\} \tag{7-2-13}$$

显然，线性化系统的平衡点仍为［0，0］。

在大多数情况下，这种线性化系统［由式（7-2-13）描述］的相轨迹与原非线性系统［由式（7-2-10）、式（7-2-11）描述］的相轨迹在相平面原点（平衡点）某个适当小范围内有着相同的定性特征。表 7-2-1 总结了这些情况。

表 7-2-1 线性化系统与非线性系统的相轨迹特征

线性化系统的平衡点 $x_1=0,x_2=0$	非线性系统的平衡点 $x_1=0,x_2=0$	线性化系统的平衡点 $x_1=0,x_2=0$	非线性系统的平衡点 $x_1=0,x_2=0$
稳定节点	稳定节点	稳定焦点	稳定焦点
不稳定节点	不稳定节点	不稳定焦点	不稳定焦点
鞍点	鞍点	中心点	中心点或其他

从表 7-2-1 可见，除了线性化系统的特征根是一对纯虚根的情况外，非线性系统在平衡点附近的相轨迹与线性化系统在平衡点附近的相轨迹具有同样的形状特征。表 7-2-1 最后一项的含义可作如下解释：若线性化系统的平衡点是个中心点，则系统的运动表现为理想的振荡，其相轨迹则是以相平面为中心互不相交的无数条封闭曲线。在非线性系统中，除了有上述这种中心点形式的相轨迹外，还有可能其相轨迹为一个（或多于一个）孤立的封闭曲线。为了说明这一点，可以举出范德波尔（Van der Pol）方程为例。

例 7-2-1 范德波尔方程是

$$\ddot{x}(t)-2\rho[1-x^2(t)]\dot{x}(t)+x(t)=0 \tag{7-2-14}$$

试分析其相轨迹的特征。

解 如令 $x(t)=x_1(t)$，则范德波尔方程可写成下列形式

$$\dot{x}_1(t)=x_2(t) \tag{7-2-15}$$

$$\dot{x}_2(t)=-x_1(t)-2\rho[x_1^2(t)-1]x_2(t) \tag{7-2-16}$$

相平面原点［0，0］是系统的平衡点。

根据前述，可求得此非线性系统在平衡点附近小范围线性化方程为

$$\left.\begin{aligned} \dot{x}_1(t)&=x_2(t)\\ \dot{x}_2(t)&=-x_1(t)+2\rho x_2(t) \end{aligned}\right\} \tag{7-2-17}$$

此方程与式（7-2-7）所描述的线性系统形式相同，此线性化系统的无阻尼自振频率为 1，阻尼比为$-\rho$（与线性系统的 ζ 相当）。因此，对式（7-2-17）所描述的线性化系统的相轨迹及奇点的分析与前述二阶线性系统一样。

需要强调指出，线性化系统的相轨迹中不存在孤立的封闭曲线这种类型，但是范德波尔方程的相轨迹却有孤立的封闭曲线存在。以式（7-2-16）所示范德波尔方程与线性系统方程

式（7-2-7）比较，可以等效地将式（7-2-16）中的系数$\rho\left[x_1^2(t)-1\right]$看作阻尼系数，只不过此阻尼系数是$x_1(t)$的函数。

当参量$\rho>0$时，如按线性化系统方程式（7-2-17）求解，系统的零输入响应将随时间增长偏离平衡状态而发散最后趋于无限。但是按式（7-2-16）所示范德波尔方程分析，情况完全不同。如仍有$\rho>0$，当$|x_1(t)|<1$时，等效阻尼系数$\rho[x_1^2(t)-1]<0$，则系统的零输入响应随时间增长而发散，这与线性化系统分析的结果一致。如$\rho>0$，但$|x_1(t)|>1$，则等效阻尼系数为$\rho[x_1^2(t)-1]>0$，系统的零输入响应随时间增长而逐渐收敛。由于所有的从初始状态$|x_{10}(t)|>1$出发的相轨迹都随时间增长向平衡状态［0，0］收敛；而所有的从初始状态$|x_{10}(t)|<1$出发的相轨迹都随时间增长离开平衡状态向外发散。又因在相平面上不存在其他平衡点，故知在相平面上存在一封闭曲线，它是相轨迹的一部分，如图 7-2-3 蓝色封闭线所示。这是一孤立的封闭曲线，这样的相轨迹在线性二阶系统里不存在。**相轨迹中这样的孤立封闭曲线称为极限环，对应于系统响应出现的振荡称为自持振荡。**

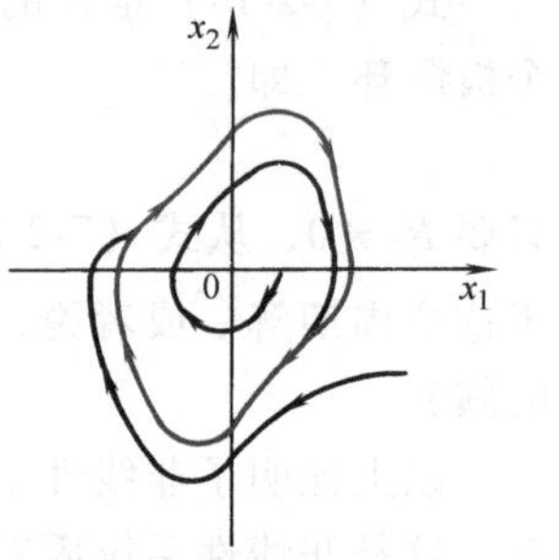

图 7-2-3　范德波尔方程在$\rho>0$时的相轨迹

为了进一步证实非线性系统相轨迹的确存在极限环，还可以分析与范德波尔方程类似但更具有普遍性意义的一类非线性系统，其微分方程是

$$\left.\begin{aligned}\dot{x}_1&=x_2+\alpha x_1(\beta^2-x_1^2-x_2^2)\\ \dot{x}_2&=-x_1+\alpha x_2(\beta^2-x_1^2-x_2^2)\end{aligned}\right\}\tag{7-2-18}$$

式中，α，β为常量。

为了证明其相轨迹方程存在唯一的周期解，可引入极坐标系

$$\left.\begin{aligned}R&=(x_1^2+x_2^2)^{\frac{1}{2}}\\ \phi&=\arctan\frac{x_2}{x_1}^{\ominus}\end{aligned}\right\}\tag{7-2-19}$$

将式（7-2-19）对时间求导，并将式（7-2-18）代入，即可得到式（7-2-18）描述的非线性系统极坐标系的微分方程

$$\left.\begin{aligned}\dot{R}&==\alpha R(\beta^2-R^2)\\ \dot{\phi}&=-1\end{aligned}\right\}\tag{7-2-20}$$

不难证明，式（7-2-20）的解是

$$\left.\begin{aligned}R(t)&=\frac{\beta}{\left[1+C_0\mathrm{e}^{-2\beta^2\alpha t}\right]^{\frac{1}{2}}}\\ \phi(t)&=\phi_0-1\end{aligned}\right\}\tag{7-2-21}$$

⊖ 这里指ϕ在［0，2π］区间内为单值，使得$\sin\phi=\frac{x_2}{(x_1^2+x_2^2)^{\frac{1}{2}}}$，$\cos\phi=\frac{x_1}{(x_1^2+x_2^2)^{\frac{1}{2}}}$，因此，$\arctan\frac{x_2}{x_1}$是变量$x_1$和$x_2$的函数，而不是比值$x_2/x_1$的函数，并且$\arctan\frac{x_2}{x_1}$除了（0，0）点之外，在相平面中处处有定义。

式中，$C_0=\dfrac{\beta^2}{R_0^2}-1$；$R_0$，$\phi_0$ 为 R 及 ϕ 的初始值。

式（7-2-18）描述的非线性系统仅有一个周期解，即 $R_0=\beta$，或者说，其相轨迹存在一个极限环，即

$$x_1^2+x_2^2=\beta^2$$

只要 $R_0\neq0$，从式（7-2-21）、式（7-2-19）可见，当 $t\to\infty$ 时，式（7-2-18）的所有解都趋于这个周期解。或者说，相平面上所有的相轨迹都趋于由式 $x_1^2+x_2^2=\beta^2$ 表示的极限环（孤立的圆）。

以上证明了非线性系统的相轨迹确实存在极限环，它说明了非线性系统可能存在自持振荡。这是非线性系统固有的特征。

现在还可以对非线性系统在平衡点附近的相轨迹与其线性化系统在平衡点附近的相轨迹有时存在性质上的差异做出解释。因为在线性化过程中，略去了关于状态 $x_1(t)$、$x_2(t)$ 的高次项［即式（7-2-12）中的余项 r_1 及 r_2］，实际在某些情况下，这些余项可能正是确定相轨迹特征有决定意义的项。在这种情况下，研究线性化系统并不能提供关于非线性系统确切的答案。

因此，非线性系统的线性化方法常能提供有用的结果，但有局限性。

第三节　非线性系统的相平面分析

第二节用相平面方法对线性与非线性二阶系统做了分析，本节将介绍一般绘制相轨迹的方法，并着重分析一些典型的非线性环节对系统响应性质产生的影响。由于相平面法的局限性，我们所讨论的问题仍限于二阶非线性系统。

一、绘制相轨迹的方法

求解二阶系统的相轨迹有两类方法，即解析法与图解法。解析法只适用于系统的微分方程较为简单，便于用积分求解的场合。当用解析法比较困难时，常采用图解法。

绘制系统相轨迹时，将系统的微分方程写成相变量方程的形式

$$\left.\begin{aligned}\dot{x}_1&=x_2\\ \dot{x}_2&=f(x_1,x_2)\end{aligned}\right\}\tag{7-3-1}$$

（一）解析法

通常用解析法求解系统相轨迹时，将微分方程式（7-3-1）合并成一式，且写成如下形式

$$\frac{\mathrm{d}x_2}{\mathrm{d}x_1}=\frac{f(x_1,x_2)}{x_2}\tag{7-3-2}$$

对式（7-3-2）积分，得到 x_1 与 x_2 的关系式，就是相轨迹方程。

例 7-3-1　含有理想继电器特性的非线性系统框图如图 7-3-1 所示。系统中线性部分输入与输出的关系为

$$\frac{\mathrm{d}^2c}{\mathrm{d}t^2}=y$$

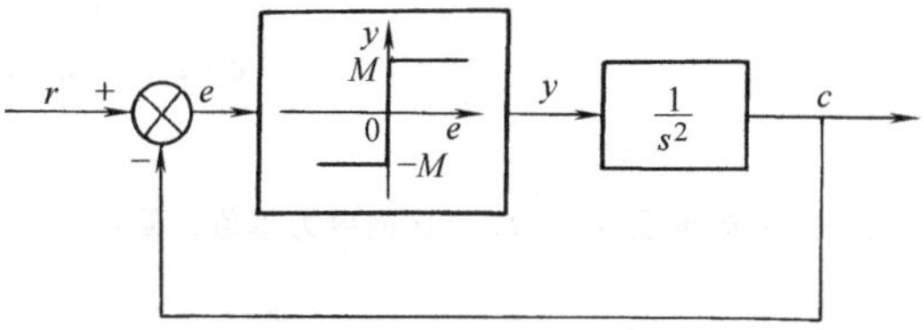

图 7-3-1　例 7-3-1 的系统框图

非线性部分（理想继电器特性）输入与输

出的关系为

$$y=M\text{sgn}e=M\text{sgn}(r-c)$$

sgn$e$ 表示 e 的符号函数。试绘制其相轨迹。

解 选择状态变量，令 $x_1=c$，$x_2=\dot{c}$，则系统的相变量方程为

$$\dot{x}_1=x_2$$
$$\dot{x}_2=M\text{sgn}(r-x_1)$$

用前式去除后式，得到

$$\frac{\mathrm{d}x_2}{\mathrm{d}x_1}=\frac{M\text{sgn}(r-x_1)}{x_2}$$

对上式积分，即是

$$\int_{x_2(0)}^{x_2} x_2\mathrm{d}x_2=M\int_{x_1(0)}^{x_1}\text{sgn}(r-x_1)\mathrm{d}x_1$$

当 $x_1<r$ 时，取 $+M$，则有

$$x_2^2=2Mx_1-2Mx_1(0)+x_2^2(0)$$

当 $x_1>r$ 时，取 $-M$，则有

$$x_2^2=-2Mx_1+2Mx_1(0)+x_2^2(0)$$

由以上两式绘制的系统相轨迹如图 7-3-2 所示。图中将相平面分为两个区域，Ⅰ区为 $x_1<r$，Ⅱ区为 $x_1>r$，每区内的相轨迹都是一族抛物线。

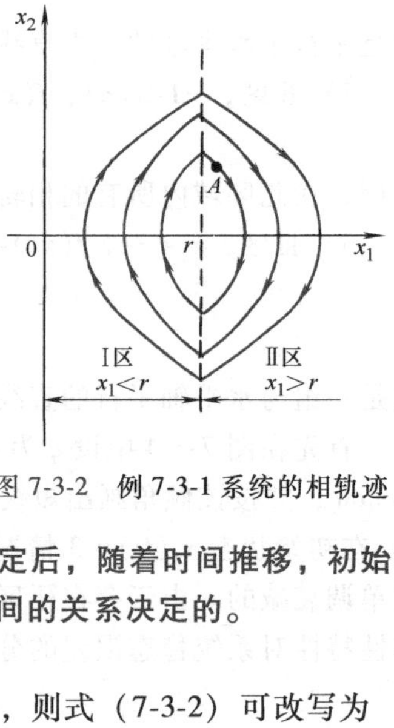

图 7-3-2 例 7-3-1 系统的相轨迹

若系统的初始状态处于 A 点，这时 $x_1(0)>0$，$x_2(0)>0$，故 x_1 将趋向增大，因此，系统的状态将从 A 点开始按顺时针方向沿相轨迹变化。当到达某一时刻 t_1 时，$x_1\leqslant r$，继电器特性的输出由 $-M$ 切换为 M，则系统的状态又将沿Ⅰ区的相轨迹变化。由于Ⅰ区和Ⅱ区的两组抛物线合在一起组成一族封闭曲线，故知本例系统的时间响应呈周期运动状态。奇点为中心点的形式，中心点位于（r，0）。如果外部输入为零，即 $r=0$，则中心点位于相平面原点。

顺便指出，在用相轨迹分析系统的运动时，当初始状态给定后，随着时间推移，初始状态沿相轨迹按顺时针方向变化，这是由相变量方程 x_1 与 x_2 之间的关系决定的。

（二）等倾线法

式（7-3-2）实际表示了相轨迹的斜率，若取斜率为常数 q，则式（7-3-2）可改写为

$$\frac{\mathrm{d}x_2}{\mathrm{d}x_1}=\frac{f(x_1,x_2)}{x_2}=q \tag{7-3-3}$$

对于相平面上满足式（7-3-3）的各点，经过它们的相轨迹的斜率都为 q。给定不同的 q 值，可在相平面上画出许多等倾线。给定了初始状态，便可沿着给定的相轨迹切线方向画出系统的相轨迹。

例 7-3-2 含有死区继电器特性的非线性系统的框图如图 7-3-3 所示。系统中线性部分的输入与输出关系为

$$\frac{\mathrm{d}^2c}{\mathrm{d}t^2}+\frac{\mathrm{d}c}{\mathrm{d}t}=y$$

$$e=r-c$$

非线性部分的输入与输出关系可用下式表示

$$y=f(e)=\begin{cases}1 & (e>1)\\0 & (-1<e<1)\\-1 & (e<-1)\end{cases}$$

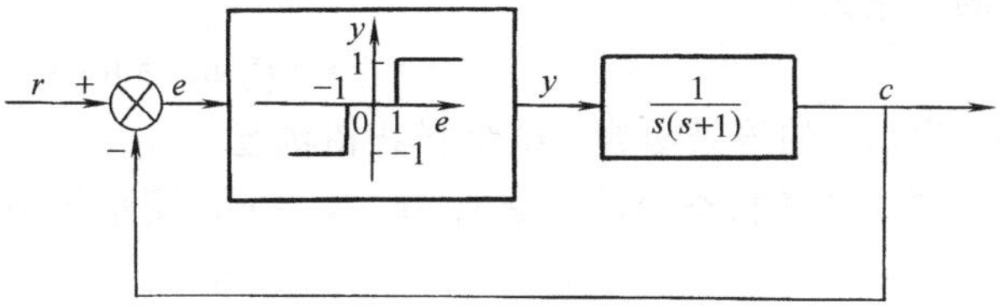

图 7-3-3 例 7-3-2 的系统框图

试用等倾线法绘制其相轨迹。

解 为使系统的平衡点移至相平面原点，可以令输入 $r=0$，或引入新的变量 $e=r-c$。

选择相变量为 $x_1=e$，$x_2=\dot{e}$，则可得到

$$\dot{x}_1=x_2$$

$$\dot{x}_2=-x_2-f(x_1)$$

于是有

$$\frac{\mathrm{d}x_2}{\mathrm{d}x_1}=-\frac{x_2+f(x_1)}{x_2}=q$$

由于非线性特性 $f(e)$ 有三种可能的值，故将相平面划分为三个区域。

1） Ⅰ区，$x_1>1$，$f(x_1)=1$，此区域内等倾线方程为

$$q=-\frac{x_2+1}{x_2} \quad 或 \quad x_2=\frac{-1}{q+1}$$

它是平行于水平轴的一组直线。

2） Ⅱ区，$-1<x_1<1$，$f(x_1)=0$，故等倾线方程为

$$q=-1$$

亦即，在此区域内所有的相轨迹，其斜率均为-1。

3） Ⅲ区，$x_1<-1$，$f(x_1)=-1$，等倾线方程为

$$q=-\frac{x_2-1}{x_2} \quad 或 \quad x_2=\frac{1}{q+1}$$

它是一组与水平轴平行的直线。

首先在图 7-3-4 中设 q 为不同值时画出一系列等倾线。在每条等倾线上按 q 值求出 $\alpha=\arctan q$，并按该倾角画出短线段。相轨迹应以该斜率穿过等倾线。如果系统外部输入为 $r=0$，在初始状态 $x_1(0)=3$ 情况下，其相轨迹如图 7-3-4 所示。由图可见，在给定条件下，x 是单调衰减的。由于存在死区非线性特性，x_1 不能衰减到零，存在稳态误差。关于死区非线性特性对系统稳态误差的分析请参见例 7-10-5。

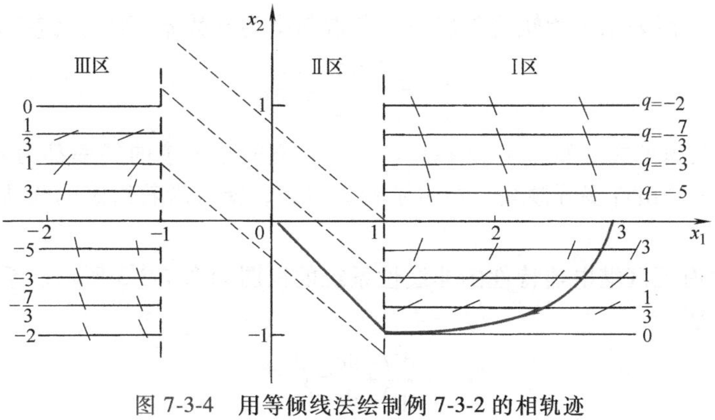

图 7-3-4 用等倾线法绘制例 7-3-2 的相轨迹

例 7-3-3 给定范德波尔方程，$\dot{x}_1=x_2$，$\dot{x}_2=-x_1-2\rho(x_1^2-1)x_2$，试用等倾线法绘制其相轨迹。

解 写出等倾线方程

$$\frac{dx_2}{dx_1}=\frac{-x_1-2\rho(x_1^2-1)x_2}{x_2}=q$$

或

$$x_2=\frac{x_1}{2\rho(1-x_1^2)-q}$$

现考虑 $\rho=0.1$ 的情况。

在图 7-3-5 中画出了 q 分别等于−1，0，1，∞ 时的等倾线，同时也绘制了相轨迹。

从相轨迹图 7-3-5 可见，范德波尔振荡器的确存在自持振荡（极限环）。

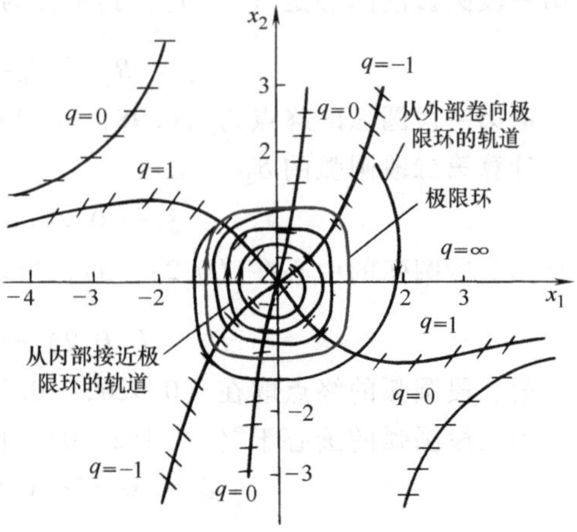

图 7-3-5 范德波尔方程的相轨迹

（三）**δ 法**

系统的相变量方程为

$$\dot{x}_1=x_2$$

$$\dot{x}_2=f(x_1,x_2)$$

在后一式中的等号右侧加、减 $\omega_0^2x_1$ 项，于是就有

$$\left.\begin{aligned}\dot{x}_1&=x_2\\ \dot{x}_2&=-\omega_0^2x_1-\delta(x_1,x_2)\end{aligned}\right\}\tag{7-3-4}$$

式中，$\delta(x_1,x_2)=-f(x_1,x_2)-\omega_0^2x_1$。

由式（7-3-4）可得

$$\frac{dx_2}{dx_1}=-\frac{\omega_0^2x_1+\delta(x_1,x_2)}{x_2}\tag{7-3-5}$$

在点（x_1，x_2）附近小邻域内，将 δ（x_1，x_2）视为常量，并对式（7-3-5）积分，可得其解为

$$\frac{x_2^2}{2}+\frac{\omega_0^2x_1^2}{2}+\delta(x_1,x_2)x_1=\text{常数}$$

将上式改写为

$$x_2^2+\left[\omega_0x_1+\frac{\delta(x_1,x_2)}{\omega_0}\right]^2=R^2\tag{7-3-6}$$

如果选取新坐标系为（ω_0x_1，x_2），则在新坐标系中以$\left(-\dfrac{\delta}{\omega_0},\ 0\right)$为圆心，半径为从圆心到所取点（$\omega_0x_1'$，$x_2'$）的距离（参见图 7-3-6），画出的圆弧就近似地表示了所选取点附近的相轨迹。因此，相轨迹可用多段小圆弧连接而成。

例 7-3-4 非线性系统的微分方程为 $\dot{x}_1=x_2$，$\dot{x}_2=-x_2-x_1^3$，试用 δ 法绘制其相轨迹。

解 按所给定的方程知

$$\delta(x_1,x_2)=-f(x_1,x_2)-\omega_0^2x_1=x_2+x_1^3-\omega_0^2x_1$$

取 $\omega_0=1$，并给定初始状态为 $x_{10}=1$，$x_{20}=0$，它就是相轨迹第一段小圆弧的起点。

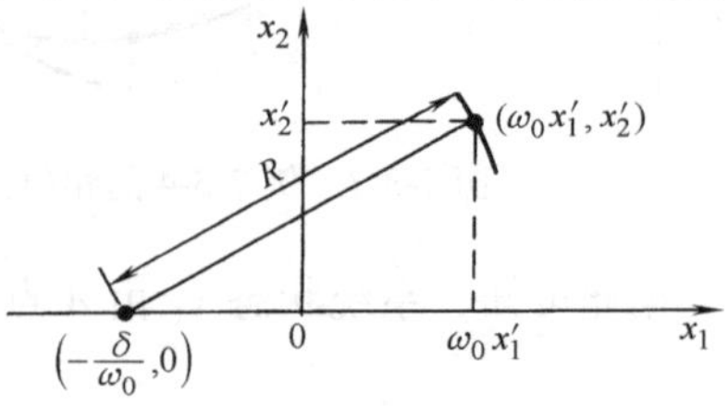

图 7-3-6 δ 法绘制相轨迹

绘制第一段圆弧，将初始状态代入 δ 式中

$$\delta_1 = x_{20} + (x_{10})^3 - x_{10} = 0$$

故第一段圆弧的圆心是（0，0），其半径为

$$R_1 = [x_{20}^2 + (x_{10}+\delta_1)^2]^{\frac{1}{2}} = 1$$

取第一段圆弧的终点为（0.98，-0.2），这也是第二段圆弧的起点。

计算第二段圆弧的 δ_2

$$\delta_2 = -0.2 + (0.98)^3 - 0.98 = -0.24$$

于是第二段圆弧的中心在（0.24，0），半径为

$$R_2 = [(-0.2)^2 + (0.98-0.24)^2]^{\frac{1}{2}} = 0.77$$

第二段圆弧的终点取在（0.926，-0.35），这也是第三段圆弧的起点。

第三段圆弧的圆心于（-0.482，0），因为

$$\delta_3 = -0.35 + (0.926)^3 - 0.926 = -0.482$$

半径为

$$R_3 = [(-0.35)^2 + (0.926-0.482)^2]^{\frac{1}{2}} = 0.565$$

如此继续作下去，绘制出的相轨迹如图 7-3-7 所示。显然每次取的圆弧段越短，精度越高。

二、由相轨迹求暂态响应

相轨迹是系统的时间响应 $c(t)$ 在 x_1-x_2 平面（实际就是 $c(t)$-$\dot{c}(t)$ 平面）上的映象，它虽能反映系统时间响应的主要特征，却没有直接显示时间信息。如需要求出系统的时间响应，可以用以下方法确定出相轨迹上各点相应的时间。这些方法都是近似求解。

（一）根据相轨迹的平均斜率求时间 t

设系统的相轨迹如图 7-3-8 所示。对于 x_1 的微小增量 Δx_1 及时间 Δt，其与相轨迹上相应的纵坐标平均值之间的关系为

$$x_{2av} = \frac{\Delta x_1}{\Delta t} \quad 或 \quad \Delta t = \frac{\Delta x_1}{x_{2av}} \tag{7-3-7}$$

式中，x_{2av} 为与 Δx_1 对应的纵坐标平均值。

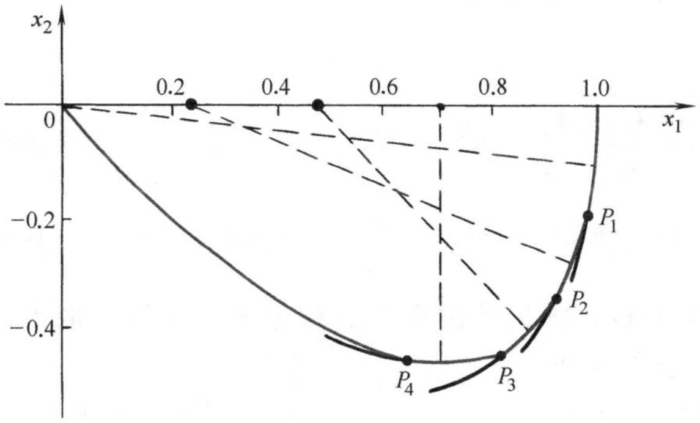

图 7-3-7 例 7-3-4 的相轨迹

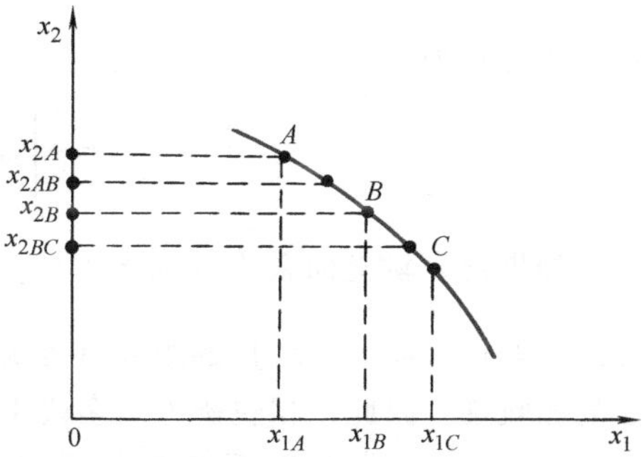

图 7-3-8 从系统的相轨迹求时间响应

据此可知，系统状态 x_1 由 A 点转移到 B 点所需时间为

$$\Delta t_{AB} = \frac{x_{1B} - x_{1A}}{x_{2AB}} \tag{7-3-8}$$

式中，$x_{2AB}=\dfrac{x_{2A}+x_{2B}}{2}$。

用同样的方法，继续求出状态 x_1 由 B 点转移的时间 Δt_{BC}，如此即能求得 $x_1(t)$ 的图形。令 $x_1(t)=c(t)$，即求得系统的时间响应。

为保证计算所得有必要的精度，应适当选取 Δx_1 之值。Δx_1 不必一定取为常量，可根据相轨迹图形特点而定。

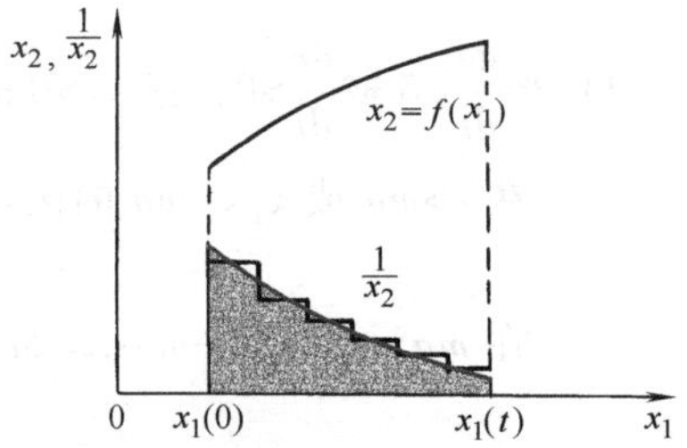

图 7-3-9　用面积法求时间响应

（二）用面积法求时间 t

设系统的相轨迹如图 7-3-9 中曲线 $x_2=f(x_1)$ 所示，已知相变量

$$\dot{x}_1=x_2$$

故有

$$\mathrm{d}t=\frac{\mathrm{d}x_1}{x_2}$$

积分后可得

$$t=\int_{x_1(0)}^{x_1(t)}\frac{1}{x_2}\mathrm{d}x_1 \tag{7-3-9}$$

式（7-3-9）说明，系统状态 x_1 从 $t=0$ 开始时的初始状态 $x_1(0)$ 转移到某一状态 $x_1(t)$ 所需之时间等于曲线$\dfrac{1}{x_2}=\dfrac{1}{f(x_1)}$与 x_1 轴之间包含的面积，如图 7-3-9 中的阴影部分。此面积可用近似矩形方法或面积仪求出。

借助 MATLAB 可绘制非线性系统的相轨迹和时域响应，但对以上方法的理解是必要的。

三、用相轨迹分析非线性系统

用相平面法分析含有非线性特性的二阶系统，能得出比较直观明确的结论。下面举例说明。

例 7-3-5　试分析图 7-3-10 所示含有继电器特性的非线性系统。其中继电器特性部分的参量是 $a=0.2$，$m=0.5$，$M=0.2$，线性部分的参量 $K=5$。

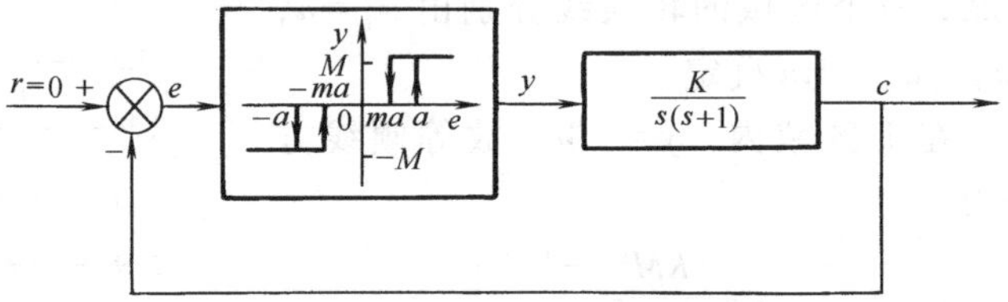

图 7-3-10　例 7-3-5 的系统框图

解　线性部分的方程为

$$r-c=e$$

及

$$\ddot{c}+\dot{c}=Ky$$

用相平面分析系统时，可将外部参考输入考虑为 $r=0$。令 $c=x_1$，于是得到线性部分的相变量方程为

$$\begin{cases}\dot{x}_1=x_2\\ \dot{x}_2=-x_2+Ky\end{cases} \tag{7-3-10}$$

$$c=-e$$

非线性部分应划分区域列写方程：

1）当$\dfrac{\mathrm{d}e}{\mathrm{d}t}>0$，或$\dfrac{\mathrm{d}c}{\mathrm{d}t}<0$，或 $x_2<0$ 时

在 $e<-ma$ 或 $x_1=c>ma$ 的区域内

$$y=-M$$

在$-ma<e<a$或$ma>x_1>-a$的区域内

$$y=0$$

在$e>a$或$x_1<-a$的区域内

$$y=M$$

2）当$\frac{\mathrm{d}e}{\mathrm{d}t}<0$或$\frac{\mathrm{d}c}{\mathrm{d}t}>0$，或$x_2>0$时

在$e>ma$或$x_1<-ma$的区域内

$$y=M$$

在$ma>e>-a$或$-ma<x_1<a$的区域内

$$y=0$$

在$e<-a$或$x_1>a$的区域内

$$y=-M$$

归纳以上可得

$$y=\begin{cases}M & (x_1<-a,x_2<0;x_1<-ma,x_2>0)\\0 & (ma>x_1>-a,x_2<0;-ma<x_1<a,x_2>0)\\-M & (x_1>ma,x_2<0;x_1>a,x_2>0)\end{cases}\tag{7-3-11}$$

现用等倾线法绘制系统的相轨迹，由式（7-3-10）知，相轨迹上等倾线方程为

$$\frac{\mathrm{d}x_2}{\mathrm{d}x_1}=\frac{-x_2+Ky}{x_2}=q$$

或写成

$$x_2=\frac{Ky}{q+1}\tag{7-3-12}$$

将图7-3-11所示之相平面分为三个区域，三个区域的转换线分别由$x_1=a$，ma，$-a$，$-ma$确定。

在Ⅰ区域内，$y=-M$，故等倾线方程为

$$x_2=\frac{-KM}{q+1}=\frac{-1}{q+1}$$

在Ⅱ区域内，$y=0$

$$\mathrm{d}x_2=-\mathrm{d}x_1$$

或

$$\frac{\mathrm{d}x_2}{\mathrm{d}x_1}=-1=q$$

在Ⅲ区域内，$y=M$

$$x_2=\frac{1}{q+1}$$

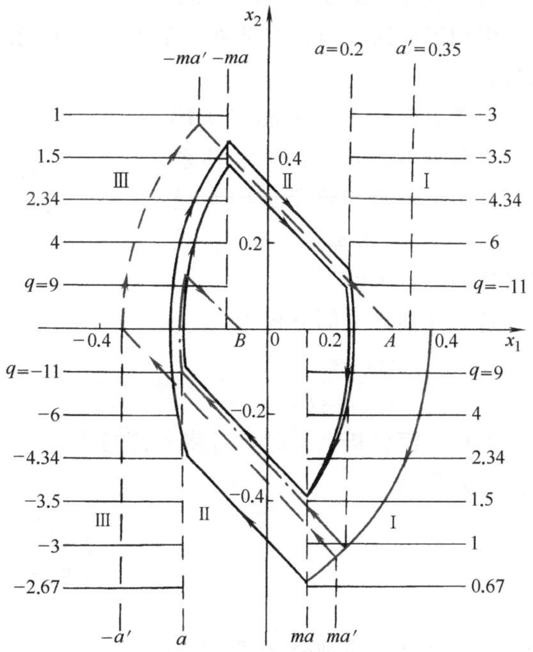

图7-3-11 例7-3-5系统的相轨迹

给定x_2为不同值，则可作出平行于x_1轴的一组直线，将其画在Ⅰ、Ⅲ区域内，并在其侧标注相应的相轨迹斜率的q值。在Ⅱ区域内，相轨迹的斜率全都是$q=-1$。在图7-3-11中，绘制了初始状态为（0.4，0）时系统的相轨迹。相轨迹自外向内随时间推移而收敛，但最终趋于极限环，而不能收敛

到平衡状态。这说明该系统在所给定的参量情况下，系统处于频率和振幅都是固定值的自持振荡状态。

下面分别讨论系统线性部分的参量 K（增益）、非线性部分的参量 M（继电器特性的输出幅值）、a（继电器特性的死区宽度参量）、m（继电器特性的间隙宽度参量）对系统性能的影响。

1. 减小线性部分增益 K

令 $K=2$，则各区域内等倾线方程如下

在Ⅰ区域内 $x_2=\dfrac{-0.4}{q+1}$

在Ⅱ区域内 $x_2=-x_1$

在Ⅲ区域内 $x_2=\dfrac{0.4}{q+1}$

按照前述方法，在三个区域内分别画出等倾线，然后作出初始状态为（0.6，0）且 $K=2$ 时系统的相轨迹，如图 7-3-12 中的相轨迹①所示。由于随着时间推移，相轨迹最终收敛到平衡状态，消除了极限环。故此系统摆脱了自持振荡的运动状态而达到稳定的平衡状态。

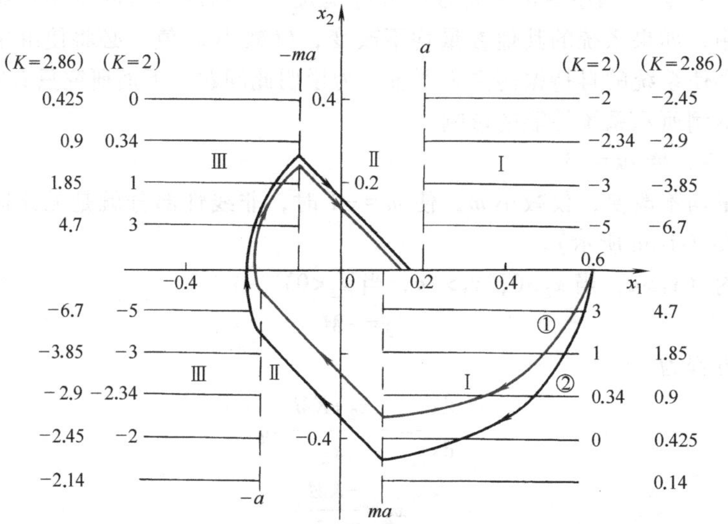

图 7-3-12 例 7-3-5 系统在减小 K 值时的相轨迹

因此，由一个非周期环节和一个积分环节构成的线性部分与继电器特性串联后组成的非线性系统，线性部分的增益达到一定数值后，该非线性系统产生自持振荡。减小线性部分的增益是消除系统自持振荡的措施之一。

2. 减小继电器特性的输出幅值 M

根据式（7-3-12）知，决定系统相轨迹等倾线的斜率值是 K 与 M 的乘积，所以减小 M 值与减小 K 值对系统性能的影响一样，故不赘述。

3. 增大继电器特性的死区宽度参量 a

在图 7-3-11 中，画出了当 $a'=0.35$（原来 $a=0.2$），其他参量均不改变（即仍有 $K=5$，$M=0.2$，$m=0.5$）时系统的相轨迹。由于 K 及 M 不改变，故相轨迹的等倾线的斜率值不变。又由于 m 不改变，故 ma 将按比例增大为 $ma'=0.5\times0.2\times\dfrac{0.35}{0.2}=0.175$。画出初始状态为

(0.4, 0) 的相轨迹如图 7-3-11 中虚线所示，随着时间推移，相轨迹最终收敛到平衡状态点 A。

增大 a 值与减小 M 或 K 值的效果是一样的，这一点在用谐波平衡法分析非线性系统性能时极易说明（将在本章第六节中阐述）。在此，可以从另外一个角度间接证明。例如将 a 值从 0.2 增大到 0.35 可消除系统的自持振荡，如果将 KM 的值减小到仅为原来数值的$\frac{0.2}{0.35}$，也能获得同样的效果。

在图 7-3-12 中，画出了当 $K=5\times\frac{0.2}{0.35}=2.86$ 时系统的相轨迹，如曲线②。相轨迹最终收敛到平衡状态，没有极限环。这说明已经消除了系统的自持振荡。

所以，可以认为减小 K 及 M 与增大 a 对系统有相同的影响。

4. 增大继电器特性间隙宽度参量 m

如果增大 m 值，其他参量均不改变，这就意味着继电器特性中的间隙宽度在缩小。极端情况，$m=1$，则继电器特性只有死区，而无间隙。此时系统的相轨迹如图 7-3-11 中点划线所示。相轨迹很快就收敛到平衡状态（B 点），没有极限环。

故知，**增大 m 值，缩小继电器特性的间隙宽度，对抑制和消除系统自持振荡有良好的效果**。不言而喻，如果系统的其他参量均不改变，仅减小 m 值，必将使继电器特性的间隙增宽，其效果必使系统的自持振荡更为严重。为说明此问题，下面研究只有间隙而无死区的继电器特性对本例所示系统性能的影响。

5. 减小 m 值，使 $m=-1$

当其他参量均不改变，仅减小 m，使 $m=-1$ 时，非线性部分就是无死区仅有间隙的继电器特性（如图 7-1-5c 所示）。

在Ⅰ区域内（$x_1>a$，当 $x_2>0$；$x_1>-a$，当 $x_2<0$）

$$y=-M$$

相应的等倾线方程为

$$\frac{dx_2}{dx_1}=-\frac{x_2+KM}{x_2}=q$$

或

$$x_2=\frac{-KM}{q+1}$$

在Ⅱ区域内（$x_1<a$，当 $x_2>0$；$x_1<-a$，当 $x_2<0$）

$$y=M$$

相应的等倾线方程为

$$\frac{dx_2}{dx_1}=\frac{-x_2+KM}{x_2}=q \quad 或 \quad x_2=\frac{KM}{q+1}$$

由此可知，相轨迹的等倾线全是平行于 x_1 轴的直线族。图 7-3-13 中绘制了初始状态为 (0.3, 0) 时系统的相轨迹。相轨迹开始向外发散，最终发散到极限环为止。可以推论，如果初始状态 $|x_1(0)|$ 比较大，相轨迹将向内收敛，最终也收敛到极限环上。将图 7-3-13 与图 7-3-11 比较（所用坐标分度比例尺相同），图 7-3-13 对应的系统自持振荡的振幅几乎是图 7-3-11 对应的系统自持振荡的振幅的两倍。

前曾述及，减小 K 及 M 值，或是增大 a 值，有可能抑制甚至消除自持振荡，但那是对有死区的继电器特性的非线性系统而言。**在没有死区，只有间隙的继电器特性的非线性系统**

中，无论怎样减小 K 或 M 值，增大 a 值均不能消除系统的自持振荡现象。换言之，此种系统产生自持振荡是由其固有的结构决定的，不可能通过参量的调整去消除。

6. 减小 a 值至 $a=0$

这时死区和间隙均不存在，成为理想的继电器特性，在相平面上Ⅰ区域与Ⅱ区域以 x_2 轴为转换线，相应地，两个区域的等倾线方程仍不改变。图 7-3-13 中绘制了 $a=0$ 时理想继电器特性非线性系统的相轨迹（蓝色线），系统将经过无限多次周期性衰减振荡，最后收敛于相平面原点。

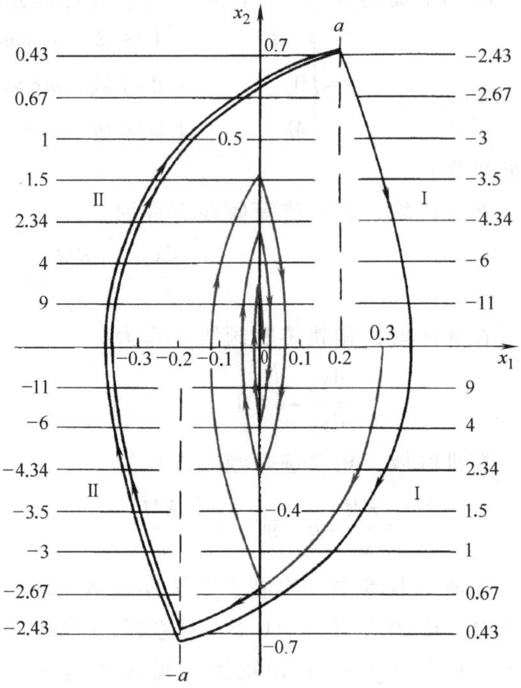

图 7-3-13　例 7-3-5 系统 $m=-1$ 及 $a=0$ 时的相轨迹

读者可以回顾例 7-3-1，那也是一个含有理想继电器特性的非线性系统，它的相轨迹表明，系统存在不同幅值的周期性等幅振荡，与这里介绍的，系统经过无限多次周期性衰减振荡，最后收敛于平衡状态是完全不一样的。

仔细考查，例 7-3-1 所示系统的线性部分是由两个积分环节串联构成，但在本例中，系统的线性部分是由一个非周期环节与一个积分环节串联而成。尽管非线性部分都是理想继电器特性，但两个系统的性能却有本质不同。

例 7-3-6　试用相平面分析图 7-3-14 所示含有继电器特性的非线性系统。

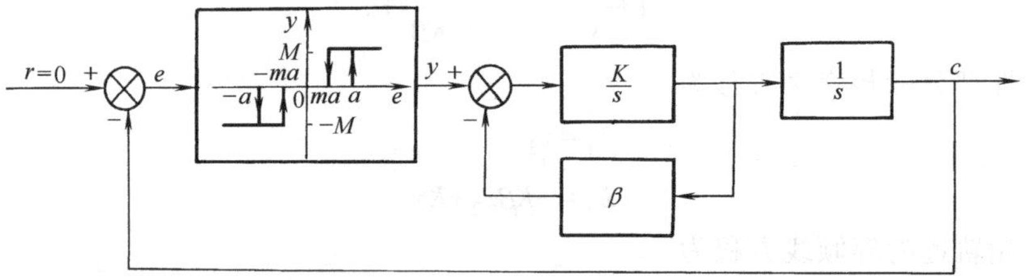

图 7-3-14　例 7-3-6 系统框图

解　此例与例 7-3-5 的不同之处有二：其一是线性部分不同，此例中系统的线性部分由两个积分环节串联而成；其二是存在局部负反馈，它包围了线性部分中的一个积分环节。

首先分析无局部反馈时的情况。可令 $\beta=0$，于是线性部分的相变量方程为

$$\dot{x}_1=x_2$$
$$\dot{x}_2=Ky$$

式中，$\dot{x}_1$为系统的输出 $c(t)$。

由此得出相轨迹的等倾线方程为

$$\frac{\mathrm{d}x_2}{\mathrm{d}x_1}=\frac{Ky}{x_2}=q \quad 或 \quad x_2=\frac{Ky}{q}$$

将相平面划分为三个区域，则非线性部分的方程是

$$y=\begin{cases}-M & (\text{Ⅰ区域}\quad x_1>ma,x_2<0;x_1>a,x_2>0)\\ 0 & (\text{Ⅱ区域}\quad ma>x_1>-a,x_2<0;-ma<x_1<a,x_2>0)\\ M & (\text{Ⅲ区域}\quad x_1<-a,x_2<0;x_1<-ma,x_2>0)\end{cases}$$

据此可知：

在Ⅰ区域，相轨迹等倾线方程为

$$\frac{dx_2}{dx_1}=-\frac{KM}{x_2}=q \quad 或 \quad x_2=-\frac{KM}{q}$$

在Ⅱ区域，相轨迹等倾线方程为

$$\frac{dx_2}{dx_1}=q=0$$

在Ⅲ区域，相轨迹等倾线方程为

$$\frac{dx_2}{dx_1}=\frac{KM}{x_2}=q \quad 或 \quad x_2=\frac{KM}{q}$$

在图 7-3-15 中，绘制了系统参量 $K=2$，$a=0.2$，$M=0.2$ 及 $m=0.5$，且系统初始状态为（0.3，0）时的相轨迹。相轨迹呈发散性质，系统处于振幅不断增大的周期性振荡状态，说明系统不稳定。

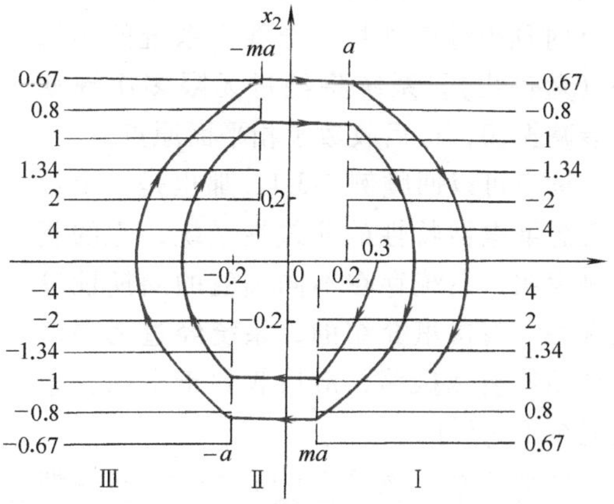

图 7-3-15 例 7-3-6 系统的相轨迹

如果接入局部负反馈，即 $\beta>0$ 时，被局部负反馈包围的积分环节的传递函数为

$$\frac{\frac{K}{s}}{1+\frac{K\beta}{s}}=\frac{K}{s+K\beta}=\frac{1/\beta}{\frac{1}{K\beta}s+1}$$

于是系统线性部分的相变量方程为

$$\dot{x}_1=x_2$$

$$\dot{x}_2=-K\beta x_2+Ky$$

由此可求出相轨迹的等倾线方程为

$$\frac{dx_2}{dx_1}=\frac{-K\beta x_2+Ky}{x_2}=q \tag{7-3-13}$$

将式 7-3-13 与式（7-3-12）比较，形式完全一样。这说明此例所示系统中一个积分环节被负反馈包围后成为一个非周期环节。因此，可以预期系统将不再呈发散振荡运动状态。

如果此例所示系统的非线性部分的特征参量 M、a 及 m 均与前例一样，线性部分的增益 K 值也与前例一样，若使此例所示系统的相轨迹与例 7-3-5 一样，比较式（7-3-12）及式（7-3-13）可知，只需选择局部负反馈的参量 $\beta=\frac{1}{K}$ 就能满足要求。进一步的分析见例 7-10-3。

例 7-3-7 试用相平面法分析含有间隙特性的非线性系统，系统框图如图 7-3-16 所示。

解 系统的线性部分与例 7-3-5 一样，仍是由一个非周期环节和一个积分环节串联构

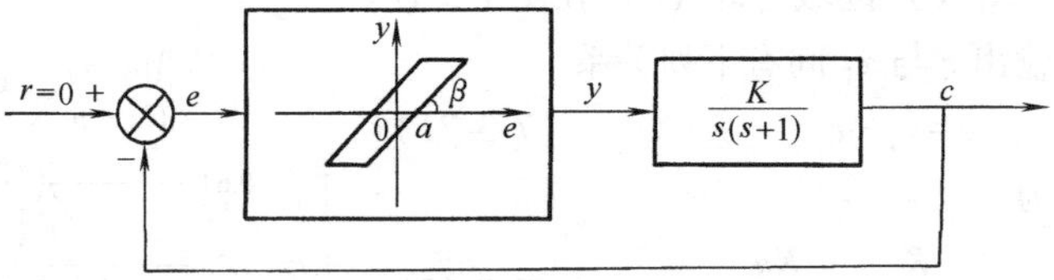

图 7-3-16　例 7-3-7 系统的框图

成，当输入 $r=0$ 时，其方程可写成

$$\dot{x}_1=x_2$$
$$\dot{x}_2=-x_2+Ky$$
$$e=-c$$

式中，$\dot{x}_1$ 为系统的输出 c。

图 7-3-17 绘出了间隙特性，其横坐标是 x_1，考虑到 $x_1=c=-e$，故实际表示的是非线性环节的输入 e 的负值。特性的纵坐标本是输出 y，在线性区，其值应与输入相等，即有 $y=e=-c$。现横坐标已取输入的负值，故纵坐标亦取负值，即取 $-y=c$。考虑到此点后，相变量方程又可写作

$$\dot{x}_1=x_2$$
$$\dot{x}_2=-x_2-Kc$$

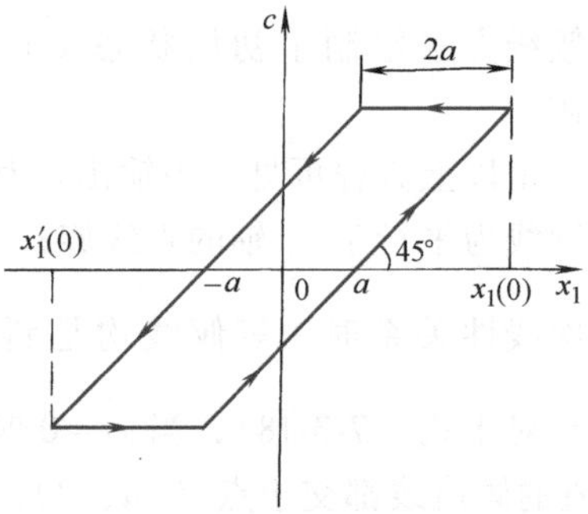

图 7-3-17　间隙特性

相轨迹的等倾线方程为

$$\frac{\mathrm{d}x_2}{\mathrm{d}x_1}=-\frac{x_2+Kc}{x_2}=q \quad 或 \quad x_2=\frac{-Kc}{q+1} \qquad (7\text{-}3\text{-}14)$$

对于间隙特性，在相平面上可以这样考虑。假设系统的初始状态在 $x_1(0)$（参见图 7-3-17），这时传动处于一侧无间隙的情况，系统的状态 x_1 从 $x_1(0)$ 开始减小。

1）$x_1(0)>x_1>x_1(0)-2a$ 区域，$x_2=\dot{x}_1<0$，输出 c 为常量，即

$$c=x_1(0)-a \qquad (7\text{-}3\text{-}15)$$

相应的相轨迹等倾线方程为

$$x_2=-\frac{K[x_1(0)-a]}{q+1} \qquad (7\text{-}3\text{-}16)$$

2）$x_1(0)-2a>x_1>x_1'(0)$ 区域，$x_2<0$，输出 c 与 x_1 有下列关系

$$c=x_1+a \qquad (7\text{-}3\text{-}17)$$

相应的等倾线方程为

$$x_2=\frac{-K}{q+1}x_1-\frac{Ka}{q+1} \qquad (7\text{-}3\text{-}18)$$

3）$x_1'(0)<x_1<x_1'(0)+2a$ 区域，$x_2>0$，输出 c 亦为常量

$$c=x_1'(0)+a \qquad (7\text{-}3\text{-}19)$$

相应的等倾线方程为

$$x_2=-\frac{K[x_1'(0)+a]}{q+1} \qquad (7\text{-}3\text{-}20)$$

4）$x_1'(0)+2a<x_1<x_1''(0)$ 区域［$x_1''(0)$ 在图 7-3-17 中未标出］，$x_2>0$，输出 c 与 x_1 间有下列关系

$$c=x_1-a \tag{7-3-21}$$

相应的等倾线方程为

$$x_2=-\frac{K}{q+1}x_1+\frac{Ka}{q+1} \tag{7-3-22}$$

5）$x_1''(0)>x_1>x_1''(0)-2a$ 区域，$x_2<0$，相应的非线性关系式及等倾线方程与式（7-3-15）、式（7-3-16）的形式相同，只是将其中的 $x_1(0)$ 用现在的 $x_1''(0)$ 代替即可。

以下各阶段都是重复上述情况，只是在 $x_2=0$ 时的 x_1 值取为相应的 $x_1^{(3)}(0)$，$x_1^{(4)}(0)$，…

设系统的参量为 $K=5$，$a=1$。在图 7-3-18 中用等倾线方法绘制了初始状态 $x_1(0)=4$ 时的系统相轨迹。

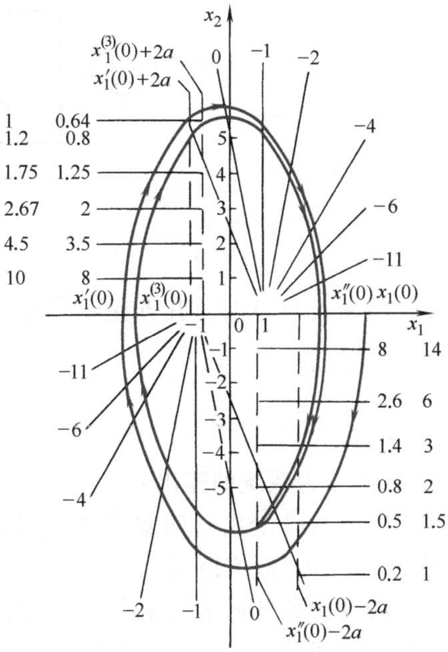

图 7-3-18　例 7-3-7 系统（$K=5$）的相轨迹

由以上方程可见，当输出 c 为常量时，相轨迹的等倾线为平行于 x_1 轴的直线族；当输出 c 与 x_1 成非齐次线性关系时，等倾线均是斜率为 $-\frac{K}{q+1}$ 的直线族。对于式（7-3-18），当 $x_2=0$ 时，不论等倾线的斜率 q 为何值，均有 $x_1=-a$，这说明不同 q 值的倾值线都交于点（$-a$，0）。对于式（7-3-22），当 $x_2=0$ 时，不论等倾线的 q 为何值，均有 $x_1=a$，这说明不同 q 值的等倾线都交于点（a，0）。

此外，还不难证明，相同 q 值的式（7-3-16）等倾线与式（7-3-18）的等倾线相交于 $x_1=x_1(0)-2a$ 直线上。因为，以 $x_1=x_1(0)-2a$ 代入式（7-3-21）后得到的 x_2，将与式（7-3-16）相同。同样，相等 q 值式（7-3-20）的等倾线与式（7-3-22）的等倾线相交于 $x_1=x_1'(0)+2a$ 直线上。

由图 7-3-18 清楚地看到，相轨迹收敛于极限环，说明在 $K=5$ 时，此系统的时间响应存在自持振荡。

从相平面图还不难推论，即使尽量减小间隙，但只要间隙存在，不论多么小，系统存在自持振荡就不可避免，只不过自持振荡的振幅也相应地减小一些而已。

减小线性部分的增益 K 能够抑制甚至消除系统的自持振荡。图 7-3-19 画出了 $K=2$ 时该系统的相轨迹，这时

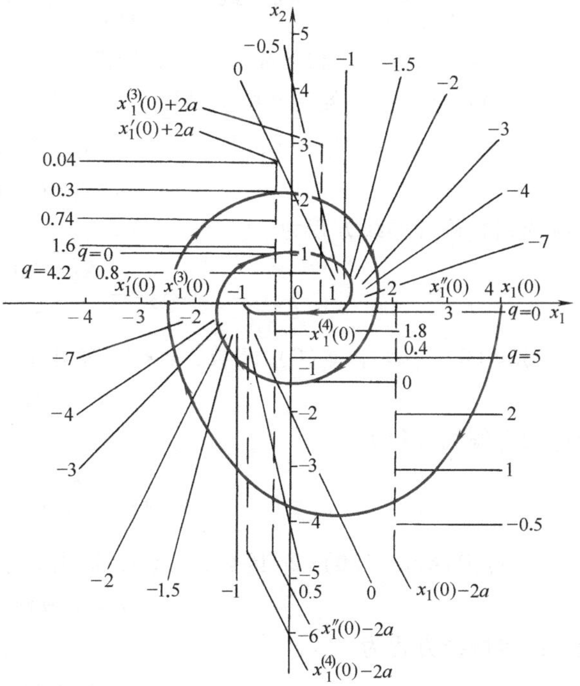

图 7-3-19　例 7-3-7 系统（$K=2$）的相轨迹

极限环已不存在，自持振荡被消除了。

因此，如果含有间隙特性的非线性系统，其线性部分如为一非周期环节与一积分环节串联，且其结构不允许改变，则减小线性部分的增益将是此类系统消除自持振荡的一种有效措施。

例 7-3-8 试分析图 7-3-20 所示具有摩擦阻力的系统。图中的 F_f 表示摩擦阻力，它包括干摩擦力 $f_c \text{sgn}\, \dot{c}$ 及粘性摩擦阻力 $f_v \dot{c}$，即

$$F_f = f_c \text{sgn}\, \dot{c} + f_v \dot{c}$$

式中，f_c、f_v 为干摩擦系数与粘性摩擦系数。

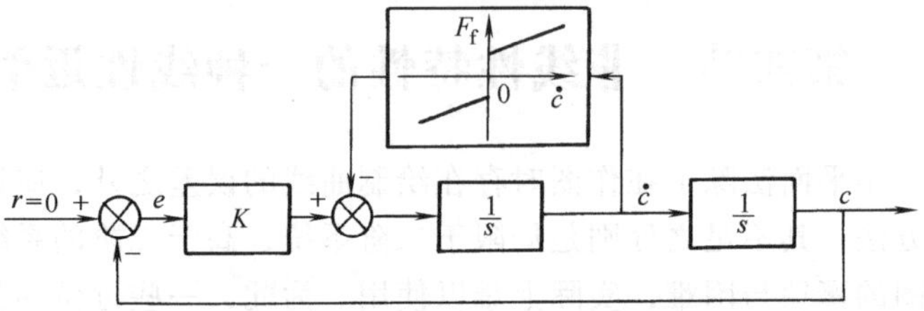

图 7-3-20 例 7-3-8 系统框图

解 根据系统的结构，可以写出系统的方程为

$$Ke - (f_c \text{sgn}\, \dot{c} + f_v \dot{c}) = \ddot{c}$$

$$e = r - c$$

当 $r=0$ 时，则系统的方程为

$$\ddot{c} = -f_c \text{sgn}\, \dot{c} - f_v \dot{c} - Kc$$

令

$$c = x_1$$

于是得到系统的相变量方程为

$$\dot{x}_1 = x_2$$

$$\dot{x}_2 = -Kx_1 - f_v x_2 - f_c \text{sgn} x_2$$

由此得到等倾线方程

$$\frac{\mathrm{d}x_2}{\mathrm{d}x_1} = -\frac{K[x_1 + (f_v/K)x_2 + (f_c/K)\text{sgn} x_2]}{x_2} = q$$

或

$$x_2 = \frac{-K[x_1 + (f_c/K)\text{sgn} x_2]}{q + f_v}$$

在图 7-3-21 中画出了当系统参量为 $K=1.25$，$f_c=0.25$，$f_v=0.25$ 时的相轨迹。

从方程可以看出，如 $f_c=0$，则此非线性系统与线性系统一样。当 $f_c \neq 0$ 时，干摩擦的效应是在 $x_2<0$ 时将系统的焦点移到 $(f_c/K, 0)$ 点；当 $x_2>0$ 时，又将系统的焦点左移至 $(-f_c/K, 0)$ 点。于是奇点就扩展为一条奇线。随着初始条件变化，奇线上任何点都可能成为系统的平衡点。图 7-3-21 给出了 2 条不同初始状态下的相轨迹。相轨迹①表示系统的零输入响应衰减振荡收敛于奇线，相轨迹②对应的系统零输入响应几乎是单调衰减地收敛于奇线。此例说明，非线性系统的初始状态不同，其零输入响应的性质可能不同。

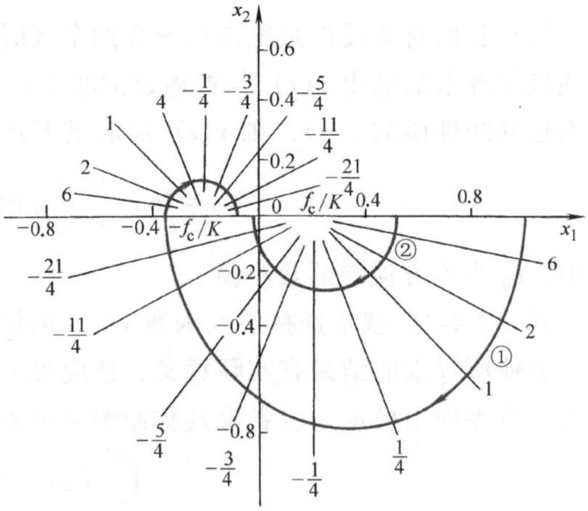

图 7-3-21 例 7-3-8 系统的相轨迹

具有摩擦阻力的非线性系统的稳定性没有问题，但稳态误差可能比较大，也就是要求系统总是最终收敛到状态平面的原点是难于做到的。在实际中，对于具有干摩擦非线性的系统，为提高稳态精度，可用反复加入微小的正、负输入信号，以克服由于干摩擦带来的稳态精度不高的缺点。

第四节　非线性特性的一种线性近似表示——描述函数

相平面法除了在作图时存在绘制曲线的误差之外，应该说是分析非线性系统的一种较准确方法。其不足之处则是局限于二阶系统，高于二阶的系统，理论上虽说并无限制，但由于作图的繁琐与困难，实际上难以使用。为此，一些近似的分析方法发展了起来，建立在描述函数基础上的谐波平衡法就是其中应用较为广泛的一种。

描述函数是非线性特性的一种线性近似表示，用描述函数后，非线性系统可近似视为线性系统，用线性系统理论分析，甚至设计。

考虑一非线性环节 N，其输入为 $x(t)$，输出为 $n(t)$。现在面临的问题是找出一个线性函数 $y(t)$ 去逼近 $n(t)$，并且要求按照某种准则衡量，这种逼近应是最佳的（参见图 7-4-1）。除此以外，为了借用前述各章所介绍的分析线性系统的方法，我们将按照第二章第一节对需线性逼近的非线性环节作同样的假设，即所研究的非线性环节的参量是定常的，并且是所谓的无记忆非线性。这种假设说明，在零初始状态下，t 时刻非线性环节的输出完全取决于 t 这一时刻的输入值，而与输入的过去值或将来值都无关。

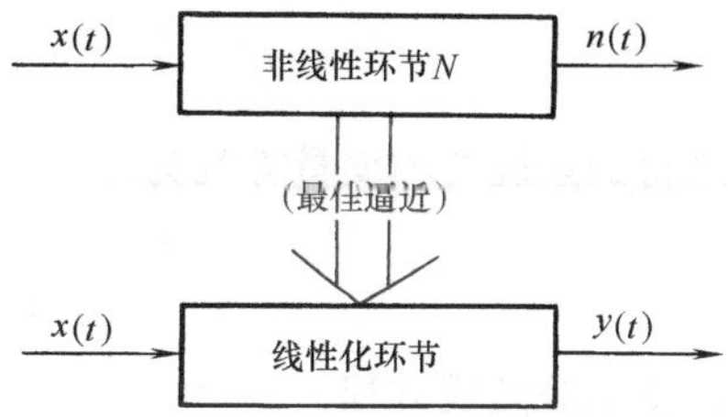

图 7-4-1　最佳逼近示意图

按照第二章所述，用以逼近非线性环节的线性化环节能用卷积分公式表示其输出 $y(t)$ 与输入 $x(t)$ 之间的关系

$$y(t)=\int_0^t g(\tau)x(t-\tau)\mathrm{d}\tau \quad (0\leqslant\tau\leqslant t) \tag{7-4-1}$$

式中，$g(\tau)$ 为线性环节的脉冲响应函数。

如果我们对非线性系统进行研究的全部时间为 T，并且希望按照在时间 T 内使作为逼近的线性化环节的输出 $y(t)$ 与被逼近的非线性环节的输出 $n(t)$ 之间的均方误差为最小的准则去选择线性函数 $y(t)$，则 $y(t)$ 应满足下式

$$e=\lim_{T\to\infty}\frac{1}{T}\int_0^T[n(t)-y(t)]^2\mathrm{d}t=e_0 \tag{7-4-2}$$

式中，e_0 为均方误差的最小值。

式（7-4-2）就是选择线性函数 $y(t)$ 的依据。

为使所寻求的结果有实际意义，还应规定所选择的逼近非线性环节的线性化环节是有界输入、有界输出稳定，或者说其脉冲响应函数 $g(t)$ 应满足式（3-8-7），即

$$\int_0^\infty |g(t)|\mathrm{d}t\leqslant K_2<\infty$$

由于已经认定 e_0 为最小的均方误差值，故对于其他所有的均方误差值恒有

$$e\geqslant e_0 \quad 或 \quad e-e_0\geqslant 0 \tag{7-4-3}$$

式中，e 为最小值以外的均方误差值。

设按使均方误差为最小值的准则选定的线性函数为 $y_0(t)$，相应的脉冲响应函数为 $g_0(t)$，则根据式（7-4-2）及式（7-4-3）可有

$$e-e_0=\lim_{T\to\infty}\frac{1}{T}\int_0^T\{[n(t)-y(t)]^2-[n(t)-y_0(t)]^2\}\mathrm{d}t$$

$$=\lim_{T\to\infty}\frac{1}{T}\int_0^T\{[y(t)-y_0(t)]^2+2[y(t)-y_0(t)][y_0(t)-n(t)]\}\mathrm{d}t\geqslant 0 \tag{7-4-4}$$

根据式（7-4-4）可见，只有其被积函数中关于函数 $y(t)-y_0(t)$ 的一次项恒等于零，式（7-4-4）才为非负。由此可知必须有

$$\lim_{T\to\infty}\frac{1}{T}\int_0^T[y(t)-y_0(t)][y_0(t)-n(t)]\mathrm{d}t=0 \tag{7-4-5}$$

将式（7-4-1）代入式（7-4-5），即有

$$\lim_{T\to\infty}\frac{1}{T}\int_0^T\left[\int_0^t g(\tau)x(t-\tau)\mathrm{d}\tau-\int_0^t g_0(\tau)x(t-\tau)\mathrm{d}\tau\right][y_0(t)-n(t)]\mathrm{d}t$$

$$=\lim_{T\to\infty}\frac{1}{T}\int_0^T\left\{\int_0^t[g(\tau)-g_0(\tau)]x(t-\tau)\mathrm{d}\tau\right\}[y_0(t)-n(t)]\mathrm{d}t=0 \tag{7-4-6}$$

由于 τ 是输入信号加入的时刻，在 τ 时刻之前，输入未加入，输出的脉冲响应为零，故大括号内的积分下限可用 τ 代替零。又因为研究非线性系统的最终时刻为 T，故大括号内的积分上限可改用 T 代替 t。考虑到线性方程交换积分顺序不会影响结果，于是式（7-4-6）又可写成

$$\lim_{T\to\infty}\frac{1}{T}\int_0^T[g(\tau)-g_0(\tau)]\left\{\int_\tau^T x(t-\tau)[y_0(t)-n(t)]\mathrm{d}t\right\}\mathrm{d}\tau=0$$

为使上式对所有的 $g(\tau)-g_0(\tau)$ 都成立，故必须

$$\lim_{T\to\infty}\frac{1}{T}\int_\tau^T x(t-\tau)[y_0(t)-n(t)]\mathrm{d}t=0$$

或

$$\lim_{T\to\infty}\frac{1}{T}\int_\tau^T x(t-\tau)y_0(t)\mathrm{d}t=\lim_{T\to\infty}\frac{1}{T}\int_\tau^T x(t-\tau)n(t)\mathrm{d}t^{\ominus} \tag{7-4-7}$$

式（7-4-7）就是按照使均方误差为最小的准则，实现 $y(t)$ 与 $n(t)$ 最佳逼近的充分必要条件。

下面将把以上结论应用于输入为正弦函数时，无记忆定常非线性环节的最佳线性逼近。设输入为

$$x(t)=X\sin\omega t$$

无记忆非线性环节的输出 $n(t)$ 也应是周期函数，用傅里叶级数表示，则为

$$n(t)=\frac{A_0}{2}+\sum_{i=1}^{\infty}(A_i\cos i\omega t+B_i\sin i\omega t) \tag{7-4-8}$$

式中

$$A_i=\frac{1}{\pi}\int_0^{2\pi/\omega}n(t)\cos i\omega t\mathrm{d}t$$

$$B_i=\frac{1}{\pi}\int_0^{2\pi/\omega}n(t)\sin i\omega t\mathrm{d}t$$

如果函数 $n(t)$ 是奇函数，则上式中 A_0 及 A_i（$i=1, 2, 3, \cdots, n, \cdots$）均为零。于

⊖ 式（7-4-7）说明了一个重要原理，即使均方误差为最小的最佳逼近，其必要与充分条件是，$x(t)$ 与 $y_0(t)$ 之间的互相关函数和 $x(t)$ 与 $n(t)$ 之间的互相关函数相等。

是有

$$n(t)=\sum_{i=1}^{\infty}B_i\sin i\omega t \tag{7-4-9}$$

将式（7-4-9）代入式（7-4-7）的等式右侧，则有

$$\lim_{T\to\infty}\frac{1}{T}\int_{\tau}^{T}X\sin\omega(t-\tau)[y_0(t)]\mathrm{d}t=\lim_{T\to\infty}\frac{1}{T}\int_{\tau}^{T}X\sin\omega(t-\tau)\left[\sum_{i=1}^{\infty}B_i\sin i\omega t\right]\mathrm{d}t \tag{7-4-10}$$

由于函数族 $[\sin i\omega t]_{i=1}^{\infty}$ 的正交性，即积分

$$\int_0^{2\pi/\omega}\sin m\omega t\sin n\omega t\mathrm{d}\omega t=\begin{cases}0 & (m\neq n)\\ \dfrac{\pi}{\omega} & (m=n)\end{cases}$$

故式（7-4-10）又可写成

$$\lim_{T\to\infty}\frac{1}{T}\int_{\tau}^{T}X\sin\omega(t-\tau)[y_0(t)]\mathrm{d}t=\lim_{T\to\infty}\frac{1}{T}\int_{\tau}^{T}X\sin\omega(t-\tau)B_1\sin\omega t\mathrm{d}t \tag{7-4-11}$$

描述函数

显然，能使式（7-4-11）等式两侧的积分值相等的函数 $y_0(t)$ 可能有多种选择，但是简单而直观的最佳选择将是

$$y_0(t)=B_1\sin\omega t \tag{7-4-12}$$

因此，在正弦函数输入下，非线性环节 N 的最佳线性化环节的特性可以表示为

$$N(X)=\frac{y_0(t)}{x(t)}=\frac{B_1\sin\omega t}{X\sin\omega t}=\frac{B_1}{X} \tag{7-4-13}$$

将式（7-4-13）称为非线性环节 N 的描述函数，或称非线性环节 N 的等效增益。

所以非线性环节的描述函数实质是将其输出谐波线性化，简言之，它是在正弦输入下，以非线性环节输出中的线性分量（基波）去逼近其实际输出。这种逼近符合使均方误差为最小的准则，故是一种可能的最佳逼近。

描述函数不但有以上理论基础，而且也有实际依据。因为任一系统总能看作是由线性部分与非线性部分共同组成。前面已阐述过，系统的线性部分有低通滤波器特性，非线性部分输出中的高次谐波分量经过线性环节的滤波后将大幅度衰减，甚至可近似忽略不计。所以，只用基波来表示非线性部分输出的近似值，具有实际意义。

更一般情况下，非线性环节 N 的特性是对称的，但其输出不一定都是奇函数，这时 $y(t)$ 的基波分量为

$$y_1(t)=A_1\cos\omega t+B_1\sin\omega t=Y_1\sin(\omega t+\varphi_1) \tag{7-4-14}$$

式中，$A_1=\dfrac{\omega}{\pi}\displaystyle\int_0^{2\pi/\omega}n(t)\cos\omega t\mathrm{d}t=\dfrac{1}{\pi}\int_0^{2\pi}n(t)\cos\omega t\mathrm{d}(\omega t)$；$Y_1=\sqrt{A_1^2+B_1^2}$

$B_1=\dfrac{\omega}{\pi}\displaystyle\int_0^{2\pi/\omega}n(t)\sin\omega t\mathrm{d}t=\dfrac{1}{\pi}\int_0^{2\pi}n(t)\sin\omega t\mathrm{d}(\omega t)$；$\varphi_1=\arctan\dfrac{A_1}{B_1}$

因此，非线性环节的描述函数，或者等效复数增益为

$$N(X)=\frac{Y_1}{X}e^{j\varphi_1}=\frac{1}{X}(B_1+jA_1) \tag{7-4-15}$$

描述函数 $N(X)$ 表示了非线性环节的输入为正弦函数时，输出中的基波分量与输入在幅值和相位上的相互关系，类似于线性环节的频率特性。

如前所述，对于无记忆的非线性环节，描述函数 $N(X)$ 仅为输入幅值的函数，而与频率 ω 无关。当非线性环节为单值特性时，其描述函数为一实数，输出的基波分量与输入同相。如果非线性环节具有非单值特性，例如间隙特性、回环特性等，其描述函数则为一复数。这时输出中的基波分量与输入间存在相移，但它与线性系统频率特性中的相移不能混为一谈。

第五节　典型非线性特性的描述函数

经常遇到的典型非线性特性都是对称、无记忆的，本节将介绍其描述函数。

一、饱和特性的描述函数

若非线性环节具有饱和特性，如图 7-5-1 所示，当输入为正弦信号

$$x(t)=X\sin\omega t$$

时，其输出为

$$n(t)=\begin{cases}K_0X\sin\omega t & (0<\omega t<\alpha)\\ K_0a & (\alpha<\omega t<\pi-\alpha)\\ K_0X\sin\omega t & (\pi-\alpha<\omega t<\pi)\end{cases} \tag{7-5-1}$$

式中，$K_0=\tan\rho$。

将式（7-5-1）代入式（7-4-14），可以得到

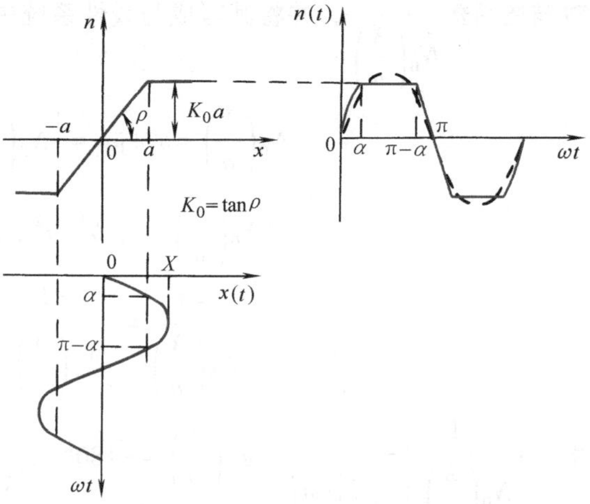

图 7-5-1　饱和特性及其正弦响应

$$A_1=0$$

$$B_1=\frac{1}{\pi}\int_0^{2\pi}n(t)\sin\omega t\mathrm{d}(\omega t)=\frac{4}{\pi}\int_0^{\frac{\pi}{2}}n(t)\sin\omega t\mathrm{d}(\omega t)$$

$$=\frac{4}{\pi}\left[\int_0^{\alpha}K_0X\sin^2\omega t\mathrm{d}(\omega t)+\int_{\alpha}^{\frac{\pi}{2}}K_0a\sin\omega t\mathrm{d}(\omega t)\right]$$

$$=K_0X\frac{2}{\pi}(\alpha+\sin\alpha\cos\alpha)=K_0X\frac{2}{\pi}\left[\arcsin\frac{a}{X}+\frac{a}{X}\sqrt{1-\left(\frac{a}{X}\right)^2}\right] \tag{7-5-2}$$

非线性环节的输出基波分量则为

$$y_1(t)=B_1+\mathrm{j}A_1=Y_1\mathrm{e}^{\mathrm{j}\varphi_1}$$

故有

$$Y_1=B_1$$

$$\varphi_1=\arctan\frac{A_1}{B_1}=0$$

由此得到饱和特性的描述函数为

$$N(X)=\frac{B_1}{X}=K_0\frac{2}{\pi}\left[\arcsin\frac{a}{X}+\frac{a}{X}\sqrt{1-\left(\frac{a}{X}\right)^2}\right]\quad(X>a) \tag{7-5-3}$$

显然，只有当 $X>a$ 时研究饱和特性才有意义。

实用上常将描述函数表示为 $\frac{X}{a}$ 的函数，而且将其中与线性部分增益有相同作用的参量

K_n 分离出来，于是有

$$N(X)=N\left(\frac{X}{a}\right)=K_nN_0\left(\frac{X}{a}\right) \tag{7-5-4}$$

$$K_n=K_0$$

对于饱和特性，习惯上将 $N_0\left(\frac{X}{a}\right)$ 称为**相对描述函数**，饱和特性的相对描述函数为

$$N_0\left(\frac{X}{a}\right)=\frac{2}{\pi}\left[\arcsin\frac{a}{X}+\frac{a}{X}\sqrt{1-\left(\frac{a}{X}\right)^2}\right] \tag{7-5-5}$$

在分析非线性系统时，为与系统线性部分配合使用线性理论的某些结论，经常应用**负倒相对描述函数** $\dfrac{-1}{N_0\left(\frac{X}{a}\right)}$，并将其写成与线性系统中幅相频率特性类似的形式，即

$$N_0\left(\frac{X}{a}\right)=b_1+\mathrm{j}a_1=\left|N_0\left(\frac{X}{a}\right)\right|\exp\left[\mathrm{j}\varphi_1\left(\frac{X}{a}\right)\right]$$

$$\left|N_0\left(\frac{X}{a}\right)\right|=\sqrt{b_1^2+a_1^2},\ \varphi_1\left(\frac{X}{a}\right)=\arctan\frac{a_1}{b_1}$$

$$\frac{-1}{N_0\left(\frac{X}{a}\right)}=\left|\frac{-1}{N_0\left(\frac{X}{a}\right)}\right|\exp\left[\mathrm{j}\varphi_0\left(\frac{X}{a}\right)\right] \tag{7-5-6}$$

式中，$\left|\dfrac{-1}{N_0\left(\frac{X}{a}\right)}\right|=\dfrac{1}{\sqrt{b_1^2+a_1^2}}$；$\varphi_0\left(\frac{X}{a}\right)=-180°-\varphi_1\left(\frac{X}{a}\right)=-180°-\arctan\dfrac{a_1}{b_1}$。

应强调指出，描述函数虽然可以写成与频率特性类似的形式，但其变量不是频率，而是非线性特性的参量及输入正弦信号的振幅。

表 7-5-1 列出了饱和特性的负倒相对描述函数的幅值（同时列出分贝值）、相位与变量 $\dfrac{X}{a}$ 之间的数值关系。

表 7-5-1　饱和特性的负倒幅相特性

$\frac{X}{a}$	1	2	3	4	5	6	7	8	9	10
$\left\|\frac{-1}{N_0\left(\frac{X}{a}\right)}\right\|$	1	1.64	2.40	3.17	3.95	4.73	5.52	6.30	7.08	7.87
$20\lg\left\|\frac{-1}{N_0\left(\frac{X}{a}\right)}\right\|$	0	4.30	7.61	10.03	11.94	13.50	14.83	15.98	17.00	17.92
$\varphi_0\left(\frac{X}{a}\right)$	−180°									

在图 7-5-2 所示 $\dfrac{-1}{N_0\left(\frac{X}{a}\right)}$ 平面上，给出了饱和特性的负倒相对幅相特性（简称负倒幅相特性）曲线。当 $X/a=1$ 时，特性曲线从（−1，j0）点开始，随着 X/a 增大，特性曲线沿负实

轴向左延伸，当 $X/a\to\infty$，特性曲线伸向负无限远处。

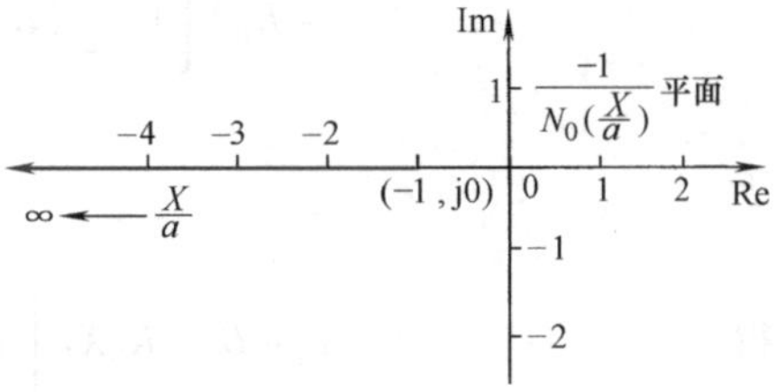

图 7-5-2　饱和特性的负倒幅相特性

与线性系统的对数频率特性类似，也可以绘制负倒对数幅相特性，如图 7-5-3 所示。图中横坐标是变量 X/a，并按对数分度。表示幅值的纵坐标是分贝值，表示相位的纵坐标单位为度。

如将非线性特性的描述函数视为复数增益，则饱和特性的描述函数是一个实数增益，其值总小于 1，或者说饱和特性的增益总是小于其线性段的增益 K_0，随着输入信号幅值增大，其等效增益越来越低。

二、死区特性的描述函数

若非线性环节具有死区特性，如图 7-5-4 所示，当输入为正弦信号

$$x(t)=X\sin\omega t$$

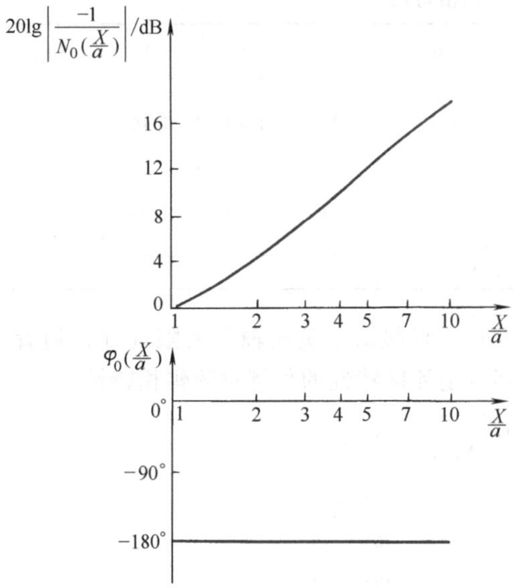

图 7-5-3　饱和特性的负倒对数幅相特性

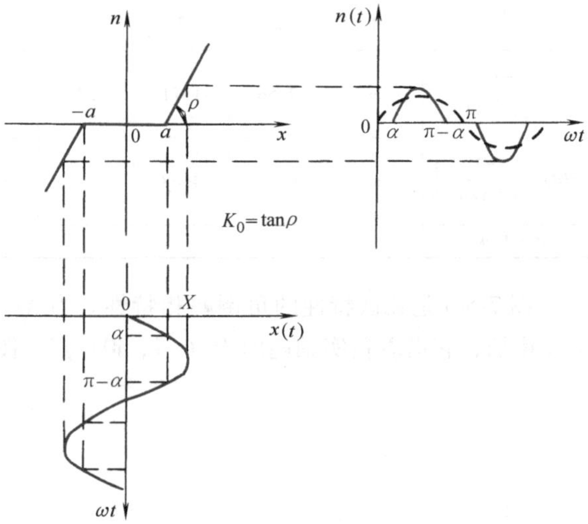

图 7-5-4　死区特性及其正弦响应

时，其输出为

$$n(t)=\begin{cases}0 & (0<\omega t<\alpha)\\ K_0(X\sin\omega t-a) & (\alpha<\omega t<\pi-\alpha)\\ 0 & (\pi-\alpha<\omega t<\pi)\end{cases}\tag{7-5-7}$$

根据式（7-4-14）可以得到

$$A_1=0$$

$$B_1=\frac{1}{\pi}\int_0^{2\pi}n(t)\sin\omega t\mathrm{d}(\omega t)=\frac{4}{\pi}\int_0^{\frac{\pi}{2}}n(t)\sin\omega t\mathrm{d}(\omega t)$$

$$=\frac{4}{\pi}\int_\alpha^{\frac{\pi}{2}}K_0(X\sin\omega t-a)\sin\omega t\mathrm{d}(\omega t)$$

$$=K_0X\left[1-\frac{2}{\pi}(\alpha+\sin\alpha\cos\alpha)\right]$$

由于
$$\alpha=\arcsin\frac{a}{X}$$

故得
$$Y_1=B_1=K_0X\times\left[1-\frac{2}{\pi}\left(\arcsin\frac{a}{X}+\frac{a}{X}\sqrt{1-\left(\frac{a}{X}\right)^2}\right)\right]$$
$$\varphi_1=\arctan A_1/B_1=0$$

于是死区特性的相对描述函数为

$$N_0\left(\frac{X}{a}\right)=1-\frac{2}{\pi}\left(\arcsin\frac{a}{X}+\frac{a}{X}\sqrt{1-\left(\frac{a}{X}\right)^2}\right)\quad(X>a)\tag{7-5-8}$$

表 7-5-2 列出了死区特性的负倒相对描述函数的幅值、相位与变量 X/a 之间的数值关系。

表 7-5-2 死区特性的负倒幅相特性

$\frac{X}{a}$	1	2	3	4	5	6	7	8	9	10
$\left\lvert\frac{-1}{N_0(X/a)}\right\rvert$	∞	2.56	1.71	1.46	1.36	1.27	1.22	1.19	1.16	1.14
$20\lg\left\lvert\frac{-1}{N_0(X/a)}\right\rvert$	∞	8.15	4.68	3.28	2.53	2.06	1.74	1.50	1.33	1.18
$\varphi_0(X/a)$	−180°									

图 7-5-5 是死区特性的负倒幅相特性。当 $X/a=1$ 时，它起始于负实轴上无限远处，随着 X/a 增加，它沿着负实轴趋向于（−1，j0）点。图 7-5-6 是死区特性的负倒对数幅相特性。

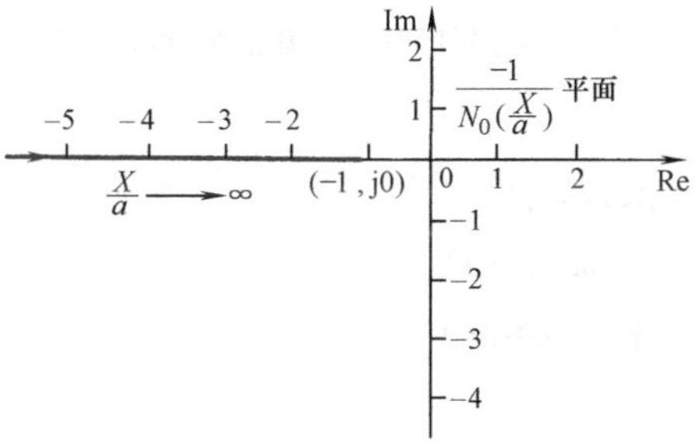

图 7-5-5 死区特性的负倒幅相特性

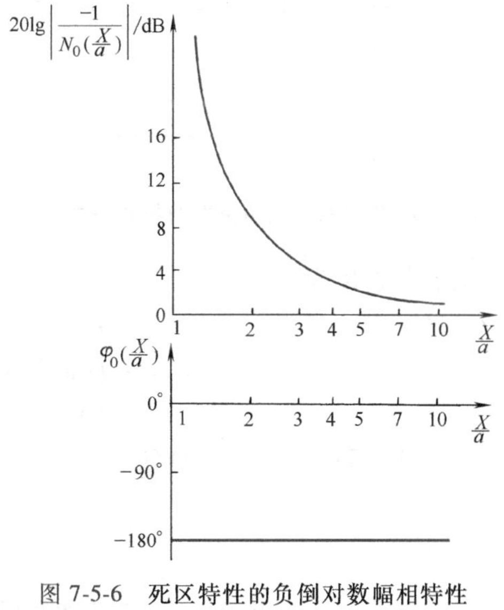

图 7-5-6 死区特性的负倒对数幅相特性

三、间隙特性的描述函数

若非线性环节具有间隙特性，如图 7-5-7 所示，当输入为正弦信号

$$x(t)=X\sin\omega t$$

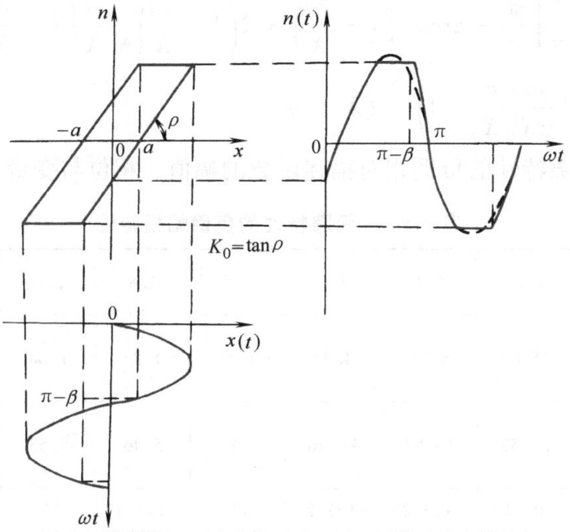

图 7-5-7　间隙特性及其正弦响应

时，其输出为

$$n(t)=\begin{cases}K_0(X\sin\omega t-a) & \left(0<\omega t<\dfrac{\pi}{2}\right)\\ K_0(X-a) & \left(\dfrac{\pi}{2}<\omega t<\pi-\beta\right)\\ K_0(X\sin\omega t+a) & (\pi-\beta<\omega t<\pi)\end{cases} \tag{7-5-9}$$

式中，$\beta=\arcsin\left(1-\dfrac{2a}{X}\right)$。

根据式（7-4-14）可得

$$B_1=\frac{1}{\pi}\int_0^{2\pi}n(t)\sin\omega t\mathrm{d}(\omega t)=\frac{2K_0}{\pi}\left[\int_0^{\frac{\pi}{2}}(X\sin\omega t-a)\sin\omega t\mathrm{d}(\omega t)+\int_{\frac{\pi}{2}}^{\pi-\beta}(X-a)\sin\omega t\mathrm{d}(\omega t)+\int_{\pi-\beta}^{\pi}(X\sin\omega t+a)\sin\omega t\mathrm{d}(\omega t)\right]$$

$$=\frac{K_0}{\pi}X\left[\left(\frac{\pi}{2}+\beta\right)+\frac{1}{2}\sin2\beta\right]$$

$$=\frac{K_0}{\pi}X\left[\frac{\pi}{2}+\arcsin\left(1-\frac{2a}{X}\right)+2\left(1-\frac{2a}{X}\right)\sqrt{\frac{a}{X}\left(1-\frac{a}{X}\right)}\right]\quad(X>a)$$

$$A_1=\frac{1}{\pi}\int_0^{2\pi}n(t)\cos\omega t\mathrm{d}(\omega t)$$

$$=\frac{2}{\pi}K_0\left[\int_0^{\frac{\pi}{2}}(X\sin\omega t-a)\cos\omega t\mathrm{d}(\omega t)+\int_{\frac{\pi}{2}}^{\pi-\beta}(X-a)\cos\omega t\mathrm{d}(\omega t)+\int_{\pi-\beta}^{\pi}(X\sin\omega t+a)\cos\omega t\mathrm{d}(\omega t)\right]$$

$$=-\frac{K_0}{\pi}X\cos^2\beta=K_0\frac{4a}{\pi}\left(\frac{a}{X}-1\right)\quad(X>a)$$

于是间隙特性的相对描述函数为

$$N_0\left(\frac{X}{a}\right)=\frac{1}{K_0X}(B_1+\mathrm{j}A_1)$$

$$= \frac{1}{\pi}\left[\frac{\pi}{2} + \arcsin\left(1 - \frac{2a}{X}\right) + 2\left(1 - \frac{2a}{X}\right)\sqrt{\frac{a}{X}\left(1 - \frac{a}{X}\right)}\right] + \mathrm{j}\,\frac{4a}{\pi X}\left(\frac{a}{X} - 1\right) \quad (X > a) \tag{7-5-10}$$

表 7-5-3 列出了间隙特性的负倒相对描述函数的幅值、相位与变量 X/a 之间的数值关系。

表 7-5-3 间隙特性的负倒幅相特性

$\frac{X}{a}$	1	1.05	1.1	1.2	1.5	1.8	2.0	2.5	4	8
$\left\lvert\frac{-1}{N_0(X/a)}\right\rvert$	∞	18.89	8.75	4.84	2.48	1.87	1.68	1.44	1.19	1.07
$20\lg\left\lvert\frac{-1}{N_0(X/a)}\right\rvert$	∞	25.52	18.84	18.70	7.89	5.46	4.53	3.15	1.51	0.58
$\varphi_0(X/a)$	-90°	-109.18°	-113.2°	-122.2°	-136°	-143.7°	-152°	-158°	-163.4°	-171.4°

图 7-5-8 是间隙特性的负倒相对幅相特性。由于间隙特性的非单值性，其描述函数不再仅为实数，而是复数。当 $X/a=1$ 时，其负倒相对幅相特性起始于-90°无限远处，随着 X/a 增加，负倒相对幅相特性的振幅急剧减小，相位趋于-180°。当 $X/a\to\infty$ 时，特性终止于负实轴上（-1，j0）点。图 7-5-9 是间隙特性的负倒对数幅相特性。

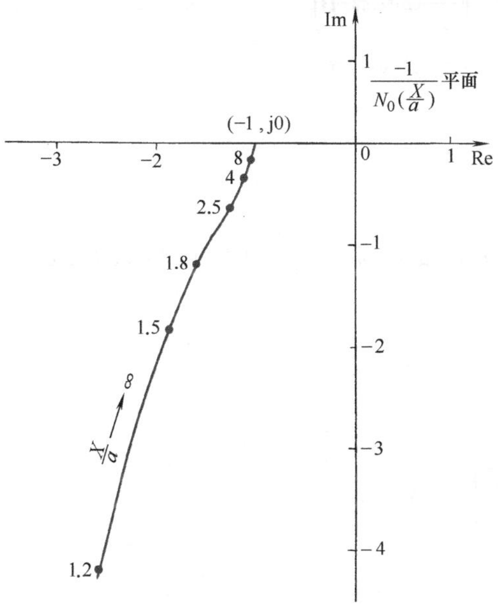

图 7-5-8 间隙特性的负倒相对幅相特性

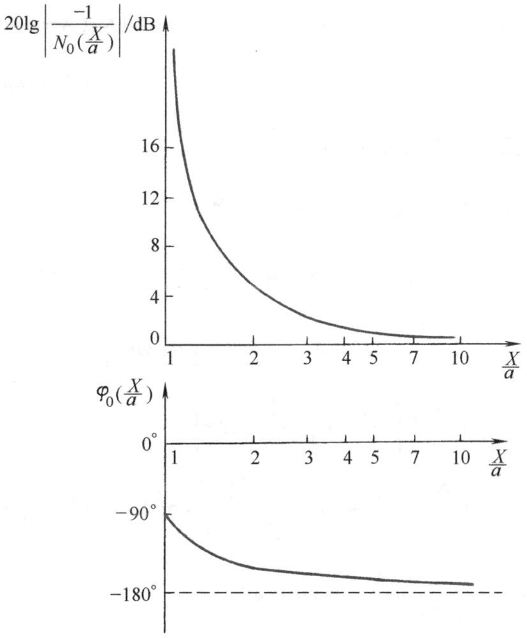

图 7-5-9 间隙特性的负倒对数幅相特性

四、继电器特性的描述函数

图 7-5-10 为具有死区和间隙的继电器特性及其在正弦输入信号作用下的输出，由图可见

$$n(t)=\begin{cases}0 & (0<\omega t<\alpha)\\ M & (\alpha<\omega t<\pi-\beta)\\ 0 & (\pi-\beta<\omega t<\pi)\end{cases} \tag{7-5-11}$$

式中，$\alpha=\arcsin\frac{a}{X}$；$\beta=\arcsin\frac{ma}{X}$。

根据式（7-4-14），并考虑到正负半周的对称性，可以写出

$$A_1=\frac{2}{\pi}\int_0^{\pi}n(t)\cos\omega t\mathrm{d}(\omega t)=\frac{2}{\pi}\int_{\alpha}^{\pi-\beta}M\cos\omega t\mathrm{d}(\omega t)$$

$$=\frac{2}{\pi}M(\sin\beta-\sin\alpha)=\frac{2}{\pi}M\frac{a}{X}(m-1)\quad(X>a)\tag{7-5-12}$$

$$B_1=\frac{2}{\pi}\int_0^{\pi}n(t)\sin\omega t\mathrm{d}(\omega t)=\frac{2}{\pi}\int_{\alpha}^{\pi-\beta}M\sin\omega t\mathrm{d}(\omega t)$$

$$=\frac{2}{\pi}M(\cos\alpha+\cos\beta)$$

$$=\frac{2}{\pi}M\left[\sqrt{1-\left(\frac{a}{X}\right)^2}+\sqrt{1-\left(\frac{ma}{X}\right)^2}\right]\quad(X>a)$$

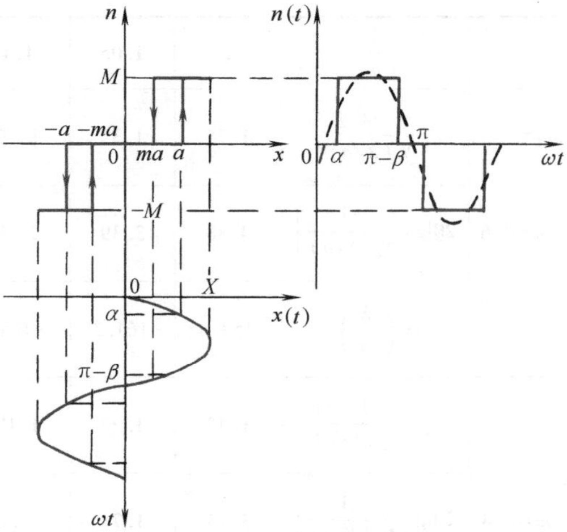

图 7-5-10　继电器特性及其正弦响应

由此得出继电器特性的相对描述函数为

$$N_0\left(\frac{X}{a}\right)=\frac{1}{K_nX}(B_1+\mathrm{j}A_1)$$

$$=\frac{2}{\pi}\frac{a}{X}\left[\sqrt{1-\left(\frac{a}{X}\right)^2}+\sqrt{1-\left(\frac{ma}{X}\right)^2}\right]+\mathrm{j}\frac{2}{\pi}\frac{a^2}{X^2}(m-1)\quad(X>a)\tag{7-5-13}$$

式中，$K_n=\frac{M}{a}$。

表 7-5-4 列出了继电器特性的负倒相对描述函数的幅值、相位与变量 X/a 之间的数值关系，其中以表征间隙宽的特征参量 m 作为参变量。图 7-5-11 是继电器特性的负倒相对幅相特性。图 7-5-12 是继电器特性的负倒对数幅相特性。由于继电器特性是非单值的非线性，故其负倒相对幅相特性是复数而不仅为实数。表 7-5-4 及图 7-5-11 还给出了如下两种特殊情况的继电器特性的描述函数。

表 7-5-4　继电器特性的负倒幅相特性

	$\frac{X}{a}$	1	1.05	1.1	1.3	1.5	2.0	4	6	8
$m=1$	$\left\|\frac{-1}{N_0(X/a)}\right\|$	∞	2.7	2.06	1.6	1.59	1.82	3.23	4.76	
	$20\lg\left\|\frac{-1}{N_0(X/a)}\right\|$	∞	8.63	6.28	4.08	4.01	5.19	10.17	13.55	
	$\varphi_0\left(\frac{X}{a}\right)$	−180°	−180°	−180°	−180°	−180°	−180°	−180°	−180°	−180°
$m=0.8$	$\left\|\frac{-1}{N_0(X/a)}\right\|$	2.49	1.69	1.54	1.42	1.47	1.75	3.22	4.76	6.25
	$20\lg\left\|\frac{-1}{N_0(X/a)}\right\|$	7.95	4.56	3.76	3.05	3.38	4.87	10.17	13.55	15.92
	$\varphi_0\left(\frac{X}{a}\right)$	−162°	−169°	−171°	−174°	−175.3°	−177°	−178°	−178.6°	−180°

（续）

	$\frac{X}{a}$	1	1.05	1.1	1.3	1.5	2.0	4	6	8
$m=0.6$	$\left\lvert\frac{-1}{N_0(X/a)}\right\rvert$	1.75	1.39	1.32	1.31	1.4	1.71	3.22	4.76	6.25
	$20\lg\left\lvert\frac{-1}{N_0(X/a)}\right\rvert$	4.88	3.39	2.39	2.33	2.92	4.67	10.17	13.55	15.92
	$\varphi_0\left(\frac{X}{a}\right)$	-153.4°	-161.3°	-164°	-169°	-170.7°	-173.6°	-177°	-178.6°	-178.2°
$m=0.4$	$\left\lvert\frac{-1}{N_0(X/a)}\right\rvert$	1.43	1.22	1.19	1.23	1.34	1.67	3.22	4.76	6.25
	$20\lg\left\lvert\frac{-1}{N_0(X/a)}\right\rvert$	3.13	1.71	1.50	1.81	2.56	4.47	10.17	13.55	15.9
	$\varphi_0\left(\frac{X}{a}\right)$	-147°	-155.0°	-158°	-164°	-167°	-171°	-175°	-177°	-178°
$m=0.2$	$\left\lvert\frac{-1}{N_0(X/a)}\right\rvert$	1.24	1.10	1.1	1.17	1.3	1.65	3.16	4.75	6.25
	$20\lg\left\lvert\frac{-1}{N_0(X/a)}\right\rvert$	1.87	0.86	0.79	1.37	2.28	4.38	10	13.53	15.9
	$\varphi_0\left(\frac{X}{a}\right)$	-141°	-149.5°	-152.5°	-159.5°	-163°	-167.5°	-174.5°	-176°	-177.5°
$m=-1$	$\left\lvert\frac{-1}{N_0(X/a)}\right\rvert$	0.79	0.83	0.87	1.02	1.18	1.57	3.12	4.68	6.2
	$20\lg\left\lvert\frac{-1}{N_0(X/a)}\right\rvert$	-2.08	-1.65	-1.25	0.18	1.41	3.93	9.9	13.4	15.85
	$\varphi_0\left(\frac{X}{a}\right)$	-90°	-108°	-114.5°	-130°	-138°	-151°	-165.5°	-169°	-173°

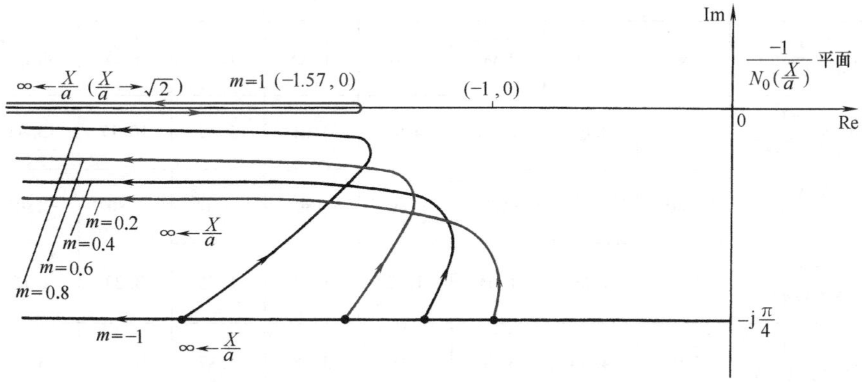

图 7-5-11 继电器特性的负倒相对幅相特性

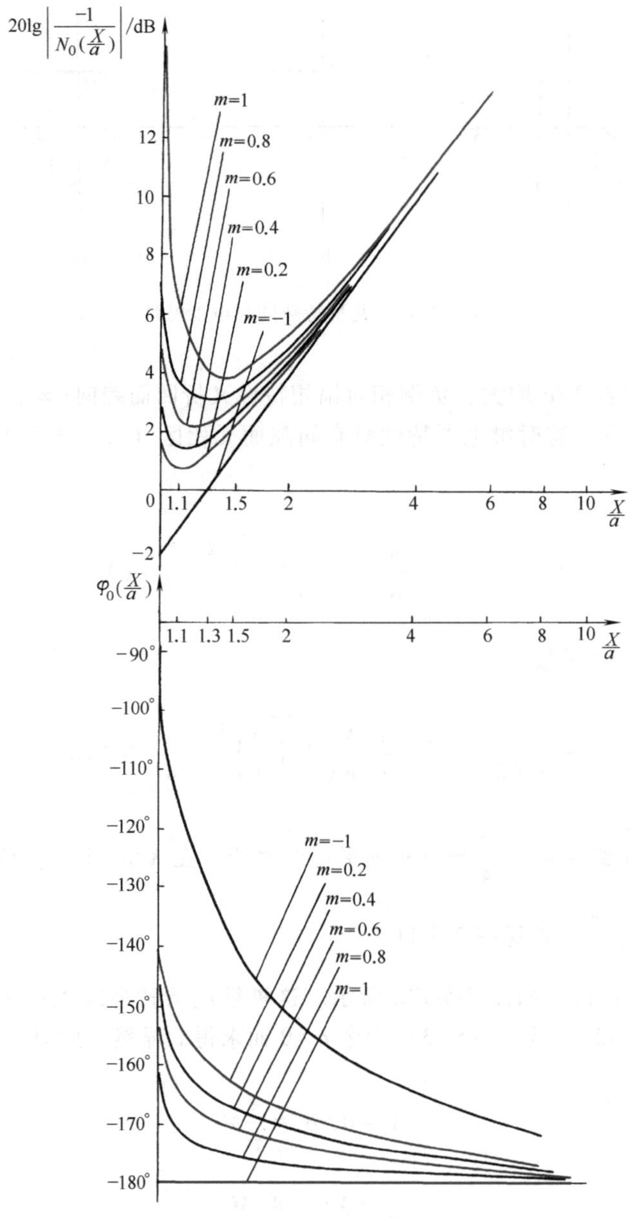

图 7-5-12　继电器特性的负倒对数幅相特性

1）$m=1$ 的情况，这时继电器特性只有死区而无间隙（参见图 7-5-13a），其相对描述函数为

$$N_0\left(\frac{X}{a}\right)=\frac{4}{\pi}\ \frac{a}{X}\sqrt{1-\left(\frac{a}{X}\right)^2}\qquad (X>a) \tag{7-5-14}$$

它仅为一实数。故其负倒相对幅相特性是沿负实轴的直线，当 $X/a=1$ 时，特性从负实轴无限远处开始，当 $X/a=\sqrt{2}$时，有最大值

$$-\frac{1}{N_0(X/a)}=-\frac{\pi}{2}$$

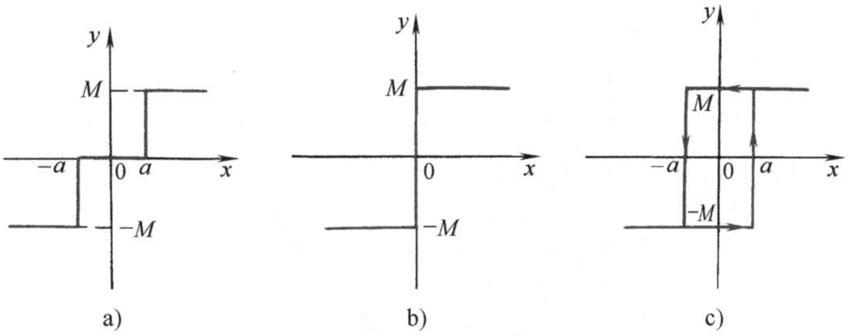

图 7-5-13 几种特殊的继电器特性

当 $X/a>\sqrt{2}$ 之后，随着 X/a 增大，负倒相对幅相特性又折回而趋向 $-\infty$，参见图 7-5-11。

2）$m=-1$ 的情况，这时继电器特性只有间隙而无死区（参见图 7-5-13c），其相对描述函数为

$$N_0(X/a)=\frac{4}{\pi}\frac{a}{X}\sqrt{1-\left(\frac{a}{X}\right)^2}-\mathrm{j}\frac{4}{\pi}\frac{a^2}{X^2}\quad(X>a) \tag{7-5-15}$$

进而求得负倒相对描述函数为

$$-\frac{1}{N_0(X/a)}=-\frac{\pi}{4}\frac{X}{a}\sqrt{1-\left(\frac{a}{X}\right)^2}-\mathrm{j}\frac{\pi}{4}\quad(X>a) \tag{7-5-16}$$

显然，这是一条始于纵坐标 $-\mathrm{j}\dfrac{\pi}{4}$ 与负实轴平行的直线，在 $X/a=1$ 时，负倒相对幅相特性的实部为零，虚部为 $-\mathrm{j}\dfrac{\pi}{4}$，参见图 7-5-11。

3）理想继电器特性，如图 7-5-13b 所示。这种继电器特性既无死区，又无间隙。其描述函数可从式（7-5-12）、式（7-5-13）中令 $a=0$ 而求得。显然，此时有

$$A_1=0,\ B_1=\frac{4}{\pi}M$$

故

$$N_0\left(\frac{X}{M}\right)=\frac{4}{\pi}\frac{M}{X} \tag{7-5-17}$$

而

$$-\frac{1}{N_0\left(\dfrac{X}{M}\right)}=-\frac{\pi X}{4M} \tag{7-5-18}$$

式（7-5-18）说明理想继电器特性的负倒相对幅相特性是以 X/M 为变量，完全与负实轴重合的直线（参见图 7-5-14），当 $X/M=0$ 时，特性始于平面坐标原点，随着 X/M 增加，特性沿负实轴趋向无限远处。

图 7-5-15 是理想继电器特性的负倒对数幅相特性。表 7-5-5 列出了其与参量 X/M 的数值关系。

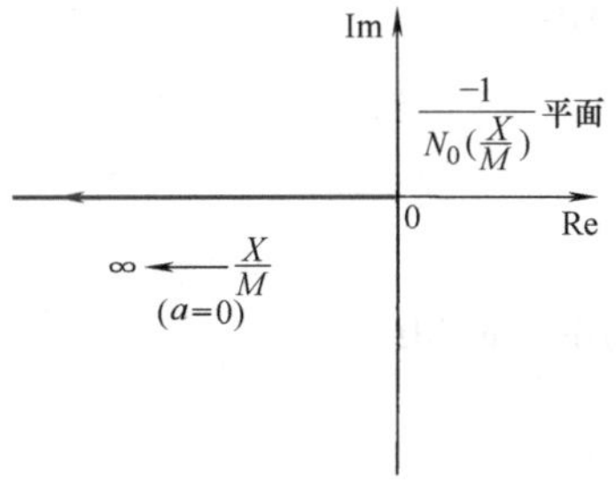

图 7-5-14 理想继电器特性的负倒幅相特性

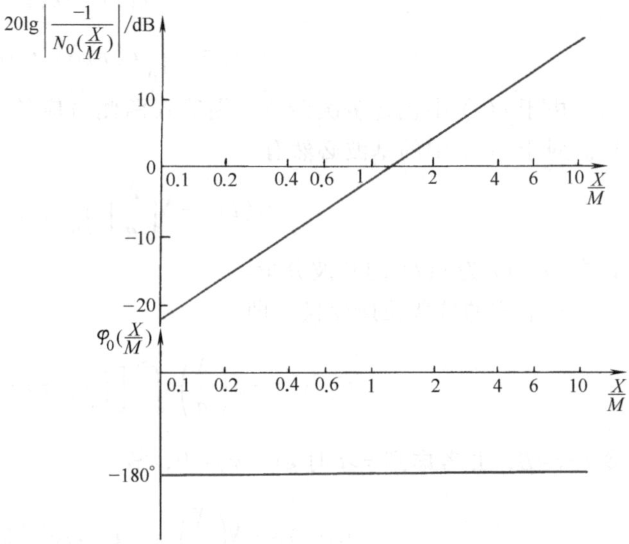

图 7-5-15 理想继电器特性的负倒对数幅相特性

表 7-5-5 理想继电器特性的负倒幅相特性

$\frac{X}{M}$	0.1	0.2	0.4	0.6	0.8	1	2	5	10
$\left\lvert\frac{-1}{N_0(X/M)}\right\rvert$	0.078	0.157	0.314	0.47	0.63	0.785	1.57	3.93	7.85
$20\lg\left\lvert\frac{-1}{N_0(X/M)}\right\rvert$	-22	-16.1	-10.1	-6.53	-4.04	-2.1	3.92	11.9	17.9
$\varphi_0(X/M)$	-180°								

第六节 分析非线性系统的谐波平衡法

非线性特性的描述函数的特点是，它表示了在正弦输入信号作用下，输出信号的基波分量与输入之间在幅值和相位上的相互关系，也就是包含等效增益及等效相移两方面的信息。因此，希望有一种方法能应用描述函数所提供的信息去分析非线性系统的性能。

图 7-6-1 是通常的非线性系统框图，其中线性部分的频率特性为 $G(j\omega)$，非线性部分的算子以 $N(\cdot)$ 表示（注意，此时 $N(\cdot)$ 尚不是描述函数），非线性部分的输出为 $n(t)$。根据系统的结构有

$$e(t)=r(t)-c(t)$$

$$n(t)=e(t)N(\cdot)$$

$$c(t)=\int_0^t g(t-\tau)n(\tau)\mathrm{d}\tau$$

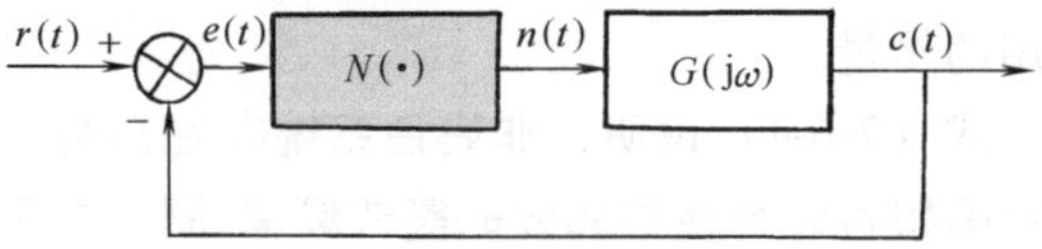

图 7-6-1 非线性系统的框图

式中，$g(t)$ 为系统线性部分的单位脉冲响应函数。

当非线性系统存在自持振荡时，亦即系统在输入为零的情况下，存在稳定的振幅与频率的周期解，则下列关系式应成立

$$e(t) = -c(t)$$

$$c(t) = -\int_0^t c(\tau)N(\cdot)g(t-\tau)\mathrm{d}\tau$$

由于 $c(t)$ 中包含多次谐波，则等式两侧对应的各次谐波应该相等，这就是谐波平衡原理。对于 $c(t)$ 中的基波必然有

$$c_1(t) = -N\left(\frac{X}{a}\right)\int_0^t c_1(\tau)g(t-\tau)\mathrm{d}\tau$$

式中，$c_1(t)$ 为 $c(t)$ 的基波分量。

求上式的拉普拉斯变换，即

$$C_1(s) = -N\left(\frac{X}{a}\right)\int_0^\infty\left[\int_0^t c_1(\tau)g(t-\tau)\mathrm{d}\tau\right]\mathrm{e}^{-st}\mathrm{d}t$$

令 $t-\tau=\beta$，并考虑到 $\tau>t$ 时 $g(t-\tau)=0$，故

$$C_1(s) = -N\left(\frac{X}{a}\right)\int_0^\infty g(\beta)\mathrm{e}^{-s\beta}\mathrm{d}\beta\int_0^\infty c_1(\tau)\mathrm{e}^{-s\tau}\mathrm{d}\tau$$

$$= -N\left(\frac{X}{a}\right)G(s)C_1(s) \tag{7-6-1}$$

将 $s=\mathrm{j}\omega$ 代入式（7-6-1），并消去 $C_1(\mathrm{j}\omega)$ 后得到

$$N\left(\frac{X}{a}\right)G(\mathrm{j}\omega) = -1 \tag{7-6-2}$$

或

$$G(\mathrm{j}\omega) = \frac{-1}{N\left(\frac{X}{a}\right)} \tag{7-6-3}$$

式中，$G(\mathrm{j}\omega)$ 为系统线性部分的频率特性；$N\left(\frac{X}{a}\right)$ 为系统非线性部分的描述函数。

考虑到式（7-5-4），又可将式（7-6-3）写成

$$K_\mathrm{n}G(\mathrm{j}\omega) = \frac{-1}{N_0\left(\frac{X}{a}\right)} \tag{7-6-4}$$

式中，$N_0\left(\frac{X}{a}\right)$ 为非线性部分的相对描述函数；K_n 为非线性部分中与线性部分的增益有相同作用的参量。

式（7-6-4）说明，**非线性系统存在自持振荡的必要条件是，系统的非线性部分的负倒相对幅相特性与线性部分的等效频率特性（考虑到 K_n，故称等效频率特性）相等。**或者写成幅值与相位条件，即是

$$\left.\begin{aligned}|K_\mathrm{n}G(\mathrm{j}\omega)| &= \left|\frac{-1}{N_0\left(\frac{X}{a}\right)}\right| \\ \angle G(\mathrm{j}\omega) &= \angle\frac{-1}{N_0(X/a)}\end{aligned}\right\} \tag{7-6-5}$$

上式即谐波平衡的基本原理，它可以作为非线性系统能够形成自持振荡的必要条件。为了得到非线性系统存在自持振荡的充分必要条件，可以进一步将非线性系统与线性系统对比分析。线性系统的闭环特征方程为

$$1+G(s)=0$$

如以 jω 代替其中的 s，则有

$$G(\mathrm{j}\omega)=-1 \tag{7-6-6}$$

从 $G(\mathrm{j}\omega)$ 与（-1，j0）点之间的关系能判别线性系统的稳定性。$G(\mathrm{j}\omega)$ 不包围（-1，j0）点，则线性系统稳定；$G(\mathrm{j}\omega)$ 包围（-1，j0）点，则不稳定；$G(\mathrm{j}\omega)$ 穿过（-1，j0）点，线性系统处于临界稳定状态。

自持振荡的必要条件

对于非线性系统，可以从式（7-6-4）出发去分析。

1）若在复平面上，负倒相对幅相特性 $\dfrac{-1}{N_0(X/a)}$ 不被线性部分的等效幅相特性 $K_\mathrm{n}G(\mathrm{j}\omega)$ 包围（参见图 7-6-2a），则非线性系统稳定。

2）若在复平面上，$-\dfrac{1}{N_0(X/a)}$ 被 $K_\mathrm{n}G(\mathrm{j}\omega)$ 包围（参见图 7-6-2b），则非线性系统不稳定。

3）若在复平面上，$K_\mathrm{n}G(\mathrm{j}\omega)$ 与 $-\dfrac{1}{N_0(X/a)}$ 相交，即满足了式（7-6-4）或式（7-6-5）的关系，则在非线性系统中产生周期振荡。其振幅由 $-\dfrac{1}{N_0(X/a)}$ 上交点处对应的 X 值决定，频率则由 $K_\mathrm{n}G(\mathrm{j}\omega)$ 上交点处对应的 ω 值决定。

在图 7-6-2c 中，$K_\mathrm{n}G(\mathrm{j}\omega)$ 与 $-\dfrac{1}{N_0(X/a)}$ 有 a、b 两个交点，它们分别对应于两种频率、两种振幅的周期振荡。首先分析 a 点对应的周期振荡的性质。设对应于 a 点的周期振荡的振幅及频率分别为 X_a 及 ω_a，假设由于某种因素，使周期振荡的振幅大于 X_a，这时工作点将由 a 点移到 c 点。由于 $K_\mathrm{n}G(\mathrm{j}\omega)$ 不包围 c 点，系统是稳定的，周期振荡的振幅将随时间推移而衰减并恢复到 X_a，工作点返回 a 点。反之，若由于某种因素，使振幅暂时小于 X_a，工作点由 a 移至 d。由于 d 点被 $K_\mathrm{n}G(\mathrm{j}\omega)$ 包围，系统不稳定，随时间推移，振幅逐渐增大，直至达到 X_a，系统工作点从 d 点又回复到 a 点。由此可见，交点 a 对应的周期振荡是稳定的，

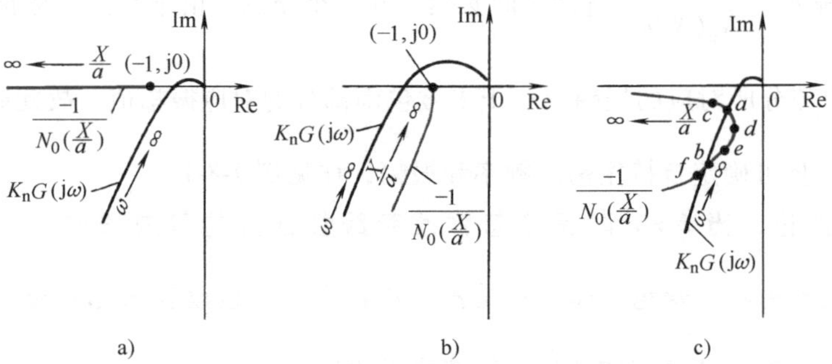

图 7-6-2　判别非线性系统的稳定性

即形成了自持振荡。

用同样的方法可以判别交点 b 对应的周期振荡不稳定。假如轻微扰动若使振荡的幅值增大，系统工作点由 b 点移至 e 点。由于 e 点被 $K_nG(j\omega)$ 包围，振幅将继续增大，直至达到 X_a 为止，即系统工作点由 b 移至 a。反之，若由于某种因素，振幅减小，系统工作点由 b 移至 f。因为 f 点不被 $K_nG(j\omega)$ 包围，系统稳定，振幅将继续减小，直至收敛到接近于零为止。

因此，判断 $K_nG(j\omega)$ 与 $-\dfrac{1}{N_0(X/a)}$ 相交之点对应的周期振荡为自持振荡的准则为：当 $K_nG(j\omega)$ 与 $-\dfrac{1}{N_0(X/a)}$ 有交点，而且被 $K_nG(j\omega)$ 包围的 $-\dfrac{1}{N_0(X/a)}$ 部分所对应的振幅 X 值小于交点另一侧未被 $K_nG(j\omega)$ 包围的 $-\dfrac{1}{N_0(X/a)}$ 部分所对应的振幅 X 值，则此交点对应的周期振荡即为系统的自持振荡。

例 7-6-1 一具有间隙特性的非线性系统，如果其线性部分的等效传递函数是 $K_nG(s)=K\dfrac{(b\tau s+1)}{s^2(\tau s+1)}$，试用谐波平衡法分析系统的自持振荡情况。

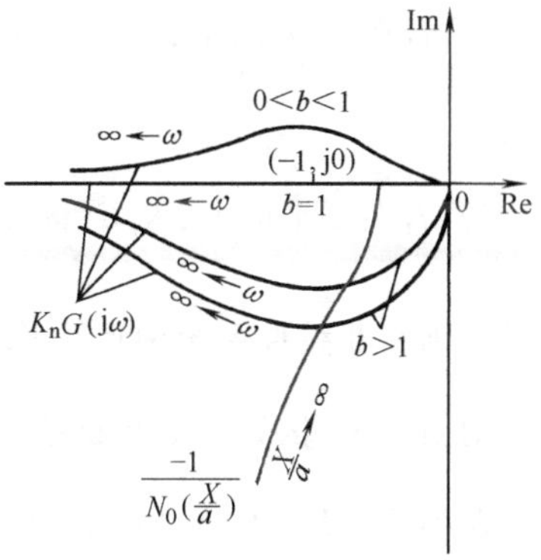

图 7-6-3 例 7-6-1 系统的幅相特性

解 分析几种情况：

1）当 $0<b<1$ 时，$K_nG(j\omega)$ 的相位在 $\omega\to 0$ 时有 $\varphi(\omega)\to-180°$。随着 ω 增大，$\varphi(\omega)\to-270°$，但在 ω 增大到一定值后，又有 $\varphi(\omega)\to-180°$，在全部 $0<\omega<\infty$ 频带内，$K_nG(j\omega)$ 始终在复平面负实轴之上的第二象限内（参见图 7-6-3）。这时 $K_nG(j\omega)$ 包围了 $-\dfrac{1}{N_0(X/a)}$，所以系统不能稳定。

2）当 $b=1$ 时，$K_nG(j\omega)$ 与负实轴重合，所以它仍然包围了 $-\dfrac{1}{N_0(X/a)}$，系统仍不稳定。

3）当 $b>1$ 时，$K_nG(j\omega)$ 的相位只在频率 ω 很低或很高时，有 $\varphi(\omega)\to-180°$，在其他频段都是 $\varphi(\omega)>-180°$。在 $0<\omega<\infty$ 全部频带内，整个 $K_nG(j\omega)$ 都在第三象限内。于是 $K_nG(j\omega)$ 与系统的 $-\dfrac{1}{N_0(X/a)}$ 特性之间必然存在一个交点。由于交点一侧被 $K_nG(j\omega)$ 包围的 $-\dfrac{1}{N_0(X/a)}$ 的部分所对应的振幅值小于未被包围部分的对应振幅值，故此时系统肯定存在自持振荡。进一步可确定自持振荡的频率和振幅，详见例 7-8-1。

而且还可推论，当 $b>1$ 时无论怎样改变线性部分的等效增益 K，$K_nG(j\omega)$ 与 $-\dfrac{1}{N_0(X/a)}$ 的交点总不能避免，亦即自持振荡必然存在。但改变 K 值能使自持振荡的振幅及频率发生变化，有可能达到在实用上能够接受的程度。

用 MATLAB 进行谐波平衡法分析请参见例 7-10-6。

第七节　非线性环节的串、并联及系统的变换

前节曾提到，用谐波平衡法分析非线性系统须使系统具有如图 7-6-1 所示结构形式，但更通常的情况是系统结构较为复杂，例如有多个非线性环节串联或者并联于系统线性环节各连接点处，为便于应用谐波平衡法，须将系统变换成如图 7-6-1 所示典型结构形式。

由于谐波平衡法只分析含有数种典型非线性环节的系统是否存在自持振荡，而不去详细研究非线性系统在不同输入下的响应及系统内部各处的状态，因此，可以令输入信号为零，即在 $r(t)=0$ 的情况下，不改变系统信号传递的规律，进行系统简化和变换。

一、系统线性部分的变换与集中

图 7-7-1 是多个线性环节和一个非线性环节组成的非线性系统。将汇合点移动之后，最后可以变换为如图 7-7-1c 所示系统。由于感兴趣的只是分析非线性系统是否存在自持振荡，则实际上图 7-7-1c 中最后一个线性环节 $1/G_3(s)$ 是不必要的，亦即此非线性系统中的线性环节集中后的传递函数应是

$$G(s)=\frac{G_2(s)G_3(s)}{1+G_1(s)G_2(s)}$$

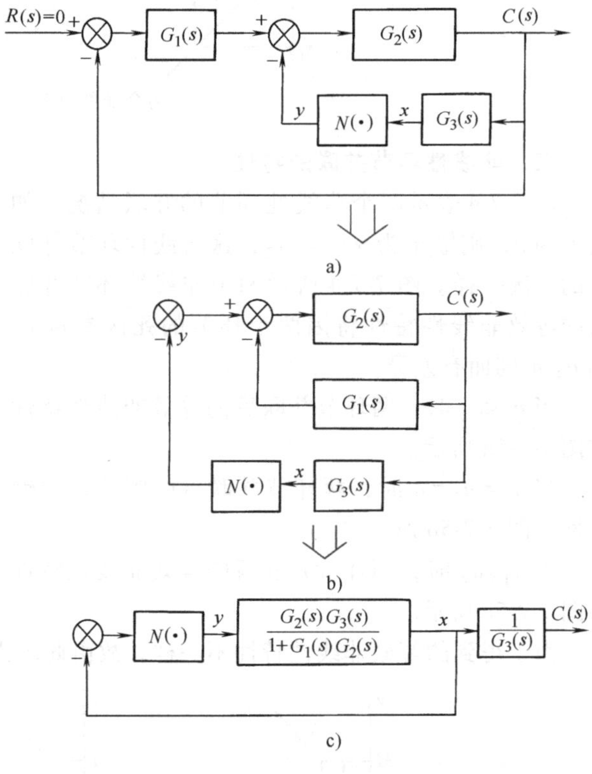

图 7-7-1　非线性系统中线性部分的变换与集中

二、非线性环节串联的特性

两个非线性环节串联，与线性环节串联的性质类似，前一环节的输出为后一环节的输入，图 7-7-2 给出了两个非线性环节串联组成的情况。根据前述串联的原理，可以用作图方法求得串联后的非线性特性，如图 7-7-3 所示。由图不难看出，死区参量为

$$a=a_1+a_2/K_1$$

线性部分的增益为

$$K=K_1K_2$$

饱和值则有　　$M=M_2$

非线性环节串联后的等效非线性环节的特性与两个环节的前后顺序有关，改换前后次序则等效特性也会变化。

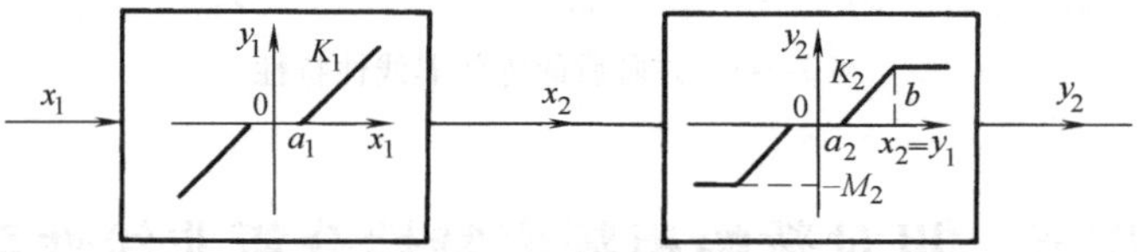

图 7-7-2　非线性环节串联

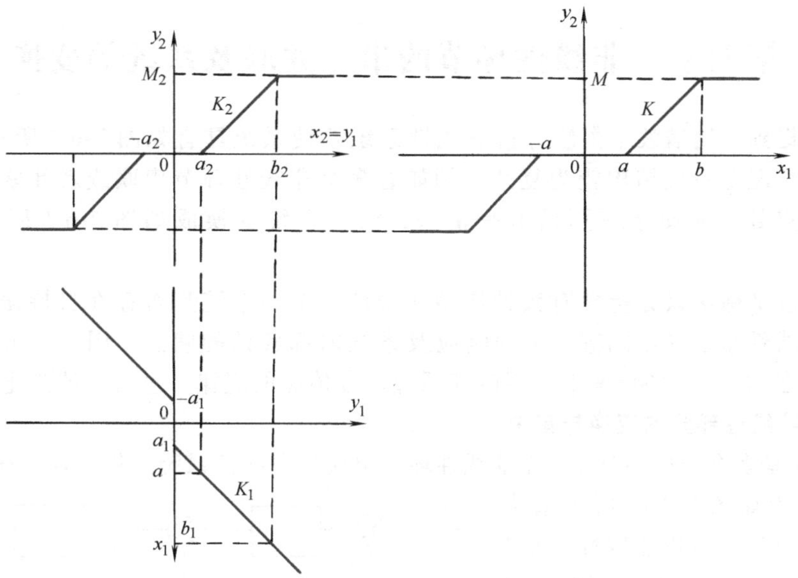

图 7-7-3　两个非线性环节串联后的特性

三、非线性环节并联的特性

图 7-7-4 表示两个非线性环节的并联情况，如输入为 x，则输出为 $y=y_1+y_2$，这与线性环节并联时的情况一样。图 7-7-4 所示两个非线性环节并联后的等效非线性特性将因两个环节的死区参量 a_1 和 a_2 不同而有差异。

当 $a_1<a_2$ 时，两环节并联后的等效非线性特性如图 7-7-5a 所示。

当 $a_1=a_2=a$ 时，两环节并联后的等效非线性特性如图 7-7-5b 所示。

当 $a_1>a_2$ 时，两环节并联后的等效非线性特性如图 7-7-5c 所示。

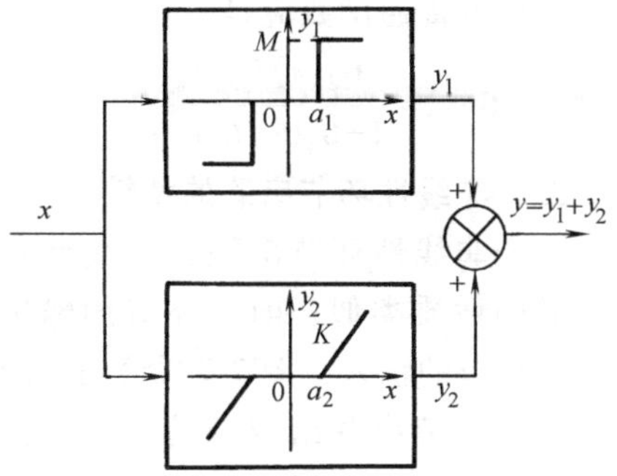

图 7-7-4　两个非线性环节并联

由于得到的等效非线性特性不一样，故由此求出的描述函数也有所不同。

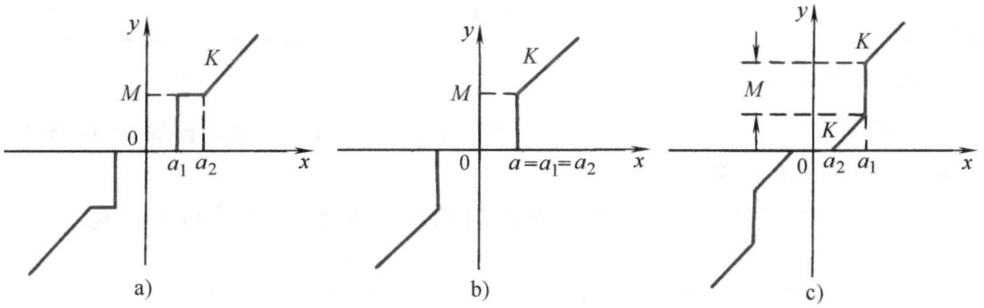

图 7-7-5　并联后的等效非线性特性

第八节　用对数幅相频率特性分析非线性系统

在实际中绘制 $K_nG(j\omega)$ 比较困难，但绘制相应的对数幅频特性和对数相频特性较为容

易。为此，需要确立用对数幅相特性判别非线性系统稳定性的准则。

设非线性系统中线性部分的等效幅相特性 $K_nG(j\omega)$ 及非线性部分的负倒对数相对幅相特性分别为

$$K_nG(j\omega)=|K_nG(j\omega)|e^{j\varphi(\omega)}$$
$$-\frac{1}{N_0(X/a)}=\left|\frac{-1}{N_0(X/a)}\right|e^{j\varphi_0(X/a)}$$

当 $K_nG(j\omega)$ 与 $-\frac{1}{N_0(X/a)}$ 有交点时，则必满足下述条件

$$\left.\begin{aligned}&20\lg|K_nG(j\omega)|=20\lg\left|\frac{-1}{N_0(X/a)}\right|\\&\varphi(\omega)=\varphi_0(X/a)\end{aligned}\right\}\tag{7-8-1}$$

此时，非线性系统存在周期振荡，进一步的问题则是判别此周期振荡是否为自持振荡。如果式（7-8-1）的条件不能全部满足，则说明 $K_nG(j\omega)$ 与 $-\frac{1}{N_0(X/a)}$ 之间无交点，这时需判别 $-\frac{1}{N_0(X/a)}$ 是否被 $K_nG(j\omega)$ 所包围，从而确定非线性系统是否稳定。

由对数幅相特性曲线确定非线性系统稳定性的准则将举例说明。

例 7-8-1 一含有间隙非线性特性的系统，试用谐波平衡法分析当系统线性部分的等效传递函数为不同形式时系统的稳定性。

解 （1）当 $K_nG(s)=\frac{0.5(2s+1)}{s^2(0.5s+1)}$ 时

其线性部分的等效对数幅频特性如图 7-8-1 中的折线①所示，等效对数相频特性则如曲

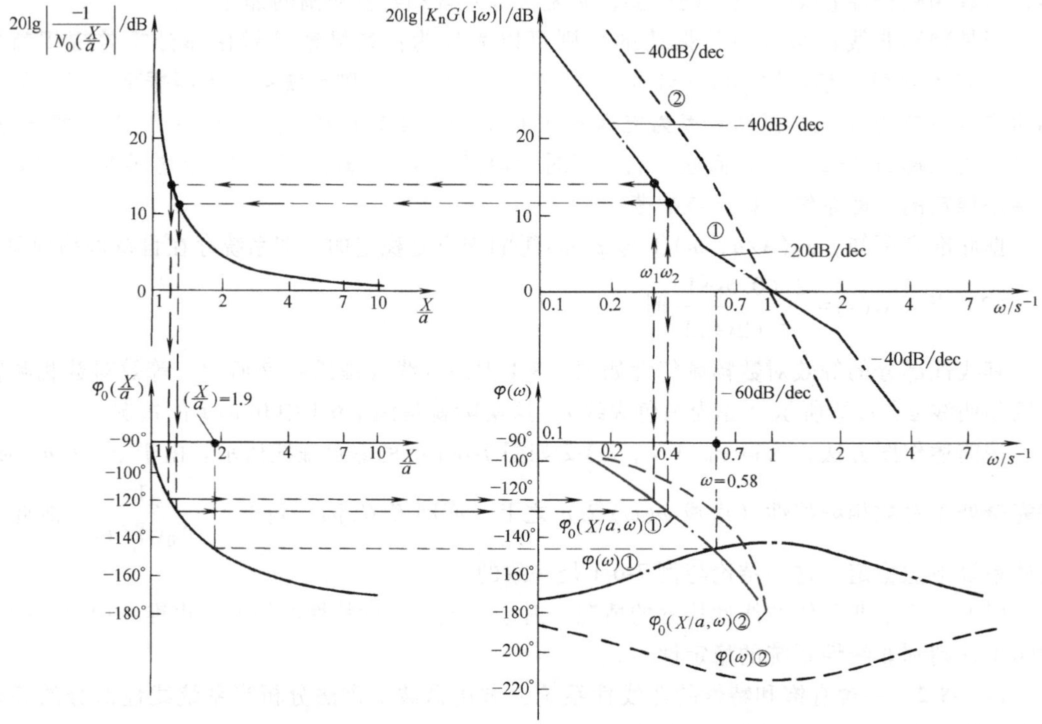

图 7-8-1 例 7-8-1 系统由对数幅相特性分析稳定性

线 $\varphi(\omega)$ ①所示（均画为点划线）。这实际就是例 7-6-1 中 $b>1$ 的情况。间隙特性的负倒对数幅相特性则画在图 7-8-1 的左侧。左、右两侧的对数幅相图的横坐标轴取在同一水平线上，纵坐标则取相同的比例尺。

为了确定周期振荡，也就是 $K_nG(j\omega)$ 特性与 $-\dfrac{1}{N_0(X/a)}$ 特性的交点，首先需作出满足幅值相等条件式（7-8-1）的 $\varphi_0(X/a,\ \omega)$ 曲线。曲线的具体作法是：先在 ω 轴上选出一点 $\omega=\omega_1$，由此向上作垂线与折线①相交，由交点向左作平行线与负倒对数幅值特性相交，由交点再向下引垂线，与负倒对数相位特性相交，再由此交点引水平线向右与 $\omega=\omega_1$ 之向下垂线相交，其交点即为曲线 $\varphi_0(X/a,\ \omega)$①上的一个点。然后再选定 $\omega=\omega_2$，重复上述过程，能求得曲线 $\varphi_0(X/a,\ \omega)$①上的第二点。如此继续作下去，能求得足够多的点，然后将这些点连成光滑的曲线，即为 $\varphi_0(X/a,\ \omega)$①。在曲线 $\varphi_0(X/a,\ \omega)$①上，处处都满足式（7-8-1）所示幅值相等的条件，曲线上任一点对应的纵坐标给出了满足幅值相等条件下，负倒对数相位特性的相角值，曲线上任一点对应的横坐标则给出了满足幅值相等条件下，等效对数幅相特性上的频率值。曲线 $\varphi_0(X/a,\ \omega)$①与等效对数相频特性 $\varphi(\omega)$①的交点，是完全满足式（7-8-1）所示幅值和相位都相等的条件的点。有此交点，则说明该系统存在周期振荡，周期振荡的频率为 $\omega=0.58\mathrm{s}^{-1}$，其基波的振幅为 $X=1.9a$。

进一步尚须判断此周期振荡是否即为自持振荡。为此，需要判断以对数相频特性为分界线（即图 7-8-1 中的点划线 $\varphi(\omega)$①）与 $\varphi_0(X/a,\ \omega)$①相交点两侧中，哪一侧是 $K_nG(j\omega)$ 包围了 $-\dfrac{1}{N_0(X/a)}$ 的部分，哪一侧是 $K_nG(j\omega)$ 未包围 $-\dfrac{1}{N_0(X/a)}$ 的部分。凡是对数相频特性 $\varphi(\omega)$ 以下的部分，同一频率 ω 值对应的相位均小于对数相频特性 $\varphi(\omega)$ 上相应的相角，因此，这一侧应是未被等效幅相特性 $K_nG(j\omega)$ 包围的部分（可参看图 7-6-3 对照分析）。显然，对数相频特性 $\varphi(\omega)$ 以上的一侧，必是被等效幅相特性包围的部分。

于是判别非线性系统自持振荡的准则可以表述为：**如果系统线性部分等效幅相特性 $K_nG(j\omega)$ 的对数相频特性 $\varphi(\omega)$ 与曲线 $\varphi_0(X/a,\ \omega)$ 相交，则系统存在周期振荡，其基波振幅为交点对应的 X 值，振荡频率为交点对应的 ω 值。当在曲线 $\varphi_0(X/a,\ \omega)$ 上另取一点，它对应的振幅为 $X+\Delta X>X$，而这一点位于对数相频特性 $\varphi(\omega)$ 之下一侧，则交点对应的周期振荡是稳定的，即系统存在自持振荡。**

据此准则可知，$\varphi_0(X/a,\ \omega)$①与 $\varphi(\omega)$①的交点是稳定的，即系统存在自持振荡现象。

（2）当 $K_nG(s)=\dfrac{2\ (0.5s+1)}{s^2\ (2s+1)}$ 时

其线性部分的等效对数幅频特性如图 7-8-1 中的折线（虚线）②所示，等效对数相频特性则如曲线 $\varphi(\omega)$②所示（亦为黑色虚线）。这实际就是例 7-6-1 中 $0<b<1$ 的情况。

按前述作图方法，求得 $\varphi_0(X/a,\ \omega)$②如图 7-8-1 中的蓝色虚线所示。由于 $\varphi_0(X/a,\ \omega)$②完全处于对数相频特性（虚线 $\varphi(\omega)$②）之上，亦即 $K_nG(j\omega)$ 包围了 $-\dfrac{1}{N_0(X/a)}$，故此非线性系统不能稳定。这一结论与例 7-6-1 是一致的。

以上讨论了非单值非线性特性的情况，对于单值非线性特性的情况，也准备用以下例子说明怎样判别非线性系统的稳定性。

例 7-8-2 一含有饱和特性的非线性系统，试用谐波平衡法分析当系统线性部分的等效传递函数为不同形式时系统的稳定性。

解 (1) 当 $K_nG(s)=\dfrac{4.5}{s(2s+1)(0.5s+1)}$时

其线性部分等效对数幅频特性如图 7-8-2 中的折线①，相应的对数相频特性则如图中的曲线 $\varphi(\omega)$①。由于饱和特性的负倒幅值特性的分贝值均大于零，而折线①与 ω 轴相交点的频率为 $\omega=1.5\text{s}^{-1}$。故求得对应于此系统的 $\varphi_0(X/a, \omega)$ 将是从低频开始，终止于 $\omega=1.5\text{s}^{-1}$，其值恒等于-180°的直线。由图可见 $\varphi_0(X/a, \omega)$ 与对数相频特性 $\varphi(\omega)$（曲线 $\varphi(\omega)$①）有交点，交点对应的频率为 $\omega=1\text{s}^{-1}$，振幅为 $X=2.4a$，说明系统存在周期振荡。又从前述判别非线性系统自持振荡的准则知，这是稳定交点，故系统有自持振荡。

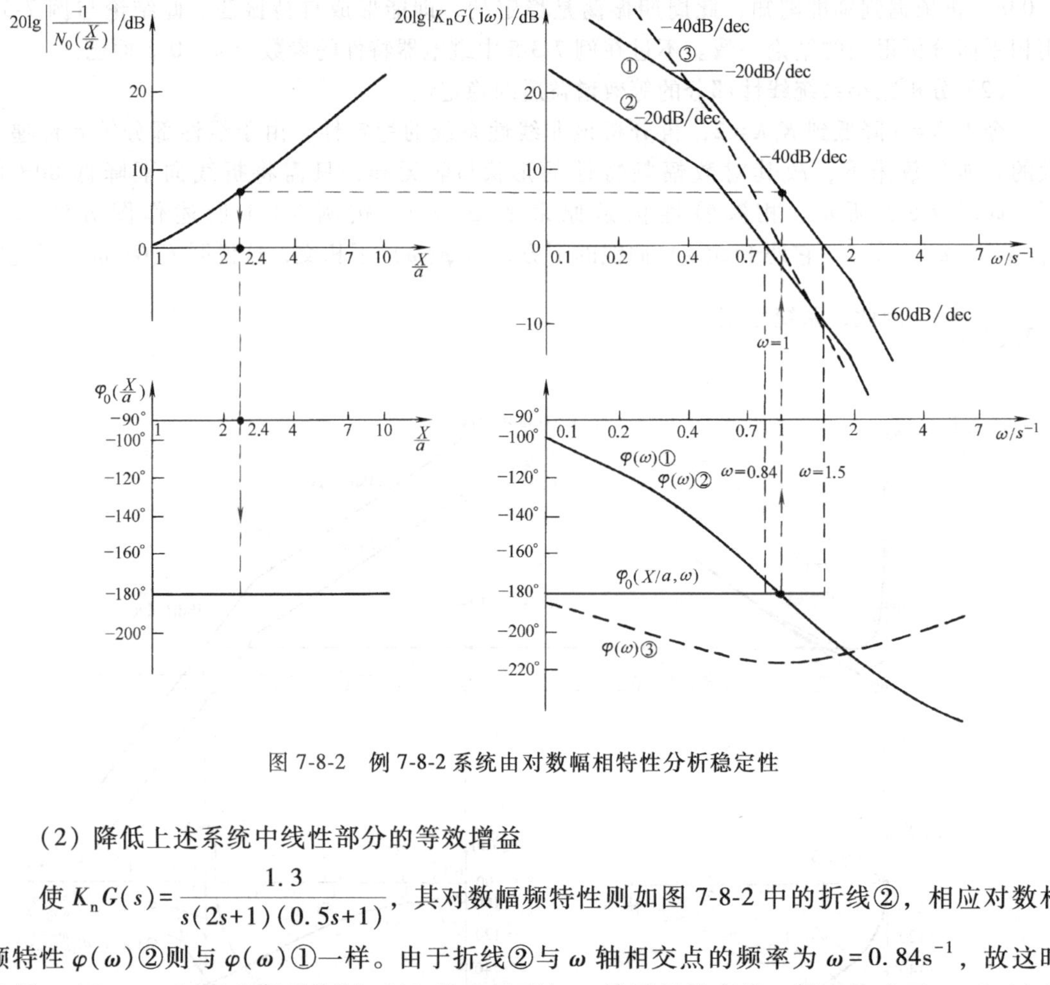

图 7-8-2 例 7-8-2 系统由对数幅相特性分析稳定性

(2) 降低上述系统中线性部分的等效增益

使 $K_nG(s)=\dfrac{1.3}{s(2s+1)(0.5s+1)}$，其对数幅频特性则如图 7-8-2 中的折线②，相应对数相频特性 $\varphi(\omega)$②则与 $\varphi(\omega)$①一样。由于折线②与 ω 轴相交点的频率为 $\omega=0.84\text{s}^{-1}$，故这时求得 $\varphi_0(X/a, \omega)$ 虽然仍是穿过-180°纵坐标而与 ω 轴平行的直线，但它终止于 $\omega=0.84\text{s}^{-1}$ 处。这样，$\varphi_0(X/a, \omega)$ 与 $\varphi(\omega)$②不能相交。而且 $\varphi_0(X/a, \omega)$ 全部在对数相频特性 $\varphi(\omega)$②之下，故非线性系统既不存在自持振荡，又是稳定的。

(3) 当 $K_nG(s)=\dfrac{2(0.5s+1)}{s^2(2s+1)}$时

其对数幅频特性如图 7-8-2 中的折线（虚线）③，对应的对数相频特性如曲线 $\varphi(\omega)$③（虚线）。这时 $\varphi_0(X/a, \omega)$ 将是恒等于-180°从低频开始而终止于 $\omega=1\text{s}^{-1}$ 的水平线段。由于 $\varphi_0(X/a, \omega)$ 完全处于对数相频特性 $\varphi(\omega)$ ③之上，故系统不稳定。

例 7-8-3 试用谐波平衡法分析例 7-3-5 所示含有继电器特性的非线性系统。

解 已知系统线性部分的等效传递函数为 $K_nG(s)=\dfrac{5}{s(s+1)}$。

(1) 分析当继电器特性参数 $m=0.4$ 时该非线性系统的稳定性

在图 7-8-3 中画出了 $K_nK=5$ 时系统线性部分的对数幅频特性及对数相频特性 $\varphi(\omega)$。在图 7-8-3 的左半部画出了当 $m=0.4$ 时继电器特性的负倒对数幅值特性和相位特性。按例 7-8-1 给出的作图方法，求得 $m=0.4$，$K_nK=5$ 时的特性曲线$\varphi_0(X/a,\ \omega)\big|_{K_nK=5}^{m=0.4}$，它与对数相频特性 $\varphi(\omega)$ 有一个交点，交点对应的系统周期振荡的频率 $\omega=2\text{s}^{-1}$，基波振幅是 $X=1.03a$。再依据判别准则知，此周期振荡是稳定的，即能形成自持振荡。此结论与例 7-3-5 用相平面分析得到的结论一致。不过在例 7-3-5 中继电器特性的参数为 $m=0.5$ 而已。

(2) 分析减小系统线性部分的等效增益后的稳定性

令 $K_nK=5$ 降低到 $K_nK=2$，再分析该非线性系统的稳定性。由于线性部分等效传递函数的其他参数未变，故其对数幅频特性的形状与前无异，只需将折线向下降低 8dB 即可，如图 7-8-3 所示。相频特性仍是原来的 $\varphi(\omega)$。按例 7-8-1 所述作图方法求得 $\varphi_0(X/a,\ \omega)\big|_{K_nK=2}^{m=0.4}$，它处于$\varphi(\omega)$ 曲线的下方，与 $\varphi(\omega)$ 不相交，这说明 $K_nG(\mathrm{j}\omega)$ 不包围 $-\dfrac{1}{N_0(X/a)}$，因此，系统稳定。

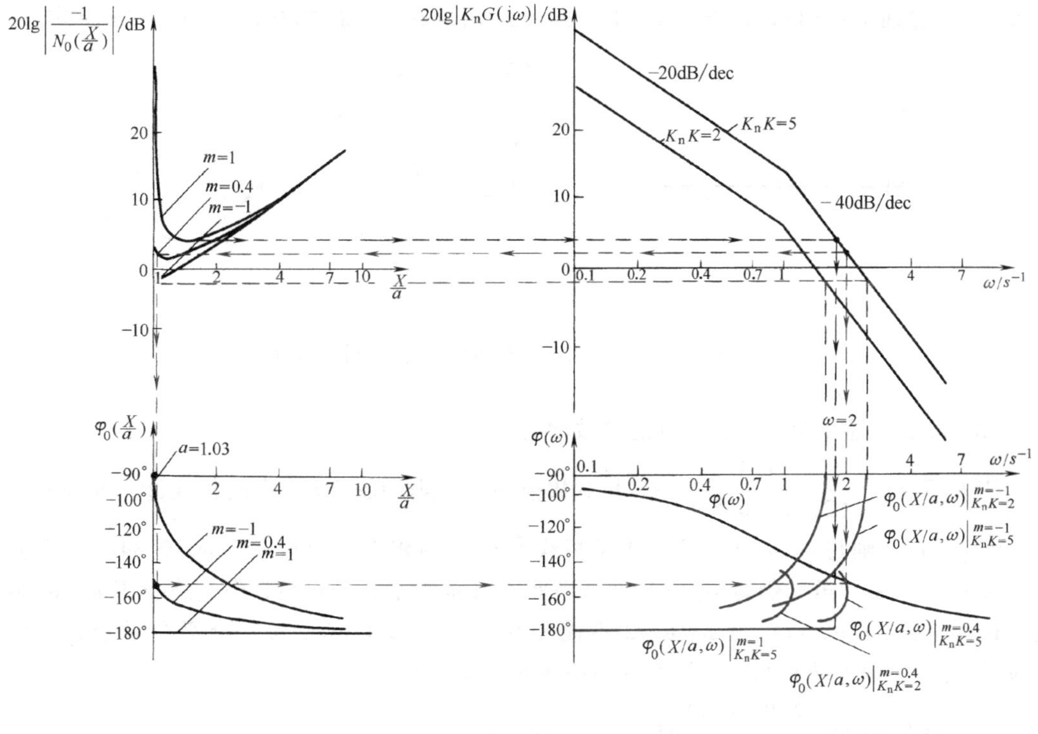

图 7-8-3 例 7-8-3 系统由对数幅相特性分析稳定性

(3) 分析继电器特性参数改变对稳定性的影响

线性部分的增益 K 不变，但降低继电器特性输出的幅值 M，或增宽死区（使 a 增大）。继电器特性中与系统线性部分的增益 K 有同样作用的参量 K_n 就是由 M 及 a 确定的，即有

$K_n=\frac{M}{a}$，故降低 M 值，或增大 a 值与减少线性部分的增益 K 的影响效果是一样的。

(4) 分析只有死区而无间隙的继电器特性时系统的稳定性

继电器特性有死区而无间隙相当于其中参量 $m=1$ 时的情况。在图 7-8-3 左半部画了 $m=1$ 时继电器特性的负倒对数幅值和相位特性。由于 $m=1$ 时负倒对数幅值特性的最小值为

$$20\lg\frac{\pi}{2}=3.92\text{dB}$$

根据幅值相等条件，从线性部分等效对数幅频上 3.92dB 处查得 $\omega=1.75\text{s}^{-1}$，故此时作出的特性$\varphi_0(X/a,\ \omega)\big|_{K_nK=5}^{m=1}$ 将是恒等于 $-180°$ 从低频开始终止于 $\omega=1.75\text{s}^{-1}$ 的水平线。由图 7-8-3 清楚地看出，$\varphi_0(X/a,\ \omega)\big|_{K_nK=5}^{m=1}$ 始终处于对数相频特性 $\varphi(\omega)$ 的下方，两者没有交点，故系统稳定。

(5) 分析只有间隙而无死区的继电器特性时系统的稳定性

继电器特性只有间隙而无死区相当于其中参量 $m=-1$ 时的情况。在图 7-8-3 左半部画出了 $m=-1$ 时继电器特性的负倒对数幅值和相位特性。按例 7-8-1 所述作图方法，分别求得对应于 $K_nK=5$ 及 $K_nK=2$ 时的$\varphi_0(X/a,\ \omega)\big|_{K_nK=5}^{m=-1}$ 和$\varphi_0(X/a,\ \omega)\big|_{K_nK=2}^{m=-1}$。从图 7-8-3 可见，它们与系统线性部分的对数相频特性 $\varphi(\omega)$ 都有交点。可以推论，无论怎样降低 K_nK 值，交点必然存在。由于交点对应的周期振荡是稳定的，故此种系统不可避免存在自持振荡。这一结论与例 7-3-5 由相平面法分析所得结论一致。

读者还可以结合图 7-5-15 所示理想继电器特性的负倒对数幅相特性，分析含有理想继电器特性时本例系统的稳定性。其结论与例 7-3-5 所得结论一致。

例 7-8-4 试用谐波平衡法分析例 7-3-7 所示含间隙特性的非线性系统的稳定性。其系统线性部分的等效传递函数为 $K_nKG(s)=\frac{K_nK}{s(s+1)}$。

解 (1) 当 $K_nK=5$ 时

其系统线性部分的等效对数幅频特性和相频特性如图 7-8-4 所示。在图 7-8-4 左半部画出了间隙特性的负倒对数幅值特性和相位特性。按例 7-8-1 给出的作图方法，求得 $\varphi_0(X/a,\ \omega)\big|_{K_nK=5}$，它与对数相频特性 $\varphi(\omega)$ 有两个交点，即 A 点和 B 点。这说明系统将有基波振幅及频率都不相同的两种周期振荡。用判别自持振荡的准则可以分辨出，A 点对应的周期振荡不能稳定，B 点对应的周期振荡能够稳定。故系统存在自持振荡，其基波振幅约为 $X=1.8a$，振荡频率约为 $\omega=1.55\text{s}^{-1}$。

(2) 如减小 K_nK 值，使 $K_nK=2$，而其他参量均不变

这时求出的$\varphi_0(X/a,\ \omega)\big|_{K_nK=2}$ 就完全处于对数相频特性 $\varphi(\omega)$ 的下方。因此，系统稳定。

以上分析系统稳定性的结论与例 7-3-7 用相平面法分析所得结论一致。

在结束本节之前，尚需强调指出，**用描述函数去表示非线性特性是一种近似方法，因此，用谐波平衡法分析非线性系统的稳定性所得出的结论也是近似的。不但给出的自持振荡的基波振幅与振荡频率值是近似值，而且有时在判断系统是否存在自持振荡的定性结论上也有可能不准确，这里也包括作图的不准确性在内。为尽可能提高分析的准确性，系统线性部分的对数幅频特性最好用修正误差后的曲线，而不使用渐近线（折线）。**

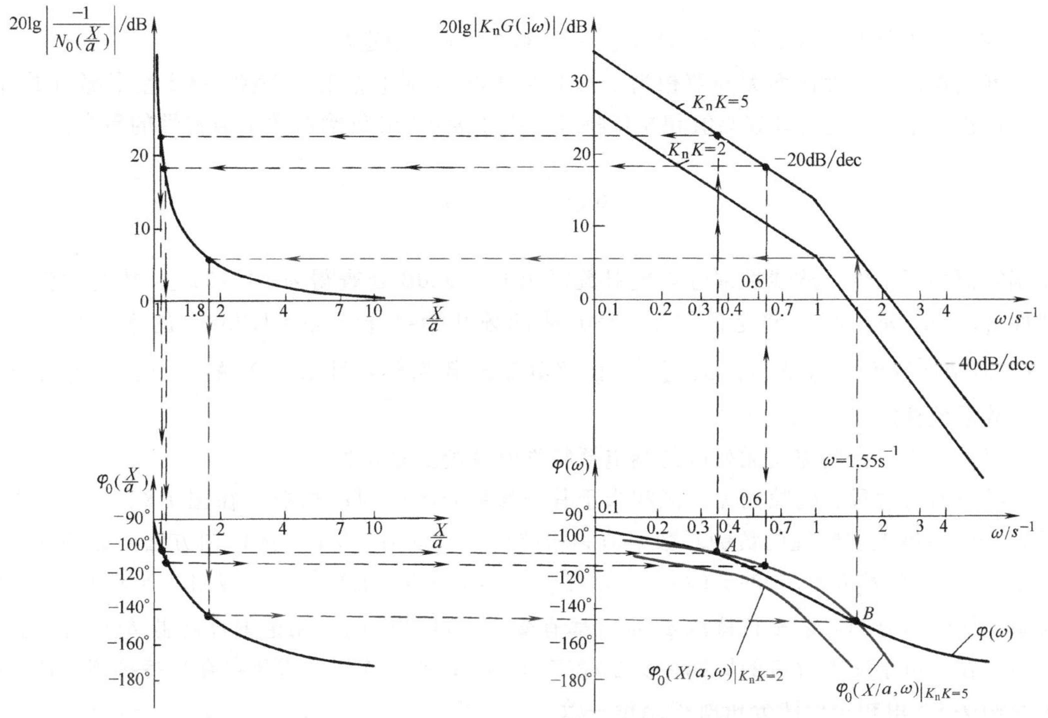

图 7-8-4 例 7-8-4 系统由对数幅相特性分析稳定性

第九节 利用非线性特性改善线性系统的性能

通常情况下，非线性因素会对线性系统的性能带来不利的影响。但事物总有两面性，如果人为有目的地在线性系统中加入某些非线性环节，却有可能使系统的性能大幅度地提高，以至达到单纯线性系统根本无法实现的预期效果。

众所周知，线性系统在实现性能指标的问题上存在一些矛盾，例如为了提高系统稳态精度则希望增大系统的开环放大系数，或者在系统的开环传递函数中增添 $s=0$ 的极点，但由此可能导致系统的相对稳定性降低，使暂态性能恶化。又例如在暂态性能中，响应的快速性与超调量之间也有矛盾。因此，在设计线性系统时，往往只能采取某种折中方案。但是如果人为地在线性系统中加入一些非线性特性，上述矛盾就有可能得到满意解决。

前曾述及，在线性二阶系统中，使用输出的微分负反馈能改善系统暂态性能，例如在伺服系统中，输出是位移或角位移，引入测速发电机反馈，也就是输出的微分反馈，可以增大系统的阻尼比，从而有效地提高系统的相对稳定性，降低系统响应的超调量。但与此同时，系统响应的快速性却受到抑制。这一矛盾在引入非线性特性后却能较好地解决。

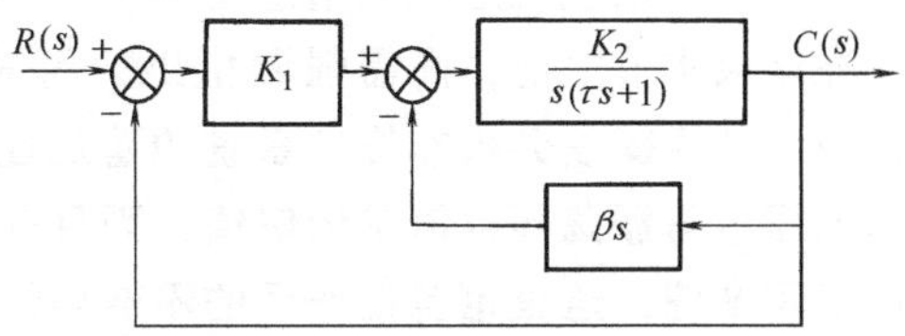

图 7-9-1 有微分反馈的二阶系统

二阶系统的框图如图 7-9-1 所示。系统的开环传递函数为

$$G(s)=\frac{K_1K_2}{\tau s^2+(1+K_2\beta)s}=\frac{K}{\tau s^2+(1+K_2\beta)s} \tag{7-9-1}$$

式中，$K=K_1K_2$。

系统的闭环传递函数则是

$$\Phi(s)=\frac{C(s)}{R(s)}=\frac{K}{\tau s^2+(1+K_2\beta)s+K}=\frac{\omega_n^2}{s^2+2\zeta\omega_n s+\omega_n^2} \tag{7-9-2}$$

式中，$\omega_n=\sqrt{\dfrac{K}{\tau}}$；$\zeta=\dfrac{1+K_2\beta}{2\sqrt{\tau K}}$。

当 $\beta=0$ 时，即二阶系统未引入局部微分反馈时，系统的开环传递函数为

$$G_o(s)=\frac{K}{\tau s^2+s}$$

而闭环传递函数则是

$$\Phi_o(s)=\frac{K}{\tau s^2+s+K}=\frac{\omega_{no}^2}{s^2+2\zeta_o\omega_{no}s+\omega_{no}^2} \tag{7-9-3}$$

式中，$\omega_{no}=\sqrt{\dfrac{K}{\tau}}$；$\zeta_o=\dfrac{1}{2\sqrt{\tau K}}=\dfrac{1}{1+K_2\beta}\zeta$。

比较式（7-9-2）与式（7-9-3），可知加入了输出微分反馈后，相当于使系统的阻尼比增大了（$1+K_2\beta$）倍，如原系统为欠阻尼，现在则有可能成为临界阻尼或过阻尼系统了。引入输出微分反馈前、后系统的阶跃响应如图 7-9-2 所示。图中曲线①为未引入微分反馈时系统的阶跃响应，曲线②则是引入微分反馈后系统的阶跃响应。显然响应①的超调量过大，而响应②虽无超调，但响应过慢。响应③则较为理想，即输出响应能较快地跟踪输入，同时又无超调。

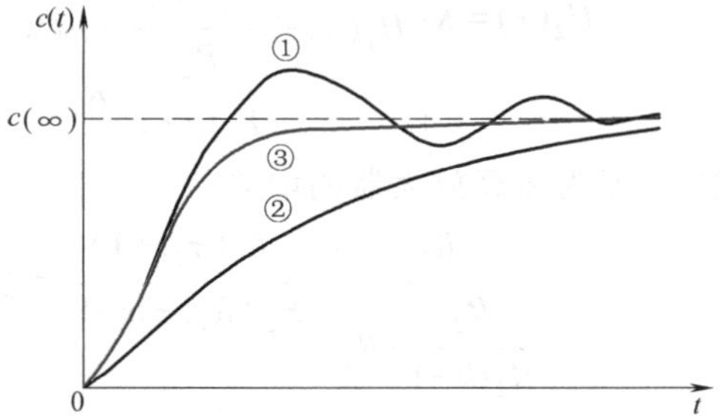

图 7-9-2　系统引入输出微分反馈前、后的阶跃响应

若在输出微分反馈通道中引入一个非线性特性环节，如图 7-9-3 所示，就可以实现上述要求。此非线性环节有两个输入，一个是系统的输出 $c(t)$，另一个输入则是系统的误差 $e(t)$。此非线性环节具有以下特性，即当与输出 $c(t)$ 成比例的信号小于与误差 $e(t)$ 成比例的信号时，此环节无输出；当与输出 $c(t)$ 成比例的信号大于与误差 $e(t)$ 成比例的信号时，则此环节有输出，且输出与系统的输出 $c(t)$ 成比例。简而言之，此非线性环节具有死区特性，但不是一般的死区特性，而是其死区大小随系统的误差信号成比例变化的死区特性。图 7-9-4 是此非线性环节的原理图。

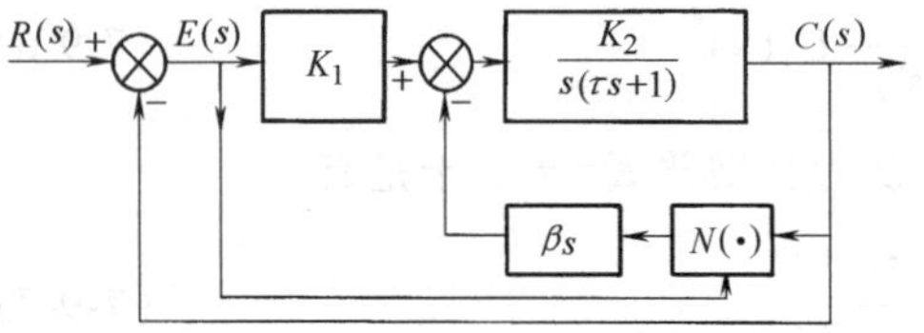

图 7-9-3　有非线性微分负反馈的二阶系统

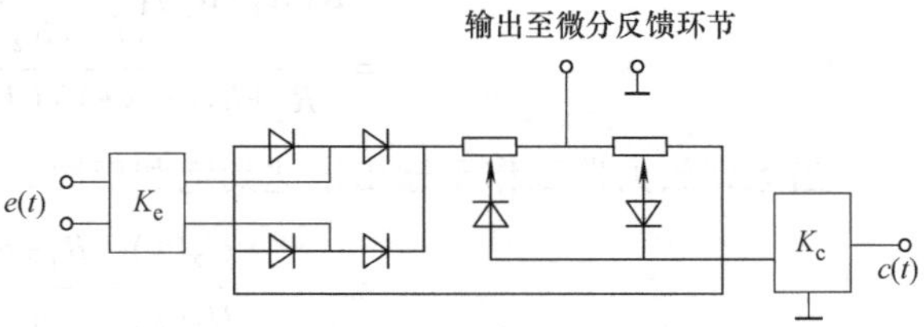

图 7-9-4　非线性环节 $N(\cdot)$ 的原理图

图 7-9-4 中 K_e 和 K_c 分别是两个输入端的比例系数。检测的误差信号 $e(t)$ 经过比例环节 K_e 后加于桥式整流器，整流器输出则加于电位器两端，由于有两个二极管隔离，故与 $e(t)$ 成比例的信号不可能输出，只是在电位器上形成与 $e(t)$ 成比例的电位。从系统输出端检测到的信号 $c(t)$，经比例器 K_c 后，再经过二极管加于电位器的滑动点上，只有当加于电位器滑动点之与 $c(t)$ 成比例的信号超过加于电位器上与误差 $e(t)$ 成比例的电位时，才有与系统输出 $c(t)$ 成比例的信号输出到微分反馈环节的输入端。

在阶跃信号作用到系统之初，误差 $e(t)$ 很大，输出 $c(t)$ 很小，微分反馈环节不起作用，相当于系统传递函数中的 $\beta=0$。随着时间推移，$e(t)$ 减小，$c(t)$ 增长，适当地整定此非线性环节的参量，可以在 $c(t)$ 接近于稳态值时，使微分反馈环节具有输入信号，因而使系统处于附加有输出微分反馈的状态。这样，系统的阶跃响应即能如图 7-9-2 中曲线③所示。由此可见，**在线性系统中，正确地引入非线性特性能可使系统的性能大为改善。**

如果希望前述二阶系统有较高的稳态跟踪精度（即稳态误差很小），同时又有较高的相对稳定性，就可以在系统中采用串联非线性校正装置，如图 7-9-5 所示。图 7-9-6 则是该串联非线性校正装置的原理图。此校正装置由电子运算放大器组成，在此有两点需要指出：第一，它使用的是同相输入端；第二，在其输出端附加了限幅电路，使其静特性成为饱和值可调的饱和特性，描述这一校正装置的传递函数可以求得。当放大器未处于饱和输出时，有

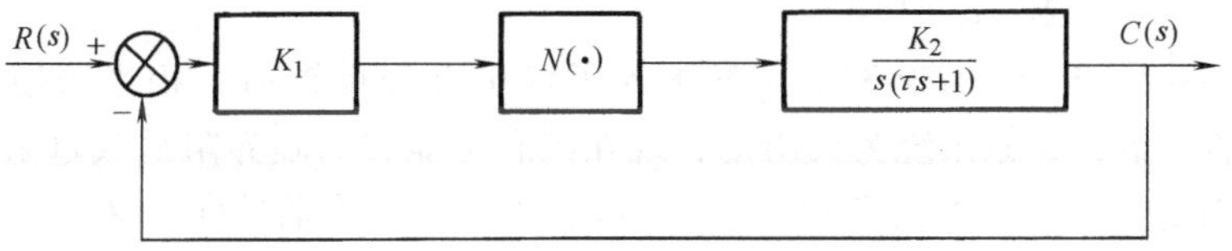

图 7-9-5 采用串联非线性校正装置的二阶系统

$$U_2(s)=K\left[U_1(s)-\frac{R_1}{\frac{R_2}{R_2Cs+1}+R_1}U_2(s)\right] \tag{7-9-4}$$

式中，K 为运算放大器的增益。

令
$$\frac{R_1}{\frac{R_2}{R_2Cs+1}+R_1}=\frac{R_1(\tau_2 s+1)}{R_2+R_1(\tau_2 s+1)}=\beta \tag{7-9-5}$$

式中，$\tau_2=R_2C$。

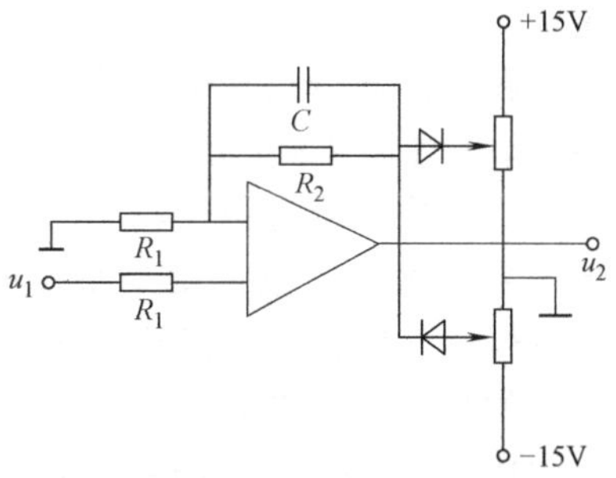

图 7-9-6 串联非线性校正装置

将式（7-9-5）代入式（7-9-4），则得到

$$U_2(s)=\frac{K}{1+\beta K}U_1(s)=\frac{K(R_1+R_2+R_1\tau_2 s)}{R_2+R_1(\tau_2 s+1)(1+K)}U_1(s)$$

$$=\frac{K(R_1+R_2)\left(\frac{R_1R_2}{R_1+R_2}Cs+1\right)}{R_2+R_1(\tau_2 s+1)(1+K)}U_1(s) \tag{7-9-6}$$

当运算放大器工作于输出未达到饱和值时，可认为其增益 $K=\infty$，于是有

$$\frac{U_2(s)}{U_1(s)}=\frac{R_1+R_2}{R_1}\frac{\tau_1 s+1}{\tau_2 s+1} \tag{7-9-7}$$

式中，$\tau_1=\dfrac{R_1R_2}{R_1+R_2}C$。

当运算放大器工作于饱和输出时，由于输出被限幅而不论输入为何值均为饱和值，故其增益大受影响，可以认为，其增益 $K\ll1$，于是式（7-9-6）可以近似为

$$\frac{U_2(s)}{U_1(s)}=K \tag{7-9-8}$$

因此，当运算放大器输出未达饱和值时，图 7-9-5 所示系统的开环传递函数为

$$G(s)=\frac{K_1K_2(R_1+R_2)}{R_1}\frac{\tau_1s+1}{s(\tau s+1)(\tau_2s+1)} \tag{7-9-9}$$

当运算放大器输出达到饱和值时，开环传递函数为

$$G(s)=\frac{K_1K_2K}{s(\tau s+1)} \tag{7-9-10}$$

图 7-9-7 给出了当运算放大器未饱和时的开环对数幅频特性①及放大器饱和后的特性②。曲线①所示特性表明，在低频区系统的开环增益很大，从而使系统的稳态误差很小。但同时也看到，特性①对应的系统相位稳定裕度 γ_1 较小，若系统在输入变化幅度较大，亦即动态误差较大时系统仍处于特性①的工作状态，势必有过大的超调量和较强的振荡过程。但是采用了前述串联非线性校正装置，系统自动地过渡到特性②的工作状态。此时系统的相位裕度 γ_2 远较 γ_1 大，系统相对稳定性增强了，从而使暂态过程较为平稳，对超调量也能抑制了。因此，图 7-9-5 采用了串联非线性校正装置的系统，能较好地解决稳态性能和暂态性能之间的矛盾。

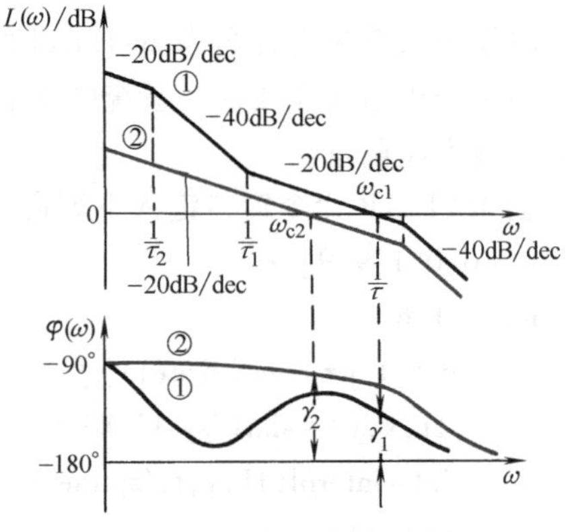

图 7-9-7　非线性校正系统的对数频率特性

以上所举的例子，均是用模拟电子元件构成的非线性校正环节，这仅是为了说明其原理。在实际中，完全可以用数字非线性校正装置，其效果将远比前者好。

第十节　基于 MATLAB 的非线性系统分析

应用 MATLAB 分析非线性系统的基本方法是用 Simulink 图形化建模方法建立非线性系统的仿真模型。仿真运行后，可在 Simulink 环境下观察非线性系统的时域响应或相轨迹，还可在 MATLAB 命令窗口调用 Simulink 模型文件，或仿真运行结果，绘制各种曲线。

借助这一平台可通过编程对非线性系统进行相平面分析和谐波平衡法分析。

一、非线性系统的时域分析

例 7-10-1　有饱和非线性的系统框图如图 7-10-1 所示。其中饱和非线性的输入、输出满足下式

$$x=\begin{cases}ke\ (|e|<1)\\ k\ \ (e\geqslant1)\\ -k(e\leqslant-1)\end{cases}$$

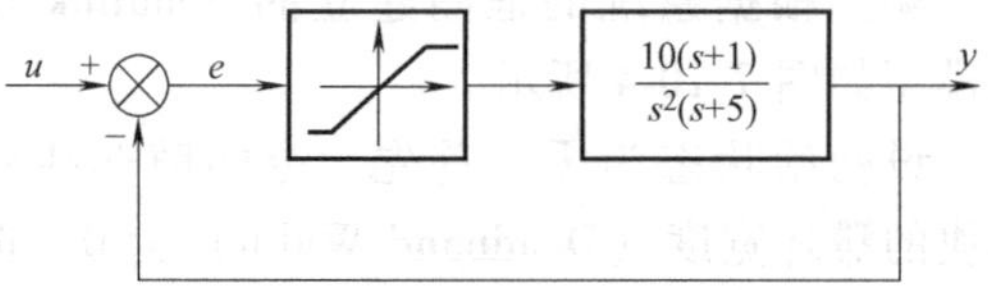

图 7-10-1　有饱和非线性的系统

式中，$k=1$。分析饱和非线性对系统暂态响应的影响。

解 用 Simulink 的模块库建立如图 7-10-2 所示的仿真模型。将饱和非线性模块的上限和下限设为 1 和−1。

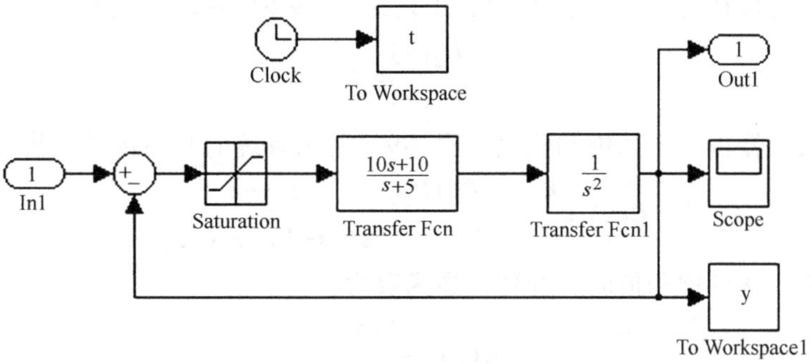

图 7-10-2 例 7-10-1 系统的 Simulink 仿真模型

将模型保存为文件名为 sys1. mdl 的模型文件。

为了分析饱和非线性对系统的影响，求阶跃输入幅值分别为 1，2，…，6 时系统的输出响应和最大超调量。

在 MATLAB 命令窗口键入下列命令：

```
t=[0:0.1:9.9]';
for i=1:6
    ut=[t,i*ones(size(t))];
    [t1,x,y]=sim('sys1',10,[],ut);
    yint=interpl(t1,y,t,'spline');
    yy(:,i)=yint;
    plot(t1,y);grid,hold on
    i=i+1;
end
hold off,grid
```

输出响应曲线如图 7-10-3 所示。在不同幅值阶跃信号下系统的最大超调量为 30%，但上升时间和调整时间则随着阶跃信号的幅值的增大而变长，这是非线性系统与线性系统的不同之处。

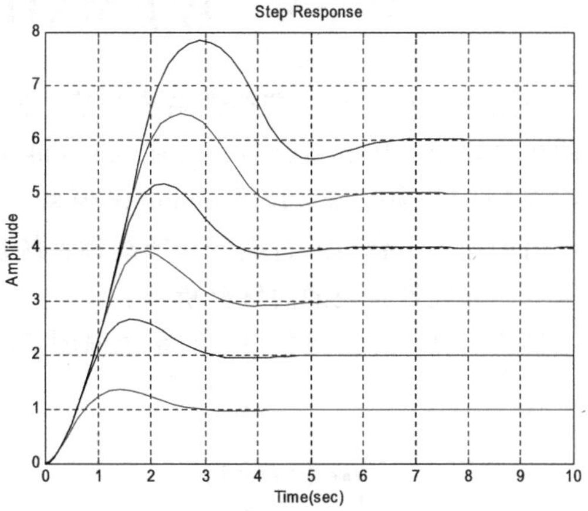

图 7-10-3 不同幅值阶跃信号下的系统响应

例 7-10-2 非线性系统的框图如图 7-3-16 所示（例 7-3-7 图）。设给定输入为单位阶跃信号，开环增益 $K=5$，间隙非线性的滞环宽度为 0.2，$k=1$。绘制无间隙非线性和有间隙非线性系统的单位阶跃响应曲线。

解 根据系统的框图建立的 Simulink 仿真模型如图 7-10-4 所示。

设初始状态为零。首先，令间隙非线性模块的滞环宽度（Deadband Width）为 0，选仿真终止时间为 20s，得到线性系统单位阶跃

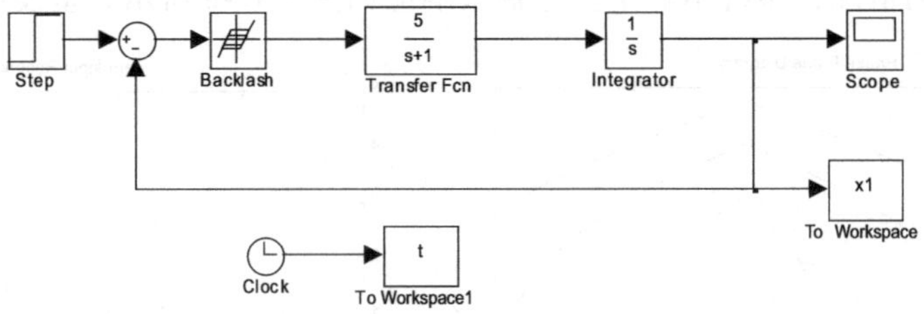

图 7-10-4 例 7-10-2 系统的仿真模型

响应如图 7-10-5 蓝色曲线，响应为衰减振荡。其次，将滞环宽度设为 0.2，得到有间隙非线性特性的单位阶跃响应曲线如图 7-10-5 所示。从仿真结果知，当系统中存在滞环宽度为 0.2 间隙非线性时，系统响应中有幅值为 0.2 的自持振荡。进一步，改变滞环宽度，将可看到自持振荡的振幅等于滞环宽度。

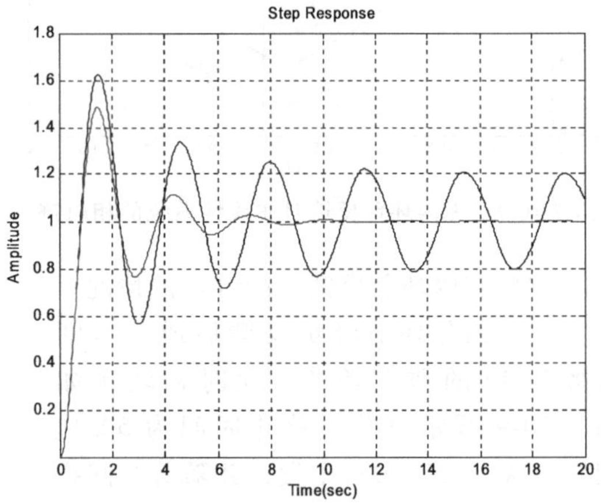

图 7-10-5 间隙非线性对系统响应的影响

二、非线性系统的相平面法分析

对非线性系统进行相平面分析本质上是一种时域分析，只是在相轨迹中时间 t 是隐含的变量。在建立 Simulink 仿真模型时，需要用到输出模块组（sinks）中的 XYGraph 模块，仿真运行时可实时画出系统的相轨迹。一般将输出设为 x_1，是相平面的横坐标轴；x_2 设为纵坐标，它是 x_1 的一阶导数。把 x_1，x_2 作为 XYGraph 模块的输入。同时可保存计算结果到 workspace，以便在 MATLAB 命令窗口用 plot 函数画相轨迹。需要根据具体系统的 x_1，x_2 范围设置 XYGraph 模块的坐标轴范围。通常，为了观察相轨迹的运动情况，可将仿真终止时间取得比较长。

例 7-10-3 作图 7-3-14 所示有继电器特性的非线性系统的相轨迹。令 $K=1$，继电器特性的参数为 $a=0.2$，$M=0.2$，$m=-1$。分析比较没有内环负反馈（$\beta=0$）和有内环负反馈（$\beta=1$）的相轨迹及稳定性情况。

解 根据继电器特性参数，这是一个如图 7-1-5c 的有间隙的继电器特性。非线性系统的 Simulink 仿真模型如图 7-10-6 所示。设系统的初始状态 $x_1(0)=0.3$，$x_2(0)=0$。

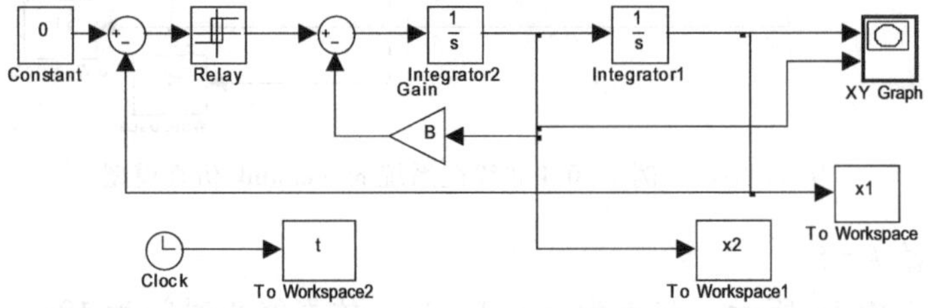

图 7-10-6 有继电器回环非线性系统的 Simulink 仿真模型

（1）没有内环负反馈（$\beta=0$）的情况

令仿真终止时间为 40s，仿真结束后，在 MATLAB 命令窗口用 plot（x1，x2）绘制得到的相轨迹如图 7-10-7 所示。可见相轨迹从（0.3，0）出发，随着时间的推移不断向外运动，

对应不稳定焦点的情况，系统不稳定。零输入响应如图 7-10-8 所示，呈发散振荡。

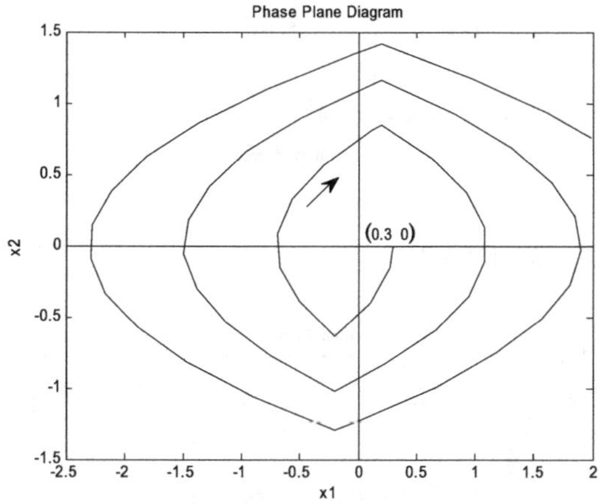

图 7-10-7　无内环负反馈时非线性系统的相轨迹

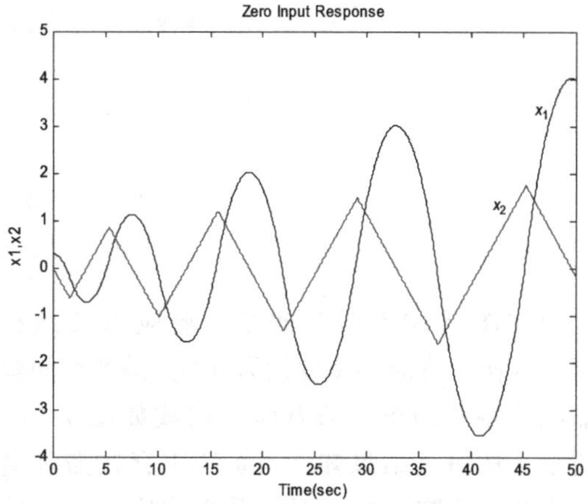

图 7-10-8　无内环负反馈时非线性系统的零输入响应

（2）有内环负反馈（$\beta=1$）的情况

一个积分环节经负反馈后成为时间常数为 1s 的惯性环节，此时相轨迹如图 7-10-9 所示（仿真终止时间为 50s）。相轨迹从（0.3，0）出发，并随着时间推移向极限环收敛。显然系统存在振幅为 0.2 的自持振荡。

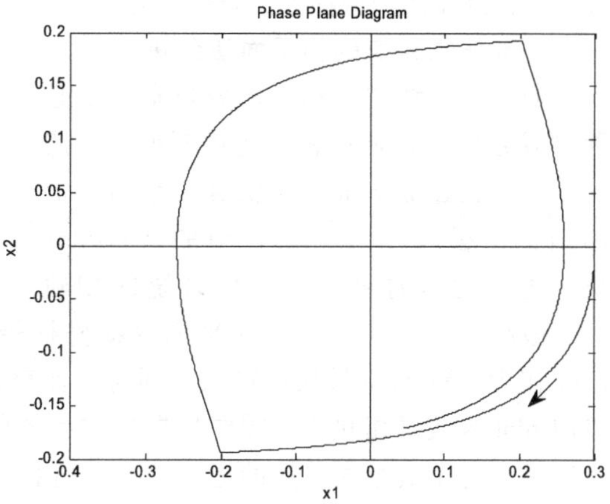

图 7-10-9　有内环负反馈时非线性系统的相轨迹

例 7-10-4　分析图 7-3-16 所示有间隙特性的非线性系统的开环增益对稳定性的影响。其中间隙特性的参数——滞环宽度 $a=1$，$k=1$。

解　系统的 Simulink 仿真模型如图 7-10-10 所示。

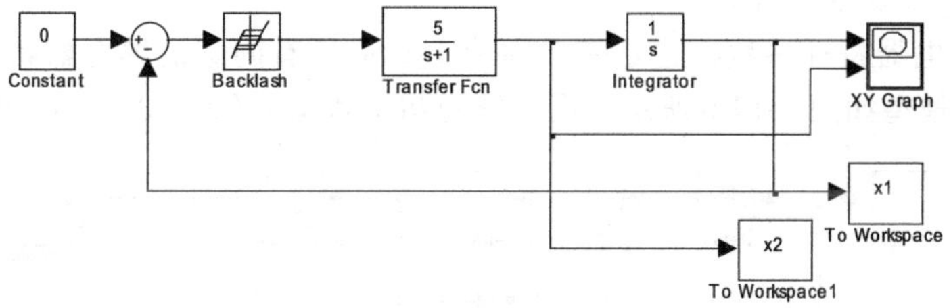

图 7-10-10　例 7-10-4 非线性系统的 Simulink 仿真模型

（1）开环增益 $K=5$

相轨迹如图 7-10-11 所示。起点为（1.2，0），仿真终止时间为 10s。这是极限环的情况，系统的零输入响应是等幅振荡。

（2）开环增益 $K=2$

减小开环增益后的系统相轨迹如图 7-10-12 所示。起点为（1，0），仿真终止时间为 40s，可见明显的收敛过程，属于稳定焦点，系统稳定，但调整时间长。

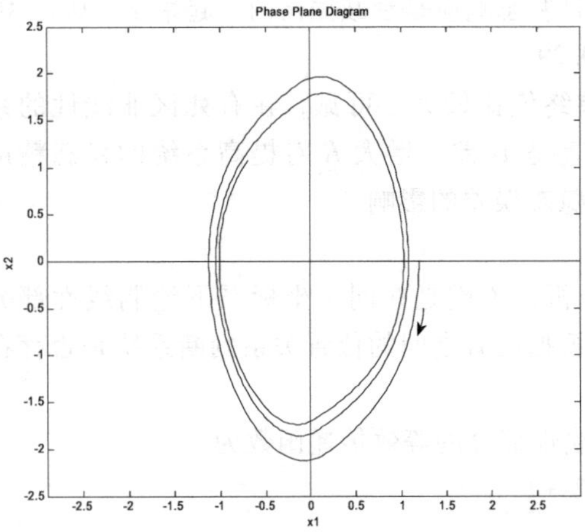

图 7-10-11　例 7-10-4 非线性系统 $K=5$ 的相轨迹

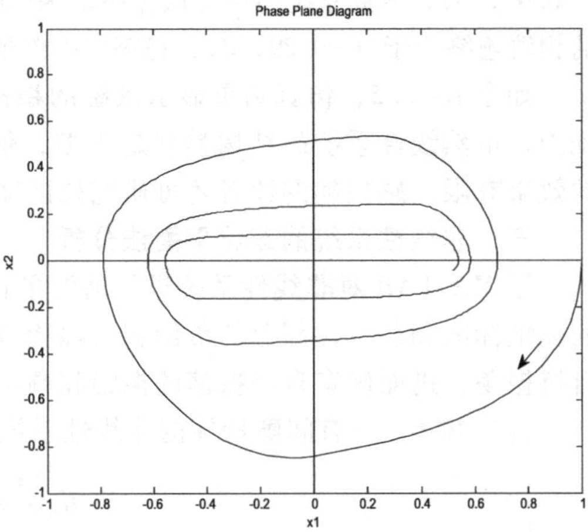

图 7-10-12　例 7-10-4 非线性系统 $K=2$ 的相轨迹

本例说明有间隙特性的非线性系统可通过减小开环增益达到消除自持振荡的效果。

例 7-10-5　有死区非线性系统的 Simulink 仿真模型如图 7-10-13 所示，其中死区非线性的参数是死区宽度 $a=0.3$，线性输出特性斜率 $k=1$。分析死区对系统稳态误差的影响。

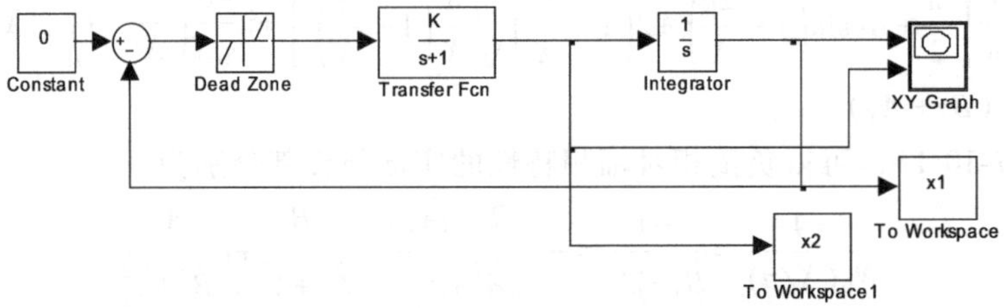

图 7-10-13　有死区非线性系统的 Simulink 仿真模型

解　设系统的初始状态为 $x_1(0)=1$，$x_2(0)=0$，开环增益 $K=1$，仿真终止时间为 25s，系统相轨迹如图 7-10-14 所示。相轨迹终止于（0.09，0），系统的稳态误差终值为 0.09。将初始状态设为 $x_1(0)=0.7$，$x_2(0)=0$，相轨迹终止于（0.18，0）。可见，有死区非线性的Ⅰ型系统不仅存在稳态误差，而且稳态误差终值还与初始状态有关。

令开环增益 $K=5$，系统相轨迹如图 7-10-15 所示。起始于（1，0）的相轨迹终止于

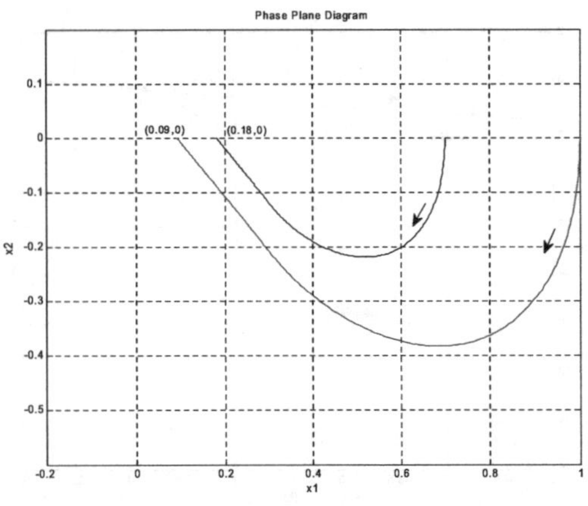

图 7-10-14　有死区非线性系统的相轨迹（$K=1$）

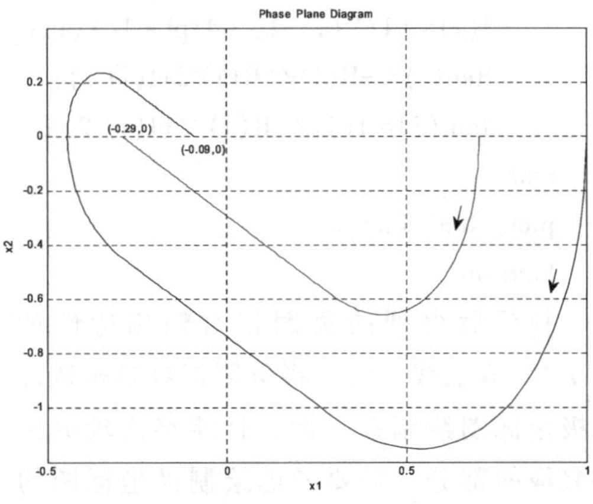

图 7-10-15　有死区非线性的系统相轨迹（$K=5$）

(-0.09, 0)，因此系统的稳态误差终值为-0.09，且暂态响应是衰减振荡的。起始于 (0.7, 0) 的相轨迹终止于 (-0.29, 0)，稳态误差终值为-0.29。

如令 $K=0.5$，仿真结果显示系统的稳态误差终值比较大。可见，在有死区非线性的系统中，虽然线性系统的结构类型是 I 型，但存在稳态误差。增大 K 对提高系统的稳态精度的效果有限。感兴趣的读者还可研究死区宽度对稳态误差的影响。

三、非线性系统的谐波平衡法分析

用 MATLAB 对非线性系统进行谐波平衡法分析，关键是在同一坐标系下绘制线性部分的极坐标图和非线性部分的负倒相对幅相特性，根据两者之间的位置关系判断系统是否存在自持振荡，进而确定自持振荡的振幅和频率。

例 7-10-6 一有间隙特性的非线性系统，其线性部分的等效传递函数为

$$K_nG(s)=\frac{2s+1}{s^2(s+1)}$$

间隙特性的间隙宽度为 $a=1$，线性输出特性斜率 $K_0=1$。分析系统的稳定性。

解 已知间隙特性的相对描述函数为（代入 $K_0=1$ 后）

$$\begin{aligned}N_0\left(\frac{X}{a}\right)&=\frac{1}{K_0X}(B_1+\mathrm{j}A_1)\\&=\frac{1}{\pi}\left[\frac{\pi}{2}+\arcsin\left(1-\frac{2a}{X}\right)+2\left(1-\frac{2a}{X}\right)\sqrt{\frac{a}{X}\left(1-\frac{a}{X}\right)}\right]+\mathrm{j}\frac{4a}{\pi X}\left(\frac{a}{X}-1\right),\quad X>a\\&=(\hat{B}_1+\mathrm{j}\hat{A}_1)\end{aligned}\tag{7-10-1}$$

根据式 (7-10-1)，可得负倒相对幅相特性的实部与虚部分别为

$$\frac{-1}{N_0(X/a)}=\frac{-1}{\hat{B}_1+\mathrm{j}\hat{A}_1}=-\frac{(\hat{B}_1-\mathrm{j}\hat{A}_1)}{\hat{B}_1^2+\hat{A}_1^2}=\frac{-\hat{B}_1}{\hat{B}_1^2+\hat{A}_1^2}+\mathrm{j}\frac{\hat{A}_1}{\hat{B}_1^2+\hat{A}_1^2}\tag{7-10-2}$$

基于上述关系式，编制的 m 文件如下：

```
function[Re,Im]=backlash()
X=[1.05,1.1,1.2,1.5,1.8,2,2.5,4,8,20];
figure(1)
hold on
for  i=1:10
    R(i)=1/2+asin(1-2/X(i))/pi+2(1-2/X(i))*sqrt(1/X(i))*sqrt(1-1/X(i))/pi;
    I(i)=(1/X(i)-1)*4/pi*1/X(i);
    Ren(i)=-R(i)/(R(i)^2+I(i)^2);
    Imn(i)=I(i)/(R(i)^2+I(i)^2);
end
plot(Ren',Imn')
hold on
```

执行后得到的负倒相对幅相特性如图 7-10-16 蓝线。为了将负倒相对幅相特性和极坐标图绘制在一起，且能够比较突出感兴趣的部分，需要考虑绘制极坐标图的 ω 的取值范围。现取 $0.5<\omega<50$。MATLAB

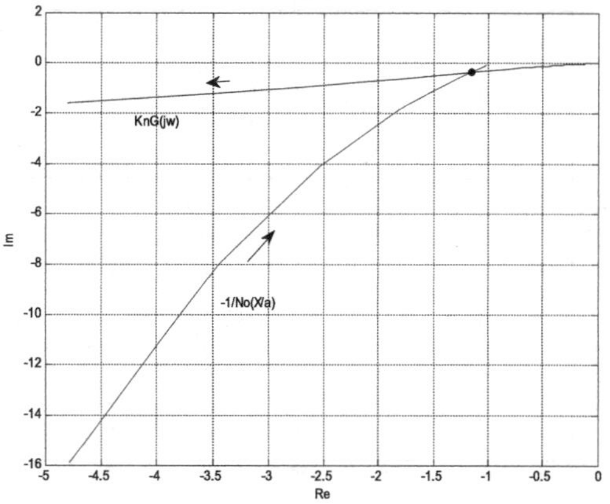

图 7-10-16 例 7-10-6 系统的谐波平衡法分析

命令如下：

```
num=[2,1];
den=[1,1,0,0];
w=[0.5:0.2:50]';
[Reg,Img]=nyquist(num,den,w);
plot(Reg,Img)
grid
```

图 7-10-16 黑线是所绘系统的幅相特性。因为负倒相对幅相特性和极坐标图有一个交点，可知系统有自持振荡。交点的坐标为（-1.104，-0.3415），振荡频率约为 1.2rad/s，振幅为 $X \approx 4a = 4$。

小　结

控制系统有线性与非线性之分。严格地说，实际上并不存在纯线性系统。只是能用线性系统理论分析和设计而不影响性质特征的系统才称为线性系统。本章阐述了非线性系统的基本理论，介绍了常用的分析方法，其主要内容是：

1）非线性系统是各种各样的，然而，为了深入了解非线性系统，需对几种有代表性的非线性系统进行比较详细和严格的分析。

2）非线性系统的数学模型一般是非线性微分方程。但是根据系统的结构特点及分析的目的，采用框图从输入、输出关系给出系统的数学模型往往比较方便实用。

3）虽然非线性控制系统尚无统一的、普遍的理论，或者说求解非线性微分方程尚无统一而通用的方法，但对某些形式的非线性微分方程仍然能够求得解析形式的解。因此，对非线性系统方程的解的存在性及唯一性应给予一定的重视。非线性微分方程不像线性常系数微分方程，它的解并不必然存在和唯一。

4）非线性系统用框图表示时，线性部分和非线性部分可分离的系统称为基本形式的系统。虽然有的系统不属于基本形式，但实际上大多数控制系统可以变换成为基本形式。因为这种系统易于分析，故本章大部分内容都是针对基本形式的系统。

5）分析非线性系统时，人们首先会想到使用在工作点附近小范围内线性化方法。但应注意到，用线性理论分析某些线性化的系统所得结论，常不能用来推论原来非线性系统的性质或现象。这里，需特别重视这种线性化方法使用的局限性。

6）非线性控制系统的分析方法大致可分为能求得响应与只作出定性分析两种。第一种方法有相平面法和数字计算机仿真。第二种方法有建立在描述函数基础上的谐波平衡法。

7）相平面法能精确地分析系统，但系统的阶次限于二阶或低于二阶。谐波平衡法是近似方法，它所给出的看似正确的解也可能是错误的。但谐波平衡法对于一般非线性系统简便实用，尤其在解决工程实际问题上，不需求得精确解时更为有效。

8）正确地人为引入非线性特性可改善系统性能的问题。这是实现系统的最优控制可能的有效手段之一。

9）应用 MATLAB 和 Simulink 可对非线性系统进行仿真，通过编程还可进行相平面分析和谐波平衡法分析。

习　题

7-1　试求图 7-T-1 所示非线性特性的描述函数。

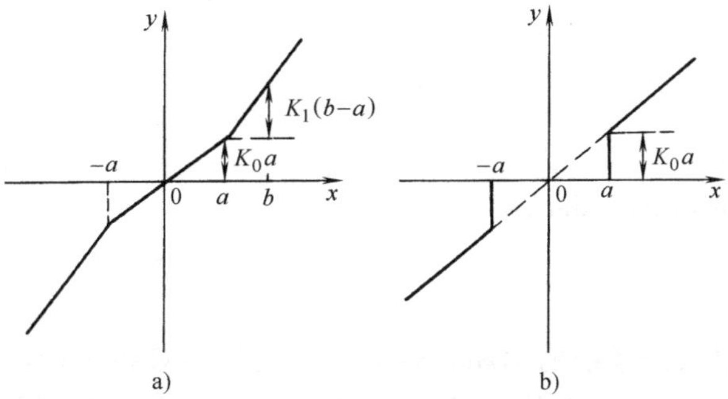

图 7-T-1　题 7-1 图

7-2　反馈回路中的放大装置如果具有如下非线性特性：

(1) 当输入幅值小于 E_1，没有输出信号，即 $e_o(t)=0$，当 $|e_i(t)|<|E_1|$。

(2) 输入信号幅值大于 E_1，但小于 E_2，输出信号满足 $e_o(t)=K[e_i(t)-E_1]$，其中 $|E_1|<|e_i(t)|<|E_2|$。

(3) 当输入信号幅值大于 E_2，输出为 $e_o(t)=KE_2(|e_i(t)|>|E_2|)$，试画出输入—输出特性，并求出其描述函数。

7-3　系统框图如图 7-T-2 所示。图中 $G(s)=\dfrac{Ke^{-0.1s}}{s(0.1s+1)}$，用谐波平衡法判定 $K=0.1$ 时系统的稳定性。试问 K 应限制在什么范围，系统不会产生自持振荡？

7-4　设系统如图 7-T-3 所示，其中继电器非线性特性的 $a=0$。用谐波平衡法分析系统是否存在自持振荡？如存在，试求出系统自持振荡的基波振幅和频率的近似值。

7-5　系统的框图如图 7-T-3 所示，继电器非线性特性的 $a=0.1$。试用谐波平衡法分析系统是否会出现自持振荡，和题 7-4 的结果进行比较，讨论死区的影响。

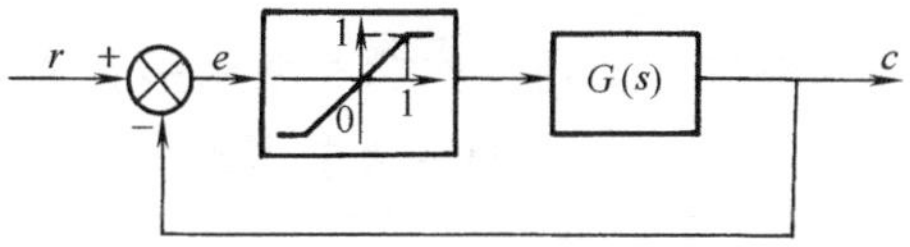

图 7-T-2　题 7-3 图

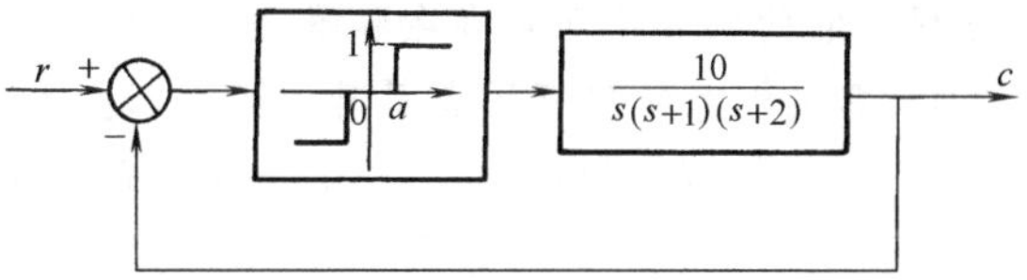

图 7-T-3　题 7-4 图

7-6　线性二阶系统的微分方程为 $\ddot{e}+2\zeta\omega_n\dot{e}+\omega_n^2e=0$，式中，$\zeta=0.15$，$\omega_n=1$，$e(0)=1.5$，$\dot{e}(0)=0$。试用等倾线法绘制其相轨迹，并确定其奇点的类型。

7-7　设非线性系统框图如图 7-T-4 所示，用 Simulink 建立该系统的仿真模型，求 $r(t)=1(t)$ 和 $r(t)=2.5\times1(t)$ 的系统响应 $c(t)$，绘制响应曲线，讨论饱和非线性对系统性能的影响。

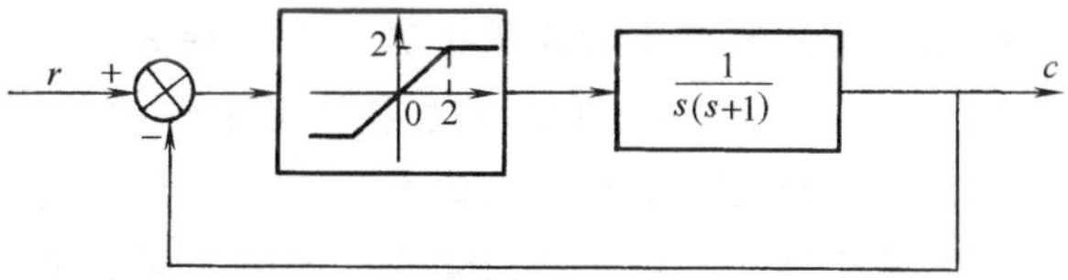

图 7-T-4　题 7-7 图

7-8　具有死区及滞环继电器特性的非线性系统如图 7-T-5 所示。用 Simulink 建立系统的仿真模型，观察系统的响应曲线和相轨迹，试判断系统是否存在极限环。

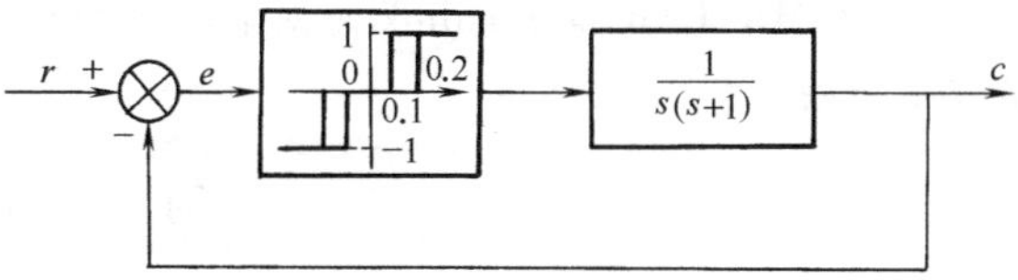

图 7-T-5　题 7-8 图

7-9　设控制系统如图 7-T-6 所示。已知初始条件及系统参数为 $e(0)=2$，$\dot{e}(0)=0$，$T=0.5\text{s}$，$K_0=8$，$a=0.5$，试绘出未加输出

微分反馈时的系统相轨迹图。

7-10 系统同题 7-9，试绘制加入输出微分反馈时的相轨迹，并讨论输出微分反馈的作用。

7-11 试用相平面法分析图 7-T-7 所示的系统，讨论在 $\beta=0$，$\beta<0$ 及 $\beta>0$ 三种情况下相轨迹的特点。

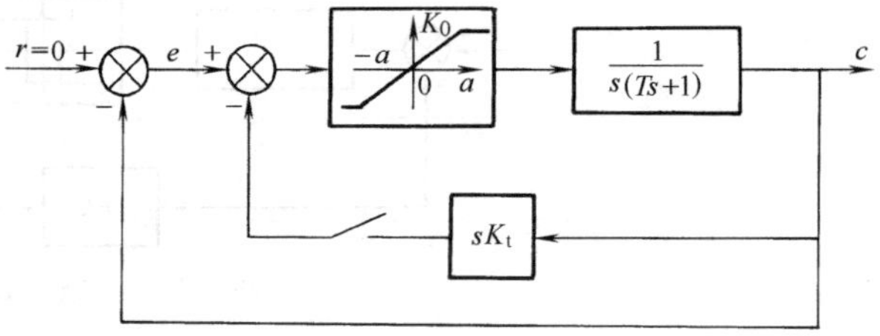

图 7-T-6 题 7-9 图

7-12 设恒温箱的结构图如图 7-T-8 所示。若要求温度保持在 200°C，恒温箱在常温 20℃下启动，试在 T_c-$\dot{T}_c$ 相平面上作温度控制的相轨迹，并计算升温时间和温度控制的精度。

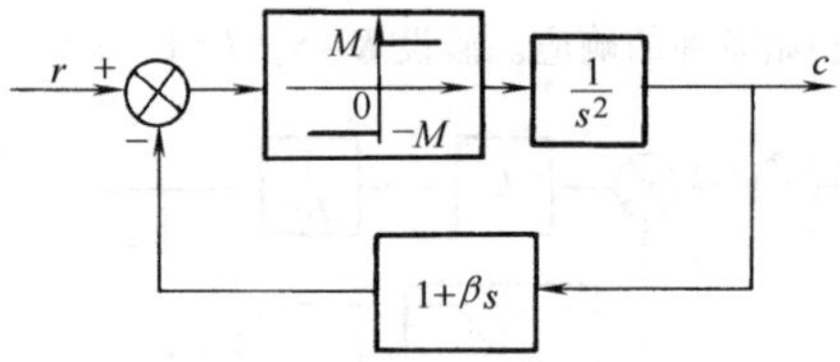

图 7-T-7 题 7-11 图

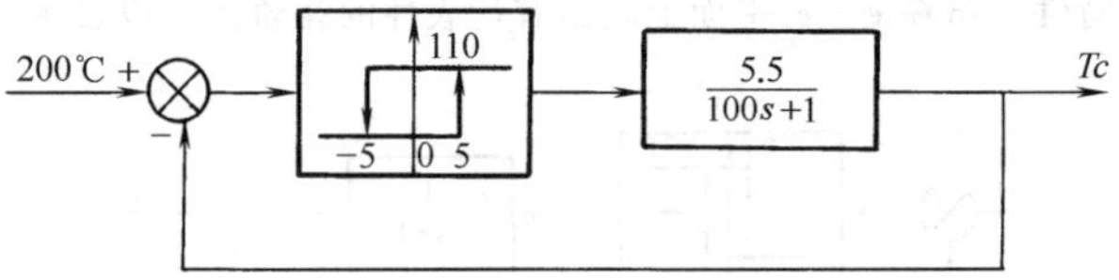

图 7-T-8 题 7-12 图

7-13 图 7-T-9 为带有库伦摩擦的二阶系统。设：

(1) $G(s)=\dfrac{K_2}{Ts}$；(2) $G(s)=\dfrac{K_2}{Ts+1}$。

已知 $K_1=1$，$K_2=2$，$T=1\text{s}$ 及初始条件为 $e(0)=3.5$，$\dot{e}(0)=0$。试在 e-$\dot{e}$ 相平面上绘制系统的相轨迹。

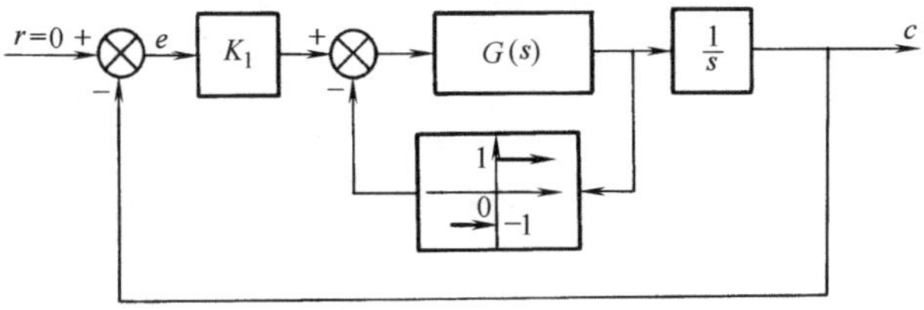

图 7-T-9 题 7-13 图

7-14 设系统如图 7-T-10 所示，系统的所有参数均为正。试用谐波平衡法讨论系统产生自持振荡时，参数 K_1、K_2、M、T_1、T_2 应满足的条件。（提示：先将系统转变成基本形式，为此需将增益 K_1 及理想继电器特性转换成等效非线性环节，使其与线性部分串联。）

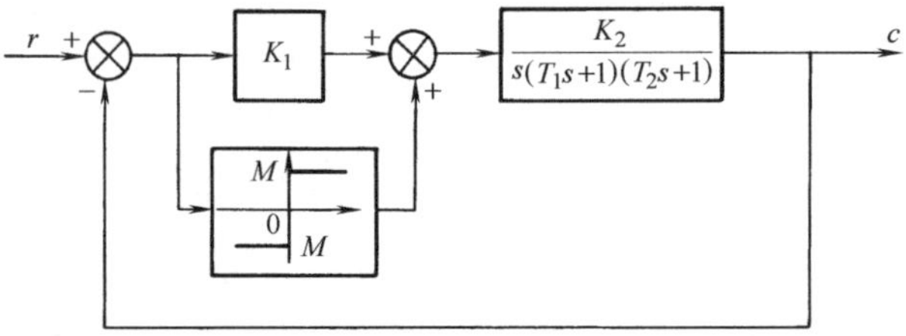

图 7-T-10 题 7-14 图

7-15 设系统如图 7-T-11 所示。试用谐波平衡法讨论参数 T 对系统自持振荡的影响。若 $T=0.25\text{s}$，求输出振荡的振幅和频率。

7-16 试用谐波平衡法和相平面法分别研究图 7-T-12 所示的一阶非线性系统，并比较和分析所得到的结果。

7-17 一单位反馈伺服机构由放大器驱动电动机，当达到电动机额定电压的 70%时，放大器饱和。假

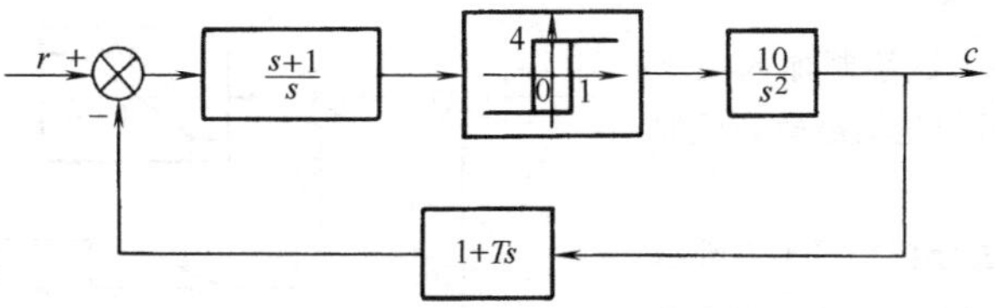

图 7-T-11　题 7-15 图

设放大器未饱和时的增益为40。系统线性部分的传递函数（不包括放大器）为 $G(s)=\dfrac{0.25}{s(s+2)}$，试用谐波平衡法确定极限环是否存在。

7-18　图 7-T-13 表示带有非线性反馈增益的二阶系统。在输出微分反馈回路中，非线性元件具有饱和特性。试在 $e-\dot{e}$ 平面上画出有代表性的相轨迹，以表示对各种初始条件的响应。假设 $K=5$，$J=1$，$a=1$。

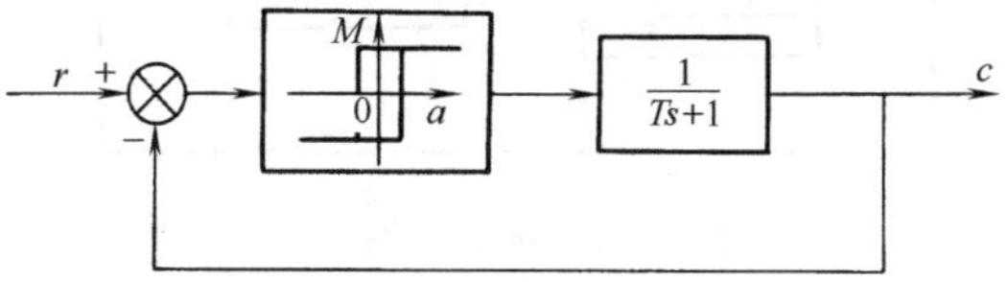

图 7-T-12　题 7-16 图

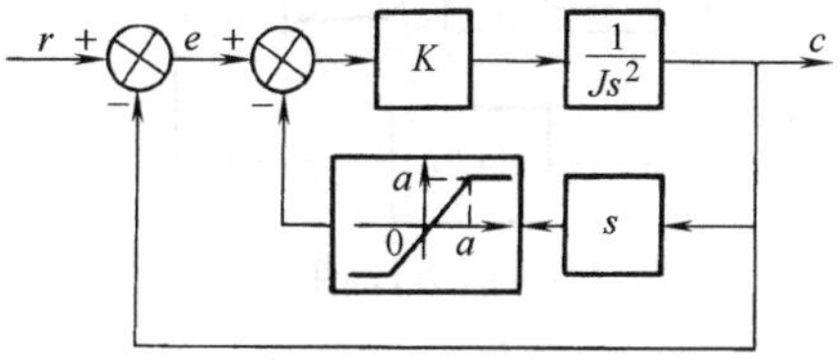

图 7-T-13　题 7-18 图

第八章 采样控制系统的分析

前面几章中讨论了连续控制系统的基本问题。在连续系统中，各处的信号都是时间的连续函数。这种在时间上连续，在幅值上也连续的信号称为连续信号，又称模拟信号。

近数十年来，随着脉冲技术和计算机技术的迅速发展，离散控制系统得到了广泛的应用。与连续系统显著不同的特点是，在离散系统中的一处或数处的信号不是连续的模拟信号，而是在时间上离散的脉冲序列，称为离散信号。离散信号通常是按照一定的时间间隔对连续的模拟信号进行采样而得到的，故又称为采样信号。相应的离散系统亦称为采样系统。一种典型的采样系统如图 8-0-1 所示。

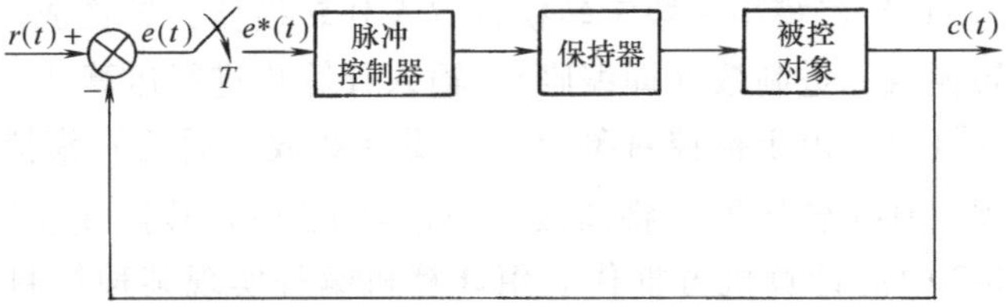

图 8-0-1 采样系统

图中，$e(t)$ 是连续的误差信号，经过采样周期为 T 的采样开关之后，变为一组脉冲序列 $e^*(t)$。控制器对采样误差信号进行处理后，再经过保持器转换为连续信号去控制被控对象。

在上述系统中，采样误差信号是通过采样开关对连续误差信号采样后得到的，如图 8-0-2 所示。

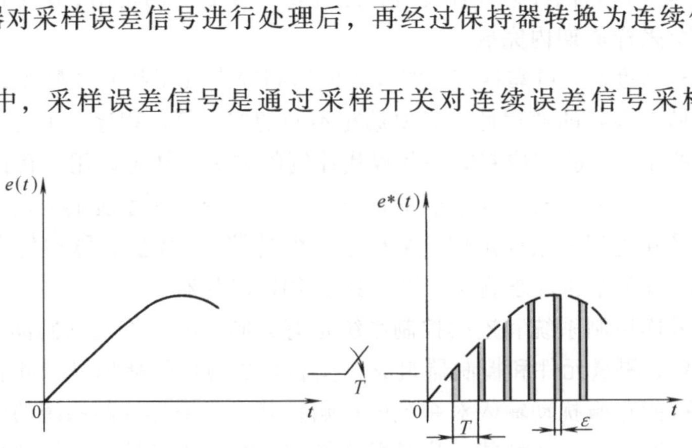

图 8-0-2 模拟信号的采样

采样开关每经过一定的时间 T 闭合一次，每次闭合时间为 ε，$\varepsilon<T$。T 称为采样周期，而 $f_s=\dfrac{1}{T}$ 及 $\omega_s=2\pi f_s=\dfrac{2\pi}{T}$ 分别称为采样频率和采样角频率。

由图 8-0-2 可见，在采样开关输出端的信号以脉冲序列的形式出现，每个脉冲之后有一段无信号的时间间隔，在无信号的时间间隔内，控制系统实际上工作在开环状态。显然，如果采样频率太低，包含在输入信号中的大量信息通过采样会损失掉。**采样周期 T 是采样系统的一个很重要的、特殊的参数，它将影响采样系统的稳定性、稳态误差和信号的恢复精度。**关于最低采样频率与最高信号频率之间的关系将在本章第一节讨论。

在采样系统中，当离散信号为数字量时，称为数字控制系统，最常见的是计算机控制系统。图 8-0-3 为一典型计算机控制系统的框图。

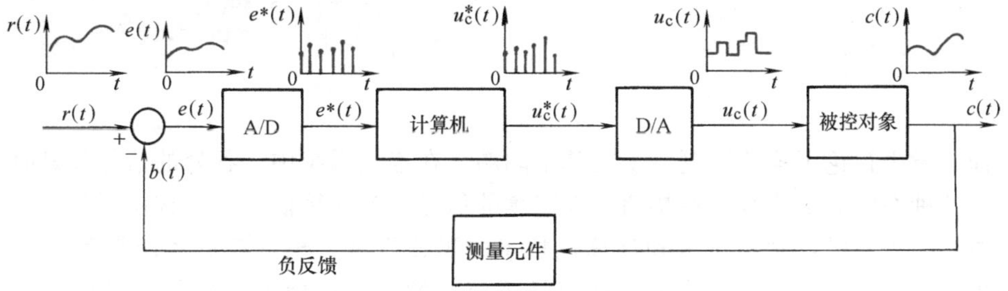

图 8-0-3　计算机控制系统框图

在计算机控制系统中，通常是数字—模拟混合结构，因此需要设置数字量和模拟量相互转换的环节。在图 8-0-3 所示的系统中，给定信号 $r(t)$、反馈信号 $b(t)$ 和偏差信号 $e(t)$ 均为模拟量，模拟信号 $e(t)$ 经模拟—数字转换器（A-D 转换器）转换成离散信号 $e^*(t)$，并把其值由十进制数转换成二进制数（即编码），输入计算机进行运算处理；计算机输出二进制的控制脉冲序列 $u_c^*(t)$，由于被控对象通常需要（经放大后的）模拟信号驱动，因此设置数字—模拟转换器（D-A 转换器）将离散控制信号 $u_c^*(t)$ 转换成模拟信号 $u_c(t)$，去控制被控对象。图 8-0-3 中的计算机方框代表用计算机编程实现某种控制规律，如 PID 控制规律。

在计算机控制系统中，通常用计算机的内部时钟来设定采样周期，系统的信号传递过程，包括 A-D 转换、计算机按某种控制规律运算得到控制器的输出、D-A 转换直到控制被控对象，要求在一个采样周期内完成。

采样控制具有精度高、可靠性好、能有效地抑制噪声（干扰）等特点，而且用计算机实现的数字控制器具有很好的通用性，只要编写不同的控制算法程序，就可以实现不同的控制要求，包括最优控制、自适应控制等一些现代控制的方法，还可以用一台计算机分时控制若干个对象。由于数字控制具有上述显著的优点，因此采样控制系统的应用日益广泛。

本章将讨论采样过程和采样定理，采样信号保持器，z 变换和脉冲传递函数，采样控制系统的稳定性、稳态误差和暂态响应，以及数字 PID 控制器。

应该指出，采样控制系统和连续控制系统是有共同点的，首先它们都采用反馈控制的结构，都由被控对象、测量元件和控制器组成，控制系统的目的都是以尽可能高的精度复现给定输入信号，尽可能克服扰动输入对系统的影响；其次对采样控制系统的分析也包括三个方面：稳定性、稳态性能和暂态性能。这是采样控制系统和连续控制系统共性的方面。采样控制系统的个性主要体现在信号的形式上，因为系统中使用了数字控制器，系统中有将连续信号转换成采样信号的采样器，和将采样信号转换成连续信号的保持器。采样器和保持器是采样控制系统中不同于连续控制系统的特殊部件，因此采样控制系统的特殊问题就是采样周期如何选取、采样周期对系统稳定性和其他性能的影响、保持器的特性和对稳定性的影响等。

本章的内容包括分析共性的问题，如稳定性、稳态性能和暂态性能，也包括个性的问题，如采样过程和保持器、脉冲传递函数等。了解采样控制系统和连续控制系统的共性问题，有助于本章的学习。

第一节　采样过程及采样定理

一、采样过程

实现采样控制首先遇到的问题，是如何将连续信号变换为离散信号的问题。

按照一定的时间间隔对连续信号进行采样，将其变换为在时间上离散的脉冲序列的过程称为采样过程。用来实现采样过程的装置称为采样器或采样开关。

采样器可以用一个按一定周期闭合的开关来表示，其采样周期为 T，每次闭合时间为 ε。通常采样持续时间 ε 远小于采样周期 T，也远小于系统中连续部分的时间常数。因此，在分析采样控制系统时，可以近似地认为 $\varepsilon\to0$。

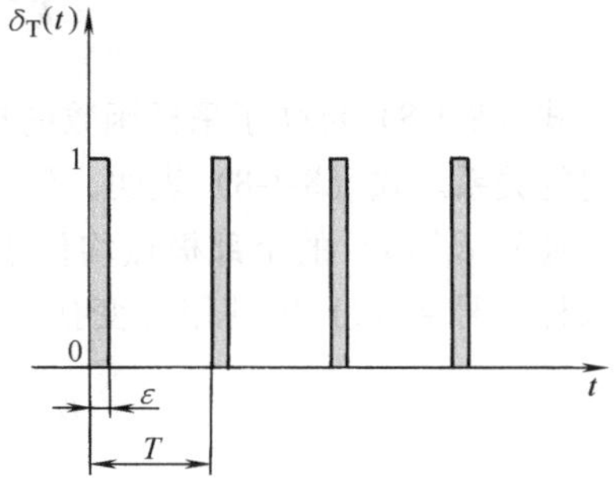

图 8-1-1　单位脉冲序列

采样过程可以看成是一个脉冲调制过程。理想的采样器等效于一个理想的单位脉冲序列发生器。它能够产生单位脉冲序列 $\delta_T(t)$，如图 8-1-1 所示。

单位脉冲序列 $\delta_T(t)$ 的数学表达式为

$$\delta_T(t)=\sum_{n=-\infty}^{\infty}\delta(t-nT) \tag{8-1-1}$$

式中，T 为采样周期；n 为整数。

脉冲调制器（采样器）的输出信号 $e^*(t)$ 可表示为

$$e^*(t)=e(t)\delta_T(t)=e(t)\sum_{n=-\infty}^{+\infty}\delta(t-nT) \tag{8-1-2}$$

在控制系统中，通常当 $t<0$ 时，$e(t)=0$。因此式（8-1-2）可改写为

$$e^*(t)=e(t)\sum_{n=0}^{\infty}\delta(t-nT)=\sum_{n=0}^{\infty}e(nT)\delta(t-nT) \tag{8-1-3}$$

式（8-1-3）的拉普拉斯变换式为

$$L[e^*(t)]=E^*(s)=\sum_{n=0}^{\infty}e(nT)e^{-nTs} \tag{8-1-4}$$

综上所述，采样过程相当于一个脉冲调制过程，采样开关的输出信号 $e^*(t)$ 可表示为两个函数的乘积，其中载波信号 $\delta_T(t)$ 决定采样时间，即输出函数存在的时刻，而采样信号的幅值则由输入信号 $e(nT)$ 决定，如图 8-1-2 所示。

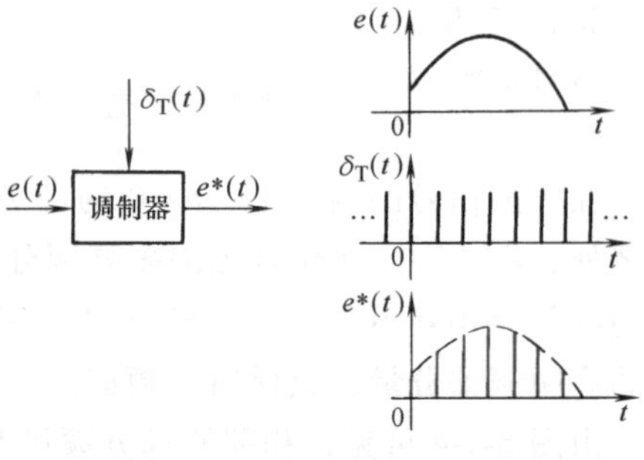

图 8-1-2　采样信号的调制过程

二、采样定理

理想单位脉冲序列 $\delta_T(t)$ 是一个以 T 为周期的函数，可以展开为傅里叶级数，其复数形式为

$$\delta_T(t)=\sum_{n=-\infty}^{\infty}A_n e^{jn\omega_s t} \tag{8-1-5}$$

式中，$A_n=\dfrac{1}{T}\int_{-T/2}^{T/2}\delta_{\rm T}(t)\,{\rm e}^{-{\rm j}n\omega_{\rm s}t}{\rm d}t$，为傅里叶系数。

对于 $\delta_{\rm T}(t)$，$A_n=\dfrac{1}{T}$。将 A_n 代入式（8-1-5），得

$$\delta_{\rm T}(t)=\frac{1}{T}\sum_{n=-\infty}^{\infty}{\rm e}^{{\rm j}n\omega_{\rm s}t} \tag{8-1-6}$$

将式（8-1-6）代入式（8-1-2），并考虑式（8-1-3），可得

$$e^*(t)=\frac{1}{T}\sum_{n=-\infty}^{\infty}e(t){\rm e}^{{\rm j}n\omega_{\rm s}t}=e(t)\sum_{n=0}^{\infty}\delta(t-nT) \tag{8-1-7}$$

由附录 D 可知，$e^*(t)$ 的拉普拉斯变换式为

$$E^*(s)=\frac{1}{T}\sum_{n=-\infty}^{\infty}E(s+{\rm j}n\omega_{\rm s}) \tag{8-1-8}$$

式（8-1-8）反映了采样函数的拉普拉斯变换式 $E^*(s)$ 和连续函数拉普拉斯变换式 $E(s)$ 之间的关系。式（8-1-8）表明，E^* 是 s 的周期性函数。

通常 $E^*(s)$ 的全部极点均位于 s 平面的左半部，因此可以用 $s={\rm j}\omega$ 代入式（8-1-8），得到采样信号 $e^*(t)$ 的傅里叶变换

$$E^*({\rm j}\omega)=\frac{1}{T}\sum_{n=-\infty}^{\infty}E({\rm j}\omega+{\rm j}n\omega_{\rm s}) \tag{8-1-9}$$

式（8-1-9）反映了采样后离散信号频谱与连续信号频谱之间的关系。

设采样器输入连续信号的频谱 $E({\rm j}\omega)$ 为有限带宽的图形，其最大频率为 $\omega_{\rm m}$，如图 8-1-3 所示，则采样后得到的离散信号的频谱如图 8-1-4 所示，其中图 8-1-4a 对应于 $\omega_{\rm s}>2\omega_{\rm m}$ 的情况，而图 8-1-4b 对应于 $\omega_{\rm s}<2\omega_{\rm m}$ 的情况。

采样过程及采样定理

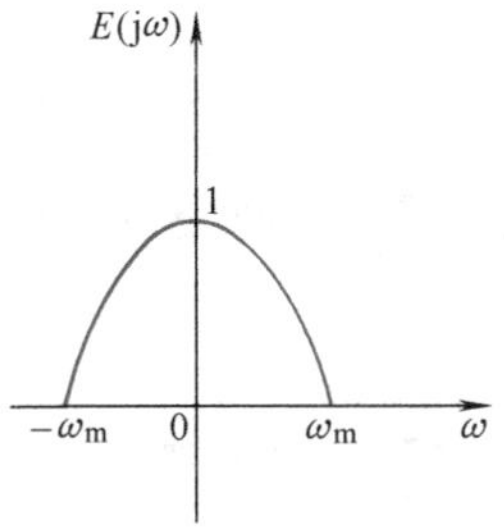

图 8-1-3 连续信号频谱

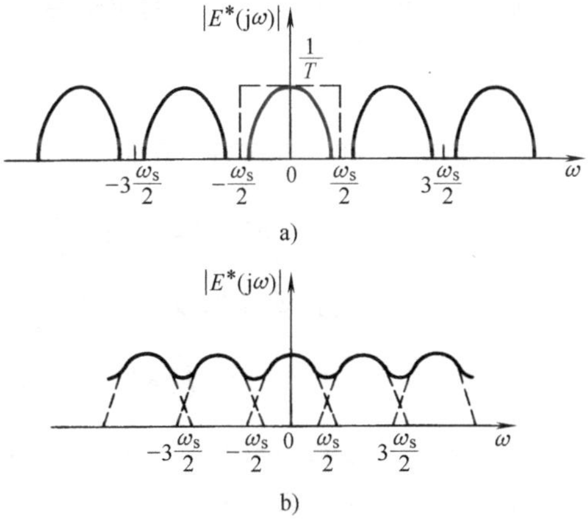

图 8-1-4 离散信号频谱

在离散信号的频谱中，$n=0$ 的部分称为主频谱，它与连续信号的频谱是相对应的。除此之外，$E^*({\rm j}\omega)$ 还包含无限多高频分量。为了准确复现连续信号，必须使离散信号的频谱中的各部分相互不重叠。这样可以采用一个如图 8-1-4a 中虚线所示的低通滤波器，滤掉所有的高频频谱分量，只保留主频谱。

由图 8-1-4 可见，相邻两部分频谱互不重叠的条件是

$$\omega_{\rm s}\geqslant 2\omega_{\rm m} \tag{8-1-10}$$

而 $2\omega_m$ 为连续信号的有限频率带宽。

如果 $\omega_s<2\omega_m$，则会出现图 8-1-4b 所示的相邻部分频谱重叠的现象。这时就难以准确地恢复原来的连续信号了。

综上所述，可以归纳出一条重要结论：**只有在 $\omega_s\geqslant 2\omega_m$ 的条件下，才能将采样后的离散信号 $e^*(t)$ 无失真地恢复为原来的连续信号。**这就是香农（Shannon）采样定理。它给出了无失真地恢复原来连续信号的条件，是分析和设计采样控制系统的一条重要理论依据。

第二节　保　持　器

实现采样控制遇到的另一个重要问题，是如何把采样信号较准确地恢复为连续信号。

根据采样定理，在 $\omega_s\geqslant 2\omega_m$ 的条件下，离散信号频谱中的各分量彼此互不重叠。采用理想滤波器滤去各高频分量，保留主频谱，就可以无失真地恢复连续信号。但是，上述理想滤波器在实际中是难以实现的。因此，必须寻找在特性上比较接近理想滤波器，而实际上又可以实现的滤波器。在采样控制中应用的保持器就是这种实际的滤波器。

保持器是一种采用时域外推原理的装置。通常把采用恒值外推规律的保持器称为零阶保持器，把采用线性外推规律的保持器称为一阶保持器。结构最简单、应用最广泛的是前者。

一、零阶保持器

零阶保持器是采用恒值外推规律的保持器。它把前一采样时刻 nT 的采样值 $e(nT)$ 不增不减地保持到下一个采样时刻 $(n+1)T$，其输入信号和输出信号的关系如图 8-2-1 所示。

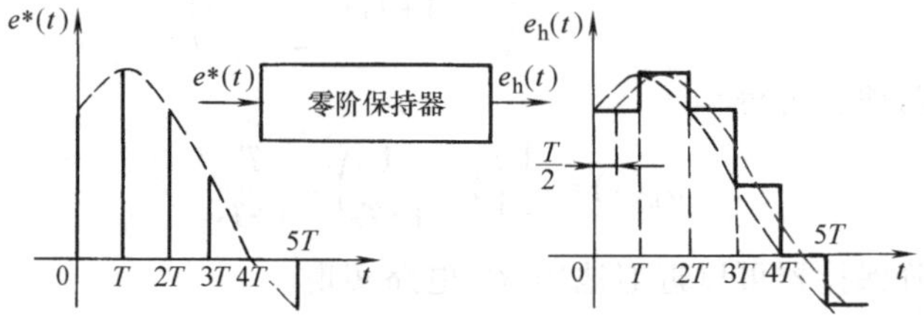

图 8-2-1　零阶保持器的输入和输出信号

由图可见，零阶保持器的输出信号是阶梯形的，它包含高次谐波，与要恢复的连续信号是有区别的。若将阶梯形输出信号的各中点连接起来，可以得到一条比连续信号滞后 $T/2$ 的曲线（见蓝线），这反映了零阶保持器的相位滞后特性。

零阶保持器的单位脉冲响应如图 8-2-2 所示，它可以表示为

$$g_h(t)=1(t)-1(t-T)$$

上式的拉普拉斯变换式为

$$G_h(s)=L[g_h(t)]=\frac{1-e^{-Ts}}{s} \tag{8-2-1}$$

单位脉冲响应的拉普拉斯变换，就是零阶保持器的传递函数。

令式（8-2-1）中 $s=j\omega$，可以求得零阶保持器的频率特性

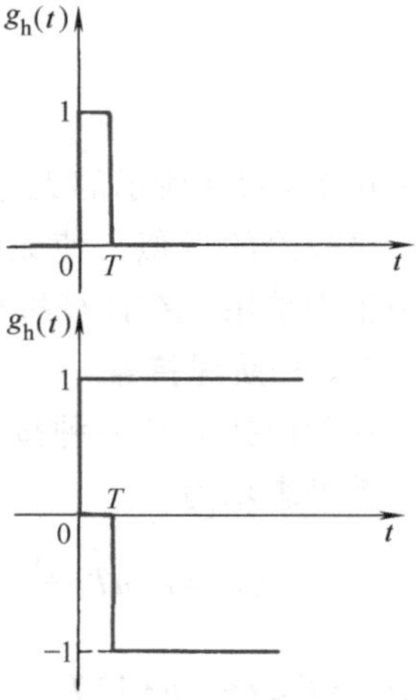

图 8-2-2　零阶保持器的单位脉冲响应

$$G_{\mathrm{h}}(\mathrm{j}\omega)=\frac{1-\mathrm{e}^{\mathrm{j}\omega T}}{\mathrm{j}\omega} \tag{8-2-2}$$

或

$$G_{\mathrm{h}}(\mathrm{j}\omega)=|G_{\mathrm{h}}(\mathrm{j}\omega)|\angle G_{\mathrm{h}}(\mathrm{j}\omega) \tag{8-2-3}$$

式中

$$\left.\begin{aligned}|G_{\mathrm{h}}(\mathrm{j}\omega)|&=T\frac{\sin(\omega T/2)}{\omega T/2}\\ \angle G_{\mathrm{h}}(\mathrm{j}\omega)&=-\frac{\omega T}{2}\end{aligned}\right\} \tag{8-2-4}$$

零阶保持器的幅频特性如图 8-2-3 所示。由图可见，它的幅值随角频率 ω 的增大而衰减，具有明显的低通滤波特性。但除了主频谱外，还存在一些高频分量。因此，其对应的连续信号与原来的信号是有差别的。此外，采用零阶保持器还将产生相位滞后，这将降低系统的相对稳定性。

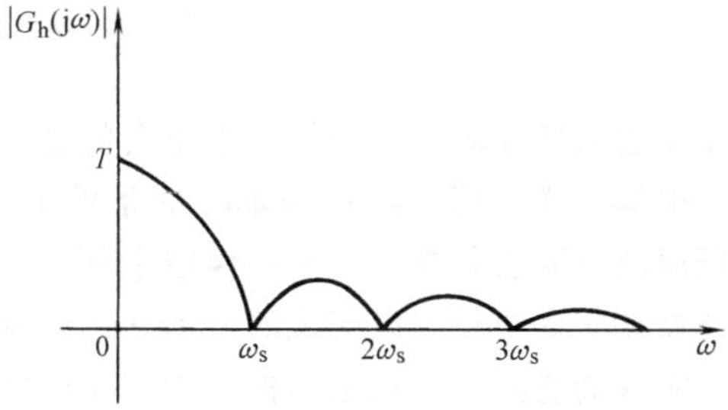

图 8-2-3　零阶保持器的幅频特性

若将零阶保持器传递函数展开为下列级数形式

零阶保持器

$$\begin{aligned}G_{\mathrm{h}}(s)&=\frac{1-\mathrm{e}^{-Ts}}{s}=\frac{1}{s}\left(1-\frac{1}{\mathrm{e}^{Ts}}\right)\\&=\frac{1}{s}\left(1-\frac{1}{1+Ts+\frac{T^2s^2}{2}+\cdots}\right)\end{aligned} \tag{8-2-5}$$

只取级数的前两项，可得

$$G_{\mathrm{h}}(s)\approx\frac{1}{s}\left(1-\frac{1}{1+Ts}\right)=\frac{T}{1+Ts}$$

这就是说，零阶保持器可以近似地用 RC 电路实现。

若取级数的前三项，则

$$G_{\mathrm{h}}(s)\approx\frac{1}{s}\left(1-\frac{1}{1+Ts+\frac{T^2s^2}{2}}\right)=T\frac{1+\frac{Ts}{2}}{1+Ts+\frac{T^2s^2}{2}}$$

这可用图 8-2-4 所示的无源电路实现。

更高阶的近似，使无源电路变得比较复杂，因此在实际中很少采用。在计算机控制系统中使用的是 D-A 转换器。

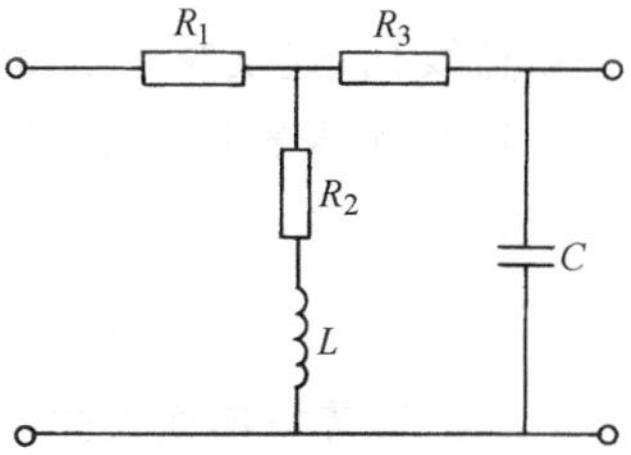

图 8-2-4　无源电路

二、一阶保持器

一阶保持器是一种按照线性规律外推的保持器，其外推关系可表示为

$$e_{\mathrm{h}}(t)=e(nT)+\frac{e(nT)-e[(n-1)T]}{T}(t-nT) \tag{8-2-6}$$

式中，$nT\leqslant t\leqslant(n+1)T$。

图 8-2-5 为一阶保持器的输出信号。它与用虚线表示的输入连续信号之间仍是有差别的。

一阶保持器的单位脉冲响应可以分解为若干阶跃函数和斜坡函数之和，如图 8-2-6 所示。由图可见，其单位脉冲响应的拉普拉斯变换式可以表示为

$$G_h(s)=\frac{1}{s}+\frac{1}{Ts^2}-\frac{2}{s}e^{-Ts}-\frac{2}{Ts^2}e^{-Ts}+\frac{1}{s}e^{-2Ts}+\frac{1}{Ts^2}e^{-2Ts}$$

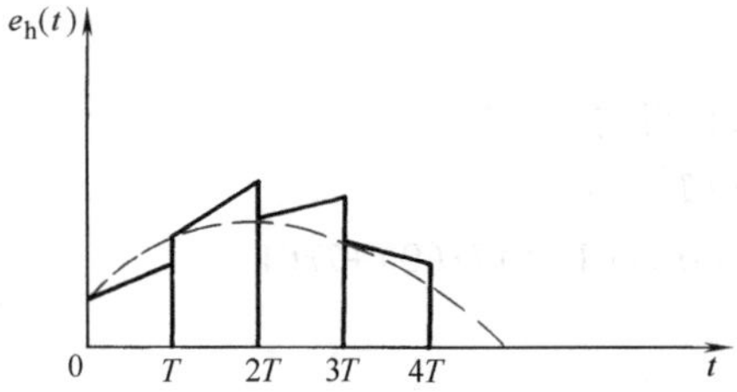

图 8-2-5　一阶保持器的输出信号

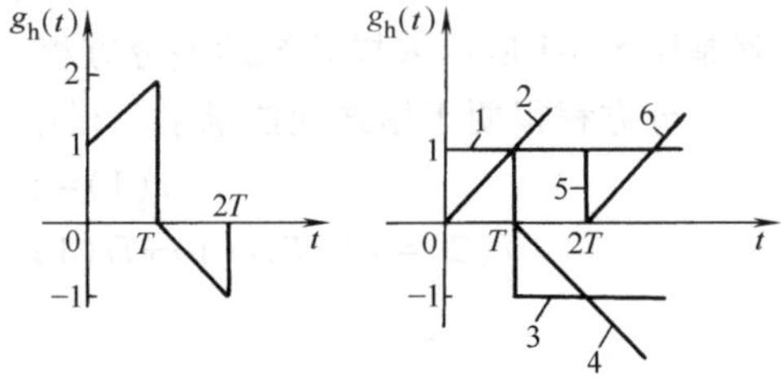

图 8-2-6　一阶保持器的单位脉冲响应

经整理后可得

$$G_h(s)=T(1+Ts)\left(\frac{1-e^{-Ts}}{Ts}\right)^2 \tag{8-2-7}$$

将 $s=j\omega$ 代入式（8-2-7），可得频率特性

$$G_h(j\omega)=T\sqrt{1+T^2\omega^2}\left(\frac{\sin\frac{\omega T}{2}}{\frac{\omega T}{2}}\right)^2\angle(\arctan\omega T-\omega T) \tag{8-2-8}$$

一阶保持器的幅频特性如图 8-2-7 中的实线所示。图中还以虚线绘出了零阶保持器的幅频特性，以供比较。

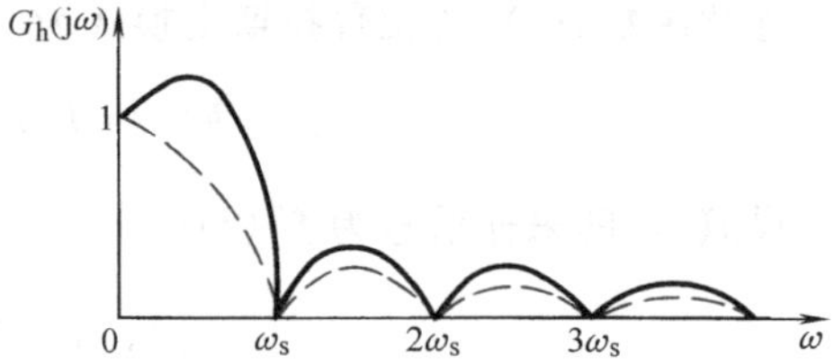

图 8-2-7　一阶保持器的幅频特性

与零阶保持器相比较，一阶保持器幅频特性的幅值较大，与此同时高频分量也较大。此外，一阶保持器的相位滞后比零阶保持器更大，对于系统的稳定性不利。由于上述原因，加之一阶保持器的结构更加复杂，所以在实际上很少应用。

第三节　差 分 方 程

从前面几章中已经知道，线性连续系统的动态过程是用线性微分方程来描述的。而线性采样系统的动态过程则是用差分方程来描述的。下面用一个简单的例子加以说明。

设采样系统的框图如图 8-3-1 所示。在第 k 个采样时间间隔中，零阶保持器的输出为

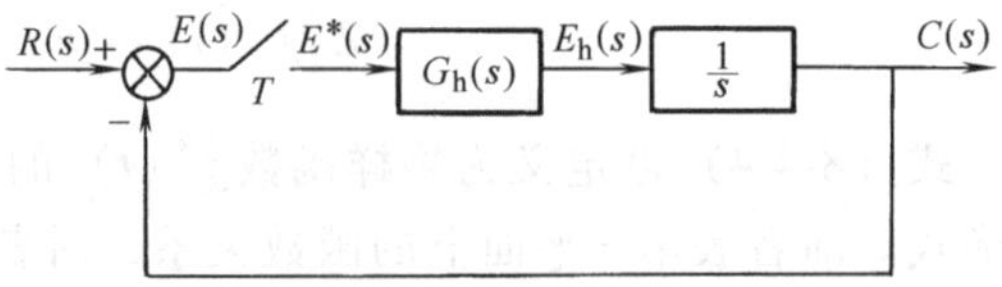

图 8-3-1　采样控制系统

$$e_h(t)=e(kT),kT\leqslant t\leqslant(k+1)T$$

考虑到积分环节的作用，在该周期内输出 $c(t)$ 由下式决定

$$c(t)=c(kT)+e(kT)(t-kT)$$

式中，$kT\leqslant t\leqslant(k+1)T$。

由此可得

$$c[(k+1)T]=c(kT)+Te(kT)$$

或简写为
$$c(k+1)=c(k)+Te(k) \tag{8-3-1}$$

考虑到 $e(k)=r(k)-c(k)$，式（8-3-1）可改写为

$$c(k+1)+(T-1)c(k)=Tr(k) \tag{8-3-2}$$

这就是图 8-3-1 所示采样系统的差分方程。

差分方程很便于用迭代法求解。根据式（8-3-2）可得

$$c(1)=(1-T)c(0)+Tr(0)$$

$$c(2)=(1-T)c(1)+Tr(1)=(1-T)^2c(0)+(1-T)Tr(0)+Tr(1)$$

$$\vdots$$

$$c(k)=(1-T)^kc(0)+T\sum_{i=0}^{k-1}(1-T)^{k-1-i}r(i) \tag{8-3-3}$$

一般 n 阶线性常系数差分方程的形式为

$$c(k+n)+a_1c(k+n-1)+\cdots+a_nc(k)=b_0r(k+m)+b_1r(k+m-1)+\cdots+b_mr(k) \tag{8-3-4}$$

式中，n 为系统阶次；k 为第 k 个采样周期。

直接用差分方程分析采样控制系统往往很不方便。因此常常借助 z 变换方法。

第四节 z 变 换

一、z 变换的定义

连续函数 $f(t)$ 的拉普拉斯变换式为

$$F(s)=L[f(t)]=\int_0^{\infty}f(t)\mathrm{e}^{-st}\mathrm{d}t \tag{8-4-1}$$

设 $f(t)$ 的采样信号为 $f^*(t)$

$$f^*(t)=\sum_{n=0}^{\infty}f(nT)\delta(t-nT)$$

其拉普拉斯变换式为

$$F^*(s)=\sum_{n=0}^{\infty}f(nT)\mathrm{e}^{-nTs} \tag{8-4-2}$$

式（8-4-2）中 e^{-sT} 是 s 的超越函数，不便于直接运算。因此，引入一个新的复变量

$$z=\mathrm{e}^{Ts} \tag{8-4-3}$$

将式（8-4-3）代入式（8-4-2），得

$$\mathbf{Z}[f^*(t)]=F(z)=\sum_{n=0}^{\infty}f(nT)z^{-n} \tag{8-4-4}$$

式（8-4-4）被定义为采样函数 $f^*(t)$ 的 z 变换。它和式（8-4-2）是互为补充的两种变换形式。前者表示 z 平面上的函数关系，后者表示 s 平面上的函数关系。

严格地讲，z 变换只适用于离散函数。这就是说，z 变换式只能表征连续函数在采样时刻的特性，而不能反映在采样时刻之间的特性。人们往往习惯于称 $F(z)$ 是 $f(t)$ 的 z 变换，实质上是指经过采样之后 $f^*(t)$ 的 z 变换，以后均应如此理解。采样后的函数 $f^*(t)$ 所对应的 z 变换是唯一的，反之亦然。然而，离散函数 $f^*(t)$ 所对应的连续函数却不是唯一的，可以有无穷多个。

二、 z 变换的方法

下面介绍几种较常用的求 z 变换的方法。

(一) 级数求和法

将离散函数 $f^*(t)$ 展开为

$$
\begin{aligned}
f^*(t)= & \sum_{n=0}^{\infty} f(nT)\delta(t-nT) \\
& =f(0)\delta(t)+f(T)\delta(t-T)+f(2T)\delta(t-2T)+\cdots \\
& +f(nT)\delta(t-nT)+\cdots
\end{aligned} \tag{8-4-5}
$$

然后逐项进行拉普拉斯变换，可得

$$F^*(s)=f(0)\times 1+f(T)\mathrm{e}^{-Ts}+f(2T)\mathrm{e}^{-2Ts}+\cdots+f(nT)\mathrm{e}^{-nTs}+\cdots$$

或

$$F(z)=f(0)\times 1+f(T)z^{-1}+f(2T)z^{-2}+\cdots+f(nT)z^{-n}+\cdots \tag{8-4-6}$$

式（8-4-6）是离散函数 z 变换的展开形式。只要知道连续函数 $f(t)$ 在各个采样时刻的数值，即可按照式（8-4-6）求得其 z 变换。这种级数展开式是开放形式的，有无穷多项。但有一些常用的 z 变换的级数展开式可以用闭合型函数表示。

例 8-4-1 求单位阶跃函数 $1(t)$ 的 z 变换。

解 单位阶跃函数的采样函数为

$$1(nT)=1 \quad (n=0,1,2,\cdots)$$

将 $f(nT)=1(nT)=1$ 代入式（8-4-6），可得

$$Z[1(t)]=1+1\cdot z^{-1}+1\cdot z^{-2}+\cdots+1\cdot z^{-n}+\cdots$$

上式可写成闭合形式，即

$$Z[1(t)]=1(z)=\frac{1}{1-z^{-1}}=\frac{z}{z-1}, \quad |z|>1 \tag{8-4-7}$$

例 8-4-2 求 $f(t)=\mathrm{e}^{-at}$ 的 z 变换。

解 $f^*(t)=\sum_{n=0}^{\infty} f(nT)\delta(t-nT)=\sum_{n=0}^{\infty} \mathrm{e}^{-anT}\delta(t-nT)$

根据式（8-4-6）可得

$$F(z)=1+\mathrm{e}^{-aT}z^{-1}+\mathrm{e}^{-2aT}z^{-2}+\cdots+\mathrm{e}^{-naT}z^{-n}+\cdots$$

上式两边同乘 $\mathrm{e}^{-aT}z^{-1}$，得

$$\mathrm{e}^{-aT}z^{-1}F(z)=\mathrm{e}^{-aT}z^{-1}+\mathrm{e}^{-2aT}z^{-2}+\cdots+\mathrm{e}^{-naT}z^{-n}+\cdots$$

上两式相减，可以求得

$$F(z)(1-\mathrm{e}^{-aT}z^{-1})=1$$

$$F(z)=\frac{1}{1-\mathrm{e}^{-aT}z^{-1}}=\frac{z}{z-\mathrm{e}^{-aT}}, \quad z>\mathrm{e}^{-aT} \tag{8-4-8}$$

(二) 部分分式法

当连续函数为指数函数之和时，可以利用例 8-4-2 的结果求得相应的 z 变换。

设连续函数 $f(t)$ 的拉普拉斯变换式为有理函数，可以展开为部分分式的形式，即

$$F(s)=\sum_{i=1}^{n}\frac{A_i}{s-p_i} \tag{8-4-9}$$

式中，p_i 为 $F(s)$ 的极点；A_i 为常系数。

$\dfrac{A_i}{s-p_i}$对应的时间函数为 $A_i e^{p_i t}$，由例 8-4-2 可知，其 z 变换为 $A_i \dfrac{z}{z-e^{p_i T}}$。由此可得

$$F(z)=\sum_{i=1}^{n}\frac{A_i z}{z-e^{p_i T}} \tag{8-4-10}$$

例 8-4-3 设连续函数 $f(t)$ 的拉普拉斯变换式为 $F(s)=\dfrac{a}{s\ (s+a)}$，试求其 z 变换。

解 将 $F(s)$ 展开为部分分式

$$F(s)=\frac{a}{s(s+a)}=\frac{1}{s}-\frac{1}{s+a}$$

由例 8-4-1 和例 8-4-2 可知

$$F(z)=\frac{1}{1-z^{-1}}-\frac{1}{1-e^{-aT}z^{-1}}=\frac{(1-e^{-aT})z^{-1}}{(1-z^{-1})(1-e^{-aT}z^{-1})}$$

例 8-4-4 求 $f(t)=\sin\omega t$ 的 z 变换。

解 求 $F(s)$ 并将其展开为部分分式

$$F(s)=\frac{\omega}{s^2+\omega^2}=\frac{\frac{1}{2j}}{s-j\omega}-\frac{\frac{1}{2j}}{s+j\omega}$$

因为$\dfrac{1}{s\pm j\omega}$的原函数为 $e^{\pm j\omega t}$，其 z 变换为$\dfrac{1}{1-e^{-(\pm j\omega T)}\ z^{-1}}$，由此可得

$$F(z)=\frac{1}{2j}\frac{1}{1-e^{-j\omega T}z^{-1}}-\frac{1}{2j}\frac{1}{1-e^{j\omega T}z^{-1}}=\frac{(\sin\omega T)z^{-1}}{1-(2\cos\omega T)z^{-1}+z^{-2}}=\frac{z\sin\omega T}{z^2-2z\cos\omega T+1}$$

(三) 留数计算法

设连续函数 $f(t)$ 的拉普拉斯变换式 $F(s)$ 及其全部极点 p_i 为已知，则可用留数计算法求 z 变换。

$$F(z)=Z[f^*(t)]=\sum_{i=1}^{n}\mathrm{res}\left[F(p_i)\frac{z}{z-e^{p_i T}}\right]=\sum_{i=1}^{n}R_i \tag{8-4-11}$$

式中，$R_i=\mathrm{res}\left[F\ (p_i)\ \dfrac{z}{z-e^{p_i T}}\right]$，为 $F(s)\dfrac{z}{z-e^{sT}}$在 $s=p_i$ 时的留数。

当 $F(s)$ 具有一阶极点 $s=p_1$ 时，其留数 R_1 为

$$R_1=\lim_{s\to p_1}(s-p_1)\left[F(s)\frac{z}{z-e^{sT}}\right] \tag{8-4-12}$$

若 $F(s)$ 具有 q 阶重复极点 p，则相应的留数为

$$R=\frac{1}{(q-1)!}\lim_{s\to p}\frac{d^{q-1}}{ds^{q-1}}\left[(s-p)^q F(s)\frac{z}{z-e^{sT}}\right] \tag{8-4-13}$$

例 8-4-5 求 $\cos\omega t$ 的 z 变换。

解

$$F(s)=\frac{s}{s^2+\omega^2}=\frac{s}{(s-j\omega)(s+j\omega)}$$

两个极点分别为 $s=j\omega$ 和 $s=-j\omega$，相应的留数为

$$R_1=\left[\frac{s}{s+j\omega}\frac{z}{z-e^{sT}}\right]_{s=j\omega}=\frac{1}{2}\frac{z}{z-e^{j\omega T}}$$

$$R_2=\left[\frac{s}{s-\mathrm{j}\omega}\frac{z}{z-\mathrm{e}^{sT}}\right]_{s=-\mathrm{j}\omega}=\frac{1}{2}\frac{z}{z-\mathrm{e}^{-\mathrm{j}\omega T}}$$

由此可得

$$F(z)=R_1+R_2=\frac{1}{2}\left[\frac{z}{z-\mathrm{e}^{\mathrm{j}\omega T}}+\frac{z}{z-\mathrm{e}^{-\mathrm{j}\omega T}}\right]=\frac{z^2-z(\mathrm{e}^{\mathrm{j}\omega T}+\mathrm{e}^{-\mathrm{j}\omega T})/2}{z^2-z(\mathrm{e}^{\mathrm{j}\omega T}+\mathrm{e}^{-\mathrm{j}\omega T})+1}=\frac{z^2-z\cos\omega T}{z^2-2z\cos\omega T+1} \tag{8-4-14}$$

例 8-4-6 求 $f(t)=t$ 的 z 变换（$f(t)=0$，$t<0$）。

解

$$F(s)=\frac{1}{s^2}$$

它在 $s=0$ 处有两阶重极点，其留数为

$$R=\frac{\mathrm{d}}{\mathrm{d}s}\left(\frac{z}{z-\mathrm{e}^{sT}}\right)_{s=0}=\left[\frac{zT\mathrm{e}^{sT}}{(z-\mathrm{e}^{sT})^2}\right]_{s=0}=\frac{Tz}{(z-1)^2} \tag{8-4-15}$$

即

$$F(z)=\frac{Tz}{(z-1)^2}$$

例 8-4-7 求 $f(t)=t^2$ 的 z 变换（$f(t)=0$，$t<0$）。

解

$$F(s)=\frac{2}{s^3}$$

在 $s=0$ 处有三个重极点，其留数［即 $F(z)$］为

$$R=\frac{1}{(3-1)!}\frac{\mathrm{d}^2}{\mathrm{d}s^2}\left[s^3\frac{2}{s^3}\frac{z}{z-\mathrm{e}^{sT}}\right]_{s=0}=\frac{T^2z(z+1)}{(z-1)^3} \tag{8-4-16}$$

表 8-4-1 中列出了一些常见函数及其相应的拉普拉斯变换和 z 变换。利用此表可以根据给定的函数或其拉普拉斯变换式直接查出其对应的 z 变换，不必进行繁琐的计算，这也是实际中广泛使用的方法。

表 8-4-1 常用函数的 z 变换表

$f(t)$	$F(s)$	$F(z)$
$\delta(t)$	1	1
$1(t)$	$\frac{1}{s}$	$\frac{z}{z-1}$
t	$\frac{1}{s^2}$	$\frac{zT}{(z-1)^2}$
$t^2/2$	$\frac{1}{s^3}$	$\frac{z(z+1)T^2}{2(z-1)^3}$
e^{-at}	$\frac{1}{s+a}$	$\frac{z}{z-\mathrm{e}^{-aT}}$
$t\mathrm{e}^{-at}$	$\frac{1}{(s+a)^2}$	$\frac{zT\mathrm{e}^{-aT}}{(z-\mathrm{e}^{-aT})^2}$
$a^{t/T}$	$\frac{1}{s-(1/T)\ln a}$	$\frac{z}{z-a}(a>0)$
$\sin\omega t$	$\frac{\omega}{s^2+\omega^2}$	$\frac{z\sin\omega T}{z^2-2z\cos\omega T+1}$
$\cos\omega t$	$\frac{s}{s^2+\omega^2}$	$\frac{z^2-z\cos\omega T}{z^2-2z\cos\omega T+1}$
$1-\mathrm{e}^{-at}$	$\frac{a}{s(s+a)}$	$\frac{z(1-\mathrm{e}^{-aT})}{(z-1)(z-\mathrm{e}^{-aT})}$

（续）

$f(t)$	$F(s)$	$F(z)$
$e^{-at}\sin\omega t$	$\dfrac{\omega}{(s+a)^2+\omega^2}$	$\dfrac{ze^{-aT}\sin\omega T}{z^2-2ze^{-aT}\cos\omega T+e^{-2aT}}$
$e^{-at}\cos\omega t$	$\dfrac{s+a}{(s+a)^2+\omega^2}$	$\dfrac{z(z-e^{-aT}\cos\omega T)}{z^2-2ze^{-aT}\cos\omega T+e^{-2aT}}$

三、z 变换的基本定理

和拉普拉斯变换类似，z 变换也有几个基本定理。熟悉了这些定理，可以更加简便地应用 z 变换。下面介绍这些基本定理。

（一）线性定理

设函数为

$$f(t)=\sum_{i=1}^{n}a_i f_i(t)=a_1 f_1(t)+a_2 f_2(t)+\cdots+a_n f_n(t)$$

则

$$F(z)=\sum_{i=1}^{n}a_i F_i(z) \tag{8-4-17}$$

式（8-4-17）表明，函数的线性组合的 z 变换，等于各部分 z 变换的线性组合。

（二）滞后定理（负偏移定理）

设在 $t<0$ 时连续函数 $f(t)$ 为零，其 z 变换为 $F(z)$，则

$$Z[f(t-kT)]=z^{-k}F(z) \tag{8-4-18}$$

证明　根据 z 变换定义

$$\begin{aligned}Z[f(t-kT)]&=\sum_{n=0}^{\infty}f(nT-kT)z^{-n}\\&=f(-kT)z^0+f[(1-k)T]z^{-1}+\cdots+f(0)z^{-k}\\&\quad+f(T)z^{-(k+1)}+\cdots+f(nT)z^{-(n+k)}+\cdots\\&=\sum_{n=0}^{\infty}f(nT)z^{-(k+n)}=z^{-k}F(z)\end{aligned}$$

滞后定理说明，原函数在时域中延迟 k 个采样周期，相当于其 z 变换乘以 z^{-k}。由此可以看出算子 z^{-k} 的物理意义。z^{-k} 代表滞后环节，把采样信号延迟 k 个采样周期（参见图 8-4-1）。

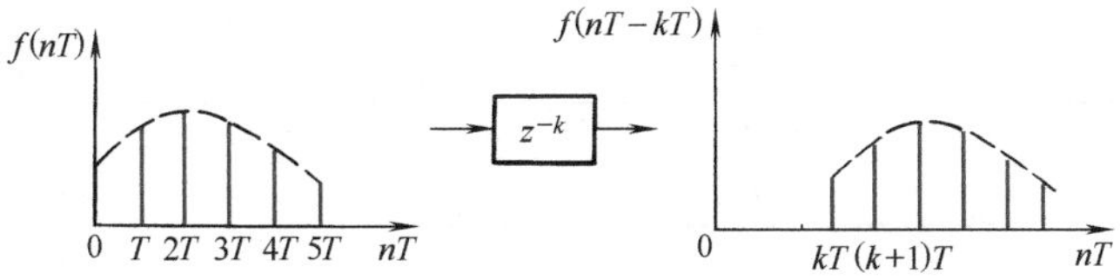

图 8-4-1　滞后定理

（三）初值定理

设函数 $f(t)$ 的 z 变换为 $F(z)$，并且 $\lim\limits_{z\to\infty}F(z)$ 存在，则

$$f(0)=\lim_{z\to\infty}F(z) \tag{8-4-19}$$

证明

$$F(z)=\sum_{n=0}^{\infty}f(nT)z^{-n}=f(0)+f(T)z^{-1}+f(2T)z^{-2}+\cdots$$

当 $z\to\infty$ 时，上式右边除第一项以外，其余各项均趋近于零，式（8-4-19）得证。

（四）终值定理

设函数 $f(t)$ 的 z 变换为 $F(z)$，而且 $(1-z^{-1})F(z)$ 在以原点为圆心的单位圆上和圆外均无极点，则有

$$\lim_{t\to\infty}f(t)=\lim_{n\to\infty}f(nT)=\lim_{z\to 1}(1-z^{-1})F(z)$$
$$=\lim_{z\to 1}(z-1)F(z) \tag{8-4-20}$$

证明　离散函数 $f(nT)$ 的 z 变换为

$$Z[f(nT)]=\sum_{n=0}^{+\infty}f(nT)z^{-n}=F(z)$$

而 $f[(n+1)T]$ 的 z 变换为

$$Z\{f[(n+1)T]\}=\sum_{n=0}^{\infty}f[(n+1)T]z^{-n}$$
$$=f(T)+f(2T)z^{-1}+f(3T)z^{-2}+\cdots+f(nT)z^{-(n-1)}+\cdots$$
$$=z[f(0)+f(T)z^{-1}+f(2T)z^{-2}+\cdots+f(nT)z^{-n}+\cdots-f(0)]$$
$$=zF(z)-zf(0)$$

上面两式相减，可得

$$\sum_{n=0}^{\infty}\{f[(n+1)T]-f(nT)\}z^{-n}+zf(0)=(z-1)F(z)$$

对上式两边取 $z\to 1$ 的极限，得

$$f(\infty)=\lim_{z\to 1}(z-1)F(z)$$

终值定理常用于计算系统的稳态误差。

（五）超前定理（正偏移定理）

设函数 $f(t)$ 的 z 变换为 $F(z)=\sum_{n=0}^{\infty}f(nT)z^{-n}$，**则**

$$\mathbf{Z}[f(t+kT)]=z^{k}F(z)-z^{k}\sum_{n=0}^{k-1}f(nT)z^{-n} \tag{8-4-21}$$

若满足 $f(0)=f(T)=\cdots=f[(k-1)T]=0$，则超前定理可表示为

$$\mathbf{Z}[f(t+kT)]=z^{k}F(z) \tag{8-4-22}$$

证明　根据 z 变换定义可知

$$Z[f(t+kT)]=\sum_{n=0}^{\infty}f(nT+kT)z^{-n}$$
$$=f(kT)z^{0}+f[(k+1)T]z^{-1}+\cdots+f[(k+n)T]z^{-n}+\cdots$$
$$=z^{k}\{f(kT)z^{-k}+f[(k+1)T]z^{-(k+1)}+\cdots+f[(k+n)T]z^{-(k+n)}+\cdots\}$$
$$=z^{k}\sum_{n=k}^{\infty}f(nT)z^{-n}=z^{k}\left[\sum_{n=0}^{\infty}f(nT)z^{-n}-\sum_{n=0}^{k-1}f(nT)z^{-n}\right]$$
$$=z^{k}F(z)-z^{k}\sum_{n=0}^{k-1}f(nT)z^{-n}$$

(六) 复数偏移定理

设函数 $f(t)$ 的 z 变换为 $F(z)$，则

$$\mathrm{Z}[f(t)\mathrm{e}^{\mp at}]=F(z\mathrm{e}^{\pm aT}) \tag{8-4-23}$$

证明 根据 z 变换定义

$$\mathrm{Z}[f(t)\mathrm{e}^{\mp at}]=\sum_{n=0}^{\infty}f(nT)\mathrm{e}^{\mp anT}z^{-n}$$

令 $z_1=z\mathrm{e}^{\pm aT}$，则上式可化为

$$\mathrm{Z}[f(t)\mathrm{e}^{\mp at}]=\sum_{n=0}^{\infty}f(nT)z_1^{-n}=F(z_1)=F(z\mathrm{e}^{\pm aT})$$

(七) 卷积和定理

设
$$c(kT)=\sum_{n=0}^{k}g[(k-n)T]r(nT) \tag{8-4-24}$$

式中，$n=0,1,2,\cdots$（当 n 为负数时，$c(nT)=g(nT)=r(nT)=0$），则卷积和定理可以表示为

$$C(z)=G(z)R(z) \tag{8-4-25}$$

式中，$C(z)=\mathrm{Z}[c(nT)]$；$G(z)=\mathrm{Z}[g(nT)]$；$R(z)=\mathrm{Z}[r(nT)]$。

证明 根据 z 变换定义

$$C(z)=\sum_{k=0}^{\infty}c(kT)z^{-k}$$

将式（8-4-24）代入上式，可得

$$C(z)=\sum_{k=0}^{\infty}\sum_{n=0}^{k}g[(k-n)T]r(nT)z^{-k}$$

由于 $k<n$ 时，$g[(k-n)T]=0$，上式可改写为

$$C(z)=\sum_{k=0}^{\infty}\sum_{n=0}^{\infty}g[(k-n)T]r(nT)z^{-k}$$
$$=\sum_{n=0}^{\infty}r(nT)\sum_{k=0}^{\infty}g[(k-n)T]z^{-k}$$

令 $k-n=j$，则 $k=0$ 时，$j=-n$，上式化为

$$C(z)=\sum_{n=0}^{\infty}r(nT)\sum_{j=-n}^{\infty}g(jT)z^{-(n+j)}$$
$$=\sum_{n=0}^{\infty}r(nT)z^{-n}\sum_{j=0}^{\infty}g(jT)z^{-j}$$
$$=G(z)R(z)$$

四、z 反变换

和拉普拉斯反变换类似，z 反变换可表示为

$$\mathrm{Z}^{-1}[F(z)]=f^*(t) \tag{8-4-26}$$

下面介绍三种比较常用的 z 反变换方法。

(一) 长除法

用 $F(z)$ 的分母去除分子，可以求出按 z^{-n} 降幂次序排列的级数展开式，然后用 z 反变换求出相应的离散函数的脉冲序列。

$F(z)$ 的一般表达式为

$$F(z)=\frac{b_0z^m+b_1z^{m-1}+\cdots+b_m}{a_0z^n+a_1z^{n-1}+\cdots+a_n} \tag{8-4-27}$$

通常 $m\leqslant n$，用分母除分子可得

$$F(z)=c_0+c_1z^{-1}+c_2z^{-2}+\cdots=\sum_{n=0}^{\infty}c_nz^{-n} \tag{8-4-28}$$

式（8-4-28）的 z 反变换式为

$$f^*(t)=c_0\delta(t)+c_1\delta(t-T)+c_2\delta(t-2T)+\cdots+c_n\delta(t-nT)+\cdots$$

例 8-4-8 求 $F(z)=\dfrac{(1-\mathrm{e}^{-T})z}{(z-1)(z-\mathrm{e}^{-T})}$的 z 反变换式。

解 用长除法可以求得

$$F(z)=0+(1-\mathrm{e}^{-T})z^{-1}+(1-\mathrm{e}^{-2T})z^{-2}+(1-\mathrm{e}^{-3T})z^{-3}+\cdots$$

上式的 z 反变换为

$$f^*(t)=\sum_{n=0}^{\infty}(1-\mathrm{e}^{-nT})\delta(t-nT)$$

（二）部分分式法

采用部分分式法可以求出离散函数的闭合形式。其方法与求拉普拉斯反变换的部分分式法类似。稍有不同的是，由于 $F(z)$ 在分子中通常都含有 z，因此先将 $F(z)$ 除以 z 然后再展开为部分分式。

例 8-4-9 用部分分式法求例 8-4-8 中 $F(z)$ 的 z 反变换式。

解 $\dfrac{F(z)}{z}=\dfrac{1-\mathrm{e}^{-T}}{(z-1)(z-\mathrm{e}^{-T})}=\dfrac{1}{z-1}-\dfrac{1}{z-\mathrm{e}^{-T}}$

$$F(z)=\frac{z}{z-1}-\frac{z}{z-\mathrm{e}^{-T}}$$

根据表 8-1 可知，其对应的时间函数为

$$f(t)=1-\mathrm{e}^{-t}$$

或

$$f^*(t)=\sum_{n=0}^{\infty}(1-\mathrm{e}^{-nT})\delta(t-nT)$$

（三）留数计算法

根据 z 变换的定义

$$F(z)=\sum_{n=0}^{\infty}f(nT)z^{-n}=f(0)+f(T)z^{-1}+\cdots+f(nT)z^{-n}+\cdots$$

用 z^{n-1} 乘上式两边，可得

$$F(z)z^{n-1}=f(0)z^{n-1}+\cdots+f[(n-1)T]+f(nT)z^{-1}+f[(n+1)T]z^{-2}+\cdots \tag{8-4-29}$$

由复变函数理论可知

$$f(nT)=\frac{1}{2\pi\mathrm{j}}\int_C F(z)z^{n-1}\mathrm{d}z=\sum \mathrm{res}[F(z)z^{n-1}] \tag{8-4-30}$$

积分曲线 C 可以是包含 $F(z)z^{n-1}$ 全部极点的任何封闭曲线。

对于一阶极点的留数为

$$R=\lim_{z\to p}(z-p)[F(z)z^{n-1}] \tag{8-4-31}$$

对于 q 阶重极点的留数为

$$R=\frac{1}{(q-1)!}\lim_{z\to p}\frac{d^{q-1}}{dz^{q-1}}[(z-p)^{q}F(z)z^{n-1}] \tag{8-4-32}$$

例 8-4-10 求 $F(z)=\dfrac{Tz}{(z-1)^2}$ 的 z 反变换。

解 $F(z)$ 在 $z=1$ 处有二重极点，因此

$$R=\lim_{z\to 1}\frac{d}{dz}Tz^n=(nTz^{n-1})_{z=1}=nT$$

由此可得

$$f^*(t)=\sum_{n=0}^{\infty}nT\delta(t-nT)$$

例 8-4-11 用留数法求 $F(z)=\dfrac{0.5z}{(z-1)(z-0.5)}$ 的 z 反变换。

解 根据式（8-4-30），有

$$f(nT)=\sum \mathrm{res}[F(z)z^{n-1}]=\sum \mathrm{res}\left[\frac{0.5z^n}{(z-1)(z-0.5)}\right]$$

$F(z)z^{n-1}$ 在 $z=1$ 和 $z=0.5$ 处各有一个极点，因此

$$R_1=\left[\frac{0.5z^n}{(z-1)(z-0.5)}(z-1)\right]_{z=1}=1$$

$$R_2=\left[\frac{0.5z^n}{(z-1)(z-0.5)}(z-0.5)\right]_{z=0.5}=-(0.5)^n$$

由此可得

$$f(nT)=1-(0.5)^n$$

考虑到 $e^{-0.695}=0.5$，上式可改写为

$$f^*(t)=\sum_{n=0}^{\infty}[1-(0.5)^n]\delta(t-nT)$$

$$=\sum_{n=0}^{\infty}[1-e^{-\frac{0.695}{T}t}]\delta(t-nT)$$

式中，$t=nT$（$n=0$，1，2，…）。

五、广义 z 变换

上面介绍了 z 变换和反变换的基本方法。应该指出，上述 z 变换的应用是有局限性的。首先，它只能表征连续函数在采样时刻的特性，而不能反映其在采样时刻之间的特性。其次，当采样系统中包含滞后环节，其滞后时间不是采样周期的整数倍时，直接应用上述方法也有困难。

为了解决以上提出的问题，人们在应用滞后定理的基础上，提出了一种广义 z 变换。例如，为了求取两个采样时刻之间的信息，可以设想在采样系统中加入某种假想的滞后，并利用滞后定理求解。

当连续函数 $f(t)$ 被延迟了 λ 个采样周期时，被延迟的信号 $f(t-\lambda T)$ 的采样信号可以用下式表示

$$f^*(t-\lambda T)=\sum_{n=0}^{\infty}f(nT-\lambda T)\delta(t-nT)$$

根据 z 变换的滞后定理，上式的 z 变换为

$$\mathbf{Z}[f^*(t-\lambda T)]=z^{-\lambda}F(z)$$

式中，λ 为正整数。

当滞后时间不是采样周期 T 的整数倍时，可以把滞后时间表示为 $(\lambda+\Delta)T$，其中 Δ 为正小数，这时可得

$$f[t-(\lambda+\Delta)T]=\sum_{n=0}^{\infty}f(nT-\lambda T-\Delta T)\delta(t-nT)$$

上式可以视为函数 $f(t-\Delta T)$ 被延迟了 λT，其 z 变换为

$$\mathrm{Z}\{f[t-(\lambda+\Delta)T]\}=z^{-\lambda}\sum_{n=0}^{\infty}f(nT-\Delta T)z^{-n} \tag{8-4-33}$$

若 $\lambda=0$，则上式化为

$$\mathrm{Z}[f(t-\Delta T)]=\sum_{n=0}^{\infty}f(nT-\Delta T)z^{-n} \tag{8-4-34}$$

式（8-4-34）为函数 $f(t)$ 被延迟 ΔT 后的 z 变换，并以下式表示

$$F(z,\Delta)=\mathrm{Z}[f(t-\Delta T)] \tag{8-4-35}$$

有时采用另一种表示方法，设

$$\Delta=1-m \quad (1>m>0)$$

则式（8-4-34）可改写为

$$\mathrm{Z}[f(t-\Delta T)]=\sum_{n=0}^{\infty}f[nT-(1-m)T]z^{-n}$$

$$=z^{-1}\sum_{n=0}^{\infty}f(nT+mT)z^{-n}$$

由此可见，函数 $f(t)$ 延迟 ΔT 后的 z 变换等于 z^{-1} 乘以 $f(t)$ 超前 mT 时的 z 变换，记为

$$\boldsymbol{F(z,m)=z^{-1}\sum_{n=0}^{\infty}f(nT+mT)z^{-n}} \tag{8-4-36}$$

例 8-4-12 设 $f(t)=1-\mathrm{e}^{-at}$，求 $f(t)$ 延迟 ΔT 后的 z 变换。

解 令 $\Delta=1-m$，则

$$F(z,m)=z^{-1}\sum_{n=0}^{\infty}f(nT+mT)z^{-n}$$

$$=z^{-1}\sum_{n=0}^{\infty}[1-\mathrm{e}^{-a(nT+mT)}]z^{-n}=z^{-1}\left[\sum_{n=0}^{\infty}z^{-n}-\sum_{n=0}^{\infty}\mathrm{e}^{-a(nT+mT)}z^{-n}\right]$$

$$=z^{-1}\left[\frac{1}{1-z^{-1}}-\frac{\mathrm{e}^{-amT}}{1-\mathrm{e}^{-aT}z^{-1}}\right]=\frac{z^{-1}}{1-z^{-1}}-\frac{z^{-1}\mathrm{e}^{-amT}}{1-\mathrm{e}^{-aT}z^{-1}}$$

表 8-4-2 中列出了几种比较常用的广义 z 变换，供读者参考。

表 8-4-2 常用函数的广义 z 变换

$F(s)$	$F(z)$	$F(z,m)$
1	1	0
$\frac{1}{s}$	$\frac{1}{1-z^{-1}}$	$\frac{z^{-1}}{1-z^{-1}}$
$\frac{1}{s^2}$	$\frac{Tz^{-1}}{(1-z^{-1})^2}$	$\frac{mTz^{-1}}{1-z^{-1}}+\frac{Tz^{-2}}{(1-z^{-1})^2}$

（续）

$F(s)$	$F(z)$	$F(z,m)$
$\dfrac{1}{s+a}$	$\dfrac{1}{1-e^{-aT}z^{-1}}$	$\dfrac{z^{-1}e^{-amT}}{1-e^{-aT}z^{-1}}$
$\dfrac{1}{(s+a)^2}$	$\dfrac{Tz^{-1}e^{-aT}}{(1-e^{-aT}z^{-1})^2}$	$\dfrac{Tz^{-2}e^{-amT}[e^{-aT}+m(1-e^{-aT}z^{-1})]}{(1-e^{-aT}z^{-1})^2}$
$\dfrac{a}{s(s+a)}$	$\dfrac{(1-e^{-aT})z^{-1}}{(1-z^{-1})(1-e^{-arT}z^{-1})}$	$\dfrac{z^{-1}}{1-z^{-1}}-\dfrac{z^{-1}e^{-amT}}{1-e^{-aT}z^{-1}}$
$\dfrac{a}{s^2(s+a)}$	$\dfrac{Tz^{-1}}{(1-z^{-1})^2}-\dfrac{(1-e^{-aT})z^{-1}}{a(1-z^{-1})(1-e^{-aT}z^{-1})}$	$\dfrac{Tz^{-2}}{(1-z^{-1})^2}+\dfrac{\left(mT-\dfrac{1}{a}\right)z^{-1}}{1-z^{-1}}+\dfrac{e^{-amT}z^{-1}}{a(1-e^{-aT}z^{-1})}$
$\dfrac{\omega}{s^2+\omega^2}$	$\dfrac{z^{-1}\sin\omega T}{1-2z^{-1}\cos\omega T+z^{-2}}$	$\dfrac{z^{-1}\sin m\omega T+z^{-2}\sin(1-m)\omega T}{1-2z^{-1}\cos\omega T+z^{-2}}$

例 8-4-13 具有滞后环节的采样控制系统的方框图如图 8-4-2 所示。滞后环节的滞后时间为 $(\lambda+\Delta)T$，试求闭环控制系统的输出信号和输入信号的 z 变换之比。

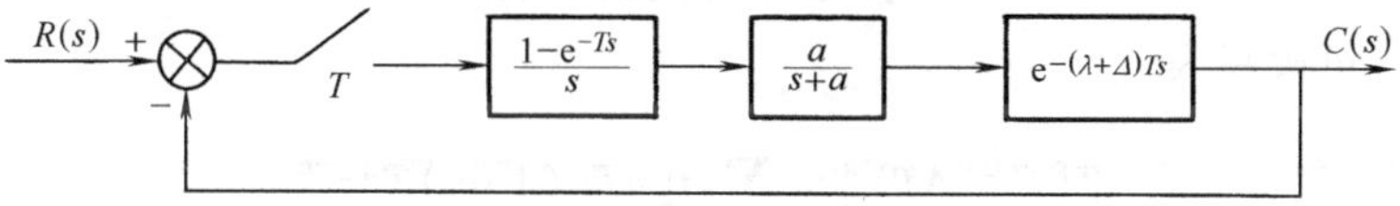

图 8-4-2 具有滞后环节的采样系统

解 系统的开环传递函数为

$$G(s)=\frac{1-e^{-Ts}}{s}\frac{a}{s+a}e^{-(\lambda+\Delta)Ts}$$

令 $\Delta=1-m$，则

$$(\lambda+\Delta)Ts=[\lambda+(1-m)]Ts$$

于是

$$G(s)=\frac{1-e^{-Ts}}{s}\frac{a}{s+a}e^{-\lambda Ts}e^{-(1-m)Ts}$$

由此可得

$$\begin{aligned}G(z,m)&=Z[G(s)]=(1-z^{-1})z^{-\lambda}Z\left[\frac{a}{s(s+a)}e^{-(1-m)Ts}\right]\\&=(1-z^{-1})z^{-\lambda}\left[\frac{z^{-1}}{1-z^{-1}}-\frac{z^{-1}e^{-maT}}{1-e^{-aT}z^{-1}}\right]\\&=\frac{z^{-(\lambda+1)}[(1-e^{-maT})-(e^{-aT}-e^{-maT})z^{-1}]}{1-e^{-aT}z^{-1}}\end{aligned}$$

采样控制系统在闭环时输出信号的 z 变换与输入信号的 z 变换之比为

$$\begin{aligned}\frac{C(z)}{R(z)}&=\frac{G(z,m)}{1+G(z,m)}\\&=\frac{z^{-(\lambda+1)}[(1-e^{-maT})-(e^{-aT}-e^{-maT})z^{-1}]}{(1-e^{-aT}z^{-1})+z^{-(\lambda+1)}[(1-e^{-maT})-(e^{-aT}-e^{-maT})z^{-1}]}\end{aligned}$$

第五节　脉冲传递函数

一、基本概念

在线性连续系统理论中，把初始条件为零的情况下系统输出信号的拉普拉斯变换与输入信号的拉普拉斯变换之比，定义为传递函数。

与此相类似，在线性采样系统理论中，把初始条件为零的情况下系统的离散输出信号的 z 变换与离散输入信号的 z 变换之比，定义为脉冲传递函数，或称 z 传递函数。它是线性采样系统理论中的一个重要概念。

对于图 8-5-1a 所示的采样系统，脉冲传递函数为

$$G(z)=\frac{C(z)}{R(z)} \tag{8-5-1}$$

由式（8-5-1）可求采样系统的离散输出信号

$$c^*(t)=Z^{-1}[C(z)]=Z^{-1}[G(z)R(z)]$$

在实际上，许多采样系统的输出信号是连续信号，如图 8-5-1b 所示。在这种情况下，为了应用脉冲传递函数的概念，可以在输出端虚设一个采样开关，并令其采样周期与输入端采样开关的相同。

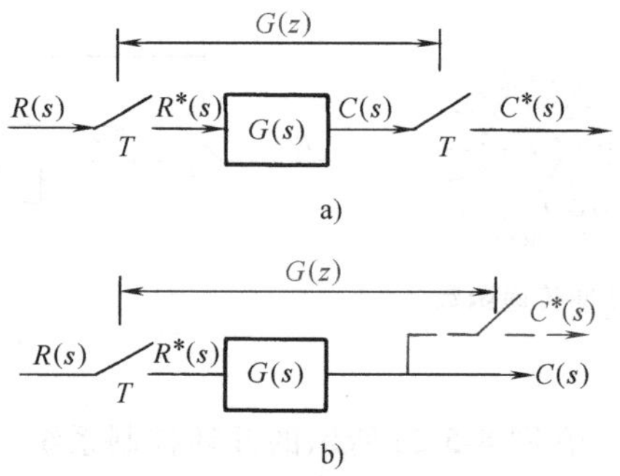

图 8-5-1　采样系统

下面根据采样系统的单位脉冲响应来推导脉冲传递函数，以便读者理解它的物理意义。

由线性连续系统的理论已知，当线性部分的输入信号为单位脉冲信号 $\delta(t)$ 时，其输出信号称为单位脉冲响应，以 $g(t)$ 表示。当输入信号为如下的脉冲序列时

$$r^*(t)=\sum_{n=0}^{\infty}r(nT)\delta(t-nT)$$

根据叠加原理，输出信号为一系列脉冲响应之和，即

$$c(t)=r(0)g(t)+r(T)g(t-T)+\cdots+r(nT)g(t-nT)$$

在 $t=kT$ 时刻，输出的脉冲值为

$$\begin{aligned}c(kT)&=r(0)g(kT)+r(T)g[(k-1)T]+\cdots+r(nT)g[(k-n)T]+\cdots\\&=\sum_{n=0}^{k}g[(k-n)T]r(nT)\end{aligned}$$

由于系统的单位脉冲响应是从 $t=0$ 才开始出现的信号，当 $t<0$ 时，$g(t)=0$。因此，当 $n>k$ 时，上式中的 $g[(k-n)T]=0$。换句话说，kT 时刻以后的输入脉冲，如 $r[(k+1)T]$、$r[(k+2)T]$……，不会对 kT 时刻的输出信号产生影响。因此，上式中求和的上限可以扩展为∞，于是可得

$$c(kT)=\sum_{n=0}^{\infty}g[(k-n)T]r(nT)$$

根据卷积和定理，可得上式的 z 变换

$$C(z)=G(z)R(z)$$

$C(z)$、$G(z)$ 和 $R(z)$ 分别为 $c(t)$、$g(t)$ 和 $r(t)$ 的 z 变换。

由此可见，系统的脉冲传递函数即为系统的单位脉冲响应 $g(t)$ 经过采样后离散信号 $g^*(t)$ 的 z 变换，可表示为

$$G(z)=\sum_{n=0}^{\infty} g(nT)z^{-n} \tag{8-5-2}$$

式 (8-5-2) 表明，系统的响应速度越快，即其单位脉冲响应 $g(t)$ 衰减越快，则相应的脉冲传递函数 $G(z)$ 的展开式中包含的项数越少。

二、采样系统的开环脉冲传递函数

讨论采样系统的开环脉冲传递函数时，应该注意图 8-5-2 所示的两种不同情况。

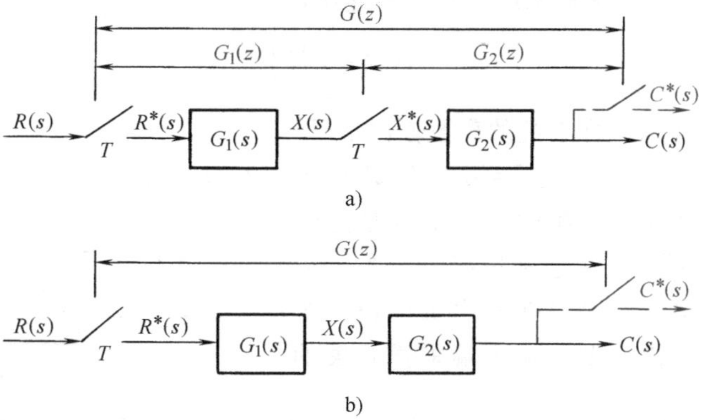

脉冲传递函数

图 8-5-2 两种串联结构

在图 8-5-2a 所示的开环控制系统中，两个串联环节之间有采样开关存在，这时

$$X(z)=G_1(z)R(z)$$
$$C(z)=G_2(z)X(z)=G_1(z)G_2(z)R(z)$$

由此可得

$$\frac{C(z)}{R(z)}=G_1(z)G_2(z)=G(z) \tag{8-5-3}$$

式 (8-5-3) 表明，有采样开关分隔的两个环节串联时，其脉冲传递函数等于两个环节的脉冲传递函数之积。上述结论可以推广到有采样开关隔离的 n 个环节串联的情况。

在图 8-5-2b 所示的系统中，两个串联环节之间没有采样开关隔离。这时系统的开环脉冲传递函数为

$$G(z)=\frac{C(z)}{R(z)}=Z[G_1(s)G_2(s)]=G_1G_2(z) \tag{8-5-4}$$

请读者注意式 (8-5-3) 和式 (8-5-4) 的区别。

式 (8-5-4) 表示，没有采样开关分隔的两个线性环节串联时，其脉冲传递函数为这两个环节的传递函数相乘之积的 z 变换。通常

$$G_1G_2(z)\neq G_1(z)G_2(z)$$

上述结论也可推广到无采样开关隔离的 n 个环节串联的情况中去。

例 8-5-1 设在图 8-5-2 中 $G_1(s)=\frac{1}{s}$，$G_2(s)=\frac{a}{s+a}$，求系统的开环脉冲传递函数。

解 图 8-5-2a 所示系统的开环脉冲传递函数为

$$G(z)=G_1(z)G_2(z)=\frac{z}{z-1}\times\frac{az}{z-e^{-aT}}$$

图 8-5-2b 所示系统的开环脉冲传递函数为

$$G(z)=Z[G_1(s)G_2(s)]=Z\left[\frac{a}{s(s+a)}\right]=\frac{z(1-e^{-aT})}{(z-1)(z-e^{-aT})}$$

显然，$G_1(z)G_2(z)\neq G_1G_2(z)$。

三、采样系统的闭环脉冲传递函数

在采样控制系统中，由于采样器的设置方式是多样的，因此闭环控制系统的结构形式也不统一。比较常见的系统结构之一如图 8-5-3 所示。图中输入端和输出端的采样开关是为了便于分析而虚设的。

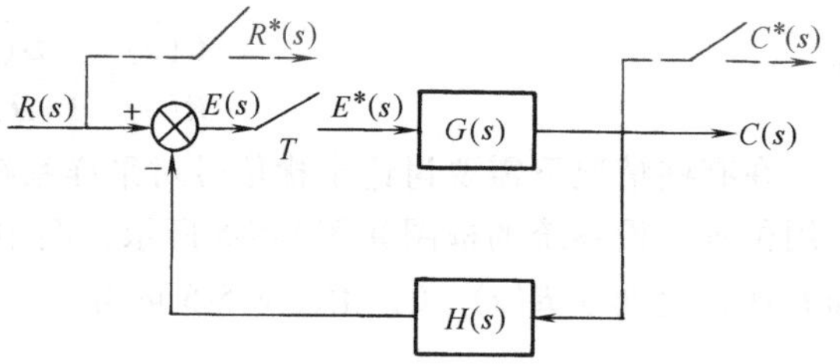

图 8-5-3　采样控制系统

由图 8-5-3 可见

$$E(s)=R(s)-H(s)C(s)$$
$$C(s)=G(s)E^*(s)$$

合并以上两式，得

$$E(s)=R(s)-G(s)H(s)E^*(s)$$

求上式采样信号的拉普拉斯变换，则有

$$E^*(s)=R^*(s)-GH^*(s)E^*(s)$$

或

$$E^*(s)=\frac{R^*(s)}{1+GH^*(s)}$$

考虑到输出信号采样后的拉普拉斯变换为

$$C^*(s)=G^*(s)E^*(s)$$

得

$$\frac{C^*(s)}{R^*(s)}=\frac{G^*(s)}{1+GH^*(s)}$$

写成 z 变换形式，即得闭环脉冲传递函数

$$\frac{C(z)}{R(z)}=\frac{G(z)}{1+GH(z)} \tag{8-5-5}$$

以及误差脉冲传递函数

$$\frac{E(z)}{R(z)}=\frac{1}{1+GH(z)} \tag{8-5-6}$$

对于单位反馈系统 $H(s)=1$，则有

$$\frac{C(z)}{R(z)}=\frac{G(z)}{1+G(z)} \tag{8-5-7}$$

$$\frac{E(z)}{R(z)}=\frac{1}{1+G(z)} \tag{8-5-8}$$

与线性连续系统类似，**闭环脉冲传递函数的分母 $1+GH(z)$ 即为闭环采样控制系统的特征多项式。**

当采样系统中有数字控制器 $D(s)$ 时，系统的框图如图 8-5-4 所示。

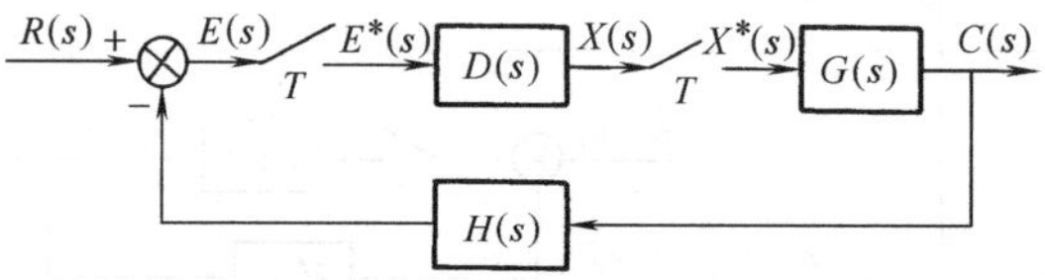

图 8-5-4　具有数字控制器的采样系统

由图 8-5-4 可见

$$C(s)=G(s)X^*(s)$$
$$X(s)=D(s)E^*(s)$$
$$E^*(s)=R^*(s)-GH^*(s)X^*(s)$$

由此可得

$$C^*(s)=\frac{D^*(s)G^*(s)}{1+D^*(s)GH^*(s)}R^*(s)$$

对上式进行 z 变换，得

$$C(z)=\frac{D(z)G(z)}{1+D(z)GH(z)}R(z)$$

或

$$\frac{C(z)}{R(z)}=\frac{D(z)G(z)}{1+D(z)CH(z)} \tag{8-5-9}$$

在有些情况下需要讨论干扰信号对采样系统输出信号的影响，这时，应标明干扰信号的作用位置。设系统的框图如图 8-5-5 所示，图中 $N(s)$ 为干扰信号的拉普拉斯变换。根据迭加原理，此处令 $R(s)=0$，由图 8-5-5 可得

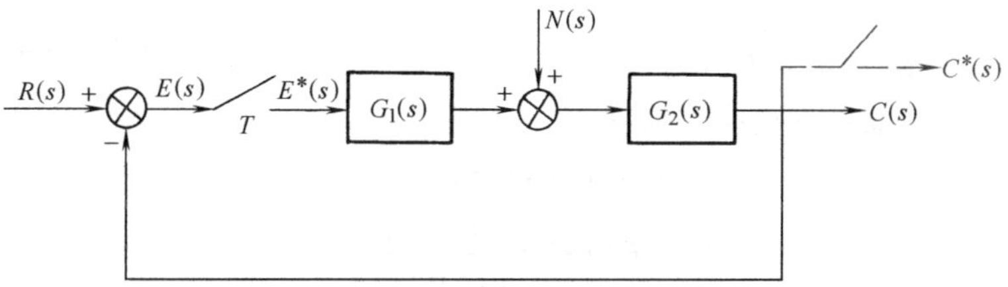

图 8-5-5 有干扰信号的采样系统

$$C(s)=G_2(s)N(s)+G_1(s)G_2(s)E^*(s)$$
$$E^*(s)=-C^*(s)$$

由以上两式可得

$$C^*(s)=\frac{G_2(s)N^*(s)}{1+G_1G_2^*(s)}$$

或

$$C(z)=\frac{G_2N(z)}{1+G_1G_2(z)}$$

表 8-5-1 中列出了一些典型采样系统的框图及其输出离散信号的 z 变换，供读者参考。

表 8-5-1 典型采样系统及其 $C(z)$

序号	系统框图	$C(z)$
1	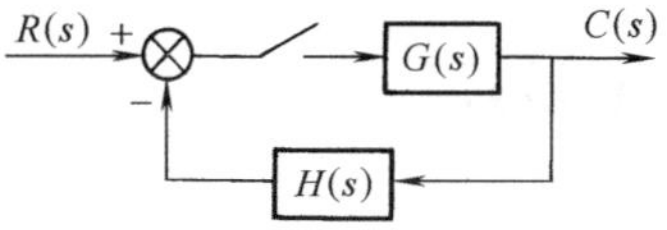	$C(z)=\frac{G(z)}{1+HG(z)}R(z)$
2	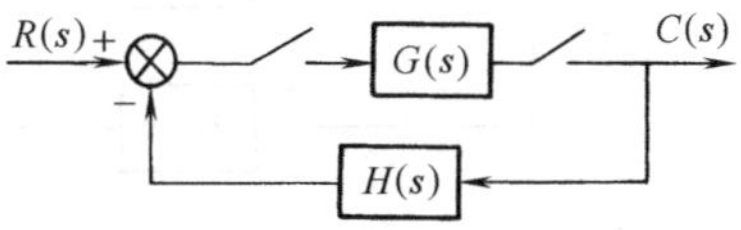	$C(z)=\frac{G(z)}{1+G(z)H(z)}R(z)$

（续）

序号	系统框图	$C(z)$
3	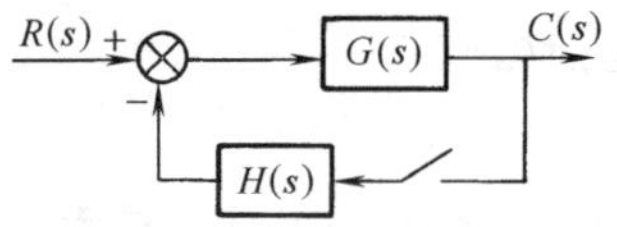	$C(z)=\dfrac{RG(z)}{1+HG(z)}$
4	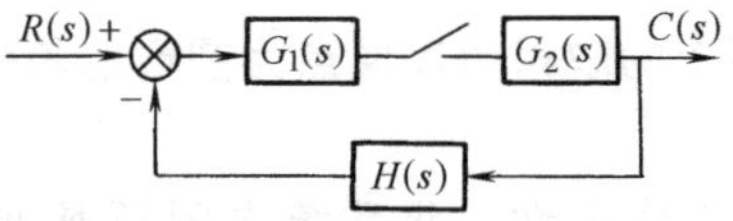	$C(z)=\dfrac{RG_1(z)G_2(z)}{1+G_1G_2H(z)}$
5	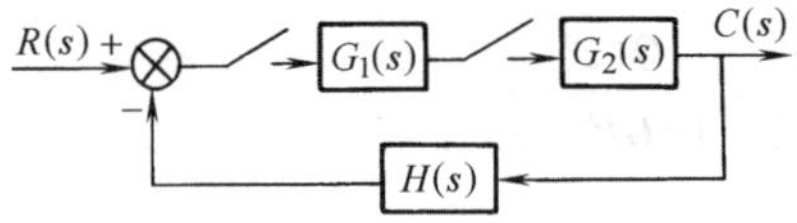	$C(z)=\dfrac{G_1(z)G_2(z)}{1+G_1(z)HG_2(z)}R(z)$
6	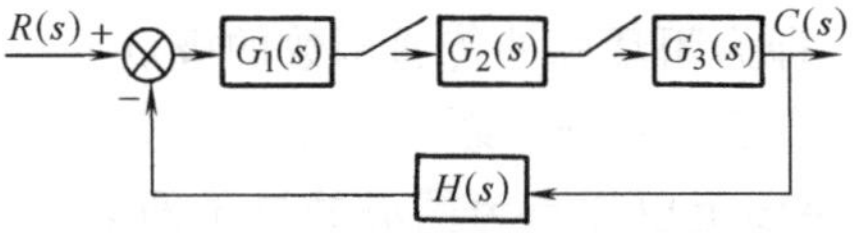	$C(z)=\dfrac{G_2(z)G_3(z)RG_1(z)}{1+G_2(z)G_1G_3H(z)}$

第六节　线性采样系统的稳定性分析

一、采样控制系统的稳定条件

由第三章中已知，线性连续系统稳定的充分和必要条件是系统特征方程的所有根都位于 s 平面虚轴的左半部，即都具有负实部。

对线性采样系统进行 z 变换以后，要用 z 平面分析系统的稳定性，因此首先要弄清这两个复平面的映射关系。

采样控制系统的稳定性分析

（一）s 平面和 z 平面的映射关系

复变量 z 与 s 的关系为

$$z=e^{Ts}$$

式中，T 为采样周期。

设复变量 s 在 s 平面上沿虚轴移动，即 $s=j\omega$，对应的复变量 $z=e^{j\omega T}$，它是 z 平面上幅值为 1 的单位旋转向量，其相位为 ωT，随角频率 ω 而改变。

当角频率 ω 由 $-\dfrac{\pi}{T}$ 变化到 $+\dfrac{\pi}{T}$ 时，$z=e^{j\omega T}$ 的相位由 $-\pi$ 变至 $+\pi$ 弧度，在 z 平面上画出一个以原点为圆心的单位圆。

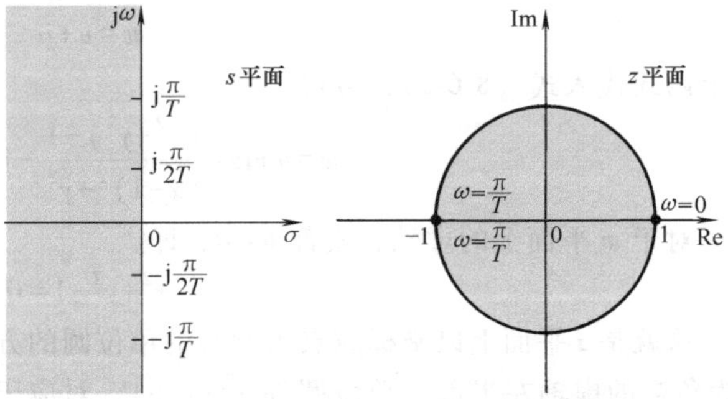

图 8-6-1　s 平面上虚轴在 z 平面上的映射曲线

由以上分析可见，s 平面的虚轴在 z 平面上的映射曲线是以坐标原点为圆心的单位圆（参见图 8-6-1）。

设复变量 $s=\sigma+\mathrm{j}\omega$，则

$$z=\mathrm{e}^{Ts}=\mathrm{e}^{\sigma T}\mathrm{e}^{\mathrm{j}\omega T}$$

其幅值 $|z|=\mathrm{e}^{\sigma T}$。

当 s 位于 s 平面虚轴的左半部时，σ 为负数，这时 $|z|<1$。反之，若 s 位于 s 平面虚轴的右半部，σ 为正数，则 $|z|>1$。

由此可见，s 平面虚轴左半部在 z 平面上的映射为以原点为圆心的单位圆的内部区域。

（二）线性采样系统稳定的充要条件

现在讨论图 8-5-3 所示闭环采样系统的稳定性。此系统之闭环脉冲传递函数已由式（8-5-5）给出，即

$$\frac{C(z)}{R(z)}=\frac{G(z)}{1+GH(z)}$$

相应的特征方程式为

$$1+GH(z)=0$$

系统特征方程式的根 λ_1，λ_2，…，λ_n 即为闭环脉冲传递函数的极点。

根据以上的分析可知，闭环采样系统稳定的充分和必要条件是，系统特征方程的所有根（即闭环脉冲传递函数的极点）均位于 z 平面上以原点为圆心的单位圆之内，这就要求这些根的模 $|\lambda_i|<1$。

与分析连续系统的稳定性一样，用直接求解特征方程式根的方法判断系统的稳定性往往比较困难。下面介绍一种比较实用的方法。

二、劳斯稳定判据

对于线性采样系统，不能直接应用劳斯稳定判据，因为劳斯稳定判据只能判断系统特征方程式的根是否在 s 平面虚轴的左半部。因此，必须采用一种变换方法，使 z 平面上的单位圆，映射为新坐标系的虚轴。这种坐标变换称为双线性变换，又称为 w 变换。

根据复变函数的双线性变换方法，设

$$z=\frac{w+1}{w-1} \tag{8-6-1}$$

则

$$w=\frac{z+1}{z-1} \tag{8-6-2}$$

式（8-6-2）中 z 和 w 均为复变量，可以用下式表示

$$z=x+\mathrm{j}y$$

$$w=u+\mathrm{j}v$$

将上两式代入式（8-6-2），可得

$$w=u+\mathrm{j}v=\frac{(x^2+y^2)-1}{(x-1)^2+y^2}-\mathrm{j}\frac{2y}{(x-1)^2+y^2}$$

对于 w 平面上的虚轴，实部 $u=0$，即

$$x^2+y^2-1=0$$

这就是 z 平面上以坐标原点为圆心的单位圆的方程。单位圆内 $x^2+y^2<1$，对应于 w 平面 u 为负数的虚轴左半部。单位圆外 $x^2+y^2>1$，对应于 w 平面上实部 u 为正数的右半部。z 平面上的单位圆和 w 平面上虚轴的映射图形如图 8-6-2 所示。

综上所述，令 $z=\frac{w+1}{w-1}$代入闭环采样系统的特征方程，进行 w 变换之后，即可应用劳斯稳定判据。

应该指出，也可令 $z=\frac{1+w}{1-w}$进行变换，这时 $w=\frac{z-1}{z+1}$。

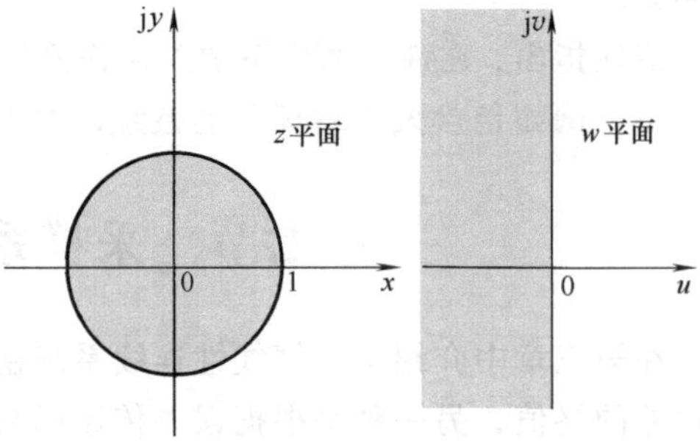

图 8-6-2 z 平面与 w 平面的映射关系

下面举例说明劳斯判据的应用。

例 8-6-1 设采样系统的框图如图 8-6-3 所示。其中 $G(s)=\frac{K_1}{s(s+4)}$，采样周期 $T=0.25\text{s}$，求能使系统稳定的 K_1 值范围。

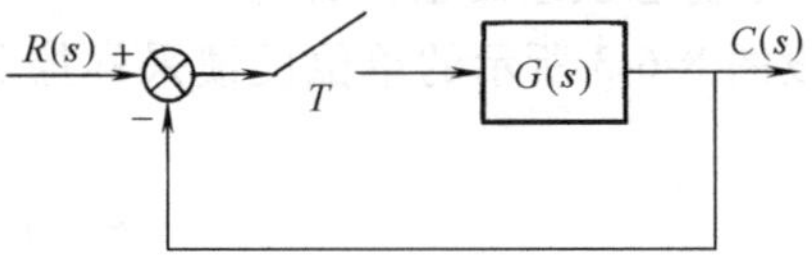

图 8-6-3 采样系统

解 系统的开环脉冲传递函数为

$$G(z)=\text{Z}\left[\frac{K_1}{s(s+4)}\right]=\text{Z}\left[\frac{K_1}{4}\left(\frac{1}{s}-\frac{1}{s+4}\right)\right]$$

$$=\frac{K_1}{4}\left(\frac{z}{z-1}-\frac{z}{z-\text{e}^{-4T}}\right)=\frac{K_1}{4}\frac{(1-\text{e}^{-4T})z}{(z-1)(z-\text{e}^{-4T})}$$

根据上式可求系统的闭环脉冲传递函数

$$\frac{C(z)}{R(z)}=\frac{G(z)}{1+G(z)}$$

和特征方程

$$1+G(z)=(z-1)(z-\text{e}^{-4T})+\frac{K_1}{4}(1-\text{e}^{-4T})z=0$$

令 $z=\frac{w+1}{w-1}$，$T=0.25\text{s}$ 代入上式，得

$$\left(\frac{w+1}{w-1}-1\right)\left(\frac{w+1}{w-1}-0.368\right)+0.158K_1\frac{w+1}{w-1}=0$$

经整理后可得

$$0.158K_1w^2+1.264w+(2.736-0.158K_1)=0$$

根据上式列出劳斯表：

w^2	$0.158K_1$	$2.736-0.158K_1$
w^1	1.264	0
w^0	$2.736-0.158K_1$	0

为了能使此系统稳定工作，必须使劳斯表中的第一列各项均大于零。这就要求

$$2.736-0.158K_1>0$$

即

$$K_1<17.3$$

由此可见，为使系统稳定，增益 K_1 应在 0~17.3 之间取值。

从线性连续系统的理论可知，二阶线性连续系统总是稳定的。然而在二阶系统中加了采**样器之后，当系统增益增大超过一定程度时，采样系统会变为不稳定。一般而言，当采样频率增高时，系统的稳定性会得到改善。因为随着采样频率的增高，采样系统的工作更接近连**

续系统。

应该指出，在许多情况下加入采样器对系统稳定性不利。但也不能绝对化，在一些特殊情况下，例如包含大滞后环节的系统，加入采样器往往还能改善系统的稳定性。

第七节 采样系统的稳态误差分析

在第三章中介绍了计算线性连续系统稳态误差的两种方法。一种是应用终值定理计算稳态误差的终值，另一种是根据误差传递函数计算稳态误差级数。这两种方法都可以推广到采样控制系统中来。本节介绍给定稳态误差的计算，未涉及扰动稳态误差。

一、稳态误差终值的计算

设图 8-6-3 所示的单位反馈采样控制系统的开环脉冲传递函数为 $G(z)$，由式（8-5-8）可得

$$E(z)=[1+G(z)]^{-1}R(z)$$

式中，$E(z)$ 为采样误差信号 $e^*(t)$ 的 z 变换；$R(z)$ 为输入信号 $r(t)$ 采样函数的 z 变换。

设闭环控制系统稳定，根据 z 变换的终值定理可以求出在输入信号作用下采样系统的稳态误差终值

$$e_{sr}=\lim_{t\to\infty}e_{sr}(t)=\lim_{z\to 1}\frac{(z-1)R(z)}{z[1+G(z)]} \tag{8-7-1}$$

式（8-7-1）表明，采样系统的稳态误差取决于系统的脉冲传递函数 $G(z)$ 和输入信号的形式。下面讨论三种典型输入信号下稳态误差的情况。

1）输入信号为单位阶跃函数，即 $r(t)=1(t)$，这时

$$R(z)=\frac{z}{z-1}$$

将 $R(z)$ 代入式（8-7-1），得

$$e_{sr}=\lim_{z\to 1}\frac{1}{1+G(z)}=\frac{1}{1+K_p} \tag{8-7-2}$$

式中，K_p 为系统的位置误差系数，$K_p=\lim\limits_{z\to 1}[G(z)]$。

由式（8-7-2）可知，在阶跃输入信号的作用下，采样系统的稳态误差终值 e_{sr} 与位置误差系数 K_p 成反比。

当采样系统为Ⅰ型系统，即 $G(z)$ 具有一个 $z=1$ 的极点，这时 $K_p=\infty$，$e_{sr}=0$。

2）输入信号为单位斜坡信号，即 $r(t)=t$，这时

$$R(z)=\frac{Tz}{(z-1)^2}$$

将 $R(z)$ 代入式（8-7-1），可得

$$e_{sr}=\lim_{z\to 1}\frac{T}{(z-1)[1+G(z)]}=\lim_{z\to 1}\frac{T}{(z-1)G(z)}$$
$$=\frac{T}{K_v} \tag{8-7-3}$$

式中，K_v 为速度误差系数，$K_v=\lim\limits_{z\to 1}(z-1)G(z)$。

式（8-7-3）表明，在斜坡输入信号的作用下，采样系统的稳态误差终值 e_{sr} 与速度误差

系数 K_v 成反比，同时 e_{sr} 与采样周期 T 成正比。

当系统为Ⅱ型系统，即 $G(z)$ 具有两个 $z=1$ 的极点，这时 $K_v=\infty$，$e_{sr}=0$。

3）输入信号为单位抛物线信号，即 $r(t)=\frac{1}{2}t^2$ 时

$$R(z)=\frac{T^2z(z+1)}{2(z-1)^3}$$

由式（8-7-1）得

$$e_{sr}=\lim_{z\to1}\frac{T^2(z+1)}{2(z-1)^2[1+G(z)]}=\lim_{z\to1}\frac{T^2}{(z-1)^2G(z)}$$
$$=\frac{T^2}{K_a} \tag{8-7-4}$$

式中，K_a 为加速度误差系数，$K_a=\lim\limits_{z\to1}(z-1)^2G(z)$。

式（8-7-4）表明，在单位抛物线信号作用下，系统的稳态误差终值 e_{sr} 与加速度误差系数 K_a 成反比，同时 e_{sr} 与采样周期 T 的二次方成正比。

表 8-7-1 中列出了以上三种输入信号作用下之稳态误差终值，供读者参考。

表 8-7-1 不同类型采样系统的稳态误差终值

给定输入	给定稳态误差的终值		
	0 型系统	Ⅰ型系统	Ⅱ型系统
$1(t)$	$\frac{1}{1+K_p}$	0	0
t	∞	$\frac{T}{K_v}$	0
$\frac{1}{2}t^2$	∞	∞	$\frac{T^2}{K_a}$

二、稳态误差级数计算法

由第三章可知，在输入信号作用下，线性连续系统的稳态误差可以写成下列级数形式

$$e_{sr}(t)=C_0r_s(t)+C_1\dot{r}_s(t)+\frac{C_2}{2!}\ddot{r}_s(t)+\cdots$$

式中，$C_0=\lim\limits_{s\to0}\Phi_e(s)$；$C_1=\lim\limits_{s\to0}\frac{d}{ds}\Phi_e(s)$；…；$C_n=\lim\limits_{s\to0}\frac{d^n}{ds^n}\Phi_e(s)$。

$\Phi_e(s)$ 为系统对于输入信号的误差传递函数。当系统为单位反馈系统时

$$\Phi_e(s)=\frac{E(s)}{R(s)}=\frac{1}{1+G(s)}$$

上述结论可以推广到采样控制系统中来。不难看出，采样稳态误差级数的表达式为

$$e_{sr}^*(t)=C_0r_s^*(t)+C_1\dot{r}_s^*(t)+\frac{C_2}{2!}\ddot{r}_s^*(t)+\cdots$$

或
$$e_{sr}(nT)=C_0r_s(nT)+C_1\dot{r}_s(nT)+\frac{C_2}{2!}\ddot{r}_s(nT)+\cdots+\frac{C_m}{m!}r_s^{(m)}(nT)+\cdots \tag{8-7-5}$$

例 8-7-1 设图 8-6-3 所示系统中 $T=0.1\text{s}$ 和 $G(s)=\frac{1}{s(0.1s+1)}$，求系统对于输入信号 $r(t)$ 的稳态误差的级数表达式。

解
$$G(z)=\frac{0.632z}{z^2-1.368z+0.368}$$
$$\Phi_e(z)=\frac{1}{1+G(z)}=\frac{(z-1)(z-0.368)}{z^2-0.736z+0.368}$$
$$\Phi_e^*(s)=\frac{(e^{Ts}-1)(e^{Ts}-0.368)}{e^{2Ts}-0.736e^{Ts}+0.368}$$

对上式连续求导，并令 $s=0$，可得
$$C_0=\Phi_e^*(s)\Big|_{s=0}=0;$$
$$C_1=\frac{d}{ds}\Phi_e^*(s)\Big|_{s=0}=0.1;$$
$$C_2=\frac{d^2}{ds^2}\Phi_e^*(s)\Big|_{s=0}=0.00164;$$
$$C_3=\frac{d^3}{ds^3}\Phi_e^*(s)\Big|_{s=0}=-0.006;$$
$$\vdots$$

由此可以求得稳态误差级数为
$$e_{sr}(nT)=0.1\dot{r}_s(nT)+\frac{0.00164}{2!}\ddot{r}_s(nT)-\frac{0.006}{3!}r_s^{(3)}(nT)+\cdots$$

不难看出，当输入信号为单位阶跃信号，即 $r(t)=1(t)$ 时，系统的采样稳态误差信号为零；当 $r(t)=t$ 时，采样稳态误差信号为 0.1。

第八节 采样系统的暂态响应与脉冲传递函数极点、零点分布的关系

由线性连续系统理论可知，闭环极点及零点在 s 平面的分布对反馈系统的暂态响应有重大影响。与此相类似，闭环采样控制系统的暂态响应与闭环脉冲传递函数极点、零点在 z 平面上的分布也有密切的关系。

设闭环采样系统的脉冲传递函数为
$$\frac{C(z)}{R(z)}=\frac{N(z)}{D(z)}=\frac{b_0z^m+b_1z^{m-1}+\cdots+b_{m-1}z+b_m}{z^n+a_1z^{n-1}+\cdots+a_{n-1}z+a_n},m\leqslant n \tag{8-8-1}$$

式中 $N(z)$、$D(z)$——分子、分母多项式。

设闭环脉冲传递函数的极点为 λ_i（$i=1$，2，…，n）。为了简化问题，假设没有相重的极点。

当输入信号 $r(t)$ 为单位阶跃信号时，$R(z)=\frac{z}{z-1}$，这时系统输出信号的 z 变换为
$$\begin{aligned}C(z)&=\frac{z}{z-1}\frac{(b_0z^m+\cdots+b_{m-1}z+b_m)}{(z-\lambda_1)(z-\lambda_2)\cdots(z-\lambda_n)}\\&=A_0\frac{z}{z-1}+\sum_{i=1}^{n}A_i\frac{z}{z-\lambda_i}\end{aligned} \tag{8-8-2}$$

式中，$A_0=\left[\frac{N(z)}{D(z)}\right]_{z=1}$；$A_i=\frac{(z-\lambda_i)N(z)}{(z-1)D(z)}\Big|_{z=\lambda_i}$ $(i=1,2,\cdots,n)$。

对式（8-8-2）进行 z 反变换，可以求出某一采样时刻的输出值

$$c^*(k)=A_0 1(k)+\sum_{i=1}^{n}A_i\lambda_i^k \tag{8-8-3}$$

式（8-8-3）中第一项为系统输出采样信号的稳态分量，第二项为输出采样信号的暂态分量。由此可见，极点 λ_i 在 z 平面上的位置会影响暂态分量的性质。下面分析几种情况。

1. λ_i为正实数

当 λ_i 为正实数时，对应的暂态分量

$$c_i(k)=A_i\lambda_i^k$$

为一指数函数。

当 $\lambda_i>1$ 时，上述指数函数为发散型函数，λ_i^k 随着 k 的增加迅速增长。

当 $0<\lambda_i<1$ 时，上述指数函数为衰减型函数。极点 λ_i 距 z 平面坐标原点越近，λ_i^k 衰减速度越快（参阅图 8-8-1）。

2. λ_i为负实数

当 λ_i 为负实数时，λ_i^k 可为正数，也可为负数，取决于 k 为偶数或是奇数。k 为偶数时，λ_i^k 为正；k 为奇数时，λ_i^k 为负。因此，随着 k 的增加，$c_i(k)$ 的符号是交替变化的，呈振荡规律。当 $|\lambda_i|<1$ 时，为衰减振荡。λ_i 距 z 平面原点越近，则振荡的衰减速度越快。振荡的角频率为 π/T。

3. 存在一对共轭复数极点λ_i和$\overline{\lambda}_i$

$$\lambda_i=|\lambda_i|e^{j\theta_i},\overline{\lambda}_i=|\lambda_i|e^{-j\theta_i}$$

这时

$$c_i(k)=2|A_i||\lambda_i|^k\cos(k\theta_i+\varphi_i) \tag{8-8-4}$$

当 $|\lambda_i|<1$ 时，对应的暂态分量 $c_i(k)$ 为衰减的振荡函数。λ_i 距离 z 平面上的坐标原点越近，则衰减速度越快。振荡角频率 $\omega_i=\dfrac{\theta_i}{T}$。

闭环极点在 z 平面不同位置时对应的暂态响应分量如图 8-8-1 所示。

综上所述，闭环脉冲传递函数的极点在 z 平面上的位置决定响应暂态分量的性质与特点。当闭环极点位于单位圆内时，其对应的暂态分量是衰减的。极点距 z 平面坐标原点越近，则衰减速度越快。若极点位于单位圆内的正实轴上，则对应的暂态分量按指数函数衰减。单位圆内一对共轭复数极点所对应的暂态分量为衰减的振荡函数，其角频率为 θ_i/T。若闭环极点位于单位圆内的负实轴上，其对应的暂态分量也为衰减振荡函数，其振荡角频率为 π/T。为了使采样控制系统具有比较满意的暂态响应性能，闭环脉冲传递函数的极点最好分布在单位圆内的右半部，并尽量靠近 z 平面的坐标原点。

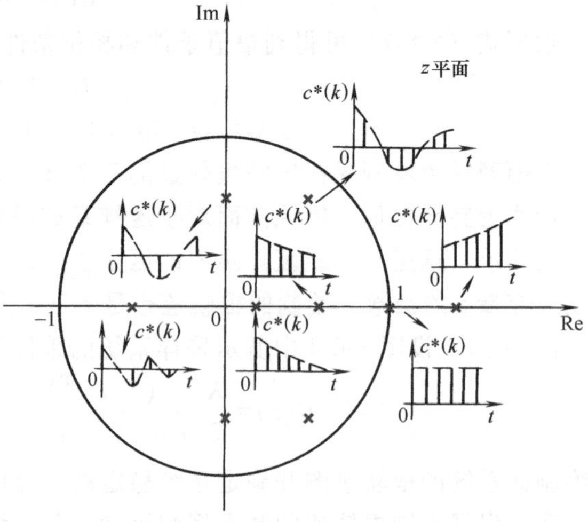

图 8-8-1　各种闭环极点对应的暂态分量

若闭环脉冲传递函数的极点位于单位圆外，则其对应的暂态分量是发散的。这意味着闭环采样系统是不稳

定的。

在线性连续系统理论中常用的，根据一对共轭复数主导极点分析系统暂态响应的方法，也可以推广到采样系统中来。这种方法在前面已有较详细的介绍，这里不再赘述，只简要地概括一下。

假定只考虑采样系统的一对主导复数极点，而其他零、极点可以忽略不计时，系统暂态响应的峰值时间 t_{p} 和最大超调量 M_{p} 可按以下公式估算

$$t_{\mathrm{p}}=\frac{\pi T}{\theta_1} \tag{8-8-5}$$

$$M_{\mathrm{p}}=|\lambda_1|^{\frac{t_{\mathrm{p}}}{T}} \tag{8-8-6}$$

式中，$|\lambda_1|$、θ_1 为复数极点 λ_1 的模和相位。

上面两式表明，主导极点 λ_1 距 z 平面的原点越近，即其模 $|\lambda_1|$ 越小，则最大超调量 M_{p} 越小。主导极点的相位 θ_1 越大，则峰值时间越小。

由于 $|\lambda_1|$ 小于 1，因此 t_{p} 越大，M_{p} 越小。对于这两方面的要求是矛盾的。在实际中可以根据具体情况，折中考虑。

如果除了一对主导极点外，系统还有一些距原点较近的其他闭环零、极点。它们也会对暂态响应带来一些影响。

进一步分析表明，附加零点的存在会使峰值时间 t_{p} 减小，而附加极点的存在会使峰值时间 t_{p} 增大。

上面讨论了采样控制系统的暂态响应与闭环脉冲传递函数极点、零点分布的关系。在开环脉冲传递函数零、极点已知的条件下，闭环脉冲传递函数的极点可以用根轨迹法求解。

设图 8-6-3 所示单位反馈采样控制系统的开环脉冲传递函数为

$$G(z)=K\frac{(z-z_1)(z-z_2)\cdots(z-z_m)}{(z-p_1)(z-p_2)\cdots(z-p_n)}$$

式中，z_1，…，z_m 为开环脉冲传递函数的零点；p_1，…，p_n 为开环脉冲传递函数的极点。

采样系统的特征方程式为

$$1+G(z)=0$$

或

$$G(z)=-1 \tag{8-8-7}$$

根据式（8-8-7）可得到幅值条件和相位条件，即

$$|G(z)|=1 \tag{8-8-8}$$

$$\angle G(z)=180^\circ\times(2q+1) \quad (q=0,1,2,\cdots) \tag{8-8-9}$$

上面两式为绘制采样系统根轨迹的两个基本条件。它们与连续系统绘制根轨迹的两个条件在形式上完全类似，因此前面对于连续系统得到的绘制根轨迹的基本规则均可推广用于采样控制系统。这里不再重复。唯一的区别在于，此处的 $G(z)$ 是开环脉冲传递函数，是 z 平面上复变量 z 的函数。绘制的根轨迹也是 z 平面上的根轨迹。

例 8-8-1 设图 8-6-3 中所示采样系统的采样周期 $T=0.5\mathrm{s}$，而

$$G(z)=\frac{K}{2}\frac{(1-\mathrm{e}^{-2T})z}{(z-1)(z-\mathrm{e}^{-2T})}=\frac{0.316Kz}{(z-1)(z-0.368)}$$

试绘制此系统的根轨迹图并确定系统稳定的临界增益 K 值。

解 根据绘制根轨迹的基本规则可知，此系统有两条根轨迹，分别从开环脉冲传递函数的两个极点 $p_1=1$ 和 $p_2=0.368$ 出发，当 $K\to\infty$ 时，一条根轨迹趋向零点 $z_1=0$，另一条趋向

$-\infty$ 处。趋向 $-\infty$ 处渐近线的相位为 180°。

在实轴上从 $p_1=1$ 至 $p_2=0.368$ 的线段上，以及从 $z_1=0$ 至 $-\infty$ 的线段上存在根轨迹。

根轨迹与实轴的分离点和会合点可用下式求得

$$\frac{\mathrm{d}K}{\mathrm{d}z}=\frac{\mathrm{d}}{\mathrm{d}z}\left[\frac{(z-1)(z-0.368)}{0.316z}\right]=0$$

$$\frac{\mathrm{d}K}{\mathrm{d}z}=\frac{(2z-1.368)z-(z^2-1.368z+0.368)}{0.316z^2}=0$$

$$z^2-0.368=0$$

由此得分离点为 0.6067，会合点为 -0.6067。

利用相位条件可以证明，根轨迹在 z 平面上的复数共轭部分为一个圆。令 $z=x+\mathrm{j}y$ 代入 $G(z)$，得

$$G(z)=\frac{0.316(x+\mathrm{j}y)}{[(x-1)+\mathrm{j}y][(x-0.368)+\mathrm{j}y]}$$

$$=\frac{0.316(x+\mathrm{j}y)}{[(x-1)(x-0.368)-y^2]+\mathrm{j}y(2x-1.368)}$$

$$\angle G(z)=\arctan\frac{y}{x}-\arctan\frac{y(2x-1.368)}{(x-1)(x-0.368)-y^2}=(2q+1)180°$$

对上式两边取正切，根据三角和公式可得

$$\frac{\dfrac{y}{x}-\dfrac{y(2x-1.368)}{(x-1)(x-0.368)-y^2}}{1+\dfrac{y}{x}\dfrac{y(2x-1.368)}{(x-1)(x-0.368)-y^2}}=0$$

最后得

$$x^2+y^2=0.6067^2$$

上式为一个圆的方程。圆心位于 z 平面坐标原点，半径为 0.6067。

根据以上分析得到的采样系统的根轨迹图如图 8-8-2 所示。由图可见，根轨迹的一条分支与单位圆交于 $z_b=-1$ 处。由此可求系统处于稳定临界状况下之增益 K 值

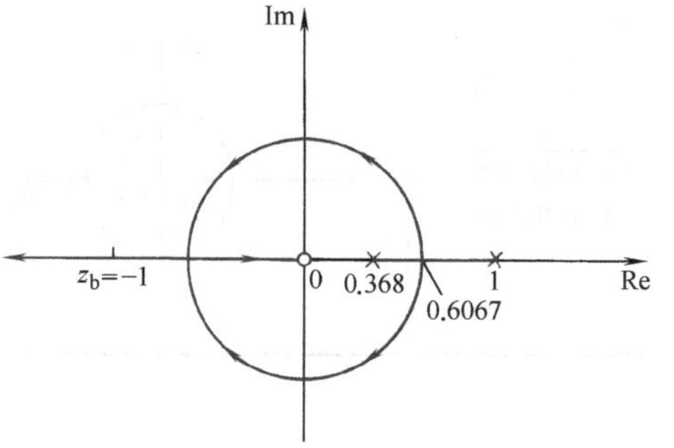

图 8-8-2 例 8-8-1 采样系统的根轨迹

$$K=\left|\frac{(z-1)(z-0.368)}{0.316z}\right|_{z=-1}=8.658$$

表 8-8-1 中列出了一些采样系统的根轨迹供读者参考。

表 8-8-1 一些采样系统的根轨迹

$G(z)$	根轨迹图	$G(z)$	根轨迹图
$\dfrac{1}{z-1}$	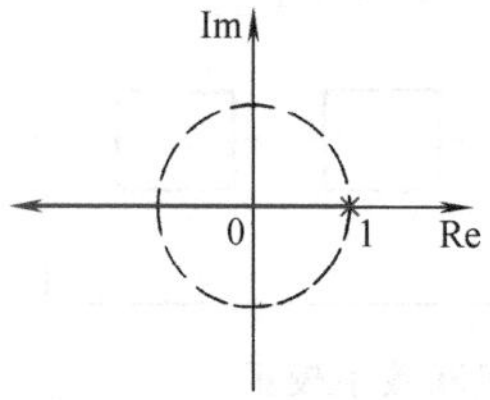	$\dfrac{z}{z-1}$	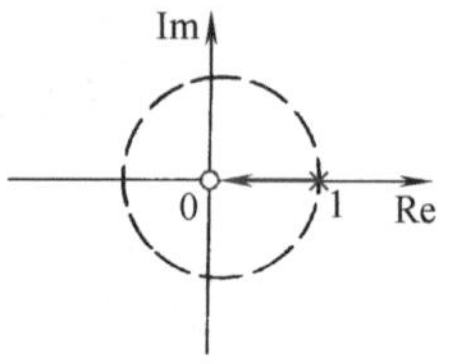

（续）

$G(z)$	根轨迹图	$G(z)$	根轨迹图
$\dfrac{z}{z-a}$ $(a<1)$	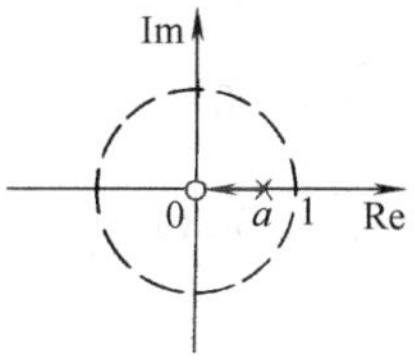	$\dfrac{z}{(z-1)^2}$	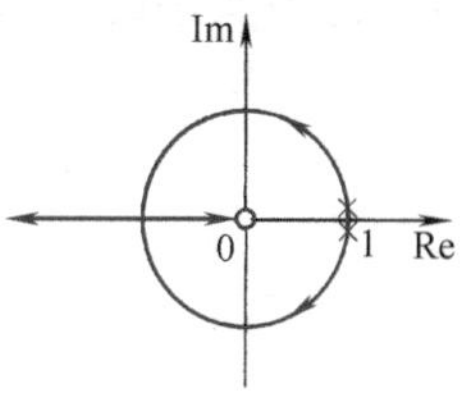
$\dfrac{z+a}{(z-1)(z-b)}$ $(-1<a<0,b<1)$	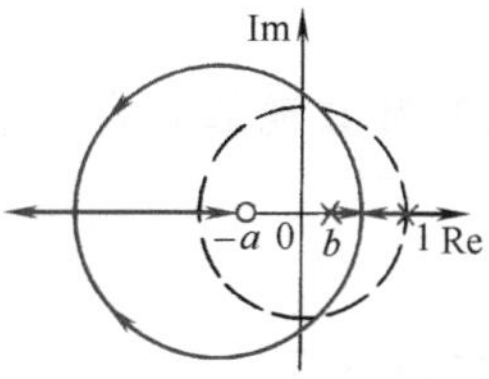	$\dfrac{z}{(z-a)^2}$ $(a<1)$	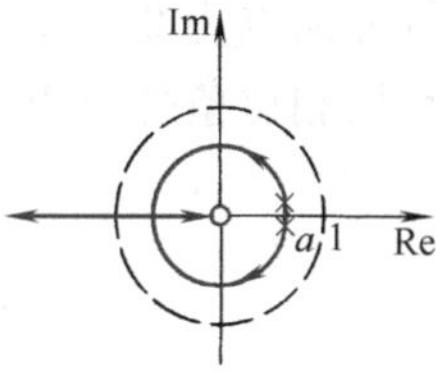
$\dfrac{z}{(z-p_1)(z-p_2)}$ $(\lvert p_i\rvert<1,$ $0<a_i<1,i=1,2)$	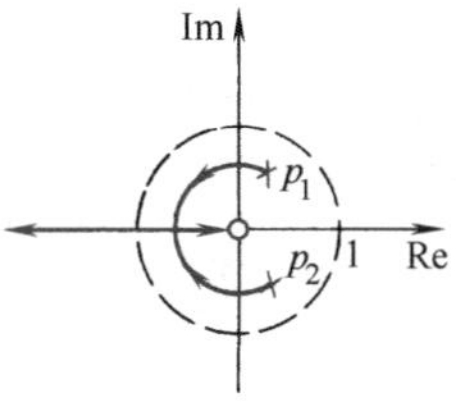	$\dfrac{z}{(z-a)(z-b)}$ $(a<1,b<1)$	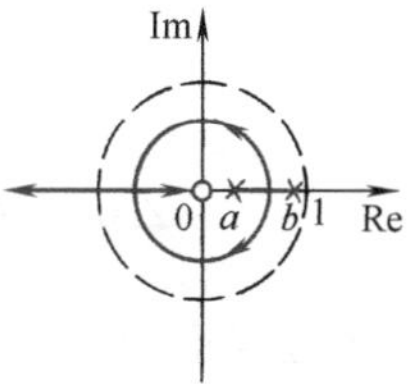
$\dfrac{z+a}{(z-1)(z-b)}$ $(-1<a<0,b<1)$	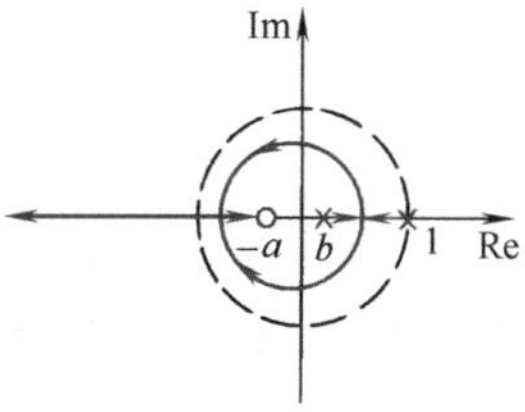	$\dfrac{z(z-a)}{(z-p_1)(z-p_2)}$ $(\lvert p_i\rvert<1,$ $0<a_i<1,i=1,2)$	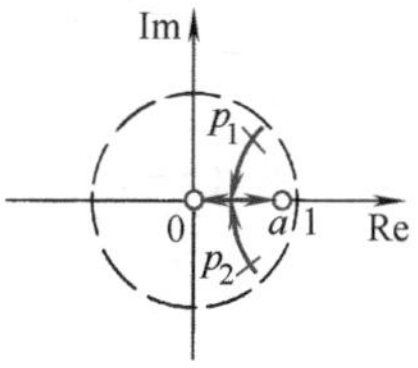

第九节　采样控制系统的校正

在设计采样控制系统的过程中，为了满足对系统性能指标所提出的要求，常常需要对系统进行校正。

与连续控制系统类似，采样系统的校正装置按其在系统中的位置可以分为串联校正装置与反馈校正装置，按其作用可以分为相位超前校正与相位滞后校正。与连续系统不同的是，采样系统中的校正装置不仅可以用模拟电路来实现，而且也可以用数字装置来实现。由于现代采样控制系统几乎都是数字控制系统，所以采用数字装置实现校正是主要的方式。

采用串联数字校正装置的采样系统框图如图 8-9-1 所示。

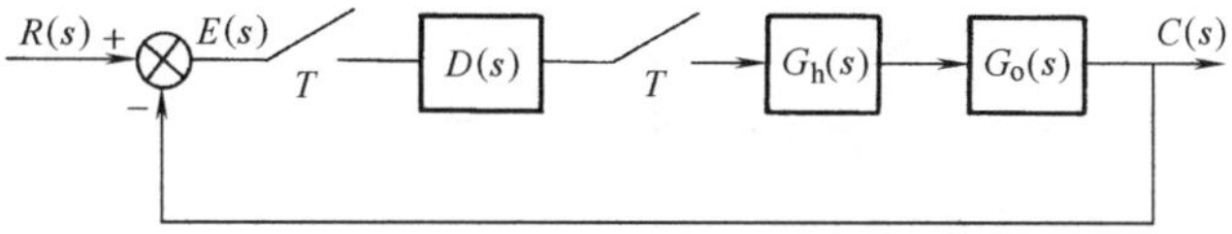

图 8-9-1　采样系统的串联数字校正

一、最少拍采样控制系统的校正

人们通常把采样过程中的一个采样周期称为一拍。若在典型输入信号的作用下，经过最少采样周期，系统的采样误差信号减少到零，实现完全跟踪，则此系统称为最少拍系统，又称最快响应系统。

下面结合图 8-9-1 所示的采样控制系统进行讨论。此系统的闭环脉冲传递函数和给定误差脉冲传递函数分别为

$$\Phi(z)=\frac{C(z)}{R(z)}=\frac{D(z)G(z)}{1+D(z)G(z)} \tag{8-9-1}$$

$$\Phi_e(z)=\frac{E(z)}{R(z)}=\frac{1}{1+D(z)G(z)} \tag{8-9-2}$$

式中，$G(z)=G_hG_o(z)$。

由此可以求得数字控制器的脉冲传递函数

$$D(z)=\frac{\Phi(z)}{G(z)[1-\Phi(z)]} \tag{8-9-3}$$

或

$$D(z)=\frac{1-\Phi_e(z)}{G(z)\Phi_e(z)} \tag{8-9-4}$$

在式（8-9-4）中，$G(z)$ 为保持器及被控对象的脉冲传递函数。它在校正时是不可改变的。$\Phi_e(z)$ 或 $\Phi(z)$ 应根据典型输入信号和性能指标确定。

当典型输入信号分别为单位阶跃信号、单位斜坡信号和单位加速度信号时，其 z 变换分别为

$$r(t)=1(t) \qquad R(z)=\frac{1}{1-z^{-1}}$$

$$r(t)=t \qquad R(z)=\frac{Tz^{-1}}{(1-z^{-1})^2}$$

$$r(t)=\frac{1}{2}t^2 \qquad R(z)=\frac{T^2z^{-1}(1+z^{-1})}{2(1-z^{-1})^3}$$

由此可得典型输入信号的 z 变换的一般形式为

$$R(z)=\frac{A(z)}{(1-z^{-1})^{\nu}} \tag{8-9-5}$$

$A(z)$ 是不包含（$1-z^{-1}$）的 z^{-1} 的多项式。

将式（8-9-5）代入式（8-9-2），得

$$E(z)=R(z)\Phi_e(z)=\Phi_e(z)\frac{A(z)}{(1-z^{-1})^{\nu}} \tag{8-9-6}$$

根据 z 变换的终值定理，系统的稳态误差终值为

$$\begin{aligned} e_{sr} &=\lim_{z\to 1}(1-z^{-1})R(z)\Phi_e(z) \\ &=\lim_{z\to 1}(1-z^{-1})\frac{A(z)}{(1-z^{-1})^{\nu}}\Phi_e(z) \end{aligned}$$

为了实现系统无稳态误差，$\Phi_e(z)$ 应当包含（$1-z^{-1}$）$^{\nu}$ 的因子，设

$$\Phi_e(z)=(1-z^{-1})^{\nu}F(z) \tag{8-9-7}$$

$F(z)$ 为不包含（$1-z^{-1}$）的 z^{-1} 的多项式，则闭环脉冲传递函数为

$$\Phi(z)=1-\Phi_e(z)=1-(1-z^{-1})^{\nu}F(z) \tag{8-9-8}$$

由此可得

$$C(z)=R(z)\Phi(z)=R(z)-A(z)F(z) \tag{8-9-9}$$

显然，当 $F(z)=1$ 时，$\Phi_e(z)$ 中所包含的 z^{-1} 的项数最少，这时采样控制系统的暂态过程可在最少拍内完成。因此设

$$\Phi_e(z)=(1-z^{-1})^{\nu} \tag{8-9-10}$$

及

$$\Phi(z)=1-(1-z^{-1})^{\nu} \tag{8-9-11}$$

上面两式是无稳态误差的最少拍采样系统的误差脉冲传递函数和闭环脉冲传递函数。

下面分析几种典型输入信号作用时的情况。

1）$r(t)=1(t)$，$R(z)=\dfrac{1}{1-z^{-1}}$，$\nu=1$ 时

$$\Phi_e(z)=1-z^{-1}$$

$$\Phi(z)=z^{-1}$$

$$C(z)=R(z)\Phi(z)=\frac{z^{-1}}{1-z^{-1}}=z^{-1}+z^{-2}+\cdots+z^{-n}+\cdots$$

2）$r(t)=t$，$R(z)=\dfrac{Tz^{-1}}{(1-z^{-1})^2}$，$\nu=2$ 时

$$\Phi_e(z)=(1-z^{-1})^2$$

$$\Phi(z)=2z^{-1}-z^{-2}$$

$$C(z)=R(z)\Phi(z)=\frac{(2z^{-1}-z^{-2})Tz^{-1}}{(1-z^{-1})^2}=2Tz^{-2}+3Tz^{-3}+\cdots+nTz^{-n}+\cdots$$

3）$r(t)=\dfrac{1}{2}t^2$，$R(z)=\dfrac{T^2z^{-1}\ (1+z^{-1})}{2\ (1-z^{-1})^3}$，$\nu=3$ 时

$$\Phi_e(z)=(1-z^{-1})^3$$

$$\Phi(z)=3z^{-1}-3z^{-2}+z^{-3}$$

$$C(z)=R(z)\Phi(z)=\frac{T^2z^{-1}(1+z^{-1})}{2(1-z^{-1})^3}(3z^{-1}-3z^{-2}+z^{-3})$$

$$=1.5T^2z^{-2}+4.5T^2z^{-3}+8T^2z^{-4}+\cdots+\frac{n^2}{2}T^2z^{-n}+\cdots$$

最少拍系统在上述输入信号作用下的暂态响应 $c^*(t)$ 分别如图 8-9-2、图 8-9-3 和图 8-9-4 所示。

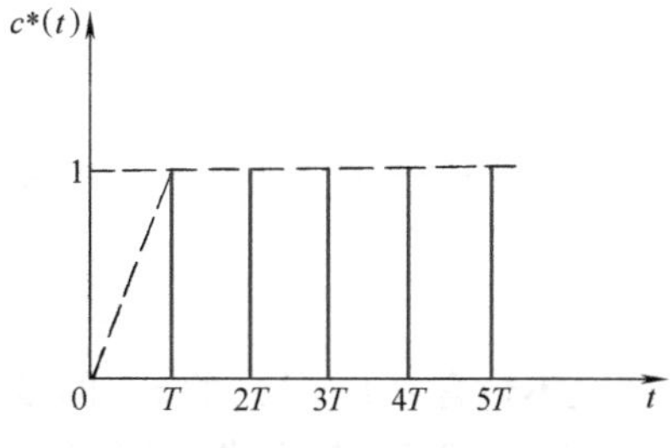

图 8-9-2　最少拍系统的单位阶跃响应

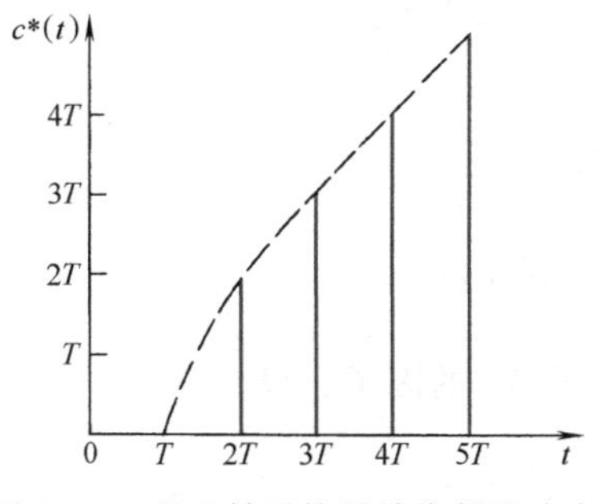

图 8-9-3　最少拍系统的单位斜坡响应

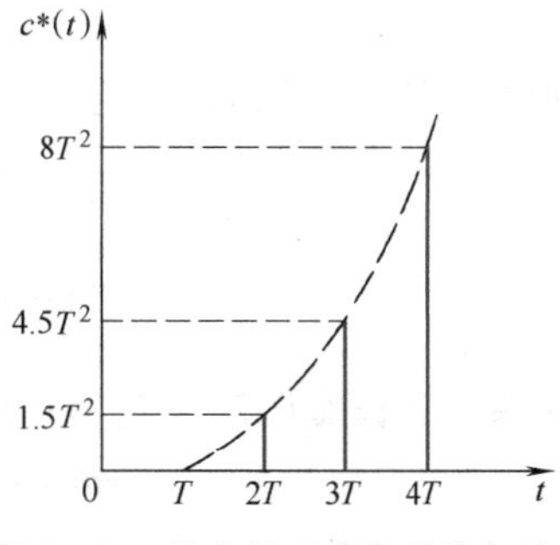

图 8-9-4　最少拍系统的单位加速度响应

在这几种典型输入信号作用下，最少拍系统的闭环脉冲传递函数及暂态过程时间见表 8-9-1。根据最少拍系统的闭环脉冲传递函数，可按式（8-9-3）或式（8-9-4）求出数字控制器的脉冲传递函数 $D(z)$，也一并列入表 8-9-1，供读者参考。

表 8-9-1　最少拍系统的校正

典型输入 $r(t)$	给定误差脉冲传递函数 $\Phi_e(z)$	闭环脉冲传递函数 $\Phi(z)$	数字控制器 $D(z)$	调整时间
$1(t)$	$1-z^{-1}$	z^{-1}	$\dfrac{z^{-1}}{(1-z^{-1})G(z)}$	T
t	$(1-z^{-1})^2$	$2z^{-1}-z^{2}$	$\dfrac{z^{-1}(2-z^{-1})}{(1-z^{-1})^2G(z)}$	$2T$
$\dfrac{1}{2}t^2$	$(1-z^{-1})^3$	$3z^{-1}-3z^{-2}+z^{-3}$	$\dfrac{z^{-1}(3-3z^{-1}-z^{-2})}{(1-z^{-1})^3G(z)}$	$3T$

例 8-9-1　设采样系统的框图如图 8-9-1 所示，其中 $G_h(s)G_o(s)=\dfrac{1-e^{-Ts}}{s}\dfrac{4}{s(0.5s+1)}$，已知 $T=0.5s$，试求在单位斜坡信号 $r(t)=t$ 作用下最少拍系统的 $D(z)$。

解　$G(z)=Z[G_h(s)G_o(s)]$

$$=\frac{0.736z^{-1}(1+0.717z^{-1})}{(1-z^{-1})(1-0.368z^{-1})}$$

在 $r(t)=t$ 时，$\Phi_e(z)=(1-z^{-1})^2$

$$\Phi(z)=1-\Phi_e(z)=2z^{-1}-z^{-2}$$

$$D(z)=\frac{1-\Phi_e(z)}{G(z)\Phi_e(z)}=\frac{2.717(1-0.368z^{-1})(1-0.5z^{-1})}{(1-z^{-1})\ (1+0.717z^{-1})}$$

加入数字校正装置后，最少拍系统的开环脉冲传递函数为

$$D(z)G(z)=\frac{2z^{-1}(1-0.5z^{-1})}{(1-z^{-1})^2}$$

系统的单位斜坡响应 $c^*(t)$ 如图 8-9-3 所示，暂态过程只需两个采样周期即可完成。

若上述系统的输入信号不是单位斜坡信号，而是单位阶跃信号时，情况将有所变化。当 $r(t)=1(t)$ 时，系统的输出信号的 z 变换为

$$C(z)=R(z)\Phi(z)=\frac{1}{1-z^{-1}}(2z^{-1}-z^{-2})$$

$$=2z^{-1}+z^{-2}+z^{-3}+\cdots+z^{-n}+\cdots$$

对应的单位阶跃响应如图 8-9-5 所示。由图可见，系统的暂态过程虽也只需两个采样周期即可完成，但在 $t=T$ 时却出现 100%的超调量。

如果上述系统的输入信号为单位加速度信号，则在系统中会出现稳态误差。

综上所述可知，根据一种典型输入信号进行校正而得到的最少拍采样系统，往往不能很好适应其他形式的输入信号。这使最少拍系统的应用受到很大的局限。

以上讨论的最少拍系统的校正方法，以及列入表 8-9-1

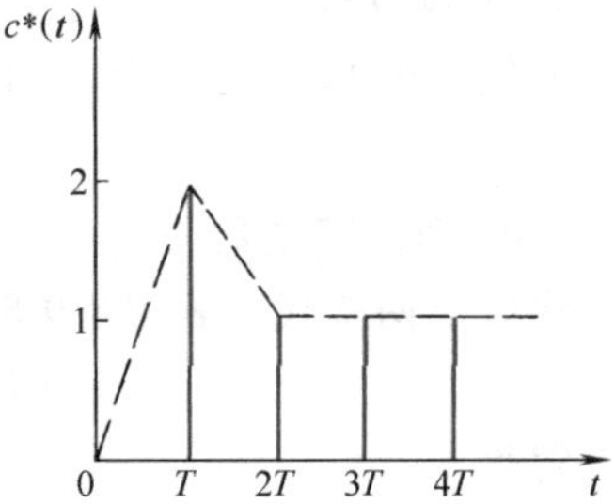

图 8-9-5　例 8-9-1 系统的单位阶跃响应

中的基本结论，是当 $G(z)$ 在 z 平面以原点为圆心的单位圆上和圆外均无零、极点，而且系统不包含滞后环节的情况下得到的。如果不满足这些条件，就不能直接应用表 8-9-1 中的基本结论。

下面略述一下当 $G(z)$ 含有 z 平面单位圆上或圆外零、极点时的情况。

由式（8-9-1）和式（8-9-2）可得

$$D(z)=\frac{\Phi(z)}{G(z)\Phi_e(z)}$$

为了保证闭环采样系统稳定，闭环脉冲传递函数 $\Phi(z)$ 和给定误差脉冲传递函数 $\Phi_e(z)$ 都不应包含 z 平面单位圆上或圆外的极点。此外，$G(z)$ 中所包含的单位圆上或圆外的零、极点也不希望用 $D(z)$ 来补偿，以免参数漂移会对这种补偿带来不利的影响。这样一来，$G(z)$ 中所包含的单位圆上或圆外的极点便只能靠 $\Phi_e(z)$ 的零点来抵消，而 $G(z)$ 所含单位圆上或圆外的零点则只能用 $\Phi(z)$ 的零点来抵消。

综合上述，在 $G(z)$ 包含 z 平面单位圆上或圆外零、极点时，可以按照以下方法选择闭环脉冲传递函数：

1）用 $\Phi_e(z)$ 的零点补偿 $G(z)$ 在单位圆上或圆外的极点；

2）用 $\Phi(z)$ 的零点抵消 $G(z)$ 在单位圆上或圆外的零点；

3）由于在 $G(z)$ 常含有 z^{-1} 的因子，为了使 $D(z)$ 在实际中能实现，要求 $\Phi(z)$ 也含有 z^{-1} 的因子。考虑到 $\Phi(z)=1-\Phi_e(z)$，所以，$\Phi_e(z)$ 应为包含常数项 1 的 z^{-1} 的多项式。

根据上述条件，按照式（8-9-7）选择 $\Phi_e(z)$ 时，不能如前面所述的再取 $F(z)=1$ 了，而应使 $F(z)$ 的零点能够补偿 $G(z)$ 在 z 平面单位圆上或圆外的极点。这样做的结果使采样系统的暂态过程时间长于表 8-9-1 中所给出的时间。

例 8-9-2 设单位反馈采样控制系统中被控对象和零阶保持器的传递函数分别为

$$G_o(s)=\frac{10}{s(0.1s+1)(0.05s+1)};G_h(s)=\frac{1-e^{-Ts}}{s}$$

式中，$T=0.2$s。试求在单位阶跃输入信号作用下最少拍系统的数字控制器的脉冲传递函数 $D(z)$，以及系统输出响应 $c^*(t)$。

解 系统的开环脉冲传递函数为

$$G(z)=Z[G_h(s)G_o(s)]=\frac{0.762z^{-1}(1+0.0459z^{-1})(1+1.131z^{-1})}{(1-z^{-1})(1-0.135z^{-1})(1-0.0183z^{-1})}$$

上式表明，$G(z)$ 包含一个位于 z 平面单位圆外的零点。根据上述可知，$\Phi(z)$ 应含 $z^{-1}(1+1.131z^{-1})$。设

$$\Phi(z)=1-\Phi_e(z)=a_1z^{-1}(1+1.131z^{-1})$$

式中，a_1 为待定系数。

显然，$\Phi_e(z)$ 是一个 z^{-1} 的二阶多项式。考虑到 $r(t)=1(t)$，$\Phi_e(z)$ 应为

$$\Phi_e(z)=(1-z^{-1})(1+a_2z^{-1})$$

式中，a_2 为待定系数。

将以上两式代入式（8-9-8），可得

$$1-(1-z^{-1})(1+a_2z^{-1})=a_1z^{-1}(1+1.131z^{-1})$$

可以解得

$$a_1=0.469,a_2=0.531$$

$$\Phi(z)=0.469z^{-1}(1+1.131z^{-1})$$

$$\Phi_e(z)=(1-z^{-1})(1+0.531z^{-1})$$

由式（8-9-4）可以求得

$$D(z)=\frac{0.615(1-0.0183z^{-1})(1-0.135z^{-1})}{(1+0.0459z^{-1})(1+0.531z^{-1})}$$

经过数字校正后，采样控制系统的输出信号的 z 变换为

$$C(z)=\Phi(z)R(z)=0.469z^{-1}(1+1.131z^{-1})\frac{1}{1-z^{-1}}$$

$$=0.469z^{-1}+z^{-2}+z^{-3}+\cdots+z^{-n}+\cdots$$

系统的暂态响应 $c^*(t)$ 如图 8-9-6 所示。由图可见，采样控制系统的暂态过程在两拍内结束，比表 8-9-1 的暂态时间多了一拍，这是由于 $G(z)$ 含有一个单位圆外零点所造成的。

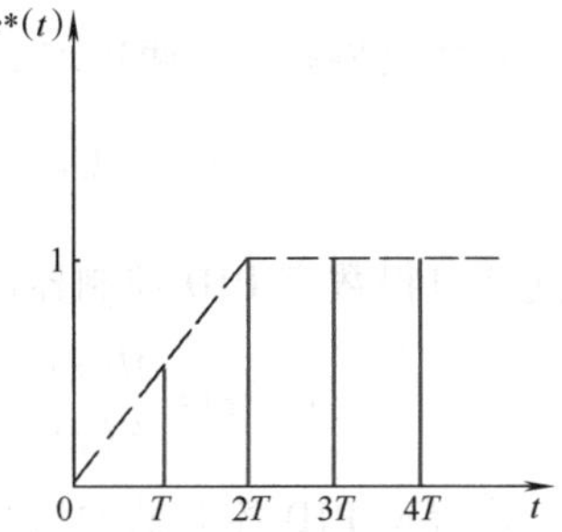

图 8-9-6　例 8-9-2 系统的单位阶跃响应

一般说来，最少拍系统暂态响应时间的增长与 $G(z)$ 所含 z 平面单位圆上或圆外的零、极点个数成正比。

上面扼要介绍了最少拍采样控制系统的校正方法。最少拍系统校正方法比较简便，系统结构也比较简单，但在实际应用中存在较大的局限性。首先，最少拍系统对于不同输入信号的适应性较差。对于一种输入信号设计的最小拍系统遇到其他类型输入信号时，表现出的性能往往不能令人满意。虽然可以考虑根据不同的输入信号自动切换数字校正程序，但实用中仍旧不便。其次，最少拍系统对参数的变化也较敏感。当系统参数受各种因素的影响发生变化时，会导致暂态响应时间的延长。

应当指出，上述校正方法只能保证在采样点稳态误差为零，而在采样点之间系统的输出可能会出现波动（与输入信号比较），因而这种系统称为有纹波系统。纹波的存在不仅影响精度，而且会增加系统的机械磨损和功耗，这当然是不希望的。适当增加暂态响应时间（拍数）可以实现无纹波输出的采样系统。由于篇幅所限，读者若有兴趣请参阅有关文献。

二、数字 PID 控制器

PID 控制算法简单，结构可灵活改变，技术成熟，可靠性高，在线性连续控制系统中得到了广泛的应用。在采样控制系统中，常使用数字 PID 控制器。本节简单介绍数字 PID 控制器的基本结构与算法。

比例-积分-微分控制作用（Proportional-Integral-Derivative Control）简称 PID 控制，它将系统误差的比例、积分和微分线性组合构成控制作用。模拟 PID 控制器的表达式为

$$m(t)=K_Pe(t)+K_I\int e(t)\mathrm{d}t+K_D\frac{\mathrm{d}e(t)}{\mathrm{d}t} \tag{8-9-12}$$

式中，$e(t)$为系统误差信号；K_P 为比例增益；K_I 为积分增益；K_D 为微分增益。

$$G_c(s)=\frac{M(s)}{E(s)}=\frac{K_Ds^2+K_Ps+K_I}{s} \tag{8-9-13}$$

（一）数字 PID 算法的位置型

将式（8-9-12）离散化，可得数字 PID 控制器的表达式

$$m(k)=K_Pe(k)+TK_I\sum_{j=0}^{k}e(j)+\frac{K_D}{T}[e(k)-e(k-1)] \tag{8-9-14}$$

式中，k 为采样序列号，$k=0,1,2,\cdots$；T 为采样周期。

$m(k)$ 为第 k 个采样时刻 PID 控制器的输出，$e(k)$ 为第 k 个采样时刻系统的误差，$e(k-1)$ 为第 $k-1$ 个采样时刻系统的误差。为和模拟 PID 控制器相区别，数字 PID 控制器的比例增益、积分增益和微分增益的下标用英文小写字母表示，令

$$K_p=K_P, \quad K_i=TK_I, \quad K_d=\frac{K_D}{T} \tag{8-9-15}$$

式（8-9-14）可改写成

$$m(k)=K_pe(k)+K_i\sum_{j=0}^{k}e(j)+K_d[e(k)-e(k-1)] \tag{8-9-16}$$

对式（8-9-16）两边求 z 变换，得

$$M(z)=K_pE(z)+K_i\frac{E(z)}{1-z^{-1}}+K_d[E(z)-z^{-1}E(z)]$$

由此式可得数字 PID 控制器的脉冲传递函数为

$$G_c(z)=\frac{M(z)}{E(z)}=K_p+\frac{K_i}{1-z^{-1}}+K_d(1-z^{-1})=\frac{K_p(1-z^{-1})+K_i+K_d(1-z^{-1})^2}{1-z^{-1}} \tag{8-9-17}$$

位置型 PID 控制器的输出为全量输出。如果执行机构是控制阀，则控制量对应阀门的开度。采用位置型 PID 控制器的闭环控制系统如图 8-9-7 所示，其中 $G_o(s)$ 是被控对象的传递函数。

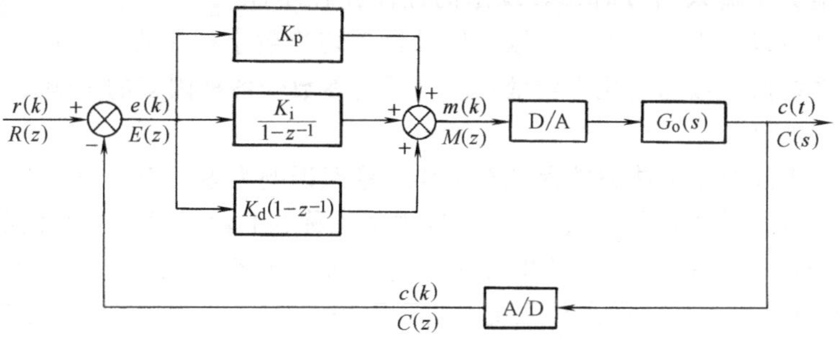

图 8-9-7 采用位置型 PID 控制器的系统

（二）数字 PID 算法的增量型

PID 算法的增量型也称为速度型。控制器的输出是控制量每一步的增量 $\Delta m(k)$。由式（8-9-16）可得

$$m(k-1)=K_pe(k-1)+K_i\sum_{j=0}^{k-1}e(j)+K_d[e(k-1)-e(k-2)] \tag{8-9-18}$$

式（8-9-16）减去式（8-9-18），得

$$\begin{aligned}\Delta m(k)&=m(k)-m(k-1)\\&=K_pe(k)+K_i\sum_{j=0}^{k}e(j)+K_d[e(k)-e(k-1)]-\\&\quad K_pe(k-1)-K_i\sum_{j=0}^{k-1}e(j)-K_d[e(k-1)-e(k-2)]\\&=K_p[e(k)-e(k-1)]+K_ie(k)+K_d[e(k)-2e(k-1)+e(k-2)]\\&=(K_p+K_i+K_d)e(k)-(K_p+2K_d)e(k-1)+K_de(k-2)\end{aligned} \tag{8-9-19}$$

这就是 PID 算法的增量型。将上述增量式作简单运算，得到如下增量算法表达式

$$m(k)=m(k-1)+\Delta m(k)$$

$$=m(k-1)+(K_p+K_i+K_d)e(k)-(K_p+2K_d)e(k-1)+K_de(k-2) \tag{8-9-20}$$

对式（8-9-20）两边求 z 变换，得

$$M(z)=z^{-1}M(z)+(K_p+K_i+K_d)E(z)-(K_p+2K_d)z^{-1}E(z)+K_dz^{-2}E(z)$$

根据上式可得数字 PID 控制器增量型的脉冲传递函数

$$G_c(z)=\frac{M(z)}{E(z)}=\frac{(K_p+K_i+K_d)-(K_p+2K_d)z^{-1}+K_dz^{-2}}{1-z^{-1}} \tag{8-9-21}$$

增量型算法与位置型算法无根本差别，只是在增量算法中，把由计算机承担的累加功能由系统中的其他部件，如步进电动机等来完成。比较式（8-9-16）和式（8-9-19）中的积分项，可以看出位置型 PID 控制器在采样时刻积分项为

$$K_i\sum_{j=0}^{k}e(j)$$

增量型 PID 控制器在采样时刻积分项为

$$K_ie(k)$$

增量型算法的优点是在自动和手动切换时，影响较小，在工业控制中称为无冲击切换；在增量型 PID 控制器中，计算机只输出增量 $\Delta m(k)$，在计算机发生误动作时，影响较小。增量型算法适用于系统输出的执行元件为积分元件的情况。另外，由于增量型 PID 算法无累加项，在消除系统误差时，使发生的饱和现象得到改善。在工业过程控制的实际应用中，位置型算法输出的是调节阀的开度，而增量型算法输出的是调节阀开度的增量。除以上两种数字 PID 算法，还有基于不完全微分型算法的 PID 控制等，由于篇幅有限，不赘述。

一般数字 PID 控制系统的采样周期选择得比较小，被控对象相对于采样周期而言具有较大的时间常数，因此数字 PID 参数整定可以按模拟 PID 参数整定的方法进行。

第十节　基于 MATLAB 的采样控制系统分析

MATLAB 控制系统工具箱中离散系统的各种分析功能，函数名均以 d 开头，以示和连续系统有关函数的区别。但计算根轨迹仍用 rlocus 函数。

例 8-10-1　已知某采样系统的闭环脉冲传递函数

$$\frac{C(z)}{R(z)}=\frac{0.632z}{z^2-0.736z+0.368}$$

采样周期 $T=0.5\text{s}$，求单位阶跃响应。

解　选仿真终止时间 $t_f=15\text{s}$。MATLAB 命令为：

```
numd=[0.632,0];
dend=[1,-0.736,0.688];
tf=15;
dstep(numd,dend,tf/0.5)
```

得到如图 8-10-1 所示的响应曲线，其中横坐标是采样周期数 n。

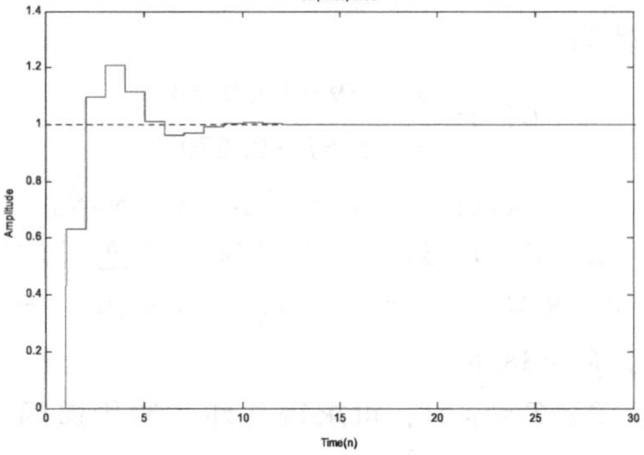

图 8-10-1　例 8-10-1 系统的单位阶跃响应

例 8-10-2　采样系统的开环脉冲传递函

数为

$$G(z)=\frac{Kz}{z^2-1.6z+0.8}$$

绘制系统的根轨迹，并确定系统临界稳定的 K 值。

解 MATLAB 命令为：

```
numd=[10];
dend=[1,-1.6,0.8];
rlocus(numd,dend)
axis equal
zgrid(0.707,2)
```

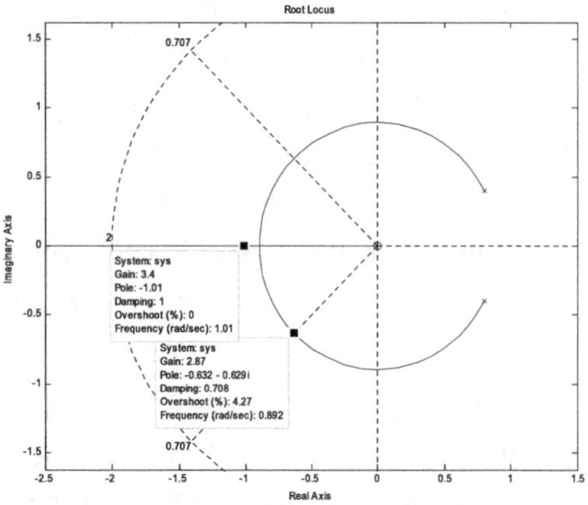

图 8-10-2 例 8-10-2 系统的根轨迹

根轨迹如图 8-10-2 所示。用工具栏中的“data cursor”可找到负实轴上−1 的闭环极点，该点对应的开环增益 3.4 即为系统临界稳定的增益 K_c。从根轨迹与 0.707 阻尼比线的交点，可得到所需信息。

例 8-10-3 已知带零阶保持器的采样系统框图如图 8-10-3 所示，其中 $G_h(s)=\dfrac{1-e^{-sT}}{s}$，$G(s)=\dfrac{K}{s(s+4)}$，$K=1$，采样周期 $T=0.25s$。求系统的开环脉冲传递函数 $G(z)$。

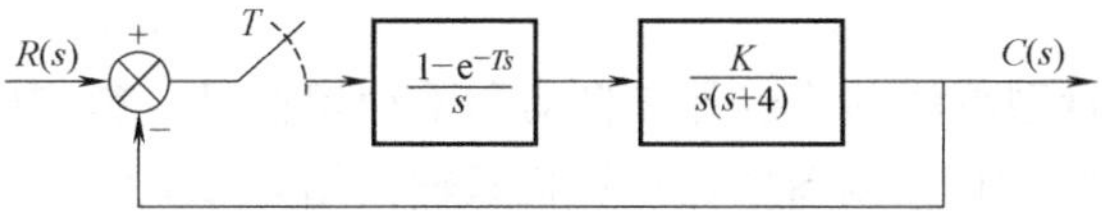

图 8-10-3 带零阶保持器的采样系统

解 MATLAB 命令如下

```
num=[1];
den=[1,4,0];
Gs=tf(num,den);
Gz=c2d(Gs,0.25)
```

运行结果是

$$G(z)=\frac{0.02299z+0.01652}{z^2-1.3679z+0.3679} \tag{8-10-1}$$

例 8-10-4 分析例 8-10-3 系统的临界稳定增益与采样周期的关系。

解 令采样周期 T 分别为 0.1s，0.25s，1s，分别做根轨迹，并确定 K_c。

1）$T=0.1s$ 时，可求得开环脉冲传递函数为

$$G(z)=\frac{0.04395z+0.03847}{z^2-1.67z+0.6703}$$

其根轨迹如图 8-10-4 所示，$K_c=86.9$。

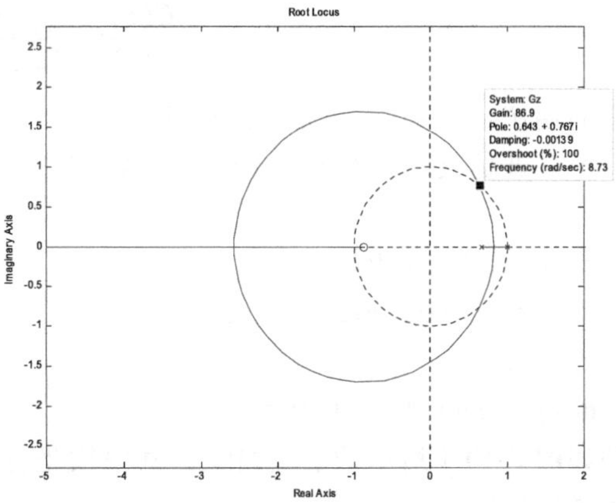

图 8-10-4 例 8-10-3 系统的根轨迹（$T=0.1s$）

2）$T=0.25s$ 时，开环脉冲传递函数如式（8-10-1），其根轨迹如图 8-10-5 所示，$K_c=38.8$。

3）$T=1s$ 时，可求得开环脉冲传递函数为

$$G(z)=\frac{0.1886z+0.05678}{z^2-1.018z+0.01832}$$

其根轨迹如图 8-10-6 所示，$K_c=15.4$。

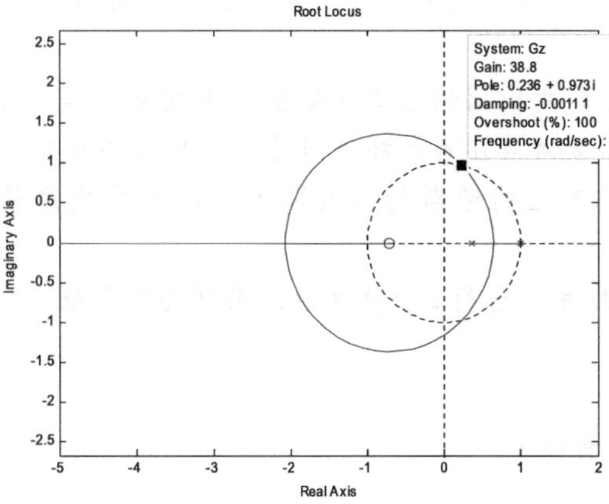

图 8-10-5　例 8-10-3 系统的根轨迹（$T=0.25$s）

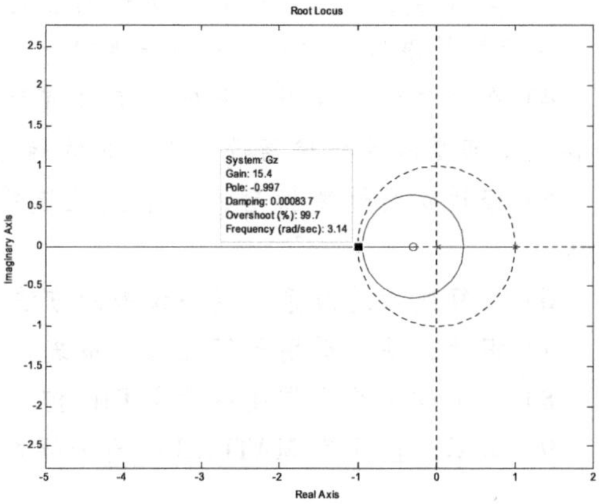

图 8-10-6　例 8-10-3 系统的根轨迹（$T=1$s）

可见，临界稳定增益与采样周期成反比的关系。令 $K=10$，T 分别为 0.1s，0.25s，1s 时的单位阶跃响应如图 8-10-7 所示。

事实上，当 $K=10$ 时，$T=0.1$s 的闭环极点为 $p_{1,2}=0.813\pm j0.2187$，$T=0.25$s 的闭环极点为 $p_{1,2}=0.569\pm j0.4574$，$T=1$s 的闭环极点为 $p_{1,2}=-0.434\pm j0.6162$。可见闭环脉冲传递函数极点分布在单位圆内的右半部，有比较好的暂态响应性能。

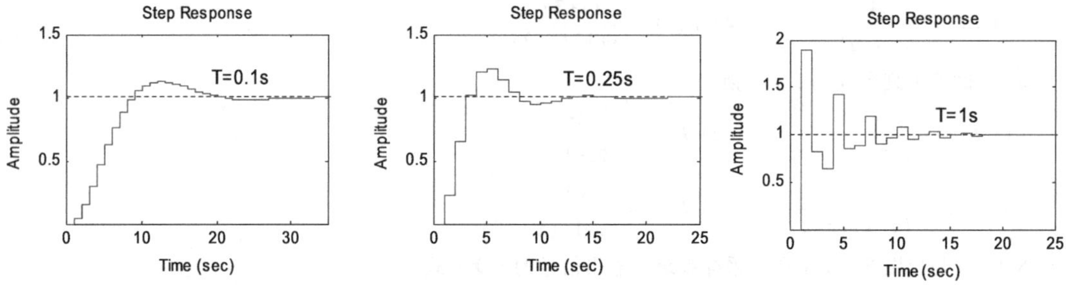

图 8-10-7　例 8-10-3 系统的单位阶跃响应

以此例说明采样周期的选取。系统连续部分的传递函数写成时间常数的形式为

$$G(s)=\frac{10}{s(s+4)}=\frac{2.5}{s(0.25s+1)}$$

由系统的伯德图可确定系统的剪切频率为 $\omega_c=K=2.5$rad/s。对于此类时间常数较小的系统，在工程上常将采样角频率近似取为 $\omega_s=10\omega_c$，即有采样周期 $T=\dfrac{\pi}{5\omega_c}=0.25$s。

以上 MATLAB 仿真结果也说明取 $T\leqslant 0.25$s 是合适的。

小　　结

由于计算机的迅速发展，采样控制系统应用日益广泛。本章介绍了线性采样控制系统的分析与设计方法，其主要内容是：

1）实现采样控制首先须将连续信号变换为离散信号，这就是采样。采样过程可视为一

种脉冲调制过程。为能无失真地恢复连续信号，采样频率的选定应符合香农采样定理。

2）理想滤波器能将采样后的离散信号无失真地恢复为连续信号。但实际上不存在理想滤波器，常用的是按恒值外推原理构成的零阶保持器。

3）离散信号的拉普拉斯变换式包含超越函数，采用 z 变换能将其有理化。为弥补一般的 z 变换的局限性，可采用广义 z 变换。

4）在零初始条件下，采样系统（或环节）的离散输出信号的 z 变换与离散输入信号 z 变换之比即是脉冲传递函数。求系统的脉冲传递函数时应注意各环节间是否设有采样开关。

5）经过双线性变换后，可用线性连续系统稳定性的劳斯判据判别线性采样系统的稳定性。

6）计算线性连续系统稳态误差的方法可以推广用于进行 z 变换之后的采样控制系统。

7）根轨迹法也适用于线性采样系统。

8）在采样系统中常使用数字 PID 控制器。

9）本章给出了用 MATLAB 分析采样控制系统的例子。

习　　题

8-1　试求以下函数经过等周期采样后的离散函数的 z 变换。

(1) $f(t)=1-e^{-at}$　(2) $f(t)=a^{t/T}$　(3) $f(t)=te^{at}$

(4) $f(t)=t^2$　(5) $f(t)=e^{-at}\sin\omega t$

8-2　求下列拉普拉斯变换式所对应的 z 变换。

(1) $F(s)=\dfrac{a}{s(s+a)}$　(2) $F(s)=\dfrac{\omega}{s^2-\omega^2}$

(3) $F(s)=\dfrac{1}{s^2(s+a)}$　(4) $F(s)=\dfrac{(s+3)}{(s+1)(s+2)}$

8-3　试求下列各式的 z 反变换。

(1) $F(z)=\dfrac{z}{z+a}$　(2) $F(z)=\dfrac{2z}{(2z-1)^2}$

(3) $F(z)=\dfrac{z}{(z-1)(z-2)}$　(4) $F(z)=\dfrac{z(1-e^{-aT})}{(z-1)(z-e^{-aT})}$

8-4　请写出图 8-T-1 中所示采样系统的输出信号的 z 变换式。

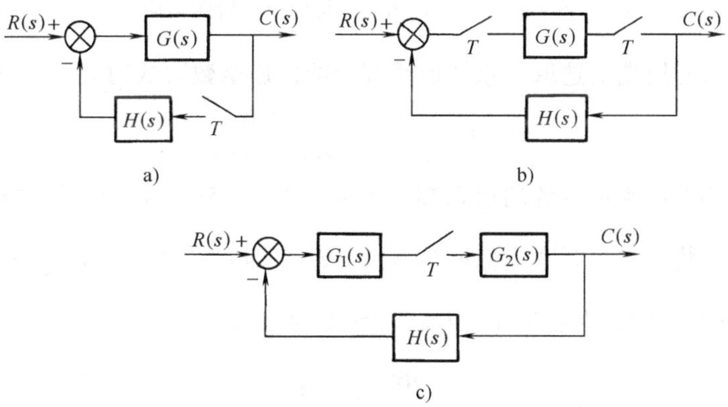

图 8-T-1　题 8-4 图

8-5　请列出图 8-T-2 所示采样控制系统的差分方程。

8-6　已知图 8-T-3 中所示系统的采样周期为 $T=1\text{s}$，要求

(1) 应用劳斯判据分析采样系统的稳定性；

(2) 绘制采样系统的根轨迹。

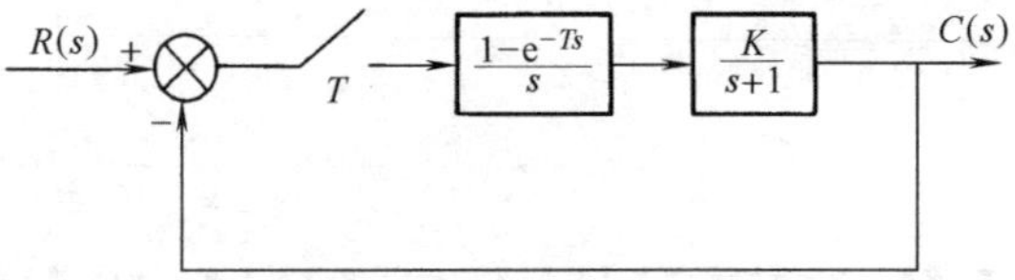

图 8-T-2　题 8-5 图

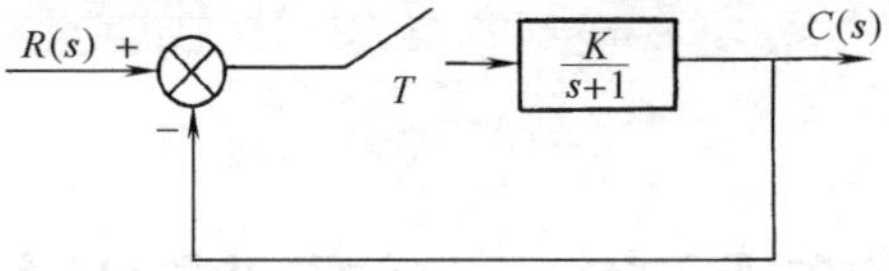

图 8-T-3　题 8-6 图

8-7　设图 8-T-2 所示系统的采样周期 $T=1\text{s}$，试求此系统稳定的临界增益 K 值。

8-8　用 MATLAB 求上题中系统在 $K=4$ 时的单位阶跃响应。

8-9　检验下列特征方程的所有根是否均位于单位圆之内：

(1) $z^3-0.2z^2-0.25z+0.05=0$

(2) $z^4-1.7z^3+1.04z^2+0.268z+0.024=0$

8-10　试用稳态误差系数法计算图 8-T-4 所示采样系统在输入信号为 $r(t)=1(t)+t$ 时的稳态误差终值 e_{sr}。

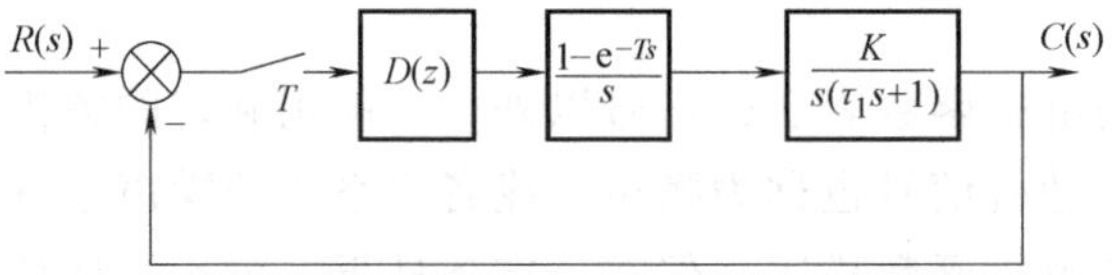

图 8-T-4　题 8-10 图

8-11　试用稳态误差级数法计算题 8-10 的稳态误差。

8-12　绘出图 8-T-4 所示系统在 $\tau_1=1\text{s}$，$T=1\text{s}$，$D(z)=1$ 时的以 K 为参变量的根轨迹。

8-13　采样控制系统如图 8-T-4，其中 $T=0.1\text{s}$，$G(s)=\dfrac{K}{s(s+1)}$。

(1) 令 $K=1$，用 MATLAB 求未串联校正装置 $D(z)$ 时的开环脉冲传递函数 $G(z)$；

(2) 求速度误差系数 K_v，并确定 $K_v=1$ 时的 K 值；

(3) 在满足 $K_v=1$ 时的 K 值下，用 MATLAB 做系统的单位阶跃响应曲线；

(4) 串联脉冲传递函数为 $D(z)=5.24\dfrac{z-0.864}{z-0.286}$ 的相位超前校正装置，求系统的单位阶跃响应。

8-14　采样控制系统如图 8-T-4 所示，其中 $T=1\text{s}$，$G(s)=\dfrac{K}{s(0.1s+1)}$。求 $D(z)$，使系统对单位阶跃输入时的响应是无稳态误差的最短时间响应，并用 MATLAB 绘制输出响应曲线 $c^*(t)$。

8-15　已知采样系统的开环脉冲传递函数为

$$G(z)=\frac{0.2145z+0.1609}{z^2-0.75z+0.125}$$

求系统在单位阶跃输入时的稳态误差终值，并用 MATLAB 绘制输出响应曲线和给定误差曲线 $e^*(t)$。

第九章　平稳随机信号作用下线性系统的分析

前几章中所讨论的都是确定性系统，其特点是除了系统的结构和参量是确定的、已知的和不变化的，系统的参考输入及扰动信号也都是确定的，可用解析式或确定的图表描述。这一章将要讨论的是另一类系统，它的特点是：系统的结构和参量是确定的，但是系统的参考输入，也许是扰动信号，其全部或部分不能用确切的解析函数描述。这种系统称为不确定性系统。

系统中除用确定的解析函数表示的信号以外，不能用确定的解析函数表示的信号称为随机信号，系统的这部分随机信号也称为噪声，或者说系统的噪声是具有随机特性的信号。随机信号虽不能用确定的解析函数描述，但在一定条件下，可用统计特性对其描述。

严格地说，完全不接受随机信号的系统实际是不存在的，但是在许多情况下，对系统的性能要求不是很高，而且输入信号中有用的控制信号占主导地位时，随机信号的影响可以忽略不计。但是随着科学技术尤其是航天、航空事业的发展，人们对系统性能的要求也越来越高，这就不得不考虑在随机信号作用下如何分析和设计系统的问题。

本章的内容主要是分析平稳随机信号作用下线性系统的性能。当然，其原理也适用于此类系统的设计。

第一节　随机信号及其作用下线性系统的性能指标

一、随机信号与随机过程

在概率论中主要是用统计的方法分析研究随机变量，在控制理论中主要是研究随机过程。本书不对随机变量及随机过程给出严格的数学意义上的定义，简单地说，随机过程就是与时间有关的随机变量，或者说，随机过程在任一时刻上的状态即为随机变量。因此，也可以用随机变量的统计方法描述随机过程的统计特性。

对于随机变量 X，其概率密度函数（亦简称概率密度）$p(x)$ 能完全描述它的统计特性。但在实际应用时，往往不是直接用概率密度函数，而用几个能描述其分布的特征数据，这些特征数据亦称作矩。随机变量的矩有原点矩和中心矩两种，其中广为应用的是一阶原点矩和二阶中心矩。设随机变量 X 的概率密度为 $p(x)$，其一阶原点矩（也称作数学期望或均值）的定义为

$$E[X]=\bar{x}=\int_{-\infty}^{\infty} xp(x)\,\mathrm{d}x \tag{9-1-1}$$

二阶中心矩亦称作方差，其定义为

$$Var[X]=E[(x-m)^2]=\int_{-\infty}^{\infty}(x-m)^2p(x)\mathrm{d}x \tag{9-1-2}$$

以正态分布随机变量 X 为例，已知其概率密度为

$$p(x)=\frac{1}{\sqrt{2\pi\sigma}}\mathrm{e}^{-(x-m)^2/2\sigma^2} \tag{9-1-3}$$

将式（9-1-3）代入式（9-1-1），即得到

$$E[X]=m$$

将式（9-1-3）代入式（9-1-2），即得到

$$Var[X]=\sigma^2 \tag{9-1-4}$$

一阶原点矩表征了概率密度 $p(x)$ 在 x 取值区间上的分布中心，同时它也代表了随机变量 X 分布总体的某种平均特性。二阶中心矩，即方差表征了随机变量在其均值 m 周围的离散程度。

图 9-1-1 是随机过程 $X(t)$ 的图形。若将时间 t 固定，例如 $t=t_1$，则随机过程在此断面上形成了一个随机变量 $X(t_1)$。当时间取任意 n 个数值 t_1，t_2，…，t_n 时，得到 n 维随机变量 $X(t_1)$，$X(t_2)$，…，$X(t_n)$。于是，一个随机过程可以近似地作为多维随机变量看待。要完全描述随机过程，须知道此多维随机变量的 n 维联合概率密度函数

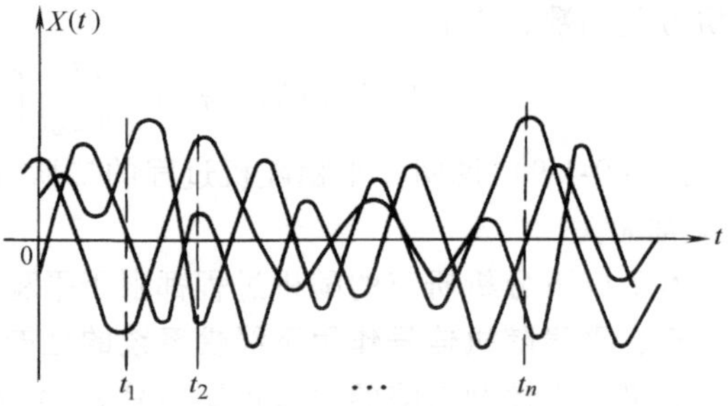

图 9-1-1　随机过程

$$p(x_1,x_2,\cdots,x_n;t_1,t_2,\cdots,t_n)$$

为了简化分析，将研究局限于平稳随机过程。

二、平稳随机过程

在实际中有许多随机过程，不仅它的现在状态，而且它的过去状态都对未来状态的发生有着很强烈的影响，其中最为常见的就是平稳随机过程。

平稳随机过程的特点：过程的统计特性不随时间的推移而变化，或者说，统计特性不随时间而变化的过程称为平稳随机过程。在实际中，热噪声电压、测量仪器的测量误差、照明用电的电网电压波动等许多过程都可以近似地认为是平稳随机过程。因此，平稳随机过程是很重要的一类随机过程。

平稳随机过程的特性也必然反映在数学特征上面。

设 $X(t)$ 为一平稳随机过程，其一维概率密度不依赖于时间，记为 $p_1(x_1)$，故 $X(t)$ 的均值，即一阶原点矩为

$$\bar{x}_1=E[X(t)]=\int_{-\infty}^{\infty}x_1p_1(x_1)\mathrm{d}x_1=\text{常量} \tag{9-1-5}$$

其二阶原点矩，即均方值为

$$\bar{x}_1^2=E[X^2(t)]=\int_{-\infty}^{\infty}x_1^2p_1(x_1)\mathrm{d}x_1=\text{常量} \tag{9-1-6}$$

而其二阶中心矩，即方差为

$$\sigma^2=E[(x_1-m_0)^2]=\int_{-\infty}^{\infty}(x_1-m_0)^2p(x_1)\mathrm{d}x_1=\text{常量} \tag{9-1-7}$$

式中，$m_0=E[X(t)]$。

由此可知，平稳随机过程的所有实验（或称样本）曲线都在水平直线 $X(t)=E[X(t)]$ 附近上下波动，偏离的程度由方差 σ^2 表征。

还可以进一步分析平稳随机过程 $X(t)$ 在时刻 t_1 和 t_2 的二维联合概率密度 $p_2(x_1,\ x_2;\ t_1,\ t_2)$。由于平稳随机过程的概率密度不随时间推移而变化，故有

$$p_2(x_1,x_2;t_1,t_2)=p_2(x_1,x_2;t_1+\Delta t,t_2+\Delta t)$$

式中，Δt 为推移时间。

现令 $\Delta t=-t_1$，则有

$$\begin{aligned}p_2(x_1,x_2;t_1,t_2)&=p_2(x_1,x_2;0,t_2-t_1)\\&=p_2(x_1,\ x_2;\ \tau)\end{aligned}\tag{9-1-8}$$

式中，τ 为时距，$\tau=t_2-t_1$。

式（9-1-8）说明，平稳随机过程的二维联合概率密度仅依赖于时距 $\tau=t_2-t_1$，而与具体的时间个别值 t_1 及 t_2 无关。可进一步求取平稳随机过程的二阶原点联合矩，或称均值为零的协方差函数，则有

$$E[X(t)X(t+\tau)]=\int_{-\infty}^{\infty}\int_{-\infty}^{\infty}x_1x_2p_2(x_1,x_2;\tau)\,\mathrm{d}x_1\mathrm{d}x_2\tag{9-1-9}$$

式（9-1-9）说明，平稳随机过程的二阶原点联合矩仅为单变量 τ 的函数，而与时刻 t_1 和 t_2 都无关。

本章以下分析研究的随机过程都限于平稳随机过程的范围。

三、平稳随机信号作用下线性系统的性能指标

如果输入控制系统的参考控制信号 $r(t)$ 和扰动信号 $n(t)$ 均为平稳随机过程，当此控制系统为线性系统时，输出信号 $c(t)$ 仍然表现为一平稳随机过程。系统的误差信号

$$e(t)=r(t)-c(t)\tag{9-1-10}$$

也是一平稳随机过程，或者说 $e(t)$ 是平稳随机函数。

在确定的线性系统中，能够使用以解析函数描述的 $c(t)$ 或 $e(t)$ 去评价系统的性能，这种评价系统性能的方法在此不适用，需要寻找一种以统计方法为基础的衡量系统性能的指标。

对于平稳随机信号作用下的线性系统，目前广泛采用以误差信号 $e(t)$ 的均方差 $\overline{e^2}$ 作为性能指标的评价方法。因此有

$$\overline{e^2}=\lim_{T\to\infty}\frac{1}{2T}\int_{-T}^{T}e^2(t)\,\mathrm{d}t\tag{9-1-11}$$

据此可知，分析研究平稳随机信号作用下线性系统的性能，就在于如何求取系统的均方差 $\overline{e^2}$。本章以下各节的内容基本上都是围绕这一问题展开的。

第二节　平稳随机过程的相关函数

一、相关函数

随机过程的多维联合概率密度能较完整地描述随机过程的统计特性，但在实际中要确定某一随机过程的多维联合概率密度并非易事。为便于解决实际问题，须寻找某些易于取得的描述随机过程特性的数字特征，相关函数的概念就是在这种背景下提出的。

在前一节中曾阐述了描述平稳随机过程 $X(t)$ 的两个数字特征，一阶原点矩（或称均值）即是

$$\overline{x}_1=E[X(t)]=\int_{-\infty}^{\infty}x_1p_1(x)\,\mathrm{d}x_1$$

它描述了随机过程在各孤立时刻上的统计特性。

为了描述平稳随机过程在两个不同时刻 t_1 和 t_2 的状态之间的联系，要用到该过程的二阶原点联合矩，亦即均值为零的平均随机过程的协方差

$$E[X(t)X(t+\tau)]=\int_{-\infty}^{\infty}\int_{-\infty}^{\infty}x_1x_2p_2(x_1,x_2;\tau)\mathrm{d}x_1\mathrm{d}x_2$$

通常用 $R(\tau)$ 表示上式，即有

$$R(\tau)=E[X(t)X(t+\tau)]=\int_{-\infty}^{\infty}\int_{-\infty}^{\infty}x_1x_2p_2(x_1,x_2;\tau)\mathrm{d}x_1\mathrm{d}x_2 \tag{9-2-1}$$

称 $R(\tau)$ 为自相关函数，或简称相关函数。

二、各态历经（Ergodic）假设与相关函数

式（9-2-1）所表达的相关函数，也即是平稳随机过程 $X(t)$ 在时距为 τ 的两个时刻上的状态相乘的集合平均，若按该式计算相关函数，必须先确定该随机过程的二维联合概率密度，这在实际中是困难的。

由于平稳随机过程的统计特性与计时起点的选取无关，有可能对某一随机过程作长时间观测得到的一个样本曲线，可以作为计算此随机过程的统计数字特征的依据，这时，即称此平稳随机过程符合各态历经假设，平稳随机过程的集合平均与其时间平均相等。于是有

$$\begin{aligned}R(\tau)=E[X(t)X(t+\tau)]&=\int_{-\infty}^{\infty}\int_{-\infty}^{\infty}x_1x_2p_2(x_1,x_2;\tau)\mathrm{d}x_1\mathrm{d}x_2\\&=\lim_{T\to\infty}\frac{1}{2T}\int_{-T}^{T}x(t)x(t+\tau)\mathrm{d}t\end{aligned} \tag{9-2-2}$$

据此，可以取随机过程中任一个时间函数，按式（9-2-2）求取时间平均，计算相关函数。从另一角度看，就是以数学平均取代统计平均，避开了计算随机过程的相关函数须先确定其多维联合概率密度的困境。

对于一个控制系统，如果施加其上的平稳随机信号符合各态历经假设，就可以将此系统在足够长的时间内观测取得的平均结果，取代在大量 n 个相同的系统上于同一时刻观测取得的总体结果。

大量的实践证明，在控制工程上遇到的平稳随机过程大多符合各态历经假设，简化了平稳随机过程相关函数的计算。

三、相关函数的性质、意义

相关函数的性质主要有以下几点：

1）当时距 τ 足够大时，均值为零的平稳随机过程的相关函数 $R(\tau)$ 趋近于零，即

$$\lim_{\tau\to\infty}R(\tau)=R(\infty)=0 \tag{9-2-3}$$

2）当时距 $\tau=0$ 时，相关函数 $R(0)$ 即是平稳随机过程的均方值，且其值将大于所有 $\tau\neq0$ 时的 $R(\tau)$，即

$$R(0)=\lim_{\tau\to0}R(\tau)=E[X^2(t)] \tag{9-2-4}$$

又因

$$[X(t)\pm X(t+\tau)]^2\geqslant0$$

或

$$X^2(t)+X^2(t+\tau)\geqslant2|X(t)X(t+\tau)|$$

对上式取均值，则有

$$E[X^2(t)]+E[X^2(t+\tau)]\geqslant2E[|X(t)X(t+\tau)|]$$

得

$$2R(0)\geqslant2R(\tau)$$

或

$$R(0)\geqslant R(\tau)$$

3）相关函数是时距 τ 的偶函数，即有

$$R(\tau)=R(-\tau)$$

由于

$$R(\tau)=\lim_{T\to\infty}\frac{1}{2T}\int_{-T}^{T}x(t)x(t+\tau)\,\mathrm{d}t$$

$$=\lim_{T\to\infty}\int_{-T}^{T}x(t-\tau)x(t)\,\mathrm{d}t=R(-\tau) \tag{9-2-5}$$

在实际中经常将 $R(\tau)$ 写成归一化的形式，即

$$\rho(\tau)=\frac{R(\tau)}{R(0)} \tag{9-2-6}$$

根据以上所述，相关函数的性质可知

$$\left.\begin{aligned}\lim_{\tau\to0}\rho(\tau)=\rho(0)=1\\ \lim_{\tau\to\infty}\rho(\tau)=\rho(\infty)=0\end{aligned}\right\} \tag{9-2-7}$$

由此可见，相关函数 $R(\tau)$ 或 $\rho(\tau)$ 有明显的物理意义。若 $\rho(\tau)\to1$ 时，当 t_1 时刻平稳随机过程 $X(t_1)$ 的均值为 $\bar{x}_1$，则 t_2 时刻 $X(t_2)$ 的均值与 $\bar{x}_1$ 很接近，说明平稳随机过程的将来值与现时刻的值基本相等。随着时距 τ 增大，$\rho(\tau)\to0$，表明将来值与现在值基本无关。

四、典型相关函数举例

（一）泊松平稳随机过程的相关函数

图 9-2-1 是泊松平稳随机过程的示意图。此类随机过程的特点是，随机信号的值近似于跃变，每一区段的值都近乎常值，且与前、后区段的值都无关，同时跃变的时刻 t_1，t_2，… 也是随机的。这一类随机过程在研究控制系统中较为典型，例如天线的风载（指风速）、陀螺的随机漂移（指陀螺的漂移率）、雷达定向随动系统的输入角速度信号等。

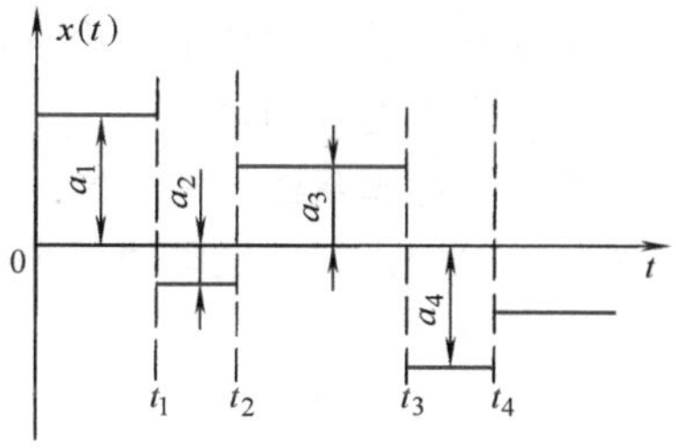

图 9-2-1　泊松随机过程

现求取泊松平稳随机过程的相关函数。按照定义，相关函数是随机过程相距为 τ 时刻的两个值的乘积的平均值。

当 $x(t)$ 和 $x(t+\tau)$ 处于同一区段时

$$x(t)x(t+\tau)=a_n^2$$

式中，n 为表示任一时刻的序号。

当 $x(t)$ 和 $x(t+\tau)$ 不在同一区段时

$$x(t)x(t+\tau)=a_na_{n+k}$$

式中，k 为大于零的任一整数。

设 $x(t)$ 和 $x(t+\tau)$ 在同一区段的概率为 $Q(\tau)$，则不在同一区段的概率将是 $1-Q(\tau)$，由此可得到相关函数为

$$R(\tau)=E[x(t)x(t+\tau)]=\overline{a^2}Q(\tau)+(\bar{a})^2[1-Q(\tau)] \tag{9-2-8}$$

现设随机信号的均值为零，即 $\bar{a}=0$，于是上式就可写为

$$R(\tau)=\overline{a^2}Q(\tau) \tag{9-2-9}$$

为按式（9-2-9）计算相关函数，必先计算 $Q(\tau)$，$Q(\tau)$ 实际是随机信号在时距 τ 内不变化的概率。现设 μ 是该信号在单位时间内的平均变化次数，当取足够小的时段 Δt 时，则

随机信号在此很小的时段内变化的概率就是 $\mu\Delta t$，而不变化的概率就是 $1-\mu\Delta t$。再将时距 τ 划分为 β 个 Δt，亦即令 $\frac{\tau}{\Delta t}=\beta$。

现在分析随机信号在时距 τ 内不变化的概率 $Q(\tau)$。在时距 τ 中第一个 Δt 内随机信号不变化的概率是 $1-\mu\Delta t$，第一个 Δt 和第二个 Δt 内随机信号都不变化的概率就是 $(1-\mu\Delta t)^2$，于是在时距 $\tau=\beta\Delta t$ 内随机信号都不变化的概率为

$$Q(\tau)=(1-\mu\Delta t)^{\beta} \tag{9-2-10}$$

现将 $\beta=\frac{\tau}{\Delta t}$ 代入式（9-2-10），并将其在 Δt 附近展开成泰勒级数，然后求取此级数当 $\Delta t\to 0$ 时的极限。得到

$$\begin{aligned}&\lim_{\Delta t\to 0}(1-\mu\Delta t)^{\tau/\Delta t}\\&=\lim_{\Delta t\to 0}\left[1-\mu\tau+\frac{1}{2!}\frac{\tau}{\Delta t}\left(\frac{\tau-\Delta t}{\Delta t}\right)\mu^2\Delta t^2-\cdots\right]\\&=1-\mu\tau+\frac{1}{2!}\mu^2\tau^2-\cdots\end{aligned} \tag{9-2-11}$$

式（9-2-11）最后的结果实际就是指数函数 $e^{-\mu\tau}$ 的级数形式，于是得到该随机信号在时段（0，τ）内不变化的概率为

$$Q(\tau)=e^{-\mu|\tau|} \tag{9-2-12}$$

将式（9-2-12）代入式（9-2-9），得泊松平稳随机过程的相关函数为

$$R(\tau)=\bar{a}^2e^{-\mu|\tau|} \tag{9-2-13}$$

据此，在实际中将泊松随机过程称为指数相关的随机过程。

（二）白噪声的相关函数

白噪声的特点是，在任何时刻 t 上，其过去值与未来值之间无关的概率都等于 1。据此可知白噪声的相关函数除在 $\tau=0$ 处有非零的值外，当 $\tau\neq 0$ 时，相关函数值均为零。

因此白噪声的相关函数可用单位脉冲函数 $\delta(\tau)$ 表示。在工程实际中，也常用宽度极窄、面积（或称强度）为 1 的脉冲表示。

第三节　平稳随机过程的谱密度

一、谱密度及其含义

与确定的时间函数类似，也可以使用傅里叶变换对平稳随机过程做频谱分析，这就涉及谱密度概念。在讨论平稳随机过程的谱密度之前，先简要介绍时间函数的能量、能谱密度、功率和功率谱密度的概念。

设时间函数 $x(t)$ 满足狄氏条件且绝对可积，则其傅里叶变换存在，或者说具有频谱

$$F(j\omega)=\int_{-\infty}^{\infty}x(t)e^{-j\omega t}dt$$

式中 $F(j\omega)$ 即是函数 $x(t)$ 的傅里叶积分，一般是复数量，共轭复数是

$$F^*(j\omega)=F(-j\omega)$$

函数 $x(t)$ 与其频谱间存在巴塞伐（Parseval）等式关系，即

$$\int_{-\infty}^{\infty}x^2(t)dt=\frac{1}{2\pi}\int_{-\infty}^{\infty}|F(j\omega)|^2d\omega \tag{9-3-1}$$

式中，$|F(\mathrm{j}\omega)|^2=F(\mathrm{j}\omega)F(-\mathrm{j}\omega)$，亦可简记为$|F(\omega)|^2$。式（9-3-1）左侧表示$x(t)$在时间（$-\infty$，$\infty$）上的总能量，例如设$x(t)$为通过阻值为1Ω电阻的电流，则被积函数$x^2(t)$即是消耗于此电阻上的功率。式（9-3-1）右侧的被积函数$|F(\omega)|^2$即称为函数$x(t)$的能谱密度。据此，可写出$x(t)$在时间（$-\infty$，∞）上的平均功率，即

$$\lim_{T\to\infty}\frac{1}{2T}\int_{-T}^{T}x^2(t)\,\mathrm{d}t=\frac{1}{2\pi}\int_{-\infty}^{\infty}\lim_{T\to\infty}\frac{1}{2T}|F(\omega)|^2\mathrm{d}\omega \tag{9-3-2}$$

对应于能谱密度，可将式（9-3-2）等式右侧的被积函数称为$x(t)$的平均功率谱密度，或简称为功率谱密度，或谱密度，并记为

$$\Phi(\omega)=\lim_{T\to\infty}\frac{1}{2T}|F(\omega)|^2 \tag{9-3-3}$$

现将时间函数$x(t)$的谱密度概念推广到平稳随机过程$X(t)$。为使傅里叶变换能应用于随机过程，首先认为$X(t)$满足下述条件，即

$$X(t)=\begin{cases}X(t) & |t|\leqslant T\\ 0 & |t|>T\end{cases} \tag{9-3-4}$$

这样，$X(t)$满足绝对可积条件，于是可写出其傅里叶变换

$$F(\omega,T)=\int_{-T}^{T}X(t)\mathrm{e}^{-\mathrm{j}\omega t}\mathrm{d}t$$

及

$$\frac{1}{2T}\int_{-T}^{T}X^2(t)\,\mathrm{d}t=\frac{1}{4\pi T}\int_{-\infty}^{\infty}|F(\omega,T)|^2\mathrm{d}\omega \tag{9-3-5}$$

式（9-3-5）中的被积函数都是随机信号，不能如一般时间函数那样求数学平均值作为平均功率，应将式（9-3-5）等式左侧的均值的极限值

$$\lim_{T\to\infty}E\left[\frac{1}{2T}\int_{-T}^{T}X^2(t)\,\mathrm{d}t\right] \tag{9-3-6}$$

作为平稳随机过程$X(t)$的平均功率。

将式（9-3-5）代入式（9-3-6），得

$$\begin{aligned}&\lim_{T\to\infty}E\left[\frac{1}{2T}\int_{-T}^{T}X^2(t)\,\mathrm{d}t\right]\\&=\lim_{T\to\infty}\frac{1}{2T}\int_{-T}^{T}E[X^2(t)]\,\mathrm{d}t\\&=\frac{1}{2\pi}\int_{-\infty}^{\infty}\lim_{T\to\infty}\frac{1}{2T}E[|F(\omega,T)|^2]\,\mathrm{d}\omega\end{aligned} \tag{9-3-7}$$

按照前述概念，可将式（9-3-7）等式右侧的被积函数称为平稳随机过程$X(t)$的功率谱密度（或谱密度），记为$\Phi(\omega)$，有

$$\Phi(\omega)=\lim_{T\to\infty}\frac{1}{2T}E[|F(\omega,T)|^2] \tag{9-3-8}$$

因此，不难看出，一个随机过程的谱密度是该过程所有样本函数谱密度的集合平均。

将式（9-3-8）代入式（9-3-7），得到由谱密度表达的平稳随机过程的平均功率

$$\begin{aligned}\lim_{T\to\infty}\frac{1}{2T}\int_{-T}^{T}E[X^2(t)]\,\mathrm{d}t&=\frac{1}{2\pi}\int_{-\infty}^{\infty}\lim_{T\to\infty}\frac{1}{2T}E[|F(\omega,T)|^2]\,\mathrm{d}\omega\\&=\frac{1}{2\pi}\int_{-\infty}^{\infty}\Phi(\omega)\,\mathrm{d}\omega=\int_{-\infty}^{\infty}\Phi(2\pi f)\,\mathrm{d}f\end{aligned} \tag{9-3-9}$$

式中，f为频率，与角频率ω间的关系是$\omega=2\pi f$。

考虑到式（9-3-6）实际是平稳随机过程的均方值，亦即平稳随机过程 $X(t)$ 的平均功率是该过程的均方值 $\overline{x}^2$，即

$$\begin{aligned}\overline{x}^2 &= \lim_{T\to\infty}\frac{1}{2T}\int_{-T}^{T}E[X^2(t)]\mathrm{d}t\\&=\int_{-\infty}^{\infty}\Phi(2\pi f)\mathrm{d}f\end{aligned}\tag{9-3-10}$$

因而，平稳随机过程的谱密度 $\Phi(\omega)$ 与频率轴间包含的面积等于该过程的平均功率，而每一频段下的面积代表了这一频段的功率。所以，谱密度表示了此平稳随机过程的功率沿频率轴的分布特性。

二、谱密度与相关函数之间的关系

设平稳随机过程 $X(t)$ 符合式（9-3-4）的条件，则其傅里叶变换存在，即

$$X(t)=\frac{1}{2\pi}\int_{-\infty}^{\infty}F(\omega,T)\mathrm{e}^{\mathrm{j}\omega t}\mathrm{d}\omega$$

$$X(t+\tau)=\frac{1}{2\pi}\int_{-\infty}^{\infty}F(\omega,T)\mathrm{e}^{\mathrm{j}\omega(t+\tau)}\mathrm{d}\omega$$

有

$$\begin{aligned}\frac{1}{2T}\int_{-T}^{T-\tau}X(t)X(t+\tau)\mathrm{d}t &=\frac{1}{2T}\int_{-\infty}^{\infty}X(t)X(t+\tau)\mathrm{d}t\\&=\frac{1}{2T}\int_{-\infty}^{\infty}X(t)\left[\frac{1}{2\pi}\int_{-\infty}^{\infty}F(\omega,T)\mathrm{e}^{\mathrm{j}\omega(t+\tau)}\mathrm{d}\omega\right]\mathrm{d}t\end{aligned}$$

将 $X(t)$ 也写成傅里叶积分式，并将其置于上式括号中的积分号内，由于积分前要乘以$\frac{1}{2\pi}$，故须乘以 2π，然后按定积分规则可写成下式

$$\begin{aligned}\frac{1}{2T}\int_{-\infty}^{\infty}X(t)X(t+\tau)\mathrm{d}t &=\frac{1}{2T}\frac{1}{2\pi}\int_{-\infty}^{\infty}2\pi\frac{1}{2\pi}F(-\omega,T)\mathrm{e}^{-\mathrm{j}\omega t}F(\omega,T)\mathrm{e}^{\mathrm{j}\omega(t+\tau)}\mathrm{d}\omega\\&=\frac{1}{2\pi}\frac{1}{2T}\int_{-\infty}^{\infty}F(-\omega,T)F(\omega,T)\mathrm{e}^{\mathrm{j}\omega\tau}\mathrm{d}\omega\\&=\frac{1}{2\pi}\frac{1}{2T}\int_{-\infty}^{\infty}|F(\omega,T)|^2\mathrm{e}^{\mathrm{j}\omega\tau}\mathrm{d}\omega\end{aligned}$$

对上式求集合平均，并取 $T\to\infty$ 时的极限，得

$$\lim_{T\to\infty}\frac{2T-\tau}{2T}\frac{1}{2T}\int_{-\infty}^{\infty}X(t)X(t+\tau)\mathrm{d}t$$

$$=\frac{1}{2\pi}\int_{-\infty}^{\infty}\lim_{T\to\infty}\frac{1}{2T}E[|F(\omega,T)|^2]\mathrm{e}^{\mathrm{j}\omega\tau}\mathrm{d}\omega$$

上式等号左侧即是平稳随机过程 $X(t)$ 的相关函数 $R(\tau)$，再考虑式（9-3-9），得

$$R(\tau)=\frac{1}{2\pi}\int_{-\infty}^{\infty}\Phi(\omega)\mathrm{e}^{\mathrm{j}\omega\tau}\mathrm{d}\omega\tag{9-3-11}$$

式（9-3-11）表明，平稳随机过程 $X(t)$ 的谱密度 $\Phi(\omega)$ 就是此过程的相关函数 $R(\tau)$ 的傅里叶变换，亦即相关函数 $R(\tau)$ 与谱密度组成傅里叶变换对。有

$$\lim_{\tau\to0}R(\tau)=R(0)=\overline{x}^2=\int_{-\infty}^{\infty}\Phi(2\pi f)\mathrm{d}f\tag{9-3-12}$$

从相关函数与谱密度关系的角度得到了与式（9-3-10）同样的表达式。

三、典型谱密度举例

(一) 泊松平稳随机过程的谱密度

泊松平稳随机过程的相关函数如式 (9-2-13) 所示，即

$$R(\tau)=\overline{a}^2\mathrm{e}^{-\mu|\tau|}$$

由此可知泊松平稳随机过程的谱密度为

$$\Phi(\omega)=\int_{-\infty}^{\infty}R(\tau)\mathrm{e}^{-\mathrm{j}\omega\tau}\mathrm{d}\tau=\int_{-\infty}^{\infty}\overline{a}^2\mathrm{e}^{-\mu|\tau|}\mathrm{e}^{-\mathrm{j}\omega\tau}\mathrm{d}\tau$$

$$=2\int_{0}^{\infty}\overline{a}^2\mathrm{e}^{-\mu|\tau|}\cos\omega\tau\mathrm{d}\tau=\frac{2\mu\overline{a}^2}{\omega^2+\mu^2} \tag{9-3-13}$$

(二) 白噪声的谱密度

前一节介绍过白噪声的相关函数为 δ 函数，即

$$R(\tau)=\delta(\tau)$$

$\delta(\tau)$ 的傅里叶变换式就是白噪声的谱密度。本书附录 C 给出了脉冲函数 $\delta(t)$ 的频谱特性，所以白噪声的谱密度为

$$\Phi(\omega)=\int_{-\infty}^{\infty}\delta(\tau)\mathrm{e}^{-\mathrm{j}\omega\tau}\mathrm{d}\tau=1 \tag{9-3-14}$$

即白噪声的谱密度为常值，说明具有白噪声特性的平稳随机过程的功率分布对所有频率来说是相等的，亦即要求产生白噪声的能源具有无限大的容量。显然，这在实际中是不存在的。因此，白噪声只能看作是一种理想化的随机信号，但白噪声的概念在实际中极有应用价值。例如某一控制系统的带宽是 ω_b，当加于其上的随机信号的谱密度在此系统的带宽范围内近似为常值，尽管此随机信号的谱密度在系统带宽 ($0\sim\omega_b$) 以外的频带内有明显的变化 (增长或衰减)，仍可将此随机信号视作白噪声，于是分析和设计此系统的工作量大为简化。

第四节　平稳随机信号作用下线性系统的均方误差

前已述及，在随机信号作用下，线性系统的误差是一个随机信号，因此，对系统的评价要采用均方误差，亦即系统误差 $e(t)$ 的均方值，如式 (9-1-11) 所示，即

$$\overline{e^2}=\lim_{T\to\infty}\frac{1}{2T}\int_{-T}^{T}e^2(t)\mathrm{d}t$$

若已知误差信号的相关函数或谱密度，则均方误差 $\overline{e^2}$ 可用式 (9-3-12) 计算，即

$$\overline{e^2}=R_e(0)=\frac{1}{2\pi}\int_{-\infty}^{\infty}\Phi_e(\omega)\mathrm{d}\omega \tag{9-4-1}$$

式中，$R_e(0)$ 为误差信号 $e(t)$ 在 $\tau=0$ 时的相关函数；$\Phi_e(\omega)$ 为误差信号 $e(t)$ 的谱密度。

为了利用式 (9-4-1) 计算线性系统在随机信号作用下的均方误差，须确定系统误差信号的谱密度 $\Phi_e(\omega)$。为此，先分析如图 9-4-1 所示系统。

图 9-4-1 中 $\Phi(s)$ 是系统的传递函数；$g(t)$ 是单位脉冲响应；$N(t)$ 是输入随机信号；$c(t)$ 则是输出随机信号。

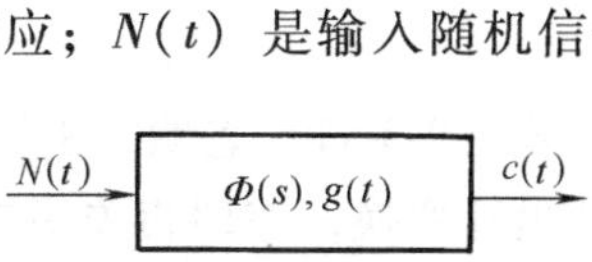

图 9-4-1　线性系统的输入与输出

设已知输入随机信号 $N(t)$ 的谱密度为 $\Phi_n(\omega)$，求输出的谱密度 $\Phi_c(t)$。

根据本书第二章知，对于线性系统，其输入与输出之间的关系为

$$c(t)=\int_{-\infty}^{\infty}N(t-\lambda)g(\lambda)\mathrm{d}\lambda \tag{9-4-2}$$

将式（9-4-2）代入计算相关函数的式（9-2-2）中，得输出 $c(t)$ 的相关函数为

$$\begin{aligned}R_{\mathrm{c}}(\tau)&=\lim_{T\to\infty}\frac{1}{2T}\int_{-T}^{T}c(t)c(t+\tau)\mathrm{d}t\\&=\lim_{T\to\infty}\frac{1}{2T}\int_{-T}^{T}\left[\int_{-\infty}^{\infty}N(t-\lambda)g(\lambda)\mathrm{d}\lambda\int_{-\infty}^{\infty}N(t+\tau-\eta)g(\eta)\mathrm{d}\eta\right]\mathrm{d}t\\&=\lim_{T\to\infty}\int_{-\infty}^{\infty}g(\lambda)\mathrm{d}\lambda\int_{-\infty}^{\infty}g(\eta)\mathrm{d}\eta\left[\frac{1}{2T}\int_{-T}^{T}N(t-\lambda)N(t+\tau-\eta)\mathrm{d}t\right]\end{aligned}$$

如令 $t-\lambda=t'$，则 $t+\tau-\eta=t'+\lambda+\tau-\eta$，上式可写为

$$R_{\mathrm{c}}(\tau)=\lim_{T\to\infty}\int_{-\infty}^{\infty}g(\lambda)\mathrm{d}\lambda\int_{-\infty}^{\infty}g(\eta)\mathrm{d}\eta\left[\frac{1}{2T}\int_{-T}^{T}N(t')N(t'+\tau+\lambda-\eta)\mathrm{d}t\right]$$

当 $T\to\infty$ 时，上式等号右侧中括号内的项即是 $R_{\mathrm{n}}(\tau+\lambda-\eta)$，上式又可写为

$$R_{\mathrm{c}}(\tau)=\int_{-\infty}^{\infty}g(\lambda)\mathrm{d}\lambda\int_{-\infty}^{\infty}g(\eta)R_{\mathrm{n}}(\tau+\lambda-\eta)\mathrm{d}\eta \tag{9-4-3}$$

对等式（9-4-3）两侧分别求傅里叶变换，输出的谱密度 $\Phi_{\mathrm{c}}(\omega)$ 的表达式为

$$\begin{aligned}\Phi_{\mathrm{c}}(\omega)&=\int_{-\infty}^{\infty}R_{\mathrm{c}}(\tau)\mathrm{e}^{-\mathrm{j}\omega\tau}\mathrm{d}\tau\\&=\int_{-\infty}^{\infty}\mathrm{e}^{-\mathrm{j}\omega\tau}\mathrm{d}\tau\int_{-\infty}^{\infty}g(\lambda)\mathrm{d}\lambda\int_{-\infty}^{\infty}g(\eta)R_{\mathrm{n}}(\tau+\lambda-\eta)\mathrm{d}\eta\end{aligned}$$

考虑到 $-\tau=-(\tau+\lambda-\eta)+\lambda-\eta$，上式可写成

$$\begin{aligned}\Phi_{\mathrm{c}}(\omega)&=\int_{-\infty}^{\infty}g(\lambda)\mathrm{e}^{\mathrm{j}\omega\lambda}\mathrm{d}\lambda\int_{-\infty}^{\infty}g(\eta)\mathrm{e}^{-\mathrm{j}\omega\eta}\mathrm{d}\eta\int_{-\infty}^{\infty}R_{\mathrm{n}}(\tau+\lambda-\eta)\mathrm{e}^{-\mathrm{j}(\tau+\lambda-\eta)}\mathrm{d}\tau\\&=\Phi(-\mathrm{j}\omega)\Phi(\mathrm{j}\omega)\Phi_{\mathrm{n}}(\omega)\\&=|\Phi(\mathrm{j}\omega)|^2\Phi_{\mathrm{n}}(\omega)\end{aligned} \tag{9-4-4}$$

式（9-4-4）表明，如果传递函数为 $\Phi(s)$ 的线性系统，输出的功率谱密度 $\Phi_{\mathrm{c}}(\omega)$ 是输入随机信号的功率谱密度 $\Phi_{\mathrm{n}}(\omega)$ 与 $|\Phi(\mathrm{j}\omega)|^2$ 的乘积，因而，可将 $|\Phi(\mathrm{j}\omega)|^2$ 称为功率传递函数。

虽然 $\Phi(\mathrm{j}\omega)$ 及 $\Phi_{\mathrm{n}}(\omega)$ 均为已知，但按式（9-4-4）计算 $\Phi_{\mathrm{c}}(\omega)$，然后再代入到式（9-4-1）中计算系统的均方误差，过程极为繁杂。为简化计算，希望将 $\Phi_{\mathrm{n}}(\omega)$ 写成函数平方的形式。

考虑到 $\mathrm{e}^{-\mathrm{j}\omega\tau}=\cos\omega\tau-\mathrm{j}\sin\omega\tau$，有

$$\begin{aligned}\Phi_{\mathrm{n}}(\omega)&=\int_{-\infty}^{\infty}R_{\mathrm{n}}(\tau)\mathrm{e}^{-\mathrm{j}\omega\tau}\mathrm{d}\tau\\&=\int_{-\infty}^{\infty}R_{\mathrm{n}}(\tau)\cos\omega\tau\mathrm{d}\tau-\mathrm{j}\int_{-\infty}^{\infty}R_{\mathrm{n}}(\tau)\sin\omega\tau\mathrm{d}\tau\end{aligned}$$

根据本章第二节所述相关函数的性质得知，相关函数 $R(\tau)$ 是 τ 的实的偶函数。因此，上式等号右侧第二项应为零，故

$$\Phi_{\mathrm{n}}(\omega)=2\int_{0}^{\infty}R_{\mathrm{n}}(\tau)\cos\omega\tau\mathrm{d}\tau \tag{9-4-5}$$

由此也可知 $\Phi_{\mathrm{n}}(\omega)$ 是 ω 的实偶函数，所以一般不将 $\Phi_{\mathrm{n}}(\omega)$ 写作 $\Phi_{\mathrm{n}}(\mathrm{j}\omega)$。$\Phi_{\mathrm{n}}(\omega)$ 既然是实函数，其零、极点必然是共轭存在的，亦即其零、极点在复平面上一定是关于实轴对称分布的。$\Phi_{\mathrm{n}}(\omega)$ 又是偶函数，则其零、极点在复数平面必然对称分布于虚轴。因此，可用两

个共轭因式的乘积表示 $\Phi_n(\omega)$，有

$$\Phi_n(\omega)=\Phi_{n1}(\omega)\Phi_{n1}^*(\omega)=|\Phi_{n1}(\omega)|^2 \tag{9-4-6}$$

式中，$\Phi_{n1}(\omega)$ 只包含 $\Phi_n(\omega)$ 在复数平面中实轴以上的一半平面的所有零、极点，而这些零、极点对虚轴是对称的。在图 9-4-2 中 $\Phi_{n1}(\omega)$ 的零、极点以“×”表示，$\Phi_{n1}^*(\omega)$ 的零、极点以“△”表示。

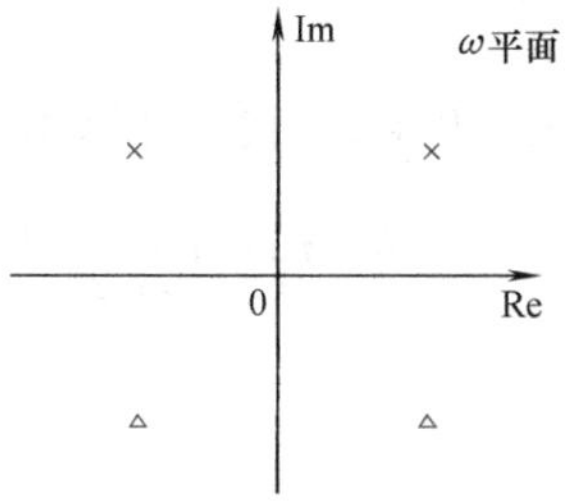

图 9-4-2 $\Phi_n(\omega)$ 的零、极点分布

由于 $\Phi_{n1}(\omega)$ 的零、极点对称于虚轴，与系统的频率特性 $\Phi(\omega)$ 具有相同的性质。因此可将式（9-4-4）写成

$$\begin{aligned}\Phi_c(\omega)&=|\Phi(j\omega)|^2\Phi_n(\omega)=|\Phi(j\omega)|^2|\Phi_{n1}(\omega)|^2\\&=|\Phi(j\omega)\Phi_{n1}(\omega)|^2\end{aligned}$$

如果已知系统的给定误差传递函数为 $\Phi_e(s)$，扰动误差传递函数为 $\Phi_n(s)$，而给定控制输入随机信号的谱密度 $\Phi_r(\omega)$ 和扰动输入随机信号的谱密度 $\Phi_n(\omega)$ 都已知，则给定误差的均方值（或称给定均方误差）$\overline{e_r^2}$ 和扰动误差的均方值（或称扰动均方误差）$\overline{e_n^2}$ 分别为

$$\overline{e_r^2}=\frac{1}{2\pi}\int_{-\infty}^{\infty}|\Phi_e(j\omega)\Phi_{r1}(\omega)|^2d\omega \tag{9-4-7}$$

$$\overline{e_n^2}=\frac{1}{2\pi}\int_{-\infty}^{\infty}|\Phi_n(j\omega)\Phi_{n1}(\omega)|^2d\omega \tag{9-4-8}$$

式中，$|\Phi_{r1}(\omega)|^2=\Phi_r(\omega)$；$|\Phi_{n1}(\omega)|^2=\Phi_n(\omega)$。

于是在给定及扰动的随机信号同时作用下，线性系统的均方误差是

$$\begin{aligned}\overline{e^2}&=\overline{e_r^2}+\overline{e_n^2}\\&=\frac{1}{2\pi}\left[\int_{-\infty}^{\infty}|\Phi_e(j\omega)\Phi_{r1}(\omega)|^2d\omega+\int_{-\infty}^{\infty}|\Phi_n(j\omega)\Phi_{n1}(\omega)|^2d\omega\right]\end{aligned} \tag{9-4-9}$$

当然，此式所表示的系统均方误差是假设给定控制信号与扰动信号互不相关的随机过程。

令

$$|\Phi_e(j\omega)\Phi_{r1}(\omega)|^2=|H_r(j\omega)|^2$$

$$|\Phi_n(j\omega)\Phi_{n1}(\omega)|^2=|H_n(j\omega)|^2$$

则式（9-4-9）可写成

$$\begin{aligned}\overline{e^2}&=\overline{e_r^2}+\overline{e_n^2}\\&=\frac{1}{2\pi}\int_{-\infty}^{\infty}|H_r(j\omega)|^2d\omega+\frac{1}{2\pi}\int_{-\infty}^{\infty}|H_n(j\omega)|^2d\omega\end{aligned} \tag{9-4-10}$$

如以 s=jω 代入式（9-4-10），则有

$$\begin{aligned}\overline{e^2}&=I_r+I_n\\&=\frac{1}{2\pi j}\int_{-j\infty}^{j\infty}|H_r(s)|^2ds+\frac{1}{2\pi j}\int_{-j\infty}^{j\infty}|H_n(s)|^2ds\end{aligned} \tag{9-4-11}$$

式中

$$\left.\begin{aligned}I_r&=\frac{1}{2\pi j}\int_{-j\infty}^{j\infty}|H_r(s)|^2ds\\I_n&=\frac{1}{2\pi j}\int_{-j\infty}^{j\infty}|H_r(s)|^2ds\end{aligned}\right\} \tag{9-4-12}$$

如将 $H(s)$ 写成 s 的多项式之比的形式，即

$$H(s)=\frac{c(s)}{d(s)}$$

且分子多项式 $c(s)$ 的阶数比分母多项式的阶数至少低一阶时，式（9-4-12）形式的积分可用留数定理计算。但当 $H(s)$ 的阶数过高时，手工计算过程就颇为繁琐，甚至是难以完成的。这时往往利用计算机求取积分值。现将式（9-4-12）写成如下通式

$$I_k=\frac{1}{2\pi \mathrm{j}}\int_{-\mathrm{j}\infty}^{\mathrm{j}\infty}\left|\frac{c_1s^{k-1}+c_2s^{k-2}+\cdots+c_{k-2}s^2+c_{k-1}s+c_k}{d_0s^k+d_1s^{k-1}+\cdots+d_{k-2}s^2+d_{k-1}s+d_k}\right|^2\mathrm{d}s \qquad (9\text{-}4\text{-}13)$$

表 9-4-1 给出了已经计算好的当 $k\leqslant 4$ 时的积分值。当系统的 $H(s)$ 的阶数等于或低于四阶时，可直接查表应用。

表 9-4-1　I_k 积分表

I_1	$\dfrac{c_k^2}{2d_kd_{k-1}}$
I_2	$\dfrac{c_{k-1}^2d_k+c_k^2d_{k-2}}{2d_kd_{k-1}d_{k-2}}$
I_3	$\dfrac{c_{k-2}^2d_kd_{k-1}+(c_{k-1}^2-2c_kc_{k-2})d_kd_{k-3}+c_k^2d_{k-2}d_{k-3}}{2d_kd_{k-3}(d_{k-1}d_{k-2}-d_kd_{k-3})}$
I_4	$\dfrac{c_{k-3}^2(d_kd_{k-1}d_{k-2}-d_k^2d_{k-3})+(c_{k-2}^2-2c_{k-1}c_{k-3})d_kd_{k-1}d_{k-4}}{2d_k-d_{k-4}(d_{k-1}d_{k-2}d_{k-3}-d_kd_{k-3}^2-d_{k-1}^2d_{k-4})}+\dfrac{(c_{k-1}^2-2c_kc_{k-2})d_kd_{k-3}d_{k-4}+c_k^2(d_{k-2}d_{k-3}d_{k-4}-d_{k-1}d_{k-4}^2)}{2d_k-d_{k-4}(d_{k-1}d_{k-2}d_{k-3}-d_kd_{k-3}^2-d_{k-1}^2d_{k-4})}$

例 9-4-1　一雷达定向随动系统，框图如图 9-4-3 所示。系统的开环传递函数经过合理的近似与简化后为

$$G(s)=\frac{K}{s(Ts+1)}$$

式中，T、K 分别为该系统的时间常数与开环增益。

系统的给定输入信号是飞行器相对雷达定向随动系统的角位移 $r(t)$，这是一个随机过程，如图 9-4-4a 所示。显然，其导数 $\dot{r}(t)$ 具有泊松平稳随机过程的特性（参见图 9-4-4b）。扰动信号 $n(t)$ 可以认为是具有白噪声特征的随机过程。$r(t)$ 和 $n(t)$ 的作用点相同，但互不相关。要求计算此系统的均方误差。

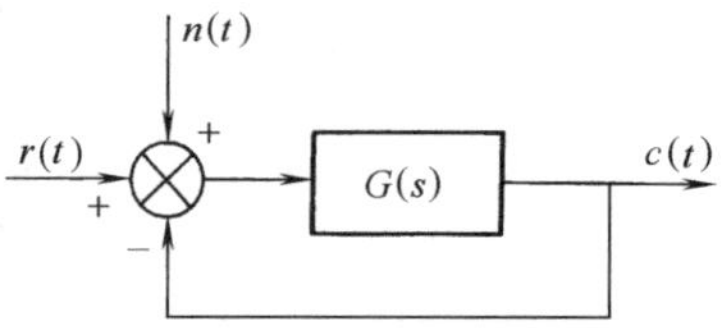

图 9-4-3　雷达定向随动系统框图

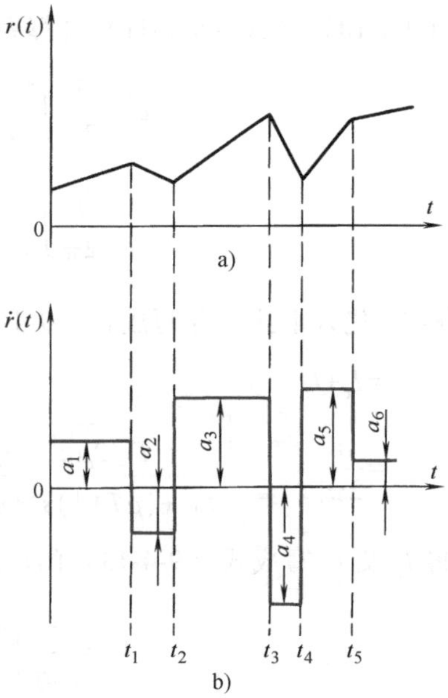

图 9-4-4　例 9-4-1 系统的输入及其导数

解　首先求出图 9-4-3 所示系统的给定误差传递函数 $\Phi_{\mathrm{e}}(s)$ 和扰动误差传递函数 $\Phi_{\mathrm{n}}(s)$，即

$$\Phi_{\mathrm{e}}(s)=\frac{1}{1+G(s)}=\frac{s(Ts+1)}{s(Ts+1)+K}$$

$$\Phi_{\mathrm{n}}(s)=\frac{G(s)}{1+G(s)}=\frac{K}{s(Ts+1)+K}$$

将 $s=\mathrm{j}\omega$ 代入上式，得到

$$\Phi_{\mathrm{e}}(\mathrm{j}\omega)=\frac{\mathrm{j}\omega(\mathrm{j}\omega T+1)}{\mathrm{j}\omega(\mathrm{j}\omega T+1)+K} \qquad (9\text{-}4\text{-}14)$$

$$\Phi_{\mathrm{n}}(\mathrm{j}\omega)=\frac{K}{\mathrm{j}\omega(\mathrm{j}\omega T+1)+K} \qquad (9\text{-}4\text{-}15)$$

其次应求出给定输入随机信号 $r(t)$ 及扰动随机信号 $n(t)$ 的谱密度 $\Phi_r(\omega)$ 及 $\Phi_n(\omega)$。

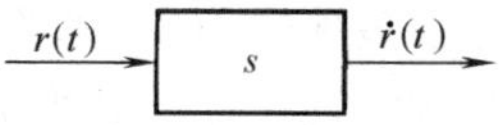

图 9-4-5 $r(t)$ 与其导数 $\dot{r}$ 的关系

给定输入信号 $r(t)$ 与其导数 $\dot{r}$ 的关系如图 9-4-5 所示。根据式（9-4-4）可知，$\Phi_r(\omega)$ 与 $\Phi_{\dot{r}}(\omega)$ 间的关系为

$$\Phi_{\dot{r}}(\omega)=(\mathrm{j}\omega)^2\Phi_r(\omega)$$

或写成

$$\Phi_r(\omega)=\frac{1}{(\mathrm{j}\omega)^2}\Phi_{\dot{r}}(\omega) \tag{9-4-16}$$

已知 $\dot{r}$ 为泊松平稳随机过程，其谱密度 $\Phi_{\dot{r}}(\omega)$ 如式（9-3-13）所示。由此可知，给定输入随机信号 $r(t)$ 的谱密度为

$$\Phi_r(\omega)=\frac{1}{(\mathrm{j}\omega)^2}\frac{2\mu\overline{a}^2}{\omega^2+\mu^2} \tag{9-4-17}$$

扰动随机信号既然具有白噪声特征，故其谱密度应是

$$\Phi_n(\omega)=N \tag{9-4-18}$$

式中，N 是与频率 ω 无关的常量。

将 $\Phi_r(\omega)$ 和 $\Phi_n(\omega)$ 写成共轭因式，即

$$\Phi_r(\omega)=\frac{1}{(\mathrm{j}\omega)^2}\frac{2\mu\overline{a}^2}{\omega^2+\mu^2}=\frac{\sqrt{2\mu\overline{a}^2}}{\mathrm{j}\omega(\mathrm{j}\omega+\mu)}\frac{\sqrt{2\mu\overline{a}^2}}{\mathrm{j}\omega(-\mathrm{j}\omega+\mu)}$$

$$=\left|\frac{\sqrt{2\mu\overline{a}^2}}{\mathrm{j}\omega(\mathrm{j}\omega+\mu)}\right|^2 \tag{9-4-19}$$

$$\Phi_n(\omega)=N=\left|\sqrt{N}\right|^2 \tag{9-4-20}$$

考虑到给定输入随机信号 $r(t)$ 与扰动随机信号互不相关，故可按式（9-4-9）、式（9-4-10）及式（9-4-11）计算系统的均方误差 $\overline{e}^2$。得到

$$\overline{e}^2=\frac{1}{2\pi}\int_{-\infty}^{\infty}\left|\frac{(\mathrm{j}\omega T+1)\sqrt{2\mu\overline{a}^2}}{[T(\mathrm{j}\omega)^2+\mathrm{j}\omega+K](\mathrm{j}\omega+\mu)}\right|^2\mathrm{d}\omega+$$
$$\frac{1}{2\pi}\int_{-\infty}^{\infty}\left|\frac{K\sqrt{N}}{T(\mathrm{j}\omega)^2+\mathrm{j}\omega+K}\right|^2\mathrm{d}\omega$$

以 $s=\mathrm{j}\omega$ 代入上式，并写成式（9-4-11）的形式，可得到

$$\overline{e}^2=I_r+I_n$$
$$=\frac{1}{2\pi\mathrm{j}}\int_{-\mathrm{j}\infty}^{\mathrm{j}\infty}\left|\frac{T\sqrt{2\mu\overline{a}^2}\,s+\sqrt{2\mu\overline{a}^2}}{Ts^3+(\mu T+1)s^2+(K+\mu)s+K\mu}\right|^2\mathrm{d}s+\frac{1}{2\pi\mathrm{j}}\int_{-\mathrm{j}\infty}^{\mathrm{j}\infty}\left|\frac{K\sqrt{N}}{Ts^2+s+K}\right|^2\mathrm{d}s \tag{9-4-21}$$

再将 I_r 及 I_n 写成式（9-4-13）的形式，并使用表 9-4-1，即求得

$$I_r=\frac{1}{2\pi\mathrm{j}}\int_{-\mathrm{j}\infty}^{\mathrm{j}\infty}\left|\frac{c_{k-2}s^2+c_{k-1}s+c_k}{d_{k-3}s^3+d_{k-2}s^2+d_{k-1}s+d_k}\right|^2\mathrm{d}s$$
$$=\frac{c_{k-2}^2d_kd_{k-1}+(c_{k-1}^2-2c_kc_{k-2})d_kd_{k-3}+c_k^2d_{k-2}d_{k-3}}{2d_kd_{k-3}(d_{k-1}d_{k-2}-d_kd_{k-3})} \tag{9-4-22}$$

和

$$I_{\mathrm{n}}=\frac{1}{2\pi \mathrm{j}}\int_{-\mathrm{j}\infty}^{\mathrm{j}\infty}\left|\frac{c_{k-1}s+c_k}{d_{k-2}s^2+d_{k-1}s+d_k}\right|^2\mathrm{d}s$$
$$=\frac{c_{k-1}^2d_k+c_k^2d_{k-2}}{2d_kd_{k-1}d_{k-2}} \tag{9-4-23}$$

将式（9-4-23）、式（9-4-22）与式（9-4-21）比较可知，计算 I_{r} 时，有

$$c_k=\sqrt{2\mu\overline{a}^2} \qquad d_k=K\mu$$
$$c_{k-1}=T\sqrt{2\mu\overline{a}^2} \qquad d_{k-1}=K+\mu$$
$$c_{k-2}=0 \qquad d_{k-2}=\mu T+1$$
$$d_{k-3}=T$$

计算 I_{n} 时，有

$$c_k=K\sqrt{N} \qquad d_k=K$$
$$c_{k-1}=0 \qquad d_{k-1}=1$$
$$d_{k-2}=T$$

将以上数据代入式（9-4-21）、式（9-4-22）及式（9-4-23），求得例 9-4-1 所示系统的均方误差为

$$\overline{e}^2=I_{\mathrm{r}}+I_{\mathrm{n}}=\frac{\overline{a}^2}{K}\frac{K\mu T^2+\mu T+1}{\mu^2T+\mu+K}+\frac{NK}{2}$$

第五节　线性系统的等效噪声带宽

从第四节的内容可知，对于平稳随机过程作用下的线性系统，只能用系统误差的均方值来衡量其性能的优劣。而计算系统的均方误差就须先掌握输入此系统的随机信号的特征和数据，但这一条件并非在实际中都能满足。在确定性系统中，往往对各种线性系统用单位阶跃信号作为统一的典型的输入信号，以系统的单位阶跃响应的某些性能指标去评价系统的性能。尽管系统实际的输入信号是各式各样的，但是可以用一个统一的尺度去评价系统的品质。

对于随机信号作用下的线性系统亦可采用类似的作法，那就是以白噪声作为典型的输入随机信号，用白噪声作用下线性系统的均方输出的某些特征去衡量线性系统的性能。

白噪声具有常值谱密度，有一定数量的随机信号的谱密度可以视为常值，例如电子设备的热噪声等。正如本章第三节在分析白噪声谱密度时指出的那样，工程上往往将在较宽频带，也就是将能覆盖系统带宽的近似为常值谱密度的随机信号，视作实际上的白噪声。

工程上常将系统的等效噪声带宽作为白噪声输入作用下系统的均方输出的数字特征，这与在确定性系统中，以最大超调量、调整时间等作为单位阶跃响应的数字特征类似。

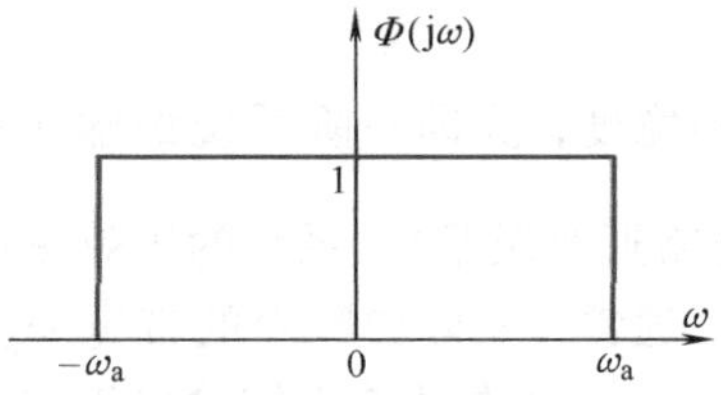

图 9-5-1　理想滤波器的频率特性

为了说明线性系统的等效噪声带宽的概念，可先分析白噪声通过理想滤波器后的均方输出。图 9-5-1 是理

想滤波器的频率特性，它的特点是在一定的带宽 ω_a 内完全是平直的，亦即在此带宽内的各种频率的信号均能无失真地复现于输出，而在带宽 ω_a 以外的各种频率输入信号则完全被滤掉。

设在理想滤波器上输入一个有白噪声特征的随机信号，其谱密度在带宽 ω_N 之内为常值，即有

$$\Phi_N(\omega)=K_N^2 \tag{9-5-1}$$

当 $\omega_N \gg \omega_a$ 时，对于带宽为 ω_a 的滤波器，输入的随机信号可视为白噪声。

由于理想滤波器的频率特性是

$$\Phi(j\omega)=1 \qquad (-\omega_a \leqslant \omega \leqslant \omega_a)$$

故有在白噪声输入下，该理想滤波器输出的均方值是

$$\overline{x}^2=\int_{-\infty}^{\infty}\left|\Phi(j\omega)\Phi_N(\omega)\right|^2 d\omega=\int_{-\omega_a}^{\omega_a}K_N^2 d\omega=2K_N^2\omega_a \tag{9-5-2}$$

如有一控制系统，其输入的白噪声的谱密度与上述输入到理想滤波器的一样，即输入的白噪声的谱密度如式（9-5-1）所示，求出此系统的输出均方值后，令其与理想滤波器的输出均方值相等，即与式（9-5-2）相等，则将系统中与理想滤波器的带宽 ω_a 相对应的带宽称为该系统的等效噪声带宽。

现以一阶系统为例说明等效噪声带宽的概念。

例 9-5-1 求频率特性为一阶系统的等效噪声带宽。

$$\Phi(j\omega)=\frac{1}{1+jT\omega} \tag{9-5-3}$$

解 如输入白噪声的谱密度如式（9-5-1）所示，则此一阶系统输出的均方值为

$$\begin{aligned}\overline{x}^2&=K_N^2\int_{-\omega_N}^{\omega_N}\left|\Phi(j\omega)\right|^2 d\omega\\&=K_N^2\int_{-\omega_N}^{\omega_N}\frac{1}{1+\omega^2T^2}d\omega=\frac{2K_N^2}{T}\arctan\omega_N T\end{aligned} \tag{9-5-4}$$

若 $\omega_N T$ 充分大，例如当 $\omega_N T \gg 10$，则有

$$\arctan\omega_N T\approx\frac{\pi}{2} \tag{9-5-5}$$

式中，ω_N 为白噪声的带宽；T 为一阶系统的时间常数。

将式（9-5-5）代入式（9-5-4），则得到式（9-5-3）所示之一阶系统，在谱密度为式（9-5-1）表示的白噪声输入下，其输出均方值为

$$\overline{x}^2\approx 2K_N^2\left(\frac{\pi}{2T}\right) \tag{9-5-6}$$

将式（9-5-6）与式（9-5-2）比较，将 $\frac{\pi}{2T}$ 称为由式（9-5-3）所表示的一阶系统的等效噪声宽度，亦即一阶系统的输出的均方值与一带宽为 $\frac{\pi}{2T}$ 的理想滤波器的输出均方值相等（忽略近似误差），系统的等效噪声带宽由此得名。

通常，实际白噪声的带宽 ω_N 都远大于系统的带宽，相对于系统带宽而言，可以认为 $\omega_N\to\infty$，故在计算系统输出均方值时可用下式

$$\overline{x}^2=K_N^2\int_{-\infty}^{\infty}\left|\Phi(j\omega)\right|^2 d\omega$$

$$=2\pi K_{\mathrm{N}}^{2}\frac{1}{2\pi}\int_{-\infty}^{\infty}|\Phi(\mathrm{j}\omega)|^{2}\mathrm{d}\omega \tag{9-5-7}$$

考虑到 $\frac{1}{2\pi}\int_{-\infty}^{\infty}|\Phi(\mathrm{j}\omega)|^{2}\mathrm{d}\omega=\frac{1}{2\pi\mathrm{j}}\int_{-\mathrm{j}\infty}^{\mathrm{j}\infty}|\Phi(s)|^{2}\mathrm{d}s=I \qquad (s=\mathrm{j}\omega)$

于是式（9-5-7）又可写成

$$\overline{x}^{2}=2K_{\mathrm{N}}^{2}(\pi I) \tag{9-5-8}$$

这样，在系统传递函数的阶数不太高，例如等于或低于四阶时，就可利用表 9-4-1 的积分表求得 I，而系统等效噪声带宽就是 πI。

现利用式（9-5-8）计算前述一阶系统的等效噪声带宽。将 $s=\mathrm{j}\omega$ 代入式（9-5-3），得

$$\Phi(s)=\frac{1}{Ts+1}$$

将上式代入式（9-4-13）得

$$I=\frac{1}{2\pi\mathrm{j}}\int_{-\mathrm{j}\infty}^{\mathrm{j}\infty}\left|\frac{1}{Ts+1}\right|^{2}\mathrm{d}s$$

由此可知，分子分母多项式系数为

$$c_k=1 \qquad d_{k-1}=T \qquad d_k=1$$

查表 9-4-1 知，$I=\frac{c_k^2}{2d_kd_{k-1}}=\frac{1}{2T}$。由式（9-5-8）知系统的等效噪声带宽为 $\pi I=\frac{\pi}{2}\frac{1}{T}$，其结果与式（9-5-6）一样。

例 9-5-2 设二阶系统的传递函数为

$$\Phi(s)=\frac{\omega_{\mathrm{n}}^{2}}{s^{2}+2\zeta\omega_{\mathrm{n}}s+\omega_{\mathrm{n}}^{2}} \tag{9-5-9}$$

求其等效噪声带宽。

解 将式（9-5-9）与式（9-4-13）对比，可知 $\Phi(s)$ 分子和分母多项式的系数是

$$c_k=\omega_{\mathrm{n}}^{2} \qquad d_k=\omega_{\mathrm{n}}^{2}$$
$$c_{k-1}=0 \qquad d_{k-1}=2\zeta\omega_{\mathrm{n}}$$
$$d_{k-2}=1$$

从表 9-4-1 可查得

$$I=I_2=\frac{c_{k-1}^{2}d_k+c_k^{2}d_{k-2}}{2d_kd_{k-1}d_{k-2}}=\frac{\omega_{\mathrm{n}}}{4\zeta} \tag{9-5-10}$$

如用 ω_{bN} 表示二阶系统的等效噪声带宽，则有

$$\omega_{\mathrm{bN}}=\pi I=\frac{\pi\omega_{\mathrm{n}}}{4\zeta}=\frac{\pi}{2}\frac{\omega_{\mathrm{n}}}{2\zeta} \tag{9-5-11}$$

如果一阶系统的时间常数 T 的倒数与二阶系统的无阻尼自然振荡角频率 ω_{n} 相等，当 $\zeta=1$ 时，此二阶系统相当于两个时间常数 T 相等的一阶系统串联。再比较式（9-5-11）与式（9-5-6）可见，两个一阶系统串联后的系统等效噪声带宽将是一个一阶系统等效噪声带宽的 $\frac{1}{2}$。缩短等效噪声带宽，必然对抑制噪声的影响有利。

当二阶系统的阻尼比 $\zeta\neq1$ 而是 $0<\zeta<1$ 时，系统的等效噪声带宽就与 ζ 成反比了。前曾述及，二阶系统的阻尼比 ζ 的值对系统的相对稳定性（即系统的性能指标）有直接影响。

因此，无论是对系统的等效噪声带宽，或是对系统相对稳定性而言，二阶系统的阻尼比 ζ 都是设计系统时须予重视的参量。

小　结

1）本章研究的控制系统，其输入信号（包括控制信号和各种扰动信号在内的广义输入信号）中有可用时间为变量的解析函数描述的部分，还有不能用解析函数描述的部分，有时甚至输入信号中没有能用解析函数描述的部分，全部输入都是随机信号。此种系统称为不确定系统。

2）作用于控制系统上的随机信号是与时间有关的随机变量，也是随机过程。对于随机过程要用统计方法研究，以相关函数和谱密度描述。本章所涉及的随机过程具有平稳随机过程的特征，并且符合各态历经假设。

3）平稳随机过程的相关函数（严格地讲应为自相关函数）是该过程在时距为 τ 的两个时刻上的状态（即该时刻的随机变量）乘积的集合平均。通俗地理解，可以认为平稳随机过程的相关函数表征了该过程在时距为 τ 的两个时刻上的状态关联程度。显然，当 $\tau \to 0$ 时，相关函数趋于最大值，当 $\tau \to \infty$ 时，相关函数将趋于零。

4）如果平稳随机过程符合各态历经假设，则在计算其相关函数时可用时间平均（或称数学平均）取代集合平均（或称统计平均）。

5）平稳随机过程的谱密度与该过程的相关函数组成一傅里叶变换对。平稳随机过程的谱密度是该过程的相关函数的傅里叶变换；而平稳随机过程的相关函数则是该过程的谱密度的傅里叶反变换。频域中对随机过程的描述使用谱密度，而在时域中对随机过程的描述则用相关函数。

6）平稳随机过程的谱密度显示出该过程的功率沿频率轴的分布特性，严格地讲，随机过程的谱密度是该过程的平均功率谱密度或功率谱密度的简称。

7）对于输入包含随机信号的线性系统，其误差信号也是随机过程，故以系统误差信号的均方值（或称均方误差）作为衡量系统品质优劣的尺度。

8）在系统传递函数和输入随机信号的谱密度为已知的条件下，即可计算出系统的均方误差。

9）当不能确知输入随机信号的谱密度时，可用系统的等效噪声带宽去评价系统的特性。

习　题

9-1　试求正弦函数

$$X(t)=A\sin(\omega t+\varphi)$$

的相关函数 $R(\tau)$ 及谱密度 $\Phi(\omega)$。

9-2　一控制系统的框图如图 9-T-1 所示。

已知给定控制随机信号的相关函数为

$$R_r(\tau)=\overline{a^2}\mathrm{e}^{-\mu|\tau|}$$

扰动随机信号的相关函数为

$$R_n(\tau)=K_N^2\delta(\tau)$$

并且 $r(t)$ 和 $n(t)$ 互不相关，试求该系统的均方误差。

9-3　一控制系统的框图如图 9-T-2 所示。

已知给定控制信号 $r(t)$ 和扰动信号 $n(t)$ 的谱密度分别为

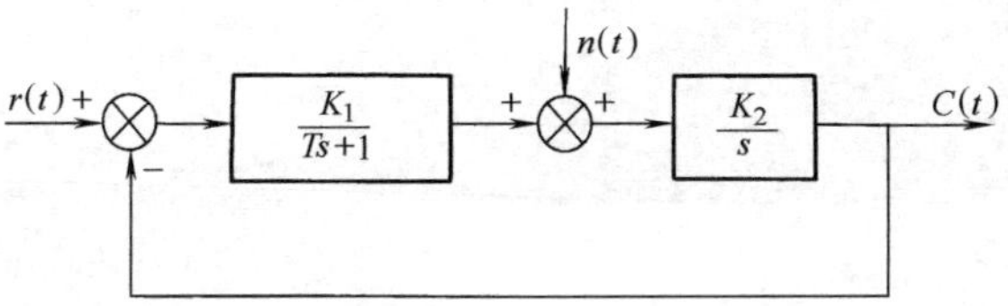

图 9-T-1　题 9-2 图

$$\Phi_r(\omega)=\frac{4}{\omega^2+4},\quad \Phi_n(\omega)=\frac{8}{\omega^2+16}$$

并且 $r(t)$ 和 $n(t)$ 互不相关，试求使系统均方误差为最小时的系统开环增益 K 之值。

9-4　试求图 9-T-3 所示电路的等效噪声带宽。

注：假设网络的输入端阻抗为零，负载阻抗为∞。

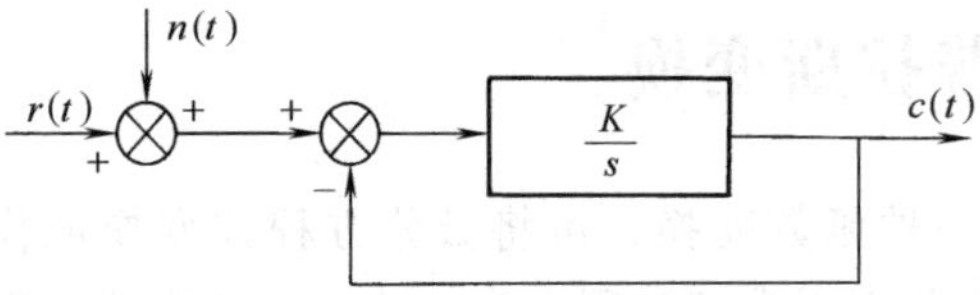

图 9-T-2　题 9-3 图

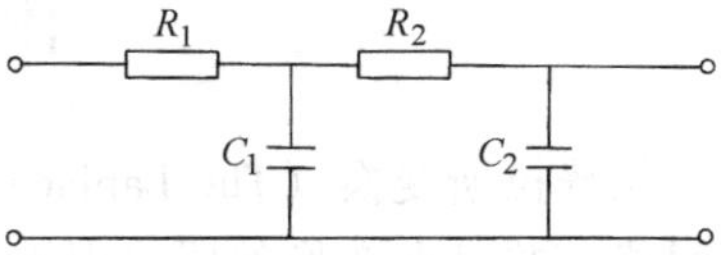

图 9-T-3　题 9-4 图

附　录

附录 A　拉普拉斯变换

拉普拉斯变换（The Laplace Transform）是一种函数变换，可将微分方程式变换成代数方程式，并且在变换的同时引入初始条件，使微分方程求解过程大为简化，是经典控制理论的数学基础。本附录主要为方便读者应用，但因篇幅关系略去了数学证明过程。

一、拉普拉斯变换定义

拉普拉斯变换的定义

$$F(s)=L[f(t)]=\int_0^{\infty} f(t)\mathrm{e}^{-st}\mathrm{d}t \tag{A-1}$$

式中，$f(t)$ 是实变量 t 的函数，$s=\sigma+\mathrm{j}\omega$ 是复变量。

式（A-1）成立的条件是等号右边的积分存在（收敛）。符号 $L[f(t)]$ 表示对函数 $f(t)$ 进行拉普拉斯变换。拉普拉斯变换的结果 $F(s)$ 是复变量 s 的函数。

拉普拉斯变换是一种单值变换，即 $f(t)$ 和 $F(s)$ 之间具有一一对应的关系。通常称 $f(t)$ 为原函数，$F(s)$ 为象函数。根据拉普拉斯变换的定义，可从已知的原函数求取象函数。例如原函数为 e^{-at}，其象函数可求得如下

$$F(s)=L[\mathrm{e}^{-at}]=\int_0^{\infty}\mathrm{e}^{-at}\mathrm{e}^{-st}\mathrm{d}t=\int_0^{\infty}\mathrm{e}^{-(s+a)t}\mathrm{d}t$$

$$=-\frac{1}{s+a}\mathrm{e}^{-(s+a)t}\Big|_0^{\infty}=\frac{1}{s+a}$$

常用函数的拉普拉斯变换见表 A-1。

表 A-1　常用函数拉普拉斯变换对照表

序号	$f(t)$	$F(s)$
1	$\delta(t)$	1
2	$1(t)$	$\frac{1}{s}$
3	e^{-at}	$\frac{1}{s+a}$
4	t^n	$\frac{n!}{s^{n+1}}$
5	$t\mathrm{e}^{-at}$	$\frac{1}{(s+a)^2}$

（续）

序号	$f(t)$	$F(s)$
6	$t^n e^{-at}$	$\frac{n!}{(s+a)^{n+1}}$
7	$\sin \omega t$	$\frac{\omega}{s^2+\omega^2}$
8	$\cos \omega t$	$\frac{s}{s^2+\omega^2}$
9	$\frac{1}{\beta-\alpha}(e^{-\alpha t}-e^{-\beta t})$	$\frac{1}{(s+\alpha)(s+\beta)}$
10	$\frac{1}{\beta-\alpha}(\beta e^{-\alpha t}-\alpha e^{-\beta t})$	$\frac{s}{(s+\alpha)(s+\beta)}$
11	$\frac{1}{\alpha}(1-e^{-\alpha t})$	$\frac{1}{s(s+\alpha)}$
12	$\frac{1}{\alpha\beta}\left[1+\frac{1}{\alpha-\beta}(\beta e^{-\alpha t}-\alpha e^{-\beta t})\right]$	$\frac{1}{s(s+\alpha)(s+\beta)}$
13	$e^{-\alpha t}\sin\omega t$	$\frac{\omega}{(s+\alpha)^2+\omega^2}$
14	$e^{-\alpha t}\cos\omega t$	$\frac{s+\alpha}{(s+\alpha)^2+\omega^2}$
15	$\frac{1}{\alpha^2}(e^{-\alpha t}+\alpha t-1)$	$\frac{1}{s^2(s+\alpha)}$
16	$\frac{\omega_n}{\sqrt{1-\zeta^2}}e^{-\zeta\omega_n t}\sin\omega_n\sqrt{1-\zeta^2}\,t$	$\frac{\omega_n^2}{s^2+2\zeta\omega_n s+\omega_n^2}(0<\zeta<1)$
17	$\frac{-1}{\sqrt{1-\zeta^2}}e^{-\zeta\omega_n t}\sin\left(\omega_n\sqrt{1-\zeta^2}\,t-\arctan\frac{\sqrt{1-\zeta^2}}{\zeta}\right)$	$\frac{s}{s^2+2\zeta\omega_n s+\omega_n^2}(0<\zeta<1)$
18	$1-\frac{1}{\sqrt{1-\zeta^2}}e^{-\zeta\omega_n t}\sin\left(\omega_n\sqrt{1-\zeta^2}\,t+\arctan\frac{\sqrt{1-\zeta^2}}{\zeta}\right)$	$\frac{\omega_n^2}{s(s^2+2\zeta\omega_n s+\omega_n^2)}(0<\zeta<1)$

二、拉普拉斯变换的主要运算定理

对于两个函数代数和的拉普拉斯变换，或函数导数的拉普拉斯变换，可运用拉普拉斯变换运算定理方便地求得。此处给出本课程最常用的 4 个定理，并略去了运算定理的证明。

1. 叠加定理

两个函数代数和的拉普拉斯变换等于两个函数拉普拉斯变换的代数和，即

$$L[f_1(t)\pm f_2(t)]=L[f_1(t)]\pm L[f_2(t)]=F_1(s)\pm F_2(s) \tag{A-2}$$

上述结论可推广到多个函数代数和的情况。

2. 比例定理

函数 $f(t)$ K 倍的拉普拉斯变换等于该函数拉普拉斯变换的 K 倍，其中 K 为常数，即

$$L[Kf(t)]=KL[f(t)]=KF(s) \tag{A-3}$$

3. 微分定理

函数 $f(t)$ 一阶导数的拉普拉斯变换为

$$L[f'(t)]=sF(s)-f(0) \tag{A-4}$$

在零初始条件下（$f(0)=f'(0)=\cdots=f^{n-1}(0)=0$），函数 $f(t)$ 的 n 阶导数的拉普拉斯变换为

$$L\left[\frac{\mathrm{d}f^n(t)}{\mathrm{d}t^n}\right]=s^nF(s) \tag{A-5}$$

应用拉普拉斯变换方法求解微分方程时使用此定理。

4. 终值定理

函数 $f(t)$ 在 $t\to\infty$ 时的值，可通过将象函数乘以 s 后，求 $s\to 0$ 的极限得到，条件是等式两边的极限存在。

$$\lim_{t\to\infty}f(t)=\lim_{s\to 0}sF(s) \tag{A-6}$$

终值定理用于求系统的稳态误差终值。

三、拉普拉斯反变换

由象函数 $F(s)$ 求取原函数 $f(t)$ 的运算称为拉普拉斯反变换，用下式表示

$$f(t)=L^{-1}[F(s)] \tag{A-7}$$

求拉普拉斯反变换可用查表方法。在自动控制理论中，传递函数是 s 的有理分式，即

$$G(s)=\frac{N(s)}{D(s)}=\frac{N(s)}{(s-s_1)^l\prod_{i=2}^{q-l}(s-s_i)\prod_{k=1}^{r}(s^2+2\zeta_k\omega_{nk}s+\omega_{nk}^2)}$$

有 q 个极点，其中 s_1 是 l 重极点，和 r 对共轭复数极点（$s_k=-\zeta_k\omega_{nk}\pm j\omega_{nk}\sqrt{1-\zeta_k^2}$，$k=1,2,\cdots,r$）。求取原函数时，先展开成如下部分分式

$$G(s)=\left[\frac{a_l}{(s-s_1)^l}+\frac{a_{l-1}}{(s-s_1)^{l-1}}+\cdots+\frac{a_2}{(s-s_1)^2}+\frac{a_1}{(s-s_1)}\right]+$$

$$\sum_{i=2}^{q-l}\frac{A_i}{s-s_i}+\sum_{k=1}^{r}\frac{B_k(s+\zeta_k\omega_{nk})+C_k\omega_{nk}\sqrt{1-\zeta_k^2}}{s^2+2\zeta_k\omega_{nk}s+\omega_{nk}^2} \tag{A-8}$$

式中，$a_1=\left[\frac{N(s)}{D(s)}(s-s_1)^l\right]_{s=s_1}$；$a_{j+1}=\frac{1}{j!}\left\{\frac{\mathrm{d}^j}{\mathrm{d}s^j}\left[\frac{N(s)}{D(s)}(s-s_1)^l\right]\right\}_{s=s_1}$ $(j=1,2,\cdots,l-1)$；$A_i=\left[\frac{N(s)}{D(s)}(s-s_i)\right]_{s=s_i}$ $(i=2,3,\cdots,q-l)$；$D_k=\left|\left[\frac{N(s)}{D(s)}(s-s_k)\right]_{s=s_k}\right|$，$\theta_k=\angle\left[\frac{N(s)}{D(s)}(s-s_k)\right]_{s=s_k}$ $(k=1,2,\cdots,r)$。

式（A-8）中的 B_k，C_k 和 D_k，$\theta_k(k=1,2,\cdots,r)$ 满足下列关系

$$D_k=\sqrt{B_k^2+C_k^2},\quad \theta_k=\arctan\frac{C_k}{B_k}(k=1,2,\cdots,r)$$

求得原函数为

$$g(t)=\left[\frac{a_l}{(l-1)!}t^{l-1}+\frac{a_{l-1}}{(l-2)!}t^{l-2}+\cdots+a_2t+a_1\right]\mathrm{e}^{s_1t}+$$

$$\sum_{i=2}^{q-l+1}A_i\mathrm{e}^{s_it}+\sum_{k=1}^{r}D_k\mathrm{e}^{-\zeta_k\omega_{nk}t}\cos(\omega_{nk}\sqrt{1-\zeta_k^2}\,t+\theta_k)$$

四、用拉普拉斯变换方法求常微分方程的解

用拉普拉斯变换方法求常微分方程的解的步骤如下：

1）对微分方程两边求拉普拉斯变换（设初始状态为零）；

2）从所得结果，用代数方法解出所求变量的象函数，一般是 s 的有理分式；

3）对上述 s 的有理分式用部分分式展开，并求出待定系数；

4）查表得到微分方程的解。

举例说明。已知系统的微分方程为

$$\frac{d^3c(t)}{dt^3}+5\frac{d^2c(t)}{dt^2}+7\frac{dc(t)}{dt}+3c(t)=\frac{dr(t)}{dt}+2r(t)$$

式中，$r(t)$ 为单位阶跃信号，系统的初始条件为零。求系统的单位阶跃响应。

解　对微分方程两边进行拉普拉斯变换（微分定理、比例定理和叠加定理），得

$$\frac{C(s)}{R(s)}=\frac{s+2}{(s+1)^2(s+3)}\text{或 }C(s)=\frac{s+2}{s(s+1)^2(s+3)}$$

展开成部分分式，有

$$C(s)=\frac{A_1}{s}+\frac{a_2}{(s+1)^2}+\frac{a_1}{s+1}+\frac{A_2}{s+3}$$

式中，$A_1=[C(s)s]_{s=0}=\frac{2}{3}$；$A_2=[C(s)(s+3)]_{s=-3}=\frac{1}{12}$；$a_1=[C(s)(s+1)^2]_{s=-1}=-\frac{1}{2}$；$a_2=\frac{d}{ds}[C(s)(s+1)^2]_{s=-1}=-\frac{3}{4}$。

微分方程的解（单位阶跃响应）为

$$c(t)=\frac{2}{3}-\frac{1}{2}\left(t+\frac{3}{2}\right)e^{-t}+\frac{1}{12}e^{-3t}$$

附录 B　赫尔维茨稳定判据的证明

本附录用判别系统稳定性的李亚普诺夫第二法证明赫尔维茨稳定判据。

设线性定常系统的齐次状态方程为

$$\dot{\boldsymbol{x}}=\boldsymbol{Ax}$$

$\boldsymbol{x}_e=0$ 为其平衡状态。

根据李亚普诺夫第二法，此平衡状态大范围渐近稳定的充分和必要条件是，对于任意给定的对称正定矩阵 $\boldsymbol{Q}$，都存在一个对称正定矩阵 $\boldsymbol{P}$，使得

$$\boldsymbol{A}^{T}\boldsymbol{P}+\boldsymbol{PA}=-\boldsymbol{Q} \tag{B-1}$$

而 $\boldsymbol{V}(\boldsymbol{x})=\boldsymbol{x}^{T}\boldsymbol{Px}$ 即为所选定的李亚普诺夫函数。

若给定的 $\boldsymbol{Q}$ 为非负定的，则要求 $\dot{\boldsymbol{V}}(\boldsymbol{x})$ 在沿任一零输入响应的轨迹上不恒等于零。

用李亚普诺夫第二法证明赫尔维茨稳定判据的步骤是：

1）将给定的描述系统运动的高阶齐次微分方程变换为齐次状态方程。

2）给定对称正定（或非负定）矩阵 $\boldsymbol{Q}$，根据式（B-1）求出相应的矩阵 $\boldsymbol{P}$。

3）由要求矩阵 $\mathbf{P}$ 为正定的条件证明赫尔维茨稳定判据。

设在输入信号为零的情况下，系统的齐次微分方程为

$$a_0\frac{d^nx}{dt^n}+a_1\frac{d^{n-1}x}{dt^{n-1}}+\cdots+a_{n-1}\frac{dx}{dt}+a_nx=0$$

用 a_0 除上式中各项，得

$$\frac{d^nx}{dt^n}+c_1\frac{d^{n-1}x}{dt^{n-1}}+\cdots+c_{n-1}\frac{dx}{dt}+c_nx=0 \tag{B-2}$$

式中，$c_i=\dfrac{a_i}{a_0}(i=1,2,\cdots,n)$。

式（B-2）的系数行列式为

$$\Delta_n=\begin{vmatrix} c_1 & 1 & 0 & 0 & 0\cdots 0 & 0 \\ c_3 & c_2 & 1 & 0 & 0\cdots 0 & 0 \\ c_5 & c_4 & c_3 & 1 & 0\cdots 0 & 0 \\ \vdots & \vdots & \vdots & \vdots & \vdots\ \ \vdots & \vdots \\ 0 & 0 & 0 & 0 & 0\cdots c_{n-1} & 1 \\ 0 & 0 & 0 & 0 & 0\cdots 0 & c_n \end{vmatrix}$$

根据赫尔维茨判据，上述系统稳定的充分和必要条件是，其各阶主子行列式满足下列条件

$$\Delta_1=c_1>0,\Delta_2=\begin{vmatrix} c_1 & 1 \\ c_3 & c_2 \end{vmatrix}>0,\Delta_3=\begin{vmatrix} c_1 & 1 & 0 \\ c_3 & c_2 & c_1 \\ c_5 & c_4 & c_3 \end{vmatrix}>0,\cdots,\Delta_n>0$$

为了证明赫尔维茨判据，首先将系统的高阶微分方程写成状态方程的形式。

选择系统的状态变量为

$$\boldsymbol{x}=[x_1\quad x_2\quad \cdots\quad x_n]^{\mathrm{T}}$$

并令 $x_1=x$，则式（B-2）等价于下列状态方程

$$\dot{\boldsymbol{x}}=\boldsymbol{A}\boldsymbol{x}$$

式中

$$\boldsymbol{A}=\begin{bmatrix} 0 & 1 & 0 & 0 & 0 & \cdots & 0 & 0 \\ -b_n & 0 & 1 & 0 & 0 & \cdots & 0 & 0 \\ 0 & -b_{n-1} & 0 & 1 & 0 & \cdots & 0 & 0 \\ \vdots & \vdots & \vdots & \vdots & \vdots & & \vdots & \vdots \\ 0 & 0 & 0 & 0 & 0 & \cdots & 0 & 1 \\ 0 & 0 & 0 & 0 & 0 & \cdots & -b_2 & -b_1 \end{bmatrix} \tag{B-3}$$

此矩阵的特点是，在主对角线上除了最后的一个元素为$-b_1$外，其余各个元素均为零。主对角线以上各元素均为 1。主对角线以下各元素从第二行开始依次为$-b_n$，$-b_{n-1}$，$\cdots$，$-b_2$。矩阵中 b_i 与系统原来的高阶微分方程的各阶系数子行列式的关系为

$$b_1=\Delta_1=c_1,\quad b_2=\frac{\Delta_2}{\Delta_1}=c_2-\frac{c_3}{c_1},\quad b_3=\frac{\Delta_3}{\Delta_2\Delta_1}=\frac{c_3}{c_1},\quad b_4=\frac{\Delta_1\Delta_4}{\Delta_3\Delta_2},\cdots,\quad b_i=\frac{\Delta_{i-3}\Delta_i}{\Delta_{i-1}\Delta_{i-2}}\quad (i=5,6,\cdots,n)$$

为了简化问题，现以三阶系统为例证实以上关系。

三阶系统的齐次微分方程为

$$\frac{\mathrm{d}^3x}{\mathrm{d}t^3}+a_1\frac{\mathrm{d}^2x}{\mathrm{d}t^2}+a_2\frac{\mathrm{d}x}{\mathrm{d}t}+a_3x=0$$

选择状态变量 $\boldsymbol{x}=[x_1\quad x_2\quad x_3]^{\mathrm{T}}$，并令 $x_1=x$，可以得到等价状态方程

$$\begin{bmatrix} \dot{x}_1 \\ \dot{x}_2 \\ \dot{x}_3 \end{bmatrix}=\begin{bmatrix} 0 & 1 & 0 \\ -b_3 & 0 & 1 \\ 0 & -b_2 & -b_1 \end{bmatrix}\begin{bmatrix} x_1 \\ x_2 \\ x_3 \end{bmatrix}$$

其展开式为

$$\dot{x}_1=x_2,\ \dot{x}_2=-b_3x_1+x_3,\ \dot{x}_3=-b_2x_2-b_1x_3$$

由上三式中消去 x_2、x_3，再以 $x_1=x$ 代入，可得

$$\frac{d^3x}{dt^3}+b_1\frac{d^2x}{dt^2}+(b_2+b_3)\frac{dx}{dt}+b_1b_3x=0$$

考虑到

$$b_1=\boldsymbol{\Delta}_1=a_1,b_2=\frac{\boldsymbol{\Delta}_2}{\boldsymbol{\Delta}_1}=\frac{1}{a_1}\begin{vmatrix}a_1 & 1\\ a_3 & a_2\end{vmatrix}=a_2-\frac{a_3}{a_1},b_3=\frac{\boldsymbol{\Delta}_3}{\boldsymbol{\Delta}_1\boldsymbol{\Delta}_2}=\frac{a_3}{a_1}$$

将 b_1、b_2 和 b_3 代入前式，即可得到原来系统的微分方程。

其次，应给定矩阵 $\boldsymbol{Q}$，并根据式（B-1）去求矩阵 $\boldsymbol{P}$。设

$$\boldsymbol{Q}=\begin{bmatrix}0 & \cdots & 0 & 0\\ \vdots & & \vdots & \vdots\\ 0 & \cdots & 0 & 0\\ 0 & \cdots & 0 & 2b_1^2\end{bmatrix} \tag{B-4}$$

这是一个对称非负定矩阵，由此可知李亚普诺夫函数的导数为

$$\dot{V}(x)=-\boldsymbol{x}^{\mathrm{T}}\boldsymbol{Q}\boldsymbol{x}=-2b_1^2x_n^2$$

只要 x_1，x_2，…，x_n 不全都为零，则 $\dot{x}_n\neq0$，于是 $\dot{V}(x)$ 不可能恒为零。所以按式（B-4）选定的矩阵 $\boldsymbol{Q}$ 是合理的。

再假设矩阵 $\boldsymbol{P}$ 是对角线矩阵

$$\boldsymbol{P}=\begin{bmatrix}p_n & 0 & \cdots & 0 & 0\\ 0 & p_{n-1} & \cdots & 0 & 0\\ \vdots & \vdots & & \vdots & \vdots\\ 0 & 0 & \cdots & p_2 & 0\\ 0 & 0 & \cdots & 0 & p_1\end{bmatrix} \tag{B-5}$$

将式（B-3）~式（B-5）代入式（B-1），即可求得

$$\boldsymbol{P}=\begin{bmatrix}b_n\cdots b_2b_1 & 0 & \cdots & 0 & 0\\ 0 & b_{n-1}\cdots b_2b_1 & \cdots & 0 & 0\\ \vdots & \vdots & & \vdots & \vdots\\ 0 & 0 & \cdots & b_2b_1 & 0\\ 0 & 0 & \cdots & 0 & b_1\end{bmatrix}$$

最后检验矩阵 $\boldsymbol{P}$ 的正定性。如系统的平衡点是大范围渐近稳定的，则矩阵 $\boldsymbol{P}$ 应是正定的，亦即矩阵 $\boldsymbol{P}$ 主对角线上各元均应大于零，即有

$$b_1>0,\quad b_2b_1>0,\quad \cdots,\quad b_nb_{n-1}\cdots b_2b_1>0$$

考虑到 b_i 和 Δ_i（$i=1，2，…，n$）的关系，也就是要满足以下不等式的条件

$$b_1=\boldsymbol{\Delta}_1>0$$

$$b_2b_1=\frac{\boldsymbol{\Delta}_2}{\boldsymbol{\Delta}_1}\boldsymbol{\Delta}_1=\boldsymbol{\Delta}_2>0$$

$$b_3b_2b_1=\frac{\boldsymbol{\Delta}_3}{\boldsymbol{\Delta}_2\boldsymbol{\Delta}_1}\frac{\boldsymbol{\Delta}_2}{\boldsymbol{\Delta}_1}\boldsymbol{\Delta}_1=\frac{\boldsymbol{\Delta}_3}{\boldsymbol{\Delta}_1}>0$$

$$b_4b_3b_2b_1=\frac{\Delta_1\Delta_4}{\Delta_2\Delta_3}\ \frac{\Delta_3}{\Delta_2\Delta_1}\ \frac{\Delta_2}{\Delta_1}\Delta_1=\frac{\Delta_4}{\Delta_2}>0$$

$$\vdots$$

$$b_nb_{n-1}\cdots b_2b_1=\frac{\Delta_n}{\Delta_{n-2}}>0$$

由此可见，只有满足

$$\left.\begin{array}{l}\Delta_1>0\\ \Delta_2>0\\ \Delta_3>0\\ \vdots\\ \Delta_n>0\end{array}\right\} \qquad \text{(B-6)}$$

的条件，矩阵 $\boldsymbol{P}$ 才是正定的，此时，由式（B-2）所描述的系统才是稳定的。这正是赫尔维茨稳定判据的结论，从而证明了赫尔维茨稳定判据。

由于劳斯稳定判据与赫尔维茨稳定判据是等价的，所以也就同时证明了劳斯判据的正确性。

附录 C　时间函数的频谱特性

毫无疑问，通过频率特性可以研究系统在正弦函数输入作用下的稳态响应，本附录要进一步说明，由系统的频率特性研究非周期输入作用下的时域响应的问题。

设一周期函数 $f(t)$，其周期为 T。若 $f(t)$ 满足狄里赫利条件，即在区间 T 上有界，且仅有有限个第一类间断点，则 $f(t)$ 可用收敛的傅里叶级数表示，即

$$f(t)=\frac{A_0}{2}+\sum_{n=1}^{\infty}(A_n\cos n\omega t+B_n\sin n\omega t)\qquad (n=1,2,\cdots,k,\cdots) \qquad \text{(C-1)}$$

式中，$A_n=\frac{2}{T}\int_{-T/2}^{T/2}f(t)\cos n\omega t\mathrm{d}t$；$B_n=\frac{2}{T}\int_{-T/2}^{T/2}f(t)\sin n\omega t\mathrm{d}t$；$\omega=2\pi f$。

如果写成复数形式，则为

$$f(t)=\sum_{n=-\infty}^{\infty}C_n\mathrm{e}^{\mathrm{j}n\omega t}\qquad (n=1,2,\cdots,k,\cdots) \qquad \text{(C-2)}$$

式中，$C_n=\frac{1}{T}\int_{-T/2}^{T/2}f(t)\mathrm{e}^{-\mathrm{j}n\omega t}\mathrm{d}t$。

从上述可见，周期函数 $f(t)$ 只要满足狄里赫利条件，就可用傅里叶级数表示。也就是说明函数 $f(t)$ 是由各次谐波叠加而成，复系数 C_n 的幅值表示了第 n 次谐波的幅度，而 C_n 的相位则为该次谐波对基波的相移。或者说傅里叶级数的系数表示出了各次谐波的幅值和相位，这些系数的集合称为频谱。由于谐波都是基波频率的整数倍频率，故周期函数 $f(t)$ 的频谱是离散型频谱。

满足狄里赫利条件的非周期函数 $f(t)$，若是绝对可积，就可以用傅里叶积分表示，即

$$f(t)=\frac{1}{2\pi}\int_{-\infty}^{\infty}\mathrm{e}^{\mathrm{j}\omega t}\mathrm{d}\omega\int_{-\infty}^{\infty}f(\tau)\mathrm{e}^{-\mathrm{j}\omega t}\mathrm{d}\tau$$

还可以写成

$$f(t)=\frac{1}{2\pi}\int_{-\infty}^{\infty}F(\mathrm{j}\omega)\mathrm{e}^{\mathrm{j}\omega t}\mathrm{d}\omega \tag{C-3}$$

而

$$F(\mathrm{j}\omega)=\int_{-\infty}^{\infty}f(t)\mathrm{e}^{-\mathrm{j}\omega t}\mathrm{d}t \tag{C-4}$$

式（C-4）称为非周期函数$f(t)$的傅里叶变换，而式（C-3）则是傅里叶反变换。现进一步说明傅里叶积分式的含义。

如以$f=\dfrac{\omega}{2\pi}$作为频率坐标，傅里叶反变换式可写成

$$f(t)=\int_{-\infty}^{\infty}F(\mathrm{j}2\pi f)\mathrm{e}^{\mathrm{j}2\pi ft}\mathrm{d}f \tag{C-5}$$

设$F(\mathrm{j}2\pi f)$为一单位面积的窄脉冲，如图 C-1 所示，将其代入式（C-5）则有

$$f(t)=\mathrm{e}^{\mathrm{j}2\pi fkt}$$

此式表明，$F(\mathrm{j}2\pi f)$上一个单位面积的窄脉冲即对应于幅值为 1 的复数正弦函数。因此，若将$F(\mathrm{j}2\pi f)$分解为一系列窄脉冲，如图 C-1 所示，其面积分别为$F(\mathrm{j}2\pi f_k)\Delta f$，则合成的时间函数就是这些对应的复数正弦函数之和，即

$$f(t)=\sum F(\mathrm{j}2\pi f_k)\mathrm{e}^{\mathrm{j}2\pi f_k t}\Delta f=\frac{1}{2\pi}\sum F(\mathrm{j}\omega_k)\mathrm{e}^{\mathrm{j}\omega_k t}\Delta\omega$$

当$\Delta\omega\to0$时，即是将$F(\mathrm{j}\omega)$在正、负频率方向分解为无限多个窄脉冲，即得到

$$f(t)=\frac{1}{2\pi}\int_{-\infty}^{\infty}F(\mathrm{j}\omega)\mathrm{e}^{\mathrm{j}\omega t}\mathrm{d}\omega$$

这就是傅里叶反变换。

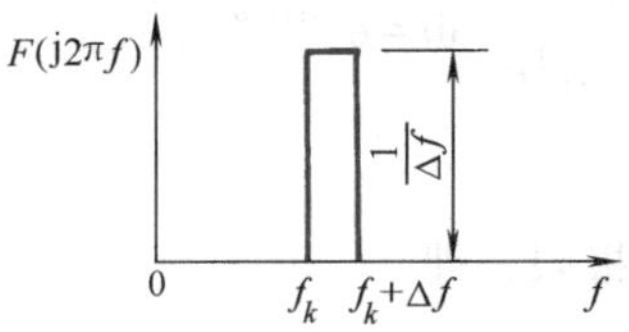

图 C-1　单位面积窄脉冲

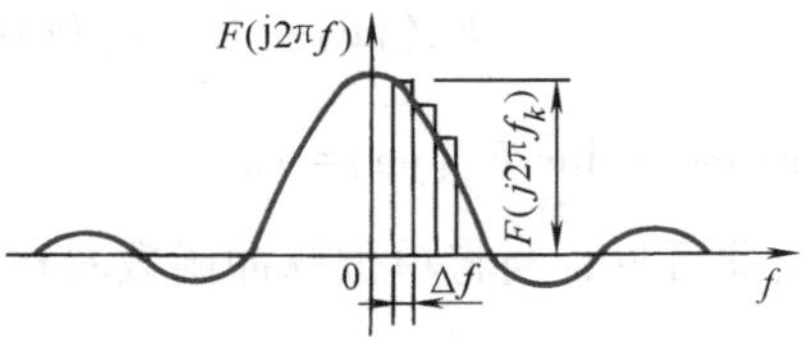

图 C-2　$F(\mathrm{j}2\pi f)$的分解

由此可见，傅里叶积分就是在频域上将原非周期时间函数$f(t)$进行分解，分解成如图 C-2 中的那些矩形窄脉冲，而每一个窄脉冲都对应于时域中一个复数正弦函数。傅里叶积分的实质是将非周期时间函数$f(t)$看成由无限多个复数正弦波叠加而成。

周期时间函数用傅里叶级数表示成谐波的叠加，谐波的频率取值是离散的。对非周期时间函数，复数正弦波之间的频率差为无限小。

傅里叶积分将一非周期函数$f(t)$分解为无限多个复数正弦波，每一正弦波的幅值可从傅里叶变换得到

$$\frac{1}{2\pi}F(\mathrm{j}\omega)\mathrm{d}\omega$$

这说明各频率的幅值为无限小。如按周期函数分解为谐波叠加，以各次谐波幅值的集合表示该周期函数的频谱，在这里对非周期函数不能这样表示。所以，对非周期函数一般用相对幅值$F(\mathrm{j}\omega)$表示其频谱特性，简称频谱，说明该非周期时间函数各种频率的复数正弦波的分布特性。

下面介绍一些典型函数的频谱特性。

（一）单位脉冲函数 $\delta(t)$ 的频谱特性

脉冲函数 δ(t) 是

$$\delta(t)=\begin{cases}0 & (t\neq 0)\\ \infty & (t=0)\end{cases}$$

并且有

$$\int_{-\infty}^{\infty}\delta(t)\,\mathrm{d}t=1$$

脉冲函数 $\delta(t)$ 可以看作是一个以纵坐标为轴，对称的连续函数 $\delta_\sigma(t)$ 当 σ 趋于无限大时的极限，即

$$\delta(t)=\lim_{\sigma\to\infty}\delta_\sigma(t)$$

这种函数的例子有

$$\delta_\sigma(t)=\frac{\sigma}{\pi(1+\sigma^2t^2)}$$

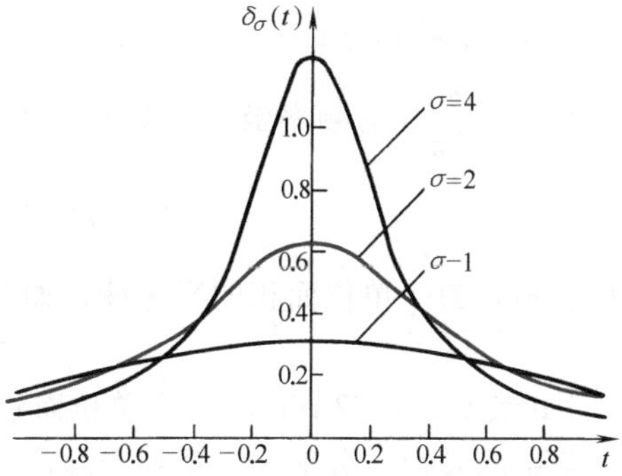

图 C-3 $\delta_\sigma(t)=\dfrac{\sigma}{\pi(1+\sigma^2t^2)}$ 的图形

图 C-3 即是上式的图形，有脉冲函数的性质，即

$$\int_{-\infty}^{\infty}\delta_\sigma(t)\,\mathrm{d}t=1$$

$$\lim_{\sigma\to\infty}\delta_\sigma(t)=0 \qquad (t\neq 0)$$

现求 $\delta_\sigma(t)$ 的频谱特性

$$F_\sigma(\mathrm{j}\omega)=\int_{-\infty}^{\infty}\delta_\sigma(t)\mathrm{e}^{-\mathrm{j}\omega t}\mathrm{d}t=\int_{-\infty}^{\infty}\frac{\sigma\mathrm{e}^{-\mathrm{j}\omega t}}{\pi(1+\sigma^2t^2)}\mathrm{d}t=\mathrm{e}^{-|\omega|/\sigma}$$

故有 $F(\mathrm{j}\omega)=\lim\limits_{\sigma\to\infty}F_\sigma(\mathrm{j}\omega)=1$。

由此可见，当将单位脉冲函数看作是函数 $\delta_\sigma(t)$ 的极限，即

$$\delta(t)=\lim_{\sigma\to\infty}\delta_\sigma(t)=\frac{1}{2\pi}\lim_{\sigma\to\infty}\int_{-\infty}^{\infty}F_\sigma(\mathrm{j}\omega)\mathrm{e}^{\mathrm{j}\omega t}\mathrm{d}\omega$$

其频谱恒等于 1。图 C-4 表示了两者对应的关系，其中以长度为 1 单位的箭头表示面积为 1 单位而幅值为无限大的脉冲函数。

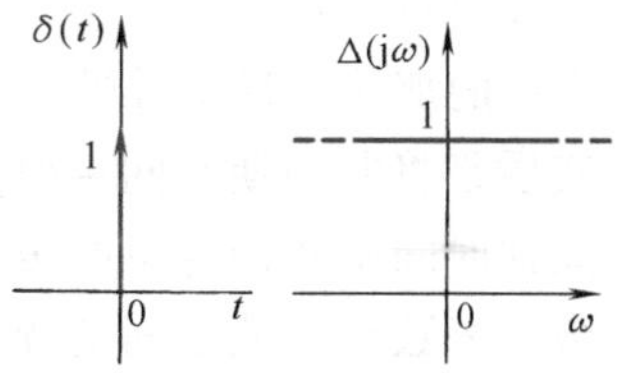

图 C-4 $\delta(t)$ 函数及其频谱

$\delta(t)$ 函数的傅里叶变换及反变换常写成

$$\Delta(\mathrm{j}\omega)=F[\delta(t)]=1$$

$$\delta(t)=\frac{1}{2\pi}\int_{-\infty}^{\infty}\mathrm{e}^{\mathrm{j}\omega t}\mathrm{d}\omega \qquad (\text{C-6})$$

考虑到

$$\mathrm{e}^{\mathrm{j}\omega t}=\cos\omega t+\mathrm{j}\sin\omega t$$

以及脉冲函数 $\delta(t)$ 只有实部，故式（C-6）又可写成

$$\delta(t)=\frac{1}{\pi}\int_{0}^{\infty}\cos\omega t\,\mathrm{d}\omega \qquad (\text{C-7})$$

式（C-7）表明，单位脉冲函数 $\delta(t)$ 为频率 ω 从零到无限大所有的余弦波叠加而成。由于 $\delta(t)$ 函数的频谱特性为 1，此无限多个余弦波，不论频率为何值，其相对幅值都相等。

从式（C-7）中可以看出，各个频率的余弦波的幅值均为$\frac{d\omega}{\pi}$，它不是 ω 的函数，只要 $d\omega$ 取同样的值，各个频率的余弦波的幅值就相等。也可以这样理解，如果不是恒值频谱特性，就不可能由无限多个各个频率的余弦波叠加成在 $t=0$ 瞬时，即将幅值由零冲到无限大的脉冲函数 $\delta(t)$。

（二）常值的频谱特性

设

$$f(t)=\frac{A_0}{2}$$

它不满足绝对可积条件，但可利用前面的 δ 函数求出其频谱

$$F(j\omega)=\frac{A_0}{2}\int_{-\infty}^{\infty}e^{-j\omega t}dt=\frac{A_0}{2}\int_{-\infty}^{\infty}(\cos\omega t-j\sin\omega t)dt$$

$$=A_0\int_{0}^{\infty}\cos\omega t dt$$

考虑到前述 $\delta(t)$ 函数的结果，并将其中对频率 ω 的积分改换为对时间 t 的积分，就得到

$$F(j\omega)=\pi A_0\delta(\omega) \tag{C-8}$$

式（C-8）表明，常值信号的频谱在所有频段上均为零，仅在零频率（非周期）上有一个 δ 函数。这是合乎逻辑的，因为常值信号在时间 $t>0$ 的时间域内都不变化，其中不会含有周期函数分量。

由此，也可推知，某固定频率的余弦函数，其频谱也只表现在此固定频率上，在其他频段上均为零。

（三）单位阶跃函数的频谱特性

单位阶跃函数也不是绝对可积函数，但借助于与求 δ 函数的频谱特性类似的方法，也能求得其频谱特性。

将阶跃函数看作函数 $f_\varepsilon(t)$ 的极限

$$f_\varepsilon(t)=\begin{cases}e^{-\varepsilon t} & (t>0)\\ 0 & (t<0)\end{cases}$$

$$\lim_{\varepsilon\to 0}f_\varepsilon(t)=1(t)$$

$f_\varepsilon(t)$ 的傅里叶变换为

$$F_\varepsilon(j\omega)=\int_{0}^{\infty}e^{-\varepsilon t}e^{-j\omega t}dt=\int_{0}^{\infty}e^{-(j\omega+\varepsilon)t}dt=\frac{1}{j\omega+\varepsilon}$$
$$=\frac{\varepsilon}{\varepsilon^2+\omega^2}-j\frac{\omega}{\varepsilon^2+\omega^2} \tag{C-9}$$

当以 $\sigma=\frac{1}{\varepsilon}$代入式（C-9）的实部时，则有

$$\mathrm{Re}F_\varepsilon(j\omega)=\frac{\sigma}{1+\sigma^2\omega^2}$$

这与 $\delta_\sigma(t)$ 的形式完全一样，只不过其中的 t 以现在的 ω 代替，并且相差 π 倍。由此可知 $F_\varepsilon(j\omega)$ 的实部可写成

$$\mathrm{Re}F(j\omega)=\frac{\sigma}{1+\sigma^2\omega^2}=\pi\delta_\sigma(\omega)$$

取 $\varepsilon\to 0$（同时也就是 $\sigma\to\infty$）的极限，得到阶跃函数的频谱为

$$F(\mathrm{j}\omega)=\lim_{\varepsilon\to 0}F_{\varepsilon}(\mathrm{j}\omega)=\lim_{\varepsilon\to 0}\left[\pi\delta_{\sigma}(\omega)-\mathrm{j}\frac{\omega}{\varepsilon^{2}+\omega^{2}}\right]$$

$$=\pi\delta(\omega)+\frac{1}{\mathrm{j}\omega}$$

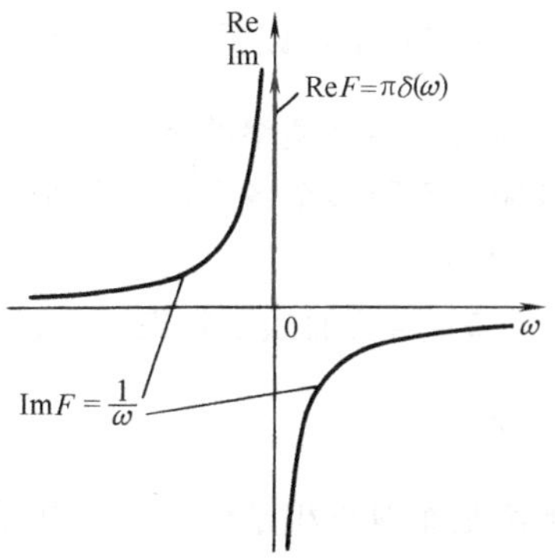

图 C-5 单位阶跃函数的频谱

图 C-5 所示是单位阶跃函数的频谱特性，由一个面积为 π，在 $\omega=0$ 时幅值为无限大的脉冲函数及随 ω 成反比的部分组成。如将上式中 δ 函数部分与常值函数及其频谱对比可知，阶跃函数中必将有等于 $\frac{1}{2}$ 的常值分量，对应的频谱是 $\pi\delta(\omega)$。而单位阶跃函数的另外部分，频率为从零到无限大，且频率差为无限小的无限多个正弦波叠加而成，这部分对应的频谱就是上式中与频率 ω 成反比的部分。表明这部分是连续频谱，而且随着频率 ω 增高而成反比衰减，即无限多个正弦波的幅值必是随频率 ω 增加而降低的。这一分析将由以下傅里叶反变换证明。

求单位阶跃函数 $1(t)$ 的傅里叶变换的反变换，得到单位阶跃函数。于是有

$$\begin{aligned}f(t)&=\frac{1}{2\pi}\int_{-\infty}^{\infty}F(\mathrm{j}\omega)\mathrm{e}^{\mathrm{j}\omega t}\mathrm{d}\omega=\frac{1}{2\pi}\int_{-\infty}^{\infty}\left[\pi\delta(\omega)+\frac{1}{\mathrm{j}\omega}\right]\mathrm{e}^{\mathrm{j}\omega t}\mathrm{d}\omega\\&=\frac{1}{2\pi}\int_{-\infty}^{\infty}\pi\delta(\omega)\mathrm{e}^{\mathrm{j}\omega t}\mathrm{d}\omega+\frac{1}{2\pi}\int_{-\infty}^{\infty}\frac{\mathrm{e}^{\mathrm{j}\omega t}}{\mathrm{j}\omega}\mathrm{d}\omega\end{aligned}\tag{C-10}$$

式（C-10）等号右侧第一项可以写成

$$\begin{aligned}\frac{1}{2\pi}\int_{-\infty}^{\infty}\pi\delta(\omega)\mathrm{e}^{\mathrm{j}\omega t}\mathrm{d}\omega&=\frac{1}{2\pi}\int_{-\infty}^{\infty}\left[\frac{1}{2}\int_{-\infty}^{\infty}\cos\omega t\mathrm{d}t\right]\mathrm{e}^{\mathrm{j}\omega t}\mathrm{d}\omega\\&=\frac{1}{2\pi}\int_{-\infty}^{\infty}\left[\frac{1}{2}\int_{-\infty}^{\infty}(\cos\omega t-\mathrm{j}\sin\omega t)\mathrm{d}t\right]\mathrm{e}^{\mathrm{j}\omega t}\mathrm{d}\omega\\&=\frac{1}{2\pi}\int_{-\infty}^{\infty}\left[\int_{-\infty}^{\infty}\frac{1}{2}\mathrm{e}^{-\mathrm{j}\omega t}\mathrm{d}t\right]\mathrm{e}^{\mathrm{j}\omega t}\mathrm{d}\omega=\frac{1}{2}\end{aligned}$$

式（C-10）等号右侧第二项是

$$\begin{aligned}\frac{1}{2\pi}\int_{-\infty}^{\infty}\frac{\mathrm{e}^{\mathrm{j}\omega t}}{\mathrm{j}\omega}\mathrm{d}\omega&=\frac{1}{2\pi}\int_{-\infty}^{\infty}\left[\frac{\cos\omega t}{\mathrm{j}\omega}+\frac{\sin\omega t}{\omega}\right]\mathrm{d}\omega\\&=\frac{1}{\pi}\int_{0}^{\infty}\frac{\sin\omega t}{\omega}\mathrm{d}\omega\end{aligned}$$

这是考虑了 $f(t)$ 仅有实部而虚部为零之后得到的结果。

从上述三式可知，单位阶跃函数可写为

$$1(t)=\frac{1}{2}+\frac{1}{\pi}\int_{0}^{\infty}\frac{\sin\omega t}{\omega}\mathrm{d}\omega\tag{C-11}$$

式（C-11）右侧第二项是不能积分的超越函数，但可由级数计算法求得

$$\int_{0}^{\infty}\frac{\sin\omega t}{\omega}\mathrm{d}\omega=\begin{cases}\dfrac{\pi}{2} & (t>0)\\-\dfrac{\pi}{2} & (t<0)\end{cases}$$

由此证明前式的正确性，同时也证实了单位阶跃函数的频谱特性表达式。

以上分析说明，非周期信号通过傅里叶变换及反变换，可以看成是由频谱是连续的不同频率的正弦波叠加而成。因此，非周期信号作用于系统的输入端，与组成此非周期信号的各频率正弦信号作用于系统的输入端等效。

系统的频率特性决定了系统在不同频率正弦输入下的响应，将所有频率的正弦响应叠加起来（因是线性系统），得到系统的时域响应。

如果已知输入信号的傅里叶变换 $R(\mathrm{j}\omega)$ 及线性定常系统的频率特性 $G(\mathrm{j}\omega)$，则系统输出的傅里叶变换为

$$C(\mathrm{j}\omega)=G(\mathrm{j}\omega)R(\mathrm{j}\omega)$$

再通过傅里叶反变换，可求得系统的时域响应

$$c(t)=\frac{1}{2\pi}\int_{-\infty}^{\infty}G(\mathrm{j}\omega)R(\mathrm{j}\omega)\mathrm{e}^{\mathrm{j}\omega t}\mathrm{d}\omega$$

这就是研究系统的频谱变换方法。

附录 D　采样函数的拉普拉斯变换

附录 D 将证明采样函数

$$e^*(t)=\sum_{n=0}^{\infty}e(t)\delta(t-nT)$$

的拉普拉斯变换为

$$E^*(s)=\frac{1}{T}\sum_{n=-\infty}^{+\infty}E(s+\mathrm{j}n\omega_s)$$

证　$E^*(s)=L\left[\sum_{n=0}^{\infty}e(t)\delta(t-nT)\right]=L\left[e(t)\sum_{n=0}^{\infty}\delta(t-nT)\right]$

考虑到 $\mathrm{L}[e(t)]=E(s)$，及

$$L\left[\sum_{n=0}^{\infty}\delta(t-nT)\right]=1+\mathrm{e}^{-Ts}+\mathrm{e}^{-2Ts}+\cdots=\frac{1}{1+\mathrm{e}^{-Ts}}\tag{D-1}$$

根据两函数乘积的拉普拉斯变换式可得

$$E^*(s)=\frac{1}{2\pi\mathrm{j}}\int_{c-\mathrm{j}\infty}^{c+\mathrm{j}\infty}E(p)\frac{1}{1-\mathrm{e}^{-T(s-p)}}\mathrm{d}p\tag{D-2}$$

上式中，c 为对于 $E(s)$ 的收敛横坐标。

设 $E(s)$ 的极点位于 s 平面左半部，且 $E(s)$ 的分母阶次比分子阶次至少高二阶，则

$$\lim_{s\to\infty}sE(s)=E(0^+)=0$$

函数 $\frac{1}{1-\mathrm{e}^{-T(s-p)}}$ 的极点为 $1-\mathrm{e}^{-T(s-p)}=0$ 的解，有无穷多个，即

$$p=s\pm\mathrm{j}n\omega_s\qquad(n=0,1,2,\cdots)$$

为了计算式（D-2）中的积分，可以选择一条轨迹，它由从 c−j∞ 到 c+j∞ 的一条直线，和右半 p 平面内具有无穷大半径的半圆组成（见图 D-1）。这条轨迹包围了 $1/(1-\mathrm{e}^{-T(s-p)})$ 的全部极点，但不包围 $E(p)$

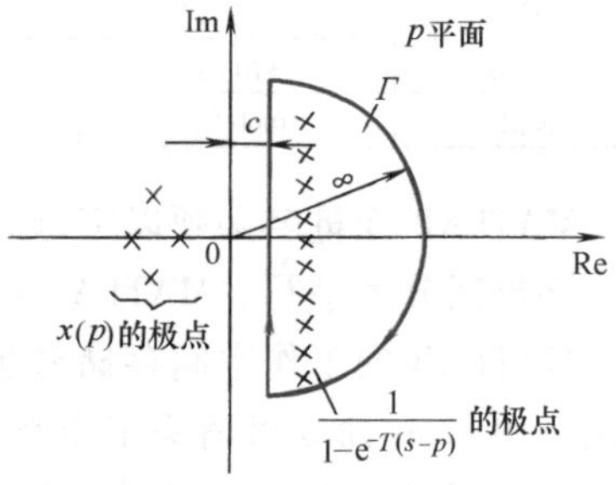

图 D-1　计算积分的图

的任一极点。

现在 $E^*(s)$ 可写成

$$E^*(s)=\frac{1}{2\pi j}\int_{c-j\infty}^{c+j\infty}\frac{E(p)}{1-e^{-T(s-p)}}dp$$
$$=\frac{1}{2\pi j}\oint\frac{E(p)}{1-e^{-T(s-p)}}dp-\frac{1}{2\pi j}\int_{\Gamma}\frac{E(p)}{1-e^{-T(s-p)}}dp$$

由于 $E(s)$ 的分母阶次比分子阶次至少大二阶，所以上式中后一项的积分值为零。因此

$$E^*(s)=\frac{1}{2\pi j}\oint\frac{E(p)}{1-e^{-T(s-p)}}dp$$

通过计算留数可得

$$E^*(s)=-\sum_{n=-\infty}^{\infty}\left.\frac{E(p)}{\frac{d}{dp}[1-e^{-T(s-p)}]}\right|_{p=s+jn\omega_s}$$
$$=\frac{1}{T}\sum_{n=-\infty}^{\infty}E(s+jn\omega_s)$$

附录 E MATLAB 控制系统工具箱功能简介

MATLAB（Matrix Laboratory）是美国 Math Works 公司发布的，集数值分析、矩阵运算、数据可视化、非线性动态系统建模和仿真等诸多强大功能于一身的交互式程序设计和科学计算环境。在该环境下建立的众多工具箱涉及自动控制、通信、人工智能、信号处理、图像处理、统计分析和财政金融等多个领域。本书应用 Control Systems Toolbox 和 Simulink 进行系统分析。以下各表列出了 MATLAB 常用运算符、Control Systems Toolbox 中经典控制理论部分的常用函数。

一、MATLAB 的常用运算、函数与特殊变量

MATLAB 的常用运算功能与运算符见表 E-1。

表 E-1 常用运算与函数

运算功能	运算符	函数	运算符	矩阵运算	运算符
加法、减法	+、-	正弦、余弦	sin( ),cos( )	A 的转置	A'
乘法	*	正切	tan( )	加、减、乘	+、-、*
除法	/	反正弦	asin( )	逆	inv( )
绝对值	abs( )	反正切	atan( )	乘方、元素乘方	^、.^
幂	^	指数	exp( )	点乘运算	.*
开平方	sqrt( )	对数	log( ),log10( )	矩阵的秩	rank( )
求根	roots( )			特征值	eig( )

MATLAB 变量名必须以字母开头（不超过 19 个字符），之后可以是字母、数字或下画线，字母区分大小写。MATLAB 的特殊变量见表 E-2。

MATLAB 的工作空间存储着创建的所有变量值，可在需要时调用，直到退出 MATLAB 为止。用 clear 命令可清除工作空间的变量。

查找 MATLAB 命令及其用法，可用 help、lookfor 命令，如“help abs”，“lookfor FFT”，后者可搜寻指定关键词的相关命令。

表 E-2 特殊变量

特殊变量	取值	特殊变量	取值
ans	用于结果的默认变量名	i,j	虚数
pi	圆周率	nargin	函数的输入变量数目
eps	计算机的最小数	nargout	函数的输出变量数目
flops	浮点运算数	realmin	最小的可用正实数
inf	无穷大,如 1/0	realmax	最大的可用正实数
NaN	不定量,如 0/0		

二、MATLAB 控制系统工具箱的基本功能

MATLAB 控制系统工具箱包含了线性定常模型 LTI（linear time invariant model）分析和设计的各种函数，表 E-3~表 E-6 分别选列了模型建立、转换与化简，时域响应，根轨迹和频域响应四个模块的部分函数名、功能和常用格式。

表 E-3 模型建立、转换与化简

函数名	功能	常用格式
c2d	将连续系统转换成离散系统	[numd,dend] = c2d(num,den,Ts),Ts 为采样周期 或[numd,dend] = c2d(num,den,Ts,'zoh'),零阶保持器
d2c	将离散系统转换成连续系统	[num,den] = d2c(numd,dend,Ts,'zoh')
tf2zp	变分子分母 s 多项式为零极点形式	[z,p,k] = tf2zp(num,den)
zp2tf	变零极点形式为分子分母 s 多项式	[num,den] = zp2tf(z,p,k)
ss2tf	变状态模型为传递函数	[num,den] = ss2tf(A,B,C,D)
tf2ss	变传递函数为状态模型	[A,B,C,D] = tf2ss(num,den)
ord2	建立二阶系统	[num,den] = ord2(Wn,Z),Wn 为自然振荡角频率,Z 为阻尼比
tf	创建传递函数模型	sys = tf(num,den),或 sys_d = tf(numd,dend,Ts)为脉冲传递函数
parallel	环节的并联连接	G = parallel(G1,G2),其中 G1 = tf(num1,den1),G2 = tf(num2,den2)
series	环节的串联连接	G = series(G1,G2),其中 G1 = tf(num1,den1),G2 = tf(num2,den2)
feedback	环节的反馈连接	sys = feedback(G,1),单位负反馈,其中 G = tf(num,den)
damp	求阻尼比和自然振荡角频率	[Wn,Z] = damp(sys),其中 sys = tf(num,den)
dcgain	计算系统的增益	K = dcgain(sys)

表 E-4 时域响应

函数名	功能	常用格式
step	求连续系统的单位阶跃响应	step(num,den),或[y,t] = step(num,den),或 step(num,den,tfinal)
impulse	求连续系统的单位脉冲响应	impulse(num,den),或[y,t] = impulse(num,den)
initial	求连续系统的零输入响应	initial(A,B,C,D,X0),其中 X0 为初始状态向量
lsim	仿真任意输入的连续系统	lsim(sys,u,t),其中 u 为任意输入,t 为时间轴数组,如 t=0：0.1：10
gensig	产生输入信号	[u,t] = gensig('square',T),生成周期为 T 的方波
dstep	求离散系统的单位阶跃响应	dstep(numd,dend),或[y,t] = dstep(numd,dend),dstep(numd,dend,n)
dimpulse	求离散系统的单位脉冲响应	dimpulse(numd,dend),或[y,t] = dimpulse(numd,dend)
dinitial	求离散系统的零输入响应	dinitial(A,B,C,D,X0),其中 A,B,C,D 为离散系统状态模型,X0 为初始状态向量
dlsim	仿真任意输入的离散系统	dlsim(numd,dend,u)

表 E-5 根轨迹

函数名	功能	常用格式
pzmap	在复平面绘制零极点，或列出零极点	pzmap(num,den)，或[P,Z]=pzmap(num,den)
rlocus	绘制根轨迹	rlocus(num,den)，或[R,K]=rlocus(num,den)
rlocfind	交互式地确定根轨迹的增益	rlocfind(num,den)，在 rlocus(num,den)执行后键入
roots	求多项式的根	roots(den)，den 为多项式系数行向量，降幂排列
sgrid	在 s 平面画 ω_n，ζ 网格	sgrid，或 sgrid(z,wn)，在执行 rlocus(num,den)后键入
zgrid	在离散系统的 z 平面画 ω_n，ζ 网格	zgrid，或 zgrid(z,wn)，在执行 rlocus(numd,dend)后键入

表 E-6 频域响应

函数名	功能	常用格式
bode	求连续系统的伯德图	bode(num,den)，或[mag,phase,w]=bode(num,den)， 或 bode(num,den,{wmin,wmax})，wmin，wmax——rad/s
nyquist	求连续系统的极坐标图	nyquist(num,den)，[Re,Im,w]=nyquist(num,den)
margin	计算稳定裕度	margin(mag,phase,w)，在执行 bode(num,den)后， 或[Gm,Pm,Wcg,Wcp]=margin(num,den)
nichols	求连续系统的尼柯尔斯曲线	nichols(num,den)
ngrid	绘制尼柯尔斯曲线网格	在执行 nichols(num,den)后

英中文控制理论词汇对照表

A

Absolute value	绝对值
Active network	有源网络
Actuating signal	作用信号
Actuator	执行机构
Adjust	调整
Adaptive control	自适应控制
Amplitude	幅值
Analog computer	模拟计算机
Analog signal	模拟信号
Angle condition	相位条件
Angle of arrival	入射角
Angle of departure	出射角
Angular accelaration	角加速度
Asymptote	渐近线
Asymptotic stable	渐近稳定
Automatic control	自动控制
Attenuation	衰减
Auxiliary equation	辅助方程

B

Backlash	间隙，回环
Bandwidth	带宽
Bang-bang control	砰-砰控制
Biocybernetics	生物控制论
Block diagram	框图，方块图，结构图
Bode plot	伯德图
Branch	分支，支路
Breakaway points	分离点

By-pass	旁路

C

CAD (computer aided design)	计算机辅助设计
Cascade compensation	串联补偿（校正）
Channel	通道
Characteristic equation	特征方程
Circuit	电路
Classical control theory	经典控制理论
Closed loop control system	闭环控制系统
Combinational control system	复合控制系统
Comparator	比较器
Comparing element	比较元件，比较环节
Compound control	复合控制
Compensation	补偿，校正
Complex plane	复平面
Conditional stability	有条件稳定
Continuous system	连续系统
Controlling machine	控制机
Control system	控制系统
Controllability	可控性，能控性
Corner frequency	转折频率，交接频率
Correction	校正
Criterion	判据，准则
Critical damping	临界阻尼
Critical stable	临界稳定
Cut off rate	剪切率
Cybernetics	控制论

D

Damped natural frequency	有阻尼自然频率
Damper	阻尼器
Damping factor	阻尼系数
Dead Zone	死区
Delay	滞后
Delay element	滞后环节
Denominator	分母
Derivative control	微分控制
Determinant	行列式
Deviation	偏差
Differential equations	微分方程

Discrete-data system	离散数据系统
Disturbance	扰动，干扰
Duality	对偶性
Dynamic equation	动态方程
Dynamic error	动态误差
Dynamic process	动态过程

E

Equilibrium state	平衡状态
Eigenvalue	特征值
Eigenvector	特征向量
Element	元件，环节
Error	误差
Error coefficient	误差系数
Error signal	误差信号
Even symmetry	偶对称
External discription	外部描述（法）

F

Feedback	反馈
Feedback control	反馈控制
Feedback element	反馈环节
Feedforward	前馈
Final value	终值
Focus	焦点
Forward path	前向通道
Fraction	分数
Frequency	频率
Frequency domain	频域
Frequency response	频率响应
Friction	摩擦
Function	函数
Fuzzy control	模糊控制

G

Gain	增益
Gain margin	增益裕度，幅值裕度
Gear backlash	齿轮间隙
Graphical method	图解法
Guidance system	制导系统
Gravitation area	引力域

Gyro	陀螺

H

Holder	保持器
Homogeneous equation	齐次方程
Hurwitz determinant	赫尔维茨行列式
Hydraulic system	液压系统
Hysteresis loop	磁滞回环

I

Idcalized system	理想化系统
Identification	辨识
Impulse response	脉冲响应
Industry robot	工业机器人
Inertia	惯性
Inherent characteristic	固有特性
Initial state	初始状态
Initial value theorem	初值定理
Inner loop	内环
Input	输入
Input node	输入节点
Integral control	积分控制
Internal discription	内部描述（法）
Intelligent instrument	智能仪表
Inverse matrix	逆矩阵
Inverse transformation	反变换
Isocline method	等倾线法
Iterative algorithm	迭代算法

J

Jordan block	约旦块
Jordan canonical form	约旦标准型

K

Kalman criterion	卡尔曼准则
Kalman filter	卡尔曼滤波器

L

Lag network	滞后网络
Large scale system	大系统
Lead network	超前网络

Limit cycle	极限环
Linearization	线性化
Linear system	线性系统
Linear programing	线性规划
Load	负载
Locus	轨迹
Logic diagram	逻辑图
Log magnitude	对数幅值
Low pass characteristic	低通特性

M

Magnitude condition	幅值条件
Magnitude-versus-phase plot	幅相特性
Mason rule	梅逊公式
Mathematical model	数学模型
Matrix	矩阵
Maximum overshoot	最大超调量
Minimum phase system	最小相位系统
Model decomposition	模型分解
Moment of inertia	转动惯量
Multinomial	多项式（的）
Multivariable system	多变量系统

N

Natural frequency	自然频率
Negative feedback	负反馈
Nichols chart	尼柯尔斯图线
Node	节点
Noise	噪声
Nonlinear control system	非线性控制系统
Nonminimum phase system	非最小相位系统
Nonsingular	非奇异的
Norm	范数
Numerator	分子
Nyquist criterion	奈奎斯特判据

O

Observability	可观性，能观性
Observer	观测器
Odd symmetry	奇对称
Off line	离线

On line	在线
Open loop	开环
Optimal control	最优控制
Optimization	最优化
Oscillation	振荡
Oscillatory response	振荡响应
Output	输出
Output signal	输出信号
Over damping	过阻尼
Overshoot	超调量

P

Parabola signal	抛物线信号
Parameter	参数
Peak overshoot	超调峰值
Peak time	峰值时间
Performance index	性能指标
Phase lag	相位滞后
Phase lead	相位超前
Phase margin	相位裕度
Phase plane	相平面
Piece-wise linearization	分段线性化
Pole	极点
Pole assignment	极点配置
Position error	位置误差
Positive definiteness	正定性
Process control	过程控制
Proportional control	比例控制
Pulse	脉冲
Pulse width	脉宽
Pure delay	纯滞后

Q

Quadratic form	二次型
Quality control	质量控制
Quantizer	数字转换器

R

Ramp input	斜坡输入
Rate feedback	速度反馈
Realization	实现

Regulator	调节器
Relay	继电器
Relative stability	相对稳定性
Reliability	可靠性
Remote control	遥控
Resonance	谐振
Response	响应
Rise time	上升时间
Roots locus	根轨迹
Routh array	劳斯阵列
Routh-Hurwitz criterion	劳斯—赫尔维茨判据

S

Sampling control	采样控制
Sampling frequency	采样频率
Sampling period	采样周期
Saturation	饱和
Scalar function	标量函数
Sensitivity	灵敏度
Sensor	传感器
Set value	设定值
Settling time	调整时间
Signal flow graph	信号流图
Singularity	奇点
Stability	稳定（性）
State equations	状态方程
State variables	状态变量
Steady-state error	稳态误差
Step signal	阶跃信号
Step response	阶跃响应
Stochastic process	随机过程
Superposition	叠加
System identification	系统辨识

T

Threshold value	阈值
Time constant	时间常数
Time domain	时域
Time-invariant system	定常（时不变）系统
Time-varying system	时变系统
Trajectory	轨迹

Transfer function	传递函数
Transfer matrix	传递矩阵
Transient response	暂态响应
Transportation lag	传输滞后
Transpose	转置

U

Undamped natural frequency	无阻尼自然频率
Underdamping	欠阻尼
Uniform stability	一致稳定
Unit circle	单位圆
Unit impulse	单位脉冲
Unit step function	单位阶跃函数
Unity feedback	单位反馈
Unity matrix	单位矩阵
Unstable	不稳定的
Unsymmetrical	不对称的

V

Variable	变量
Vector	向量
Velocity feedback	速度反馈
Viscous friction	粘摩擦

W

Wave	波
Waveform	波形
Weighting function	加权函数
White noise	白噪声

Z

Zero	零点
Zero input response	零输入响应
Zero-order holder	零阶保持器
Zero-state response	零状态响应
Z-transfer function	z 传递函数
Z-transformation	z 变换

参考文献

[1] KUO B C. Automatic Control Systems [M]. 8th ed. New Jersey: Prentice-Hall Inc., 2002.
[2] 胡寿松. 自动控制原理 [M]. 4版. 北京：科学出版社，2007.
[3] 李友善. 自动控制原理 [M]. 3版. 北京：国防工业出版社，2005.
[4] 周其节. 自动控制原理 [M]. 北京：电子工业出版社，1985.
[5] 王广雄. 自动控制系统设计 [M]. 北京：宇航出版社，1986.
[6] 周斌，倪荣庆，刘长吉. 自动控制系统实验技术 [M]. 北京：机械工业出版社，1986.
[7] CHEN C T. Introduction to Linear System Theory [M]. New York: Holt, Rinehart and Winston Inc., 1975.
[8] VIDYASAGAR M. Nonlinear Systems Analysis [M]. 2nd ed. New Jersey: Prentice-Hall Inc., 1993.
[9] 夏德钤. 自动控制理论实验和习题集 [M]. 北京：机械工业出版社，1994.
[10] 张晓华. 控制系统数字仿真与CAD [M]. 北京：机械工业出版社，1999.
[11] 楼顺天，于卫. 基于MATLAB的系统分析与设计：控制系统 [M]. 西安：西安电子科技大学出版社，1999.
[12] 夏德钤. 反馈控制理论 [M]. 哈尔滨：哈尔滨工业大学出版社，1984.
[13] 夏德钤. 中国大百科全书自动控制与系统工程分册：自动控制系统分支 [M]. 北京：中国大百科全书出版社，1991.

参考文献

[1] [illegible] Control Systems [illegible] ed. [illegible] Prentice Hall [illegible] 200[illegible]
[2] [illegible]
[3] [illegible]
[4] [illegible]
[5] [illegible]
[6] [illegible]
[7] [illegible] Introduction to [illegible] System Theory [illegible] New York: [illegible] 197[illegible]
[8] [illegible] Nonlinear Systems [illegible] Prentice-Hall [illegible]
[9] [illegible]
[10] [illegible] 199[illegible]
[11] [illegible] MATLAB [illegible] 199[illegible]
[12] [illegible]
[13] [illegible]

本书为“十二五”普通高等教育本科国家级规划教材。

本书主要介绍分析和设计反馈控制系统的经典理论和应用的方法，全书共九章，内容有自动控制系统的基本概念，线性系统的数学模型，线性系统的时域分析、根轨迹分析和频域分析，线性系统的校正，非线性系统的分析，采样控制系统的分析，平稳随机信号作用下线性系统的分析等。

本书配有免费电子课件及习题解答，并增加了丰富的二维码视频，同时，为适应当前教学需求，在相关章节增加了课程思政的内容。

本书为高等学校自动化专业的教材，也可作为电气工程及其自动化、检测技术与自动化装置等自动控制类专业教学用书，还可供从事自动控制系统工程的技术人员参考。

图书在版编目（CIP）数据

自动控制理论/夏德钤，翁贻方编著．—5 版．—北京：机械工业出版社，2023.3（2025.1 重印）

“十二五”普通高等教育本科国家级规划教材

ISBN 978-7-111-72320-2

Ⅰ.①自…　Ⅱ.①夏…　②翁…　Ⅲ.①自动控制理论-高等学校-教材　Ⅳ.①TP13

中国版本图书馆 CIP 数据核字（2022）第 252567 号

机械工业出版社（北京市百万庄大街 22 号　邮政编码 100037）

策划编辑：王雅新　　责任编辑：王雅新

责任校对：樊钟英　李　杉　　封面设计：王　旭

责任印制：李　昂

北京捷迅佳彩印刷有限公司印刷

2025 年 1 月第 5 版第 3 次印刷

184mm×260mm · 25.5 印张 · 664 千字

标准书号：ISBN 978-7-111-72320-2

定价：75.00 元

电话服务

客服电话：010-88361066

010-88379833

010-68326294

网络服务

机　工　官　网：www.cmpbook.com

机　工　官　博：weibo.com/cmp1952

金　　书　　网：www.golden-book.com

机工教育服务网：www.cmpedu.com

“十二五”普通高等教育本科国家级规划教材
普通高等教育“十一五”国家级规划教材

自动控制理论

第5版

夏德钤　翁贻方　编著

机械工业出版社